NHK 漢字表記辞典

NHK出版

『NHK漢字表記辞典』の刊行にあたって

　平成22年11月30日、新しい常用漢字表が内閣告示されました。常用漢字表が見直されるのは昭和56年以来、実に29年ぶりのことです。今回の改定で196字増え5字減って2,136字になりました。この『NHK漢字表記辞典』は一連の常用漢字表の見直しに対応するものです。これまでは『NHK用字用語辞典』『NHK新用字用語辞典』という名前で刊行してきましたが、今回はNHKの放送で漢字をどのように表記するかを示す辞典であることを明確にするため、新たに『NHK漢字表記辞典』としました。基本的な構成は従来どおりですが、更新した項目は用例の変更・追加などを含めて2,200項目にのぼります。

　日本語の表記は漢字とひらがな、カタカナからなる複雑なものです。さらに時代の変化とともに新しいことばも増え、放送の表記をいかにわかりやすいものにするか、先人たちは格闘してきました。今回この辞典を編集するにあたって、平成21年春に全国の高校生1万1千人あまりを対象に放送文化研究所が「全国高校3年生漢字調査」を実施しました。その結果、ほぼ100％読めるものから、わずか1％しか読めないものまで幅広い実態があることがわかりました。このためこの辞典では、難しい「音読み」の漢字に読みがなをつけ、難しい「訓読み」の漢字は「ひらがな優先」という新たな原則も設定しました。そして、一部独自の判断で使う漢字や使わない漢字を決めています。今回、NHKでは新たに「絆」など8つの漢字と「教誨師（きょうかいし）」など30あまりの熟語を独自に使うことにしました。

　テレビ放送が開始されてから文字情報は長きにわたって補助的なものでした。しかし2000（平成12）年のBSデジタル放送の開始を契機に、

データ放送が始まり、インターネットでも情報が伝えられることで、文字情報の大切さが見直されつつあります。耳の不自由な人や高齢者のための字幕放送の拡充も進んでいます。ニュースのインタビューで人がしゃべった内容も逐語的に字幕で出すことが日常的になってきました。そして、ことしは完全デジタル元年です。放送と通信の融合の時代は、文字表記の役割が大きな時代でもあります。視聴者の立場にたった、わかりやすい放送のために、この『NHK漢字表記辞典』が活用されることを願っています。

　今回の改定にあたってはNHK放送用語委員の皆さまから専門的な助言をいただくとともに、各種の調査にもご協力いただきました。また放送現場にアンケートを行い貴重な声を集めることができました。ご協力ありがとうございました。

　なお、NHK放送用語委員会の委員は下記の方々です。
　　水谷　　修氏　　（名古屋外国語大学長）
　　井上　史雄氏　　（明海大学教授）
　　野村　雅昭氏　　（早稲田大学名誉教授）
　　天野　祐吉氏　　（評論家）
　　清水　義範氏　　（作家）
　　井上　由美子氏（脚本家）
　　荻野　綱男氏　　（日本大学教授）

　　　　　　　　　　　　　　　　　　（就任順）

平成23年3月

　　　　　　　　　　　　　　　　　NHK放送文化研究所
　　　　　　　　　　　　　　　　　所長　　岩澤　忠彦

目　　次

『NHK 漢字表記辞典』の刊行にあたって
ことばの表記について ……………………………………………… 6
　基本方針 ………………………………………………………… 6
　原　則 …………………………………………………………… 7
　　I　漢字 ……………………………………………………… 7
　　II　ひらがなで書く語 …………………………………… 23
　　III　カタカナで書く語 …………………………………… 29
　　IV　かなづかい …………………………………………… 32
　　V　送りがな ……………………………………………… 37
　　VI　数字の書き方 ………………………………………… 45
　　VII　アルファベット文字(ローマ字)の使い方 ………… 56
　　VIII　繰り返し符号の使い方 ……………………………… 57
「読みがな」を付けることが望ましい語（難読の音読み）……… 58
用例集の使い方 …………………………………………………… 59

用例集 ……………………………………………………………… *1*

付録1　常用漢字一覧 ………………………………………… *1*
付録2　常用漢字表　答申(基本的な考え方) ……………… *25*
付録3　学年別漢字配当表(教育漢字表) …………………… *48*
付録4　ローマ字のつづり方 ………………………………… *52*
付録5　現代仮名遣い ………………………………………… *54*

······· 「ことばの表記について(原則)」の内容 ·······

Ⅰ 漢字(p.7)
  1. 「常用漢字表」とは
  2. 漢字使用の原則
  3. 「常用漢字表(新)」で追加された字種と音訓
  4. NHKが独自に使うことを決めた漢字と音訓
  5. 不使用にしていた「常用漢字表(旧)」の表内字のうち，改定にあわせて使うことにした漢字
  6. 「常用漢字表」にあっても，原則として使わない漢字
  7. 「常用漢字表(旧)」から削除された漢字
  8. 代用字(代用表記)の扱い
  9. 「常用漢字表」にない漢字や音訓を含むが，NHKが「常用漢字表」改定にあわせて特例として使用する熟語
  10. 表外字・表外音訓を用いてよい語
  11. 熟字などの音変化
  12. 字体

Ⅱ ひらがなで書く語(p.23)
  1. 表外字・表外音訓の語はかな書き
  2. 品詞から見てなるべくかな書きにする語
  3. かな書きの慣用があるもの
  4. 読み誤りを防ぐため，かな書きする語
  5. 読みやすくする場合

Ⅲ **カタカナで書く語**(p.29)
1. 外国語・外来語
2. 外来の計量単位・貨幣単位など
3. カタカナ書きの慣用があるもの
4. 語を強調する場合

Ⅳ **かなづかい**(p.32)
1. 発音とかなの一致
2. よう(拗)音,促音の書き方
3. 長音の書き方
4. 助詞の「を」「は」「へ」
5. 「言う」は「いう」
6. 「じ」「ず」と「ぢ」「づ」

Ⅴ **送りがな**(p.37)
1. 動詞　2. 形容詞　3. 形容動詞　4. 名詞
5. 代名詞　6. 数詞　7. 副詞,連体詞

Ⅵ **数字の書き方**(p.45)
1. 左横書きの場合　　2. 縦書きの場合

Ⅶ **アルファベット文字(ローマ字)の使い方**(p.56)

Ⅷ **繰り返し符号の使い方**(p.57)

「読みがな」を付けることが望ましい語(難読の音読み)(p.58)

ことばの表記について

基 本 方 針

　放送のことばの表記は，「常用漢字表」(注)，「現代仮名遣い」，「送り仮名の付け方」などをよりどころにして，漢字やかなを正しく使う。
　番組の内容や場面に応じた，適切な書き表し方を考え，見やすさ，わかりやすさを心がける。

「常用漢字表」平成 22 年 11 月 30 日　内閣訓令・告示
「現代仮名遣い」昭和 61 年 7 月 1 日　内閣訓令・告示
「送り仮名の付け方」昭和 48 年 6 月 18 日　内閣訓令・告示
　ただし，この辞典の表記の原則には，一部に放送の立場を考慮して，独自の取り決めを含んでいる。

(注)　『NHK 漢字表記辞典』でいう，「常用漢字表」とは，原則として平成 22 年 11 月に内閣告示された改定後の「常用漢字表」のことをさす。必要な場合には，昭和 56 年に内閣告示された改定前の「常用漢字表」を「常用漢字表(旧)」，改定後の常用漢字表を「常用漢字表(新)」と記述する。

原　則

I　漢字

　漢字は原則として「常用漢字表」にある漢字，およびNHKが独自に使うことを決めた漢字を，決められた音訓の範囲内で使う。

　ただし，「常用漢字表」にある漢字であっても，NHKとして使わないことにしているものがある。

　「常用漢字表」にある漢字やNHKが独自で使うことを決めた漢字は，漢字で書けることを示しているのであって，必ずしも漢字で書く必要はない。『NHK漢字表記辞典』に漢字で書いてもよいとしている語でも，「かな表記」のほうが放送ではわかりやすいと判断した場合は，かなで書く。

1.「常用漢字表」とは

　「常用漢字表」は，法令・公用文書・新聞・雑誌・放送など，一般の社会生活における漢字使用の目安として，平成22年11月に内閣告示された漢字の一覧である。

　「常用漢字表」は「本表」と「付表」とから成る。

- 本表…常用漢字2,136字とその音訓を掲げてある。
- 付表…漢字2字以上から成る熟字訓を含む，いわゆる当て字などが収められている。これらは主として本表の音訓にない読み方をするものである。

　（おのおのの漢字と音訓は，付録1「常用漢字一覧」を参照）

2. 漢字使用の原則

「読みがな」を付ける語と「かな書き優先語」は,以下のとおり。

□　NHKの放送で使う漢字のうち,読み方が難しい音読みの語には,「読みがな」を付ける(p.58参照)。
　「読みがな」とは,漢字の上に付ける「ルビ」または漢字の後ろに(　)で付けるひらがな表記のことをいう。

　　〈例〉　遡上（そじょう）　補填（ほてん）　または,
　　　　　遡上(そじょう)　　補填(ほてん)
　　　　　※この辞典の表記は,補填(ほてん)［読］

□　読み方が難しい訓読みの語は,「ひらがな優先」(①ひらがな ②漢字)とする。

　　〈例〉　①もてあそぶ　②弄ぶ
　　　　　①さかのぼる　②遡る

□　読み方がやさしい語でも「ひらがな書きが望ましいもの」や「かな,漢字両方の表記の慣用があるもの」などは,「ひらがな優先」(①ひらがな ②漢字)とする。

　　〈例〉　①いす　②椅子
　　　　　①あいまい　②曖昧

3.「常用漢字表(新)」で追加された字種と音訓

(1)「常用漢字表(新)」に追加された字種(196字)

＊…NHKが常用漢字表改定前から独自に使用している字種(45字)

漢字	読み	漢字	読み	漢字	読み	漢字	読み	漢字	読み	漢字	読み
挨	アイ	旺	オウ	＊釜	かま	熊	くま	傲	ゴウ	鹿	しか
曖	アイ	岡	おか	鎌	かま	＊詣	ケイ／もうでる	＊駒	こま	叱	シツ／しかる
宛	あてる	臆	オク	韓	カン	憬	ケイ	頃	ころ	嫉	シツ
＊嵐	あらし	俺	おれ	＊玩	ガン	稽	ケイ	＊痕	コン／あと	＊腫	シュ／はれる／はらす
畏	イ／おそれる	苛	カ	伎	キ	隙	ゲキ／すき	沙	サ	呪	ジュ／のろう
萎	イ／なえる	＊牙	ゲ／きば	＊亀	キ／かめ	桁	けた	＊挫	ザ	＊袖	シュウ／そで
椅	イ	＊瓦	ガ／かわら	毀	キ	＊拳	ケン／こぶし	采	サイ	羞	シュウ
彙	イ	楷	カイ	畿	キ	＊鍵	ケン／かぎ	塞	サイ／ソク／ふさぐ／ふさがる	蹴	シュウ／ける
茨	いばら	潰	カイ／つぶす／つぶれる	＊臼	キュウ／うす	＊舷	ゲン	埼	さい	憧	ショウ／あこがれる
咽	イン	諧	カイ	嗅	キュウ／かぐ	股	コ／また	柵	サク	拭	ショク／ふく／ぬぐう
淫	イン／みだら	崖	ガイ／がけ	巾	キン	＊虎	コ／とら	刹	サツ／セツ	＊尻	しり
唄	うた	蓋	ガイ／ふた	僅	キン／わずか	鍋	コウ	拶	サツ	芯	シン
鬱	ウツ	骸	ガイ	＊錦	キン／にしき	勾	コウ	斬	ザン／きる	＊腎	ジン
怨	エン／オン	＊柿	かき	惧	グ	梗	コウ	恣	シ	＊須	ス
媛	エン	顎	ガク／あご	串	くし	喉	コウ／のど	摯	シ	裾	すそ
艶	エン／つや	葛	カツ／くず	窟	クツ	乞	こう	＊餌	ジ／えさ／え	凄	セイ

醒 セイ	汰 タ	塡 テン	罵 ののしる/バ	哺 ホ	瘍 ヨウ
脊 セキ	唾 つば/ダ	妬 ねたむ/ト	剝 はがす/はぐ/はがれる/はげる/ハク	蜂 はち/ホウ	沃 ヨク
戚 セキ	堆 タイ	*賭 かける/ト		貌 ボウ	*拉 ラ
煎 いる/セン	戴 タイ	藤 ふじ/トウ	箸 はし	頰 ほお	辣 ラツ
羨 うらやむ/うらやましい/セン	*誰 だれ	*瞳 ひとみ/ドウ	氾 ハン	睦 ボク	藍 あい/ラン
*腺 セン	旦 タン/ダン	栃 とち	*汎 ハン	勃 ボツ	璃 リ
詮 セン	綻 ほころびる/タン	*頓 トン	阪 ハン	昧 マイ	慄 リツ
箋 セン	緻 チ	貪 むさぼる/ドン	*斑 ハン	*枕 まくら	侶 リョ
膳 ゼン	*酎 チュウ	*丼 どんぶり/どん	眉 まゆ/ビ/ミ	蜜 ミツ	瞭 リョウ
*狙 ねらう/ソ	貼 はる/チョウ	那 ナ	膝 ひざ	冥 メイ/ミョウ	瑠 ル
遡 さかのぼる/ソ	嘲 あざける/チョウ	奈 ナ	肘 ひじ	麺 メン	*呂 ロ
*曽 ソウ/ゾ	捗 チョク	*梨 なし	阜 フ	冶 ヤ	賂 ロ
爽 さわやか/ソウ	椎 ツイ	*謎 なぞ	訃 フ	弥 や	弄 もてあそぶ/ロウ
痩 やせる/ソウ	爪 つめ/つま	*鍋 なべ	蔽 ヘイ	*闇 やみ	籠 かご/こもる/ロウ
踪 ソウ	*鶴 つる	匂 におう	餅 もち/ヘイ	喩 ユ	麓 ふもと/ロク
捉 とらえる/ソク	諦 あきらめる/テイ	虹 にじ	璧 ヘキ	湧 わく/ユウ	*脇 わき
遜 ソン	溺 おぼれる/デキ	捻 ネン	蔑 さげすむ/ベツ	*妖 あやしい/ヨウ	

原則（Ⅰ 漢字）

（2）「常用漢字表（旧）」から削除された字種（5字）

勺　　錘　　銑　　脹　　匁

（3）「常用漢字表（新）」に追加された音訓

下線…「常用漢字表（新）」に追加された音訓（28字）
＊…追加音訓（下線の読み）をNHKが常用漢字表改定前から独自に使用

＊委　イ／ゆだねる
育　イク／そだてる／そだてる／はぐくむ
＊応　オウ／こたえる
滑　カツ／コツ／すべる／なめらか
関　カン／せき／かかわる

＊館　カン／やかた
鑑　カン／かんがみる
混　コン／まじる／まざる／まぜる／こむ
私　シ／わたくし／わたし
臭　シュウ／くさい／におう

＊旬　ジュン／シュン
伸　シン／のびる／のばす／のべる
振　シン／ふる／ふるう／うう
＊粋　スイ／いき
逝　セイ／ゆく／いく

拙　セツ／つたない
全　ゼン／まったく／すべて
創　ソウ／つくる
速　ソク／はやい／はやめる／はやまる／すみやか
他　タ／ほか

中　チュウ／ジュウ／なか
＊描　ビョウ／えがく／かく
放　ホウ／はなす／はなれる／ほう
務　ム／つとめる／つとまる
＊癒　ユ／いえる／いやす

＊要　ヨウ／かなめ／いる
絡　ラク／からむ／からまる／からめる
類　ルイ／たぐい

（4）音訓の変更

側　ソク／かわ　→　側　ソク／がわ（「かわ」とも）　…「かわ」を「がわ」に変更

（5）音訓の削除

畝　せ／うね　→　畝　うね　…「せ」を削除

疲　ヒ／つかれる／つからす　→　疲　ヒ／つかれる　…「つからす」を削除

浦　ホ／うら　→　浦　うら　…「ホ」を削除

（6）付表に追加された熟語

海士（あま）　　鍛冶（かじ）　　固唾（かたず）　　尻尾（しっぽ）　　老舗（しにせ）
真面目（まじめ）　弥生（やよい）

※付表は「雪崩（なだれ）」「紅葉（もみじ）」など，一字一字の音訓をあげられない熟字訓もしくは当て字を語の形で掲げたもの。

4. NHKが独自に使うことを決めた漢字と音訓

＊印は日本新聞協会の新聞用語懇談会（放送・新聞・通信が加盟）が協議して採用したもの。

（1）「常用漢字表」の改定前から独自に使っている3つの漢字と3つの音訓（下線部）

〈使用例〉

磯	{いそ}＊	磯釣り
哨	{ショウ}＊	哨戒機　前哨戦
鵜	{う}	鵜　鵜飼い　鵜匠
鶏	{ケイ　にわとり　とり}＊	鶏肉
虹	{コウ　にじ}＊	虹彩
証	{ショウ　あかす}＊	

（2）「常用漢字表」の改定にあわせて新たに独自使用を決めた漢字と音訓　　　　　　　　　　　　　　　　　　　（8字種）

〈使用例〉

絆	{きずな}＊	
疹	{シン}＊	発疹　風疹　麻疹
胚	{ハイ}＊	クローン胚　胚芽
炒	{いためる}	炒める
肛	{コウ}	肛門　脱肛
諜	{チョウ}	諜報
挽	{バン}	挽回　挽歌
禄	{ロク}	貫禄　余禄　禄高

5. 不使用にしていた「常用漢字表(旧)」の表内字(注)のうち，改定にあわせて使うことにした漢字（3字種）

　　　箇　濫　謁

　これらの字は日本新聞協会の新聞用語懇談会とともにNHKでも使うことにした。

　　箇…「故障の箇所」「箇条書き」とする。
　　　　「箇」については，「常用漢字表(旧)」の表内字だったが，NHKと新聞協会は，「個」の音として「コ」以外に「カ」を加え，代用表記として「個所」「個条書き」としてきた。「常用漢字表」の改定にあわせて，独自使用の「個」の音「カ」を削除するとともに，本来の表記の「故障の箇所」「箇条書き」とした。
　　　　ただし，「3か所」などは「○か所」，「3か条」などは「○か条」のままとする。
　　濫…「氾濫」の限定使用とする。「乱伐，乱発，乱費，乱用」などは，「乱」を使い，「濫」は使わない。
　　謁…「謁見」「拝謁」などに使う。

　(注)　**「表内字」**は，「常用漢字表」の表内にある漢字，**「表外字」**は，「常用漢字表」に含まれていない漢字のことをいう。

6.「常用漢字表」にあっても，原則として使わない漢字（7字種）

　　虞　且　遵　但　朕　附　又

　これらの字は日本新聞協会の新聞用語懇談会とともに使わないことにしたもの。

7.「常用漢字表（旧）」から削除された漢字（5字種）

　　勺　錘　銑　脹　匁

8. 代用字（代用表記）の扱い

　「常用漢字表」に含まれない字について，すでに書きかえや言いかえが広く行われているものは，その表記に従う。

　　〈例〉
　　（書きかえ）
　　供応 ← ×饗応　　月食 ← 月×蝕　　車両 ← 車×輛
　　編集 ← 編×輯　　世論 ← ×輿論　　連合 ← ×聯合

　　（言いかえ）
　　汚職 ← ×瀆職　　騒乱 ← 騒×擾

　「常用漢字表」の改定で，「毀，鋼，臆，腎，窟，潰，苛」などの漢字が新たに採用されたことにより，漢字を同音の表内字で代用する「代用字」(注)について，本来の表記ができるものが増えた。代用字を本来の表記に戻したものもあるが，代用表記が定着しているため引き続き代用字を使用することにしたものもある。代用字のNHKの表記は，新聞協会とほぼ同じ方針をとっている。

原則（Ⅰ 漢字）

（1）「常用漢字表」の改定にあわせて代用字を本来の表記に変えたもの

  名誉棄損   → 　表記変更　 　**名誉毀損**
  禁固   → 　表記変更　 　**禁錮**
  憶説，憶測，憶する → 　表記変更　 　**臆説，臆測，臆する**

（2）代用字による表記を継続するもの

  肝心　継続　 「肝腎」は不使用
  過酷　継続　 特にむごさ，無慈悲なさまを強
           調したい場合は「苛酷」も
  理屈，偏屈　継続　 「理窟，偏窟」は不使用
  壊滅，決壊，全壊　継続　「潰滅，決潰，全潰」は不使用
  破棄　継続　 「破毀」は不使用
  乱獲，乱造，乱読，乱伐，乱用　継続
      「濫獲，濫造，濫読，濫伐，濫用」は不使用

（3）「常用漢字表」に漢字は採用されなかったが，代用字の使用をやめて，読みがな付きで本来の表記に戻すもの

  奇弁   → 　表記変更　 　**詭弁**（きべん）
  教戒，教戒師 → 　表記変更　 　**教誨，教誨師**（きょうかい，きょうかいし）

（注）「**代用字**」には，昭和 31 年，国語審議会（当時）答申による「同音の漢字による書きかえ」と，日本新聞協会が決めた「新聞代用字」がある。

原則(I 漢字)

9.「常用漢字表」にない漢字や音訓(「表外字」,「表外音訓」(注1))を含むが,NHKが「常用漢字表」改定にあわせて特例として使用する熟語

＊印は日本新聞協会の新聞用語懇談会が採用した語で,このうち下線の語は,平成22年11月の「常用漢字表」改定にあわせて追加したもの。＊印のない語は,新聞協会とは別にNHK独自で採用。

「読みがな」なし

　　一揆＊　　公家＊　　庄屋＊　　外様＊　　錦の御旗＊
　　埴輪＊　　語り部＊　　川面＊　　多士済々＊
　　浪花節＊　　蘇生＊　　銑鉄＊(注2)　　校倉　　新嘗祭
　　入り母屋造り＊

「読みがな」付き

　　隕石(いんせき)＊　　凱旋(がいせん)＊　　凱歌(がいか)＊　　伎楽(ぎがく)(注3)　　詭弁(きべん)＊
　　教誨(きょうかい)　　教誨師(きょうかいし)　　炬火(きょか)＊　　三線(さんしん)(注3)　　拿捕(だほ)＊
　　砥石(といし)　　杜氏(とうじ)(「とじ」とも)＊　　般若(はんにゃ)＊　　菩提(ぼだい)＊
　　熟柿(じゅくし)(注4)＊　　梨園(りえん)＊

(注1)「表外音訓」は,漢字は「常用漢字表」の表内にあるが,その読み方が漢字表で認められていない音訓のこと。
(注2)「銑」は,「常用漢字表(新)」で削除された字種だが,「銑鉄」の熟語として採用。
(注3)「伎楽」「三線」は,NHK独自に読みがな付きの特例として採用。
(注4)「熟柿」…NHKでは表外字「柿」を先行採用し,音訓「シ」「かき」を独自で使っていたが,「常用漢字表(新)」では,訓「かき」しか採用されなかった。NHKは「シ」を削除し,「熟柿」を読みがな付きで熟語として採用することにした。

原則（Ⅰ 漢字）

10. 表外字・表外音訓を用いてよい語

固有名詞や特定の分野の語などについては，「表外字」「表外音訓」を使ってよい。その場合，なじみのないもの，読みにくいと思われるものには，「読みがな」を付ける。

（1） 地名・人名などの固有名詞，およびそれらを含む複合語（もとの地名・人名の意味が希薄なものは，これに含めない）

① 地名例
博多　　飯島(こしきしま)　　八幡平(はちまんたい)
② 人名例
夏目漱石　　南方熊楠(みなかたくまぐす)　　中村彝(つね)　　出雲阿国(いずものおくに)
③ 複合語例
博多人形　　御影石

（2） 特定の分野の語（以下，各分野の代表的な例をあげる。この項では，下線で表外字と表外音訓を示す）

① 栄典，称号，職名など
〈例〉　旭日大綬章　　瑞宝章　　藍綬褒章
　　　…卿　　枢機卿　　関脇

② 皇室の行事に関する語
〈例〉　大嘗祭(だいじょうさい)　　新嘗祭(にいなめさい)

③ 歴史上の事件・事物・制度・官位・時代・年号などを表す語
〈例〉 飛鳥時代　　銅鐸　　検非違使(けびいし)
　　　征夷大将軍　　律令制度　　倭寇(わこう)

④ 伝統的な行事，習俗などに関する語
〈例〉 酉の市　　初午　　檀家　　点前　　舞妓

⑤ 古典芸能の語
〈例〉 伎楽(ぎがく)　　木遣り　　箏　　常磐津　　囃子
　　　琵琶　　義太夫　　三線(さんしん)

⑥ 文芸作品，映画，演劇などの題名
〈例〉 山椒大夫(さんしょうだゆう)　　徒然草(つれづれぐさ)　　椰子(やし)の実　　秋刀魚(さんま)の味
　　　一谷嫩軍記(いちのたにふたばぐんき)　　熊野(ゆや)

⑦ 美術・工芸作品の作品名
〈例〉 杜若図(かきつばた)　　弥勒菩薩像(みろくぼさつ)　　阿弥陀仏
　　　玉虫厨子(たまむしのずし)　　富嶽三十六景(ふがく)　　洛中洛外図屏風(らくちゅうらくがいずびょうぶ)

⑧ 原典からの引用(古典・法令・史料・碑文・著作権のある歌詞など)
〈例〉 行く春や　鳥啼き魚の目は泪(なみだ)
　　　兎(うさぎ)追いしかの山，小鮒(こぶな)釣りしかの川…

⑨ その他，各分野の専門用語(適当な言いかえ，書きかえのないものや，かな書きではわかりにくいもの)
〈例〉 釉薬(注)　　華僑　　合祀　　腎盂炎
　　　(注) 読みは「ユウヤク」「ウワグスリ」の両方がある。

（3） 「常用漢字表」の付表にある熟字訓などと同様に，慣用的な読み方を認めるもの

　　　〈例〉　狩人　　御用達　　錦の御旗

（4） 表外字・表外音訓を含む四字熟語については，原則として「読みがな」を付けて用いる。

　　　〈例〉　猪突猛進　　一気呵成　　画竜点睛　　切磋琢磨
　　　　　　（ちょとつ）　（かせい）　（がりょうてんせい）　（せっさたくま）

11. 熟字などの音変化

ほかの字や語と結び付いて音変化を起こす次のような例は，「常用漢字表」の音訓の範囲内であるから，漢字で書いてよい。

　〈例〉
　雨（アメ）　→　春雨（ハルサメ）
　位（イ）　　→　三位一体（サンミイッタイ）
　縁（エン）　→　因縁（インネン）
　応（オウ）　→　順応（ジュンノウ）
　角（カク）　→　方角（ホウガク）
　紺（コン）　→　紺屋（コウヤ）
　詩（シ）　　→　詩歌（シイカ）
　石（セキ）　→　石器（セッキ）
　把（ハ）　　→　1把（イチワ），3把（サンバ），10把（ジッパ）
　発（ハツ）　→　出発（シュッパツ）
　文（モン）　→　文字（モジ）

12. 字体

（1） 常用漢字の字体

字体については，多様な字体が使われる可能性があり，NHKの放送で使う字体は，統一していない。

この辞典では，「常用漢字表（新）」に示された字体をもとにした。

「常用漢字表（新）」では，追加された196の漢字は，表外から表内に移っても字体を変えることなく「表外漢字字体表」(注)の「印刷標準字体」と，「人名用漢字字体」をそのまま通用字体として掲げている。ただし，「曾」「瘦」「麵」の3字については，「表外漢字字体表」の「簡易慣用字体」（「曽」「痩」「麺」）を使っている。この辞典でも，ほぼこの考え方による字体を載せている。

NHKが独自に先行して使ってきた漢字の一部（「賭」「餌」「謎」など）は表外字ではあったが，これまで「常用漢字表（旧）」の表内字に近い字体を使ってきた。しかし，今回「常用漢字表（新）」に採用されたことにより，「常用漢字表（新）」の原則どおり，これらの漢字も「表外漢字字体表」の「印刷標準字体」の字体に変えた。

(注) **「表外漢字字体表」**…平成12年12月8日に国語審議会から答申された1,022字の字体を示した表。このうち22字については簡易慣用字体も示している。
（付録1「常用漢字一覧」および付録2「常用漢字表　答申（基本的な考え方）」の「追加字種の字体について」を参照）

① 「常用漢字表(旧)」の漢字については，旧字体は特別な場合を除いて使わない。(〔 〕の中は旧字体)
〈例〉

概〔槪〕　　者〔者〕　　挿〔插〕　　難〔難〕　　褐〔褐〕

祝〔祝〕　　灌〔灌〕　　覇〔覇・霸〕　　缶〔罐〕　　尚〔尙〕

灯〔燈〕　　拝〔拜〕　　挟〔挾〕　　縄〔繩〕　　稲〔稻〕

黙〔默〕　　厳〔嚴〕　　草〔艸〕　　道〔道〕　　録〔錄〕

② 一部で使われている䛽(議)，耺(職)，枦(機)，仂(働)などの略字は使わない。
〈例〉

彳 → 衛　　㵼 → 潟　　枦 → 機　　䛽 → 議

权 → 権　　㐢 → 協　　才 → 第　　耺 → 職

卆 → 卒　　奌 → 点　　仂 → 働　　旺 → 曜

厂, 疋 → 歴

③ 次の例のように，ほかの字を誤って略字として使わない。
〈例〉

午后 → 午後　　才判 → 裁判　　書斉 → 書斎

斗争 → 闘争　　走り巾跳び → 走り幅跳び

ただし，「年齢」「…歳」に限り，表などでは「年令」「…才」と書いてもよい。

(2) 表外字の字体

　　表外字の字体は「表外漢字字体表」の印刷標準字体と「人名用漢字字体」を参考にする。

(3) 現代の中国で使われている簡略化した字(簡体字)は，そのもとの字体(康熙字典体)に戻したうえで，日本で通用している字体に直して使う。

　　〈例〉　辽宁→遼寧　　沈阳→瀋陽　　刘→劉

Ⅱ　ひらがなで書く語

1. 表外字・表外音訓の語はかな書き

「常用漢字表」に含まれない字(表外字)や音訓(表外音訓)でできている語は、原則としてかな書きにする。

(1) 語の全部が表外字・表外音訓の語（〔　〕内は使わない漢字）
　〈例〉
　　かくはん〔×攪×拌〕　かしゃく〔×呵▲責〕
　　けいれん〔×痙×攣〕　これ〔▲是・×此・×之〕
　　すなわち〔▲即・▲則〕　たんす〔×簞×笥〕　など〔▲等〕
　　はたご〔▲旅▲籠〕　ほうこう〔×彷×徨〕　まで〔×迄〕

(2) 語の一部が表外字や表外音訓の語
　① 常用漢字の部分だけを漢字にすると読み取りにくくなるものは、全部をかな書きにする。
　　〈例〉
　　あっせん〔×斡旋〕　ぜいたく〔×贅沢〕　たんぱく〔×蛋白〕
　　でんぷん〔×澱粉〕　びょうぶ〔×屏風〕　みそ〔味×噌〕

　② 全部をかな書きにするとかえって読み取りにくくなるもの、漢字を交えて書くほうが意味を理解しやすいものは、常用漢字の部分だけを漢字で書く。
　　〈例〉
　　胃がん〔×癌〕　きっ抗〔×拮〕　けい椎〔×頸〕　警ら〔×邏〕
　　すい星〔×彗〕　ぼう然〔×茫〕　ろっ骨〔×肋〕

2. 品詞から見てなるべくかな書きにする語
　（「①かな ②漢字」はかな書き優先）

接続詞
　〈例〉
　　また〔又・×亦〕　　ただし〔但〕　　および〔及〕
　　ならびに〔並〕　　ところが〔所・▲処〕
　　①したがって ②従って

助詞
　〈例〉
　　くらい〔位〕　　だけ〔▲丈〕　　ほど〔程〕

接頭語
　「御」について
　・「お」は表外音訓なので，かな書きとする。
　　〈例〉　お礼〔▲御〕　　お酒〔▲御〕　　お菓子〔▲御〕

　・「ゴ」はひらがな優先とするが，漢字で書いてもよい。(注1)
　　〈例〉　①ご案内 ②御案内　　①ご無沙汰 ②御無沙汰

　・「ギョ」「オン」は漢字で書ける。
　　〈例〉　「御物(ギョブツ)」　　「満員御礼(オンレイ)」

　・「み」は，表外音訓なので，原則としてかな書きにする。
　　〈例〉　み心〔▲御〕　　み霊〔▲御〕
　　〈例外〉　錦の御旗

「み」の前に助詞の「の」などひらがながあると誤読のおそれがあるので要注意。
　　〈例〉「神のみ心」　「先祖のみ霊」

(注1)　「御所」「御陵」のように，「御」を除いては一語とならない語は原則として漢字で書く。

接尾語
　　〈例〉　～め(注2)　　～げ〔気〕　　～たち〔▲達〕　　～ども〔共〕

(注2)　「高め」「薄め」など形容詞の語幹に付いて，程度や傾向を表す場合はかなで書く。「3日目」「5番目」「折り目」「効き目」などの「目」は漢字で書ける。

形式名詞
　　〈例〉
　　こと〔事〕(…することがある)(注3)
　　とき〔時〕(万一事故があったときは)
　　ところ〔所・▲処〕(今のところは必要ない)
　　もの〔物〕(正しいものと考える)
　　わけ〔訳〕(…というわけだ)
　　とも〔共〕(…するとともに)
　　とおり〔通〕(次のとおりに書く)
　　ほか〔外・他〕(…するほかはない)

(注3)　「事を構える」など名詞が実質的な意味を持つ場合は漢字で書ける。

補助用言

〈例〉

ある〔有・在〕(…と書いてある)(注4)

いる〔居〕(今外出している)(注5)

ない〔無〕(異常は認められない)(注6)

なる〔成・▲為〕(合計1万円になる)

かねる〔兼〕(それには同意しかねる)

できる〔出来〕(自由に見学することができる)(注7)

すぎない〔過〕(ほんの一部にすぎない)

…いく〔行〕(元気に育っていく)

…おく〔置〕(至急知らせておく)

…くる〔来〕(暗くなってくる)

…みる〔見〕(一応やってみる)

…よい〔良〕(使用してよい)

…ください〔下〕(教えてください)

…いただく〔頂〕(事務所に来ていただく)(注8)

…あげる〔上〕(本を貸してあげる)

…ようだ〔様〕(実現は難しいようだ)

…しれない〔知〕(本当かもしれない)

…よって〔因・▲由・▲依〕(前例によって処理する)

…ついて〔就〕(この問題について)

…あたって〔当〕(開会式にあたって)

(注4,5,6,7) 「有る」「居る」「無い」「出来る」などは動詞,形容詞本来の意味で使う場合は漢字で書いてもよい。
   〈例〉「資産がある(①ある ②有る)」「家にいる(①いる ②居る)」
      「金がない(①ない ②無い)」「ビルが出来る」「急用が出来る」
(注8) 「雪を頂く山」などは漢字で書いてもよい。

3. かな書きの慣用があるもの

次のような，一般にかな書きにする慣用のあるものは，なるべくかな書きにする。

〈例〉
あらすじ〔粗筋〕　　うみねこ〔海猫〕　　おじぎ〔▲御辞儀〕
ことば（①ことば ②言葉）　　ごはん（①ごはん ②御飯）
だめ（①だめ ②駄目）　　　　はがき（①はがき ②葉書）
まえがき（①まえがき ②前書き）

4. 読み誤りを防ぐため，かな書きする語

漢字で書くと読み誤るおそれがあるものは，なるべくひらがな書き，あるいは一部分をひらがな書きにする。

〈例〉
おおごと〔大事〕　　きょう（①きょう ②今日）
住まい〔住居〕　　せんだって〔先〕　　出どころ〔所・▲処〕
なま物〔生〕　　まさしく〔正〕

5. 読みやすくする場合

放送では，常用漢字で書ける語について，必ずしも漢字で書かなければならないということはない。前後に漢字が多く続く場合や，語の切れ目をはっきりさせたい場合，画数が極めて多い漢字や使用範囲のごく狭い音訓の漢字などは，ひらがなで書いたほうが適切なこともある。

〈例〉
「現代陶芸作家展ひらく」〔開〕（ニュース字幕の例）
ねんごろ（①ねんごろ ②懇ろ）
立てこもる（①立てこもる ②立て籠もる）

酔いつぶれる（①酔いつぶれる　②酔い潰れる）
　　　おせち料理（①おせち料理　②お節料理）
　　　憂うつ（①憂うつ　②憂鬱）

　また，幼児・児童を対象とした番組で易しく書き表す必要がある場合などは，学年別漢字配当表（付録3）を参考に，適宜ひらがなで書く。

Ⅲ　カタカナで書く語

1. 外国語・外来語

　外国語，外来語，外国の地名・人名はカタカナで書く。これらのカタカナ表記については，NHK で決めた「外来語の表記」による。なお，中国・朝鮮の地名・人名は別の取り決めに従う。(いずれも『NHK ことばのハンドブック』を参照)

　　〈例〉
　　テレビ　　ウイスキー　　コンピューター　　バイオリン
　　アルミニウム　　アメリカ　　パリ　　シェークスピア

　ただし，次のような外来語の意識の薄いものは，ここでいうカタカナ書きの語には含まない。

　　〈例〉
　　たばこ　　かるた　　きせる　　天ぷら

2. 外来の計量単位・貨幣単位など

　外来の計量単位や外国の貨幣単位などはカタカナで書く。
　　〈例〉
　　メートル　　キロメートル　　グラム　　トン
　　ドル　　ユーロ

　ただし，よく使われる計量単位などは場合により記号で書いてもよい。
　　　　メートル→m　　ミリメートル→mm
　　　　センチメートル→cm　　キロメートル→km
　　　　キロワット→kW　　グラム→g　　キログラム→kg

トン→t　　リットル→l　　ミリリットル→ml
ヘクトパスカル→hPa　　アール→a　　ヘクタール→ha
パーセント→％　　マグニチュード→M　　ヘルツ→Hz

3. カタカナ書きの慣用があるもの
（1） 動植物名（学術的名称・外来種・強調する場合）
〈例〉
バラ科サクラ属　　オオハクチョウ　　アカウミガメ
ライオン　　コアラ　　ダリア　　チューリップ
イヌ　　ネコ　　スズメ

なお，和語，漢語の動植物名，および動植物名の総称は通常，常用漢字またはひらがなで書くことができる。
〈例〉
桜　　犬　　猫　　すずめ　　亀　　熊　　鹿
蜂　　からす

（2） 専門用語
〈例〉
シテ　　ツレ　　ワキ　　ト書き　　ヒ素　　フッ素
リン酸

（3） 擬音語
〈例〉　ドカーン　　ワンワン　　ピヨピヨ

（4） 俗語など
〈例〉　インチキ　　ダフ屋　　ノミ行為

4. 語を強調する場合

　その語に特別な意味合いを持たせたり，強調したりする場合はカタカナで書くことがある。

　また，ひらがなで書くと前後の関連でわかりにくくなる場合は，カタカナで書いてもよい。

　　〈例〉
　　経営にテコ入れ　　交渉のヤマ　　事件のカギ
　　ノロノロ運転　　　ハト派

Ⅳ　かなづかい

「かなづかい」は原則として「現代仮名遣い」(昭和61年7月1日内閣訓令・告示、平成22年11月30日一部改正)に従う。

「現代仮名遣い」は、現代の国語を現代語の音韻に従って書き表す場合のかなづかいのよりどころを示したもので、主として口語文に適用する。

引用文、固有名詞、外来語などを書くときには、これによらなくてもよい。(付録5「現代仮名遣い」参照)

1. 発音とかなの一致

かなの使い方はおおむね発音どおりにする。

「ゐ」「ゑ」は使わず、「い」「え」と書き、「を」は助詞に限る。

〈例〉

ゐる→いる(居る)　　　うゑる→うえる(植える)

をどる→おどる(踊る)　はぢる→はじる(恥じる)

たふす→たおす(倒す)　かほ→かお(顔)

てふ→ちょう(×蝶)　　くわじ→かじ(火事)

2. よう(拗)音、促音の書き方

よう音を表す「や」「ゆ」「よ」、促音の「つ」は小さく書く。

〈例〉

しゃかい(社会)　　しゅくじ(祝辞)　　かいじょ(解除)

はしって(走って)　かっき(活気)　　がっこう(学校)

原則（Ⅳ　かなづかい）

3. 長音の書き方

（1）　ア列，イ列，ウ列の長音は，それぞれのかなに「あ」「い」「う」を添えて書く。

　　〈例〉
　　おかあさん　　おばあさん　　おにいさん　　おじいさん
　　くうき（空気）　　きゅうり　　うれしゅう存じます

（2）　エ列の長音は，エ列のかなに「え」を添えて書く。

　　〈例〉
　　おねえさん　　ええ（応答の語）

　　ただし，次のような語は，エ列の長音と発音されるか，エイ，ケイなどのように発音されるかにかかわらず，エ列のかなに「い」を添えて書く。

　　〈例〉
　　かれい〈魚名〉　　せい（背）　　えいが（映画）
　　ていねい（丁寧）　　…めいて　　かせいで（稼いで）

（3）　オ列の長音は，オ列のかなに「う」を添えて書く。

　　〈例〉
　　おとうさん　　とうだい（灯台）　　わこうど（若人）
　　かおう（買おう）　　おうぎ（扇）　　ほうる（放る）

　　ただし，次のような語は，オ列のかなに「お」を添えて書く。（歴史的かな遣いでオ列のかなに「ほ」または「を」が続く語）

　　〈例〉
　　おおかみ　　おおせ（仰せ）　　おおやけ（公）

こおり(氷・▲郡)　　こおろぎ　　ほおずき　　ほのお(炎)
とお(十)　　いきどおる(憤る)　　とおる(通る)
おおい(多い)　　とおい(遠い)　　おおむね　　おおよそ

4. 助詞の「を」「は」「へ」

助詞の「を」「は」「へ」は，「お」「わ」「え」と書かない。
〈例〉
本を読む　　岩をも通す　　やむをえない　　てにをは
きょうは日曜日です　　あるいは　　とはいえ
願わくは　　こんにちは　　故郷へ帰る　　…さんへ
母への便り　　駅へは数分

ただし，次のようなものは「は」の例にあたらない。
〈例〉
いまわの際　　すわ一大事　　来るわ来るわ　　きれいだわ

5. 「言う」は「いう」

動詞の「言う」は，ひらがなでは「いう」と書く。
〈例〉
ものをいう　　いうまでもない　　昔々あったという
どういうふうに　　人というものは　　こういうわけ

原則(Ⅳ かなづかい)

6.「じ」「ず」と「ぢ」「づ」

「ジ」「ズ」と発音するものは原則として「じ」「ず」と書くが,次の場合は「ぢ」「づ」と書く。

(1) 同音の連呼によって生じた「ぢ」「づ」。

〈例〉
ちぢむ(縮む)　　ちぢれる　　ちぢこまる
つづみ(鼓)　　つづく(続く)　　つづる(×綴る)

ただし,「いちじく」「いちじるしい」は,この例にあたらない。

(2) 2語の連合によって生じた「ぢ」「づ」。

〈例〉
はなぢ(鼻血)　　そえぢ(添え乳)　　いれぢえ(入れ知恵)
まぢか(間近)　　ちりぢり　　たづな(手綱)
にいづま(新妻)　　ひづめ(×蹄)　　わしづかみ
てづくり(手作り)　　ことづて　　みちづれ(道連れ)
かたづく　　うらづける　　つれづれ

なお,次のような例は,2語に分解しにくいものなどとして,「じ」「ず」と書くことを原則とする。

〈例〉
せかいじゅう(世界中)　　いなずま(稲妻)
さかずき(杯)　　うなずく　　みみずく　　さしずめ
でずっぱり(出ずっぱり)　　ひとりずつ

これらの語は「現代仮名遣い」では「せかいぢゅう」「いな

づま」などと「ぢ」「づ」を用いて書くことを許容にしているが,放送では「じ」「ず」を用いる。

〔注意〕 次のような語の中の「じ」「ず」は漢字の音読みで,もともと濁っているので「じ」「ず」を用いて書く。

〈例〉
  じめん(地面)　　ぬのじ(布地)　　ずが(図画)

V　送りがな

　送りがなの付け方は，「送り仮名の付け方」(昭和48年6月18日内閣訓令・告示，平成22年11月30日一部改正)に従う。

1. 動詞
（1）　動詞は，活用語尾を送りがなとして付ける。
　　〈例〉
　　憤<u>る</u>　承<u>る</u>　書<u>く</u>　読<u>む</u>　生<u>きる</u>　考<u>える</u>　助<u>ける</u>
　　〈例外〉
　　明<u>らむ</u>　味<u>わう</u>　哀<u>れむ</u>　慈<u>しむ</u>　教<u>わる</u>
　　脅<u>かす</u>(おどかす，おびやかす)　　関<u>わる</u>　食<u>らう</u>
　　異<u>なる</u>　逆<u>らう</u>　捕<u>まる</u>　群<u>がる</u>　和<u>らぐ</u>
　　揺<u>する</u>

　　〔注意〕　語幹と活用語尾との区別がつかない動詞は，例えば，
　　　　　　「着る」「寝る」「来る」などのように送る。

（2）　他の語から派生した動詞は，漢字の部分の読みを変えないで送りがなを付ける。
　　〈例〉
　　浮<u>かぶ</u>(浮く)　　動<u>かす</u>(動く)　　生<u>まれる</u>(生む)
　　押<u>さえる</u>(押す)　及<u>ぼす</u>(及ぶ)　　語<u>らう</u>(語る)
　　聞<u>こえる</u>(聞く)　積<u>もる</u>(積む)　　照<u>らす</u>(照る)
　　捕<u>らえる</u>(捕る)　計<u>らう</u>(計る)　　向<u>かう</u>(向く)
　　起<u>こす</u>・起<u>こる</u>(起きる)　　終<u>わる</u>(終える)
　　悔<u>やむ</u>(悔いる)　定<u>まる</u>(定める)　　近<u>づく</u>(近い)

遠のく(遠い)　　赤らめる(赤い)　　重んずる(重い)
怪しむ(怪しい)　　悲しむ(悲しい)　　苦しがる(苦しい)
確かめる(確かだ)　　若やぐ(若い)　　黄ばむ(黄)
先んずる(先)　　春めく(春)　　横たわる(横)

(3)　動詞と動詞とが結び付いた動詞は，それぞれの動詞の送りがなを付ける。

〈例〉

移り変わる　　思い出す　　流れ込む　　譲り渡す

2. 形容詞

(1)　形容詞は，活用語尾を送りがなとして付ける。語幹が「し」で終わるものは，「し」から付ける。

〈例〉

暑い　　白い　　高い　　若い
新しい　　美しい　　苦しい　　珍しい

〈例外〉

明るい　　危ない　　危うい　　大きい　　少ない
小さい　　冷たい　　平たい

(2)　他の語から派生した形容詞は，漢字の部分の読みを変えないで送りがなを付ける。

〈例〉

重たい(重い)　　憎らしい(憎い)　　古めかしい(古い)
暖かい(暖かだ)　　細かい(細かだ)
柔らかい(柔らかだ)　　愚かしい(愚かだ)
勇ましい(勇む)　　輝かしい(輝く)

喜ばしい(喜ぶ)　　恐ろしい(恐れる)
頼もしい(頼む)　　後ろめたい(後ろ)

(3)　動詞と形容詞とが結び付いた形容詞は，その動詞と形容詞との送りがなを付ける。
〈例〉　聞き苦しい　　待ち遠しい

3. 形容動詞

(1)　形容動詞は，活用語尾を送りがなとして付ける。
〈例〉
急だ(な)　　別だ(な)　　適切だ(な)　　積極的だ(な)

ただし，活用語尾の前に「か」「やか」「らか」を含む形容動詞は，その音節から送りがなを付ける。
〈例〉
暖かだ　静かだ　確かだ　穏やかだ　健やかだ
明らかだ　朗らかだ
〈例外〉
新ただ　同じだ　盛んだ　平らだ　懇ろだ　惨めだ
短めだ　哀れだ　幸いだ　幸せだ　巧みだ

(2)　他の語から派生した形容動詞は，漢字の部分の読みを変えないで送りがなを付ける。
〈例〉
清らかだ(清い)　　高らかだ(高い)　　寂しげだ(寂しい)
晴れやかだ(晴れる)　　冷ややかだ(冷える)

4. 名詞

（1） 名詞（用言に由来しないもの）は原則として送りがなを付けない。
〈例〉
月　鳥　花　山　男　女

ただし，最後の音節を送りがなとして付けるものもある。
〈例〉
辺り　哀れ　勢い　後ろ　傍ら　幸い　幸せ　全て
互い　便り　半ば　情け　斜め　独り　誉れ　災い

（2） 用言などから転じた名詞は，漢字の部分の読みを変えないで送りがなを付ける。
〈例〉
動き（動く）　　戦い（戦う）　　眺め（眺める）
残り（残る）　　近さ（近い）　　遠さ（遠い）

ただし，慣用が固定している次の語は，送りがなを付けない。
〈例〉
頂　謡　帯　趣　折　卸　係　掛　組　煙　恋　肥　氷
志　印　畳　次　隣　富　並　恥　話　光　舞　巻　割

〔注意〕　「組」は，「花の組」「赤の組」などのように使った場合の「くみ」には送りがなを付けない。ただし，「足場の組み方がゆるい」などのように使った場合の「くみ」は送りがなを付ける。「折」「係」「光」なども同様である。

(3) 他の語から派生した名詞は，漢字の部分の読みを変えないで送りがなを付ける。
〈例〉
暑さ(暑い)　　大きさ(大きい)　　正しさ(正しい)
明るみ(明るい)　　惜しげ(惜しい)　　確かさ(確かだ)

(4) 活用語を含む複合名詞は，原則としてその活用語の送りがなを付ける。
〈例〉
心構え　　日延べ　　物知り　　山登り　　教え子
考え方　　続き物　　包み紙　　大写し　　長生き
早起き　　歩み寄り　　見送り　　読み書き　　売り上げ
貸し越し

(5) 複合名詞のうち，次の例のような慣用が固定しているものは，送りがなを付けない。

① 特定の領域の語で，慣用が固定していると認められるもの（《 》の中は他の語に置き換えても送りがなを省くという原則が適用される。〈例〉　取締《役》→取締法）

ア．地位・役職・書式・法令の名など
〈例〉
頭取　　取締《役》　　関取　　小結　　年寄(相撲)
《戸籍》係　　係《員》　　《社長》付　　《社員》見習
見習《社員》　　《入学》祝　　《進退》伺　　《欠席》届
事務取扱　　申込《書》

原則（V 送りがな）

イ．工芸品や特産品の名に用いられた「織」「染」「塗」「漬」など
〈例〉
《博多》織　《型絵》染　《小千谷》縮　《春慶》塗
《鎌倉》彫　《備前》焼　《奈良》漬

ウ．主として経済関係の語で，語尾に，「人，時，所，金，書，機関，制度，数量，品目」などを表す語の付くものは送りがなを省くことができる。
〈例〉
受取《人》　売上《高》　卸売《物価》　貸越《金》　貸出《金》
貸付《金》　借入《金》　借越《金》　繰入《金》　小売《商》
差引《勘定》　支払《人》　積立《金》　取扱《所》　取次《店》
取引《所》(注1)　引受《人》　引換《券》(注2)　振出《人》
見積《書》　売値　買値　問屋　仲買　歩合　両替　請負
裏書《人》　元売《価格》　売手市場　買手市場　不渡手形
掛金　掛値　貸主　振込《金》　終値　始値

(注1,2) 「取引」「引換」は他の語の語尾に付く場合も送りがなを省いてよい。〈例〉　商取引　代金引換

② 一般に慣用が固定していると認められるもの
〈例〉
合気道　合図　合服　合間　入会権　植木　浮世絵
受付(場所，人)　受取(書類)　歌会始　講書始　打合せ会
絵巻《物》　追分　大入袋　大立者　置物　奥書　覚書　織物
書留　貸《家》　缶詰　気付　切手　切符　組合　組曲　消印
木立　小包　《子》守　献立　作付面積　挿絵　座敷　試合

敷石　敷地　敷物　仕立《券》　字引　立会《人》　立往生
立場　竜巻　建具　建坪　建値　建物　漬物　釣堀
手当(「年末～」など)　取組(相撲)　取締り　並木　成金
鳴子　乗換《駅》　乗組《員》　場合　羽織　葉巻　番組　番付
日付　瓶詰　振替　踏切　巻紙　待合　待合《室》　水引
申立《人》　物語　役割　屋敷　山伏　結納　夕立
割合　割引《料金》

〔「常用漢字表」の付表にある以下の語〕
息吹　桟敷　時雨　築山　名残　雪崩　吹雪　迷子　行方

5. 代名詞

代名詞は送りがなを付けない。
　　〈例〉　彼　　彼女　　何

6. 数詞

「つ」を含む数詞は，その「つ」を送る。
　　〈例〉　一つ　　二つ　　三つ　　四つ　　五つ
　　算用数字の場合も「1つ」などと書く。

7. 副詞，連体詞

（1）　副詞，連体詞は，最後の音節を送りがなとして付ける。
　　〈例〉　必ず　少し　再び　最も　来る(きたる)　去る

　　ただし，次の語は，その前の音節から送りがなとして付ける。
　　〈例〉　直ちに　　大いに　　明くる

（２） 他の語から派生した副詞は，漢字の読みを変えないで送りがなを付ける。

〈例〉
必ずしも　　幸いに　　互いに　　斜めに　　絶えず
少なくとも　　恐らく　　努めて　　休み休み

〔注意〕 表に記入したり，記号的に用いたりする場合には，「晴(れ)」「曇(り)」「問(い)」「答(え)」「終(わり)」「生(まれ)」「押(す)」のように，かっこの中の送りがなを省いてもよい。

Ⅵ 数字の書き方

原則

　原則として，左横書きの場合は，算用数字を用い，縦書きの場合は，漢数字を用いる。

　ただし，横書きの場合でも，成句・慣用句をはじめ慣用として漢数字で書く語もある。また，縦書きの場合でも，数量や年月日，時刻などを算用数字で書くこともある。

1. 左横書きの場合

　数字は原則として算用数字(アラビア数字)を使う。

　特に，「1, 2, 3, 4…」と数えていけるような場合や，「1番目」「2番目」と順番の意味合いが強い場合は算用数字とする。

　ただし，熟語などで，漢数字で書くことが定着しているものは，漢数字で書く。

（1）　算用数字による書き表し方

　①　桁

　　大きな数字には「兆」「億」「万」を付け，数字の3桁と4桁の間にはコンマを付けたほうがよい。「千」「百」の漢字は使わない。

　　〈例〉

　　1　　12　　1,234　　1万2,345　　1億2,345万
　　1兆2,345億

　　例外として，選挙の得票結果を示す場合や図表の場合などは「億」「万」などの漢字は付けず，3桁ごとにコンマを付ける。

また、預金通帳の番号、電話番号、西暦などにはコンマも付けない。

〈例〉　普通 111111　　(03)1111-1111

② 小数

横書きの場合、小数は「0.12」などとする。

「0,12」のようにコンマを使わない。

③ 分数

分数は以下のとおり表す。

〈例〉　$\frac{3}{4}$　　$2\frac{1}{10}$

なお、細かい図表では「3/4」という表記を使ってもよい。また、文章の中では「4分の3」と記号を使わずに表記する。

④ 概数

ア．「ニサンニチ」などの書き方

〈例〉

2〜3日(ニサンニチ)

300〜400人(サンシヒャクニン)

＊「3〜400人」とは書かない。

34〜35回(サンジュウシゴカイ)

イ．「…から…まで」「…ないし…」は次のように書く。

〈例〉

「2日〜5日」(2日から5日まで、2日ないし5日)

「300人〜500人」(300人から500人)

(2) 算用数字で書く語

　数量，順序，年月日，時刻・時間，事物を特定したり区別したりするため，番号の形で付けられる数字(一部の固有名詞を含む)は算用数字で書く。

① 数量(個数，人数，回数，期間，重さ，年数，年齢，点数，日数など)

　〈例〉
　1個　2個　3個…　1合(注1)　10人　100円　1,000トン
　1周年　2期8年〈期間〉　10階建て　1男2女
　1つ(ひとつ)(注2)　2人(ふたり)(注3)　3たび(みたび)
　5つ子　2人組　6人制バレーボール

(注1)　ただし，「一合升」「一升瓶」「一斗缶」「四斗だる」などは漢数字。
(注2,3)　場面や伝えたい内容によって，漢数字で書く場合もある。

② 順序，順番を表す場合

　〈例〉
　第1　第1回　1日目　1号　1次　1等　1度目　1番(注4)
　1番目　1位　第1部　1人称　第1党(注5)　第2四半期
　2期工事　1次試験　2次試験　1審　2審　3審(注6)
　第3のビール　第3種郵便　憲法9条(注7)
　地方自治法100条(注8)　日系2世　日系3世

(注4)　漢数字やひらがなで書く場合もある。程度を表すような場合はひらがな表記(〈例〉いちばん大きい)。数字の部分をほかの数字にかえてしまっては，意味が通じなくなるような場合は，漢数字(〈例〉一番星)。
(注5)　「第一党」とも(「最大」「唯一」という意味を強調する場合などは漢数字にしてもよい)。なお，「一党支配」「一党独裁」「一党一派」は漢数字。

(注6)　ただし，制度を表す「三審制」は漢数字。
(注7)　固有名詞で使われている場合は，その表記に合わせる。
　　　〈例〉憲法九条の会
(注8)　ただし，「百条委員会」。

　「○次」「第○」はもともと順序，順番を表すため，原則は算用数字だが，歴史的な慣用がある場合や，特定のものを指す場合，数が増えないと考えられる場合は漢数字とする。
　　〈例〉
　　二次感染　　二次使用　　二次利用　　二次災害
　　第三国　　第三者　　第三極　　第三世界

③　年月日など
　　〈例〉
　　平成22年4月1日　　2010年4月1日
　　2000年代　　21世紀
　　＊図表などで略記する場合には「平成22年4月1日」は「平22.4.1」，「4月1日」だけの場合は「4/1」とすることもある。また，西暦の場合は，「2010.4.1」または「'10.4.1」と書く。

④　時刻・時間
　　〈例〉　午前1時30分　　午後0時30分
　　＊図表などで略記する場合には時刻「7時35分」は「7：35」，時間「1分23秒9」は「1'23"9」などとする。

⑤　事物を特定したり区別したりするための数字
　　住居表示，電話番号，車のナンバー，運転免許証・パスポート・預金通帳などの番号，暗証番号，従業員番号，階級などは

算用数字とする。
〈例〉
普通 111111　　(03)1111-1111
〒150-8001　　東京都渋谷区神南2-2-1

そのほか，企業・官公庁などの下部組織で数字を含むものは，算用数字で書く。
〈例〉
捜査2課　　第1会議室　　1年1組　　第1大漁丸
東京都建設局第1建設事務所　　1等陸佐(1佐)
第3管区海上保安本部　　○○原発1号機
〈例外〉　第五福竜丸

⑥　カタカナ・ローマ字と数字が結合した語は算用数字とする
〈例〉　1ドル紙幣　　リチャード1世(注9)　　1リットル瓶
　　　　3LDK　　4トントラック　　4WD
〈例外〉　一眼レフ　　二眼レフ　　第三セクター

(注9)　「リチャードⅠ世」(ローマ数字)とはしない。

(3) 漢数字で書く語
① 数値をあいまいに示す概数
〈例〉　十数人　千数百人　何十年　何千人　二十数人

ただし，次のように算用数字と併記する場合には，算用数字を使ってもよい。
〈例〉　6人〜10数人

なお,「数10人」「数100人」「100数10人」などとは書かず,「数十人」「数百人」「百数十人」などとする。ただし,「○百数十人」「○千数百人」などの場合は,「2百数十人」「2千数百人」と最初の数字は算用数字で書く。「十」の位の場合は「二十数人」と漢数字で書く。

② 固有名詞
　固有名詞として,漢数字で書くことが慣用になっているもの。
〈例〉
　二重橋　　旧制一高　　八十二銀行　　○○第一原発

　「日大一高」「○○区立第十一中学校」「○○区立第三小学校」など学校名に漢数字を含む場合は,固有名詞の表記に合わせて漢数字,算用数字を選ぶ。「年」「組」を言う場合には算用数字を使う(〈例〉　○○区立第十一中学校1年2組)。

③ 一般的な熟語や古くからの慣用語句
〈例〉
　一世一代　平家一門　日本一　二束三文　二人三脚
　うり二つ　三寒四温　四分五裂　四捨五入　十年一昔
　二百十日　四斗だる　一升瓶　一合升　一斗缶　千両箱

④ 日本の伝統文化や歴史，宗教，習俗に根ざす語
　〈例〉
　　一周忌(注10)　三回忌(注11)　四世鶴屋南北　五重の塔
　　六代目尾上菊五郎　十五代目市村羽左衛門
　　七堂伽藍（がらん）　七五三　お七夜　絵本太功記十段目
　　十七条の憲法　八十八夜

(注10,11)　場合によって算用数字でもよい。

⑤　数字に込められた意味合いが特別に強く，数字がかわると，語が成り立たなくなるもの。意味や概念，形態がかわってしまうもの。特別の意味合いが加わったもの
　〈例〉
　　清き一票(注12)　一戸建て　一日署長　第一線
　　一番乗り　世界一周(注13)　二重衝突(注14)　二世議員
　　三面記事　三面鏡　第三者　党三役(注15)　日本三景
　　三大祭り　北方四島(注16)　四半期　二枚目　三枚目
　　三角形　四角形(注17)　一流　二流　仕事一筋　二枚舌
　　三羽がらす　一輪車　二輪車　三輪車　軽四輪　非核三原則
　　三原色　東京六大学

(注12)　ただし，票数を数える場合は算用数字。
(注13)　場合によって算用数字でもよい。
(注14)　そのほか，「二重帳簿」「二重人格」「二重写し」など。
(注15)　「党四役」「党五役」も同様。
(注16)　内訳をいう場合には，算用数字とする。
　　　　〈例〉北方四島のうち2島を返還する。
(注17)　11以上の多角形については算用数字。

⑥　続き柄で使われる数字

〈例〉

長女　　次女　　三女　　四女…

長男　　次男　　三男　　四男…

ただし,子どもの数を表す場合は算用数字とする。

〈例〉　1男3女

⑦　歴史的な事柄であり,漢数字表記が定着しているもの

　　歴史的な事柄に数字がつく場合,日本の出来事もしくは日本に関わる出来事で,1945年の終戦より前に起こったことの場合は漢数字を原則とする。日本の出来事であっても,戦後に起こったことの場合は算用数字を原則とする。

　　また,日本以外の欧米で歴史的に起こった事柄は算用数字を原則とする。

　　「第1次世界大戦」「第2次世界大戦」は,算用数字とするが,番組の内容によって,個別に判断して漢数字にしてもよい。

〈例〉

前九年の役　　後三年の役　　二・二六事件　　五・一五事件

7月革命(フランス)　　30年戦争　　60年安保

三・一独立運動　　五・四運動(注18)

第1次中東戦争・第2次中東戦争

第1次ポエニ戦争・第2次ポエニ戦争

第一次長州戦争(征討,征伐)・第二次長州戦争(征討,征伐)

第一次国共合作・第二次国共合作

第一次日露協約・第二次日露協約

〈例外〉

百年戦争

　数字の部分は年数を表すのではなく,「長い」ことを意味しており,漢数字とする。

　「30 年戦争」は実際に戦争状態にあった年月を表す数字であり,外国の出来事であるため,算用数字とする。

(注 18)　朝鮮半島の出来事や,中国の出来事についても,漢字表記を基本とする。

⑧　特定の分野の語で漢数字での表記が慣用になっている語
　〈例〉
　・化学　　　　二酸化炭素　六価クロム
　・数学　　　　三角形　四角形
　・音楽　　　　二重奏　二重唱　二部合唱
　・スポーツ　　三振(野球)　四球(野球)　三冠王(野球)
　　　　　　　　一塁　二塁　三塁(野球)
　　　　　　　　四大大会(テニス)　これより三役(相撲)

⑨　称号・勲等・段位などを示す語
　〈例〉
　　従三位　勲一等(旧制度)　柔道五段(注 19)　囲碁九段(注 20)

(注 19, 20)　場合によって算用数字で書いてもよい。

階級や等級,級位を表す数字は算用数字とする。
〈例〉
1等陸佐　　英検4級　　（囲碁・将棋の)1級

⑩　紙幣と貨幣
日本のものは漢数字で表記する。
〈例〉
一万円札　五千円札　二千円札　千円札
五百円玉(硬貨)　百円玉(硬貨)　五十円玉(硬貨)
十円玉(硬貨)　五円玉(硬貨)　一円玉(硬貨)

　ただし,外国の通貨と併記する場合などは算用数字を用いてよい(1万円札　1000円札　100円硬貨)。

原則(Ⅵ 数字の書き方)

2. 縦書きの場合

　数字は，原則として漢数字を用いる。数量や年月日，時刻などは算用数字で書いてもよい。

　また，違う要素の数字が続き，読みにくい場合は，一方を算用数字にしてもよい。

縦書きの数字の書き表し方

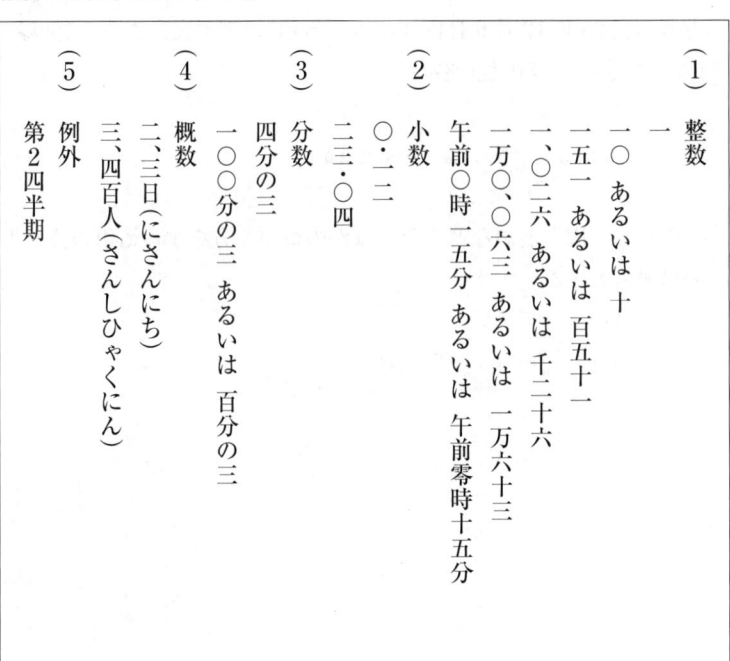

(1) 整数	一 一〇　あるいは　十 一五一　あるいは　百五十一 一，〇二六　あるいは　千二十六 一万〇，〇六三　あるいは　一万六十三 午前〇時一五分　あるいは　午前零時十五分
(2) 小数	〇・一二 二三・〇四
(3) 分数	四分の三 一〇〇分の三　あるいは　百分の三
(4) 概数	二、三日(にさんにち) 三、四百人(さんしひゃくにん)
(5) 例外	第2四半期

Ⅶ　アルファベット文字(ローマ字)の使い方

1. 頭文字の略称はアルファベット文字(大文字)を使う。

    〈例〉

    ASEAN　　JIS　　NHK　　PTA　　WHO

2. 日本語をローマ字で書くときは，原則として「ローマ字のつづり方」(昭和29年12月9日内閣訓令・告示)の第1表による。(付録4「ローマ字のつづり方」参照)

    〈例〉

    Nippon　　Narita　　sakura

    ただし，固有名詞などでそのほかのつづり方をする慣用の強いものは例外とする。

    〈例〉

    Fuji　　judo　　Tokyo

Ⅷ 繰り返し符号の使い方

1. 繰り返し符号は,「々」以外使わない。
    漢字1字の繰り返しの場合に限り「々」を使う。
    〈例〉
    山々　　人々(「人びと」とも)　　年々　　細々と
    (「一歩々々」「益々」とは書かない)

2. 次のような場合は,繰り返し符号を使わない。
    〈例〉　民主主義　　…会議議長

3. 左横書きでは,かなの繰り返し符号である「ゝ」「ゞ」,2字以上の繰り返し符号である「〱」は使わない。
    〈例〉
    あゝ→ああ　　たゝむ→たたむ

    ただし,縦書きの場合は「ゝ」「〱」を使ってもよい。

    いろ〱
    いろいろ

    たゝむ
    たたむ

4. 表などで,数字のまとまりや語句を繰り返す場合には「〃」を使ってよい。
    〈例〉

東京-横浜間	440円(現行料金)
	↓
〃	450円(新料金)

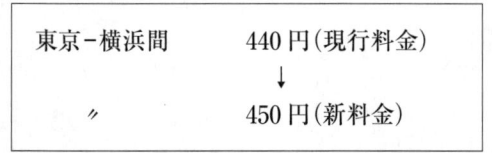

「読みがな」を付けることが望ましい語(難読の音読み)

あくらつ 悪辣	あま <u>海士</u>	いんせき＊ 隕石	えんこん 怨恨	がいか＊ 凱歌	がいせん＊ 凱旋	がかい 瓦解
かがくこつ 下顎骨	がくかんせつ 顎関節	かのこ <u>鹿の子</u>	がらん＊ 伽藍	かんげき 間隙	ぎがく＊ 伎楽	
ぎじばり 擬餌針	きべん 詭弁＊	きょうかい 教誨	きょうかいし＊ 教誨師	きょか＊ 炬火	きんしゅう 錦秋	
こさつ 古刹	さんけい 参詣	さんしん＊ 三線	さんろく 山麓	しいてき 恣意的	しちどうがらん 七堂伽藍	
じゅうてん 充塡	しゅうび 愁眉	じゅくし＊ 熟柿	しゅつらん 出藍	しょうび 焦眉	しんし 真摯	
しんちょく 進捗	しんらつ 辛辣	すいたい 推戴	せいさん 凄惨	せいぜつ 凄絶	そうしん 痩身	そうてん 装塡
そきゅう 遡及	そじょう 遡上	たいかんしき 戴冠式	だほ＊ 拿捕	ちょうへいそく 腸閉塞		
といし＊ 砥石	とうじ＊ 杜氏	とうや 陶冶	はんにゃ＊ 般若	はんようせい 汎用性	びもく 眉目	
ひよく 肥沃	ふっしょく 払拭	へいそく 閉塞	ぼだい＊ 菩提	ほてん 補塡	みょうが 冥加	
みょうり 冥利	めいさつ 名刹	やきん 冶金	ゆうしゅつ 湧出	ゆうすい 湧水	よくや 沃野	
らつわん 辣腕	りえん＊ 梨園	りょうしゅう 領袖				

＊印がついている語は，常用漢字表にない漢字や音訓を含むが，常用漢字表の改定にあわせて平成22年11月30日からNHKが特例として採用した語。また，下線の語は訓読み。

用例集の使い方

　この用例集は，放送でよく使われる語を中心に約3万5,000項目の語を収め，その書き表し方を示したものである。
　一部の語については，例，注，類語などを加えた。
　また，「常用漢字表」にある字を単独の項目として掲げ，その音訓を示した。

1. 見出し項目
　　見出し項目は，語の読みを「現代仮名遣い」に従って，行頭にひらがなで示した。ただし，カタカナで書く語はカタカナで示した。

2. 表記
　① 表記は，見出し項目の次に太字で示した。
　　〈例〉　あいけん　**愛犬**

　② 全体をかなで書き表す語の場合は，見出し項目の字自体を太字で示した。
　　〈例〉　**あきれる**〔×呆〕　　**ワキ**《芸能》(能など)

　③ 「①ひらがな ②漢字」という太字で示した項目は，かな書きを優先するが，漢字で書いてもよいことを表している。
　　〈例〉　**うっせき**　　**①うっせき ②鬱積**
　　　　　ほころびる　**①ほころびる ②綻びる**

　④ 数字は算用数字と漢数字の両方を示したものがある。場合によって適切に使い分ける。「数字の書き方」(p.45)を参照のこと。

3. 記号

① 表記に関する記号

ここで言う「『常用漢字表』の字と音訓」にはNHKが独自に採用した漢字と音訓を含む。

〔　〕　この中の漢字は使わない字であることを示す(極端な当て字,古い表記習慣など)。

　　〈例〉　あさましい〔浅間〕

〔×〕　×印の次の漢字は「常用漢字表」にない字(表外字)であることを示す。

　　〈例〉　ひなまつり　ひな祭り〔×雛〕

〔▲〕　▲印の次の漢字は「常用漢字表」にその読み方が示されていないこと(表外音訓)を示す。

　　〈例〉　おいしい〔▲美▲味〕

読　読み方が難しい音読みの語には,なるべく「読みがな」を付ける。

　　〈例〉　補填(ほてん)読　　肥沃(ひよく)読

「読みがな」とは,漢字の上に付ける「ルビ」または漢字の後ろに(　)で付けるひらがな表記のことをいう。
放送では以下のように表記する。

　　〈例〉　痩身(そうしん)　または　痩身(そうしん)

（「読みがな」を付けることが望ましい語,p.58参照）

特　常用漢字およびNHKが独自に使う漢字と音訓以外の字や音訓を用いているが,熟語としてその表記を認める語（読マークの語は,なるべく読みがなを付ける）。

　　〈例〉　かたりべ　語り部 特（「部」の「べ」が表外音訓）
　　　　　いんせき　隕石(いんせき) 特 読（「隕」が表外字）

付　「常用漢字表」の付表にある語

〈例〉　おとな　**大人**付　　みやげ　**土産**付

(注)　付表の語は，それを含む複合語に使ってよい。
「河岸」と「魚河岸」,「鍛冶」と「刀鍛冶」など

送　送りがなの全部または一部を省く語

〈例〉　じびき　**字引**送　（「字引き」としない）

② そのほかの記号

《　》　分野・語源

その語の用いられる分野や語源となる分野を示した。
たとえば，《芸能》は芸能関係の用語，または，芸能のことばを語源とすることを示し，《医学》は医学関係の用語（病名の場合も），または，医学のことばを語源とすることを示す。

〜　表記の繰り返し

表記のあとに，その用例を小さい活字で示す場合，表記と同じ形のものは「〜」で代用した。

〈例〉　あかす　**明かす**　夜を〜。

(　)　注および説明が必要な場合この中に記した。

＊　類語・言いかえの例

見出し項目と類似の語を示すとともに，場合によって言いかえる方がよいものについて，その例を示した。

〈例〉　あいろ〔×隘路〕　＊妨げ。邪魔。

(p.00 参照)　表記のうえで特に注意を要するものには，該当する「原則」のページを数字で示した（用例集のページではない）。

4. 常用漢字

「常用漢字表」にある字を，その音に従って五十音順に配列した。音が同じ字は画数の少ないものを先にした。ただし，「常用漢字表」にその漢字の音が示されていない字は，訓によって配列した。

音訓は{ }の中に，音はカタカナ，訓はひらがなで示した。

小学校で教える漢字については，「学年別漢字配当表(教育漢字表)」に従い，①～⑥の数で習得の学年を示した。

5. 見出し項目の配列

① 見出し項目は五十音順に配列した。

② 濁音・半濁音は，清音の後にこの順で置いた。

③ 促音の「っ」，よう音の「ゃ」「ゅ」「ょ」は，それぞれ「つ」「や」「ゆ」「よ」の後に置いた。

④ 長音記号「ー」は前の母音の繰り返しとみる。

⑤ 見出し項目が同じ読みの場合は，次のように配列した。

ア．常用漢字を示す項目は先に置いた。

　ただし，「学年別漢字配当表」にある漢字を先に掲げ，かつ学年配当の早いものから配列した。

イ．漢字で書ける語は，漢字で書けない語の前に置いた。

ウ．同音異字の場合は，画数の少ないものを先にし，同じ画数のものは「常用漢字表」での順序に従った。

　ただし，2つの語を対比させて説明するために，この原則によらずに配列したものがある。

用例集

あ

- あ 亜{ｱ}
- ああ 〔×嗚▲呼・×噫〕
- あい 愛 ④{ｱｲ}
- あい 哀 {ｱｲ / あわれ・あわれむ}
- あい 挨 {ｱｲ}
- あい 曖 {ｱｲ}
- あい 相 〜対する。〜乗り。
- あい 藍
- あいあいがさ 相合い傘
- あいいれない 相いれない〔▲容〕
- あいいろ 藍色
- あいうち 相打ち〔討・撃〕
- あいえんきえん 合縁奇縁 送
- あいかぎ 合鍵 送
- あいかた 合方 送 《芸能》(歌舞伎・能・落語などの囃子・囃子方)
- あいかた 相方 《芸能》(漫才などの相手役)
- あいかわらず 相変わらず
- あいかん 哀感 (もの悲しさ)〜が漂う。
- あいかん 哀歓 (悲しみと喜び)人生の〜。
- あいがん 哀願
- あいがん 愛玩
- あいぎ 合着〔▲間〕送
- あいきどう 合気道 送
- あいきょう 愛きょう〔▲敬・×嬌〕
- あいきょうげん 間狂言 特 《芸能》
- あいくち 〔×匕▲首〕
- あいくるしい 愛くるしい
- あいけん 愛犬
- あいこ 愛顧
- あいご 愛護 動物〜。
- あいこう 愛好 〜家。〜者。
- あいこく 愛国 〜心。
- あいことなる 相異なる
- あいことば 合言葉 送
- あいさい 愛妻 〜家。〜弁当。
- あいさつ ①あいさつ ②挨拶
- あいし 哀史 女工〜。
- あいじ 愛児
- あいしゃ 愛社 〜精神。
- あいしゃ 愛車
- あいしゅう 哀愁
- あいしょう 相性〔合〕〜がいい。
- あいしょう 愛称
- あいしょう 愛唱〔×誦〕〜歌。
- あいじょう 愛情
- あいじん 愛人
- あいず 合図 送
- あいする 愛する
- あいせき 哀惜 〜の念。
- あいせき 相席
- あいそ 愛想 〜笑い。(勘定は「おあいそ」)

〔 〕使わない漢字　×表外字(常用漢字表にない字)　▲表外音訓(常用漢字表にない読み)
①〜⑥教育漢字の学年配当　①−②(①の表記を優先するが，②の表記を使ってもよい語)

あいそう　愛想	あいぼ　愛慕
あいぞう　愛憎	あいぼう　相棒〔合〕
あいぞう　愛蔵　～版。	あいま　合間送
あいそづかし　愛想尽かし	あいまい　①あいまい ②曖昧
あいぞめ　藍染め	あいまって　相まって〔×俟〕
あいだ　間	あいみたがい　相身互い〔見〕
あいたいずく　相対ずく	あいよう　愛用
あいたいする　相対する	あいよく　愛欲〔×慾〕
あいだがら　間柄	あいらく　哀楽　喜怒～。
あいちゃく　愛着	あいらしい　愛らしい
あいちょう　哀調	**あいろ**　〔×隘路〕　＊妨げ。邪魔。
あいちょう　愛鳥　～週間。	あいわ　哀話
あいつ　〔▲彼▲奴〕	あう　合う　(一致・合致・互いに行う)
あいついで　相次いで　事故が～起こる。	気が～。計算が～。話し～。
あいつぐ　相次ぐ	あう　会う〔▲遇・×逢〕　人に～。立
あいづち　相づち〔合×槌〕　～を打つ。	ち～。出～。
あいて　相手〔▲対〕	あう　遭う〔▲遇〕　(経験する。思わぬ
あいでし　相弟子	ことに偶然出くわす)事故に～。ひどい
あいとう　哀悼　～の意を表す。	目に～。
あいどく　愛読　～書。～者。	**あうん**　〔×阿×吽・×吘〕　～の呼吸。
あいなかばする　相半ばする　功罪～。	あえ　〔▲和〕　ごま～。みそ～。～物。
あいにく　〔▲生憎〕	あえぐ　〔×喘〕
あいのて　合いの手〔▲間〕	**あえて**　〔▲敢〕
あいのり　相乗り	**あえない**　〔▲敢〕
あいば　愛馬	**あえる**　〔▲和〕
あいびき　合いびき〔▲挽〕《料理》	あえん　亜鉛
あいびき　〔×逢引・×嬬×曳〕	あお　青
あいびょう　愛猫　～家。	あおあお　青々
あいぶ　愛ぶ〔×撫〕	あおい　青い
あいふく　合服〔▲間〕送	**あおい**　〔×葵〕
あいべや　相部屋	あおいき　青息　～吐息。

〔　〕使わない漢字　　×表外字(常用漢字表にない字)　　▲表外音訓(常用漢字表にない読み)
1～6 教育漢字の学年配当　　①－②(①の表記を優先するが，②の表記を使ってもよい語)

あおいろしんこく　青色申告	**あおり**　〔×煽〕　～を食う。
あおうめ　青梅	**あおる**　〔×呷〕　コップ酒を～。
あおかび　青かび〔×黴〕	**あおる**　〔×煽〕　人気を～。
あおがり　青刈り	あか　赤
あおぎり　〔青・×梧×桐〕	あか　〔×垢〕
あおぐ　仰ぐ　空を～。	あかあかと　赤々と　火が～燃える。
あおぐ　〔▲扇・・×煽〕　うちわで～。	あかあかと　〔明々〕　電灯を～ともす。
あおくさ　青草	あかい　赤い
あおくさい　青臭い	あかがみ　赤紙
あおざかな　青魚	**あがき**　〔▲足×搔〕
あおざめる　青ざめる〔×蒼×褪〕	**あかぎれ**　〔×皹〕
あおじゃしん　青写真　～を描く。	**あがく**　〔▲足×搔〕
あおじろい　青白い〔×蒼〕	あかご　赤子〔▲児〕
あおしんごう　青信号	あかごめ　赤米
あおすじ　青筋　～を立てる。	あかさび　赤さび〔×錆〕
あおぞら　青空	あかし　証し　～を立てる。
あおた　青田	あかじ　赤字　財政～。～国債。
あおだいしょう　青大将	あかしお　赤潮
あおたがい　青田買い	あかしんごう　赤信号
あおだけ　青竹	あかす　明かす　夜を～。
あおだたみ　青畳	あかす　飽かす　金に飽かして。
あおてんじょう　青天井	あかす　証す　(p.12参照)無実を～。
あおな　青菜	あかちゃける　赤茶ける
あおにさい　青二才	あかちゃん　赤ちゃん
あおば　青葉	あかつき　暁
あおまめ　青豆	あかつち　赤土
あおみ　青み〔味〕	あかとんぼ　赤とんぼ〔×蜻×蛉〕
あおむく　〔▲仰向〕	**あがなう**　〔×贖〕　罪を～。
あおむし　青虫	あかぬけ　あか抜け〔×垢〕
あおもの　青物	**あかね**　〔×茜〕　～色。
あおやぎ　〔青▲柳〕	**あかはじ**　赤恥　～をかく。

特 表外字・表外音訓を用いてよい特例の語　　付 常用漢字表の付表の語
送 送りがなを省く特例　　読 読みがなを付けるのが望ましい語　　＊類語・言いかえ例

あかはた	赤旗
あかふだ	赤札
あかぼう	赤帽
あかまつ	赤松
あかみ	赤身　魚の〜。
あかみ	赤み〔味〕　〜を帯びる。
あがめる	〔▲崇〕
あからがお	赤ら顔
あからさま	〔▲明▲白〕
あからむ	赤らむ
あからめる	赤らめる
あかり	明かり〔▲灯〕　家々の〜。雪〜。
あがり	上がり
あがりがまち	上がりがまち〔×框〕
あがりぐち	上がり口
あがりさがり	上がり下がり
あがる	上がる　(「下がる」の対語。終わる)腕が〜。地位が〜。非難の声が〜。物価が〜。役人上がり。商売が上がったり。刷り〜。
あがる	挙がる　(はっきり分かるように示す。列挙)証拠が〜。やり玉に〜。候補に〜。
あがる	揚がる　(高く掲げられる。揚げ物ができあがる)たこが〜。旗が〜。天ぷらが〜。
あがる	〔▲食〕　ごはんを〜。
あかるい	明るい
あかるみ	明るみ　〜に出る。
あかるむ	明るむ
あかんぼう	赤ん坊
あき	秋
あき	空き　〜缶。〜部屋。
あき	飽き　〜がくる。
あきあきする	飽き飽きする
あきかぜ	秋風
あきぐち	秋口
あきご	秋ご〔▲蚕〕
あきさく	秋作
あきさめ	秋雨　〜前線。
あきす	空き巣　〜狙い。
あきぞら	秋空
あきたいぬ	秋田犬　(「アキタケン」とも)
あきたりない	飽き足りない〔×慊〕
あきち	空き地
あきない	商い
あきなう	商う
あきばこ	空き箱
あきばれ	秋晴れ
あきびより	秋日和
あきびん	空き瓶〔×壜〕
あきまつり	秋祭り
あきもの	秋物
あきや	空き家
あきらか	明らか
あきらめる	諦める
あきる	飽きる
あきれかえる	あきれ返る〔×呆〕
アキレスけん	〔×腱〕
あきれはてる	あきれ果てる〔×呆〕
あきれる	〔×呆〕

〔　〕使わない漢字　　×表外字(常用漢字表にない字)　　▲表外音訓(常用漢字表にない読み)
1〜6 教育漢字の学年配当　　①-②(①の表記を優先するが，②の表記を使ってもよい語)

あきんど 〔▲商▲人〕	あくたい　悪態　～をつく。
あく　悪 ③{アク・オ/わるい}	あくだま　悪玉
あく　握 {アク/にぎる}	あくたれ　悪たれ　～小僧。
あく　明く　目が～。	**あくどい**　～商法。
あく　空く　席が～。	あくとう　悪党
あく　開く　戸が～。	あくどう　悪童
あく　〔▲灰▲汁〕　～抜き。	あくとく　悪徳
あくい　悪意	あくなき　飽くなき　～野望。
あくうん　悪運　～が強い。	あくにん　悪人
あくえき　悪疫	**あぐねる**　捜し～。考え～。
あくえん　悪縁	**あくび**　〔▲欠▲伸〕
あくぎょう　悪行〔業〕	あくひつ　悪筆
あくごう　悪業　《仏教》	あくひょう　悪評
あくさい　悪妻	あくへい　悪弊
あくじ　悪事	あくへき　悪癖
あくじき　悪食	あくほう　悪法
あくしつ　悪質	あくま　悪魔
あくしゅ　悪手　（囲碁・将棋）	**あくまで**　〔飽×迄〕
あくしゅ　握手	あくみょう　悪名
あくしゅう　悪臭	あくむ　悪夢
あくしゅう　悪習	**あぐむ**　〔×倦〕　攻め～。
あくしゅみ　悪趣味	あくめい　悪名
あくじゅんかん　悪循環	あくやく　悪役
あくじょ　悪女	あくゆう　悪友
あくせい　悪声	あくよう　悪用
あくせい　悪性	**あぐら**　〔×胡▲座〕　～をかく。
あくせい　悪政	あくらつ　悪辣(あくらつ)読　*あくどい。たち
あくせく　〔×齷×齪〕	の悪い。
あくせん　悪銭　～身につかず。	あくりょう　悪霊
あくせんくとう　悪戦苦闘	あくりょく　握力　～計。
あくた　〔×芥〕　ちり～。	

あくる　明くる〔▲翌〕　～朝。～年。～日。
あくれい　悪例
あくろ　悪路
あけ　〔▲朱〕　～に染まって。
あげあし　揚げ足〔挙〕　～を取る。
あげあぶら　揚げ油
あげいた　上げ板〔揚〕
あげおろし　上げ下ろし
あけがた　明け方
あげく　〔揚・挙句〕
あけくれる　明け暮れる
あげさげ　上げ下げ
あげしお　上げ潮
あけすけ　〔明透〕
あげぞこ　上げ底
あけたて　開けたて〔▲閉〕
あけっぱなし　開けっ放し
あけっぴろげ　開けっ広げ
あけに　明け荷
あけのみょうじょう　明けの明星
あけはなす　開け放す
あけぼの　〔×曙〕
あげまく　揚幕 送 《芸能》(歌舞伎などの語。できるだけ読みがなを付ける)
あげもの　揚げ物
あける　明ける　年が～。休みが～。夜が～。
あける　空ける　家を～。
あける　開ける　店を～。

あげる　上げる　(「下げる」の対語。終える)気勢を～。値段を～。悲鳴を～。物を棚に～。手を～(「殴る」の意味の場合)。仕事を～。(「…してあげる」などは、なるべくかな書き)
あげる　挙げる　(はっきり分かるように示す。列挙)一例を～。結婚式を～。祝杯を～。全力を～。国を挙げて。手を～(賛成・挙手の場合)。証拠を～。
あげる　揚げる　(高く掲げる。陸あげなど)たこを～。天ぷらを～。船の荷を～。
あけわたす　明け渡す
あご　①あご　②顎
あこがれ　憧れ〔▲憬〕
あこがれる　憧れる〔▲憬〕
あこぎ　〔×阿×漕〕　～なやり方。
あさ　麻　～糸。～ひも。
あさ　朝
あざ　字　大～。小～。
あざ　〔×痣〕
あさい　浅い
あさいち　朝市
あさおき　朝起き
あさがお　朝顔
あさがけ　朝駆け〔×駈〕　夜討ち～。
あさがた　朝方
あさぎ　〔浅×葱〕　～色。
あさぎまく　浅黄幕　《芸能》
あさぎり　朝霧
あさぐろい　浅黒い
あざける　①あざける　②嘲る

〔　〕使わない漢字　　×表外字(常用漢字表にない字)　　▲表外音訓(常用漢字表にない読み)
①～⑥教育漢字の学年配当　　①-②(①の表記を優先するが，②の表記を使ってもよい語)

あさごはん　①朝ごはん ②朝御飯
あせせ　浅瀬
あさぢえ　浅知恵
あさづけ　浅漬け
あさって　〔▲明▲後▲日〕
あさっぱら　朝っぱら
あさつゆ　朝露
あさなぎ　朝なぎ〔×凪〕
あさなわ　麻縄
あさね　朝寝
あさねぼう　朝寝坊
あさはか　浅はか〔墓〕
あさばん　朝晩
あさひ　朝日〔×旭〕
あさましい　〔浅間〕
あざみ　〔×薊〕
あさみどり　浅緑
あざむく　欺く
あさめし　朝飯　～前。
あさもや　朝もや〔×靄〕
あざやか　鮮やか
あさやけ　朝焼け
あさゆう　朝夕
あざらし　〔▲海×豹〕
あさり　〔浅×蜊〕
あさる　〔▲漁〕
あざわらう　あざ笑う〔▲嘲〕
あし　足　（主に足首から先の部分）
　～跡。～音。～を洗う。勇み～。
あし　脚　（主に太ももから下の部分）
　～の線が美しい。机の～。

あし　〔×葦〕
あじ　味
あじ　〔×鯵〕
あしあと　足跡
あしおと　足音
あしがかり　①足がかり ②足掛かり
あしかけ　足かけ〔掛〕　～3年。
あしかせ　足かせ〔×枷〕
あしがた　足形　（靴や足袋の型は「足型」）
あしがため　足固め
あしからず　〔▲悪〕
あしがる　足軽
あしくび　足首
あしげ　足蹴　～にする。（読み注意）
あしげ　あし毛〔×葦〕　～の馬。
あじけない　味気ない
あしこし　足腰
あじさい　〔▲紫▲陽▲花〕
あしざまに　〔▲悪様〕　～言う。
あした　〔▲明▲日〕
あしだ　足駄
あしだい　足代
あしだまり　足だまり〔×溜〕
あじつけ　味付け
あしでまとい　足手まとい〔×纏〕
　（「アシテマトイ」とも）
あしどめ　足止め〔留〕
あしどり　足取り　～がつかめない。
あじな　味な　～ことをする。

㊵ 表外字・表外音訓を用いてよい特例の語　㊞ 常用漢字表の付表の語
㊂ 送りがなを省く特例　㊿ 読みがなを付けるのが望ましい語　＊類語・言いかえ例

あしなみ　足並み
あしならし　足慣らし〔×馴〕
あしば　足場
あしばや　足早
あしふき　足拭き
あしぶみ　足踏み
あじみ　味見
あしもと　足元〔下・▲許〕
あしゅ　亜種
あしらう　〔▲配〕
あじろ　〔▲網代〕　～がさ。
あじわい　味わい
あじわう　味わう
あしわざ　足技〔業〕
あす　①**あす**　②明日 付
あすか　飛鳥 特　～時代。～文化。
あずかり　預かり
あずかりきん　預かり金
あずかる　預かる　金を～。
あずかる　〔▲与〕　相談に～。あずかり知らない。
あずき　小豆 付
あずけいれる　預け入れる
あずける　預ける
あずま　〔▲東〕
あずまや　〔▲東屋・▲四×阿〕
あせ　汗　～止め。～拭き。
あぜ　〔×畦〕　～道。
あぜくら　校倉 特　～造り。
あせばむ　汗ばむ
あせみず　汗水

あせみずく　汗みずく
あせみどろ　汗みどろ
あせも　〔汗×疣・▲疹〕
あせり　焦り
あせる　焦る　気が～。
あせる　〔×褪〕　色が～。
あぜん　〔×啞然〕
あそこ　〔▲彼▲処〕
あそばす　〔遊〕　お書き～。
あそび　遊び　～人。～場。～友達。
あそぶ　遊ぶ
あだ　〔×仇〕　～を討つ。
あだ　〔▲徒〕　親切が～となる。
あだ　〔×婀×娜〕　～な姿。～っぽい。
あたい　価　(商品の値段)
あたい　値　(計算して得た答え) x^2 の～を求めよ。
あたいする　値する〔価〕　称賛に～。
あたいせんきん　値千金　(詩句の引用では「直千金」。「千金の値」とも)
あたいりく　亜大陸　インド～。
あだうち　あだ討ち〔×仇〕
あたえる　与える
あたかも　〔×恰〕
あたたか　温か
あたたか　暖か
あたたかい　温かい　～料理。～家庭。～歓迎。
あたたかい　暖かい　(気温，衣服など) ～冬。～部屋。～毛布。

〔　〕使わない漢字　　×表外字(常用漢字表にない字)　　▲表外音訓(常用漢字表にない読み)
1～6 教育漢字の学年配当　　①-②(①の表記を優先するが，②の表記を使ってもよい語)

あたたかみ **温かみ**〔味〕 人情の〜。肌の〜。	あたりはずれ **当たり外れ**
あたたかみ **暖かみ**〔味〕 〜のある色。	あたりまえ **当たり前**
あたたまる **温まる** こたつで〜。心〜話。	あたりやく **当たり役**
あたたまる **暖まる** 部屋が〜。	あたる **当たる** ボールが〜。予報が〜。任務に〜。(「…するにあたって」は，かな書き)
あたためる **温める** スープを〜。手足を〜。旧交を〜。鳥が卵を〜。	あたる 〔▲中〕 毒に〜。
あたためる **暖める** 室内を〜。	あちら 〔▲彼▲方〕
あたって 〔当〕 …するに〜。	あつ **圧** ⑤{アツ}
あだな **あだ名**〔×綽・×渾〕	あつあげ **厚揚げ**
あだなさけ **あだ情け**〔×仇・▲徒〕	あつい **厚い** 〜本。
あだばな **あだ花**〔▲徒〕	あつい **暑い** 〜日。
あたま **頭**	あつい **熱い** 〜湯。
あたまうち **頭打ち**	**あつい** 〔▲篤〕 信仰心が〜。人情に〜。
あたまかず **頭数**	あついた **厚板**
あたまきん **頭金**	あつえん **圧延**
あたまごし **頭越し**	あっか **悪化**
あたまごなし **頭ごなし** 〜に叱る。	あっか **悪貨**
あたまでっかち **頭でっかち**	あつかい **扱い**
あたまわり **頭割り**	あつかう **扱**{あつかう}
あたら 〔▲可▲惜〕 〜好機を逸する。	あつかう **扱う**
あたらしい **新しい**	あつかましい **厚かましい**
あたり **辺り** 〜一面。	あつがみ **厚紙**
あたり **当たり** 1人〜の会費。	あつがる **暑がる**
あたりきょうげん **当り狂言**送 《芸能》	あつかん **熱かん**〔×燗〕
あたりげい **当たり芸**	あっかん **圧巻**
あたりさわり **当たり障り**	あっかん **悪漢**
あたりちらす **当たり散らす**	あつぎ **厚着**
あたりどし **当たり年**	あつぎり **厚切り** 《料理》
	あつくるしい **暑苦しい**

あっけ 〔×呆気〕 ～にとられる。
あつげしょう 厚化粧
あっけない 〔×呆気無〕
あっこう 悪口 ～雑言。
あっさく 圧搾 ～空気。
あっさつ 圧殺
あっさり ～引き下がる。
あっし 圧死
あっしゅく 圧縮
あっしょう 圧勝
あっする 圧する
あっせい 圧制 ＊抑圧。圧迫。
あっせい 圧政
あっせん 〔×斡旋〕
あつで 厚手 ～の服地。
あっとう 圧倒
あっぱく 圧迫
あっぱれ 〔▲天晴〕
あつまり 集まり
あつまる 集まる
あつみ 厚み〔味〕
あつめる 集める
あつもの 〔×羹〕 ～に懲りてなますを吹く。
あつやき 厚焼き 《料理》～卵。
あつらえ 〔×誂〕 ～向き。
あつらえる 〔×誂〕
あつりょく 圧力 ～計。～釜。
あつれき 〔×軋×轢〕 ＊不和。摩擦。
あて 当て ～がない。～が外れる。

あて 宛て 会社～の手紙。(「宛」とも)
あてがいぶち 〔宛▲行扶▲持〕
あてがう 〔宛▲行〕
あてこする 当てこする〔▲擦〕
あてこむ 当て込む
あてさき 宛先 ⑥
あてじ 当て字
あですがた あで姿〔▲艶〕
あてずっぽう 〔当〕
あてつけ 当てつけ〔付〕 ～がましい。
あてつける 当てつける〔付〕
あてど 〔当▲所〕 ～ない旅。
あてな 宛名 ⑥
あてにげ 当て逃げ
あてはずれ 当て外れ
あてはまる 当てはまる〔×嵌〕
あてはめる 当てはめる〔×嵌〕
あてみ 当て身
あでやか 〔▲艶〕
あてる 宛 {あてる}
あてる 当てる 日光に～。
あてる 充てる 予算の不足に～。保安要員に～。
あてる 宛てる 父に宛てた手紙。
あと 痕 (傷病や弾丸などの限定用語) 傷～が痛む。手術の～。弾丸の～。爪～。
あと 跡〔×址〕 (残されたしるし) 足～。苦心の～。城～。車輪の～。

あと―あはた

あと　後　(「前」「先」の対語。後続)
　～を追う。～の祭り。(「あと一息」「あと5分」は、かな書き。また、「…したあと」「そのあと」「…のあと」も「ご」「のち」との読み間違いを防ぐため、なるべくかな書き)～が絶える。～がない。～を頼む。～になり先になり。～を引く。～を絶たない。

あとあし　後足　(「うしろあし」は「後ろ足」)

あとあじ　後味　～が悪い。

あとあと　①あとあと　②後々

あとおい　後追い

あとおし　後押し

あとがき　①あとがき　②後書き

あとかた　跡形　～もない。

あとかたづけ　後片づけ〔付〕(火事のときは「跡片づけ」とも)

あとがま　後釜　社長の～。

あとくされ　後腐れ　(「アトグサレ」とも)

あどけない　～表情。

あとさき　後先

あとしまつ　後始末

あとずさり　後ずさり〔▲退〕(「後じさり」とも)

あとち　跡地

あとつぎ　後継ぎ　(後継者の場合)社長の～。農家の～。

あとつぎ　跡継ぎ　(家督・名跡・家元を継ぐ場合)当家の～。

あととり　跡取り

あとのまつり　後の祭り

あとばらい　後払い

あとまわし　後回し

あとめ　跡目　～を継ぐ。

あともどり　後戻り

あな　穴〔▲孔〕　～を開ける。

あなうま　穴馬　(競馬用語)

あなうめ　穴埋め

あながち　〔▲強〕

あなぐら　穴蔵〔倉・×窖〕

あなた　〔▲彼▲方〕　山の～。

あなた　〔▲貴▲方・▲下・▲女〕
　～任せ。

あなづり　穴釣り

あなどる　侮る

あなば　穴場

あに　兄　～上。

あに　〔×豈〕　～図らんや。

あにき　兄貴　～分。

あにでし　兄弟子

あによめ　兄嫁〔×嫂〕

あね　姉

あねご　姉御〔×姐〕　～肌。

あねさんかぶり　姉さんかぶり〔×姐▲被・▲冠〕

あねったい　亜熱帯

あの　〔▲彼〕

あのよ　あの世〔▲彼〕

あばく　暴く〔▲発〕

あばた　〔▲痘▲痕〕

特 表外字・表外音訓を用いてよい特例の語　　付 常用漢字表の付表の語
送 送りがなを省く特例　　読 読みがなを付けるのが望ましい語　　＊類語・言いかえ例

あばらぼね	**あばら骨**〔×肋〕
あばらや	**あばら家**〔▲荒屋〕
あばれもの	暴れ者
あばれる	暴れる
あばれんぼう	暴れん坊
あびきょうかん	阿鼻叫喚
あびせたおし	浴びせ倒し
あびせる	浴びせる
あひる	〔▲家×鴨〕
あびる	浴びる
あぶ	〔×虻〕
あぶく	〔▲泡〕 ～銭。
あぶない	危ない
あぶなげ	危なげ ～ない。
あぶみ	〔×鐙〕
あぶら	油 (液体。主として植物・鉱物) 天ぷら～。
あぶら	脂〔×膏〕(脂肪。固体。主として動物)～が乗る。
あぶらあげ	油揚げ
あぶらあせ	①あぶら汗 ②脂汗〔×膏〕
あぶらいため	油炒め
あぶらえ	油絵
あぶらかす	油かす〔×粕〕
あぶらがみ	油紙
あぶらぎる	脂ぎる
あぶらけ	油気 ～のない髪。
あぶらげ	〔油▲揚〕
あぶらさし	油差し
あぶらじみる	①油じみる ②油染みる
あぶらしょう	脂性
あぶらぜみ	〔油×蟬〕
あぶらっけ	油っ気
あぶらっこい	油っこい (場合により「脂っこい」)
あぶらな	油菜
あぶらみ	脂身 ～の多い肉。
あぶらむし	油虫
あぶりだし	あぶり出し〔×炙〕
あぶる	〔×炙〕
あふれる	〔×溢〕
あぶれる	仕事に～。
あべこべ	話が～になる。
あへん	〔×阿片〕
あほうどり	〔▲信▲天▲翁〕
あほらしい	〔×阿×呆〕
あま	尼
あま	亜麻 ～色。
あま	海女 付
あま	海士 付読 (男性の場合)
あまあし	雨足 (「雨脚」とも)
あまい	甘い
あまえ	甘え
あまえる	甘える
あまえんぼう	甘えん坊
あまおと	雨音
あまがえる	雨がえる〔×蛙〕
あまがき	甘柿
あまがさ	雨傘

〔 〕使わない漢字　×表外字(常用漢字表にない字)　▲表外音訓(常用漢字表にない読み)
1～6 教育漢字の学年配当　①—②(①の表記を優先するが，②の表記を使ってもよい語)

あまがっぱ　雨がっぱ〔合羽〕
あまから　甘辛　～せんべい。
あまかわ　甘皮
あまぐ　雨具
あまくだり　天下り〔▲降〕　～人事。
あまくち　甘口　～の酒。
あまぐつ　雨靴
あまぐも　雨雲
あまぐもり　雨曇り
あまぐり　甘栗
あまごい　雨乞い
あまざけ　甘酒
あまざらし　雨ざらし〔×曝〕
あまじお　甘塩
あます　余す〔▲剰〕
あまず　甘酢
あまずっぱい　甘酸っぱい
あまぞら　雨空
あまた　〔▲数多〕　引く手～。
あまだれ　雨だれ〔垂・▲滴〕
あまちゃ　甘茶
あまつさえ　〔▲剰〕
あまったるい　甘ったるい
あまつぶ　雨粒
あまでら　尼寺
あまど　雨戸
あまどい　雨どい〔×樋〕
あまとう　甘党
あまなっとう　甘納豆
あまねく　〔▲遍・×洽・▲普〕
あまのがわ　天の川〔河〕　＊銀河。

あまのじゃく　〔天邪▲鬼〕
あまみ　甘味　(甘い菓子類)
あまみ　甘み　(甘さの程度)
あまみず　雨水
あまもり　雨漏り
あまやかす　甘やかす
あまやどり　雨宿り
あまよけ　雨よけ〔▲除・▲避〕
あまり　余り　(余ったもの。残り) 食べ物の～。50人～のクラス。
あまり　(副詞・形容動詞)～好きでない。うれしさの～。～に気の毒。
あまる　余る
あまんじる　甘んじる
あみ　網
あみあげぐつ　編み上げ靴
あみうち　網打ち
あみがさ　編みがさ〔×笠〕
あみき　編み機
あみだ　〔×阿×弥×陀〕　～くじ。帽子を～にかぶる。
あみだす　編み出す
あみだな　網棚
あみど　網戸
あみばり　編み針
あみひき　網引き〔×曳〕
あみぼう　編み棒
あみめ　網目
あみめ　編み目　毛糸の～。
あみもと　網元
あみもの　編み物

特 表外字・表外音訓を用いてよい特例の語　　付 常用漢字表の付表の語
送 送りがなを省く特例　　読 読みがなを付けるのが望ましい語　　＊類語・言いかえ例

あむ　編む	文集を〜。
あめ　天	
あめ　雨	
あめ　〔×飴〕	〜玉。
あめあがり　雨上がり	
あめかぜ　雨風	
あめがち　雨がち〔勝〕	
あめつち　天つち〔▲地〕	
あめつゆ　雨露	〜をしのぐ。
あめふり　雨降り	
あめもよう　雨もよう〔模様〕（「アマモヨウ」とも）	
あめんぼう　〔▲水×黽〕（「あめんぼ」とも）	
あや　〔▲文・▲文▲様・×綾〕	〜織り。ことばの〜。
あやうい　危うい	
あやうく　危うく	
あやかる　〔▲肖〕	
あやしい　妖しい	（妖艶・神秘的）〜魅力。妖しく輝く瞳。
あやしい　怪しい〔×訝〕	（奇怪・不気味・疑念）〜人影。挙動が〜。空もようが〜。
あやしげ　怪しげ〔気〕	
あやしむ　怪しむ	
あやす　赤ん坊を〜。	
あやつりにんぎょう　操り人形	
あやつる　操る	
あやとり　あや取り〔×綾〕	
あやなす　〔×綾〕	錦〜。
あやぶむ　危ぶむ	
あやふや　〜な態度。	
あやまち　過ち	〜を犯す。
あやまつ　過つ	過って…する。
あやまり　誤り〔×謬〕	〜を正す。
あやまる　誤る〔×謬〕	目標を〜。
あやまる　謝る	平謝りに〜。
あやめ　〔×菖×蒲〕	
あやめる　〔▲殺・▲危〕	人を〜。
あゆ　〔×鮎〕	
あゆみ　歩み	
あゆみよる　歩み寄る	
あゆむ　歩む	
あら　〔粗〕	〜を探す。
あらあらしい　荒々しい	
あらい　洗い	〜が十分でない。
あらい　荒い	気が〜。〜波風。
あらい　粗い	きめが〜。仕事が〜。
あらいがみ　洗い髪	
あらいこ　洗い粉	
あらいざらい　洗いざらい〔×浚〕	
あらいざらし　洗いざらし〔×晒〕	
あらいそ　荒磯	
あらいはり　洗い張り	
あらいもの　洗い物	
あらう　洗う	
あらうま　荒馬	
あらうみ　荒海	
あらがう　〔▲抗・▲争〕	
あらかじめ　〔▲予〕	
あらかせぎ　荒稼ぎ	

〔　〕使わない漢字　　×表外字(常用漢字表にない字)　　▲表外音訓(常用漢字表にない読み)
①〜⑥教育漢字の学年配当　　①−②(①の表記を優先するが，②の表記を使ってもよい語)

あらかた 〔粗方〕	あらの 荒野〔×曠〕
あらぎょう 荒行	あらびき 粗びき〔▲挽・××碾〕
あらくれ 荒くれ ～男。～者。	あらほうし 荒法師
あらけずり 粗削り （「荒削り」とも）	あらまき 新巻〔荒〕送
あらごと 荒事 《芸能》～師。	あらまし 事件の～。
あらごなし 粗ごなし	あらむしゃ 荒武者
あらさがし あら探し〔粗〕	あらもの 荒物 ～屋。
あらし 嵐{あらし}	あらゆる 〔▲凡・▲所▲有〕
あらし 荒らし 事務所～。道場～。	あららげる 荒らげる （「荒げる(アラゲル)」とも）
あらしごと 荒仕事	
あらす 荒らす	あらりえき 粗利益
あらず 〔▲非〕	あらりょうじ 荒療治
あらすじ 〔粗筋〕 小説の～。	あられ 〔×霰〕
あらそい 争い	あらわ 〔▲露〕 肌を～にする。
あらそう 争う	あらわざ 荒技 （武術などの大技）
あらた 新た	あらわす 表す （表現）意味を～。数字に～。敬意を～。
あらたか 〔×灼〕 霊験～。	
あらだてる 荒だてる〔立〕	あらわす 現す （出現）姿を～。
あらたまる 改まる 制度が～。態度が～。	あらわす 著す （著作）本を～。
	あらわれ 表れ 喜びの～。
あらたまる 〔▲革〕 病状が～。	あらわれる 表れる 顔に～。
あらためて 改めて ～伺います。	あらわれる 現れる 会場に～。
あらためる 改める	あらわれる 〔▲顕〕 世に～。
あらためる 〔▲検〕 切符を～。	あり 〔×蟻〕
あらっぽい 荒っぽい ～性格。（場合により「粗っぽい」。仕事が～）	ありあけ 有り明け
	ありあまる 有り余る
あらて 新手 ～の軍勢。～の詐欺。	ありありと ～思い浮かべる。
あらなみ 荒波	ありあわせ 有り合わせ
あらなわ 荒縄	ありか 在りか〔▲処〕
あらぬり 粗塗り	ありかた 在り方
あらねつ 粗熱 《料理》	

特 表外字・表外音訓を用いてよい特例の語　　付 常用漢字表の付表の語
送 送りがなを省く特例　　読 読みがなを付けるのが望ましい語　　＊類語・言いかえ例

ありがたい 〔有難〕（感謝）(「めったにない」という意味で使う場合は，漢字で書いてもよい。例：世にも有り難い)

ありがたみ 〔有難味〕

ありがためいわく ありがた迷惑〔有難〕

ありがち 〔有勝〕

ありがとう 〔有難▲度〕

ありがね 有り金

ありきたり 〔在来〕

ありさま 〔有様〕

ありしひ 在りし日

ありたけ 〔有丈〕

ありたやき 有田焼送

ありづか あり塚〔×蟻〕

ありつく 〔有付〕 仕事に～。

ありったけ 〔有丈〕

ありてい 〔有体〕

ありとあらゆる ～手段。

ありのまま 〔有×儘〕

ありふれた 〔有触〕

ありゅう 亜流

ありゅうさん 亜硫酸 ～ガス。

ある ①ある ②有る （保有）財産が～。(「…と書いてある」などは，かな書き) (p.26参照)

ある ①ある ②在る （所在）東京の西に～。(「…と書いてある」などは，かな書き)(p.26参照)

ある …で～。書いて～。

ある 〔×或〕 ～日。

あるいは 〔×或〕

あるきづめ 歩きづめ〔詰〕

あるく 歩く

あるじ 〔▲主〕

あれ 荒れ 肌の～。

あれ 〔▲彼〕

あれくるう 荒れ狂う

あれこれ 〔▲彼▲是〕

あれしょう 荒れ性

あれち 荒れ地

あれの 荒れ野

あれはてる 荒れ果てる

あれほど 〔程〕

あれもよう 荒れもよう〔模様〕

あれる 荒れる

あわ 泡

あわ 〔×粟〕 ～飯。

あわい 淡い

あわせ 〔×袷〕

あわせかがみ 合わせ鏡

あわせて 合わせて （合計・一致させる）～1万円。

あわせて 併せて （同時に）～健康を祈る。この見本も～ご覧ください。

あわせめ 合わせ目

あわせる 合わせる （合計・一致させる）答えを～。調子を～。つじつまを～。

あわせる 併せる （統合・同時に）2つの会社を～。清濁併せのむ。

あわせわざ 合わせ技

あわただしい 慌ただしい

〔 〕使わない漢字　×表外字(常用漢字表にない字)　▲表外音訓(常用漢字表にない読み)
1～6 教育漢字の学年配当　①－②(①の表記を優先するが，②の表記を使ってもよい語)

あわだつ　泡立つ
あわだてる　泡立てる
あわつぶ　あわ粒〔×粟〕
あわてふためく　慌てふためく
あわてもの　慌て者
あわてる　慌てる
あわび　〔×鮑〕
あわもり　泡盛送
あわゆき　淡雪
あわよくば　～当選できるだろう。～ひともうけしたい。
あわれ　①あわれ　②哀れ（「もののあわれ」は，かな書き。「気の毒，かわいそうに思う」という意味の場合は，なるべくかな書き）
あわれがる　①あわれがる　②哀れがる〔×憐〕
あわれな　①あわれな　②哀れな　～身の上。
あわれみ　①あわれみ　②哀れみ〔×憐〕　生き物に対する～。
あわれむ　①あわれむ　②哀れむ〔×憐〕
あん　行②{コウ・ギョウ・アン/いく・ゆく・おこなう}
あん　安③{アン/やすい}
あん　暗③{アン/くらい}
あん　案④{アン}
あん　〔×餡〕
あんあんり　暗々裏〔×裡〕　＊ひそかに。
あんい　安易

あんいつ　安逸〔×佚〕
あんうん　暗雲
あんえい　暗影〔×翳〕
あんか　安価
あんか　〔行火〕
あんがい　案外
あんかん　安閑
あんき　暗記〔×諳〕　丸～。～力。
あんぎゃ　行脚
あんきょ　暗きょ〔×渠〕
あんけん　案件
あんごう　暗号
あんこうしょく　暗紅色
あんこく　暗黒〔▲闇〕
あんさつ　暗殺
あんざん　安産
あんざん　暗算
あんざんがん　安山岩
あんじ　暗示
あんしつ　暗室
あんじゅう　安住　～の地。
あんしょう　暗唱〔×諳×誦〕　詩を～する。
あんしょう　暗証　～番号。
あんしょう　暗礁　～に乗り上げる。
あんじる　案じる〔×按〕
あんしん　安心
あんしんりつめい　安心立命
あんず　〔×杏子〕
あんずる　案ずる〔×按〕
あんせい　安静

あんぜん　安全　～器。～策。～弁。
あんぜん　暗然〔×黯〕　～たる思い。
あんそく　安息　～日。
あんだ　安打
あんたい　安泰　お家～。
あんたん　暗たん〔×澹〕　～とした気持ち。
あんち　安置
あんちゅうもさく　暗中模索
あんちょく　安直
あんてい　安定
あんてん　暗転
あんど　安ど〔×堵〕　＊安心。
あんとう　暗闘
あんどん　〔行▲灯〕
あんな　～連中。
あんない　案内　～係。～状。～所。
あんに　暗に
あんのじょう　案の定〔条〕
あんのん　安穏　～に暮らす。
あんば　あん馬〔×鞍〕

あんばい　〔×按排・案配〕（程よく並べる）
あんばい　〔▲塩梅〕（味加減。具合）
あんパン　〔×餡〕
あんぴ　安否　～を気遣う。
あんぶ　暗部　～をえぐる。
あんぶ　あん部〔×鞍〕
あんぷ　暗譜　曲を～で弾く。
あんぶん　案分〔×按〕　利益を～する。＊比例配分。
あんぶん　案文　条約の～。
あんぽ　安保　（「安全保障」の略）～条約。
あんまく　暗幕
あんまん　〔×餡×饅〕
あんみつ　あん蜜〔×餡〕
あんみん　安眠
あんもく　暗黙　～の了解。
あんもち　あん餅〔×餡〕
あんや　暗夜〔▲闇〕
あんやく　暗躍
あんゆ　暗喩
あんらく　安楽　～いす。～死。

い

い	医 ③ {イ}		
い	委 ③ {イ/ゆだねる}		
い	意 ③ {イ}	～に反する。	
い	以 ④ {イ}		
い	衣 ④ {イ/ころも}		
い	位 ④ {イ/くらい}		
い	囲 ④ {イ/かこむ・かこう}		
い	胃 ④ {イ}		
い	易 ⑤ {エキ・イ/やさしい}		
い	移 ⑤ {イ/うつる・うつす}		
い	異 ⑥ {イ/こと}	～を唱える。	
い	遺 ⑥ {イ・ユイ}		
い	依 {イ・エ}		
い	威 {イ}		
い	為 {イ}		
い	畏 {イ/おそれる}		
い	唯 {ユイ・イ}		
い	尉 {イ}		
い	萎 {イ/なえる}		
い	偉 {イ/えらい}		
い	椅 {イ}		
い	彙 {イ}		
い	違 {イ/ちがう・ちがえる}		
い	維 {イ}		
い	慰 {イ/なぐさめる・なぐさむ}		
い	緯 {イ}		
い	井	～の中のかわず。	
い・亥		(十二支)～の年。	

いあい　居合送　～道。～抜き。
いあつ　威圧
いあわせる　居合わせる
いあん　慰安　～旅行。
いい　〔▲良〕
いいあう　言い合う
いいあてる　言い当てる
いいあやまる　言い誤る
いいあらそう　言い争う
いいあらわす　言い表す
いいえ
いいおく　言いおく〔置〕
いいおとす　言い落とす
いいかえ　言いかえ〔替・換〕
いいかえす　言い返す
いいかえる　言いかえる〔替・換〕
いいがかり　言いがかり〔掛・懸〕
いいかける　言いかける〔掛〕
いいかげん　〔▲良加減〕
いいかた　言い方
いいがたい　言い難い　いわく～。
いいかねる　言いかねる〔兼〕
いいかわす　言い交わす
いいきかせる　言い聞かせる
いいきる　言い切る
いいぐさ　言いぐさ〔草・▲種〕
いいくるめる　言いくるめる
いいこめる　言い込める〔▲籠〕

特　表外字・表外音訓を用いてよい特例の語　　付　常用漢字表の付表の語
送　送りがなを省く特例　　読　読みがなを付けるのが望ましい語　　＊類語・言いかえ例

いいしぶる　言い渋る	いいふらす　言い触らす
いいすぎる　言い過ぎる	いいふるす　言い古す〔▲旧〕
いいすてる　言い捨てる	いいぶん　言い分
いいそこなう　言い損なう	いいまわし　言い回し〔×廻〕
いいそびれる　言いそびれる	いいもらす　言い漏らす〔×洩〕
いいだくだく　唯々諾々	いいよう　言いよう〔様〕　ものは～。
いいだす　言いだす〔出〕	いいよどむ　言いよどむ〔×淀〕
いいたてる　言い立てる	いいよる　言い寄る
いいちがえる　言い違える	いいわけ　言い訳
いいつかる　言いつかる〔付〕	いいわたし　言い渡し　判決の～。
いいつぐ　言い継ぐ	いいわたす　言い渡す
いいつくす　言い尽くす	いいん　医院
いいつける　言いつける〔付〕	いいん　委員
いいつたえ　言い伝え	いう　言う〔×云・×曰・×謂〕
いいつづける　言い続ける	（「…という場合」などは，かな書き）
いいっぱなし　言いっ放し	いえ　家
いいづらい　言いづらい〔▲辛〕	いえい　遺影
いいとおす　言い通す	いえがら　家柄
いいなおす　言い直す	いえき　胃液
いいなずけ　〔▲許▲婚・▲嫁〕	いえじ　家路
いいならわし　言い習わし	いえじゅう　家じゅう〔中〕
いいなり　言いなり	いえで　家出
いいなれる　言い慣れる	**いえども**　〔×雖〕
いいにくい　言いにくい	いえなみ　家並み
いいぬける　言い抜ける	いえぬし　家主
いいね　言い値	いえもち　家持ち
いいのがれ　言い逃れ	いえもと　家元　～制度。
いいのこす　言い残す	いえる　癒える
いいはじめる　言い始める	いえん　以遠　～権。
いいはる　言い張る	いえん　胃炎
いいふくめる　言い含める	いおう　硫黄〔付〕

〔　〕使わない漢字　　×表外字（常用漢字表にない字）　　▲表外音訓（常用漢字表にない読み）
①～⑥教育漢字の学年配当　　①—②（①の表記を優先するが，②の表記を使ってもよい語）

いおとす　射落とす	いかよう　〔▲如▲何様〕
いおり　〔×庵〕	いからす　怒らす　肩を〜。
いか　以下	いがらっぽい　のどが〜。
いか　医科　〜大学。	いかり　怒り
いか　〔×烏▲賊〕	いかり　〔×碇・×錨〕
いが　〔×毬〕　栗の〜。	いかりくるう　怒り狂う
いかい　位階　〜勲等。	いかる　怒る
いがい　以外	いかん　衣冠　〜束帯
いがい　意外	いかん　尉官
いがい　遺骸　＊遺体。なきがら。	いかん　移管　民政〜。
いかいよう　胃潰瘍	いかん　偉観　〜を誇る。
いかが　〔▲如▲何〕	いかん　遺憾　〜の意を表す。〜なく発揮する。
いかがわしい　〜場所。	
いかく　威嚇　〜射撃。	いかん　〔▲如▲何〕
いがく　医学　〜部。	いがん　依願　〜退職。
いがぐり　いが栗〔×毬〕　〜頭。	いがん　胃がん〔×癌〕
いかさま　〔▲如▲何様〕〜賭博。	いき　域　⑥ {イキ}
いかす　生かす〔▲活〕	いき　息
いかすい　胃下垂	いき　意気　〜消沈。〜揚々。〜軒こう。
いかずち　〔▲雷〕	いき　遺棄　死体〜。
いかぞく　遺家族	いき　生き〔▲活〕　〜のいい魚。
いかだ　〔×筏〕　〜流し。	いき　行き　(「ユキ」とも)
いがた　鋳型〔形〕　〜にはめる。	いき　粋　〜な服装。
いかつい　〔▲厳〕	いぎ　威儀　〜を正す。
いかなる　〔▲如▲何〕	いぎ　異義　(違った意味)同音〜語。
いかに　〔▲如▲何〕	いぎ　異議　(反対の意見)〜なし。〜を唱える。
いかにも　〔▲如▲何〕	
いかほど　〔▲如▲何程〕	いぎ　意義　(意味・価値)人生の〜。
いがみあう　いがみ合う〔×啀〕	いきあう　行き合う
いかめしい　〔▲厳〕	いきあたり　行き当たり　〜ばったり。
いかもの　〔▲如▲何物〕　〜食い。	いきあたる　行き当たる

特 表外字・表外音訓を用いてよい特例の語　　付 常用漢字表の付表の語
送 送りがなを省く特例　　読 読みがなを付けるのが望ましい語　　＊類語・言いかえ例

いきいきと　生き生きと	いきせききる　息せき切る〔▲急〕
いきうつし　生き写し	息せき切って。
いきうま　生き馬　〜の目を抜く。	いきだおれ　行き倒れ
いきうめ　生き埋め	いきち　生き血
いきえ　生き餌	いきちがい　行き違い
いきおい　勢い　〜がいい。(「いきおい…となる」などは，なるべくかな書き)	いきづかい　息遣い
	いきつぎ　息継ぎ
いきおいこむ　勢い込む	いきつく　行き着く
いきおいづく　勢いづく〔付〕	いきづく　息づく〔▲衝〕
いきがい　生きがい〔▲甲×斐〕	いきつけ　行きつけ〔付〕
いきかう　行き交う	いきづまる　行き詰まる
いきかえり　行き帰り	いきづまる　息詰まる　〜熱戦。
いきかえる　生き返る	いきどおり　憤り
いきがかり　行きがかり〔掛〕	いきどおる　憤る
いきがけ　行きがけ〔掛〕	いきとどく　行き届く
いきかた　生き方	いきどまり　行き止まり
いきがる　粋がる	いきながらえる　生き長らえる〔▲存〕
いきき　行き来〔▲往〕	(「生き永らえる」とも)
いきぎれ　息切れ	**いきなり**
いきぐるしい　息苦しい	いきぬき　息抜き
いきごむ　意気込む	いきのこる　生き残る
いきさき　行き先	いきのね　息の根　〜を止める。
いきさつ　〔▲経▲緯〕	いきのびる　生き延びる
いきじ　意気地	いきはじ　生き恥　〜をさらす。
いきじごく　生き地獄	いきほとけ　生き仏〔▲活〕
いきしな　行きしな	**いきまく**　〔息巻〕
いきしに　生き死に	いきみ　生き身
いきじびき　生き字引〔▲活〕送	いきむ　息む
いきすぎ　行き過ぎ	いきもの　生き物
いきすぎる　行き過ぎる	いきょう　異郷　(生地から離れた所)
	いきょう　異境　(遠く離れた外国)

〔　〕使わない漢字　　×表外字(常用漢字表にない字)　　▲表外音訓(常用漢字表にない読み)
1〜6 教育漢字の学年配当　　①-②(①の表記を優先するが，②の表記を使ってもよい語)

いぎょう　異形	いくばく　〔幾▲許〕　～もない。
いぎょう　偉業　～を成し遂げる。	いくびょう　育苗
いぎょう　遺業　～を継ぐ。	いくぶん　①いくぶん　②幾分
いぎょうしゅ　異業種　～交流。	いくもう　育毛　～剤。
いきょうと　異教徒	**いくら**　〔幾▲等〕　～でも。～何でも。
いきようよう　意気揚々	**いくらか**　〔幾▲等〕
いきょく　医局	いくん　偉勲　～を立てる。
いきりたつ　〔▲熱立〕	いくん　遺訓　先祖の～。
いきる　生きる	いけ　池
いきれ　〔▲熱・×焔〕　草～。人～。	いけい　畏敬　＊敬服。心服。尊敬。
いきわかれ　生き別れ　親子の～。	いけうお　生け魚〔▲活〕　～料理。
いきわたる　行き渡る	いけがき　生け垣
いく　育③{イク そだつ・そだてる・はぐくむ}	いけす　生けす〔×簀〕
いく　幾　～晩も。～久しく。	いけづくり　生け作り〔▲活〕（「生き作り」とも）
いく　行く（「ユク」とも。「…していく」などは、なるべくかな書き）	いけどり　生け捕り
いく　逝く（「ユク」とも）	**いけない**　〔▲不▲可〕
いくえ　幾重　～にも。	**いけにえ**　〔生×贄・▲犠▲牲〕
いくえい　育英　～資金。	いけばな　生け花〔▲活〕
いくさ　戦	いける　生ける〔▲活〕　花を～。
いぐさ　〔×藺草〕	**いける**　〔▲埋〕
いくじ　育児	いけん　意見　～書。
いくじ　意気地付　～がない。	いけん　違憲　～判決。
いくせい　育成	いげん　威厳
いくた　幾多　～の困難を乗り越える。	いご　以後
いくたび　幾たび〔度〕	いご　囲碁
いくつ　〔幾〕　～か。～も。	いこい　憩い
いくど　幾度	いこう　以降
いくどうおん　異口同音	いこう　威光
いくとせ　幾とせ〔▲歳〕	いこう　移行　新制度に～する。
いくにち　幾日	いこう　意向〔×嚮〕

特 表外字・表外音訓を用いてよい特例の語　　付 常用漢字表の付表の語
送 送りがなを省く特例　　読 読みがなを付けるのが望ましい語　　＊類語・言いかえ例

いこう　遺構	いし　医師
いこう　遺稿	いし　意志　(成し遂げようとする心)
いこう　憩う	～が強い。～薄弱。
いこく　異国　～情緒。	いし　意思　(持っている考え。法律用
いごこち　居心地	語に多い)～の疎通。個人の～。～表
いこじ　〔依×怙地〕	示。殺人の～の有無。
いこつ　遺骨	いし　遺志　故人の～。
いこん　遺恨　～試合。	いし　〔×縊死〕　＊首をつって死ぬ。
いざ　～戦わん。	首つり自殺。
いさい　委細　～構わず。	いじ　意地　～を張る。片～。
いさい　異彩　～を放つ。	いじ　維持　現状～。
いさい　偉才	いじ　遺児　交通～。
いさお　〔▲勲〕	いしうす　石臼
いさかい　〔×諍〕	いしがき　石垣
いざかや　居酒屋	いしき　意識
いさぎよい　潔い　潔しとしない。	いじきたない　意地汚い
いさく　遺作	いしきりば　石切り場
いざこざ　～が絶えない。	いしく　石工
いささか　〔×些・×聊〕	いしぐみ　石組み　庭の～。
いざなう　〔▲誘〕	いしけり　①石けり ②石蹴り
いさましい　勇ましい	いじける
いさみあし　勇み足	いじげん　異次元
いさみたつ　勇み立つ	いしころ　石ころ
いさみはだ　勇み肌〔▲膚〕	いしずえ　礎
いさむ　勇む　喜び～。	いしだたみ　石畳〔×甃〕
いさめる　〔×諫〕	いしだん　石段
いざよい　〔▲十▲六▲夜〕　～の月。	いしつ　異質
いさりび　いさり火〔▲漁〕	いしづき　石突き
いさん　胃酸　～過多症。	いしづくり　石造り
いさん　遺産　～相続。文化～。	いじっぱり　意地っ張り
いし　石	いしつぶつ　遺失物

〔　〕使わない漢字　　×表外字(常用漢字表にない字)　　▲表外音訓(常用漢字表にない読み)
①～⑥教育漢字の学年配当　　①－②(①の表記を優先するが，②の表記を使ってもよい語)

いしどうろう	石灯籠	いしょく	異色　〜の作品。
いしばい	石灰	いしょく	移植
いしばし	石橋	いしょくじゅう	衣食住
いしぶみ	〔▲碑〕	**いじらしい**	〔▲可×憐〕
いしぼとけ	石仏	**いじる**	〔▲弄〕
いじめる	〔▲虐・▲苛〕	いしわた	石綿
いしや	石屋	いじわる	意地悪
いしゃ	医者	いしん	威信　〜を示す。
いじゃく	胃弱	いしん	維新
いしゃりょう	慰謝料〔×藉〕	いじん	異人
いしゅ	異種	いじん	偉人
いしゅ	意趣　〜返し。	いしんでんしん	以心伝心
いしゅう	異臭	いす	①いす ②椅子
いじゅう	移住　海外〜。〜者。	**いずこ**	〔▲何▲処〕
いしゅく	萎縮　(かしこまる場合は「畏縮」も)＊すくむ。縮む。	いずまい	居ずまい〔住〕　〜を正す。
		いずみ	泉
いしゅつ	移出	**いずれ**	〔▲何・×孰〕
いじゅつ	医術	いすわる	居座る〔×坐・据〕
いしょ	遺書	いせい	以西
いしょう	衣装〔×裳〕	いせい	威勢　〜がいい。
いしょう	意匠　〜登録。	いせい	異性
いじょう	以上	いせいしゃ	為政者
いじょう	委譲　(委ねる)社長権限の一部を副社長に〜する。	いせえび	伊勢えび〔×蝦・▲海▲老〕
		いせき	移籍
いじょう	移譲　(移す)政権を〜する。税源を国から地方自治体に〜する。	いせき	遺跡〔×蹟〕
		いせつ	異説　〜を唱える。
いじょう	異状　(限定用法)〜死(体)(医師法)。	いせつ	移設
		いぜん	以前
いじょう	異常　(一般用法)〜な事態。	いぜん	依然　〜として。
いしょく	衣食	いそ	磯 {いそ} (p.12参照)
いしょく	委嘱〔依〕	いそう	位相

㊵ 表外字・表外音訓を用いてよい特例の語　　㊭ 常用漢字表の付表の語
㊁ 送りがなを省く特例　　㊨ 読みがなを付けるのが望ましい語　　＊類語・言いかえ例

いそう　移送
いそうお　磯魚
いそうろう　居候
いそがしい　忙しい
いそぎ　急ぎ
いそぎあし　急ぎ足
いそぎんちゃく　〔磯巾着〕
いそぐ　急ぐ
いぞく　遺族
いそしむ　〔▲勤〕
いそづり　磯釣り
いぞん　依存　(「イソン」とも)
いぞん　異存　〜はない。
いた　板
いたい　遺体
いたい　痛い
いだい　偉大
いたいけ　〔▲幼気〕　〜な少女。
いたいたしい　痛々しい〔傷〕
いたがこい　板囲い
いたがみ　板紙
いたく　委託〔依×托〕　〜加工。〜販売。
いだく　抱く
いたけだか　居丈高〔威▲猛〕
いたこ　(東北地方で口寄せするみこ)
いたご　板子　〜一枚下は地獄。
いたしかた　致し方　〜ない。
いたしかゆし　痛しかゆし〔×痒〕
いたじき　板敷き

いたす　致す　思いを〜。(「…いたします」は、なるべくかな書き)
いたずら　〔▲悪▲戯〕　〜書き。〜っ子。
いたずらに　〔▲徒〕
いただき　頂　山の〜。
いただきもの　頂き物〔▲戴〕
いただく　頂く〔▲戴〕　ごはんを〜。雪を〜山。(「…していただく」は、なるべくかな書き)(p.26 参照)
いたたまれない　居たたまれない〔▲堪〕
いたち　〔×鼬〕
いたって　至って　〜元気だ。
いたで　痛手　〜を負う。
いたど　板戸
いたのま　板の間
いたばさみ　板挟み
いたばり　板張り
いたぶき　板ぶき〔×葺〕
いたべい　板塀
いたまえ　板前　＊調理師。
いたましい　痛ましい〔傷〕
いたみ　痛み　(心身に感じる苦痛)のどの〜。胸の〜。
いたみ　傷み　(損傷・腐敗)家具の〜。野菜の〜。
いたみいる　痛み入る
いたむ　悼む　故人を〜。
いたむ　痛む　傷口が〜。
いたむ　傷む　机が〜。果物が〜。

〔　〕使わない漢字　　×表外字(常用漢字表にない字)　　▲表外音訓(常用漢字表にない読み)
①〜⑥教育漢字の学年配当　　①—②(①の表記を優先するが、②の表記を使ってもよい語)

いため　板目	～紙。
いためつける　痛めつける〔付〕	
いためる　炒{いためる}	(p.12参照)
いためる　痛める	足首を～。
いためる　傷める	花を～。
いためる　炒める	ごはんを～。
いたり　至り	光栄の～。若気の～。
いたる　至る〔▲到〕	
いたるところ　至る所〔▲到〕	
いたれりつくせり　至れり尽くせり	
いたわしい　〔▲労〕	
いたわる　〔▲労〕	
いたん　異端	～者。
いち　一① {イチ・イツ/ひと・ひとつ}	
いち　壱{イチ}	
いち　市	
いち　位置	
いちいせんしん　一意専心	
いちいたいすい　一衣帯水	(読みは「イチ・イタイスイ」)
いちいち　〔一々〕	
いちえん　一円	関東～。
いちえん　1円	(ただし「一円硬貨」)
いちおう　一応	
いちがいに　一概に	
いちがん　一丸	～となって。
いちがんレフ　一眼レフ	
いちぎ　一義	～的。
いちぐう　一隅	
いちぐん　一群	
いちげい　一芸	～に秀でる。
いちげき　一撃	
いちげん　一元	～化。～的。一世～。
いちげんこじ　一言居士	
いちご　一期	～一会。
いちご　一語	～に尽きる。
いちご　〔×苺〕	
いちごうます　一合升〔×枡〕	
いちごん　一言	～一句。～もない。
いちざ　一座	
いちじ　一事	～が万事。
いちじ　一時	～しのぎ。～逃れ。～停止。～払い。
いちじ　1次	～試験。～産品。
いちじく　〔▲無▲花▲果〕	
いちじつ　一日	～の長がある。
いちじつせんしゅう　一日千秋	(「イチニチセンシュウ」とも)
いちじゅういっさい　一汁一菜	
いちじゅん　一巡	
いちじるしい　著しい	
いちじん　一陣	～の風。
いちず　〔一▲途〕	～に思い込む。
いちぞく　一族	
いちぞん　一存	
いちだい　一代	
いちだいじ　一大事	
いちだん　一団	
いちだんと　一段と	
いちだんらく　一段落	
いちづける　位置づける〔付〕	
いちど　一度	～限り。

特 表外字・表外音訓を用いてよい特例の語　付 常用漢字表の付表の語
送 送りがなを省く特例　読 読みがなを付けるのが望ましい語　＊類語・言いかえ例

いちどう　一同　社員〜。有志〜。
いちどう　一堂　〜に集まる。
いちどく　一読
いちにちいちぜん　一日一善
いちにちじゅう　一日中
いちにちせんしゅう　一日千秋　(「イチジツセンシュウ」とも)
いちにちのばし　一日延ばし
いちにん　一任
いちにんしょう　1人称
いちにんまえ　一人前
いちねん　一念　〜発起。
いちねんじゅう　一年中
いちねんせい　1年生
いちば　市場　魚〜。
いちばつひゃっかい　一罰百戒
いちはやく　いち早く〔▲逸〕
いちばん　一番　〜茶。〜星。〜弟子。(「いちばん大きい」などは，なるべくかな書き)(p.47参照)
いちばん　1番　(番号)
いちばんどり　一番鶏
いちばんのり　一番乗り
いちぶ　一分　〜の狂いもない。
いちぶ　一部　〜を除いて。
いちぶいちりん　一分一厘
いちぶしじゅう　一部始終
いちぶぶん　一部分
いちぶん　一文　〜をものする。
いちべつ　一別　〜以来。
いちべつ　〔一×瞥〕

いちぼう　一望〔×眸〕
いちまいいわ　一枚岩
いちまいかんばん　一枚看板
いちまつ　一抹　〜の不安。
いちまつもよう　市松模様
いちまんえんさつ　一万円札(p.54参照)
いちみ　一味
いちみゃく　一脈　〜相通じる。
いちめい　一命
いちめん　一面
いちめんしき　一面識　〜もない。
いちもうだじん　一網打尽
いちもく　一目　〜置く。〜瞭然。
いちもくさん　〔一目散〕
いちもつ　一物　胸に〜ある。
いちもん　一門
いちもんいっとう　一問一答
いちもんじ　一文字
いちもんなし　一文無し
いちやく　一躍
いちやづくり　一夜作り〔造〕
いちやづけ　一夜漬け
いちゅう　移駐
いちゅう　意中　〜を打ち明ける。
いちょう　胃腸　〜病。〜薬。
いちょう　〔▲銀×杏・▲公▲孫▲樹〕
いちように　一様に
いちようらいふく　一陽来復
いちよく　一翼　〜を担う。
いちらん　一覧　〜表。

〔 〕使わない漢字　　×表外字(常用漢字表にない字)　　▲表外音訓(常用漢字表にない読み)
①〜⑥教育漢字の学年配当　　①—②(①の表記を優先するが，②の表記を使ってもよい語)

いちらんせいそうせいじ	**一卵性双生児**
いちり	**一利** ～一害。
いちり	**一理** ～ある意見。
いちりつ	**一律**〔率〕
いちりづか	**一里塚**
いちりゅう	**一流**
いちりょうじつ	**一両日**
いちりんざし	**一輪挿し**
いちりんしゃ	**一輪車**
いちる	〔一×縷〕 ～の望み。
いちるい	**一塁** ～手。
いちれい	**一礼**
いちれい	**一例** ～を挙げれば。
いちれん	**一連**〔×聯〕
いちれんたくしょう	**一蓮托生**
いちろ	**一路**
いちわ	**１把** ほうれんそう～。
いつ	**一** ①{イチ・イツ/ひと・ひとつ}
いつ	**逸** {イツ}
いつ	〔▲何▲時〕
いつか	**五日，5日**
いっか	**一家** ～心中。～団らん。
いっかい	**一介** ～の平社員。
いっかく	**一角** 氷山の～。街の～。
いっかく	**一画**
いっかくせんきん	**一獲千金**〔×攫〕
いっかげん	**一家言**
いっかつ	**一括** ～払い。
いっかつ	**一喝**
いっかん	**一貫** 首尾～。～性。裸～。
いっかん	**一環** …の～として。
いっかんのおわり	**一巻の終わり**〔貫〕
いっき	**一揆** 特
いっき	**逸機**
いっきいちゆう	**一喜一憂**
いっきうち	**一騎打ち**〔討〕
いっきかせい	**一気呵成**
いっきとうせん	**一騎当千**
いっきに	**一気に**
いっきょ	**一挙** ～一動。～に。～両得。
いっきょう	**一興**
いっきょくしゅうちゅう	**一極集中**
いっきょしゅいっとうそく	**一挙手一投足**
いつく	**居つく**〔付・着〕
いつくしみ	**慈しみ**
いつくしむ	**慈しむ**
いっけい	**一計** ～を案ずる。
いっけん	**一件** ～落着。
いっけん	**一見**
いっけんや	**一軒家**〔屋〕
いっこ	**一顧** ～だにしない。
いっこう	**一行**
いっこう	**一考** ～を要する。
いっこうに	**一向に**
いっこく	**一刻**
いっこだて	**一戸建て**
いつごろ	〔▲何▲時頃〕
いっこん	**一献**

いっさい　一切	いっしん　一心　〜同体。〜不乱。
いつざい　逸材	いっしん　一身　〜上の問題。
いっさいがっさい　一切合切　(一切合財とも)	いっしん　一新　面目を〜する。
いっさいならず　一再ならず	いっしん　１審
いっさく　一策　窮余の〜。	いっしんいったい　一進一退
いっさくじつ　一昨日	いっすい　一睡
いっさくねん　一昨年	いっすい　いっ水〔×溢〕　＊水があふれる。
いっさつ　一札　〜入れる。	いっする　逸する
いっさんかたんそ　一酸化炭素	いっすんさき　一寸先
いっさんに　〔一・逸散〕	いっせい　一世　〜をふうびする。
いっし　一矢　〜を報いる。	いっせい　一斉　〜射撃。〜に。
いっし　一糸　〜乱れず。	いっせいちだい　一世一代
いっしき　一式　家財〜。	いっせき　一夕　一朝〜。
いっしどうじん　一視同仁	いっせき　一席　〜設ける。
いっしゃせんり　一瀉千里　＊一気に。	いっせきにちょう　一石二鳥
いっしゅう　１周　(ただし「世界一周」)	いっせつ　一説　〜によれば。
いっしゅう　一蹴	いっせん　一線　〜を画する。
いっしゅうかん　１週間	いっそ　〜のこと。
いっしゅうき　一周忌　(p.51参照)	いっそう　一掃　不安を〜する。
いっしゅうねん　１周年	いっそう　一層
いっしゅくいっぱん　一宿一飯　〜の恩義。	いっそくとび　一足飛び
いっしゅん　一瞬	いったい　一体　〜となる(名詞)。〜どうしたのだ(副詞)。
いっしょ　一緒　〜に行く。	いったい　一帯
いっしょう　一生	いつだつ　逸脱
いっしょう　一笑　〜に付する。	いったん　一端　所信の〜を述べる。
いっしょうがい　一生涯	いったん　①いったん　②一旦
いっしょうけんめい　一生懸命	いっち　一致
いっしょうびん　一升瓶〔×罎・×壜〕	いっちょう　１丁〔×挺〕
いっしょくそくはつ　一触即発	いっちょう　一朝　〜一夕。

〔　〕使わない漢字　　×表外字(常用漢字表にない字)　　▲表外音訓(常用漢字表にない読み)
①〜⑥教育漢字の学年配当　　①−②(①の表記を優先するが，②の表記を使ってもよい語)

いっちょういったん　一長一短
いっちょうら　一張羅　〜の背広。
いっちょくせん　一直線
いつつ　五つ，5つ
いっつい　1対，一対
いつづける　居続ける
いって　一手　〜販売。〜に。
いってい　一定
いってき　1滴
いってつ　一徹　老いの〜。
いってん　一天　〜にわかにかき曇る。
いってん　一転　心機〜。
いってんばり　一点張り〔天〕
いっと　一途　悪化の〜。
いっとう　1等　〜賞。〜席。
いっとうち　一頭地　〜を抜く。
いっとうぼり　一刀彫り　（工芸品は「一刀彫」送も）
いっとうりくさ　1等陸佐　（1佐。場合によって漢数字も）
いっとうりゅう　一刀流
いっとうりょうだん　一刀両断
いっぱ　1波　津波の第〜。
いっぱ　一派
いっぱい　1杯　〜の酒。
いっぱい　〔一杯〕　今月〜。人が〜いる。
いっぱいきげん　一杯機嫌
いっぱん　一般　〜人。〜会計。〜質問。
いっぴき　一匹〔×疋〕　〜おおかみ。
いっぴつ　一筆　〜啓上。
いっぴん　一品　〜料理。天下〜。

いっぴん　逸品
いっぷう　一風　〜変わった人。
いっぷく　一服
いっぷたさい　一夫多妻
いっぺん　一片　〜の紙切れ。
いっぺん　一変
いっぺん　一遍　通り〜。（「いっぺんに片づく」などは，なるべくかな書き）
いっぺんとう　一辺倒
いっぽ　一歩　〜一歩。〜を踏み出す。
いっぽう　一方　〜通行。〜的。
いっぽん　一本　〜化。〜気。〜調子。〜釣り。
いっぽんだち　一本立ち
いっぽんやり　一本やり〔×槍〕
いつまで　〔▲何▲時×迄〕
いつも　〔▲何▲時〕
いつわ　逸話
いつわり　偽り〔▲詐〕　うそ〜。
いつわる　偽る〔▲詐〕
いでたち　〔▲出立〕
いてつく　〔▲凍付〕
いでゆ　いで湯〔▲出〕
いてん　移転
いでん　遺伝
いでんし　遺伝子　〜工学。〜組み換え。
いと　糸　〜くず。
いと　意図
いど　井戸
いど　緯度　〜経度。
いとう　〔×厭〕

特 表外字・表外音訓を用いてよい特例の語　　付 常用漢字表の付表の語
送 送りがなを省く特例　　説 読みがなを付けるのが望ましい語　　＊類語・言いかえ例

いどう　移動	いながら　居ながら〔×乍〕　〜にして。
いどう　異同　(違い)字句の〜。	いなご　〔×蝗・稲子〕
いどう　異動　人事〜。	いなさく　稲作
いとおしい　〜気持ち。	いなずま　稲妻
いときりば　糸切り歯	**いななく**　〔×嘶〕
いとく　遺徳	いなびかり　稲光
いとぐち　糸口〔▲緒〕　解決の〜。	いなほ　稲穂
いとぐるま　糸車	いなめない　否めない
いとけない　〔▲稚・▲幼〕	いなや　〔否〕　…するや〜。
いとこ　〔▲従▲兄・▲弟・▲姉・▲妹〕	いならぶ　居並ぶ
	いなり　〔稲▲荷〕
いどころ　居所　(「虫の〜が悪い」は「居どころ」)	**いにしえ**　〔▲古〕
	いにゅう　移入
いとしい　〔▲愛〕	いにん　委任　〜状。
いとしご　いとし子〔▲愛〕	いぬ　犬
いとなみ　営み　日々の〜。	**いぬい・戌亥**
いとなむ　営む	いぬかき　犬かき〔×搔〕
いどばた　井戸端	いぬく　射ぬく〔▲貫〕
いどほり　井戸掘り	いぬくぎ　犬くぎ〔×釘〕
いとま　〔▲暇〕　お〜する。	いぬじに　犬死に
いとまき　糸巻き	いね　稲
いとまごい　いとま乞い〔▲暇〕	いねかり　稲刈り
いどみず　井戸水	いねこき　稲こき〔▲扱〕
いどむ　挑む	いねむり　居眠り　〜運転。
いとめ　糸目　金に〜をつけない。	いのう　異能　〜力士。
いとめる　射止める〔留〕	いのこる　居残る
いな　否　賛成か〜か。	**いのしし**　〔×猪〕
いない　以内	いのち　命〔▲生▲命〕
いなおりごうとう　居直り強盗	いのちがけ　命懸け〔賭〕
いなおる　居直る	いのちからがら　命からがら〔辛々〕
いなか　田舎［付］	いのちごい　命乞い

〔　〕使わない漢字　　×表外字(常用漢字表にない字)　　▲表外音訓(常用漢字表にない読み)
①〜⑥教育漢字の学年配当　　①−②(①の表記を優先するが，②の表記を使ってもよい語)

いのちづな	命綱
いのちとり	命取り
いのちびろい	命拾い
いのり	祈り〔×禱〕
いのる	祈る
いはい	違背　＊背く。
いはい	遺灰
いはい	位はい〔×牌〕
いばしょ	居場所
いはつ	衣鉢　～を継ぐ。
いはつ	遺髪
いばら	茨{いばら}　（茨城県など地名のみ。「いばらの道」は，かな書き）
いばら	〔茨・×荊・×棘〕
いばる	威張る
いはん	違反
いびき	〔×鼾〕
いびつ	〔×歪〕
いひょう	意表　～をつく。
いびょう	胃病
いびる	嫁を～。
いひん	遺品
いふ	畏怖　～の念。
いふう	威風　～堂々。
いふう	遺風　先代の～。
いぶかしげ	〔×訝〕
いぶかる	〔×訝〕
いぶき	息吹 付
いぶく	〔▲息吹〕
いふく	衣服
いぶくろ	胃袋
いぶしぎん	いぶし銀〔×燻〕
いぶす	〔×燻〕
いぶつ	異物　～を飲み込む。
いぶつ	遺物　過去の～。
いぶる	〔×燻〕
いぶん	異聞
いぶんし	異分子
いへき	胃壁
いへん	異変
いぼ	異母　～兄弟。
いぼ	〔×疣〕
いほう	違法
いほうじん	異邦人
いほく	以北
いま	今　（現在）（「いまひとつ」「いま一歩」「いま少し」などは，なるべくかな書き）
いま	居間
いまいましい	〔忌〕
いまごろ	今頃
いまさら	①いまさら　②今更
いましがた	①いましがた　②今し方
いまじぶん	今時分
いましめ	戒め
いましめる	戒める
いまだに	〔▲未〕
いまちづき	居待ち月　（陰暦18日の月）
いまどき	今どき〔時〕
いまなお	今なお〔▲尚〕
いまひとつ	〔今一〕

特 表外字・表外音訓を用いてよい特例の語　　付 常用漢字表の付表の語
送 送りがなを省く特例　　説 読みがなを付けるのが望ましい語　　＊類語・言いかえ例

いまふう　今風	いや　嫌　〜になる。
いままで　今まで〔×迄〕	**いや**　〔▲否〕　〜でもおうでも。
いまよう　今様	**いやおうなしに**　〔▲否応無〕
いまわ　〔今▲際〕　〜の際。	いやがうえに　いやが上に〔▲弥〕
いまわしい　忌まわしい	＊一層。ますます。
いみ　意味	いやがらせ　嫌がらせ
いみあい　意味合い	いやがる　嫌がる
いみきらう　忌み嫌う	いやく　医薬　〜品。〜分業。
いみことば　①忌みことば ②忌み言葉〔▲詞〕	いやく　違約　〜金。
	いやく　意訳
いみじくも	いやけ　嫌気　（株式では「イヤキ」）
いみしんちょう　意味深長	**いやさか**　〔▲弥栄〕
いみづける　意味付ける	いやしい　卑しい〔×賤〕
いみな　〔×諱〕	**いやしくも**　〔×苟〕
いみょう　異名	いやしむ　卑しむ
いみん　移民　＊移住。移住者。	いやしめる　卑しめる
いむ　忌む	いやす　癒やす
いむしつ　医務室	いやみ　嫌み〔味〕　〜を言う。
いめい　威名　〜をとどろかす。	いやらしい　嫌らしい
いめい　異名	**いよいよ**　〔×愈々〕
いも　芋 {いも}	いよう　威容　〜を誇る。
いもうと　妹	いよう　異様　〜な感じ。
いもがゆ　芋がゆ〔×粥〕	いよく　意欲
いもがら　芋がら〔▲幹・▲茎〕	いらい　以来　それ〜。
いもち　〔▲稲▲熱〕　〜病。	いらい　依頼　〜心。
いもづる　芋づる〔×蔓〕　〜式に逮捕。	**いらいら**　〔▲苛々〕
いもの　鋳物	**いらか**　〔×甍〕
いもほり　芋掘り	**いらだたしい**　〔▲苛立〕
いもむし　芋虫	**いらだつ**　〔▲苛立〕
いもり　〔×蠑×螈・井守〕	いり　入り
いもん　慰問　〜袋。〜品。	いりあいけん　入会権⑤《法律》

いりうみ	入り海
いりえ	入り江
いりぐち	入り口
いりくむ	入り組む
いりたまご	いり卵〔煎・▲炒〕
いりひ	入り日
いりびたる	入り浸る
いりふね	入り船
いりまじる	入り交じる
いりまめ	①いり豆 ②煎り豆〔▲炒〕
いりみだれる	入り乱れる
いりもやづくり	入り母屋造り 付
いりゅう	慰留
いりゅう	遺留 〜品。〜分。
いりよう	入り用
いりょう	衣料
いりょう	医療 〜器械。〜費。
いりょく	威力
いる	入る 気に〜。
いる	居る 家に〜。(「…している」などは,かな書き)(p.26参照)
いる	要る 金が〜。
いる	射る
いる	鋳る
いる	①いる ②煎る〔▲炒〕 豆を〜。
いるい	衣類
いるか	〔▲海▲豚〕
いるす	居留守
いれい	威令 〜が行われる。
いれい	異例 〜の昇進。
いれい	慰霊 〜祭。〜碑。
いれかえ	入れ替え 〜作業。
いれかえる	入れ替える〔換〕
いれかわり	入れ代わり (「入り代わり」とも)〜立ち代わり。
いれかわる	入れ替わる
いれこむ	入れ込む
いれずみ	入れ墨〔▲刺▲青・▲文▲身〕
いれぢえ	入れ知恵
いれちがい	入れ違い
いれちがえる	入れ違える
いれば	入れ歯
いれもの	入れ物〔▲容〕
いれる	入れる〔▲容〕
いろ	色
いろあい	色合い
いろあげ	色揚げ
いろあせる	色あせる〔×褪〕
いろいろ	〔色々・▲種々〕
いろう	慰労 〜金。
いろう	遺漏 〜ないように。
いろえんぴつ	色鉛筆
いろおち	色落ち
いろおとこ	色男
いろか	色香
いろがみ	色紙
いろがわり	色変わり
いろぐろ	色黒
いろけ	色気
いろこい	色恋
いろじかけ	色仕掛け

特 表外字・表外音訓を用いてよい特例の語　　付 常用漢字表の付表の語
送 送りがなを省く特例　　読 読みがなを付けるのが望ましい語　　＊類語・言いかえ例

いろずり　色刷り	いわや　岩屋
いろちがい　色違い	いわやま　岩山
いろづく　色づく〔付〕	**いわゆる**　〔▲所×謂〕
いろづけ　色づけ〔付〕	**いわれ**　〔×謂〕
いろっぽい　色っぽい	**いわんや**　〔▲況〕
いろつや　①色つや②色艶	いん　音①{オン・イン/おと・ね}
いろどり　彩り	いん　引②{イン/ひく・ひける}
いろどる　彩る	いん　員③{イン}
いろなおし　色直し	いん　院③{イン}
いろめ　色目　〜を使う。	いん　飲③{イン/のむ}
いろめがね　色眼鏡	いん　印④{イン/しるし}
いろめく　色めく	いん　因⑤{イン/よる}
いろもよう　色模様	いん　咽{イン}
いろり　〔囲炉裏〕　〜端。	いん　姻{イン}
いろわけ　色分け	いん　淫{イン/みだら}
いろん　異論　〜を唱える。	いん　陰{イン/かげ・かげる}　〜にこもる。
いわ　岩	いん　隠{イン/かくす・かくれる}
いわい　祝い　〜の酒。(「入学祝」などは「〇〇祝」送)	いん　韻{イン}
	いんうつ　①陰うつ②陰鬱　＊陰気。
いわいもの　祝い物	いんえい　陰影〔×翳〕
いわう　祝う	いんか　引火
いわお　〔×巌〕	いんが　因果　〜応報。〜関係。〜を含める。
いわかげ　岩陰	
いわかど　岩角	いんがし　印画紙
いわかん　違和感〔異〕	いんかしょくぶつ　隠花植物〔陰〕
いわく　〔×曰〕	いんかん　印鑑
いわし　〔×鰮・×鰯〕	**いんき**　陰気
いわだたみ　岩畳	いんきょ　隠居
いわば　岩場	いんきょく　陰極
いわば　〔×謂〕	**いんぎん**　〔×慇×懃〕　＊丁寧。
いわはだ　岩肌	

〔　〕使わない漢字　　×表外字(常用漢字表にない字)　　▲表外音訓(常用漢字表にない読み)
①〜⑥教育漢字の学年配当　　①−②(①の表記を優先するが，②の表記を使ってもよい語)

いんけん 陰険	いんそつ 引率
いんげんまめ 隠元豆	いんたい 引退　現役を~する。~興行。
いんこ 〔×鸚×哥〕	いんたい 隠退　郷里に~。
いんご 隠語	いんちょう 院長
いんこう 淫行　＊淫らな行為。	いんでんき 陰電気
いんこう 咽喉　＊のど。	いんとう 咽頭
いんごう 因業	いんとう 淫とう〔×蕩〕　＊淫ら(な)。
いんごう 院号	いんどう 引導
いんさつ 印刷　~機。~物。	いんとく 隠匿　~物資。
いんさん 陰惨	いんとん 隠とん〔×遁〕
いんし 因子	いんない 院内　~感染。~総務。
いんし 印紙　収入~。	いんに 陰に　~陽に。
いんしつ 陰湿	いんにく 印肉
いんじゃ 隠者	いんにん 隠忍　~自重。
いんしゅ 飲酒　~運転。	いんねん 因縁
いんしゅう 因習〔襲〕	いんぶん 韻文
いんしょう 印章	いんぺい 隠蔽　＊隠す。
いんしょう 印象　~づける。~派。第一~。	いんぼう 陰謀
	いんめつ 隠滅〔×湮〕　証拠~。
いんしょく 飲食　~店。~費。	いんゆ 隠喩
いんすう 因数　~分解。	いんよう 引用　~文。
いんずう 員数　~外。~をそろえる。	いんよう 陰陽　(「オンヨウ，オンミョウ」とも。ただし，表外音)~家。~道。
いんせい 院政　~を敷く。	
いんせい 陰性	いんよう 飲用
いんぜい 印税	いんりつ 韻律
いんせき 引責　~辞職。	いんりょう 飲料　~水。
いんせき 姻戚　~関係。＊親戚。親類。	いんりょく 引力
いんせき 隕石 ㊙読	いんれき 陰暦
いんぜん 隠然　~たる勢力。	いんろう 印籠

う

う　右 ①{ウ・ユウ / みぎ}	うおいちば　魚市場
う　雨 ①{ウ / あめ・あま}	うおうさおう　右往左往
う　羽 ②{ウ / は・はね}	うおがし　魚河岸
う　有 ③{ユウ・ウ / ある}	うおごころ　魚心　～あれば水心あり。
う　宇 ⑥{ウ}	うおつり　魚釣り
う　鵜{う}　(p.12参照)	うおのめ　魚の目
う・卯　(十二支)～の年。	うか　羽化　～登仙。
うい　憂い	うかい　鵜飼い
ういういしい　初々しい	うかい　う回〔×迂〕　～路。
ういき　雨域	うがい　〔▲含×嗽〕
ういざん　初産	うかがい　伺い　～を立てる。(「進退伺」
ういじん　初陣	などは「○○伺」送)
ういてんぺん　有為転変	うかがう　伺う
ういまご　初孫	うかがう　〔×窺〕　相手の隙を～。
ういろう　〔▲外郎〕	うかされる　浮かされる　熱に～。
うえ　上　(「…したうえで」などは，な	うかす　浮かす　腰を～。経費を～。
るべくかな書き)	**うかつ**　〔×迂×闊〕
うえ　飢え〔×饑・×餓〕	うがつ　〔×穿〕　うがった見方。
うえかえ　植え替え〔代・換〕	うかびあがる　浮かび上がる
うえき　植木送　～鉢。	うかぶ　浮かぶ
うえこみ　植え込み	うかべる　浮かべる
うえした　上下	うかる　受かる
うえじに　飢え死に	うかれる　浮かれる
うえつける　植え付ける	うがん　右岸
うえむき　上向き	うき　雨期
うえる　飢える	うき　雨季　(熱帯地方の場合。「乾季」
うえる　植える	の対語)
うお　魚	うき　浮き

〔　〕使わない漢字　×表外字(常用漢字表にない字)　▲表外音訓(常用漢字表にない読み)
①～⑥教育漢字の学年配当　①-②(①の表記を優先するが，②の表記を使ってもよい語)

うきあがる　浮き上がる	うけぐち　受け口　(「ウケクチ」とも)
うきあし　浮き足　〜だつ。	うけこたえ　受け答え
うきうき　〔浮〕	うけざら　受け皿
うきがし　浮き貸し　＊不正融資。	うけしょ　請け書
うきくさ　浮き草　〜稼業。(「ウキグサ」とも)	うけだち　受け太刀
	うけたまわる　承る
うきぐも　浮き雲	うけつぐ　受け継ぐ
うきしずみ　浮き沈み	うけつけ　受付 送　(受け付けをする所・人)〜係。
うきだす　浮き出す	
うきたつ　浮き立つ	うけつけ　受け付け　願書の〜。
うきでる　浮き出る	うけつける　受け付ける
うきな　浮き名	うけとめる　受け止める
うきぶくろ　浮き袋	うけとり　受取 送　(領収書)
うきぼり　浮き彫り	うけとり　受け取り　品物の〜。
うきみ　憂き身　〜をやつす。	うけとりにん　受取人 送
うきめ　憂き目　〜に遭う。〜を見る。	うけとる　受け取る
うきよ　浮世 送	うけながす　受け流す
うきよえ　浮世絵 送	うけみ　受け身
うきわ　浮き輪	うけもち　受け持ち
うく　浮く	うけもつ　受け持つ
うぐいす　〔×鶯〕	うける　受ける
うけ　受け　〜がいい。	うける　請ける
うけ　〔有×卦〕　〜に入(イ)る。	うけわたし　受け渡し　金の〜。
うけあい　請け合い　安〜。	うげん　右舷
うけあう　請け合う	うご　雨後
うけい　右傾	うごうのしゅう　うごうの衆〔×烏合〕
うけいれたいせい　受け入れ態勢	うごかす　動かす
うけいれる　受け入れる〔▲容〕	うごき　動き
うけうり　受け売り	うごきまわる　動き回る
うけおい　請負 送　〜業。〜人。	うごく　動く
うけおう　請け負う	うこさべん　右顧左眄(さべん)

㈲表外字・表外音訓を用いてよい特例の語　　㈱常用漢字表の付表の語
送 送りがなを省く特例　　諶 読みがなを付けるのが望ましい語　　＊類語・言いかえ例

うごめく 〔×蠢〕
うさぎ 〔×兎〕 ～跳び。
うさばらし 憂さ晴らし
うさんくさい 〔×胡散臭〕 ＊怪しい。
　不審な。
うし 牛 ～小屋。
うし・丑 ～年。～の日。
うじ 氏
うじ 〔×蛆〕 ～虫。
うしお 〔▲潮〕 ～汁。
うしかい 牛飼い
うじがみ 氏神
うじこ 氏子
うしなう 失う〔▲喪〕
うしょう 鵜匠 (「ウジョウ」とも)
うしろ 後ろ
うしろあし 後ろ足
うしろがみ 後ろ髪 ～を引かれる。
うしろぐらい 後ろ暗い
うしろすがた 後ろ姿
うしろだて 後ろ盾〔×楯〕
うしろむき 後ろ向き
うしろめたい 後ろめたい
うしろゆび 後ろ指 ～をさされる。
うす 臼
うず 渦
うすあかり 薄明かり
うすあきない 薄商い
うすあじ 薄味
うすい 雨水 (二十四節気)
うすい 薄い

うすいた 薄板
うすうす 〔薄々〕
うすかわ 薄皮
うすぎ 薄着
うすぎたない 薄汚い
うすきみわるい 薄気味悪い
うすぎり 薄切り
うずく 〔×疼〕
うすくち 薄口 ～のしょうゆ。
うずくまる 〔×蹲・×踞〕
うすぐも 薄雲
うすぐもり 薄曇り
うすぐらい 薄暗い
うすげしょう 薄化粧
うすごおり 薄氷
うすじお 薄塩
うずしお 渦潮
うすずみ 薄墨 ～色。
うずたかい 〔▲堆〕
うすちゃ 薄茶
うすっぺら 薄っぺら
うすで 薄手 ～の布地。
うすび 薄日
うすべり 薄べり〔▲縁〕
うずまき 渦巻き
うずまく 渦巻く
うすまる 薄まる
うずまる 〔▲埋〕
うすむらさき 薄紫
うすめ 薄目 ～を開ける。
うすめ 薄め ～の味付け。

〔 〕使わない漢字　　×表外字(常用漢字表にない字)　　▲表外音訓(常用漢字表にない読み)
①～⑥教育漢字の学年配当　　①—②(①の表記を優先するが，②の表記を使ってもよい語)

うすめる　薄める	うたう　〔×謳〕　条文に〜。名声をうたわれる。
うずめる　〔▲埋〕	うたがい　疑い
うすもの　薄物	うたかいはじめ　歌会始 送
うずもれる　〔▲埋〕	うたがいぶかい　疑い深い
うずら　〔×鶉〕	うたがう　疑う
うすらぐ　薄らぐ	うたかた　〔▲泡×沫〕
うすらさむい　薄ら寒い	うたがわしい　疑わしい
うすれる　薄れる	うたぐる　〔▲疑〕
うすわらい　薄笑い	うたげ　〔▲宴〕
うせつ　右折　〜禁止。	うたごえ　歌声
うせる　〔▲失〕	うたごころ　歌心
うそ　〔×嘘〕　〜も方便。	うたたね　うたた寝〔▲転・▲仮×睡〕
うぞうむぞう　有象無象	うだつ　〔×梲〕　〜が上がらない。
うそさむい　うそ寒い	うたまくら　歌枕
うそじ　うそ字〔×嘘〕	うたよみ　歌詠み
うそつき　〔×嘘▲吐〕	うだる　〔×茹〕
うそはっぴゃく　うそ八百〔×嘘〕	うち　内　〜と外。
うそぶく　〔×嘯〕	うち　〔▲家〕　(家庭をさす場合)〜に帰る。
うた　唄{うた}	うち　〔内・▲中〕　その〜。3人の〜。
うた　唄　(邦楽・日本の民謡など，限定用語)小〜。地〜。長〜。馬子〜。	うちあがる　打ち上がる　浜辺に〜。
うた　歌　(歌謡・歌詞・和歌。一般用語)〜声が響く。万葉集の〜。	うちあげ　打ち上げ　〜花火。
うたい　謡　《芸能》	うちあけばなし　打ち明け話
うたいぞめ　謡い初め	うちあける　打ち明ける
うたいて　歌い手	うちあげる　打ち上げる　高波が〜。花火を〜。
うたいもんく　うたい文句〔×謳・歌〕	うちあわせ　打ち合わせ
うたう　歌う　校歌を〜。	うちあわせかい　打合せ会 送
うたう　謡う　謡曲を〜。	うちあわせる　打ち合わせる
うたう　〔▲唄〕　(動詞で「唄」は使わない)馬子唄を〜。小唄を〜。	うちいり　討ち入り

特 表外字・表外音訓を用いてよい特例の語　　付 常用漢字表の付表の語
送 送りがなを省く特例　　読 読みがなを付けるのが望ましい語　　＊類語・言いかえ例

うちいわい　内祝㊂
うちうみ　内海
うちおとす　打ち落とす　くりをさおで〜。
うちおとす　撃ち落とす　鳥を銃で〜。
うちかえす　打ち返す
うちかけ　打ち掛け〔×裲×襠〕
うちがけ　内掛け
うちかさなる　打ち重なる　〜不幸。
うちかつ　打ち勝つ〔▲克〕困難に〜。
うちがわ　内側
うちき　内気
うちきる　打ち切る
うちきん　内金
うちくだく　打ち砕く
うちくび　打ち首
うちけす　打ち消す
うちげんかん　内玄関
うちこ　打ち粉
うちこむ　打ち込む　仕事に〜。
うちこむ　撃ち込む　銃弾を〜。
うちこわす　打ち壊す〔▲毀〕
うちしずむ　打ち沈む
うちじに　討ち死に
うちすえる　打ち据える
うちすてる　打ち捨てる
うちぜい　内税
うちそろう　打ちそろう〔×揃〕
うちたおす　打ち倒す
うちだし　打ち出し　(興行の終わりなど)

うちだす　打ち出す　方針を〜。
うちたてる　打ち立てる〔建〕
うちつける　打ちつける〔付〕
うちづら　内面　〜がいい。
うちつれる　打ち連れる
うちでし　内弟子
うちとける　打ち解ける
うちどころ　打ち所　〜が悪い。(「非の打ちどころがない」は，かな書き)
うちとる　討ち取る〔撃〕（野球では「打ち取る」とも。フライに〜)
うちならす　打ち鳴らす
うちにわ　内庭
うちぬく　打ち抜く〔▲貫〕壁を〜。
うちぬく　撃ち抜く　拳銃で〜。
うちのめす　打ちのめす
うちのり　内のり〔▲法・×矩〕
うちはらう　打ち払う
うちぶところ　内懐
うちべんけい　内弁慶
うちぼり　内堀〔×濠〕
うちほろぼす　討ち滅ぼす
うちまかす　打ち負かす
うちまく　内幕
うちまくる　打ちまくる〔×捲〕
うちまご　内孫
うちまた　内股
うちまわり　内回り　環状線の〜。
うちみ　打ち身
うちみず　打ち水
うちむき　内向き

〔　〕使わない漢字　　×表外字(常用漢字表にない字)　　▲表外音訓(常用漢字表にない読み)
①〜⑥教育漢字の学年配当　　①−②(①の表記を優先するが，②の表記を使ってもよい語)

うちやぶる　打ち破る〔撃〕
うちゅう　宇宙　～船。小～。
うちょうてん　有頂天
うちよせる　打ち寄せる
うちわ　内輪　～話。～もめ。
うちわ　〔▲団▲扇〕
うちわけ　内訳
うちわた　打ち綿
うつ　鬱{ウツ}　(「うつ状態」「うつ病」などは，かな書き)
うつ　〔鬱〕　～状態。
うつ　打つ　くぎを～。碁を～。心を～。
うつ　討つ　あだを～。夜討ち。
うつ　撃つ　鉄砲を～。敵を迎え～。
うづき　〔×卯月〕（陰暦4月）
うつくしい　美しい
うっくつ　①うっ屈　②鬱屈
うっけつ　①うっ血　②鬱血
うつし　写し
うつしかえる　移し替える〔換・代〕
うつしだす　映し出す　スクリーンに～。
うつしとる　写し取る
うつす　写す　写真を～。ノートを～。
うつす　映す　紅葉を～湖。ビデオをモニターに～。世相を～流行語。スライドを～。
うつす　移す　席を～。
うつす　〔▲感▲染〕　病気を～。
うつす　〔▲遷〕　都を～。
うっすら　〔▲薄〕
うっせき　①うっせき　②鬱積

うっそう　〔鬱×蒼〕
うったえ　訴え
うったえる　訴える
うっちゃり　〔打▲棄〕
うっちゃる　〔打▲棄〕
うつつ　〔▲現〕　夢～。
うって　討っ手
うってつけ　〔打付〕
うっとうしい　〔鬱陶〕
うっとり　〔×恍×惚〕
うつびょう　うつ病〔鬱〕
うつぶせ　うつ伏せ〔×俯〕　～になる。
うっぷん　①うっぷん　②鬱憤　～を晴らす。
うつむく　〔×俯〕
うつり　写り　写真の～。
うつり　映り　テレビの～。
うつりが　移り香
うつりかわり　移り変わり
うつりかわる　移り変わる
うつりぎ　移り気
うつる　写る　写真に～。
うつる　映る　鏡に～。着物がよく～。
うつる　移る　新居に～。
うつる　〔▲感▲染〕　病気が～。
うつる　〔▲遷〕　都が～。
うつろ　〔空・▲虚〕
うつわ　器
うで　腕　～押し。～を振るう。
うでぎ　腕木
うできき　腕利き

うでぐみ	腕組み
うでくらべ	腕比べ〔▲競・▲較〕
うでずく	腕ずく〔▲尽〕
うでずもう	腕相撲
うでたてふせ	腕立て伏せ
うでだめし	腕試し
うでぢから	腕力
うでっこき	腕っこき〔▲扱〕
うでっぷし	腕っぷし〔節〕
うでどけい	腕時計
うてな	〔▲台〕 はすの〜。
うでまえ	腕前
うでまくら	腕枕
うでまくり	腕まくり〔×捲〕
うでわ	腕輪〔▲環〕
うてん	雨天 〜順延。
うど	〔▲独▲活〕
うとい	疎い 世事に〜。
うとましい	疎ましい
うとむ	疎む
うどん	〔×饂×飩〕
うとんじる	疎んじる
うながす	促す
うなぎ	〔×鰻〕
うなぎのぼり	うなぎ登り〔×鰻上〕 〜の物価。
うなされる	〔×魘〕 夢に〜。
うなじ	〔▲項〕（首筋）
うなずく	〔×頷・▲首▲肯〕
うなだれる	〔▲項垂〕
うなばら	海原 付
うなり	〔×唸・×呻〕 〜声。
うなる	〔×唸・×呻〕
うに	〔▲雲▲丹〕
うぬぼれる	〔▲自×惚〕
うね	畝 {うね}〔×畦〕
うねり	波の〜。感情の〜。
うねる	道が〜。
うのう	右脳
うのはな	うの花〔×卯〕
うのみ	〔鵜×呑〕
うのめたかのめ	うの目たかの目〔鵜×鷹〕
うは	右派
うば	乳母 付
うばいあう	奪い合う
うばいとる	奪い取る
うばう	奪う
うばぐるま	乳母車
うばざくら	うば桜〔×姥〕
うはつ	有髪 〜の僧。
うぶ	〔▲初▲心・▲生〕
うぶぎ	産着
うぶげ	産毛
うぶごえ	産声
うぶすな	〔産▲土〕
うぶゆ	産湯
うま	馬
うま・午	〜年。
うまい	〔▲上▲手・▲旨・▲美▲味・▲巧〕
うまいち	馬市

〔　〕使わない漢字　　×表外字(常用漢字表にない字)　　▲表外音訓(常用漢字表にない読み)
1〜6 教育漢字の学年配当　　①—②(①の表記を優先するが，②の表記を使ってもよい語)

うまざけ **うま酒**〔▲旨・▲美〕 勝利の〜。	うむ **生む** 利益を〜。新記録を〜。
うまに **うま煮**〔▲甘・▲旨〕	うむ **産む** (主として出産)産みの苦しみ。子を〜。卵を〜。
うまぬし **馬主**	うむ 〔×倦〕
うまのり **馬乗り**	うめ **梅**
うまみ 〔▲旨味〕	うめあわせる **埋め合わせる**
うまや **馬屋**〔×厩〕 ＊きゅう舎。	うめきごえ **うめき声**〔×呻〕
うまる **埋まる**	うめく 〔×呻〕
うまれ **生まれ** (送りがなを省く場合は, p.44参照)	うめくさ **埋めくさ**〔草〕
	うめこむ **埋め込む**
うまれかわる **生まれ変わる**	うめしゅ **梅酒**
うまれつき **生まれつき**〔付〕	うめたて **埋め立て** 〜地。
うまれる **生まれる** 平成に〜。作品が〜。	うめたてる **埋め立てる**
	うめづけ **梅漬け**
うまれる **産まれる** 子が〜。	うめぼし **梅干し**
うみ **海**	うめみ **梅見** 〜客。
うみ 〔×膿〕	うめる **埋める**
うみかぜ **海風**	うもう **羽毛**
うみがめ **海亀** (海にいる亀の総称。「アカウミガメ」などは, かな書き)	うもれぎ **埋もれ木**
	うもれる **埋もれる**
うみせんやません **海千山千**	うやうやしい **恭しい**
うみたて **生みたて** 〜の卵。	うやまう **敬う**
うみづき **産み月**	**うやむや** 〔有×耶無×耶〕
うみどり **海鳥**	うよきょくせつ **紆余曲折**
うみなり **海鳴り**	うよく **右翼** 〜団体。〜手。
うみねこ 〔海猫〕	うら **浦**{うら}
うみのおや **生みの親**〔産〕	うら **裏**
うみびらき **海開き**	うらうち **裏打ち**
うみべ **海辺**	うらおもて **裏表**
うみへび 〔海蛇〕	うらがえし **裏返し**
うむ **有無**	

特 表外字・表外音訓を用いてよい特例の語　　付 常用漢字表の付表の語
送 送りがなを省く特例　　読 読みがなを付けるのが望ましい語　　＊類語・言いかえ例

うらがき　**裏書き**　（手形の場合は「裏書」送　〜人）
うらかた　**裏方**
うらがなしい　**うら悲しい**〔▲心〕
うらがね　**裏金**
うらがれる　**うら枯れる**〔▲末〕
うらがわ　**裏側**
うらぎり　**裏切り**　〜者。
うらぎる　**裏切る**
うらぐち　**裏口**
うらげい　**裏芸**
うらごえ　**裏声**
うらごし　**裏ごし**〔×漉〕
うらさく　**裏作**
うらさびしい　**うら寂しい**
うらじ　**裏地**　洋服の〜。
うらづけ　**裏付け**　〜捜査。
うらづける　**裏付ける**
うらて　**裏手**
うらどおり　**裏通り**
うらどし　**裏年**
うらとりひき　**裏取引**送
うらない　**占い**　〜師。
うらなう　**占う**
うらなり　〔▲末▲生・成〕
うらにわ　**裏庭**
うらばなし　**裏話**
うらはら　**裏腹**
うらぶれる
うらぼん　**うら盆**〔×盂×蘭〕　〜会。
うらまち　**裏町**

うらみ　**恨み**〔▲怨〕　〜言。〜つらみ。
うらみ　〔▲憾〕　言い足りない〜がある。
うらみち　**裏道**
うらむ　**恨む**〔▲怨〕
うらめ　**裏目**　〜に出る。
うらめしい　**恨めしい**〔▲怨〕
うらもん　**裏門**
うらやま　**裏山**
うらやましい　**羨ましい**
うらやむ　**羨む**
うららか　〔▲麗〕
うらわかい　**うら若い**〔▲末〕
うり　**売り**
うり　〔×瓜〕　〜二つ。
うりあげ　**売り上げ**
うりあげきん　**売上金**送
うりあげぜい　**売上税**送
うりあげだか　**売上高**送
うりいえ　**売り家**
うりおしみ　**売り惜しみ**
うりかい　**売り買い**
うりかけきん　**売掛金**送
うりきれる　**売り切れる**
うりぐい　**売り食い**
うりこ　**売り子**
うりごえ　**売り声**
うりことば　①**売りことば**　②**売り言葉**　〜に買いことば。
うりこむ　**売り込む**
うりざねがお　**うりざね顔**〔×瓜▲実〕
うりさばく　**売りさばく**〔×捌〕

〔 〕使わない漢字　　×表外字(常用漢字表にない字)　　▲表外音訓(常用漢字表にない読み)
1〜6 教育漢字の学年配当　　①－②(①の表記を優先するが，②の表記を使ってもよい語)

うりだし　売り出し　大〜。
うりだす　売り出す
うりたて　売り立て
うりつける　売りつける〔付〕
うりて　売り手
うりてしじょう　売手市場 送
うりとばす　売り飛ばす
うりぬし　売り主
うりね　売値 送
うりば　売り場
うりはらう　売り払う
うりもの　売り物
うりや　売り家
うりょう　雨量　〜計。
うりわたす　売り渡す
うる　売る
うる　得る　〜ところが大きい。(「…しうる」は，なるべくかな書き)
うるう　〔×閏〕〜年。〜秒。
うるおい　潤い
うるおう　潤う
うるおす　潤す
うるさい　〔▲五▲月×蠅・▲煩〕
うるさがた　うるさ型
うるし　漆　〜塗り。
うるち　〔×粳〕
うるむ　潤む
うるわしい　麗しい
うれい　愁い　(悲しみ)〜に沈む。
うれい　憂い　(心配・不安)後顧の〜。
　備えあれば〜なし。

うれえ　憂え
うれえがお　憂え顔
うれえる　愁える　友の死を〜。
うれえる　憂える　将来を〜。
うれくち　売れ口
うれしい　〔×嬉〕
うれしがる　〔×嬉〕
うれしなき　うれし泣き〔×嬉〕
うれしなみだ　うれし涙〔×嬉〕
うれすじ　売れ筋　〜の商品。
うれっこ　売れっ子
うれのこる　売れ残る
うれゆき　売れ行き
うれる　売れる
うれる　熟れる　果物が〜。
うろ　雨露　〜をしのぐ。
うろ　〔▲虚・▲空・▲洞〕
うろおぼえ　うろ覚え
うろこ　〔×鱗〕〜雲。
うろたえる　〔×狼×狽〕
うろつく　〔×彷×徨〕
うわあご　①上あご②上顎
うわえ　上絵
うわがき　上書き
うわがけ　上掛け
うわかわ　上皮
うわき　浮気 付
うわぎ　上着〔▲衣〕
うわぐすり　釉薬 特
うわくちびる　上唇
うわごと　〔×譫言〕

うわさ 〔×噂〕 ～話。
うわしき 上敷き
うわすべり 上滑り〔×辷〕
うわずみ 上澄み
うわずる 上ずる〔擦〕 声が～。
うわぜい 上背
うわぢょうし 上調子 《芸能》
うわつく 浮つく 付
うわっちょうし 上っ調子
うわっつら 上っ面
うわっぱり 上っ張り
うわづみ 上積み
うわつら 上面
うわて 〔上手〕 彼のほうが～だ。
うわてなげ 上手投げ
うわぬり 上塗り
うわね 上値 《株式》
うわのせ 上乗せ
うわのそら ①うわのそら ②うわの空〔上〕
うわばき 上履き
うわばり 上張り
うわべ 〔上辺〕
うわまえ 上前 ～をはねる。
うわまわる 上回る
うわむき 上向き
うわめ 上目 ～使い。
うわや 上屋
うわやく 上役
うわる 植わる
うん 雲 ② {ウン/くも}

うん 運 ③ {ウン/はこぶ}
うんえい 運営
うんか 〔▲浮×塵▲子〕
うんが 運河
うんかい 雲海
うんきゅう 運休
うんこう 運行 (列車・バス・天体)
うんこう 運航 (飛行機・船舶)
うんさん 雲散 ～霧消。
うんしん 運針
うんすい 雲水
うんせい 運勢
うんそう 運送 ～業。
うんだめし 運試し
うんちく 〔×蘊蓄〕 ～を傾ける。＊知識。深い知識。
うんちん 運賃
うんてい 〔雲×梯〕
うんでいのさ 雲泥の差
うんてん 運転 ～席。～資金。
うんてんし 運転士 (列車・電車の場合)
うんてんしゅ 運転手
うんどう 運動
うんどういん 運動員
うんどうかい 運動会
うんどうぐつ 運動靴
うんどうじょう 運動場
うんどうしんけい 運動神経
うんぬん 〔×云々〕
うんぱん 運搬 ～船。

〔 〕使わない漢字　×表外字(常用漢字表にない字)　▲表外音訓(常用漢字表にない読み)
①〜⑥教育漢字の学年配当　①−②(①の表記を優先するが，②の表記を使ってもよい語)

うんぴつ 運筆
うんめい 運命
うんも 雲母 ㊕

うんゆ 運輸
うんよう 運用
うんりょう 雲量

え

え 回 ② {カイ・エ/まわる・まわす}
え 会 ② {カイ・エ/あう}
え 絵 ② {カイ・エ} 〜を描く。
え 依 {イ・エ}
え 恵 {ケイ・エ/めぐむ}
え 柄
え 餌
えい 泳 ③ {エイ/およぐ}
えい 英 ④ {エイ}
えい 栄 ④ {エイ/さかえる・はえ・はえる}
えい 永 ⑤ {エイ/ながい}
えい 営 ⑤ {エイ/いとなむ}
えい 衛 ⑤ {エイ}
えい 映 ⑥ {エイ/うつる・うつす・はえる}
えい 詠 {エイ/よむ}
えい 影 {エイ/かげ}
えい 鋭 {エイ/するどい}
えいい 鋭意
えいえい 営々
えいえん 永遠
えいが 映画 〜館。〜界。
えいが 栄華
えいかいわ 英会話
えいかく 鋭角
えいかん 栄冠
えいき 英気 〜を養う。
えいき 鋭気
えいきゅう 永久 〜歯。半〜。

えいきょう 影響 〜力。悪〜。環境〜評価。
えいぎょう 営業 〜所。
えいけつ 英傑
えいこ 栄枯 〜盛衰。
えいご 英語
えいこう 栄光
えいこう えい航 [×曳]
えいこうだん えい光弾 [×曳]
えいさい 英才 [×穎]
えいし 衛視 (国会)
えいじ 英字
えいじ えい児 [×嬰] ＊赤ちゃん。乳児。
えいしゃ 泳者 第1〜。
えいしゃ 映写 〜機。
えいじゅう 永住 〜権。
えいしん 栄進
えいしん 詠進 〜歌。
えいずる 映ずる
えいずる 詠ずる
えいせい 永世 〜中立国。〜名人。
えいせい 衛生 環境〜。公衆〜。
えいせい 衛星 人工〜。〜都市。
えいぜん 営繕
えいそう 営倉 重〜。
えいそう 営巣

〔 〕使わない漢字　×表外字(常用漢字表にない字)　▲表外音訓(常用漢字表にない読み)
①〜⑥教育漢字の学年配当　①−②(①の表記を優先するが，②の表記を使ってもよい語)

えいぞう	映像	(テレビ・映画などの像)	
えいぞう	影像	(絵などに表した神仏や人の姿)	
えいぞく	永続		
えいたい	永代	～供養。	
えいたつ	栄達		
えいたん	詠嘆	～調。	
えいだん	英断		
えいち	英知	〔×叡×智〕	
えいてん	栄典		
えいてん	栄転		
えいねん	永年	～勤続。	
えいのう	営農		
えいびん	鋭敏		
えいぶん	英文	～和訳。～学。～科。	
えいへい	衛兵		
えいほう	泳法		
えいみん	永眠		
えいめい	英明		
えいやく	英訳		
えいゆう	英雄		
えいよ	栄誉	～礼。	
えいよう	栄養	〔営〕～価。～素。～士。～失調。	
えいようえいが	栄耀栄華		
えいり	営利	～主義。	
えいり	鋭利	～な刃物。	
えいり	絵入り	〔▲画〕	
えいりん	営林	～署。	
えいれい	英霊		
えいわ	英和	～辞典。	
えがお	笑顔	付	
えかき	絵描き	〔▲画〕	
えがく	描く	〔▲画〕（「カク」とも）	
えがたい	得難い	～人材。	
えがら	絵柄		
えがらっぽい		のどが～。	
えき	役	③ {ヤク・エキ}	
えき	駅	③ {エキ}	
えき	易	⑤ {エキ・やさしい}	
えき	益	⑤ {エキ・ヤク}	
えき	液	⑤ {エキ}	
えき	疫	{エキ・ヤク}	
えきいん	駅員		
えきうり	駅売り		
えきか	液化	～ガス。	
えきがく	疫学	《医学》	
えききん	益金	*利益金。	
えきざい	液剤		
えきしゃ	易者		
えきしゃ	駅舎		
えきしょう	液晶		
えきじょう	液状	～化現象。	
えきする	益する		
えきたい	液体		
えきちゅう	益虫		
えきちょう	益鳥		
えきちょう	駅長		
えきでん	駅伝	～競走。	
えきとう	駅頭		
えきひ	液肥		

特 表外字・表外音訓を用いてよい特例の語　　付 常用漢字表の付表の語
送 送りがなを省く特例　　説 読みがなを付けるのが望ましい語　　*類語・言いかえ例

えきびょう 疫病 ＊伝染病。
えきべん 駅弁 (「駅売り弁当」の略)
えきむ 役務 〜賠償。
えきり 疫痢
えくぼ 〔▲笑×窪・×靨〕
えぐる 〔×抉・×刳〕
えこう 回向 《仏教》
えごころ 絵心
えこじ 〔依×怙地〕
えこひいき 〔依×怙×贔×屓〕
えさ 餌
えさがし 絵捜し〔探〕
えし 絵師
えし え死〔▲壊〕《医学》
えじき 餌食
えしゃく 会釈
えず 絵図
えすがた 絵姿
えせ 〔▲似▲非〕 〜学者。
えそ 〔▲壊×疽〕《医学》
えぞまつ 〔×蝦×夷松〕
えそらごと ①絵そらごと ②絵空事〔言〕
えだ 枝
えだうち 枝打ち
えたい 〔得体〕 〜が知れない。
えだげ 枝毛
えだにく 枝肉
えだは 枝葉 〜の問題。
えだぶり 枝ぶり〔振〕
えだまめ 枝豆

えだわかれ 枝分かれ
えつ 悦 {エツ} 〜に入る。
えつ 越 {エツ・こす・こえる}
えつ 謁 {エツ}
えつ 閲 {エツ}
えっきょう 越境
えつけ 絵付け
えづけ 餌付け
えっけん 越権 〜行為。
えっけん 謁見 (p.13参照)＊ご会見。
えっとう 越冬
えつどく 閲読
えつねん 越年
えっぺい 閲兵
えつらく 悦楽
えつらん 閲覧
えて 得手 〜不得手。〜勝手。〜に帆をあげる。
えてして 〔得〕
えと・干支
えとき 絵解き
えとく 会得
えどっこ 江戸っ子
えどまえ 江戸前
えにし 〔▲縁〕
えのき 〔×榎〕
えのぐ 絵の具
えはがき ①絵はがき ②絵葉書 送
えび 〔▲海▲老・×蝦〕
えびす 〔恵比▲寿・×夷・×戎〕 〜顔。〜講。

〔 〕使わない漢字　　×表外字(常用漢字表にない字)　　▲表外音訓(常用漢字表にない読み)
①〜⑥教育漢字の学年配当　　①−②(①の表記を優先するが，②の表記を使ってもよい語)

えびちゃ　えび茶〔▲海▲老〕
えふだ　絵札
えふで　絵筆
えほう　恵方〔▲吉〕　〜参り。
えぼし　〔×烏▲帽子〕
えほん　絵本
えま　絵馬
えまき　絵巻 送
えまきもの　絵巻物 送
えみ　笑み
えむ　笑む
えもじ　絵文字
えもの　獲物
えもんかけ　えもん掛け〔▲衣紋〕
えら　〔×腮・××鰓〕
えらい　偉い〔▲豪〕
えらがる　偉がる
えらびだす　選び出す
えらぶ　選ぶ
えらぶる　偉ぶる
えり　襟〔×衿〕
えりあし　襟足〔×衿〕
えりうら　襟裏〔×衿〕
えりかざり　襟飾り〔×衿〕
えりくび　襟首〔×衿〕
えりごのみ　えり好み〔▲選〕
えりしょう　襟章〔×衿〕
えりすぐる　〔▲選〕
えりぬき　えり抜き〔▲選〕
えりまき　襟巻き〔×衿〕
えりもと　襟元〔×衿〕

えりわける　えり分ける〔▲選〕
える　得る　地位を〜。(「…しえる」「…しえない」は，なるべくかな書き)
える　獲る　獲物を〜。
えん　円 ① {エン / まるい}
えん　園 ② {エン / その}
えん　遠 ② {エン・オン / とおい}
えん　塩 ④ {エン / しお}
えん　演 ⑤ {エン}
えん　延 ⑥ {エン / のびる・のべる・のばす}
えん　沿 ⑥ {エン / そう}
えん　炎 {エン / ほのお}
えん　怨 {エン・オン}
えん　宴 {エン}
えん　媛 {エン}　才媛。
えん　援 {エン}
えん　煙 {エン / けむる・けむり・けむい}
えん　猿 {エン / さる}
えん　鉛 {エン / なまり}
えん　縁 {エン / ふち}　〜を切る。
えん　艶 {エン / つや}
えんいん　遠因
えんえい　遠泳
えんえきほう　演えき法〔×繹〕
えんえん　延々　〜と続く会議。
えんえん　炎々　〜と燃える。
えんえん　〔×蜿×蜒〕　＊うねうねと。
えんか　煙火　(のろし・花火)
えんか　塩化　〜ナトリウム。
えんか　演歌
えんかい　宴会

特 表外字・表外音訓を用いてよい特例の語　　付 常用漢字表の付表の語
送 送りがなを省く特例　　読 読みがなを付けるのが望ましい語　　＊類語・言いかえ例

えんがい	煙害
えんがい	塩害
えんかく	沿革
えんかく	遠隔　～操縦。～地。
えんかつ	円滑
えんがわ	縁側
えんかん	鉛管
えんがん	沿岸　～漁業。
えんき	延期
えんぎ	演技　～力。
えんぎ	縁起　～を担ぐ。～物。
えんきょく	えん曲〔×婉〕　＊遠回し。やんわり。間接的。
えんきょり	遠距離
えんきり	縁切り
えんきん	遠近　～感。～法。
えんぐみ	縁組み　養子～。
えんぐん	援軍
えんけい	円形　～脱毛症。
えんけい	遠景
えんげい	園芸
えんげい	演芸
えんげき	演劇
えんこ	円弧
えんこ	縁故　～関係。
えんご	援護〔×掩〕　～活動。～射撃。
えんこん	怨恨（読）　＊恨み。
えんざい	えん罪〔×冤〕　＊無実の罪。
えんさき	縁先
えんさん	塩酸
えんざん	演算
えんし	遠視
えんじ	園児
えんじいろ	えんじ色〔×臙脂〕
えんじゃ	縁者
えんしゃっかん	円借款
えんしゅう	円周　～率。
えんしゅう	演習　予行～。
えんじゅく	円熟
えんしゅつ	演出
えんしょ	炎暑
えんじょ	援助
えんしょう	炎症
えんしょう	延焼
えんじょう	炎上
えんじる	演じる
えんじん	円陣
えんじん	猿人
えんしんりょく	遠心力
えんすい	円すい〔×錐〕
えんずい	延髄
えんずる	演ずる
えんせい	遠征　ヒマラヤ～。
えんせい	えん世〔×厭〕　～自殺。
えんせき	宴席
えんせき	縁石
えんせき	縁戚　＊親戚。
えんぜつ	演説
えんせん	沿線
えんせん	えん戦〔×厭〕

〔　〕使わない漢字　　×表外字(常用漢字表にない字)　　▲表外音訓(常用漢字表にない読み)
①～⑥教育漢字の学年配当　　①－②(①の表記を優先するが, ②の表記を使ってもよい語)

えんぜん　えん然〔×婉〕　(しとやかで美しい様子)
えんぜん　艶然〔×嫣〕　(あでやかにほほえむ様子)
えんそ　塩素
えんそう　演奏　～会。
えんそうば　円相場
えんそく　遠足
えんたい　延滞　～金。
えんだい　遠大　～な計画。
えんだい　演題
えんだい　縁台　～で涼む。
えんだか　円高
えんたく　円卓　～会議。
えんだて　円建て
えんだん　演壇　～に立つ。
えんだん　縁談
えんちゃく　延着
えんちゅう　円柱
えんちょう　延長　～戦。～線。
えんちょう　園長
えんづく　縁づく〔付〕
えんつづき　縁続き
えんてい　えん堤〔×堰〕　(ダム)
えんてん　炎天　～下。
えんでん　塩田
えんとう　円筒　～形。
えんとう　遠投
えんどう　沿道
えんどう　〔×豌豆〕

えんどおい　縁遠い
えんとつ　煙突
えんにち　縁日
えんねつ　炎熱
えんのう　延納
えんのした　縁の下　～の力持ち。
えんばん　円盤　～投げ。
えんぴつ　鉛筆　～削り。
えんびふく　えんび服〔×燕尾〕
えんぶきょく　円舞曲　(ワルツ)
えんぶん　塩分
えんぶん　艶聞
えんぼう　遠望
えんぽう　遠方
えんま　〔×閻魔〕　～大王。～帳。
えんまく　煙幕　～を張る。
えんまん　円満
えんむ　煙霧
えんむすび　縁結び
えんめい　延命　～治療。
えんもく　演目
えんやす　円安
えんゆうかい　園遊会
えんよう　援用
えんよう　遠洋　～漁業。～航海。
えんらい　遠来　～の客。
えんらい　遠雷
えんりょ　遠慮　～深い。
えんろ　遠路　～はるばる。

特 表外字・表外音訓を用いてよい特例の語　　付 常用漢字表の付表の語
送 送りがなを省く特例　　読 読みがなを付けるのが望ましい語　　＊類語・言いかえ例

お

お	悪 ③{アク・オ／わるい・オ}		
お	和 ③{ワ・オ・やわらぐ・やわらげる・なごむ・なごやか}		
お	汚 {オ・けがす・けがれる・けがらわしい・よごす・よごれる・きたない}		
お	尾	～を引く。	
お	緒		
お	〔▲御〕	～礼。～願い。	
おい	老い	～の一徹。	
おい	〔×甥〕		
おい	〔×笈〕		
おいあげる	追い上げる		
おいうち	追い打ち〔討・撃〕		
おいえげい	お家芸		
おいおい	〔追〕		
おいおとす	追い落とす		
おいかえす	追い返す		
おいかける	追いかける〔掛〕		
おいかぜ	追い風		
おいごえ	追い肥		
おいこす	追い越す		
おいこむ	老い込む		
おいこむ	追い込む		
おいさき	生い先	(成長していく将来)～が楽しみ。	
おいさき	老い先	(余生)～が短い。	
おいしい	〔▲美▲味〕		
おいしげる	生い茂る		
おいすがる	追いすがる〔×縋〕		
おいせん	追い銭		
おいだき	追いだき〔×焚〕	風呂の～。	
おいだす	追い出す		
おいたち	生い立ち		
おいたてる	追い立てる		
おいちらす	追い散らす		
おいつく	追いつく〔付〕		
おいつめる	追い詰める		
おいて	〔▲措〕	彼を～人はいない。	
おいて	〔×於〕	日本に～は。	
おいで	〔▲御▲出〕		
おいてきぼり	置いてきぼり		
おいぬく	追い抜く		
おいはぎ	追い剥ぎ		
おいはらう	追い払う		
おいぼれ	老いぼれ〔×耄〕		
おいまくる	追いまくる〔×捲〕		
おいまわす	追い回す〔×廻〕		
おいめ	負い目		
おいやる	追いやる〔▲遣〕		
おいらく	老いらく	～の恋。	
おいらん	〔▲花×魁〕		
おいる	老いる		
おいわけ	追分 送		
おう	王 ①{オウ}		
おう	黄 ②{コウ・オウ／き・こ}		
おう	央 ③{オウ}		
おう	横 ③{オウ／よこ}		
おう	応 ⑤{オウ／こたえる}		

〔 〕使わない漢字　×表外字(常用漢字表にない字)　▲表外音訓(常用漢字表にない読み)
①～⑥教育漢字の学年配当　①－②(①の表記を優先するが，②の表記を使ってもよい語)

おう	往⑤{オウ}	おうこ	往古　*大昔。いにしえ。
おう	桜⑤{オウ/さくら}	おうこう	王侯　～貴族。
おう	皇⑥{コウ・オウ}	おうこう	横行
おう	凹{オウ}	おうこく	王国
おう	押{オウ/おす・おさえる}	おうごん	黄金
おう	旺{オウ}	おうざ	王座
おう	欧{オウ}	おうさつ	殴殺
おう	殴{オウ/なぐる}	おうさま	王様
おう	翁{オウ}	おうし	雄牛
おう	奥{オウ/おく}	おうし	横死　*不慮の死。非業の死。
おう	生う　生い茂る。	おうじ	王子
おう	追う	おうじ	皇子　（天皇の男の子）
おう	負う	おうじ	往時　*昔。
おうい	王位	おうしつ	王室
おういつ	横いつ〔×溢〕　*満ちあふれる。	おうじゃ	王者
		おうじゅ	応需
おういん	押印	おうしゅう	応酬
おういん	押韻	おうしゅう	押収
おうえん	応援　～団。～歌。	おうしゅう	欧州〔×洲〕
おうおう	往々　～にして。	おうじゅほうしょう	黄綬褒章〔賞〕[付][特]
おうか	桜花	おうじょ	王女
おうか	おう歌〔×謳〕　*賛美。	おうしょう	王将
おうが	〔横×臥〕　*横になる。	おうしょう	応召
おうかくまく	横隔膜	おうじょう	王城
おうかん	王冠	おうじょう	往生　大～。
おうぎ	扇	おうじょうぎわ	往生際　～が悪い。
おうぎ	奥義〔儀〕	おうしょく	黄色　～ブドウ球菌。
おうきゅう	王宮	おうじる	応じる
おうきゅう	応急　～処置。～手当て。	おうしん	往診
おうけ	王家	おうずる	応ずる
おうけん	王権	おうせい	王制

[特] 表外字・表外音訓を用いてよい特例の語　　[付] 常用漢字表の付表の語
[送] 送りがなを省く特例　　[読] 読みがなを付けるのが望ましい語　　*類語・言いかえ例

おうせい 王政	～復古。
おうせい 旺盛	＊盛んな。
おうせつ 応接	～間。
おうせん 応戦	
おうそ 応訴	
おうぞく 王族	
おうだ 殴打	
おうたい 応対	
おうたい 横隊	
おうだく 応諾	
おうだん 横断	～歩道。～幕。
おうだん 〔黄×疸〕	
おうちゃく 横着	
おうちょう 王朝	
おうて 王手	～をかける。
おうてん 横転	
おうと おう吐〔×嘔〕	＊吐く。
おうど 黄土	～色。(「コウド」とも)
おうとう 応答	
おうとう 桜桃	
おうどう 王道	
おうとつ 凹凸	
おうな 〔×媼〕	
おうなつ 押なつ〔×捺〕	指紋～。
おうねつびょう 黄熱病	
おうねん 往年	
おうひ 王妃	
おうふう 欧風	
おうふく 往復	
おうぶん 応分	
おうぶん 欧文	
おうへい 横柄	～な口を利く。
おうべい 欧米	
おうぼ 応募	
おうほう 応報	因果～。
おうぼう 横暴	
おうむ 〔×鸚×鵡〕	～返し。
おうめん 凹面	～鏡。
おうよう 応用	
おうよう 〔×鷹揚〕	～な態度。
おうらい 往来	
おうりょう 横領	
おうりん 黄リン〔×燐〕	
おうレンズ 凹レンズ	
おうろ 往路	
おえつ 〔×嗚▲咽〕	＊むせび泣き。すすり泣き。
おえる 終える〔▲卒・▲了〕	
おおあきない 大商い	
おおあざ 大字	
おおあじ 大味	
おおあたり 大当たり	
おおあな 大穴	～を狙う。
おおあばれ 大暴れ	
おおあめ 大雨	
おおあれ 大荒れ	
おおあわて 大慌て	
おおい 多い	
おおい 覆い〔▲被〕	
おおいそぎ 大急ぎ	
おおいちばん 大一番	

〔　〕使わない漢字　　×表外字(常用漢字表にない字)　　▲表外音訓(常用漢字表にない読み)
①〜⑥教育漢字の学年配当　　①—②(①の表記を優先するが，②の表記を使ってもよい語)

おおいちょう　大いちょう〔▲銀×杏〕《相撲》	おおざっぱ　大ざっぱ〔雑把〕
おおいに　大いに	おおさわぎ　大騒ぎ
おおいり　大入り　〜満員。	おおしい　雄々しい〔▲男〕
おおいりぶくろ　大入袋 送	おおしお　大潮
おおう　覆う〔▲被・▲蔽・▲蓋・×掩〕	おおじかけ　大仕掛け
	おおしけ　大しけ〔▲時化〕
おおうつし　大写し	おおじしん　大地震
おおうりだし　大売り出し	おおすじ　大筋　〜の合意。
おおおく　大奥	おおせ　仰せ
おおおとこ　大男	おおぜい　大勢
おおがかり　大がかり〔掛〕	おおぜき　大関
おおかぜ　大風	おおせつける　仰せつける〔付〕
おおかた　大方　〜の意見。	おおせる　〔▲果〕　大役をし〜。
おおかた　〔大方〕　〜まとまる。	おおそうじ　大掃除
おおがた　大型　〜車。〜店。〜予算。	おおぞこ　大底《株式》
おおかみ　〔×狼〕	おおぞら　大空
おおがら　大柄	おおだい　大台　〜に乗せる。
おおかわ　大鼓 特 《芸能》	おおだすかり　大助かり
おおきい　大きい	おおたちまわり　大立ち回り
おおきさ　大きさ	おおだてもの　大立者 送
おおきな　大きな	おおづかみ　大づかみ〔×摑〕
おおきめ　大きめ〔目〕	おおつづみ　大鼓《芸能》
おおぐい　大食い	**おおっぴら**　〜にする。
おおぐち　大口　〜の寄付。	おおつぶ　大粒　〜の涙。
おおげさ　大げさ〔×袈×裟〕	おおづめ　大詰め
おおごえ　大声	おおて　大手　〜の会社。
おおごしょ　大御所	おおで　大手　〜を振って。
おおごと　大ごと〔事〕	おおどうぐ　大道具
おおざけ　大酒　〜飲み。	おおどおり　大通り
おおさじ　大さじ〔×匙〕	おおどころ　大どころ〔所〕
	おおなた　大なた〔×鉈〕　〜を振るう。

特 表外字・表外音訓を用いてよい特例の語　　付 常用漢字表の付表の語
送 送りがなを省く特例　　読 読みがなを付けるのが望ましい語　　＊類語・言いかえ例

おおなみ　大波	おおもり　大盛り
おおはば　大幅	おおや　大家〔屋〕
おおばん　大判	おおやけ　公
おおばんぶるまい　①**大盤ぶるまい**　②**大盤振る舞い**〔×椀飯〕	おおゆき　大雪
おおびけ　大引け　《株式》	おおよう　〔大様〕　〜な人物。
おおぶたい　大舞台　(晴れの舞台・活躍の場の意味では、「①オオブタイ ②ダイブタイ」、歌舞伎など古典芸能の場合は「オオブタイ」のみ)	おおよそ　〔▲凡〕
	おおよろこび　大喜び
	おおらか　〔大〕
	おおわく　大枠
おおぶね　大船　〜に乗ったつもりで。	おおわざ　大技〔業〕　柔道の〜。
おおぶり　大振り　バットの〜。	おおわらい　大笑い
おおぶり　大ぶり〔振〕　〜の湯呑み。	おおわらわ　大わらわ〔▲童〕
おおぶろしき　大風呂敷⑥　〜を広げる。	おか　岡{おか}　岡山県，静岡県，福岡県
おおべや　大部屋	おか　丘〔岡〕
おおまか　〔大〕	おかあさん　お母さん
おおまた　大股	おかかえ　お抱え　〜の運転手。
おおまわり　大回り	おがくず　〔▲大×鋸×屑〕
おおみえ　大見得　〜を切る。	おかげ　〔▲御陰・×蔭〕　〜さま。
おおみず　大水	**おかしい**　〔▲可▲笑・▲奇▲怪〕
おおみそか　大みそか〔×晦日〕	**おかしな**　〔▲可▲笑・▲奇▲怪〕
おおむかし　大昔	おかしらつき　尾頭付き
おおむぎ　大麦	おかす　犯す　過ちを〜。罪を〜。法を〜。
おおむこう　大向こう　〜をうならせる。	
おおむね　〔▲概〕　*概して。	おかす　侵す　人権を〜。領分を〜。病に侵される。
おおめ　大目　〜に見る。	
おおめ　多め　〜に入れる。	おかす　冒す　危険を〜。風雨を〜。
おおもて　大もて〔持〕	**おかず**　〔▲御数・▲菜〕
おおもと　大本	**おかっぱ**　〔▲御▲河▲童〕
おおもの　大物	おかっぴき　岡っ引き
	おかづり　おか釣り〔▲陸〕

〔　〕使わない漢字　　×表外字(常用漢字表にない字)　　▲表外音訓(常用漢字表にない読み)
①〜⑥教育漢字の学年配当　　①−②(①の表記を優先するが，②の表記を使ってもよい語)

おかと―おくて

おかどちがい　お門違い
おかぶ　お株　～を奪う。
おかぼ　〔陸▲稲〕　＊陸稲(リクトウ)。
おかみ　お上〔▲御〕
おかみ　〔▲女▲将・▲内▲儀〕
おがみたおす　拝み倒す
おがむ　拝む
おかめはちもく　岡目八目・傍目八目
おかもち　岡持ち
おがわ　小川
おかわり　お代わり　ごはんの～。
おかん　悪寒
おき　沖
おき　置き　3日～。
おきあい　沖合送　～漁業。
おきあがりこぼし　起き上がりこぼし〔小▲法師〕
おきあがる　起き上がる
おきいし　置き石
おきかえる　置き換える
おきごたつ　置きごたつ〔×炬×燵〕
おきざり　置き去り
おきづり　沖釣り
おきて　〔×掟〕
おきてがみ　置き手紙
おきどけい　置き時計
おきどころ　置き所　身の～がない。
おきな　〔▲翁〕
おぎなう　補う
おきにいり　お気に入り

おきぬけ　起き抜け
おきば　置き場
おきびき　置き引き
おきみやげ　置き土産
おきもの　置物送
おきょう　お経
おきる　起きる　朝早く～。事件が～。
おきわすれる　置き忘れる
おく　屋　③{オク/や}
おく　億　④{オク}
おく　憶　{オク}
おく　臆　{オク}
おく　奥
おく　置く　(「…しておく」などは，なるべくかな書き)(p.26参照)
おく　〔▲措・×擱〕　ペンを～。
おくがい　屋外
おくがき　奥書送
おくがた　奥方
おくぎ　奥義〔儀〕
おくざしき　奥座敷送
おくさま　奥様
おくさん　奥さん
おくじょう　屋上
おくする　臆する〔憶〕
おくせつ　臆説〔憶〕
おくそく　臆測〔憶〕
おくそこ　奥底
おくち　奥地
おくづけ　奥付送
おくて　〔▲晩▲稲・▲生〕

特 表外字・表外音訓を用いてよい特例の語　　付 常用漢字表の付表の語
送 送りがなを省く特例　　読 読みがなを付けるのが望ましい語　　＊類語・言いかえ例

おくない　屋内
おくにいり　お国入り
おくにじまん　お国自慢
おくになまり　お国なまり〔×訛〕
おくにぶり　お国ぶり〔振〕
おくのいん　奥の院
おくのて　奥の手
おくば　奥歯
おくび　〔×噯▲気〕　～にも出さない。
おくびょう　臆病〔憶〕　～風。
おくぶかい　奥深い　(「オクフカイ」とも)
おくまる　奥まる
おくまんちょうじゃ　億万長者
おくめんもなく　臆面もなく〔憶無〕
おくやま　奥山
おくやみ　お悔やみ
おくゆかしい　奥ゆかしい〔床〕
おくゆき　奥行き
おくら　お蔵　～入り。～にする。
おぐらあん　小倉あん〔×餡〕
おぐらい　小暗い　＊薄暗い。
おくらす　遅らす
おくり　送り
おくりかえす　送り返す
おくりがな　①送りがな ②送り仮名
おくりこむ　送り込む
おくりじょう　送り状
おくりだす　送り出す
おくりつける　送りつける〔付〕
おくりとどける　送り届ける

おくりな　おくり名〔×諡〕
おくりぬし　送り主
おくりび　送り火
おくりむかえ　送り迎え
おくりもの　贈り物
おくる　送る　荷物を～。
おくる　贈る　お祝いを～。
おくれ　後れ　～を取る。
おくれ　遅れ　列車の～。
おくれげ　後れ毛
おくればせ　遅ればせ〔×馳〕　(場合により「後ればせ」)
おくれる　後れる　(ほかよりあとになる)流行に～。
おくれる　遅れる　(一定の時刻に間に合わない)会社に～。列車が～。
おけ　〔×桶〕
おける　〔×於〕
おこえがかり　お声がかり〔掛〕
おこがましい　〔×烏×滸〕
おこし　お越し
おこし　〔×粔×籹〕
おこす　興す　国を～。
おこす　起こす
おこす　〔×熾〕　炭火を～。
おごそか　厳か
おこたる　怠る
おこない　行い
おこなう　行う
おこなわれる　行われる
おこのみやき　お好み焼き

〔　〕使わない漢字　　×表外字(常用漢字表にない字)　　▲表外音訓(常用漢字表にない読み)
①〜⑥教育漢字の学年配当　　①−②(①の表記を優先するが，②の表記を使ってもよい語)

おこり—おしか

おこり	起こり	物事の〜。
おごり	〔×驕・▲傲・×奢〕	
おこる	怒る	
おこる	起こる	事件が〜。
おこる	興る	民族主義が〜。
おこる	〔×熾〕	炭火が〜。
おごる	〔×奢〕	食事を〜。
おごる	〔×驕・▲傲〕	〜平家。
おこわ	〔▲御▲強〕	
おさ	〔▲長〕	村の〜。
おさえ	押さえ〔▲圧〕	（場合により「抑え」）
おさえつける	押さえつける〔付〕	（場合により「抑えつける」）
おさえる	抑える	（抑制）怒りを〜。物価の上昇を〜。要求を〜。
おさえる	押さえる〔▲圧〕	両手で帽子を〜。証拠を〜。
おさがり	お下がり	
おさきぼう	お先棒	〜を担ぐ。
おさげ	〔下〕	〜髪。
おさない	幼い	
おさなご	幼子	
おさなごころ	幼心	
おさなともだち	幼友達	
おさななじみ	幼なじみ〔×馴染〕	
おざなり	〔▲御座成〕	
おさまる	収まる	争いが〜。インフレが〜。風雨が〜。
おさまる	治まる	痛みが〜。国内が〜。
おさまる	修まる	身持ちが修まらない。
おさまる	納まる	箱の中に〜。元のさやに〜。
おさめ	納め	仕事〜。舞い〜。
おさめる	収める	成果を〜。紛争を〜。目録に〜。利益を〜。
おさめる	治める	国を〜。暴動を〜。
おさめる	修める	学問を〜。技能を〜。身を〜。
おさめる	納める	税金を〜。注文品を〜。
おさらい	〔▲復▲習・×浚〕	
おさん	お産〔▲御〕	
おし	押し	〜が利く。〜が強い。〜の一手。
おじ	伯父 付	（父母の兄）
おじ	叔父 付	（父母の弟）
おじさん	〔小▲父〕	（他人である男性を呼ぶ語）
おしあう	押し合う	
おしあげる	押し上げる	
おしい	惜しい	
おじいさん	〔▲祖▲父・×爺〕	
おしいる	押し入る	強盗が〜。
おしいれ	押し入れ	
おしうり	押し売り	
おしえ	押し絵	
おしえ	教え	
おしえご	教え子	
おしえる	教える	
おしかえす	押し返す	
おしかける	押しかける〔掛〕	

特 表外字・表外音訓を用いてよい特例の語　　付 常用漢字表の付表の語
送 送りがなを省く特例　　説 読みがなを付けるのが望ましい語　　＊類語・言いかえ例

おしがる　惜しがる	おしべ　雄しべ〔×蕊〕
おじぎ　〔▲御辞儀〕	**おしぼり**　〔絞〕　＊お手拭き。
おしきせ　お仕着せ	おしまい　〔▲終・仕舞〕
おしきる　押し切る	おしまくる　押しまくる〔×捲〕
おしげ　惜しげ〔気〕　〜もなく。	おしみない　惜しみない〔無〕
おじけ　〔▲怖気〕　〜づく。	おしむ　惜しむ
おしこみごうとう　押し込み強盗	おしむぎ　押し麦
おしこむ　押し込む	おしめ　〔×襁×褓〕
おしこめる　押し込める	おしめり　お湿り
おしころす　押し殺す〔▲圧〕	おしもどす　押し戻す
おしずし　押しずし〔×鮨〕	おしもんどう　押し問答
おしすすめる　推し進める	おじや　＊雑炊。
おしせまる　押し迫る	**おしゃべり**　〔×饒▲舌・・×喋〕
おしたおす　押し倒す	おしやる　押しやる〔▲遣〕
おしだす　押し出す	**おしゃれ**　〔×洒▲落〕
おしだまる　押し黙る	おしょう　和尚
おしちや　お七夜〔御〕	おじょうさん　お嬢さん
おしつけ　押しつけ〔付〕　〜がましい。	おしょく　汚職
おしつける　押しつける〔付〕	おじょく　汚辱
おしつまる　押し詰まる	おしよせる　押し寄せる
おしとおす　押し通す	おしろい　〔▲白▲粉〕
おしとどめる　押しとどめる〔▲止・▲留〕	おしわける　押し分ける
おしどり　〔×鴛×鴦〕	おしんこ　〔▲御新▲香〕
おしながす　押し流す	おす　雄〔×牡〕
おしなべて　〔押▲並〕	おす　**押す**　ベルを〜。
おしのける　押しのける〔▲退〕	おす　**推す**　会長に〜。
おしのび　お忍び	おすい　汚水
おしば　押し葉	**おずおず**　〔▲怖〕
おしはかる　推し量る	おすみつき　お墨付き
おしばな　押し花	おせじ　お世辞

〔　〕使わない漢字　　×表外字(常用漢字表にない字)　　▲表外音訓(常用漢字表にない読み)
1〜6 教育漢字の学年配当　　①−②(①の表記を優先するが，②の表記を使ってもよい語)

おせちりょうり ①おせち料理 ②お節料理〔▲御〕
おせっかい 〔▲御節介〕
おせん 汚染
おぜんだて お膳立て〔▲御〕
おそい 遅い〔▲晩〕
おそいかかる 襲いかかる〔掛〕
おそう 襲う
おぞけ 〔▲怖気〕
おそざき 遅咲き〔▲晩〕
おそじも 遅霜〔▲晩〕
おそなえ お供え ～物。
おそまき 遅まき〔▲晩×蒔〕
おそらく 恐らく
おそるおそる 恐る恐る
おそれ 〔虞〕{おそれ} (p.14参照)大雨の～。風紀を乱す～。絶滅の～。
おそれ 畏れ 神への～。
おそれ 恐れ〔▲怖〕 敵に対する～。死への～。
おそれいる 恐れ入る〔畏〕
おそれおおい 恐れ多い (場合により「畏れ多い」)
おそれる 畏れる〔▲怖・×懼〕 神を～。師を畏れ敬う。
おそれる 恐れる〔▲怖・×懼〕 死を～。失敗を～。
おそろしい 恐ろしい
おそわる 教わる
おそん 汚損
おたがい お互い ～さま。

おだく 汚濁 水質～。
おたけび 雄たけび〔▲叫〕
おたずねもの お尋ね者〔▲御〕
おたっし お達し〔▲御〕
おだてる 〔×煽〕
おたびしょ お旅所〔▲御〕
おたふく お多福〔×阿〕
おたふくかぜ 〔多福風邪〕(流行性耳下腺炎)
おたまじゃくし 〔▲御玉×杓子〕
おたまや お霊屋〔▲御〕 ＊霊びょう。
おだやか 穏やか
おち 落ち
おちあう 落ち合う
おちあゆ 落ちあゆ〔×鮎〕
おちいる 陥る
おちうど 落人 特
おちおち 〔落〕
おちぐち 落ち口
おちこむ 落ち込む
おちつきはらう 落ち着き払う
おちつく 落ち着く〔付〕
おちど 落ち度〔▲越〕
おちば 落ち葉
おちぶれる 落ちぶれる〔×魄〕
おちほ 落ち穂 ～拾い。
おちむしゃ 落ち武者
おちめ 落ち目 ～になる。
おちゃ お茶〔▲御〕 ～くみ。
おちゃづけ お茶漬け
おちゅうど 落人 特

特 表外字・表外音訓を用いてよい特例の語　　付 常用漢字表の付表の語
送 送りがなを省く特例　　読 読みがなを付けるのが望ましい語　　＊類語・言いかえ例

おちる　落ちる〔▲堕・▲墜〕
おつ　乙{オツ}
おつ　〔乙〕　〜な文句。
おっかける　追っかける〔掛〕
おっかぶせる　〔押▲被〕
おつき　お付き〔▲御〕　〜の者。
おっくう　〔億×劫〕
おつげ　お告げ〔▲御〕
おっしゃる　〔▲仰▲有〕
おっつく　追っつく〔付〕
おっつけ　押っつけ　《相撲》
おっつけ　〔追付〕　〜来るだろう。
おっつける　押っつける〔付〕
おって　追っ手
おって　追って　〜返事する。
おってがき　追って書き
おっと　夫
おっとせい　〔×膃×肭×臍〕
おっとり　〜した人物。
おっぱらう　追っ払う
おつゆ　〔▲御▲汁〕
おてあげ　お手上げ　〜の状態。
おでい　汚泥
おでき　〔▲御出来〕
おでこ　〔▲御▲凸〕
おてだま　お手玉〔▲御〕
おてまえ　お点前 特　(「オタテマエ」とも)
おてもり　お手盛り
おてん　汚点　〜を残す。
おでん　〔▲御田〕

おてんば　〔▲御転婆〕
おと　音
おとうさん　お父さん
おとうと　弟
おとおし　お通し
おどかす　脅かす〔▲威・▲嚇〕
おとぎ　〔▲御×伽〕
おとぎばなし　おとぎ話〔▲御×伽×噺〕
おどける　〔▲戯〕
おとこ　男
おとこぎ　男気
おとこざかり　男盛り
おとこだて　男だて〔×伊▲達〕
おとこで　男手　〜がない。
おとこなき　男泣き
おとこぶり　男ぶり〔振〕(「男っぷり」とも)
おとこまえ　男前
おとこまさり　男勝り
おとこもの　男物
おとこゆ　男湯
おとさた　音沙汰
おどし　脅し〔▲威・▲嚇〕　〜文句。
おとしあな　落とし穴〔▲陥×穽〕
おとしいれる　陥れる
おとしご　落とし子
おとしだま　お年玉
おとしばなし　落とし話
おとしめる　〔×貶〕
おとしもの　落とし物

〔　〕使わない漢字　　×表外字(常用漢字表にない字)　　▲表外音訓(常用漢字表にない読み)
①〜⑥教育漢字の学年配当　　①−②(①の表記を優先するが，②の表記を使ってもよい語)

おとす　落とす	おなか　〔▲御中・▲腹〕
おどす　脅す〔威・▲嚇〕	おながどり　尾長鶏
おとずれ　訪れ　春の〜。	おなじ　同じ
おとずれる　訪れる	おなじく　同じく
おととい　〔▲一▲昨▲日〕	おに　鬼
おととし　〔▲一▲昨▲年〕	おにがわら　鬼瓦
おとな　大人 付	おにぎり　お握り
おとなげない　大人気ない	おにごっこ　鬼ごっこ
おとなしい　〔大人・▲温▲和〕	おにび　鬼火
おとなびる　大人びる	おにやらい　鬼やらい〔▲遣・▲追×儺〕
おとめ　乙女 付	
おとも　お供〔▲伴〕	おね　尾根　〜伝い。
おどらす　踊らす　踊らされる。	おの　〔×斧〕
おどらす　躍らす　胸を〜。	**おのおの**　〔各・各々〕
おとり　〔×囮〕　〜捜査。	**おのずから**　〔▲自〕
おどり　踊り	**おのずと**　〔▲自〕
おどりあがる　躍り上がる	**おののく**　〔▲戦・▲慄〕
おどりかかる　躍りかかる〔掛〕	おのれ　己
おどりこ　踊り子	おは　尾羽　〜打ち枯らす。
おどりでる　躍り出る　先頭に〜。	おば　伯母 付　（父母の姉）
おどりば　踊り場	おば　叔母 付　（父母の妹）
おとる　劣る	**おばさん**　〔小▲母〕　（他人である女性を呼ぶ語）
おどる　踊る　ダンスを〜。	
おどる　躍る　胸が〜。	**おばあさん**　〔▲祖▲母・▲婆〕
おとろえ　衰え	おはぎ　〔×萩〕
おとろえる　衰える	おばけ　お化け
おどろかす　驚かす	おはこ　〔▲十▲八▲番〕
おどろき　驚き〔×愕〕	おはち　お鉢　〜が回る。
おどろきいる　驚き入る	おばな　尾花　（すすき・その花穂）枯れ〜。
おどろく　驚く	
おないどし　同い年	おばな　雄花　《植物》

特 表外字・表外音訓を用いてよい特例の語　　付 常用漢字表の付表の語
送 送りがなを省く特例　　読 読みがなを付けるのが望ましい語　　＊類語・言いかえ例

おはな　お話
おはなしする　お話しする
おはなばたけ　お花畑〔×畠〕（高山植物が一面に咲いた所）
おはよう　〔早〕
おはらい　〔▲御×祓〕
おはらいばこ　お払い箱
おび　帯
おびあげ　帯揚げ
おびえる　〔▲脅・×怯〕
おびきだす　おびき出す〔▲誘〕
おびきよせる　おびき寄せる〔▲誘〕
おひさま　お日様〔▲御〕
おびじ　帯地
おびじめ　帯締め
おびただしい　〔×夥〕
おびどめ　帯留め〔止〕
おひとよし　お人よし〔▲好〕
おびな　〔▲男×雛〕
おひなさま　〔▲御×雛様〕
おびふう　帯封
おひや　お冷や
おびやかす　脅かす
おひゃくど　お百度〔▲御〕　～を踏む。～参り。
おひらき　お開き
おひる　お昼
おびる　帯びる
おひれ　尾ひれ〔×鰭〕　～が付く。
おひろめ　お披露目〔▲御〕
おぶう　〔▲負〕
おふくろ　〔▲御袋〕
おぶさる　〔▲負〕
おふせ　お布施
おふだ　お札
おぶつ　汚物
おべっか　～を使う。
おぼえ　覚え
おぼえがき　覚書 送
おぼえこむ　覚え込む
おぼえる　覚える
おぼしめし　おぼし召し〔▲思〕
おぼつかない　〔覚▲束〕
おぼれじに　溺れ死に（動詞形「溺れ死ぬ」は、「溺れて死ぬ」とする）
おぼれる　溺れる
おぼろ　〔×朧〕
おぼろげ　〔×朧気〕
おぼろづきよ　おぼろ月夜〔×朧〕
おまいり　お参り
おまえ　お前〔▲御〕
おまけ　〔▲御負〕　～が付く。～に。
おまつりさわぎ　お祭り騒ぎ
おまもり　お守り
おまる　〔▲御丸〕（便器）
おまわりさん　お巡りさん 付
おみき　お神酒 付　～どっくり。
おみくじ　〔▲御▲神×籤〕
おみこし　〔▲御▲神×輿〕
おみなえし　〔▲女▲郎▲花〕
おむすび　〔結〕
おむつ　〔▲御×襁×褓〕

〔　〕使わない漢字　×表外字（常用漢字表にない字）　▲表外音訓（常用漢字表にない読み）
1～6 教育漢字の学年配当　①－②（①の表記を優先するが，②の表記を使ってもよい語）

おめい―おもた

おめい　**汚名**　〜返上。	おもいで　思い出〔▲想〕
おめがね　**お眼鏡**　〜にかなう。	おもいどおり　思いどおり〔通〕
おめし　**お召し**	おもいとどまる　思いとどまる〔▲止・▲留〕
おめしかえ　**お召し替え**	おもいなおす　思い直す
おめしもの　**お召し物**	おもいのこす　思い残す
おめでた　〔▲御目出▲度〕	おもいのほか　①思いのほか　②思いの外
おめでとう　〔▲御目出▲度〕	おもいもよらず　思いも寄らず
おめにかかる　**お目にかかる**〔掛〕	おもいやり　思いやり〔▲遣〕
おめみえ　**お目見え**〔得〕	おもいわずらう　思い煩う
おもい　思い〔▲想〕	おもう　思う〔▲想・▲憶・×惟〕
おもい　重い	おもうぞんぶん　思う存分
おもいあがる　思い上がる	おもうつぼ　思うつぼ〔×壺〕
おもいあたる　思い当たる	おもおもしい　重々しい
おもいあまる　思い余る	おもくるしい　重苦しい
おもいいれ　思い入れ	おもかげ　面影〔×俤〕
おもいうかべる　思い浮かべる	おもかじ　面かじ〔×舵〕
おもいおこす　思い起こす	おもき　重き　〜をなす。
おもいおもいに　思い思いに	おもさ　重さ
おもいかえす　思い返す	おもざし　面ざし〔差〕
おもいがけない　思いがけない	**おもし**　〔重▲石〕
おもいきり　思い切り	おもしろい　①おもしろい　②面白い
おもいきる　思い切る　思い切って。	おもしろがる　①**おもしろがる**　②面白がる
おもいこむ　思い込む	おもしろみ　①**おもしろみ**　②面白み〔味〕
おもいしる　思い知る	おもたい　重たい
おもいすごし　思い過ごし	おもだち　面だち〔立〕
おもいだす　思い出す	**おもだつ**　〔主・重立〕おもだった人々。
おもいたつ　思い立つ	
おもいちがい　思い違い	
おもいつき　思いつき〔付〕	
おもいつく　思いつく〔付〕	
おもいつめる　思い詰める	

㊵ 表外字・表外音訓を用いてよい特例の語　　㊷ 常用漢字表の付表の語
㊸ 送りがなを省く特例　　㊹ 読みがなを付けるのが望ましい語　　＊類語・言いかえ例

おもちゃ 〔▲玩▲具〕 ～屋。	おもる　重る　病気が～。持ち重りがする。
おもて　表　（「裏」の対語。物の表面）～玄関。畳～。	おもわく　思惑　～買い。～が外れる。～どおり。
おもて　面　（顔・正面）～を伏せる。細～。矢～に立つ。	おもわしい　思わしい
おもてがき　表書き	おもわず　思わず
おもてがわ　表側	おもわせぶり　思わせぶり〔振〕
おもてぐち　表口	おもんじる　重んじる　（「重んずる」とも）
おもてげい　表芸	おもんぱかる　〔▲慮〕
おもてざた　表沙汰	おや　親
おもてだつ　表立つ	おやがかり　親がかり〔掛〕
おもてどおり　表通り	おやかた　親方
おもてむき　表向き	おやがわり　親代わり
おもてもん　表門	おやこ　親子　～連れ。
おもと　〔▲万▲年▲青〕	おやご　親御　～さん。
おもな　主な	おやこうこう　親孝行
おもなが　面長	おやごころ　親心
おもに　重荷　～を負う。	おやこどんぶり　親子丼
おもに　主に	**おやじ**　〔親▲父・▲仁〕
おもねる　〔×阿〕	おやしお　親潮
おもはゆい　面はゆい〔▲映〕	おやしらず　親知らず　（歯）
おもみ　重み	おやだま　親玉
おもむき　趣	**おやつ**　〔▲御八〕
おもむく　赴く	おやどり　親鳥
おもむろに　〔▲徐〕	おやばか　親ばか〔馬鹿〕
おももち　面持ち	おやばなれ　親離れ
おもや　母屋〔家〕付	おやぶん　親分　～子分。
おもゆ　重湯	**おやま**　〔▲女▲形〕《芸能》
おもり　お守り　子どもの～。	おやみなく　〔小▲止〕　～降る。
おもり　〔×錘〕	おやもと　親元〔▲許〕

〔　〕使わない漢字　　×表外字(常用漢字表にない字)　　▲表外音訓(常用漢字表にない読み)
1～6 教育漢字の学年配当　　①—②(①の表記を優先するが，②の表記を使ってもよい語)

おやゆずり　親譲り
おやゆび　親指〔×拇〕
およぎ　泳ぎ〔×游〕
およぐ　泳ぐ〔×游〕
およそ　〔▲凡〕
および　〔及〕
およびごし　及び腰
およぶ　及ぶ
およぼす　及ぼす
おり　折送　〜詰。〜箱。(「襟の折り」などは「折り」)
おり　折　(時期,頃合い)その〜。〜に触れ。〜から。〜しも。…する〜。
おり　織送　博多〜。西陣〜。
おり　織り　〜が粗い。
おり　〔×澱・×滓〕　*沈殿物。
おり　〔×檻〕　獣の〜。
おりあい　折り合い　〜が悪い。
おりあう　折り合う
おりあしく　折あしく〔▲悪〕
おりいって　折り入って　〜頼む。
おりえり　折り襟〔×衿〕
おりおり　折々
おりかえし　折り返し　〜運転。〜点。
おりかえす　折り返す
おりかさなる　折り重なる
おりかさねる　折り重ねる
おりがみ　折り紙　〜付き。
おりから　折から
おりこみ　折り込み　新聞の〜。
おりこむ　折り込む

おりこむ　織り込む　織り込み済み。
おりたたみしき　折り畳み式
おりたたむ　折り畳む
おりたつ　降り立つ〔下〕
おりづめ　折詰送
おりづる　折り鶴
おりなす　織り成す
おりばこ　折箱送
おりふし　折節
おりまげる　折り曲げる
おりまぜる　織り交ぜる
おりめ　折り目　〜正しい。
おりめ　織り目
おりもと　織り元
おりもの　織物送
おりやま　折り山
おりよく　折よく〔良〕
おりる　下りる　山を〜。幕が〜。肩の荷が〜。許可が〜。階段を〜。
おりる　降りる　霜が〜。電車を〜。役職を〜。
おる　折る
おる　織る
おる　〔▲居〕　…しております。
おれ　俺{おれ}
おれい　お礼〔▲御〕　〜参り。
おれまがる　折れ曲がる
おれめ　折れ目
おれる　折れる
おろか　愚か　〜者。
おろか　〔▲疎〕　財産は〜命まで。

おろか―おんし

おろかしい　愚かしい	おん　御　(p.24参照)
おろし　卸　～問屋。	おんあい　恩愛
おろし　下ろし　仕立て～。	おんいき　音域
おろし　〔下〕　大根～。	おんいん　音韻
おろし　〔×颪〕　赤城～。	おんかい　音階
おろしうり　卸売り	おんがえし　恩返し
おろしうりしじょう　卸売市場	おんがく　音楽　～会。～堂。
おろしうりぶっか　卸売物価	おんかん　音感
おろしがね　おろし金〔下〕	おんがん　温顔
おろししょう　卸商	おんき　遠忌　《仏教》
おろしどんや　卸問屋	おんぎ　恩義〔×誼〕
おろしね　卸値	おんきせがましい　恩着せがましい
おろす　卸｛おろす・おろし｝	おんきゅう　恩給
おろす　卸す	おんきゅう　温きゅう〔×灸〕
おろす　下ろす　腰を～。貯金を～。下ろしたて。	おんきょう　音響
	おんぎょく　音曲　歌舞～。
おろす　降ろす　船から荷を～。主役から～。国旗を～。	おんくん　音訓
	おんけい　恩恵
おろす　〔下〕　わさびを～。	おんけん　穏健
おろそか　〔▲疎〕	おんこ　恩顧
おろち　〔▲大▲蛇〕	おんこう　温厚　～な人柄。～篤実。
おわり　終わり〔▲了〕　(送りがなを省く場合は, p.44参照)	おんこちしん　温故知新
	おんさ　音さ〔×叉〕
おわりね　終値送	おんし　恩師
おわる　終わる〔▲了〕	おんし　恩賜　～賞。
おん　音①｛オン・イン／おと・ね｝	おんしつ　音質
おん　遠②｛エン・オン／とおい｝	おんしつ　温室
おん　温③｛オン，あたたか・あたたか／い・あたたまる・あたためる｝	おんしゃ　恩赦
	おんしゅう　恩しゅう〔×讐〕
おん　恩⑤｛オン｝	おんしょう　恩賞
おん　怨　｛エン・オン｝	おんしょう　温床　悪の～。
おん　穏　｛オン／おだやか｝	

〔　〕使わない漢字　　×表外字(常用漢字表にない字)　　▲表外音訓(常用漢字表にない読み)
①〜⑥教育漢字の学年配当　　①−②(①の表記を優先するが, ②の表記を使ってもよい語)

おんじょう 恩情 師の〜。
おんじょう 温情 (他人に対する思いやり)〜主義。
おんしょく 音色
おんしん 音信
おんじん 恩人
おんしんふつう 音信不通
おんすい 温水 〜プール。
おんせい 音声 〜多重。
おんせつ 音節
おんせん 温泉 〜街。〜宿。
おんぞうし 御曹子 (時代語は「御曹司」)
おんそく 音速 超〜ジェット機。
おんぞん 温存
おんたい 御大
おんたい 温帯 〜低気圧。
おんだん 温暖
おんち 音痴
おんちゅう 御中
おんてい 音程
おんてん 恩典 〜に浴する。
おんど 音頭 〜を取る。
おんど 温度 〜計。
おんとう 穏当 〜を欠く。
おんどく 音読
おんどり 〔▲雄鶏〕

おんとろうろう 音吐朗々
おんな 女 〜連れ。〜物。
おんながた 女形 《芸能》
おんなぐせ 女癖 〜が悪い。
おんなけ 女気
おんなごころ 女心
おんなざかり 女盛り
おんなで 女手 〜一つで育てる。
おんねつ 温熱 〜療法。
おんねん 怨念
おんぱ 音波
おんはいすい 温排水
おんばん 音盤
おんびき 音引き 〜の辞典。
おんぴょうもじ 音標文字
おんびん 音便
おんびん 穏便 〜に済ます。
おんぶ 〔負〕
おんぷ 音符 4分〜。
おんぷう 温風 〜ヒーター。
おんみ 御身 〜お大切に。
おんみつ 隠密 特
おんよう 温容
おんりつ 音律
おんりょう 音量
おんりょう 怨霊
おんわ 温和〔穏〕

か

か	下 ①	{カ・ゲ、した・しも・もと・さげる・さがる・くだる・くだす・くださる・おろす・おりる}	
か	火 ①	{カ、ひ・ほ}	
か	花 ①	{カ、はな}	
か	何 ②	{カ、なに・なん}	
か	科 ②	{カ}	
か	夏 ②	{カ・ゲ、なつ}	
か	家 ②	{カ・ケ、いえ・や}	
か	歌 ②	{カ、うた・うたう}	
か	化 ③	{カ・ケ、ばける・ばかす}	
か	荷 ③	{カ、に}	
か	加 ④	{カ、くわえる・くわわる}	
か	貨 ④	{カ}	
か	果 ④	{カ、はたす・はてる・はて}	
か	課 ④	{カ}	
か	可 ⑤	{カ}	
か	仮 ⑤	{カ・ケ、かり}	
か	河 ⑤	{カ、かわ}	
か	価 ⑤	{カ、あたい}	
か	過 ⑤	{カ、すぎる・すごす・あやまつ・あやまち}	
か	佳	{カ}	
か	苛	{カ}	
か	架	{カ、かける・かかる}	
か	華	{カ・ケ、はな}	
か	菓	{カ}	
か	渦	{カ、うず}	
か	嫁	{カ、よめ・とつぐ}	
か	暇	{カ、ひま}	
か	禍	{カ}	
か	靴	{カ、くつ}	
か	寡	{カ}	
か	箇	{カ} (p.13参照)	
か	稼	{カ、かせぐ}	
か	蚊	{—、か}	
か	日	5～。	
か	香	花の～。	
か	〔箇・▲個〕	2か所。3か月。	
が	画 ②	{ガ・カク}	
が	芽 ④	{ガ、め}	
が	賀 ⑤	{ガ}	
が	我 ⑥	{ガ、われ・わ} ～を張る。	
が	牙	{ガ・ゲ、きば}	
が	瓦	{ガ、かわら}	
が	雅	{ガ}	
が	餓	{ガ}	
が	〔×蛾〕		
かあさん	母さん 付		
かあつ	加圧 ～水型原子炉。		
かい	貝 ①	{—、かい}	
かい	回 ②	{カイ・エ、まわる・まわす}	
かい	会 ②	{カイ・エ、あう}	
かい	海 ②	{カイ、うみ}	
かい	絵 ②	{カイ・エ}	
かい	界 ③	{カイ}	
かい	開 ③	{カイ、ひらく・ひらける・あく・あける}	
かい	階 ③	{カイ}	

〔 〕使わない漢字　×表外字(常用漢字表にない字)　▲表外音訓(常用漢字表にない読み)
①～⑥教育漢字の学年配当　①—②(①の表記を優先するが，②の表記を使ってもよい語)

かい 改 ④{カイ/あらためる・あらたまる}
かい 械 ④{カイ}
かい 街 ④{ガイ・カイ/まち}
かい 快 ⑤{カイ/こころよい}
かい 解 ⑤{カイ・ゲ/とく・とかす・とける}
かい 灰 ⑥{カイ/はい}
かい 介 {カイ}
かい 戒 {カイ/いましめる}
かい 怪 {カイ/あやしい・あやしむ}
かい 拐 {カイ}
かい 悔 {カイ/くいる・くやむ・くやしい}
かい 皆 {カイ/みな}
かい 塊 {カイ/かたまり}
かい 楷 {カイ}
かい 潰 {カイ/つぶす・つぶれる} (「カイ」の読みは「潰瘍」の限定使用)
かい 壊 {カイ/こわす・こわれる}
かい 懐 {カイ、ふところ・なつかしい・なつかしむ・なつく・なつける}
かい 諧 {カイ}
かい 下位
かい 下意 〜上達。
かい 買い
かい 〔×櫂〕
かい 〔▲効・▲甲×斐〕 〜がない。
がい 外 ②{ガイ・ゲ/そと・ほか・はずす・はずれる}
がい 害 ④{ガイ}
がい 街 ④{ガイ・カイ/まち}
がい 劾 {ガイ}
がい 崖 {ガイ/がけ}
がい 涯 {ガイ}
がい 慨 {ガイ}
がい 蓋 {ガイ/ふた}
がい 該 {ガイ}
がい 概 {ガイ}
がい 骸 {ガイ}
がい 我意

かいあく 改悪
がいあく 害悪
かいあげる 買い上げる
かいあさる 買いあさる〔▲漁〕
がいあつ 外圧
かいあつめる 買い集める
かいいき 海域
かいいぬ 飼い犬
かいいれる 買い入れる
かいいん 会員
かいいん 海員 〜組合。
かいうける 買い受ける
かいうん 海運
かいうん 開運
かいえん 開園
かいえん 開演
かいおき 買い置き
かいおん 快音
かいか 階下
かいか 開化 文明〜。
かいか 開花
かいが 絵画
がいか 外貨
がいか 凱歌 特読 ＊勝ちどき。
かいかい 開会 〜式。
かいがい 海外

特 表外字・表外音訓を用いてよい特例の語　　付 常用漢字表の付表の語
送 送りがなを省く特例　　読 読みがなを付けるのが望ましい語　　＊類語・言いかえ例

がいかい　外界
がいかい　外海
かいがいしい　〔▲甲×斐〕
かいかえる　買い替える
かいかく　改革　機構～。財政～。
がいかく　外角
がいかく　外郭〔×廓〕　～団体。
かいかつ　快活〔×潤・×闊〕
がいかつ　概括
かいかぶる　買いかぶる〔▲被〕
かいがら　貝殻
かいかん　会館
かいかん　快感
かいかん　開館
かいがん　海岸　～線。
かいがん　開眼　～手術。(仏教は「カイゲン」)
がいかん　外患　内憂～。
がいかん　外観
がいかん　概観
かいき　回忌　三～。
かいき　回帰　北～線。
かいき　会期
かいき　怪奇　～小説。
かいき　開基
かいき　買い気
かいぎ　会議
かいぎ　懐疑
がいき　外気
かいきいわい　快気祝 送
かいきえん　怪気炎

かいきしょく　皆既食〔×蝕〕
かいぎゃく　諧ぎゃく〔×謔〕　*しゃれ。ユーモア。冗談。
かいきゅう　階級　～社会。
かいきゅう　懐旧　～談。～の情。
かいきょ　快挙
かいきょう　海況
かいきょう　海峡
かいぎょう　改行
かいぎょう　開業　～医。
がいきょう　概況
かいきょく　開局
がいきょく　外局
かいきる　買い切る
かいきん　皆勤　～賞。
かいきん　開襟　～シャツ。
かいきん　解禁　あゆ漁～。
がいきん　外勤
かいぐい　買い食い
かいくぐる　〔×掻▲潜〕
かいぐん　海軍
かいけい　会計　～監査。～士。
がいけい　外形
がいけい　外径
かいけつ　怪傑
かいけつ　解決
かいけつびょう　壊血病　(ビタミンC欠乏症)
かいけん　会見　記者～。
かいけん　改憲
かいけん　懐剣

〔　〕使わない漢字　　×表外字(常用漢字表にない字)　　▲表外音訓(常用漢字表にない読み)
①〜⑥教育漢字の学年配当　　①—②(①の表記を優先するが，②の表記を使ってもよい語)

かいげん　改元	かいこん　悔恨
かいげん　開眼　《仏教》〜供養。	かいこん　開墾
がいけん　外見	かいさい　開催
かいげんれい　戒厳令	かいさい　快さい〔×哉〕　〜を叫ぶ。
かいこ　蚕	かいざい　介在
かいこ　回顧　〜録。	がいさい　外債
かいこ　解雇	がいざい　外材　(輸入木材)
かいこ　懐古　〜趣味。	かいさく　改作
かいご　介護	かいささえ　買い支え
かいご　悔悟〔改〕	かいさつ　改札　〜口。
かいこう　回航	かいさん　解散　〜権。
かいこう　海溝　日本〜。	かいざん　改ざん〔×竄〕　*変造。改変。
かいこう　開口　〜一番。	
かいこう　開校	がいさん　概算　〜要求。
かいこう　開港	かいさんぶつ　海産物
かいこう　開講	かいし　開始
かいこう　〔×邂×逅〕　*巡り合い。	かいじ　海事
かいごう　会合	かいじ　開示
がいこう　外交　〜官。〜辞令。	がいし　外史
がいこう　外光	がいし　外資　〜系会社。〜導入。
がいこう　外航　(外国航路)〜船。	**がいし**　〔×碍子〕
がいこう　外港	がいじ　外耳　〜炎。
がいこうせい　外向性	がいじ　外事
かいこく　戒告〔×誡〕	がいして　概して
かいこく　開国	かいしめる　買い占める
がいこく　外国　〜為替。〜人。〜語。	かいしゃ　会社　〜員。〜勤め。
がいこつ　骸骨	がいしゃ　外車　(外国製自動車)
かいことば　①買いことば　②買い言葉	かいしゃく　解釈
	かいしゃく　介しゃく〔▲錯〕
かいこむ　買い込む	がいじゅ　外需
かいごろし　飼い殺し	かいしゅう　回収　廃品〜。

特 表外字・表外音訓を用いてよい特例の語　　付 常用漢字表の付表の語
送 送りがなを省く特例　　読 読みがなを付けるのが望ましい語　　*類語・言いかえ例

かいしゅう　改宗	かいしょく　解職
かいしゅう　改修　〜工事。	がいしょく　外食
かいじゅう　怪獣	かいしん　会心　〜の笑み。〜の作。
かいじゅう　海獣　(鯨・あざらしなど)	かいしん　回診
かいじゅう　懐柔　〜策。	かいしん　改心
かいじゅう　〔×晦渋〕　*難解。	かいじん　怪人
がいしゅう　外周	かいじん　海神
がいじゅうないごう　外柔内剛	かいじん　灰じん〔×燼〕　〜に帰す。
がいしゅつ　外出	かいず　海図
かいしゅん　改しゅん〔×悛〕　〜の情。*改心。	かいすい　海水
かいしょ　開所　〜式。	かいすいよく　海水浴　〜場。
かいしょ　楷書	かいすう　回数　〜券。
かいじょ　介助　歩行〜。	がいすう　概数
かいじょ　解除	かいする　介する　意に介しない。人を〜。
かいしょう　改称	かいする　会する　一堂に〜。
かいしょう　快勝	かいする　解する　意味を〜。風流を解しない。
かいしょう　海将	がいする　害する
かいしょう　解消	かいせい　改正
かいしょう　かい性〔▲甲×斐〕　〜なし。	かいせい　改姓
かいじょう　会場	かいせい　快晴
かいじょう　海上	かいせき　解析
かいじょう　開城	がいせき　外戚　(母方の親戚)
かいじょう　階上	かいせきりょうり　会席料理
かいじょう　開場	かいせきりょうり　懐石料理　(茶の湯の場合)
がいしょう　外相	かいせつ　開設
がいしょう　外商	かいせつ　解説　〜書。
がいしょう　外傷	がいせつ　概説
かいしょく　会食	かいせん　回船〔×廻〕　〜問屋。
かいしょく　海食〔×蝕〕	

〔　〕使わない漢字　　×表外字(常用漢字表にない字)　　▲表外音訓(常用漢字表にない読み)
①〜⑥教育漢字の学年配当　　①−②(①の表記を優先するが，②の表記を使ってもよい語)

かいせん	会戦 （大軍団の戦闘）	かいそく	快速 〜電車。
かいせん	回線 通信〜。	かいぞく	海賊 〜船。〜版。
かいせん	改選	かいそん	開村 選手村の〜式。
かいせん	海戦	かいたい	拐帯 ＊持ち逃げ。
かいせん	開戦	かいたい	解体
かいせん	〔×疥×癬〕 （皮膚病）	かいたい	懐胎 ＊妊娠。
かいぜん	改善	かいだい	改題
がいせん	外線	かいだい	解題 （書物・作品の解説）
がいせん	凱旋 特読	かいたく	開拓 〜者。〜地。
がいぜん	蓋然 〜性。	かいだく	快諾
かいせんりょうり	海鮮料理	かいだし	買い出し
かいそ	改組	かいたたく	買いたたく〔×叩〕
かいそ	開祖	かいだめ	買いだめ〔×溜〕
かいそう	回送〔×廻〕 〜車。	がいため	外為 特 （「外国為替」の略）
かいそう	回想 〜録。	かいだん	会談
かいそう	会葬	かいだん	怪談
かいそう	快走	かいだん	階段
かいそう	改葬	がいたん	慨嘆〔歎〕
かいそう	改装 店内の〜。	かいだんじ	快男児
かいそう	海草 （海に生える草の総称。あまもなど）	がいち	外地
		かいちく	改築
かいそう	海藻 （藻類の総称。昆布, のり, ひじき, わかめなど)	かいちゅう	回虫〔×蛔〕
		かいちゅう	改鋳 貨幣の〜。
かいそう	海曹	かいちゅう	海中
かいそう	階層	かいちゅう	懐中 〜時計。〜電灯。
かいぞう	改造 内閣〜。	がいちゅう	外注
かいぞう	解像 〜力。〜度。	がいちゅう	害虫
がいそう	外装 建物の〜工事。	かいちょう	会長
かいぞえ	介添え	かいちょう	快調
かいそく	会則	かいちょう	怪鳥
かいそく	快足	かいちょう	海鳥

特 表外字・表外音訓を用いてよい特例の語　付 常用漢字表の付表の語
送 送りがなを省く特例　読 読みがなを付けるのが望ましい語　＊類語・言いかえ例

かいちょう	開帳	(刑法の条文は「賭博場開張」だが，放送では**「賭博開帳」**を使う)		
がいちょう	害鳥			
かいちん	開陳	意見の～。		
かいつう	開通	全面～。		
かいづか	貝塚			
かいつけ	買い付け			
かいつまむ	〔×搔▲摘〕			
かいて	買い手			
かいてい	改定	(決まったことを改める)運賃の～。		
かいてい	改訂	(本の内容を改め直す)～版。		
かいてい	海底			
かいてい	開廷			
かいてき	快適			
がいてき	外的	～条件。		
がいてき	外敵			
かいてしじょう	買手市場	送		
かいてん	回転〔×廻〕	～扉。～木馬。		
かいてん	開店	～休業。新装～。		
かいでん	皆伝	免許～。		
がいでん	外伝	義士～。		
がいでん	外電			
かいとう	回答	(質問・要求に対する)		
かいとう	解答	(試験問題の答え)		
かいとう	会頭			
かいとう	快刀	～乱麻を断つ。		
かいとう	怪盗			
かいとう	解凍			
かいどう	会堂	公～。		
かいどう	怪童			
かいどう	海道	～一の大親分。		
かいどう	街道			
がいとう	外灯			
がいとう	街灯			
がいとう	街頭	～演説。		
がいとう	該当			
がいとう	〔外×套〕			
かいどく	解読	暗号の～。		
かいどく	買い得〔徳〕	お～品。		
がいどく	害毒			
かいとる	買い取る			
かいな	〔▲腕〕	～を返す。		
かいなん	海難	～審判。～事故。		
かいにゅう	介入	軍事～。		
かいにん	解任			
かいにん	懐妊	＊妊娠。		
かいぬし	買い主			
かいぬし	飼い主			
かいね	買値	送		
かいねこ	飼い猫			
がいねん	概念			
かいは	会派			
かいば	飼い葉	～おけ。		
かいはい	改廃	法律の～。		
がいはく	外泊			
がいはく	該博	～な知識。		
かいはくしょく	灰白色			
かいばしら	貝柱			
かいはつ	開発			

〔 〕使わない漢字　×表外字(常用漢字表にない字)　▲表外音訓(常用漢字表にない読み)
1～6 教育漢字の学年配当　①－②(①の表記を優先するが，②の表記を使ってもよい語)

かいばつ	海抜	*標高。	かいまく	開幕
かいはん	改版		かいまみる	かいま見る〔▲垣間〕
がいはんぼし	外反ぼし〔×拇×趾・母指〕		かいみょう	戒名
かいひ	回避		かいみん	快眠
かいひ	会費		かいむ	皆無
かいびゃく	開びゃく〔×闢〕		がいむ	外務　～省。
かいひょう	開票		かいめい	改名
かいひょう	解氷		かいめい	解明
かいひん	海浜		かいめつ	壊滅〔潰〕
がいぶ	外部		かいめん	海面
かいふう	開封		かいめん	海綿
かいふく	回復〔×恢・快〕		かいめん	界面　～活性剤。
かいふく	開腹　～手術。		がいめん	外面
かいぶつ	怪物		かいもく	皆目
かいぶん	回文		かいもどす	買い戻す
がいぶん	外聞		かいもとめる	買い求める
かいぶんしょ	怪文書		かいもの	買い物
かいへい	皆兵　国民～。		かいもん	開門
かいへい	開閉		がいや	外野　～手。～席。
かいへいたい	海兵隊		かいやく	解約
がいへき	外壁		かいゆ	快癒
かいへん	改変		かいゆう	回遊　～魚。
かいへん	改編		かいゆう	会友
かいほう	介抱　～泥棒。病人の～。		がいゆう	外遊　*海外視察。
かいほう	会報		かいよう	海洋
かいほう	快方　病気が～に向かう。		かいよう	潰瘍　《医学》(「潰」の音「カイ」は「潰瘍」の限定使用)
かいほう	開放　～的性格。門戸～。		がいよう	外洋
かいほう	解放　奴隷～。人質の～。		がいよう	概要
かいぼう	解剖		がいようやく	外用薬
がいまい	外米　(外国産の米)		かいらい	〔×傀×儡〕　～政権。

特 表外字・表外音訓を用いてよい特例の語　　付 常用漢字表の付表の語
送 送りがなを省く特例　　読 読みがなを付けるのが望ましい語　　*類語・言いかえ例

がいらい　外来	～患者。～種。
がいらいご　外来語	
かいらく　快楽	
かいらん　回覧〔×廻〕	～板。
かいらん　壊乱〔潰〕	
かいり　海里〔×浬〕	
かいり　かい離〔×乖〕	
かいりき　怪力	
かいりく　海陸	
かいりつ　戒律	
がいりゃく　概略	
かいりゅう　海流	
かいりょう　改良	
がいりんざん　外輪山	
かいろ　回路	集積～。電気～。
かいろ　海路	
かいろ　懐炉	～灰。
がいろ　街路	～樹。
かいろう　回廊〔×廻〕	
がいろん　概論	
かいわ　会話	
かいわい　界わい〔×隈〕	＊付近。
かいん　下院	
かう　交う	飛び～。
かう　買う	
かう　飼う	
かう　〔▲支〕	心張り棒を～。
かうん　家運	
かえうた　替え歌	
かえうわぎ　替え上着	
かえし　返し	お～。
かえす　返す	
かえす　帰す	
かえす　〔×孵〕	ひなを～。
かえすがえす　返す返す	
かえズボン　替えズボン	
かえだま　替え玉〔換〕	
かえち　替え地〔換〕	
かえって　〔▲却〕	
かえで　〔×楓〕	
かえば　替え刃〔換〕	
かえり　返り	とんぼ～。
かえり　帰り	
かえりうち　返り討ち	
かえりがけ　帰りがけ	
かえりざき　返り咲き	
かえりざく　返り咲く	（「カエリサク」とも）
かえりち　返り血	～を浴びる。
かえりてん　返り点	
かえりみち　帰り道〔▲路〕	
かえりみる　省みる	（反省する）自らを～。
かえりみる　顧みる	（振り返って後ろを見る。過去を振り返る）
かえる　返る	正気に～。貸した金が～。
かえる　帰る	
かえる　代える	（代用・代役）あいさつに～。命に代えられない。
かえる　変える	（変化・変更）形を～。予定を～。

〔　〕使わない漢字　　×表外字(常用漢字表にない字)　　▲表外音訓(常用漢字表にない読み)
①〜⑥教育漢字の学年配当　　①−②(①の表記を優先するが，②の表記を使ってもよい語)

かえる	替える	(前のものをやめて別のものにする)予算を組み～。商売を～。	
かえる	換える	(AとBを交換)乗り～。名義を書き～。	
かえる	〔×孵〕	ひなが～。	
かえる	〔×蛙〕	～跳び。	
かえん	火炎〔×焔〕	～瓶。～放射器。	
かお	顔		
かおあわせ	顔合わせ		
かおいろ	顔色		
かおう	花押		
かおかたち	顔形〔▲貌〕		
かおく	家屋		
かおだし	顔出し		
かおだち	顔だち〔立〕		
かおつき	顔つき〔付〕		
かおつなぎ	顔つなぎ〔×繋〕		
かおなじみ	顔なじみ〔×馴染〕		
かおぶれ	顔ぶれ〔触・振〕		
かおまけ	顔負け		
かおみしり	顔見知り		
かおみせ	顔見世	《芸能》～狂言。～興行。	
かおむけ	顔向け	～ができない。	
かおやく	顔役		
かおり	香り	(一般用語)茶の～。	
かおり	薫り	(比喩的, 抽象的)初夏の～。	
かおる	香る	(一般用語)花が～。	
かおる	薫る	(比喩的, 抽象的)風～。	
がか	画架		
がか	画家		
かがい	花街		
かがい	課外	～活動。～授業。	
がかい	瓦解(がかい)読	＊崩壊。崩れる。	
かがいしゃ	加害者		
かかえこむ	抱え込む		
かかえる	抱える		
かかく	価格	(あたい。値段)販売～。	
かがく	価額	(価格に相当する金額)～限定保険。	
かがく	化学	～記号。～工業。～作用。～処理。～繊維。～反応。～変化。～療法。	
かがく	科学	～技術。自然～。～博物館。～小説。	
ががく	雅楽		
かがくこつ	下顎骨(かがくこつ)読		
かがくしゃ	化学者		
かがくしゃ	科学者		
かがくへいき	化学兵器	(化学を応用した兵器)	
かがくへいき	科学兵器	(科学を応用した兵器)	
かかげる	掲げる		
かかし	〔▲案▲山子〕		
かかす	欠かす	欠かさず出席する。	
かかずらう	〔▲係・▲関・▲拘〕		
かかと	〔×踵〕		
かがみ	鏡		
かがみ	〔▲鑑〕	後世の～となる。＊手本。模範。	

㊙表外字・表外音訓を用いてよい特例の語　㊞常用漢字表の付表の語
�送送りがなを省く特例　読読みがなを付けるのが望ましい語　＊類語・言いかえ例

かがみびらき　鏡開き
かがみもち　鏡餅
かがむ　〔▲屈〕
かがめる　〔▲屈〕
かがやかしい　輝かしい〔×赫・×耀〕
かがやかす　輝かす
かがやき　輝き
かがやく　輝く〔×赫・×耀〕
かかり　係　～の者。受付～。
かかり　掛　出札～。
かかり　係り〔掛〕　～助詞。
…がかり　①がかり ②掛かり　3人～。10日～の行程。(「手がかり」「足がかり」は, かな書き)
かかりあう　掛かり合う
かかりいん　係員
かかりかん　係官
かかりきり　掛かりきり〔切〕
かかりつけ　掛かりつけ〔付〕　～の医師。
かがりび　かがり火〔×篝〕
かかりむすび　係り結び
かかる　係る　この件に～訴訟。
かかる　架かる　橋が～。
かかる　掛かる　(「迷惑がかかる」「疑いがかかる」「時間がかかる」などは, かな書き)
かかる　懸かる　賞金が～。月が山の端に～。
かかる　〔×罹〕　病気に～。

かがる　〔×縢〕
かかわらず　〔▲拘〕　晴雨に～出発する。
かかわり　関わり〔▲係〕
かかわりあう　関わり合う〔▲係・▲拘〕
かかわる　関わる〔▲係・▲拘〕　人命に～。経営に～。こけんに～。
かかわる　〔▲拘〕　小事にかかわっている暇はない。
かかん　果敢　勇猛～。
かき　垣｛かき｝
かき　柿｛かき｝
かき　下記
かき　火気　～厳禁。
かき　火器　重～。
かき　花期
かき　花器
かき　夏季　(季節)～休暇。～体育大会。
かき　夏期　(期間)～手当。～講習。
かき　花き〔×卉〕　＊観賞用植物。花類。
かき　〔×牡×蠣〕
かき　〔×掻〕　～集める。～消す。
かぎ　鍵
かぎ　〔×鉤〕
がき　餓鬼　《仏教》～道。
かきあげ　かき揚げ〔×掻〕　(天ぷら)
かきあげる　書き上げる
かきあげる　かき上げる〔×掻〕　髪を～。

〔　〕使わない漢字　　×表外字(常用漢字表にない字)　　▲表外音訓(常用漢字表にない読み)
①～⑥教育漢字の学年配当　　①－②(①の表記を優先するが, ②の表記を使ってもよい語)

かきあつめる　**かき集める**〔×搔〕	かきそこなう　**書き損なう**
かぎあな　**鍵穴**	かきぞめ　**書き初め**
かきあやまり　**書き誤り**	かきそんじる　**書き損じる**
かきあらわす　**書き表す**	がきだいしょう　**がき大将**〔餓鬼〕
かきいれどき　**書き入れ時**	かきだし　**書き出し**　小説の〜。
かきいれる　**書き入れる**	かきだす　**書き出す**
かきうつす　**書き写す**	かきだす　**かき出す**〔×搔〕　水を〜。
かきおき　**書き置き**	**かきたてる**　〔×搔立〕　闘志を〜。
かきおろし　**書き下ろし**　〜の小説。	かきつける　**書きつける**〔付〕
かきかえ　**書き換え**　名義の〜。	かぎつける　**嗅ぎつける**〔付〕
かきかえる　**書き換える**	かぎっこ　**鍵っ子**
かきかた　**書き方**	**かきつばた**　〔×燕▲子▲花・×杜▲若〕
かぎかっこ　①**かぎかっこ** ②**かぎ括弧**〔×鉤〕	かきつらねる　**書き連ねる**
かきくだし　**書き下し**　〜文。	かきて　**書き手**
かきくどく　**かき口説く**〔×搔〕	かきとめ　**書留**送
かきくもる　**かき曇る**〔×搔〕　一天にわかに〜。	かきとめる　**書き留める**
かきくれる　**かき暮れる**〔×搔〕　涙に〜。	かきとる　**書き取る**
かきけす　**かき消す**〔×搔〕	かぎとる　**嗅ぎ取る**
かきごおり　**かき氷**〔欠〕	かきなおす　**書き直す**
かきことば　①**書きことば** ②**書き言葉**	かきなぐる　**書きなぐる**〔殴・・×擲〕
かきこむ　**書き込む**	かきならす　**かき鳴らす**〔×搔〕
かぎざき　**かぎ裂き**〔×鉤〕	かきぬき　**書き抜き**
かきしぶ　**柿渋**	かきぬく　**書き抜く**
かきしるす　**書き記す**	かきね　**垣根**　〜越し。
かきすて　**かき捨て**〔×搔〕　旅の恥は〜。	かきのこす　**書き残す**
かきそえる　**書き添える**	かぎのて　**かぎの手**〔×鉤〕
	かぎばり　**かぎ針**〔×鉤〕
	かきまぜる　**かき混ぜる**〔×搔〕
	かきまわす　**かき回す**〔×搔〕
	かきみだす　**かき乱す**〔×搔〕　心を〜。

特 表外字・表外音訓を用いてよい特例の語　　付 常用漢字表の付表の語
送 送りがなを省く特例　　説 読みがなを付けるのが望ましい語　　＊類語・言いかえ例

かきむ―かくい

かきむしる 〔×搔×毟〕		かく 覚 ④ {カク / おぼえる・さます・さめる}
かきもち かき餅〔欠〕		かく 格 ⑤ {カク・コウ}
かきもの 書き物		かく 確 ⑤ {カク / たしか・たしかめる}
かきもらす 書き漏らす〔×洩〕		かく 拡 ⑥ {カク}
かきゃくせん 貨客船		かく 革 ⑥ {カク / かわ}
かきゅう 下級 ～裁判所。～生。		かく 閣 ⑥ {カク}
かきゅう 火急 ～の用。		かく 核 {カク} ～の脅威。
かきゅう 加給		かく 殻 {カク / から}
かきゅうてき 可及的 ～速やかに。＊できるだけ。		かく 郭 {カク}
		かく 較 {カク}
かきょう 佳境 ～に入(イ)る。		かく 隔 {カク / へだてる・へだたる}
かきょう 架橋		かく 獲 {カク / える}
かきょう 華僑 特		かく 嚇 {カク}
かぎょう 家業 ～を継ぐ。		かく 穫 {カク}
かぎょう 稼業 人気～。		かく 欠く
かきょく 歌曲		かく 書く 日記を～。
かきよせる かき寄せる〔×搔〕		かく 描く 油絵を～。地図を～。(「エガク」とも読む)
かぎり 限り ～がある。(「きょうかぎり」「…しないかぎり」などは，なるべくかな書き)		
		かく 〔×搔〕
		かく 〔×斯〕 ～のごとし。～なるうえは。
かぎりない 限りない		かぐ 家具
かぎる 限る		かぐ 嗅ぐ 臭い(匂い)を～。
かきわける 書き分ける		がく 学 ① {ガク / まなぶ}
かきわける かき分ける〔×搔〕 人波を～。		がく 楽 ② {ガク・ラク / たのしい・たのしむ}
		がく 額 ⑤ {ガク / ひたい}
かきわり 書き割り 《芸能》		がく 岳 {ガク / たけ}
かきん 家きん〔×禽〕		がく 顎 {ガク / あご}
かく 角 ② {カク / かど・つの} ～張る。		がく 〔×萼〕 《植物》
かく 画 ② {ガ・カク}		かくあげ 格上げ
かく 客 ③ {キャク・カク}		かくい 各位
かく 各 ④ {カク / おのおの}		かくい 隔意 ～ない意見の交換。

〔 〕使わない漢字　　×表外字(常用漢字表にない字)　　▲表外音訓(常用漢字表にない読み)
①〜⑥教育漢字の学年配当　　①―②(①の表記を優先するが，②の表記を使ってもよい語)

がくい　学位	かくさん　拡散　核(兵器)の～。
かくいつ　画一　～的。	かくさん　核酸
がくいん　学院	かくじ　各自
かくう　架空	がくし　学士
かくえき　各駅　～停車。	がくし　学資
がくえん　学園	がくし　楽士
かくおび　角帯	がくし　楽師
かくかい　角界　(「カッカイ」とも)(相撲界)	かくしあじ　隠し味　《料理》
	かくしき　格式　～ばる。
かくがい　閣外　～協力。	がくしき　学識
がくがい　学外	かくしげい　隠し芸
かくかくさん　核拡散　(核兵器拡散)～防止条約。	かくしごと　隠し事
	かくしだて　隠し立て
かくかぞく　核家族	かくしつ　角質　～層。～化。
かくがり　角刈り	かくしつ　確執　*不和。
がくかんせつ　顎関節 読	かくじつ　隔日　～勤務。
かくぎ　閣議	かくじつ　確実
がくぎょう　学業	かくじっけん　核実験
かくぐんしゅく　核軍縮	がくしゃ　学者　～肌。
がくげい　学芸　～会。～員。	**かくしゃく**　〔×矍×鑠〕　*達者。元気。
がくげき　楽劇	
かくげつ　隔月	かくしゅ　各種　～学校。
かくげん　格言	**かくしゅ**　〔×馘首〕　*解雇。免職。
かくご　覚悟	かくしゅう　隔週
かくさ　格差　賃金～。	かくじゅう　拡充
かくざい　角材	がくしゅう　学習　～塾。生涯～。
がくさい　学際　～的研究。	がくじゅつ　学術
かくさく　画策	かくしょう　確証
かくさげ　格下げ	がくしょう　楽章
かくざとう　角砂糖	がくしょく　学殖　(深い学識)
がくざら　額皿	かくしん　革新　～政党。技術～。

特 表外字・表外音訓を用いてよい特例の語　　付 常用漢字表の付表の語
送 送りがなを省く特例　　読 読みがなを付けるのが望ましい語　　*類語・言いかえ例

かくし―かくふ

かくしん	核心	～に触れる。
かくしん	確信	～犯。
かくじん	各人	
がくじん	楽人	(雅楽を演奏する人)
かくす	隠す	
かくする	画する〔×劃〕	一線を～。
かくせい	覚醒	
かくせい	隔世	～の感。～遺伝。
がくせい	学生	～服。～寮。
がくせい	学制	～改革。
がくせい	楽聖	
かくせいき	拡声機〔器〕	
かくせいざい	覚醒剤	
がくせき	学籍	～簿。
かくぜつ	隔絶	
がくせつ	学説	
がくぜん	がく然〔×愕〕	
かくせんそう	核戦争	
かくそう	各層	各界～。
がくそう	学窓	
がくそう	学僧	
がくそく	学則	
かくだい	拡大	～鏡。～解釈。
がくたい	楽隊	
かくだん	格段	～の進歩。
がくだん	楽団	
がくだん	楽壇	
かくだんとう	核弾頭	
かくち	各地	
かくちゅう	角柱	
かくちょう	拡張	～工事。

かくちょう	格調	～高い演説。
がくちょう	学長	
がくちょう	楽長	
かくづけ	格付け	
かくてい	画定	境界の～。
かくてい	確定	
がくてん	楽典	
かくど	角度	
かくど	確度	～の高い情報。
がくと	学徒	～出陣。～動員。
かくとう	格闘〔×挌〕	～技。
かくとう	確答	
がくどう	学童	～保育。
かくとく	獲得	
かくない	閣内	
かくにん	確認	
かくねん	隔年	
がくねん	学年	
かくねんりょう	核燃料	
かくのうこ	格納庫	
がくは	学派	
かくはいきぶつ	核廃棄物	(原則として「放射性廃棄物」)
かくばくはつ	核爆発	
がくばつ	学閥	
かくばる	角張る	
かくはん	〔×攪×拌〕	*かき混ぜる。
がくひ	学費	
かくびき	画引き	
がくふ	学府	最高～。
がくふ	岳父	(妻の父)

〔 〕使わない漢字　　×表外字(常用漢字表にない字)　　▲表外音訓(常用漢字表にない読み)
1～6 教育漢字の学年配当　　①―②(①の表記を優先するが，②の表記を使ってもよい語)

かくふ―かけえ

がくふ 楽譜	かくりつ 確率　降水〜。
がくぶ 学部	かくりょう 閣僚
がくふう 学風	がくりょう 学寮
かくふく 拡幅　〜工事。	がくりょく 学力
かくぶそう 核武装	がくれい 学齢　〜期。
がくぶち 額縁	かくれが 隠れが〔▲処・▲家〕
かくぶんれつ 核分裂	がくれき 学歴
かくへいき 核兵器	かくれみの 隠れみの〔×蓑〕
かくへき 隔壁	かくれる 隠れる
かくべつ 格別	**かくれんぼう**　〔隠坊〕（「かくれんぼ」
かくほ 確保	とも）
かくほう 確報	かくろん 各論　〜反対。
かくぼう 角帽	**かぐわしい**　〔▲香〕
かくまう　〔▲匿〕	がくわり 学割送（「学生割引」の略）
かくまく 角膜　〜移植。	かくん 家訓
かくめい 革命	かけ 掛け　〜で買う。タオル〜。
がくめい 学名	かけ 賭け
がくめん 額面　〜どおり。〜割れ。	かげ 陰〔×蔭〕　木〜。
がくもん 学問	かげ 影〔×翳〕　〜が映る。人〜。
がくや 楽屋　〜落ち。〜入り。	がけ 崖
かくやく 確約	かけあい 掛け合い　（長唄，常磐津な
かくやす 格安	どでは「掛合」送）
がくゆう 学友	かけあいまんざい 掛け合い漫才
かくゆうごう 核融合	かけあう 掛け合う
かくよう 各様　各人〜。	かけあがる 駆け上がる〔×駈〕
がくようひん 学用品	かけあし 駆け足〔×駈〕
かぐら 神楽付	かけあわせる 掛け合わせる
かくらん かく乱〔×攪〕	かけい 家系
かくらん　〔×霍乱〕　鬼の〜。	かけい 家計　〜簿。
かくり 隔離	かけうり 掛け売り
かくりつ 確立	かげえ 影絵〔▲画〕

特表外字・表外音訓を用いてよい特例の語　　付常用漢字表の付表の語
送送りがなを省く特例　　読読みがなを付けるのが望ましい語　　＊類語・言いかえ例

かけお―かける

かけおち	駆け落ち〔×馳〕	かけはし	懸け橋 (抽象的・比喩的な場合。例えば「未来への～。平和の～。夢の～」など。実際に橋を架ける場合は「架け橋」とも)
かけおりる	駆け下りる〔×馳〕		
かけがえ	掛けがえ〔替・換〕 ～のない人物。		
かけがね	掛け金	かけはなれる	かけ離れる〔懸〕
かげき	過激 ～派。	かけひ	〔×筧〕
かげき	歌劇	かけひき	駆け引き〔×馳〕
かけきん	掛金 送	かげひなた	陰ひなた〔日▲向〕
がけくずれ	崖崩れ	かけぶとん	掛け布団
かげぐち	陰口	かげぼうし	影法師
かけくらべ	駆け比べ〔×馳▲競〕	かげぼし	陰干し
かけごえ	掛け声	かけまわる	駆け回る〔×馳〕
かけごと	賭け事	がけみち	崖道
かけことば	掛けことば〔▲詞〕	かげむしゃ	影武者
かけこみ	駆け込み〔×馳〕 ～寺。	かけめ	掛け目
かけこむ	駆け込む〔×馳〕	かけめぐる	駆け巡る〔×馳〕
かけざん	①かけ算 ②掛け算	かけもち	掛け持ち ～で教える。
かけじく	掛け軸	かけもの	掛け物〔懸〕
かけず	掛け図	かけよる	駆け寄る〔×馳〕
かけすて	掛け捨て	かけら	〔欠▲片〕
かげぜん	陰膳	かげり	①かげり ②陰り〔×翳〕
かけだし	駆け出し〔×馳〕 ～の社員。	かける	掛 {かける・かかる・かかり}
かけだす	駆け出す〔×馳〕	かける	掛ける 保険を～。腰を～。絵を～。(「圧力をかける」「時間をかける」などは，かな書き)
かけつ	可決		
かけつける	駆けつける〔×馳付〕		
かけっこ	〔駆・・×馳〕	かける	欠ける 常識に～。
がけっぷち	崖っぷち〔縁〕	かける	架ける 橋を～。
かけどけい	掛け時計	かける	駆ける〔×馳〕
かげながら	陰ながら	かける	賭ける 金品を～。
かけぬける	駆け抜ける	かける	懸ける 賞金を～。命を～。
かけね	掛値 送	かげる	①かげる ②陰る〔×蔭・×翳〕

〔 〕使わない漢字　　×表外字(常用漢字表にない字)　　▲表外音訓(常用漢字表にない読み)
1〜6 教育漢字の学年配当　　①−②(①の表記を優先するが，②の表記を使ってもよい語)

かげろう 〔▲陽▲炎〕
かげろう 〔×蜉×蝣・・×蜻×蛉〕
かげん 下弦 ～の月。
かげん 下限
かげん 加減 お～が悪い。湯～。(「いいかげん」「うつむきかげん」などは，なるべくかな書き)
かこ 過去
かご 加護
かご 過誤 医療～。 ＊過ち。
かご 籠 竹～。
かご 〔×駕▲籠〕
かこい 囲い
かこう 下降 ～線。
かこう 火口 ～湖。～原。
かこう 加工 ～品。
かこう 河口
かこう 囲う
かごう 化合 ～物。
がごう 雅号
かこうがん 花こう岩〔×崗〕
かこく 過酷 (特にむごさ，無慈悲なさまを強調したい場合は「苛酷」も)
かこつ 〔▲託・×喞〕 不遇を～。
かこつける 〔▲託〕
かこみ 囲み
かこむ 囲む
かこん 禍根
かごん 過言 ～ではない。
かさ 傘 こうもり～。
かさ 〔×笠〕 電気スタンドの～。

かさ 〔×暈〕 月の～。
かさ 〔×嵩〕
かさあげ かさ上げ〔×嵩〕
かざあな 風穴
かさい 火災 ～保険。
かさい 家裁 (「家庭裁判所」の略)
かざい 家財 ～道具。
がざい 画材
かさいほうちき 火災報知機 (小型，簡易なものは「火災報知器」とも)
かさいりゅう 火砕流
かざかみ 風上
かさく 佳作
かさく 家作
かさく 寡作
かざぐるま 風車
かざしも 風下
かざす 〔×翳〕
かざとおし 風通し
かざなみ 風波
かさなりあう 重なり合う
かさなる 重なる
かさねがさね 重ね重ね
かさねぎ 重ね着
かさねる 重ねる
かざはな 風花 (「カザバナ」とも)
かさばる 〔×嵩張〕
かさぶた 〔×瘡蓋・×痂〕
かざみどり 風見鶏
かさむ 〔×嵩〕 経費が～。
かざむき 風向き

特 表外字・表外音訓を用いてよい特例の語　付 常用漢字表の付表の語
送 送りがなを省く特例　読 読みがなを付けるのが望ましい語　＊類語・言いかえ例

かざり―かしぬ

かざり 飾り	かしかん 下士官
かざりけ 飾り気	かしきり 貸し切り ～バス。
かざりだな 飾り棚	かしきん 貸金送
かざりつけ 飾りつけ〔付〕	かしきんこ 貸金庫送
かざりもの 飾り物	**かしぐ** 〔▲炊〕
かざる 飾る	**かしげる** 〔▲傾〕 首を～。
かさん 加算	**かしこ** 〔▲彼▲処〕 ここ～。
かざん 火山 ～岩。～弾。～灰。	かしこい 賢い
かし 下肢	かしこし 貸し越し
かし 下賜	かしこしきん 貸越金送
かし 可視 ～光線。	**かしこまる** 〔▲畏〕
かし 仮死 ～状態。	かししつ 貸室送
かし 河岸付	**かしずく** 〔×傅〕
かし 菓子 ～皿。～箱。	かしせき 貸席送
かし 歌詞	かしだおれ 貸し倒れ
かし 貸し	かしだし 貸し出し
カし 力氏 (温度目盛り)	かしだしきん 貸出金送
かし 〔×樫〕	かしだす 貸し出す
かし 〔×瑕×疵〕 ＊きず。欠点。	かしち 貸地送
かじ 火事 ～場。山～。	かしちん 貸し賃
かじ 加持 ～祈とう。	かしつ 過失 ～致死。
かじ 家事	かじつ 果実 ～酒。
かじ 鍛冶付 刀～。	かじつ 過日 ＊先日。
かじ 〔×舵・×梶・×楫〕	がしつ 画質
がし 餓死	かしつけ 貸し付け
かしいしょう 貸衣装〔×裳〕送	かしつけきん 貸付金送
かしおり 菓子折	かしつけざんだか 貸付残高送
かじか 〔河鹿〕	かしつけしんたく 貸付信託送
かしかた 貸方送 《簿記》	かしつける 貸し付ける
かじかむ 手が～。	かじとり かじ取り〔×舵〕
かしかり 貸し借り	かしぬし 貸主送

〔 〕使わない漢字　　×表外字(常用漢字表にない字)　　▲表外音訓(常用漢字表にない読み)
①～⑥教育漢字の学年配当　　①-②(①の表記を優先するが，②の表記を使ってもよい語)

かしビル	貸しビル （後部が漢字でない場合は「貸し…」）
かしボート	貸しボート
かしぶとん	貸布団 送
かしぶね	貸舟 送 （場合により「貸船」）
かしほん	貸本 送
かしま	貸間 送
かしましい	〔×囂・・×姦〕
かしや	貸家 送
かしや	菓子屋
かしゃ	貨車
かじや	鍛冶屋
かしゃく	仮借　～なく責めたてる。
かしゃく	〔×呵▲責〕　良心の～。
かしゅ	歌手
かじゅ	果樹　～園。
がしゅ	雅趣　～に富む。
かしゅう	歌集
かじゅう	加重　～平均。責任が～される。
かじゅう	果汁
かじゅう	荷重　橋の～。荷物の～制限。
かじゅう	過重　～な負担。
がしゅう	我執
がしゅう	画集
がしゅん	賀春
かしょ	箇所〔▲個処〕　故障の～。（「3か所」などは「○か所」）（「個所」は使わない）(p.13 参照)
かしょう	仮称
かしょう	過小　（小さすぎること）～評価。
かしょう	過少　（少なすぎること）～申告。
かしょう	歌唱　～力。
かじょう	過剰
かじょう	箇条〔▲個〕　～書き。（「3か条」などは「○か条」）（「個条」は使わない）(p.13 参照)
がしょう	画商
がしょう	賀正
がじょう	賀状
がじょう	牙城　＊本拠。本陣。
かじょうがき	箇条書き〔▲個〕　（「個条書き」は使わない）
かしょく	過食　～症。
かしょく	華しょく〔×燭〕　～の典。
かしら	頭
かしらもじ	頭文字
かじりつく	〔×齧付〕
かじる	〔×齧〕
かしわ	〔×柏・×槲〕
かしわで	かしわ手〔▲拍・×柏〕
かしわもち	かしわ餅〔×柏〕
かしん	家臣
かしん	過信
かじん	家人
かじん	歌人
がしんしょうたん	臥薪嘗胆 (がしんしょうたん)
かす	貸す
かす	〔×粕・・×糟〕　酒～。

特 表外字・表外音訓を用いてよい特例の語　　付 常用漢字表の付表の語
送 送りがなを省く特例　　読 読みがなを付けるのが望ましい語　　＊類語・言いかえ例

かす―かそう

かす	〔×滓〕 残り～。		かせい	仮性 ～近視。

かす　〔×滓〕　残り～。
かず　数
かすか　〔▲微・▲幽〕
かすがい　〔×鎹〕
かずかず　数々
かすじる　かす汁〔×粕・×糟〕
かすづけ　かす漬け〔×粕・×糟〕
かずのこ　①かずのこ　②数の子
かすみ　〔×霞〕
かすみあみ　かすみ網〔×霞〕
かすむ　〔×霞〕
かすめる　〔×掠〕
かずら　〔▲葛・×蔓〕
かすり　〔▲飛▲白・×絣〕
かすりきず　かすり傷〔▲擦〕
かする　化する　廃墟と～。
かする　科する　刑罰を～。罰金を～。
かする　課する　義務を～。税金を～。
かする　嫁する
かする　〔×掠・▲擦〕
がする　賀する
かすれる　〔×掠・▲擦〕　声が～。
かせ　〔×枷〕
かぜ　風
かぜ　①かぜ　②風邪付　～気味。
　～薬。～をひく。
かぜあたり　風当たり
かせい　化成　～肥料。
かせい　火星
かせい　火勢
かせい　加勢

かせい　仮性　～近視。
かせい　河清　百年～をまつ。
かせい　家政　～科。
かせい　歌聖
かぜい　課税　非～。総合～。
かせいがん　火成岩
かせいソーダ　カセイソーダ　〔苛性曹▲達〕
かせいふ　家政婦
かせき　化石
かせぎ　稼ぎ
かせぐ　稼ぐ
かせつ　仮設　～住宅。
かせつ　仮説
かせつ　架設　電話の～。
かぜとおし　風通し
かぜよけ　風よけ〔▲除〕
かせん　化繊
かせん　河川
かせん　架線　(「ガセン」は工事関係者の言い方)
かせん　寡占
かせん　歌仙　(和歌の名人)六～。
がぜん　〔×俄然〕
がせんし　画仙紙
かせんしき　河川敷送　(「カセンジキ」とも)＊河(川)原。
かそ　可塑　～剤。～性。
かそ　過疎　～地。
かそう　下層
かそう　火葬

〔　〕使わない漢字　　×表外字(常用漢字表にない字)　　▲表外音訓(常用漢字表にない読み)
①～⑥教育漢字の学年配当　　①－②(①の表記を優先するが, ②の表記を使ってもよい語)

かそう 仮装 ～行列。
かそう 仮想 ～敵国。～現実。
がぞう 画像 テレビの～。
かぞえあげる 数え上げる
かぞえうた 数え歌
かぞえどし 数え年
かぞえる 数える
かそく 加速 ～度。
かぞく 家族 ～連れ。
かぞく 華族
かた 潟{かた}
かた 方 あっせん～を頼む。あの～。考え～。ご来賓の～々。
かた 片 ～がつく。
かた 形 (物の姿かたち)柔道の～。自由～。女～。波～の模様。
かた 型 (モデル・決まった形式)大～。血液～。芝居の～。2011年～。
かた 肩
かた 過多〔×夥〕
がた 方 明け～。殿～。3割～。
かたあし 片足
かたい 固い (強固・頑固)地盤が～。～信念。頭が～。
かたい 堅い (「脆」の対。堅実)～材木。義理～。口が～。
かたい 硬い (「軟」の対)～土。表情が～。～文章。
かたい 難い 許し～。想像に難くない。
かたい 下たい〔×腿〕 ～骨。～部。
かだい 過大 ～評価。

かだい 課題 緊急～。検討～。
かたいじ 片意地
かたいっぽう 片一方
かたいなか 片田舎
かたいりょう 過怠料 《法律》
かたいれ 肩入れ
かたうで 片腕
かたえぞめ 型絵染送
がたおち がた落ち
かたおもい 片思い
かたおや 片親
かたがき 肩書送
かたかけ 肩掛け
かたがた 〔×旁〕 お礼～。
かたかな ①かたかな ②片仮名
かたがみ 型紙
かたがわ 片側 ～通行。
かたがわり 肩代わり
かたき 敵〔×仇〕
かたぎ 堅気
かたぎ 〔▲気▲質〕 職人～。
かたきうち 敵討ち〔×仇〕
かたきどうし ①敵どうし ②敵同士
かたきやく 敵役 《芸能》
かたく 家宅 ～侵入(罪)。～捜索。
かたぐち 肩口
かたくな 〔▲頑〕
かたくりこ ①かたくり粉 ②片栗粉
かたくるしい 堅苦しい
かたぐるま 肩車
かたごし 肩越し

特 表外字・表外音訓を用いてよい特例の語　付 常用漢字表の付表の語
送 送りがなを省く特例　説 読みがなを付けるのが望ましい語　＊類語・言いかえ例

かたこと　**片言**　〜交じり。
かたこり　**肩凝り**
かたさき　**肩先**
かたしきしょうめい　**型式証明**
かたじけない　〔×忝・▲辱〕
かたず　**固唾**〔付〕
かたすかし　**肩透かし**
かたすみ　**片隅**
かたずみ　**堅炭**
かたぞめ　**型染め**
かたたたき　**肩たたき**〔×叩〕
かたち　**形**
かたちづくる　**形づくる**〔作・造〕
かたづく　**片づく**〔付〕
がたつく　組織が〜。
かたづける　**片づける**〔付〕
かたっぱし　**片っ端**
かたつむり　〔×蝸▲牛〕
かたて　**片手**
かたてま　**片手間**
かたどおり　**型どおり**〔通〕　〜のあいさつ。
かたとき　**片とき**〔時〕　〜も。
かたどる　〔▲象〕
かたな　**刀**　〜掛け。〜傷。
かたなかじ　**刀鍛冶**
かたなし　**形なし**〔無〕
かたならし　**肩慣らし**
かたねり　**固練り**〔×煉〕
かたはし　**片端**

かたはば　**肩幅**
かたはらいたい　**片腹痛い**
かたひざ　①**片ひざ**　②**片膝**　〜を立てる。
かたひじ　①**肩ひじ**　②**肩肘**　〜を張る。
かたびら　〔×帷▲子〕
かたぶつ　**堅物**
かたぶとり　**固太り**
かたほう　**片方**
かたぼう　**片棒**　〜を担ぐ。
かたまり　**塊**　土の〜。欲の〜。
かたまり　**固まり**　封建思想の〜。
かたまる　**固まる**
かたみ　**片身**　魚の〜。
かたみ　**形見**　〜分け。
かたみ　**肩身**　〜が狭い。
かたみち　**片道**
かたむき　**傾き**
かたむく　**傾く**
かたむける　**傾ける**
かため　**固め**
かためる　**固める**
かためん　**片面**
かたやぶり　**型破り**
かたゆで　**固ゆで**〔×茹〕
かたよせる　**片寄せる**
かたより　**偏り**
かたよる　**偏る**　考え方が〜。
かたよる　**片寄る**　積み荷が〜。
かたらい　**語らい**

〔　〕使わない漢字　　×表外字(常用漢字表にない字)　　▲表外音訓(常用漢字表にない読み)
①〜⑥教育漢字の学年配当　　①−②(①の表記を優先するが，②の表記を使ってもよい語)

かたらう	語らう
かたり	語り
かたりあう	語り合う
かたりぐさ	語りぐさ〔草・▲種〕
かたりくち	語り口
かたりつぐ	語り継ぐ
かたりて	語り手
かたりべ	語り部 特
かたりもの	語り物
かたる	語る
かたる	〔×騙〕
かたわく	型枠
かたわら	傍ら　道の〜。(「働くかたわら」などは, なるべくかな書き)
かたわれ	片割れ　〜月。犯人の〜。
かたん	加担〔荷〕　悪事に〜する。
かだん	花壇
かだん	果断
かだん	歌壇
がだん	画壇
かち	価値　〜観。〜判断。
かち	勝ち
がち	〔勝〕　あり〜。曇り〜。
かちあう	かち合う〔×搗〕
かちいくさ	勝ち戦
かちうま	勝ち馬　〜投票券。
かちき	勝ち気
かちく	家畜
かちこす	勝ち越す
かちっぱなし	勝ちっ放し
かちてん	勝ち点
かちどき	勝ちどき〔×鬨〕
かちなのり	勝ち名乗り
かちぬく	勝ち抜く
かちほこる	勝ち誇る
かちぼし	勝ち星
かちまけ	勝ち負け
かちみ	勝ちみ〔味〕
かちめ	勝ち目
かちゅう	火中　〜のくりを拾う。
かちゅう	渦中　〜の人。事件の〜。
かちょう	花鳥　〜風月。
かちょう	課長
がちょう	画帳〔×帖〕
がちょう	〔×鵞鳥〕
かちょうきん	課徴金
かつ	活 ②{カツ}　〜を入れる。
かつ	割 ⑥{カツ / わる・わり・われる・さく}
かつ	括{カツ}
かつ	喝{カツ}
かつ	渇{カツ / かわく}
かつ	葛{カツ / くず}
かつ	滑{カツ・コツ / すべる・なめらか}
かつ	褐{カツ}
かつ	轄{カツ}
かつ	〔且〕{かつ}　(p.14 参照)
かつ	勝つ
かっ	合 ②{ゴウ・ガッ・カッ / あう・あわす・あわせる}
がつ	月 ①{ゲツ・ガツ / つき}
がっ	合 ②{ゴウ・ガッ・カッ / あう・あわす・あわせる}
かつあい	割愛
かつえる	〔▲飢・▲餓〕

特 表外字・表外音訓を用いてよい特例の語　　付 常用漢字表の付表の語
送 送りがなを省く特例　　読 読みがなを付けるのが望ましい語　　＊類語・言いかえ例

かつお　〔×鰹・▲松▲魚・▲堅▲魚〕
かつおぶし　かつお節〔×鰹〕
かっか　閣下
がっか　学科　(科目)
がっか　学課　(学業の課程)＊課程。
かっかい　角界　(「カクカイ」とも)(相撲界)
がっかい　学会
がっかい　学界
かっかざん　活火山　(「カツカザン」とも)
かっかそうよう　隔靴掻痒(そうよう)
がっかり
かっき　活気　～づく。
がっき　学期
がっき　楽器
かっきてき　画期的〔×劃〕
がっきゅう　学究　～肌。
がっきゅう　学級
かっきょ　割拠　群雄～。
かつぎょ　活魚　～料理。
かっきょう　活況
がっきょく　楽曲
かつぐ　担ぐ
がっく　学区
かっくう　滑空
がっくり　～と首を垂れる。
かっけ　〔▲脚気〕
かつげき　活劇

かっけつ　かっ血〔×喀〕
かっこ　各戸
かっこ　各個
かっこ　確固〔×乎〕　～たる地位。
かっこ　①かっこ　②括弧
かっこう　格好〔×恰〕　～がよい。
かっこう　滑降
かっこう　〔郭公〕
がっこう　学校　～教育。～放送。
かっさい　喝采　拍手～。
がっさく　合作
がっさん　合算
かつじ　活字
かっしゃ　滑車
がっしゅうこく　合衆国〔州〕
がっしゅく　合宿
かつじょう　割譲
がっしょう　合唱　～団。～隊。
がっしょう　合掌　～造り。
がっしょうれんこう　合従連衡
かっしょく　褐色
がっしり　～した体。
かっすい　渇水　～期。
がっする　合する
かっせい　活性　～炭。
かっせん　合戦
がっそう　合奏
かっそうろ　滑走路
がったい　合体
かったつ　〔×闊達〕　＊度量の広い。
かつだんそう　活断層

〔　〕使わない漢字　　×表外字(常用漢字表にない字)　　▲表外音訓(常用漢字表にない読み)
1～6 教育漢字の学年配当　　①－②(①の表記を優先するが，②の表記を使ってもよい語)

がっち　合致
かっちゅう　〔▲甲×冑〕
かつて　〔▲曽・×嘗〕（「かって」と書かない）
かって　勝手送　〜口。〜なふるまい。〜に…する。
がってん　合点　〜がいく。早〜。（「ガテン」とも）
かっとう　葛藤　*もつれ。争い。
かつどう　活動
かっとばす　かっ飛ばす
かっぱ　喝破
かっぱ　〔合羽〕　雨〜。
かっぱ　〔▲河▲童〕
かっぱつ　活発〔×溌〕
かっぱらい　かっ払い〔×搔〕
かっぱん　活版
がっぴ　月日
がっぴょう　合評
かっぷ　割賦　〜販売。
かっぷく　割腹　〜自殺。
かっぷく　〔×恰幅〕　〜がいい。
かつぶし　かつ節
がっぺい　合併　〜症。町村〜。
かつべん　活弁　（「活動写真弁士」の略）
かっぽ　かっ歩〔×闊〕
かつぼう　渇望
かっぽう　〔割×烹〕　〜着。
がっぽん　合本
かつもく　〔×刮目〕　*注目。

かつやく　活躍
かつやくきん　括約筋　《医学》
かつよう　活用
かつようじゅ　かつ葉樹〔×闊〕　《植物》*広葉樹。
かつら　〔×桂〕
かつら　〔×鬘〕
かつらく　滑落　〜事故。
かつりょく　活力
かつろ　活路
かて　糧〔×粮〕
かてい　仮定
かてい　家庭　〜教師。〜裁判所。
かてい　過程　成長の〜。
かてい　課程　教育〜。中学の〜を修了。博士〜。
かでん　家伝　〜の妙薬。
かでん　家電　（家庭用電気器具）〜製品。
がてん　合点　〜がいく。早〜。
がでんいんすい　我田引水
かど　角　〜が立つ。
かど　門
かど　過度
かど　〔▲廉〕　…の〜により。
かとう　下等
かとう　果糖
かとう　過当　〜競争。
かどう　可動　〜橋。〜ぜき。
かどう　華道　（場合により「花道」）
かどう　稼働〔動〕　〜率。

特 表外字・表外音訓を用いてよい特例の語　　付 常用漢字表の付表の語
送 送りがなを省く特例　　読 読みがなを付けるのが望ましい語　　*類語・言いかえ例

かとき　過渡期
かとく　家督　〜を継ぐ。
かどぐち　門口
かどだつ　角立つ
かどち　角地
かどづけ　門づけ〔付〕
かどで　門出〔▲首▲途〕
かどばん　角番　〜に立つ。
かどまつ　門松
かとりせんこう　蚊取り線香
かどわかす　〔▲拐・▲勾▲引〕
かな　①かな　②仮名 付
かな　〔×哉〕　惜しい〜。
かなあみ　金網
かない　家内
かなう　〔▲適・×叶〕
かなえ　〔×鼎〕　〜の軽重。
かなえる　〔▲適・×叶〕
かながき　①かな書き　②仮名書き
かなきりごえ　金切り声
かなぐ　金具
かなくぎ　金くぎ〔×釘〕　〜流。
かなぐし　金串
かなけ　金気
かなしい　悲しい〔▲哀〕
かなしがる　悲しがる〔▲哀〕
かなしげ　悲しげ〔▲哀気〕
かなしばり　金縛り
かなしみ　悲しみ〔▲哀〕
かなしむ　悲しむ〔▲哀〕
かなた　〔▲彼▲方〕

かなだらい　金だらい〔×盥〕
かなづかい　①かなづかい　②仮名遣い
かなづち　金づち〔×槌〕
かなでる　奏でる
かなぼう　金棒〔▲鉄〕　鬼に〜。
かなまじり　①かな交じり　②仮名交じり　漢字〜文。
かなめ　要
かなもの　金物
かならず　必ず　〜しも。
かなり　〔可成〕
かなわない　〔▲敵〕
かに　〔×蟹〕
かにく　果肉
かにゅう　加入　〜電話。新規〜。
かね　金
かね　鐘
かね　〔×鉦〕
かねあい　兼ね合い
かねいれ　金入れ
かねかし　金貸し
かねがね　〔兼々・▲予々〕
かねぐり　金繰り
かねじゃく　かね尺〔▲曲〕
かねずく　金ずく〔▲尽〕
かねつ　加熱　〜処理。
かねつ　過熱　ストーブの〜。〜気味。
かねづかい　金遣い
かねつき　鐘つき〔突・×撞〕　〜堂。
かねづつみ　金包み

〔　〕使わない漢字　　×表外字(常用漢字表にない字)　　▲表外音訓(常用漢字表にない読み)
1〜6 教育漢字の学年配当　　①−②(①の表記を優先するが，②の表記を使ってもよい語)

かねづまり　**金詰まり**	かひ　**歌碑**
かねづる　**金づる**〔×蔓〕	かび　**華美**
かねて　〔▲予〕	**かび**　〔×黴〕
かねばなれ　**金離れ**　〜がいい。	かびくさい　**かび臭い**〔×黴〕
かねまわり　**金回り**	かひつ　**加筆**
かねめ　**金め**〔目〕　〜の品。	がびょう　**画びょう**〔×鋲〕
かねもうけ　**金もうけ**〔×儲〕	**かびる**　〔×黴〕
かねもち　**金持ち**	かびん　**花瓶**
かねる　**兼ねる**　外相を〜。	かびん　**過敏**　〜症。
かねる　〔兼〕　申し〜。	かふ　**寡婦**
かねん　**可燃**　〜性。〜物。	かぶ　**株** ⑥ {かぶ}
かの　〔彼〕　〜人。	かぶ　**下部**　〜組織。
かのう　**可能**　〜性。	かぶ　**歌舞**　〜音曲。
かのう　**化のう**〔×膿〕	**かぶ**　〔×蕪〕
かのこ　**鹿の子**読　〜絞り。〜餅。	がふ　**画布**　(カンバス)
かのじょ　**彼女**	かふう　**家風**
かば　〔×蒲・・×樺〕　〜色。	かふう　**歌風**
かば　〔河馬〕	がふう　**画風**
かばう　〔×庇〕	かぶか　**株価**　〜指数。
かはく　**仮泊**	かぶき　**歌舞伎**
がはく　**画伯**	かふくぶ　**下腹部**
かばしら　**蚊柱**	かぶけん　**株券**
かばね　〔▲姓〕　氏〜。	**かぶしき**　**株式**　〜配当。
かばね　〔×屍〕	かぶしきがいしゃ　**株式会社**　(略記は「(株)」とし、「KK」と書かない)
かばやき　**かば焼き**〔×蒲〕	
かはん　**河畔**	**かぶせる**　〔▲被〕
かばん　〔×鞄〕	かふそく　**過不足**　(「カブソク」とも)
がばん　**画板**	かふちょうせい　**家父長制**
かはんしん　**下半身**	**かぶと**　〔×兜・・×冑・▲甲〕　〜を脱ぐ。
かはんすう　**過半数**	
かひ　**可否**	**かぶとむし**　〔×兜・・×冑・▲甲虫〕

特 表外字・表外音訓を用いてよい特例の語　　付 常用漢字表の付表の語
送 送りがなを省く特例　　読 読みがなを付けるのが望ましい語　　＊類語・言いかえ例

かふぬ―かみい

かぶぬし	株主	～総会。	
がぶのみ	がぶ飲み		
かぶら	〔×蕪・・×蕪×菁〕		
かぶりつく	〔×齧付〕		
かぶる	〔▲被・▲冠〕		
かぶれる	皮膚が～。		
かぶわけ	株分け		
かふん	花粉	～症。	
かぶん	過分	～のおことば。	
かぶん	寡聞	～にして知らない。	
かぶんすう	仮分数	《数学》	
かべ	壁	板～。～塗り。	
かへい	貨幣		
がべい	画餅	(「ガヘイ」とも)～に帰する。	
かべかけ	壁掛け		
かべがみ	壁紙		
かべしんぶん	壁新聞		
かべつち	壁土		
かべん	花弁		
かほう	下方		
かほう	火砲	(大砲・高射砲など)	
かほう	果報	～者。～は寝て待て。	
かほう	家宝		
がほう	画報		
かぼく	花木		
かほご	過保護		
かぼそい	〔▲繊細〕		
かぼちゃ	〔▲南×瓜〕		
かま	釜{かま}〔×罐〕		
かま	鎌{かま}	草刈り～。	
かま	窯		
がま	〔×蝦×蟇〕		
かまう	構う	(「…してもかまわない」は,なるべくかな書き)	
かまえ	構え		
かまえる	構える		
かまきり	〔×蟷×螂〕		
がまぐち	〔×蝦×蟇口〕		
かまくび	鎌首		
かまくら	(雪国の行事)		
かまくらぼり	鎌倉彫 送		
かまける	仕事に～。		
かます	〔×叺〕	(むしろの袋)	
かます	〔×魳〕	(魚)	
かませる	〔×嚙〕		
かまち	〔×框〕		
かまど	〔×竈〕		
かまぼこ	〔×蒲×鉾〕		
かまめし	釜飯		
かまもと	窯元		
かまゆで	釜ゆで〔×茹〕		
がまん	我慢	～強い。	
かみ	上		
かみ	神		
かみ	紙		
かみ	髪		
かみ	加味		
かみあう	かみ合う〔×嚙・×咬〕		
かみあぶら	髪油		
かみあらい	髪洗い		
かみいれ	紙入れ		

〔 〕使わない漢字　×表外字(常用漢字表にない字)　▲表外音訓(表外音訓は常用漢字表にない読み)
1～6 教育漢字の学年配当　①―②(①の表記を優先するが, ②の表記を使ってもよい語)

かみがかり ①神がかり ②神懸かり〔×憑〕	かみのく 上の句
かみかざり 髪飾り	かみのけ 髪の毛
かみかぜ 神風	かみばさみ 紙挟み
かみがた 上方	かみはんき 上半期
かみがた 髪形 (「高島田」などは「髪型」)	かみひとえ 紙一重
	かみふうせん 紙風船
かみき 上期	かみぶくろ 紙袋
かみきる かみ切る〔×嚙〕	かみふぶき 紙吹雪
かみきれ 紙切れ	かみほとけ 神仏
かみくず 紙くず〔×屑〕	かみまいり 神参り
かみくだく かみ砕く〔×嚙〕	かみもうで 神詣で
かみこなす 〔×嚙〕	かみやすり 紙やすり〔×鑢〕
かみころす かみ殺す〔×嚙〕	かみゆい 髪結い
かみざ 上座	かみよ 神代
かみさま 神様	かみわける かみ分ける〔×嚙〕
かみしばい 紙芝居	かみわざ 神業〔技〕
かみしめる 〔×嚙締〕	かみん 仮眠
かみしも 〔×裃〕	かむ 〔×嚙・×咬〕
かみすき 紙すき〔×漉〕	かむ 〔×擤・×拻〕 はなを~。
かみそり 〔×剃▲刀〕 ~負け。	がむしゃら 〔我武者羅〕
かみだな 神棚	かめ 亀 ~の甲。
かみだのみ 神頼み	**かめ** 〔▲瓶・×甕〕
かみつ 過密 ~ダイヤ。	かめい 下命 ご~ください。
かみつく 〔×嚙・×咬付〕	かめい 加盟 国連~。
かみづつみ 紙包み	かめい 仮名
かみつぶす ①かみつぶす ②かみ潰す〔×嚙〕	かめい 家名
	かめん 仮面
かみて 上手	がめん 画面 テレビの~。
かみなり 雷 ~おやじ。	**かも** 〔×鴨〕
かみねんど 紙粘土	**かもい** 〔×鴨居〕

特 表外字・表外音訓を用いてよい特例の語　付 常用漢字表の付表の語
送 送りがなを省く特例　読 読みがなを付けるのが望ましい語　＊類語・言いかえ例

かもく―からた

かもく　**科目**　選択〜。勘定〜。	がらあき　**がら空き**
かもく　**課目**　税金の〜。	からあげ　①**から揚げ** ②**空揚げ**（「唐揚げ」とも）
かもく　**寡黙**	からい　**辛い**〔×鹹〕
かもしか　〔×羚・×羊・×麕鹿〕	からいばり　①**から威張り** ②**空威張り**
かもしだす　**醸し出す**	からうり　**空売り**《株式》
…かもしれない　〔知〕	からかう　〔×揶×揄〕
かもす　**醸す**	からかさ　**唐傘**
かもつ　**貨物**　〜船。〜列車。	からかみ　**唐紙**
かもめ　〔×鴎〕	からきざいく　**唐木細工**
かもん　**下問**　ご〜。	からくさもよう　**唐草模様**
かもん　**家門**　〜の誉れ。	からくじ　**空くじ**〔×籤〕
かもん　**家紋**	がらくた
かや　**蚊帳**付	からくち　**辛口**　〜の酒。
かや　〔×茅・・×萱〕　〜ぶきの屋根。	からくも　**辛くも**
かや　〔×榧〕	からくり　〔▲絡繰・▲機▲関〕　〜人形。
かやく　**火薬**　〜庫。	からげる　〔×絡〕
かやり　**蚊やり**〔▲遣〕　〜火。	からげんき　①**から元気** ②**空元気**
かゆ　〔×粥〕	からさわぎ　①**から騒ぎ** ②**空騒ぎ**
かゆい　〔×痒〕	からし　〔×芥子〕　〜漬け。
かよい　**通い**　〜帳。〜路。〜詰め。	からす　**枯らす**　植木を〜。
かよう　**火曜**　〜日。	からす　〔×涸・×嗄〕　声を〜。
かよう　**歌謡**　〜曲。青春〜。	からす　〔×烏・×鴉〕
かよう　**通う**	からすぐち　**からす口**〔×烏〕
がようし　**画用紙**	ガラスど　**ガラス戸**〔▲硝▲子〕
かようせい　**可溶性**	ガラスばり　**ガラス張り**〔▲硝▲子〕
かように　〔×斯様〕	からせき　**空せき**〔×咳〕
かよわい　〔弱〕	からだ　**体**〔▲身▲体〕
から　**空**　〜の箱。(「中になにも入っていない」という意味の場合)	からだき　**空だき**〔×焚〕
から　**殻**	
がら　**柄**　商売〜。〜物。	

〔　〕使わない漢字　　×表外字(常用漢字表にない字)　　▲表外音訓(常用漢字表にない読み)
①〜⑥教育漢字の学年配当　　①―②(①の表記を優先するが，②の表記を使ってもよい語)

からたち　〔×枳▲殻〕
からだつき　体つき〔▲身▲体付〕
からっかぜ　①からっ風　②空っ風
からっぽ　空っぽ
からつゆ　空梅雨
からて　空手
からてがた　空手形
からとう　辛党
からねんぶつ　①から念仏　②空念仏（実行の伴わない主張）（「ソラネンブツ」は「口先だけの念仏」）
からばこ　空箱
からぶき　から拭き〔▲乾〕
からぶね　空船
からぶり　空振り
からぼり　空堀
からまつ　〔▲落▲葉松〕
からまる　絡まる
からまわり　空回り
からみ　空身
からみ　辛み〔味〕
からみ　絡み〔×搦〕　予算との〜。
…がらみ　〔絡・×搦〕　汚職〜の事件。50〜の男性。
からみあう　絡み合う
からみつく　絡みつく〔付〕
からむ　絡む
からめて　からめ手〔×搦〕
からめとる　からめ捕る〔絡・×搦〕（捕縛）罪人を〜。

からめる　絡める〔×搦〕　腕を〜。進退に絡めた発言。（料理用語では，かな書き）
からもん　唐門
からやくそく　空約束
がらん　伽藍 特読
かり　仮　〜の宿。〜契約。
かり　刈り　稲〜。五分〜。
かり　狩り〔▲猟〕　蛍〜。紅葉〜。
かり　借り
かり　〔×雁〕
カリ　〔加里〕　〜肥料。炭酸〜。
かりあげる　刈り上げる　髪を〜。
かりあげる　借り上げる
かりあつめる　駆り集める〔狩〕　人を〜。
かりいれ　借り入れ
かりいれきん　借入金 送
かりいれる　刈り入れる
かりうける　借り受ける
かりかえ　借り換え　ローンの〜。
かりかた　借方 送　《簿記》
かりかぶ　刈り株
かりぎ　借り着
かりきる　借り切る
かりこし　借り越し
かりこしきん　借越金 送
かりこむ　刈り込む
かりごや　仮小屋
かりしゃくほう　仮釈放
かりしゅっしょ　仮出所

特 表外字・表外音訓を用いてよい特例の語　　付 常用漢字表の付表の語
送 送りがなを省く特例　　読 読みがなを付けるのが望ましい語　　＊類語・言いかえ例

かりじゅよう **仮需要**
かりしょぶん **仮処分** 《法律》
かりずまい **仮住まい**
かりそめ 〔仮初〕
かりたおす **借り倒す**
かりだす **狩り出す** 獲物を〜。
かりだす **借り出す** 本を図書館から〜。
かりだす **駆り出す** 応援に〜。
かりたてる **狩り立てる** 獲物を〜。
かりたてる **駆り立てる** 仕事に〜。
かりちょういん **仮調印**
かりっぱなし **借りっ放し**
かりて **借り手**
かりとじ **仮とじ**〔×綴〕
かりとる **刈り取る**
かりに **仮に**
かりぬい **仮縫い**
かりぬし **借り主**
かりね **仮寝**
かりばし **仮橋**
かりばらい **仮払い**
かりぶしん **仮普請**
かりめんきょ **仮免許**
かりもの **借り物**
かりゅう **下流**
かりゅう 〔×顆粒〕
がりゅう **我流**
かりゅうかい **花柳界**
かりゅうど **狩人**〔▲猟〕(特)
かりょう **加療** 入院〜を要する。

かりょう **科料** 《法律》(軽い犯罪に科する刑罰)
かりょう **過料** 《法律》(行政上の軽い違反に払わせる金)
がりょう **雅量**
がりょうてんせい **画竜点睛**（がりょうてんせい）
かりょく **火力** 〜発電。
かりる **借りる** 金を〜。人手を〜。
かりる 〔×藉〕彼の説をかりれば。
かる **刈**｛かる｝
かる **刈る**
かる **狩る**
かる **駆る** 馬を〜。
かるい **軽い**
かるいし **軽石**
かるがるしい **軽々しい**
かるがると **軽々と**
かるくち **軽口**
かるた 〔歌留多・▲骨×牌〕
かるはずみ **軽はずみ**
かるやき **軽焼き**
かるわざ **軽業** 〜師。
かれ **彼**
かれい **華麗**
かれい 〔×鰈〕
かれえだ **枯れ枝**
かれおばな **枯れ尾花** (枯れすすき)
かれき **枯れ木**
がれき 〔瓦×礫〕
かれくさ **枯れ草**

〔 〕使わない漢字　×表外字(常用漢字表にない字)　▲表外音訓(常用漢字表にない読み)
1〜6教育漢字の学年配当　①—②(①の表記を優先するが，②の表記を使ってもよい語)

かれこれ　〔彼×此・▲是〕	かわうそ　〔×獺・川×獺〕
かれさんすい　**枯れ山水**	かわおび　**革帯**
かれつ　**苛烈**　～な闘い。　＊激烈。猛烈。	かわかす　**乾かす**
	かわかぜ　**川風**
かれの　**枯れ野**	かわかみ　**川上**
かれは　**枯れ葉**	かわき　**乾き**　洗濯物の～。
かれら　**彼ら**〔▲等〕	かわき　**渇き**　のどの～。愛情の～。
かれる　**枯れる**　花が～。	かわぎし　**川岸**
かれる　〔×涸・×嗄〕　池の水が～。声が～。才能が～。	かわぎり　**川霧**
	かわく　**乾く**　空気が～。干し物が～。
かれん　〔可×憐〕	かわく　**渇く**　のどが～。
かろう　**家老**	かわぐ　**革具**
かろう　**過労**　～死。	かわくだり　**川下り**
がろう　**画廊**	かわぐち　**川口**
かろうじて　①**かろうじて**　②**辛うじて**	かわぐつ　**革靴**〔皮〕
かろとうせん　**夏炉冬扇**	かわざいく　**革細工**
かろやか　**軽やか**	かわざかな　**川魚**
かろん　**歌論**	かわざらえ　**川ざらえ**〔×浚〕
かろんじる　**軽んじる**	かわざんよう　**皮算用**
かわ　**川**　(一般的)	かわしも　**川下**
かわ　**河**　(特定の語)白～夜船。	かわす　**交わす**　あいさつを～。
かわ　**皮**　(主に表皮・毛皮)みかんの～。～をなめす。	かわす　〔×躱〕　身を～。
	かわず　〔×蛙〕
かわ　**革**　(加工したもの)～靴。	かわすじ　**川筋**
がわ　**側**　(「カワ」とも)	かわせ　**為替**付　～相場。～市場。
かわいい　〔可▲愛〕	かわせいひん　**革製品**
かわいがる　〔可▲愛〕	かわせみ　〔×翡×翠・川×蟬〕
かわいそう　〔可▲哀想〕	かわぞい　**川沿い**
かわいらしい　〔可▲愛〕	かわそう　**革装**　～本。
かわうお　**川魚**　～料理。	かわぞこ　**川底**
	かわづたい　**川伝い**

特　表外字・表外音訓を用いてよい特例の語　　付　常用漢字表の付表の語
送　送りがなを省く特例　　読　読みがなを付けるのが望ましい語　　＊類語・言いかえ例

かわどこ　川床
かわばた　川端
かわはば　川幅
かわばり　革張り
かわひも　革ひも〔×紐〕
かわびらき　川開き
かわぶくろ　革袋
かわぶね　川船　(「川舟」とも)
かわべ　川辺
かわべり　川べり〔▲縁〕
かわも　川面 特
かわや　〔×厠〕
かわら　瓦　屋根〜。
かわら　河原 付　(「川原」とも)
かわらけ　〔▲土▲器〕
かわらばん　瓦版
かわらぶき　瓦ぶき〔×葺〕
かわり　代わり　…の〜に。親〜。肩〜。〜の品。
かわり　変わり　声〜。心〜。様〜。
かわり　替わり　代〜。月〜。
かわりだね　変わり種
かわりばえ　代わり映え　〜しない。
かわりはてる　変わり果てる
かわりばんこ　代わりばんこ
かわりみ　変わり身　〜が早い。
かわりめ　変わり目　季節の〜。
かわりもの　変わり者
かわる　代わる　父に代わって。
かわる　変わる　住所が〜。顔色が〜。予定が〜。

かわる　替わる　月が〜。年度が〜。
かわる　換わる　配置が〜。
かわるがわる　①かわるがわる ②代わる代わる〔変・換・替〕
かん　間 ②{カン・ケン / あいだ・ま}
かん　寒 ③{カン / さむい}　〜の入り。
かん　感 ③{カン}　〜に堪えない。
かん　漢 ③{カン}
かん　館 ③{カン / やかた}
かん　完 ④{カン}
かん　官 ④{カン}
かん　関 ④{カン / せき・かかわる}
かん　管 ④{カン / くだ}
かん　観 ④{カン}
かん　刊 ⑤{カン}
かん　幹 ⑤{カン / みき}
かん　慣 ⑤{カン / なれる・ならす}
かん　干 ⑥{カン / ほす・ひる}
かん　巻 ⑥{カン / まく・まき}
かん　看 ⑥{カン}
かん　簡 ⑥{カン}
かん　甘 {カン / あまい・あまえる・あまやかす}
かん　甲 {コウ・カン}
かん　汗 {カン / あせ}
かん　缶 {カン / ―}　〜入り。
かん　肝 {カン / きも}
かん　冠 {カン / かんむり}
かん　陥 {カン / おちいる・おとしいれる}
かん　乾 {カン / かわく・かわかす}
かん　勘 {カン / ―}　〜に頼る。
かん　患 {カン / わずらう}

〔　〕使わない漢字　　×表外字(常用漢字表にない字)　　▲表外音訓(常用漢字表にない読み)
①〜⑥教育漢字の学年配当　　①―②(①の表記を優先するが、②の表記を使ってもよい語)

かん	貫 {カン/つらぬく}	がん	〔×雁〕
かん	喚 {カン}	がん	〔×癌〕
かん	堪 {カン/たえる}	がんあつ	眼圧 《医学》
かん	換 {カン/かえる・かわる}	かんあつし	感圧紙
かん	敢 {カン}	かんあん	勘案
かん	棺 {カン}	かんい	官位
かん	款 {カン}	かんい	簡易 ～裁判所。～保険。
かん	閑 {カン}	かんいっぱつ	間一髪
かん	勧 {カン/すすめる}	かんいん	かん淫〔×姦〕
かん	寛 {カン}	かんえつ	観閲 ～式。
かん	歓 {カン}	かんえん	肝炎
かん	監 {カン}	がんえん	岩塩
かん	緩 {カン/ゆるい・ゆるやか・ゆるむ・ゆるめる}	かんおう	観桜 ～会。
かん	憾 {カン}	かんおけ	棺おけ〔×桶〕
かん	還 {カン}	かんおん	漢音 (漢字音の一つ)
かん	環 {カン}	かんか	看過 ＊見逃す。見過ごす。
かん	韓 {カン} (韓国など地名のみ)	かんか	閑暇 ＊暇。
かん	艦 {カン}	かんか	感化 ～を受ける。
かん	鑑 {カン/かんがみる}	がんか	眼下
かん	〔×燗〕 酒の～をする。	がんか	眼科
かん	〔×癇・××疳〕 ～に障る。	がんか	眼か〔×窩〕
がん	丸 ②{ガン/まる・まるい・まるめる}	かんかい	官界
がん	元 ②{ゲン・ガン/もと}	かんがい	干害〔×旱〕
がん	岩 ②{ガン/いわ}	かんがい	寒害
がん	顔 ②{ガン/かお}	かんがい	感慨 ～無量。～深い。
がん	岸 ③{ガン/きし}	**かんがい**	〔×灌×漑〕 ～用水。
がん	願 ④{ガン/ねがう} ～をかける。	がんかい	眼界 ＊視界。
がん	眼 ⑤{ガン・ゲン/まなこ}	かんがえ	考え ～方。～事。～物。
がん	含 {ガン/ふくむ・ふくめる}	かんがえこむ	考え込む
がん	玩 {ガン}	かんがえなおす	考え直す
がん	頑 {ガン}		

特 表外字・表外音訓を用いてよい特例の語　　付 常用漢字表の付表の語
送 送りがなを省く特例　　読 読みがなを付けるのが望ましい語　　＊類語・言いかえ例

かんがえる	考える
かんかく	間隔
かんかく	感覚　平衡〜。
かんかつ	管轄
かんがっき	管楽器
かんがみる	鑑みる
かんがん	汗顔　〜の至り。
かんかんがくがく	侃々諤々　〜の論議。
かんかんしき	観艦式
かんき	乾期
かんき	乾季　(熱帯地方の場合)
かんき	寒気　〜団。
かんき	換気　〜扇。〜装置。
かんき	喚起　注意を〜する。
かんき	歓喜
がんぎ	がん木〔×雁〕
かんぎく	寒菊
かんきつるい	かんきつ類〔×柑×橘〕
かんきのう	肝機能　〜検査。
かんきゃく	閑却　*ないがしろにする。なおざりにする。
かんきゃく	観客〔看〕　〜席。
かんきゅう	感泣
かんきゅう	緩急　〜自在。
がんきゅう	眼球
かんきょ	閑居
かんきょう	感興　〜をそそる。
かんきょう	環境　〜基準。
かんぎょう	寒行
がんきょう	頑強
かんきり	缶切り
かんきん	換金　〜作物。
かんきん	監禁　〜罪。
がんきん	元金
かんく	管区　〜気象台。
がんぐ	玩具　*おもちゃ。
がんくつ	岩窟〔×巌〕　*岩屋。岩穴。
かんぐる	勘ぐる〔繰〕
かんぐん	官軍　勝てば〜。
かんけい	関係
かんげい	歓迎　熱烈〜。〜式典。
かんげいこ	寒稽古
かんげき	感激
かんげき	間隙[読]　〜を縫う。*隙間。
かんげき	観劇
かんけつ	完結
かんけつ	簡潔
かんげつ	寒月
かんげつ	観月　〜会。
かんけつせん	間欠泉〔×歇〕
かんけん	官憲
かんげん	甘言　〜で釣る。
かんげん	換言　〜すれば。
かんげん	管絃[特]　《芸能》(邦楽・雅楽の場合)
かんげん	還元　社会に〜する。
かんげん	かん言〔×諫〕　*いさめること。
がんけん	頑健

〔　〕使わない漢字　　×表外字(常用漢字表にない字)　　▲表外音訓(常用漢字表にない読み)
1〜6 教育漢字の学年配当　　①−②(①の表記を優先するが, ②の表記を使ってもよい語)

かんげんがく　管弦楽〔×絃〕　(洋楽の場合)～団。～器。	がんさく　がん作〔×贋〕
かんこ　歓呼	かんざくら　寒桜
かんご　看護　～人。	かんざけ　かん酒〔×燗〕
かんごし　看護師	かんざし　〔×簪〕
かんご　漢語	かんさつ　監察　行政～。
がんこ　頑固	かんさつ　観察　自然～。保護～処分。
かんこう　刊行　～物。	かんさつ　鑑札
かんこう　完工　～式。	かんさん　閑散
かんこう　感光　～紙。	かんさん　換算
かんこう　敢行　盗塁を～する。	かんし　冠詞
かんこう　慣行　国際～。	かんし　漢詩
かんこう　観光　～地。～旅行。	かんし　監視　～員。
かんごう　環ごう〔×濠・×壕〕　～集落。	かんし　環視　衆人～。
	かんし　〔×鉗子〕　(医療器具)
がんこう　眼光　鋭い～。	かんじ　漢字
がんこう　がん行〔×雁〕	かんじ　幹事　～長。宴会の～。
かんこうちょう　官公庁	かんじ　監事
かんこうへん　肝硬変	かんじ　感じ
かんこうれい　かん口令〔×箝・×緘〕	かんしき　鑑識
かんごえ　寒肥　～を施す。	かんじき　〔×樏〕
かんこく　勧告　人事院～。	かんしつ　乾湿　～計。
かんごく　監獄　＊刑務所。拘置所。	かんしつ　乾漆　～像。
かんこつだったい　換骨奪胎	がんじつ　元日
かんこどり　閑古鳥　～が鳴く。	かんしゃ　官舎
かんこんそうさい　冠婚葬祭	かんしゃ　感謝　～状。
かんさ　監査　会計～。～役。	かんじゃ　患者　外来～。
かんさ　鑑査　無～。	かんしゃく　〔×癇×癪〕　～玉。
かんさい　完済　借金を～する。	かんしゅ　看守
かんさいき　艦載機	かんしゅ　貫主　(宗派により「貫首」, 「カンジュ」「カンズ(ス)」とも)
かんざいにん　管財人　《法律》	かんしゅ　艦首

特 表外字・表外音訓を用いてよい特例の語　　付 常用漢字表の付表の語
送 送りがなを省く特例　　読 読みがなを付けるのが望ましい語　　＊類語・言いかえ例

かんじゅ　甘受
かんしゅう　慣習　～法。
かんしゅう　監修
かんしゅう　観衆
がんしゅう　含羞　＊恥じらい。
かんじゅく　完熟　（完全に熟す）～トマト。
かんじゅく　慣熟　（慣れて上手になる）～飛行。
かんじゅせい　感受性
かんしょ　漢書
かんしょ　〔甘×藷・×薯〕　＊さつまいも。
かんじょ　官女　（「カンニョ」とも）
がんしょ　願書　入学～。
かんしょう　干渉　内政～。
かんしょう　完勝
かんしょう　勧奨　退職～。
かんしょう　感傷　～に浸る。
かんしょう　管掌　政府～。
かんしょう　緩衝　～地帯。
かんしょう　環礁　ムルロア～。
かんしょう　観照　人生の～。
かんしょう　観賞　（眺め楽しむ）菊花を～。月を～する。
かんしょう　鑑賞　（芸術作品などを理解し，味わう）美術～。
かんじょう　冠状　～動脈。
かんじょう　勘定　丼～。～書き。
かんじょう　感情　対日～。～論。
かんじょう　環状　～線。～道路。
がんしょう　岩礁
がんしょう　岩しょう〔×漿〕　火山の～。　＊マグマ。
がんじょう　頑丈〔岩乗〕
かんしょく　官職
かんしょく　寒色
かんしょく　閑職
かんしょく　間食
かんしょく　感触
がんしょく　顔色　～なし。
かんじる　感じる
かんしん　寒心　～に堪えない。
かんしん　感心
かんしん　関心　～を示す。～事。
かんしん　歓心　～を買う。
かんじん　肝心〔腎〕　～要。
かんじん　勧進　～相撲。～帳。～元。
かんすい　完遂
かんすい　冠水　田畑の～。
かんすう　関数〔×函〕　三角～。
かんする　関する
かんする　冠する
かんせい　完成
かんせい　官製
かんせい　乾性　（乾燥しやすい性質）～油。
かんせい　喚声　（叫び声）
かんせい　歓声　（喜びの声）
かんせい　閑静　～な住宅地。
かんせい　感性　豊かな～。
かんせい　慣性　～の法則。

〔　〕使わない漢字　　×表外字（常用漢字表にない字）　　▲表外音訓（常用漢字表にない読み）
①〜⑥教育漢字の学年配当　　①−②（①の表記を優先するが，②の表記を使ってもよい語）

かんせい	管制	航空〜。報道〜。	かんそん	寒村
かんぜい	関税	〜障壁。特恵〜。	かんそんみんぴ	官尊民卑
かんせいとう	管制塔		かんたい	寒帯
がんせいひろう	眼精疲労		かんたい	歓待〔歡〕
かんせき	漢籍		かんたい	艦隊
がんせき	岩石		かんだい	寛大 〜な処分。
かんせつ	冠雪	初〜。	がんたい	眼帯
かんせつ	間接	〜税。〜撮影。	かんたいへいよう	環太平洋 〜火山帯。〜諸国。
かんせつ	関節	〜炎。		
がんぜない	〔頑是無〕		かんだかい	甲高い〔×疳〕
かんせん	汗腺		かんたく	干拓 〜地。
かんせん	官選	〜首長。	かんたる	冠たる 世界に〜。
かんせん	幹線	〜道路。	かんたん	肝胆 〜相照らす。
かんせん	感染	〜源。〜症。	かんたん	感嘆〔×歎〕 〜符。
かんせん	観戦	〜記。	かんたん	簡単
かんせん	艦船		かんだん	寒暖 〜計。
かんぜん	完全	〜燃焼。〜無欠。〜犯罪。	かんだん	歓談
かんぜん	敢然	〜と立ち向かう。	がんたん	元旦
がんぜん	眼前		かんだんなく	間断なく
かんぜんちょうあく	勧善懲悪		かんち	完治
かんそ	簡素		かんち	感知 敵に〜される。〜器。
がんそ	元祖		かんち	関知 〜しない。
かんそう	完走		かんちがい	勘違い
かんそう	乾燥	〜機。〜剤。	がんちく	含蓄
かんそう	間奏	〜曲。	かんちゅう	寒中 〜水泳。〜見舞い。
かんそう	感想		がんちゅう	眼中 〜にない。
かんそう	歓送	〜会。〜迎(会)。	かんちょう	干潮
かんぞう	肝臓		かんちょう	完調
がんぞう	がん造〔×贋〕	*偽造。にせ。	かんちょう	官庁
			かんちょう	管長
かんそく	観測	天体〜。〜網。〜気球。	かんちょう	館長

㋥ 表外字・表外音訓を用いてよい特例の語　㋙ 常用漢字表の付表の語
㋚ 送りがなを省く特例　㋮ 読みがなを付けるのが望ましい語　*類語・言いかえ例

かんちょう　艦長	かんなんしんく　艱難辛苦
かんちょう　かん腸〔×浣・×灌〕	かんにょ　官女　(読みは「カンジョ」を優先)
かんつう　貫通　～銃創。	かんにん　堪忍〔勘〕　～袋。
かんづく　感づく〔勘付〕	**かんぬき**　〔×閂〕
かんづめ　缶詰〔×罐〕送　(「缶詰め状態にする」は,送りがなを付ける)	かんぬし　神主　＊神職。
かんてい　官邸　首相～。	かんねつし　感熱紙
かんてい　艦艇	かんねん　観念　固定～。
かんてい　鑑定　筆跡～。	がんねん　元年　平成～。
がんてい　眼底　～出血。	かんのう　完納　税金を～する。
かんてつ　貫徹　初志を～する。	かんのう　官能　～的。
かんてん　干天〔×旱〕　～の慈雨。	かんのう　間脳
かんてん　寒天	かんのう　堪能　(放送では「タンノウ」と読む。「タンノウ」参照)
かんてん　観点	
かんでん　感電　～死。	かんのう　感応
かんでんち　乾電池	かんのん　観音　～開き。～経。
かんど　感度　～良好。	かんぱ　看破　＊見破る。
かんとう　巻頭　～言。	かんぱ　寒波　～襲来。
かんとう　敢闘　～賞。	かんばい　完売
かんどう　勘当	かんばい　寒梅
かんどう　感動	かんばい　観梅
かんどうみゃく　冠動脈	かんぱい　完敗
かんとく　監督	かんぱい　乾杯〔×盃〕
かんどころ　勘どころ〔所〕	かんぱく　関白　亭主～。
がんとして　頑として	かんばしい　芳しい
かんな　〔×鉋〕	かんばつ　間伐　～材。
かんない　管内	かんばつ　干ばつ〔×旱×魃〕　＊日照り。
かんない　館内	
かんなくず　〔×鉋×屑〕	がんばる　頑張る
かんなづき　神無月　(陰暦10月)	かんばん　看板　～倒れ。～娘。

〔　〕使わない漢字　　×表外字(常用漢字表にない字)　　▲表外音訓(常用漢字表にない読み)
①～⑥ 教育漢字の学年配当　　①-②(①の表記を優先するが,②の表記を使ってもよい語)

かんぱん	甲板
かんぱん	乾板　(写真の感光板)
かんパン	乾パン
がんばん	岩盤
かんび	甘美　～な音楽。
かんび	完備　冷暖房～。
がんぴし	がん皮紙〔×雁〕　(和紙)
かんびょう	看病
かんぴょう	〔干×瓢〕
がんびょう	眼病
かんぶ	患部
かんぶ	幹部
かんぷ	完膚　～なきまでに。
かんぷ	乾布　～摩擦。
かんぷ	還付　～金。
かんぷう	完封
かんぷう	寒風
かんぷく	感服
かんぶつ	乾物
かんぶな	寒ぶな〔×鮒〕
かんぶん	漢文
かんぺき	完璧
がんぺき	岸壁
がんぺき	岩壁
かんべつ	鑑別　ひよこの雌雄を～する。
かんべん	勘弁
かんべん	簡便
かんぼう	官房　内閣～。大臣～。
かんぼう	感冒　＊かぜ。
かんぽう	官報
がんぼう	願望
かんぽうしゃげき	艦砲射撃
かんぽうやく	漢方薬
かんぼく	かん木〔×灌〕《植物》　＊低木。
かんぼつ	陥没
がんぽん	元本
かんまつ	巻末
かんまん	干満　潮の～。
かんまん	緩慢　～な動作。
がんみ	玩味　熟読～。
かんみりょう	甘味料
かんみん	官民　～一体。
かんむり	冠
かんめい	感銘〔肝〕　～を受ける。
かんめい	簡明
がんめい	頑迷
かんめん	乾麺
がんめん	顔面　～そう白。
がんもく	眼目
かんもん	喚問　証人～。
かんもん	関門
がんもん	願文
かんやく	完訳
がんやく	丸薬
かんゆ	肝油
かんゆう	勧誘　保険の～。
がんゆう	含有　～量。
かんよ	関与〔干〕
かんよう	肝要
かんよう	寛容

㊉ 表外字・表外音訓を用いてよい特例の語　㊉ 常用漢字表の付表の語
㊉ 送りがなを省く特例　㊉ 読みがなを付けるのが望ましい語　＊類語・言いかえ例

かんよう　**慣用**　～句。	かんりゅう　**韓流**
かんよう　〔×涵養〕＊養成。育成。	かんりょう　**完了**　準備～。
かんようしょくぶつ　**観葉植物**	かんりょう　**官僚**　～主義。
がんらい　**元来**	がんりょう　**顔料**
かんらく　**陥落**	かんるい　**感涙**　～にむせぶ。
かんらく　**歓楽**　～街。	かんれい　**寒冷**　～前線。
かんらん　**観覧**　～車。～席。	かんれい　**慣例**　～に従う。
かんり　**官吏**	かんれき　**還暦**
かんり　**管理**　～人。～職。	かんれん　**関連**〔×聯〕　～産業。～団体。
かんり　**監理**	
がんり　**元利**　～合計。	かんろ　**甘露**　～煮。
がんりき　**眼力**	かんろ　**寒露**　（二十四節気）
かんりゃく　**簡略**	かんろく　**貫禄**〔録〕　（p.12参照）～十分。
かんりゅう　**乾留**〔×溜〕	
かんりゅう　**貫流**　（貫いて流れること）	かんわ　**閑話**　～休題。
かんりゅう　**寒流**	かんわ　**漢和**　～辞典。
かんりゅう　**還流**　日銀券の～。	かんわ　**緩和**　金融～。

〔　〕使わない漢字　　×表外字(常用漢字表にない字)　　▲表外音訓(常用漢字表にない読み)
①～⑥教育漢字の学年配当　　①－②(①の表記を優先するが，②の表記を使ってもよい語)

き

- き 気 ① {キ・ケ} ～が利く。
- き 汽 ② {キ}
- き 記 ② {キ しるす}
- き 帰 ② {キ かえる・かえす}
- き 起 ③ {キ おきる・おこる・おこす}
- き 期 ③ {キ・ゴ}
- き 希 ④ {キ}
- き 季 ④ {キ}
- き 紀 ④ {キ}
- き 喜 ④ {キ よろこぶ}
- き 旗 ④ {キ はた}
- き 器 ④ {キ うつわ} （手で操作する道具・器具類、単純な構造または小型のものが多い）計量～。検波～。受話～。消化～。聴診～。投光～。分度～。変圧～。連結～。
- き 機 ④ {キ はた} （動力をもつ機械、複雑な構造または大型のものが多い）印刷～。映写～。織り～。起重～。原動～。耕うん～。削岩～。受像～。遮断～。洗濯～。扇風～。電算～。電話～。発動～。
- き 寄 ⑤ {キ よる・よせる}
- き 規 ⑤ {キ}
- き 基 ⑤ {キ もと・もとい}
- き 己 ⑥ {コ・キ おのれ}
- き 危 ⑥ {キ あぶない・あやうい・あやぶむ}
- き 机 ⑥ {キ つくえ}
- き 貴 ⑥ {キ、たっとい・とうとい・たっとぶ・とうとぶ}
- き 揮 ⑥ {キ}
- き 企 {キ くわだてる}
- き 伎 {キ}
- き 岐 {キ}
- き 忌 {キ いむ・いまわしい}
- き 奇 {キ} ～をてらう。
- き 祈 {キ いのる}
- き 軌 {キ} ～を一にする。
- き 既 {キ すでに}
- き 飢 {キ うえる}
- き 鬼 {キ おに}
- き 亀 {キ かめ}
- き 幾 {キ いく}
- き 棋 {キ}
- き 棄 {キ}
- き 毀 {キ}
- き 畿 {キ} 畿内、近畿
- き 輝 {キ かがやく}
- き 騎 {キ}
- き 木 〔▲樹〕
- き 黄
- ぎ 議 ④ {ギ}
- ぎ 技 ⑤ {ギ わざ}
- ぎ 義 ⑤ {ギ}
- ぎ 疑 ⑥ {ギ うたがう}
- ぎ 宜 {ギ}
- ぎ 偽 {ギ いつわる・にせ}
- ぎ 欺 {ギ あざむく}

特 表外字・表外音訓を用いてよい特例の語　付 常用漢字表の付表の語
送 送りがなを省く特例　読 読みがなを付けるのが望ましい語　＊類語・言いかえ例

き—きかく

ぎ　儀　{ギ}
ぎ　戯　{ギ/たわむれる}
ぎ　擬　{ギ}
ぎ　犠　{ギ}
きあい　気合い　〜を入れる。
きあけ　忌明け
きあつ　気圧
きあわせる　来合わせる
きあん　起案
ぎあん　議案
きい　奇異
きいっぽん　生一本
きいと　生糸
きいろ　黄色　〜い。
きいん　起因
ぎいん　議員　国会〜。〜立法。
ぎいん　議院　〜内閣制。〜運営委員会。
きう　気宇　〜壮大。
きうん　機運〔気〕　〜が熟する。〜が盛り上がる。
きえ　帰依
きえい　気鋭　新進〜。
きえい　機影
きえいる　消え入る
きえうせる　消えうせる〔▲失〕
きえさる　消え去る
きえつ　喜悦
きえのこる　消え残る
きえる　消える
きえん　気炎〔×焰〕　怪〜。
きえん　奇縁　(不思議な縁)合縁〜。

きえん　機縁　(きっかけ)思わぬ〜で就職する。
ぎえんきん　義援金〔×捐〕　＊寄付金。見舞い金。
きえんさん　希塩酸〔×稀〕
きおう　気負う
きおうしょう　既往症
きおく　記憶
きおくれ　気後れ
きおち　気落ち
きおん　気温
ぎおん　擬音
きか　気化　〜熱。
きか　帰化　〜植物。
きか　幾何　〜学。
きが　飢餓〔×饑〕
ぎが　戯画
きかい　奇怪　〜な言動。
きかい　機会　〜均等。
きかい　機械　工作〜。〜油。
きがい　危害　〜を加える。
きがい　気概〔慨〕
ぎかい　議会　〜政治。
きかいたいそう　器械体操
きがえ　着替え〔換〕
きがえる　着替える〔換〕　(「キカエル」とも)
きがかり　気がかり〔掛・懸〕
きかかる　来かかる〔掛〕
きかく　企画〔×劃〕
きかく　規格　工業〜。〜品。

〔　〕使わない漢字　　×表外字(常用漢字表にない字)　　▲表外音訓(常用漢字表にない読み)
①〜⑥教育漢字の学年配当　　①—②(①の表記を優先するが，②の表記を使ってもよい語)

きがく	器楽	～曲。	
ぎがく	伎楽 [特][読] ～面。		
きがけ	来がけ〔掛〕		
きかげき	喜歌劇		
きかざる	着飾る		
きかせる	利かせる　機転を～。気を～。		
きかせる	聞かせる　話を～。		
きがた	木型		
きかつ	飢渇		
きがつく	気が付く		
きがね	気兼ね		
きがまえ	気構え		
きがる	気軽		
きがわり	気変わり		
きかん	気管		
きかん	汽缶〔×罐〕（ボイラー）		
きかん	季刊		
きかん	既刊		
きかん	帰還　～兵。～者。		
きかん	基幹　～産業。		
きかん	期間		
きかん	旗艦		
きかん	器官　呼吸～。		
きかん	機関　内燃～。報道～。		
きがん	奇岩　～怪石。		
きがん	祈願		
ぎかん	技官		
ぎがん	義眼		
きかんし	気管支　～炎。		
きかんし	機関士		
きかんし	機関紙　（場合により「機関誌」）		
きかんしゃ	機関車		
きかんじゅう	機関銃		
きかんちょう	機関長		
きかんとうしか	機関投資家		
きかんほう	機関砲		
きき	危機　～一髪。～管理。		
きき	鬼気　～迫る。		
きき	機器		
きぎ	木々		
ぎぎ	疑義		
ききあやまる	聞き誤る		
ききあわせる	聞き合わせる		
ききいる	聞き入る		
ききいれる	聞き入れる		
ききうで	利き腕		
ききおく	聞き置く		
ききおとす	聞き落とす		
ききおぼえ	聞き覚え		
ききおよぶ	聞き及ぶ		
ききかえす	聞き返す		
ききがき	聞き書き		
ききかじる	聞きかじる〔×齧〕		
ききぐるしい	聞き苦しい		
ききこみ	聞き込み		
ききざけ	利き酒〔聞〕		
ききじょうず	聞き上手		
ききずて	聞き捨て　～ならない。		
ききすてる	聞き捨てる		
ききそこなう	聞き損なう		

[特] 表外字・表外音訓を用いてよい特例の語　　[付] 常用漢字表の付表の語
[送] 送りがなを省く特例　　[読] 読みがなを付けるのが望ましい語　　＊類語・言いかえ例

ききた―きくら

ききだす	聞き出す		きぎょう	企業　~体。~年金。
ききただす	聞きただす〔▲質〕		きぎょう	起業　~家。
ききちがい	聞き違い		ぎきょうしん	義きょう心〔×俠〕
ききちがえる	聞き違える		ぎきょうだい	義兄弟
ききつける	聞きつける〔付〕		ぎきょく	戯曲
ききつたえる	聞き伝える		きぎれ	木切れ
ききづらい	聞きづらい〔▲辛〕		ききわける	聞き分ける
ききて	聞き手		ききわすれる	聞き忘れる
ききとがめる	聞きとがめる〔×咎〕		ききん	基金　国際通貨~。
ききとして	喜々として〔×嬉〕		ききん	寄金　*寄付金。
ききとどける	聞き届ける		ききん	飢きん〔×饑×饉〕　*凶作。
ききとる	聞き取る		ききんぞく	貴金属
ききなおす	聞き直す		きく	菊{キク}
ききながす	聞き流す		きく	利く　左手が~。顔が~。気が~。
ききほれる	聞きほれる〔×惚〕		きく	効く　薬が~。宣伝が~。
ききみみ	聞き耳　~を立てる。		きく	聞く　(一般用語)
ききめ	効き目		きく	聴く　(身を入れてきく)音楽を~。国民の声を~。
ききもの	聞き物			
ききもらす	聞き漏らす		きぐ	器具　医療~。電気~。
ききやく	聞き役　~に回る。		きぐ	機具　農~。
ききゃく	棄却　《法律》		きぐ	危惧　*不安。心配。おそれ。
ききゅう	危急　~存亡のとき。		きぐう	奇遇
ききゅう	気球　観測~。		きぐう	寄ぐう〔×寓〕　~先。
ききゅう	希求　平和を~する。		きくず	木くず〔×屑〕
ききゅう	帰休　一時~。~兵。		きくずれ	着崩れ
ききょ	起居		きぐつ	木ぐつ〔×沓・▲履〕
ききょう	気胸　《医学》		きくにんぎょう	菊人形
ききょう	奇矯		きくばり	気配り
ききょう	帰京		きぐみ	木組み
ききょう	帰郷		きぐらい	気位　~が高い。
ききょう	〔×桔▲梗〕《植物》			

〔　〕使わない漢字　　×表外字(常用漢字表にない字)　　▲表外音訓(常用漢字表にない読み)
①～⑥教育漢字の学年配当　　①－②(①の表記を優先するが，②の表記を使ってもよい語)

きぐろう　気苦労	きごう　記号
きけい　奇形〔×畸型〕	きごう　揮ごう〔×毫〕
きけい　奇計	ぎこう　技工　歯科〜士。
きけい　貴兄	ぎこう　技巧　〜派。〜を凝らす。
ぎけい　義兄	きこうし　貴公子
ぎげい　技芸	きこうぼん　希こう本〔×稀×覯〕
きげき　喜劇	きこえ　聞こえ　〜がいい。
きけつ　既決　〜の書類。	きこえる　聞こえる
きけつ　帰結　当然の〜。	きこく　帰国
ぎけつ　議決　〜権。	ぎごく　疑獄
きけん　危険　〜信号。〜物。	きごこち　着心地
きけん　棄権	きごころ　気心
きげん　紀元　〜節。	きこしめす　聞こし召す
きげん　起源〔原〕　生命の〜。	ぎこちない　（「ぎごちない」とも）
きげん　期限	きこつ　気骨　〜のある人物。
きげん　機嫌	きこなす　着こなす
きげんそ　希元素〔×稀〕	きこむ　着込む
きご　季語	きこり　〔×樵〕
きこう　気孔	きこん　気根
きこう　気功	きこん　既婚
きこう　気候	きざ　〔気▲障〕
きこう　奇行	きさい　奇才
きこう　紀行　〜文。	きさい　奇祭
きこう　起工　〜式。	きさい　鬼才
きこう　帰航　〜の途。	きさい　記載
きこう　帰港	きさい　起債
きこう　寄港	きざい　器材　（器具類の場合）
きこう　寄稿	きざい　機材　（機械類の場合）
きこう　貴公	きさき　〔▲后・▲妃〕
きこう　機甲　〜部隊。	きさく　奇策　〜を巡らす。
きこう　機構　〜改革。	きさく　気さく　〜な人柄。

特 表外字・表外音訓を用いてよい特例の語　　付 常用漢字表の付表の語
送 送りがなを省く特例　　読 読みがなを付けるのが望ましい語　　＊類語・言いかえ例

ぎさく	偽作
きざし	兆し〔×萌〕
きざす	兆す〔×萌〕
きざはし	〔▲階〕 ＊階段。
きさま	貴様
きざみ	刻み　5分～。～たばこ。
きざみつける	刻みつける〔付〕
きざむ	刻む
きざら	木皿
きさらぎ	〔▲如▲月〕（陰暦2月）
きさん	起算
きし	岸
きし	起死　～回生。
きし	棋士
きし	騎士　～道。
きし	〔旗×幟〕　～鮮明。
きじ	木地　（木材・木製品）
きじ	生地〔▲素〕（人の性質，布）
きじ	記事
きじ	〔×雉〕
ぎし	技師
ぎし	義士
ぎし	義姉
ぎし	義肢
ぎし	義歯　＊入れ歯。
ぎじ	疑似〔擬〕　～体験。
ぎじ	議事　～進行。～堂。～録。
ぎしき	儀式
きじく	基軸　～通貨。
きじく	機軸　新～。
きしつ	気質
きじつ	忌日
きじつ	期日
ぎじばり	擬餌ばり〔×鉤〕（「擬餌針」とも）
きしべ	岸辺
きしむ	〔×軋〕
きしゃ	汽車　～賃。
きしゃ	記者　～会見。
きしゃ	喜捨〔寄〕＊寄進。
きしゃく	希釈〔×稀〕
きじゃく	着尺
きしゅ	旗手
きしゅ	機首
きしゅ	機種
きしゅ	騎手
きじゅ	喜寿　(77歳)
ぎしゅ	義手
きしゅう	奇襲　～作戦。
きじゅう	機銃　～掃射。
きじゅうき	起重機　（クレーン）
きしゅくしゃ	寄宿舎
きじゅつ	奇術　～師。
きじゅつ	記述
ぎじゅつ	技術　～革新。先端～。
きじゅん	帰順
きじゅん	基準〔規〕
きじょ	鬼女
きしょう	気性
きしょう	気象　～台。
きしょう	希少〔×稀〕　～価値。
きしょう	記章〔×徽〕

〔　〕使わない漢字　　×表外字（常用漢字表にない字）　　▲表外音訓（常用漢字表にない読み）
①～⑥教育漢字の学年配当　　①－②（①の表記を優先するが，②の表記を使ってもよい語）

きしょう	起床		きずつく	傷つく〔付〕	
きじょう	机上	～の空論。	きずな	絆{きずな}	(p.12参照)
きじょう	気丈	～な性格。	きずもの	傷物〔×疵〕	
きじょう	騎乗		きする	帰する	水泡に～。
ぎしょう	偽証	～罪。	きする	期する	…を期して。
ぎじょう	議場		ぎする	擬する	
きしょうてんけつ	起承転結		きせい	気勢	～を上げる。
きじょうぶ	気丈夫		きせい	奇声	～を発する。
ぎじょうへい	儀じょう兵〔×仗〕		きせい	既成	～事実。～宗教。
きじょうゆ	生じょうゆ〔×醬油〕		きせい	既製	～品。～服。
きしょく	気色	～が悪い。	きせい	帰省	～客。
きしょく	喜色	～満面。	きせい	寄生	
きしる	〔×軋〕		きせい	規正	政治資金～法。
きしん	帰心	～矢のごとし。	きせい	規制	法律で～する。スト～法。交通～。
きしん	寄進				
きじん	奇人〔×畸〕		きせい	期成	～同盟。
きじん	鬼神		ぎせい	犠牲	
きじん	貴人		きせいちゅう	寄生虫	
ぎしん	疑心	～暗鬼。	きせかえ	着せ替え	～人形。
ぎじんほう	擬人法		きせき	奇跡〔×蹟〕	
きず	傷〔×疵・×瑕〕		きせき	軌跡	～を描く。
きず	生酢		きせき	鬼籍	～に入る。
きずあと	傷痕〔跡〕	～が痛む。手術の～。心の～。戦争の～。	ぎせき	議席	
			きせつ	季節	～感。～外れ。～風。
きすいこ	汽水湖		きせつ	既設	
きすう	奇数		きぜつ	気絶	
きすう	基数	《数学》	きせる	着せる	
きすう	帰すう〔×趨〕	＊帰結。	**きせる**	〔▲煙▲管〕	
きずきあげる	築き上げる		きぜわしい	気ぜわしい〔▲忙〕	
きずく	築く		きせん	汽船	
きずぐち	傷口		きせん	棋戦	

特 表外字・表外音訓を用いてよい特例の語　　付 常用漢字表の付表の語
送 送りがなを省く特例　　読 読みがなを付けるのが望ましい語　　＊類語・言いかえ例

きせん　機先　〜を制する。
きせん　貴せん〔×賤〕
きぜん　〔×毅然〕　〜とした態度。
ぎぜん　偽善　〜者。
きそ　起訴　《法律》〜状。不〜。
きそ　基礎　〜知識。
きそいあう　競い合う
きそう　奇想　〜天外。
きそう　起草
きそう　帰巣　〜本能。
きそう　競う
きぞう　寄贈　(「キソウ」とも)
ぎそう　偽装〔擬〕　〜倒産。
ぎそう　ぎ装〔×艤〕　(完成した船体に必要な装備を取り付ける)
ぎぞう　偽造　通貨〜。
きそうきょく　奇想曲〔×綺〕
きそく　気息　〜えんえん。
きそく　規則
きぞく　帰属　領土の〜。
きぞく　貴族　独身〜。〜院。
ぎそく　義足
ぎぞく　義賊
きそづける　基礎づける〔付〕
きそば　生そば〔×蕎▲麦〕
きそゆうよ　起訴猶予
きそん　既存　(「キゾン」とも)
きそん　毀損〔棄〕　名誉〜。
きた　北
ぎだ　犠打
きたい　気体

きたい　期待
きたい　機体
きだい　希代〔×稀〕　*珍しい。世にもまれな。
きだい　季題
ぎたい　擬態
ぎだい　議題
きたえあげる　鍛え上げる
きたえる　鍛える
きだおれ　着倒れ
きたかいきせん　北回帰線
きたかぜ　北風
きたく　帰宅
きたく　寄託〔×托〕
きたぐに　北国
きたけ　着丈
きたす　来す　支障を〜。
きだて　気立て
きたない　汚い〔×穢〕
きたならしい　汚らしい〔×穢〕
きたはんきゅう　北半球
ぎだゆう　義太夫㊥　《芸能》
きたる　①きたる　②来る　〜15日。
きだん　気団　寒〜。オホーツク海〜。
きだん　奇談〔×綺×譚〕
きだん　基壇
きたんない　〔忌×憚〕　*遠慮ない。率直な。
きち　吉 {キチ・キツ}
きち　危地　〜を脱する。
きち　既知

〔　〕使わない漢字　　×表外字(常用漢字表にない字)　　▲表外音訓(常用漢字表にない読み)
①〜⑥教育漢字の学年配当　　①−②(①の表記を優先するが，②の表記を使ってもよい語)

きち　基地
きち　機知〔×智〕　～に富む。
きちく　鬼畜
きちじ　吉事
きちじつ　吉日　(「キチニチ」とも)　大安～。
きちすう　既知数
きちにち　吉日　(「キチジツ」とも)　大安～。
きちゃく　帰着
きちゅう　忌中
きちょう　記帳
きちょう　帰朝　～報告。
きちょう　基調　～演説。
きちょう　貴重　～品。
きちょう　機長
ぎちょう　議長
きちょうめん　〔×几帳面〕
きちれい　吉例
きちんやど　木賃宿
きつ　吉 {キチ・キツ}
きつ　喫 {キツ}
きつ　詰 {キツ/つめる・つまる・つむ}
きつい
きつえん　喫煙
きつおん　きつ音〔×吃〕
きづかう　気遣う
きっかけ　〔切掛〕
きっかてん　菊花展
きづかれ　気疲れ
きづかわしい　気遣わしい

きっきょう　吉凶　～を占う。
きづく　気付く
きつけ　気付送　(郵便の場合「キヅケ」とも)
きつけ　気つけ〔付〕　～薬。
きつけ　着付け　着物の～。
きっこう　亀甲
きっこう　きっ抗〔×拮〕　＊張り合う。
きっさ　喫茶　～店。～室。
きっさき　切っ先
ぎっしゃ　〔▲牛車〕
きっすい　生っ粋
きっすいせん　喫水線〔×吃〕
きっする　喫する
きづち　木づち〔×槌〕
きっちょう　吉兆
きつつき　〔×啄▲木▲鳥〕
きって　切手送
きっと　〔×屹度〕
きつね　〔×狐〕
きっぷ　切符送
きっぷ　〔気風〕　～がいい。
きっぽう　吉報
きづまり　気詰まり
きつもん　詰問　＊問い詰める。
きづよい　気強い
きつりつ　きつ立〔×屹〕　＊そびえ立つ。
きて　来手　(来てくれる人)
きてい　既定　～の方針。
きてい　基底　＊土台。

特 表外字・表外音訓を用いてよい特例の語　　付 常用漢字表の付表の語
送 送りがなを省く特例　　読 読みがなを付けるのが望ましい語　　＊類語・言いかえ例

きてい　規定	法律の〜。〜種目。
きてい　規程	（官庁・会社の執務規程）
ぎてい　義弟	
ぎていしょ　議定書	
きてき　汽笛	
きてれつ　〔奇▲天烈〕	奇妙〜。
きてん　起点	（「終点」の対語）高速道路の〜。
きてん　基点	（もとになる点）…を〜とした距離。
きてん　機転〔気〕	〜を利かす。
きでん　貴殿	
ぎてん　儀典	
きと　企図	
きと　帰途	
きど　木戸	〜口。〜番。
きど　喜怒	〜哀楽。
きど　輝度	
きとう　祈とう〔×禱〕	＊祈り。祈願。
きどう　気道	
きどう　軌道	
きどう　起動	
きどう　機動	〜隊。〜力。
きどうしゃ　気動車	
きとく　危篤	
きとく　奇特	〜な行い。
きとく　既得	〜権。
きどり　気取り	〜屋。女房〜。
きどる　気取る	
きどるい　希土類〔×稀〕	〜元素。
きない　機内	〜食。
きなが　気長	
きながし　着流し	
きなくさい　きな臭い〔▲焦〕	
きなこ　きな粉〔黄〕	
きなり　生成り	〜の木綿。
きなん　危難	〜を免れる。
きにち　忌日	
きにゅう　記入	
きにん　帰任	
きぬ　絹	
きぬ　〔▲衣〕	歯に〜着せずに言う。
きぬいと　絹糸	
きぬおりもの　絹織物 送	
きぬけ　気抜け	
きぬごし　絹ごし〔×漉〕	〜豆腐。
きぬじ　絹地	
きぬずれ　①きぬずれ　②きぬ擦れ〔▲衣〕	
きぬ　〔×杵〕	
きねづか　〔×杵▲柄〕	昔取った〜。
きねん　祈念	平和を〜する。
きねん　記念	10周年〜。
ぎねん　疑念	
きねんひ　記念碑	
きねんび　記念日	
きのう　帰納	〜法。
きのう　機能	
きのう　①きのう　②昨日 付	
ぎのう　技能	
きのえ・甲 きのえ	
きのこ　〔▲菌・×蕈・×茸〕	

〔　〕使わない漢字　　×表外字（常用漢字表にない字）　　▲表外音訓（常用漢字表にない読み）
①〜⑥教育漢字の学年配当　　①−②（①の表記を優先するが，②の表記を使ってもよい語）

きのと―きほり

きのと・乙（きのと）	きびす 〔×踵〕 ～を返す。
きのどく　気の毒	ぎひつ　偽筆
きのぼり　木登り	きびょう　奇病
きのみ　木の実	きひん　気品
きのみきのまま　着のみ着のまま	きひん　貴賓　～室。～席。
きのめ　木の芽　～田楽。	きびん　機敏
きのり　気乗り　～薄。～しない。	きふ　寄付〔附〕
きば　牙	きふ　棋譜
きば　騎馬　～民族。	ぎふ　義父
きばえ　着映え	きふう　気風
きはく　気迫〔×魄〕	きふく　起伏　～が多い土地。
きはく　希薄〔×稀〕	きふく　帰服〔伏〕
きばく　起爆　～剤。～装置。	きぶくれ　①着ぶくれ　②着膨れ〔×脹〕
きはずかしい　気恥ずかしい	
きはだ　木肌	きふじん　貴婦人
きはつ　揮発　～油。～性。	きぶつ　器物
きばつ　奇抜	きふるす　着古す
きばむ　黄ばむ	きぶん　気分
きばや　気早　～い。	ぎふん　義憤
きばらし　気晴らし	きへい　騎兵　～隊。
きばる　気張る	きべん　詭弁〔奇〕特読　～を弄する。
きはん　規範	＊こじつけ（の議論）。ごまかし。
きばん　基板　シリコン～。	きぼ　規模
きばん　基盤〔×磐〕	ぎぼ　義母
きはんせん　機帆船	きほう　気泡
きひ　忌避	きほう　既報
きび　機微　人情の～。	きぼう　希望
きび　〔×黍・×稷〕　～だんご。	ぎほう　技法
きびき　忌引送	ぎぼし　〔擬▲宝▲珠〕
きびしい　厳しい〔▲酷〕　～訓練。～父。	きぼね　気骨　～が折れる。
	きほり　木彫り

特 表外字・表外音訓を用いてよい特例の語　　付 常用漢字表の付表の語
送 送りがなを省く特例　　読 読みがなを付けるのが望ましい語　　＊類語・言いかえ例

きほん 基本	～的人権。～姿勢。
ぎまい 義妹	
きまえ 気前	～がいい。
きまかせ 気任せ	
きまぐれ 気まぐれ〔▲紛〕	
きまじめ 生真面目	
きまずい 気まずい〔▲不▲味〕	
きまつ 期末	～試験。
きまって 決まって〔▲極〕	
きまつてあて 期末手当送	
きまま 気まま〔×儘〕	
きまよい 気迷い	
きまり 決まり〔▲極〕	～に従う。～手。～文句。
きまりわるい きまり悪い〔▲極〕	
きまる 決まる	
ぎまん 欺まん〔×瞞〕	
きみ 君	
きみ 気味	かぜ～。～が悪い。
きみ 黄身	卵の～。
きみじか 気短	
きみたち 君たち〔▲達〕	
きみつ 気密	～室。
きみつ 機密	国家～。～費。
きみどり 黄緑	
きみゃく 気脈	～を通ずる。
きみょう 奇妙	
きみら 君ら〔▲等〕	
ぎみん 義民	
ぎむ 義務	
きむずかしい 気難しい	

きめ 決め〔▲極〕	
きめ 〔木目・▲肌▲理〕	～が細かい。
きめい 記名	～投票。
ぎめい 偽名	
きめこみにんぎょう 木目込み人形	
きめこむ 決め込む〔▲極〕	
きめつける 決めつける〔▲極付〕	
きめて 決め手〔▲極〕	
きめる 決める〔▲極〕	
きも 肝〔▲胆〕	～に銘じる。
きもいり 肝煎り	
きもち 気持	
きもったま 肝っ玉〔▲魂〕	
きもの 着物	
きもん 鬼門	
ぎもん 疑問	～点。～符。
きゃ 脚 {キャク・キャ / あし}	
きやく 規約	
きゃく 客 ③ {キャク・カク}	
きゃく 却 {キャク}	
きゃく 脚 {キャク・キャ / あし}	
ぎゃく 逆 ⑤ {ギャク / さか・さからう}	
ぎゃく 虐 {ギャク / しいたげる}	
きゃくあし 客足	
きゃくあつかい 客扱い	
きゃくいん 客員	～教授。
ぎゃくかいてん 逆回転	
ぎゃくこうか 逆効果	
ぎゃくこうせん 逆光線	
ぎゃくさつ 虐殺	
ぎゃくざや 逆ざや〔×鞘〕	

〔 〕使わない漢字　　×表外字(常用漢字表にない字)　　▲表外音訓(常用漢字表にない読み)
①〜⑥教育漢字の学年配当　　①—②(①の表記を優先するが，②の表記を使ってもよい語)

ぎゃくさん　逆算
ぎゃくさんかっけい　逆三角形
きゃくしつ　客室　～乗務員。
きゃくしゃ　客車
ぎゃくしゅう　逆襲
ぎゃくじゅん　逆順
ぎゃくじょう　逆上
きゃくしょく　脚色
きゃくじん　客人
ぎゃくしん　逆心　～を抱く。
ぎゃくしん　逆臣
ぎゃくせいせっけん　逆性せっけん〔石×鹸〕
きゃくせき　客席
ぎゃくせつ　逆説
きゃくせん　客船
きゃくせんび　脚線美
ぎゃくそう　逆走
きゃくたい　客体
ぎゃくたい　虐待
きゃくだね　客種
ぎゃくたんち　逆探知
ぎゃくて　逆手　(「サカテ」とも。柔道などの「～を取る」は「ギャクテ」のみ)
ぎゃくてん　逆転　～勝ち。
きゃくど　客土
きゃくひき　客引き
ぎゃくひぶ　逆日歩
ぎゃくひれい　逆比例
きゃくぶ　脚部
ぎゃくふう　逆風

ぎゃくふんしゃ　逆噴射
きゃくほん　脚本
きゃくま　客間
きゃくまち　客待ち
ぎゃくもどり　逆戻り
ぎゃくゆしゅつ　逆輸出
ぎゃくゆにゅう　逆輸入
ぎゃくよう　逆用
きゃくよせ　客寄せ
ぎゃくりゅう　逆流
きゃくりょく　脚力
きゃしゃ　〔▲華×奢〕
きやすい　気安い
きやすめ　気休め
きやせ　着痩せ
きゃたつ　脚立〔×榻〕送
きゃっか　却下
きゃっかん　客観　～的。
ぎゃっきょう　逆境
きゃっこう　脚光　～を浴びる。
ぎゃっこう　逆光
ぎゃっこう　逆行　時代に～。
ぎゃっこうせん　逆光線
きゃはん　〔脚▲絆〕
きゃら　〔×伽羅〕(香料)
きやり　木遣り 特　《芸能》～音頭。
きゆう　き憂〔×杞〕 ＊取り越し苦労。
きゅう　九 ①{キュウ・ク/ここの・ここのつ}
きゅう　休 ①{キュウ/やすむ・やすまる・やすめる}
きゅう　弓 ②{キュウ/ゆみ}
きゅう　究 ③{キュウ/きわめる}

特 表外字・表外音訓を用いてよい特例の語　　付 常用漢字表の付表の語
送 送りがなを省く特例　　読 読みがなを付けるのが望ましい語　　＊類語・言いかえ例

きゅう 急 ③{キュウ/いそぐ}
きゅう 級 ③{キュウ}
きゅう 宮 ③{キュウ・グウ・ク/みや}
きゅう 球 ③{キュウ/たま}
きゅう 求 ④{キュウ/もとめる}
きゅう 泣 ④{キュウ/なく}
きゅう 救 ④{キュウ/すくう}
きゅう 給 ④{キュウ}
きゅう 久 ⑤{キュウ・ク/ひさしい}
きゅう 旧 ⑤{キュウ} ～に復す。
きゅう 吸 ⑥{キュウ/すう}
きゅう 及 {キュウ/およぶ・および・およぼす}
きゅう 丘 {キュウ/おか}
きゅう 朽 {キュウ/くちる}
きゅう 臼 {キュウ/うす}
きゅう 糾 {キュウ}
きゅう 嗅 {キュウ/かぐ}
きゅう 窮 {キュウ/きわめる・きわまる}
きゅう 〔×灸〕 ～を据える。
ぎゅう 義勇 ～軍。～兵。
ぎゅう 牛 ②{ギュウ/うし}
きゅうあい 求愛
きゅうあく 旧悪
きゅうい 球威
きゅういん 吸引 ～力。
きゅういん 吸飲 あへんの～。
ぎゅういんばしょく **牛飲馬食**
きゅうえん 休演
きゅうえん 救援 ～物資。～米。
きゅうえん 球宴
きゅうおん 旧恩

きゅうおん 吸音 ～材。
きゅうか 旧家
きゅうか 休暇 有給～。
きゅうかい 休会
きゅうかい 球界
きゅうかく 嗅覚
きゅうがく 休学
きゅうかん 旧館
きゅうかん 休刊
きゅうかん 休館
きゅうかん 急患
きゅうかんち 休閑地
きゅうかんちょう 九官鳥
きゅうかんび 休肝日
きゅうぎ 球技
きゅうきゅう 救急 ～箱。～病院。～車。
きゅうきゅう 〔×汲々〕 ～として。＊あくせく。
きゅうきょ 急きょ〔×遽〕 ＊急ぎ。
きゅうぎょう 休業
きゅうぎょき 休漁期
きゅうきょく 喜遊曲
きゅうきょく 究極 (「窮極」とも)
きゅうきん 給金
きゅうくつ 窮屈
きゅうけい 休憩 ～室。
きゅうけい 求刑
きゅうけい 球形
きゅうげき 急激
きゅうけつき 吸血鬼

〔 〕使わない漢字　　×表外字(常用漢字表にない字)　　▲表外音訓(常用漢字表にない読み)
①～⑥教育漢字の学年配当　　①-②(①の表記を優先するが，②の表記を使ってもよい語)

きゅうご	救護	～班。	
きゅうこう	旧交	～を温める。	
きゅうこう	休校		
きゅうこう	休耕	～田。	
きゅうこう	休講		
きゅうこう	急行	～列車。～券。	
きゅうごう	糾合〔×鳩〕		
きゅうこうか	急降下		
きゅうこく	急告		
きゅうこく	救国		
きゅうこん	求婚		
きゅうこん	球根		
きゅうさい	救済		
きゅうし	九死	～に一生を得る。	
きゅうし	休止		
きゅうし	臼歯	＊奥歯。	
きゅうし	急死		
きゅうし	急使		
きゅうし	球史	～に残る。	
きゅうじ	球児	高校～。	
ぎゅうし	牛脂		
きゅうしき	旧式		
きゅうしつ	吸湿	～性。	
きゅうじつ	休日		
きゅうしふ	休止符		
きゅうしゃ	きゅう舎〔×厩〕		
ぎゅうしゃ	牛車		
ぎゅうしゃ	牛舎		
きゅうしゅ	きゅう首〔×鳩〕	～協議。～凝議。	
きゅうしゅう	旧習		
きゅうしゅう	吸収		
きゅうしゅう	急襲		
きゅうしゅつ	救出		
きゅうしゅん	急しゅん〔×峻〕		
きゅうしょ	急所		
きゅうじょ	救助	～隊。～袋。	
きゅうじょう	休場		
きゅうじょう	球状		
きゅうじょう	球場		
きゅうじょう	窮状	～を訴える。	
きゅうしょうがつ	旧正月		
きゅうしょく	休職		
きゅうしょく	求職		
きゅうしょく	給食	学校～。	
ぎゅうじる	牛耳る		
きゅうしん	休診		
きゅうしん	急伸		
きゅうしん	急進	～主義。～的。	
きゅうしん	球審		
きゅうじん	旧人		
きゅうじん	求人	～広告。	
きゅうしんりょく	求心力		
きゅうす	休す	万事～。	
きゅうす	急須		
きゅうすい	給水	～車。～制限。～栓。	
きゅうすう	級数	算術～。	
きゅうする	窮する	答弁に～。	
きゅうせい	旧制	～高等学校。	
きゅうせい	旧姓		
きゅうせい	急性	～肺炎。	

㊞ 表外字・表外音訓を用いてよい特例の語　㊞ 常用漢字表の付表の語
㊞ 送りがなを省く特例　㊞ 読みがなを付けるのが望ましい語　＊類語・言いかえ例

きゅうせい	急逝
きゅうせいしゅ	救世主
きゅうせき	旧跡〔×蹟〕 名所～。
きゅうせん	休戦
きゅうせんぽう	急先ぽう〔×鋒〕
きゅうそ	窮そ〔×鼠〕 ～猫をかむ。
きゅうそう	急送
きゅうぞう	急造
きゅうぞう	急増
きゅうそく	休息
きゅうそく	急速
きゅうたい	旧態 ～依然。
きゅうたい	球体
きゅうだい	及第 ～点。
きゅうだん	糾弾〔×糺〕 *責める。問いただす。攻撃する。
きゅうだん	球団
きゅうち	旧知 ～の間柄。
きゅうち	窮地 ～に陥る。
きゅうちゃく	吸着
きゅうちゅう	宮中
きゅうちょう	窮鳥 ～懐に入る。
きゅうてい	宮廷
きゅうてき	きゅう敵〔×仇〕 *かたき。
きゅうてん	急転 ～直下。
きゅうでん	宮殿
きゅうとう	急騰
きゅうとう	給湯 ～設備。
きゅうとう	旧とう〔×套〕 ～を脱しない。
きゅうどう	弓道
きゅうどう	旧道
きゅうどう	求道 ～心。(仏教では「グドウ」)
ぎゅうとう	牛刀
ぎゅうどん	牛丼
きゅうなん	救難 ～信号。
きゅうに	急に
ぎゅうにく	牛肉
きゅうにゅう	吸入 ～器。酸素～。
ぎゅうにゅう	牛乳
きゅうねん	旧年
きゅうは	急派
きゅうば	急場 ～しのぎ。
ぎゅうば	牛馬
きゅうはいすい	給排水 ～工事。
きゅうはく	急迫 (差し迫る)時局が～する。
きゅうはく	窮迫 (困りきる)財政の～。生活が～する。
きゅうはん	急坂
きゅうばん	吸盤
きゅうひ	給費 ～生。
きゅうびょう	急病
きゅうふ	給付〔附〕 ～金。
きゅうぶ	休部
きゅうぶん	旧聞
きゅうへい	旧弊
きゅうへん	急変
きゅうぼ	急募
ぎゅうほ	牛歩 ～戦術。

〔 〕使わない漢字　×表外字(常用漢字表にない字)　▲表外音訓(常用漢字表にない読み)
①〜⑥教育漢字の学年配当　①-②(①の表記を優先するが，②の表記を使ってもよい語)

きゅうほう	旧法	きょ	去 ③ {キョ・コ / さる}
きゅうほう	急報	きょ	挙 ④ {キョ / あげる・あがる}
きゅうぼう	窮乏	きょ	居 ⑤ {キョ / いる}
きゅうぼん	旧盆	きょ	許 ⑤ {キョ / ゆるす}
きゅうみん	休眠	きょ	巨 {キョ}
きゅうむ	急務	きょ	拒 {キョ / こばむ}
きゅうむいん	きゅう務員〔×厩〕	きょ	拠 {キョ・コ}
きゅうめい	究明　原因の～。	きょ	虚 {キョ・コ}　～をつく。
きゅうめい	糾明〔×糺〕　犯罪を～する。	きょ	距 {キョ}
		ぎょ	魚 ② {ギョ / うお・さかな}
きゅうめい	救命　～具。～胴衣。	ぎょ	漁 ④ {ギョ・リョウ}
きゅうやく	旧約　～聖書。	ぎょ	御 {ギョ・ゴ / おん}
きゅうやく	旧訳	きょあく	巨悪
きゅうゆ	給油	きよい	清い
きゅうゆう	旧友	ぎょい	御意
きゅうゆう	級友	きよう	紀要
きゅうよ	給与　～所得。	きよう	起用
きゅうよ	窮余　～の一策。	きよう	器用　～貧乏。
きゅうよう	休養	きょう	兄 ② {ケイ・キョウ / あに}
きゅうよう	急用	きょう	京 ② {キョウ・ケイ}
きゅうらい	旧来　＊従来。	きょう	強 ② {キョウ・ゴウ／つよい・つよまる・つよめる・しいる}
きゅうらく	急落	きょう	教 ② {キョウ / おしえる・おそわる}
きゅうり	〔×胡×瓜〕	きょう	橋 ③ {キョウ / はし}
きゅうりゅう	急流	きょう	共 ④ {キョウ / とも}
きゅうりょう	丘陵	きょう	協 ④ {キョウ}
きゅうりょう	給料　～日。	きょう	鏡 ④ {キョウ / かがみ}
きゅうりょうき	休漁期	きょう	競 ④ {キョウ・ケイ / きそう・せる}
きゅうれき	旧暦	きょう	経 ⑤ {ケイ・キョウ / へる}
きゅうろう	旧ろう〔×臘〕　＊去年の暮れ。	きょう	境 ⑤ {キョウ・ケイ / さかい}
		きょう	興 ⑤ {コウ・キョウ / おこる・おこす}　～が湧く。
きよ	寄与	きょう	供 ⑥ {キョウ・ク / そなえる・とも}

特 表外字・表外音訓を用いてよい特例の語　　付 常用漢字表の付表の語
送 送りがなを省く特例　　読 読みがなを付けるのが望ましい語　　＊類語・言いかえ例

きよう―きよう

きょう	胸 ⑥ {むね・むな / キョウ}	
きょう	郷 ⑥ {キョウ・ゴウ}	
きょう	凶 {キョウ}	
きょう	叫 {キョウ / さけぶ}	
きょう	狂 {キョウ / くるう・くるおしい}	
きょう	享 {キョウ}	
きょう	況 {キョウ}	
きょう	香 {コウ・キョウ / か・かおり・かおる} ～車。(将棋)	
きょう	峡 {キョウ}	
きょう	挟 {キョウ / はさむ・はさまる}	
きょう	狭 {キョウ / せまい・せばめる・せばまる}	
きょう	恐 {キョウ / おそれる・おそろしい}	
きょう	恭 {キョウ / うやうやしい}	
きょう	脅 {キョウ / おびやかす・おどす・おどかす}	
きょう	矯 {キョウ / ためる}	
きょう	響 {キョウ / ひびく}	
きょう	驚 {キョウ / おどろく・おどろかす}	
きょう	①きょう ②今日 付	
きょう	卿 特 （「…卿」として用いる。Lord の訳語)	
ぎょう	行 ② {コウ・ギョウ・アン / いく・ゆく・おこなう} ～を修める。	
ぎょう	形 ② {ケイ・ギョウ / かた・かたち}	
ぎょう	業 ③ {ギョウ・ゴウ / わざ}	
ぎょう	仰 {ギョウ・コウ / あおぐ・おおせ}	
ぎょう	暁 {ギョウ / あかつき}	
ぎょう	凝 {ギョウ / こる・こらす}	
きょうあい	狭あい〔×隘〕 ＊狭い。狭苦しい。	
きょうあく	凶悪〔×兇〕 ～犯。	
きょうあつ	強圧	
きょうい	胸囲	
きょうい	脅威　軍事的～。	
きょうい	驚異　自然の～。	
きょういく	教育　～課程。～漢字。	
きょういん	教員	
きょううん	強運　～の持ち主。	
きょうえい	共栄　共存～。	
きょうえい	競泳	
きょうえきひ	共益費	
きょうえん	共演	
きょうえん	競演	
きょうえん	供宴〔×饗〕 ＊宴会。もてなし。	
きょうおう	供応〔×饗〕 ＊接待。もてなし。	
きょうおんな	京女　あずま男に～。	
きょうか	狂歌	
きょうか	供花　（仏教用語としては「クゲ」と読む)	
きょうか	強化　～合宿。	
きょうか	教化　～活動。	
きょうか	教科	
きょうかい	協会	
きょうかい	教会　～堂。	
きょうかい	教誨 特 読	
きょうかいし	教誨師〔戒〕特 読	
きょうかい	境界　～線。	
きょうがい	境涯	
ぎょうかい	業界	
ぎょうかいがん	凝灰岩	

〔 〕使わない漢字　×表外字(常用漢字表にない字)　▲表外音訓(常用漢字表にない読み)
①～⑥教育漢字の学年配当　①－②(①の表記を優先するが，②の表記を使ってもよい語)

きょう―きよう

きょうかく	胸郭〔×廓〕		ぎょうけつ	凝血
きょうかく	きょう客〔×俠〕		ぎょうけつ	凝結
きょうがく	共学　男女〜。		きょうけん	狂犬　〜病。
きょうがく	驚がく〔×愕〕　＊驚く。		きょうけん	強肩
ぎょうかく	仰角		きょうけん	強健
ぎょうかく	行革　(「行政改革」の略)		きょうけん	強権　〜を発動する。
きょうかしょ	教科書		きょうげん	狂言　《芸能》〜師。〜回し。
きょうかたびら	経かたびら〔×帷▲子〕		きょうこ	強固〔×鞏〕
きょうかつ	恐喝〔脅〕		ぎょうこ	凝固
きょうかん	共感　〜を覚える。		きょうこう	凶行〔×兇〕　〜に及ぶ。
きょうかん	教官		きょうこう	恐慌　金融〜。
ぎょうかん	行間　〜を読む。		きょうこう	強行　〜軍。〜突破。〜採決。
きょうき	凶器〔×兇〕		きょうこう	強攻　〜策。
きょうき	狂喜　〜乱舞。		きょうこう	教皇　(ローマ法王)
きょうき	狭軌　(鉄道)		きょうこう	強硬　〜手段。
きょうぎ	協議　事前〜。〜離婚。		きょうごう	強豪
きょうぎ	狭義		きょうごう	競合
きょうぎ	教義		**ぎょうこう**	〔×僥×倖〕(思いがけない幸運)
きょうぎ	経木		きょうこく	峡谷
きょうぎ	競技　陸上〜。〜会。		きょうこく	強国
ぎょうぎ	行儀		きょうこつ	胸骨
きょうきゃく	橋脚		きょうさ	教唆　殺人を〜する。　＊教え唆す。
きょうきゅう	供給　〜源。〜量。		きょうさい	共済　〜組合。〜年金。
ぎょうぎょうしい	仰々しい		きょうさい	共催
きょうきん	胸襟　〜を開く。		きょうさい	恐妻　〜家。
きょうく	教区		きょうざい	教材
きょうぐう	境遇		きょうさく	凶作
きょうくん	教訓		きょうさく	競作
きょうげき	京劇			
きょうげき	挟撃〔×夾〕			

特 表外字・表外音訓を用いてよい特例の語　　付 常用漢字表の付表の語
送 送りがなを省く特例　　読 読みがなを付けるのが望ましい語　　＊類語・言いかえ例

きよう―きよう

きょうさく	[▲警策]《仏教》	きょうじゅん	恭順 ～の意。
きょうざつぶつ	きょう雑物[×夾]	きょうしょ	教書 予算～。
きょうざめ	興ざめ[▲醒]	ぎょうしょ	行書
きょうさん	共産 ～主義。	きょうしょう	狭小
きょうさん	協賛	きょうじょう	教条 ～主義。
きょうし	教師 家庭～。反面～。	ぎょうしょう	行商 ～人。
きょうじ	教示	ぎょうじょう	行状 ～記。
きょうじ	経師 ～屋。(表具師)	きょうしょく	教職 ～課程。
きょうじ	[×矜持] *誇り。自負。	きょうしん	狂信 ～的。
ぎょうし	凝視	きょうじん	凶刃[×兇] ～に倒れる。
ぎょうじ	行司 立～。	きょうじん	強じん[×靱] ～な肉体。
ぎょうじ	行事	きょうしんかい	共進会
きょうしつ	教室	きょうしんざい	強心剤
きょうしゃ	香車	きょうしんしょう	狭心症《医学》
きょうしゃ	強者	ぎょうずい	行水
ぎょうしゃ	業者	きょうする	供する
ぎょうじゃ	行者	きょうずる	興ずる
きょうじゃく	強弱	きょうせい	共生
きょうしゅ	興趣 ～をそそる。	きょうせい	強制 ～執行。～送還。～連行。
きょうじゅ	享受	きょうせい	矯正 ～視力。
きょうじゅ	教授	ぎょうせい	行政 ～権。～府。～法。～改革。～機関。～指導。
ぎょうしゅ	業種		
きょうしゅう	郷愁	ぎょうせき	行跡 *行状。
きょうしゅう	強襲	ぎょうせき	業績 ～を上げる。
きょうじゅう	①きょう中 ②今日中	きょうそ	教祖
ぎょうしゅう	凝集	きょうそう	狂騒[×躁]
きょうしゅうじょ	教習所 自動車～。	きょうそう	強壮 ～剤。
きょうしゅく	恐縮	きょうそう	競争 生存～。
ぎょうしゅく	凝縮	きょうそう	競走 100メートル～。～馬。
きょうしゅつ	供出		
きょうじゅつ	供述 ～書。		

〔 〕使わない漢字　×表外字(常用漢字表にない字)　▲表外音訓(常用漢字表にない読み)
①～⑥教育漢字の学年配当　①―②(①の表記を優先するが，②の表記を使ってもよい語)

きょうぞう　胸像
ぎょうそう　形相
きょうそうきょく　協奏曲
きょうそくぼん　教則本
きょうぞめ　京染 送
きょうぞん　共存　(「キョウソン」とも)
　〜共栄。平和〜。
きょうだ　強打
きょうだい　兄弟　〜姉妹。〜弟子。
きょうだい　強大　〜国。
きょうだい　鏡台
きょうたく　供託〔×托〕　〜金。
きょうたん　驚嘆〔×歎〕
きょうだん　凶弾〔×兇〕　〜に倒れる。
きょうだん　教団
きょうだん　教壇
きょうち　境地　無我の〜。
きょうちくとう　〔×夾竹桃〕
きょうちゅう　胸中　〜を察する。
きょうちょう　協調　労使〜。〜性。
きょうちょう　強調　重要性を〜する。
きょうつう　共通　〜点。〜語。
きょうづくえ　経机
きょうてい　協定　紳士〜。報道〜。
きょうてい　競艇
きょうてき　強敵
きょうてん　教典　初等教育の〜。
きょうてん　経典　(仏教などの場合。
　宗教によっては「教典」も)
ぎょうてん　仰天　びっくり〜。
きょうてんどうち　驚天動地

きょうど　郷土　〜芸能。〜色。
きょうど　強度　コンクリートの〜。
きょうとう　共闘　(「共同闘争」の略)
きょうとう　教頭
きょうどう　共同　〜作業。〜体。
きょうどう　協同　〜組合。産学〜。
きょうとうほ　橋頭保〔×堡〕
きょうねん　享年　〜80。
きょうばい　競売
きょうはく　脅迫
きょうはくかんねん　強迫観念
きょうはん　共犯　〜者。
きょうふ　恐怖　〜心。
きょうぶ　胸部
きょうふう　強風
きょうべん　強弁
きょうべん　教べん〔×鞭〕　〜をとる。
きょうほ　競歩
きょうぼう　凶暴〔×兇〕　〜な犯人。
きょうぼう　共謀
きょうほん　狂奔
きょうほん　教本
きょうま　京間
きょうみ　興味
きょうみしんしん　興味津々
きょうむ　教務
ぎょうむ　業務
きょうめい　共鳴
きょうもん　経文
きょうやく　協約　労働〜。
きょうゆ　教諭

きょうゆう	共有	～財産。	
きょうゆう	享有	権利を～する。	
きょうよ	供与	信用～。武器の～。	
きょうよう	共用	(共同使用)	
きょうよう	供用	(使用に供する)	
きょうよう	強要	自白を～する。	
きょうよう	教養		
きょうらく	享楽		
きょうらん	狂乱	～状態。～物価。	
きょうらん	供覧		
きょうり	胸裏〔×裡〕		
きょうり	教理		
きょうり	郷里		
きょうりきこ	強力粉		
きょうりゅう	恐竜		
きょうりょう	狭量		
きょうりょう	橋りょう〔×梁〕	*橋。	
きょうりょく	協力		
きょうりょく	強力		
きょうれつ	強烈		
ぎょうれつ	行列		
きょうれん	教練	軍事～。	
きょうわ	共和	～国。～制。	
きょえい	虚栄	～心。	
ぎょえい	魚影	(漁業・釣り)～が濃い。	
きょおく	巨億	～の富。	
ギョーザ	〔×餃▲子〕		
きょか	許可	～証。	
きょか	炬火	特読	
ぎょかい	魚介〔貝〕	～類。	
きょがく	巨額		
ぎょかく	漁獲	～高。～量。	
きょかん	巨漢		
きょがん	巨岩		
きょぎ	虚偽		
ぎょき	漁期	さんまの～。	
ぎょきょう	漁況		
ぎょぎょう	漁業	～者。遠洋～。	
きょきょじつじつ	虚々実々		
きょきん	拠金〔×醵〕		
きょく	曲 ③ {キョク/まがる・まげる}		
きょく	局 ③ {キョク}		
きょく	極 ④ {キョク・ゴク/きわめる・きわまる・きわみ}		
ぎょく	玉 ① {ギョク/たま}		
ぎょく	漁区		
ぎょぐ	漁具		
きょくう	極右	～政党。	
きょくうち	曲打ち	太鼓の～。	
ぎょくおん	玉音	～放送。	
きょくぎ	曲技		
きょくげい	曲芸	～師。	
きょくげん	極言	～すれば。	
きょくげん	局限	(狭く限る)	
きょくげん	極限	(ぎりぎりのところ) ～状況。	
きょくさ	極左	～団体。	
きょくし	曲師	《芸能》	
きょくじつ	きょく日〔×旭〕		
きょくじつだいじゅしょう	旭日大綬章〔賞〕特		
きょくしょ	局所	～麻酔。	

〔 〕使わない漢字　　×表外字(常用漢字表にない字)　　▲表外音訓(常用漢字表にない読み)
①〜⑥教育漢字の学年配当　　①―②(①の表記を優先するが，②の表記を使ってもよい語)

きょくしょう　極小　(非常に小さい)	きょしつ　居室
きょくしょう　極少　(非常に少ない)	きょじつ　虚実
ぎょくせき　玉石　〜混交。	きょしてき　巨視的
きょくせつ　曲折　う余〜。	ぎょしゃ　御者〔×馭〕
きょくせん　曲線　〜美。	きょじゃく　虚弱　〜体質。
きょくだい　極大	きょしゅ　挙手
きょくたん　極端	きょしゅう　去就
きょくち　局地　〜戦。	きょじゅう　居住　〜権。〜者。
きょくち　極地　〜探検。〜観測。	きょしゅつ　拠出〔×醵〕　〜金。
きょくち　極致　美の〜。	きょしょ　居所　＊居場所。
きょくてん　極点	きょしょう　巨匠
きょくど　極度　〜の緊張。〜の疲労。	きょじょう　居城
きょくとう　極東	ぎょしょう　魚礁〔漁〕　人工〜。
きょくのり　曲乗り	ぎょじょう　漁場
きょくば　曲馬　〜団。	きょしょく　虚飾
きょくばん　局番	きょしょくしょう　拒食症
きょくび　極微　(「ゴクビ」とも)〜の世界。	きょしん　虚心　〜坦懐。
きょくぶ　局部　〜麻酔。	きょじん　巨人
きょくめん　局面	ぎょしん　魚信　(釣りの当たり)
きょくもく　曲目	ぎょする　御する〔×馭〕　御しやすい。
きょくりょく　極力	きよせ　季寄せ
ぎょくろ　玉露	きょせい　去勢
きょくろん　極論	きょせい　巨星　〜おつ。
ぎょぐん　魚群　〜探知機。	きょせい　虚勢　〜を張る。
きょげん　虚言　＊うそ。	きょせき　巨石
きょこう　挙行	きょぜつ　拒絶　〜反応。
きょこう　虚構	ぎょせん　漁船　〜員。
ぎょこう　漁港	きょぞう　巨像
きょこく　挙国　〜一致。	きょぞう　虚像
きょしき　挙式	ぎょそん　漁村

特 表外字・表外音訓を用いてよい特例の語　　付 常用漢字表の付表の語
送 送りがなを省く特例　　読 読みがなを付けるのが望ましい語　　＊類語・言いかえ例

きょたい　巨体	きよめる　清める〔▲浄〕
きょだい　巨大	きょもう　虚妄
ぎょたい　魚体	ぎょもう　漁網〔魚〕
きょだく　許諾	きよもと　清元　《芸能》
ぎょたく　魚拓	ぎょゆ　魚油
きょだつ　虚脱　～状態。	きょよう　許容　～量。
きょっかい　曲解	きょらい　去来　胸中を～する。
きょっけい　極刑	ぎょらい　魚雷　人間～。
きょっこう　極光　＊オーロラ。	きよらか　清らか
きょてん　拠点	ぎょらん　魚卵
きょとう　巨頭　～会談。	きょり　巨利
きょとう　挙党　～一致。	きょり　距離　走行～。焦点～。車間～。
きょどう　挙動　～不審。	きょりゅう　居留　～民。～地。
ぎょどう　魚道	ぎょるい　魚類
ぎょにく　魚肉	きょれい　虚礼　～廃止。
きょにんか　許認可	ぎょろう　漁労〔×撈〕～長。
きょねん　去年	きよわ　気弱
きょひ　巨費　～を投じる。	きらい　機雷
きょひ　拒否　～権。～反応。	きらい　嫌い
ぎょひ　魚肥	きらう　嫌う
ぎょふ　漁夫　～の利。	きらく　気楽
ぎょぶつ　御物	きらす　切らす
ぎょふん　魚粉	**きらびやか**　〔×煌〕
きょへい　挙兵	**きらほしのごとく**　**きら星のごとく**
ぎょほう　漁法	〔×綺羅▲如〕
きょほうへん　毀誉褒貶	**きらめく**　〔×煌〕
きょぼく　巨木	きらわれもの　嫌われ者
きよまる　清まる〔▲浄〕	**きり**　霧
きょまん　巨万　～の富。	**きり**　切り　～がつく。～がない。
ぎょみん　漁民	**きり**　〔切・▲限〕ふたり～。
きょむ　虚無	**きり**　〔×桐〕

〔　〕使わない漢字　　×表外字(常用漢字表にない字)　　▲表外音訓(常用漢字表にない読み)
①〜⑥教育漢字の学年配当　　①—②(①の表記を優先するが, ②の表記を使ってもよい語)

きり 〔×錐〕
ぎり 義理 〜堅い。〜人情。〜を立てる。
きりあげる 切り上げる
きりうり 切り売り
きりえ 切り絵
きりかえ 切り替え〔換〕
きりかえす 切り返す 皮肉なことばで〜。ハンドルを〜。
きりかえす 斬り返す
きりかえる 切り替える〔換〕
きりかかる 切りかかる〔掛〕
きりかかる 斬りかかる〔掛〕
きりかぶ 切り株
きりがみ 切り紙
きりかわる 切り替わる
きりきざむ 切り刻む
きりきず 切り傷
きりぎりす 〔×螽×蟖〕
きりきりまい きりきり舞い
きりくず 切りくず〔×屑〕
きりくずす 切り崩す
きりくち 切り口 (「キリグチ」とも)
きりこ 切り子 〜ガラス。
きりこうじょう 切り口上
きりこむ 切り込む 政治家の疑惑に〜。
きりこむ 斬り込む 敵陣に〜。
きりさく 切り裂く
きりさげる 切り下げる
きりさめ 霧雨

きりすてる 切り捨てる 少数意見を〜。
きりすてる 斬り捨てる
きりそろえる 切りそろえる〔×揃〕
きりだす 切り出す 話を〜。
きりたつ 切り立つ
ぎりだて 義理立て
きりつ 起立
きりつ 規律〔紀〕 〜違反。
きりつける 切りつける〔付〕
きりつける 斬りつける〔付〕
きりづま 切り妻 〜造り。
きりつめる 切り詰める
きりどおし 切り通し
きりとる 切り取る
きりぬく 切り抜く
きりぬける 切り抜ける
きりは 切り羽〔端〕
きりばな 切り花〔×剪〕
きりはなす 切り離す
きりはらう 切り払う
きりばり 切り張り ふすまを〜する。障子を〜する。
きりばり 切り貼り データを〜する。〜の論文だ。
きりび 切り火 〜を打つ。
きりひらく 切り開く
きりふき 霧吹き
きりふだ 切り札
きりぼし 切り干し 〜大根。
きりまくる 切りまくる〔×捲〕

きりまわす　切り回す	きれなが　切れ長　〜の目。
きりみ　切り身	きれはし　切れ端
きりもち　切り餅	きれま　切れ間　雲の〜。
きりもみ　〔×錐×揉〕	きれめ　切れ目
きりもり　切り盛り　家事の〜。	きれもの　切れ者
きりゃく　機略	きれる　切れる
きりゅう　気流　乱〜。	きろ　岐路　〜に立つ。
きりゅう　寄留　〜地。	きろ　帰路
きりゅうさん　希硫酸〔×稀〕	きろく　記録　世界〜。〜の更新。
きりょう　器量　〜自慢。〜よし。	**キログラム**　〔×瓩〕
ぎりょう　技量〔▲伎×倆〕	**キロメートル**　〔×粁〕
きりょく　気力	ぎろん　議論　〜百出。
きりん　〔×麒×麟〕　〜児。	きわ　際　瀬戸〜。引け〜。窓〜。
きる　切る〔▲断・▲伐・×剪〕	ぎわく　疑惑
(一般用語)大根を〜。期限を〜。電源を〜。縁を〜。木を〜。花を〜。	きわだつ　際立つ
	きわどい　際どい〔▲疾〕
きる　斬る〔▲断・▲伐・×剪〕	きわまる　極まる　(極限・極度)感〜。失礼〜。
(限定用語)(刀できる。鋭く批評する)敵を斬り殺す。世相を〜。	
	きわまる　窮まる〔▲谷〕　(行き詰まる)進退〜。
きる　着る〔▲著〕	
きれ　切れ　ひと〜の肉。	きわみ　極み　(極限・極度)感激の〜。
きれ　〔▲布〕	きわみ　窮み〔究〕　(果て・おわり)〜なく発展する。
きれあじ　切れ味	
きれい　〔×綺麗〕　〜事。〜好き。	きわめつき　極め付き　〜の演技。
ぎれい　儀礼　〜的。	きわめて　極めて
きれいどころ　〔×綺麗所〕	きわめる　究める　(探究・追究)学問を〜。真相を〜。
きれぎれ　切れ切れ	
きれこむ　切れ込む	きわめる　極める　(極限・極度)栄華を〜。山頂を〜。
きれじ　切れ字	
きれじ　きれ地〔切・▲布〕	きわめる　窮める　(突き詰める)真理を〜。
きれつ　亀裂	

〔　〕使わない漢字　　×表外字(常用漢字表にない字)　　▲表外音訓(常用漢字表にない読み)
①〜⑥教育漢字の学年配当　　①−②(①の表記を優先するが，②の表記を使ってもよい語)

きわもの	際物		きんが	謹賀 ～新年。
きん	金 ① {キン・コン/かね・かな}		ぎんか	銀貨
きん	今 ② {コン・キン/いま}		ぎんが	銀河 ～系。
きん	近 ② {キン/ちかい}		きんかい	近海 ～魚。日本～。
きん	均 ⑤ {キン}		きんかい	金塊
きん	禁 ⑤ {キン}		きんかぎょくじょう	金科玉条
きん	勤 ⑥ {キン・ゴン/つとめる・つとまる}		きんがく	金額
きん	筋 ⑥ {キン/すじ}		きんがわ	金側 ～の時計。
きん	巾 {キン}		きんかん	近刊
きん	斤 {キン}		きんかん	金冠
きん	菌 {キン}		きんかん	〔金×柑〕
きん	琴 {キン/こと}		きんがん	近眼 ～鏡。
きん	僅 {キン/わずか}		きんかんがっき	金管楽器
きん	緊 {キン}		きんかんばん	金看板
きん	錦 {キン/にしき}		きんき	禁忌
きん	謹 {キン/つつしむ}		きんきじゃくやく	欣喜雀躍
きん	襟 {キン/えり}		きんきゅう	緊急 ～逮捕。～避難。
ぎん	銀 ③ {ギン}		きんぎょ	金魚 ～鉢。
ぎん	吟 {ギン}		きんきょう	近況 ～報告。
きんあつ	禁圧		きんきょり	近距離
きんいしゅく	筋萎縮 ～症。		きんきん	近々
きんいつ	均一 ～料金。		きんぎん	金銀
きんいっぷう	金一封		きんく	禁句
きんいろ	金色		きんけん	近県
ぎんいろ	銀色		きんけん	金券
きんいん	金印		きんけん	金権 ～政治。
ぎんえい	吟詠		きんけん	勤倹
きんえん	近縁		きんげん	金言
きんえん	禁煙		きんげん	謹厳 ～実直。
きんか	近火 ～お見舞い。		きんこ	金庫 信用～。～番。
きんか	金貨			

㈲ 表外字・表外音訓を用いてよい特例の語　　㈲ 常用漢字表の付表の語
㈱ 送りがなを省く特例　　㈱ 読みがなを付けるのが望ましい語　　＊類語・言いかえ例

きんこ	禁錮〔固〕《法律》〜刑。	きんしょう	金賞
きんこう	近郊　都市〜。	きんしょう	僅少　＊僅か。
きんこう	均衡　収支の〜。	きんじょう	金城　〜鉄壁。〜湯池。
きんこう	金鉱	ぎんしょう	吟唱〔×誦〕
きんごう	近郷　〜近在。	ぎんしょう	銀賞
ぎんこう	吟行	ぎんじょう	吟醸　〜酒。
ぎんこう	銀行　都市〜。〜員。〜券。	きんしん	近親　〜者。
きんごく	近国	きんしん	謹慎　〜処分。
きんこつ	筋骨　〜たくましい。	きんす	金子　＊お金。
きんこんしき	金婚式	きんずる	禁ずる
きんさ	僅差　＊僅かの差。	ぎんずる	吟ずる
きんさく	金策	きんせい	近世
きんざん	金山	きんせい	均斉〔整〕　〜の取れた。
きんし	近視　〜眼。	きんせい	金星
きんし	金糸	きんせい	禁制　〜品。
きんし	菌糸	きんせい	謹製
きんし	禁止	ぎんせかい	銀世界
きんじさんしゃ	禁治産者　《法律》（民法改正により不使用）＊成年被後見人。	きんせつ	近接
		きんせん	金銭　〜感覚。〜欲。
		きんせん	琴線　〜に触れる。
きんじち	近似値	きんそく	禁足　〜令。
きんしつ	均質	きんぞく	金属　〜元素。〜疲労。
きんじつ	近日　〜開店。〜中に。	きんぞく	勤続　〜30年。
きんじて	禁じ手	きんだい	近代　〜化。〜詩。
きんじとう	金字塔	**きんだち**	〔▲公▲達〕　平家の〜。
きんしゅ	筋腫　《医学》	きんだん	禁断　〜症状。
きんしゅ	禁酒	きんちさんしゃ	禁治産者　《法律》（民法改正により不使用）＊成年被後見人。
きんしゅう	錦秋(きんしゅう)読		
きんじゅう	きん獣〔×禽〕		
きんしゅく	緊縮	きんちゃく	巾着　〜網。
きんじょ	近所　〜づきあい。	きんちょう	緊張　〜緩和。

〔　〕使わない漢字　　×表外字(常用漢字表にない字)　　▲表外音訓(常用漢字表にない読み)
①〜⑥教育漢字の学年配当　　①−②(①の表記を優先するが，②の表記を使ってもよい語)

きんちょう	謹聴	ぎんまく	銀幕　〜の女王。
きんてい	謹呈	ぎんみ	吟味
きんてき	金的	きんみつ	緊密
きんど	襟度	きんみゃく	金脈
きんとう	均等　機会〜。〜割り。	きんみらい	近未来　〜小説。
きんとき	金時　〜豆。	きんむ	勤務　〜時間。〜評定。
ぎんなん	〔銀×杏〕	きんむく	金むく〔無×垢〕
きんにく	筋肉　〜質。	きんめっき	金めっき〔×鍍▲金〕
きんねん	近年	きんもつ	禁物
きんのう	勤王〔皇〕	きんゆ	禁輸
きんば	金歯	きんゆう	金融　〜緩和。〜機関。〜業。
きんぱい	金杯〔×盃〕	ぎんゆうしじん	吟遊詩人
きんぱく	緊迫　〜感。	きんよう	金曜　〜日。
きんぱく	金ぱく〔×箔〕	きんよく	禁欲　〜主義。
きんぱつ	金髪	きんらい	近来　〜まれな。
きんばり	金張り	きんらん	金らん〔×襴〕　〜どんす。
ぎんばん	銀盤　〜の女王。	きんり	金利
きんぴん	金品	きんりょう	禁猟　（狩猟）
きんぶち	金縁　〜眼鏡。	きんりょう	禁漁　（漁業）
きんぶん	均分　〜相続。＊等分。	きんりょく	金力
きんぷん	金粉	きんりょく	筋力
きんべん	勤勉	きんりん	近隣
きんぺん	近辺	ぎんりん	銀りん〔×鱗〕
きんぼし	金星　〜を挙げる。	きんれい	禁令
きんほんいせい	金本位制	きんろう	勤労　〜者。

特 表外字・表外音訓を用いてよい特例の語　　付 常用漢字表の付表の語
送 送りがなを省く特例　　読 読みがなを付けるのが望ましい語　　＊類語・言いかえ例

く

く	九 ① {キュウ・ク/ここの・ここのつ}
く	口 ① {コウ・ク/くち}
く	工 ② {コウ・ク}
く	区 ③ {ク}
く	苦 ③ {ク/くるしい・くるしむ・くるしめる・にがい・にがる} 〜にする。
く	庫 ③ {コ・ク}
く	宮 ③ {キュウ・グウ・ク/みや}
く	功 ④ {コウ・ク}
く	久 ⑤ {キュウ・ク/ひさしい}
く	句 ⑤ {ク}
く	供 ⑥ {キョウ・ク/そなえる・とも}
く	紅 ⑥ {コウ・ク/べに・くれない}
く	貢 {コウ・ク/みつぐ}
く	駆 {ク/かける・かる}
ぐ	具 ③ {グ}
ぐ	惧 {グ}
ぐ	愚 {グ/おろか}

ぐあい　具合〔▲工〕送　〜が悪い。
くい　悔い
くい　〔×杭・×杙〕
くいあげ　食い上げ　飯の〜。
くいあらす　食い荒らす
くいあらためる　悔い改める
くいいじ　食い意地　〜が張る。
くいいる　食い入る
くいうち　くい打ち〔×杭・×杙〕
くいき　区域
くいけ　食い気
くいこむ　食い込む
くいさがる　食い下がる
くいしばる　食いしばる〔縛〕　歯を〜。
くいしんぼう　食いしん坊
くいすぎ　食い過ぎ
くいだおれ　食い倒れ
くいちがう　食い違う
くいちらす　食い散らす
くいつく　食いつく〔付〕
くいつなぐ　食いつなぐ〔×繋〕
くいつぶす　①食いつぶす　②食い潰す
くいつめる　食い詰める
くいどうらく　食い道楽
くいとめる　食い止める
くいにげ　食い逃げ
くいのばす　食い延ばす
ぐいのみ　ぐい飲み〔×呑〕
くいはぐれ　食いはぐれ〔▲逸〕
くいほうだい　食い放題　(「食べ放題」とも)
くいもの　食い物
くいやぶる　食い破る
くいる　悔いる
くう　空 ① {クウ/そら・あく・あける・から}
くう　食う〔×喰〕
ぐう　宮 ③ {キュウ・グウ・ク/みや}

〔　〕使わない漢字　　×表外字(常用漢字表にない字)　　▲表外音訓(常用漢字表にない読み)
①〜⑥教育漢字の学年配当　　①−②(①の表記を優先するが，②の表記を使ってもよい語)

くう―くきょ

ぐう	偶 {グウ}	
ぐう	遇 {グウ}	
ぐう	隅 {グウ/すみ}	
くうい	空位	
くういき	空域	訓練～。
くうかん	空間	
くうかんち	空閑地	
くうき	空気	
くうきじゅう	空気銃	
くうきょ	空虚	
ぐうきょ	ぐう居〔×寓〕	
くうぐん	空軍	
くうけん	空拳	徒手～。
くうこう	空港	
ぐうじ	宮司	
くうしつ	空室	
くうしゃ	空車	
くうしゅう	空襲	
ぐうすう	偶数	
ぐうする	遇する	
くうせき	空席	
くうぜん	空前	～絶後。
ぐうぜん	偶然	
くうそ	空疎	
くうそう	空想	
ぐうぞう	偶像	～崇拝。
くうちゅう	空中	～戦。～分解。
くうちょう	空調	(「空気調節」の略)～設備。
くうてい	空てい〔×挺〕	～部隊。
くうてん	空転	
くうどう	空洞	産業の～化。
くうはく	空白	～地帯。
くうばく	空漠	～たる人生。
くうばく	空爆	(「空中爆撃」の略)
ぐうはつ	偶発	～戦争。
くうひ	空費	時間の～。
くうふく	空腹	
くうぶん	空文	
くうぼ	空母	(「航空母艦」の略)
くうほう	空砲	(弾の場合は「空包」)
くうゆ	空輸	
くうらん	空欄	
くうりくうろん	空理空論	
くうれい	空冷	～式。
くうろ	空路	
くうろん	空論	机上の～。
ぐうわ	ぐう話〔×寓〕	
くえき	苦役	
くえんさん	クエン酸〔×枸×櫞〕	
くおん	久遠	
くかい	句会	
くがい	苦界	
くかく	区画〔×劃〕	～整理。
くがく	苦学	～生。～力行。
くかん	区間	
くき	茎	
くぎ	〔×釘〕	
くぎづけ	〔×釘付〕	
くぎぬき	くぎ抜き〔×釘〕	
ぐきょ	愚挙	
くきょう	苦境〔况〕	

特 表外字・表外音訓を用いてよい特例の語　付 常用漢字表の付表の語
送 送りがなを省く特例　読 読みがなを付けるのが望ましい語　＊類語・言いかえ例

くぎょう　苦行　難行〜。
くぎり　区切り　仕事の〜。(場合により「句切り」。文章の〜)
くぎる　区切る　(「区切り」参照)
くぎん　苦吟
くく　九九
くく　区々
くぐつ　〔×傀×儡〕　〜師。
くくりつける　〔▲括付〕
くぐりぬける　くぐり抜ける〔▲潜〕
くくる　〔▲括・×縊〕
くぐる　〔▲潜〕
くげ　公家　特
くげ　〔供▲花〕　(仏教の場合の読み方。一般的には「キョウカ」)
けい　〔×矩形〕　＊長方形。
くけだい　くけ台〔×絎〕
くける　〔×絎〕
くげん　苦言　〜を呈する。
ぐげん　具現　＊実現。
ぐこう　愚行
くさ　草
くさい　臭い
くさいきれ　草いきれ〔▲熱・×熅〕
くさいろ　草色
くさかり　草刈り　〜鎌。
くさき　草木
くさきぞめ　草木染め
くさけいば　草競馬
くさす　〔腐〕
くさたけ　草丈

くさち　草地
くさとり　草取り
くさのね　草の根　〜運動。
くさば　草葉　〜の陰。
くさばな　草花
くさはら　草原
くさび　〔×楔〕
くさぶえ　草笛
くさぶかい　草深い
くさぶき　草ぶき〔×葺〕
くさまくら　草枕
くさみ　臭み〔味〕
くさむしり　草むしり〔×毟〕
くさむら　草むら〔×叢〕
くさもち　草餅
くさやきゅう　草野球
くさらす　腐らす
くさり　鎖
くさりがま　鎖鎌
くさる　腐る　(「叱られて，くさる」などは，なるべくかな書き)
くされ　腐れ
くされえん　腐れ縁
くさわけ　草分け
くし　串 {くし}
くし　駆使
くし　〔×櫛〕　〜目。
くじ　〔×籤〕　〜運。当たり〜。
くじく　〔▲挫〕
くしくも　〔▲奇〕

〔　〕使わない漢字　　×表外字(常用漢字表にない字)　　▲表外音訓(常用漢字表にない読み)
1〜6 教育漢字の学年配当　　①−②(①の表記を優先するが，②の表記を使ってもよい語)

くしけずる 〔×梳〕
くじける 〔▲挫〕
くしざし 串刺し
くじびき くじ引き〔×籤〕
ぐしゃ 愚者
くしやき 串焼き
くじゃく 〔▲孔×雀〕
くしゃみ 〔×嚔〕
くしゅう 句集
くじゅう 苦汁 ～をなめる。
くじゅう 苦渋 ～に満ちた表情。
くじょ 駆除
くしょう 苦笑
くじょう 苦情
ぐしょう 具象 ～画。
ぐしょぬれ 〔×濡〕
くじら 鯨
くしん 苦心
ぐしん 具申
くず ①くず ②葛 ～粉。
くず 〔×屑〕 ～入れ。紙～。
ぐず 〔愚図〕
くずかご くず籠〔×屑〕
くずきり ①くず切り ②葛切り
ぐずぐず 〔愚図〕 ～言う。
くすぐったい 〔×擽〕
くすぐる 〔×擽〕
くずしがき 崩し書き
くずす 崩す
くすだま くす玉〔▲薬〕
ぐずつく 〔愚図〕

くずてつ くず鉄〔×屑〕
くすのき 〔×楠・×樟〕
くすぶる 〔×燻〕
くすむ
くずもち ①くず餅 ②葛餅
くずゆ ①くず湯 ②葛湯
くすり 薬 ～が効く。～売り。
くすりびん 薬瓶
くすりや 薬屋
くすりゆび 薬指
ぐずる 〔愚図〕
くずれ 崩れ 土砂～。
くずれる 崩れる
くせ 癖
くせげ 癖毛
くせつ 苦節 ～10年。
くせに 〔癖〕 弱い～。
くせもの くせ者〔▲曲〕
くせん 苦戦
くせんてい 駆潜艇
くそ 〔×糞〕
くだ 管 ～を巻く。
ぐたい 具体 ～化。～策。～的。
くだく 砕く
くだける 砕ける
ください 〔下〕 (「…してください」の場合)ご覧～。話して～。
くださる 下さる 褒美を～。
くだす 下す〔▲降〕 相手を～。判決を～。

特 表外字・表外音訓を用いてよい特例の語　　付 常用漢字表の付表の語
送 送りがなを省く特例　　読 読みがなを付けるのが望ましい語　　＊類語・言いかえ例

くたばる
くたびれる 〔▲草×臥〕
くだもの 果物 付
くだらない 〔下〕
くだり 下り ～線。～列車。
くだり 〔▲行・▲件〕
くだりざか 下り坂
くだる 下る〔▲降〕
くだん 〔▲件〕 ～のごとし。
くち 口 ～が悪い。
ぐち 愚痴
くちあけ 口開け
くちあたり 口当たり
くちうら 口裏〔▲占〕 ～を合わせる。
くちうるさい 口うるさい〔▲煩〕
くちえ 口絵
くちおしい 口惜しい
くちかず ①口かず ②口数
くちがね 口金
くちき 朽ち木
くちきき 口利き
くちぎたない 口汚い
くちきり 口切り
くちく 駆逐 ～艦。
くちぐせ 口癖
くちぐち 口々
くちぐるま 口車 ～に乗る。
くちげんか 口げんか〔×喧×嘩〕
くちごたえ 口答え
くちごもる ①口ごもる ②口籠もる
くちさがない 口さがない

くちさき 口先
くちさびしい 口寂しい〔×淋〕
くちずから 口ずから
くちずさむ 口ずさむ〔▲遊・▲吟〕
くちぞえ 口添え
くちだし 口出し
くちだっしゃ 口達者
くちつき 口つき〔付〕
くちづけ 口づけ〔付〕
くちづたえ 口伝え
くちづて 口づて〔▲伝〕
くちどめ 口止め
くちとり 口取り
くちなおし 口直し
くちなし 〔×梔子〕
くちのは 口の端 ～に上る。
くちば 朽ち葉
くちばし 〔×嘴・×喙〕
くちばしる 口走る
くちはっちょう 口八丁 ～手八丁。
くちはてる 朽ち果てる
くちはばったい 口はばったい〔幅〕
くちび 口火 ～を切る。
くちひげ 口ひげ〔×髭〕
くちびる 唇〔×脣〕
くちふうじ 口封じ
くちぶえ 口笛
くちぶり 口ぶり〔振〕
くちべた 口下手
くちべに 口紅
くちべらし 口減らし

くちまね	口まね〔真▲似〕
くちもと	口元〔▲許〕
くちやかましい	口やかましい〔×喧〕
くちやくそく	口約束
くちゅう	苦衷
くちゅうざい	駆虫剤
くちょう	口調
ぐちょく	愚直
くちよごし	口汚し
くちる	朽ちる
くつ	屈 {クツ}
くつ	掘 {クツ/ほる}
くつ	窟 {クツ}
くつ	靴〔×沓〕
くつう	苦痛
くつおと	靴音
くつがえす	覆す
くつがえる	覆る
くっきょう	屈強
くっさく	掘削〔×鑿〕
くっし	屈指
くつした	靴下　～留め。
くつじゅう	屈従
くつじょく	屈辱
くっしん	屈伸
くつずみ	靴墨
くっする	屈する
くつずれ	①靴ずれ ②靴擦れ
くっせつ	屈折
くつぞこ	靴底

くったく	屈託〔×托〕　～がない。
くっつく	餅が～。
くつぬぎ	くつ脱ぎ〔×沓〕　～石。
くつひも	靴ひも〔×紐〕
くっぷく	屈服〔伏〕
くつべら	靴べら〔×篦〕
くつみがき	靴磨き
くつや	靴屋
くつろぐ	〔▲寛〕
くつわ	〔×轡〕
くてん	句点　～を打つ。
くでん	口伝
くどい	〔×諄〕
くとう	苦闘　悪戦～。
くどう	駆動　四輪～。
ぐどう	〔▲求道〕《仏教》～者。
くとうてん	句読点
くどき	口説き《芸能》
くどく	功徳
くどく	口説く
ぐどん	愚鈍
くなん	苦難
くに	国　～々。
くにがら	国柄
くにく	苦肉　～の策。
くにざかい	国境
くにづくり	国造り〔作〕
くになまり	国なまり〔×訛〕
くにぶり	国ぶり〔振・▲風〕　お～。
くにもと	国元〔▲許〕
くぬぎ	〔×櫟〕

くねる 曲がり～。	**くまざさ** 〔熊×笹〕
くのう 苦悩	くまで 熊手
くはい 苦杯 ～をなめる。	くまどり くま取り〔×隈〕《芸能》
くばる 配る	くまなく 〔×隈無〕
くひ 句碑	くみ 組 1年3～。
くび 首〔×頸〕	くみ 組み 活字の～。
ぐび 具備	ぐみ 〔×胡×頽子・・×茱×萸〕
くびかざり 首飾り〔×頸〕	くみあい 組合送 ～員。
くびきり 首切り	くみあげる くみ上げる〔×汲〕
くびじっけん 首実検	くみあわせ 組み合わせ
くびす 〔×踵〕	くみあわせる 組み合わせる
くびすじ 首筋〔×頸〕	くみいれる 組み入れる
くびづか 首塚	くみいん 組員
くびったけ 首ったけ	くみおき くみ置き〔×汲〕 ～の水。
くびっぴき 首っ引き	くみかえ 組み替え 予算の～。
くびつり 首つり〔×吊〕	くみかえ 組み換え 遺伝子の～。
くびねっこ 首根っこ	くみかえる 組み替える
くびまき 首巻き〔×頸〕	くみがしら 組頭
くびれる 〔▲括・×縊〕	くみかわす 酌み交わす〔×汲〕
くびわ 首輪〔▲環〕	くみきょく 組曲送
くふう 工夫	くみこむ 組み込む
くぶくりん 九分九厘	くみしく 組み敷く
くぶどおり 九分どおり〔通〕	くみしゃしん 組み写真
くぶん 区分	**くみしやすい** 〔▲与▲易〕
くべつ 区別	**くみする** 〔▲与〕
くべる 〔▲焼〕 まきを～。	くみだす くみ出す〔×汲〕
くぼち くぼ地〔×窪〕	くみたて 組み立て ～式。
くぼみ 〔×窪・▲凹〕	**くみたて** 〔×汲立〕 ～の井戸水。
くぼむ 〔×窪・▲凹〕	くみたてる 組み立てる
くま 熊{くま}	くみちがい 組違い ～の同番号。
くま 〔×隈〕 目の～。	くみちょう 組長

〔 〕使わない漢字　×表外字(常用漢字表にない字)　▲表外音訓(常用漢字表にない読み)
1～6 教育漢字の学年配当　①―②(①の表記を優先するが，②の表記を使ってもよい語)

くみつく　組みつく〔付〕
くみて　組み手
くみとる　くみ取る〔×汲〕
くみはん　組み版
くみひも　組みひも〔×紐〕
くみふせる　組み伏せる
くみわけ　組分け
くみん　区民
くむ　組む　活字を〜。
くむ　酌む　酒を〜。
くむ　〔×汲〕　水を〜。
くめん　工面
くも　雲
くも　〔×蜘×蛛〕　〜の巣。
くもがくれ　雲隠れ
くもつ　供物
くもま　雲間
くもまく　くも膜〔×蜘×蛛〕《医学》〜下出血。
くもゆき　雲行き
くもらす　曇らす
くもり　曇り　（送りがなを省く場合は，p.44参照）
くもりがち　曇りがち〔勝〕
くもりぞら　曇り空
くもる　曇る
くもん　苦もん〔×悶〕　＊苦悩。
ぐもん　愚問
くやくしょ　区役所
くやしい　悔しい〔口▲惜〕
くやしがる　悔しがる

くやしなき　悔し泣き〔口▲惜〕
くやしなみだ　悔し涙〔口▲惜〕
くやしまぎれ　悔し紛れ〔口▲惜〕
くやみ　悔やみ　お〜を言う。
くやむ　悔やむ
くゆらせる　〔×燻〕
くよう　供養　開眼(カイゲン)〜。追善〜。
くら　倉〔▲庫〕
くら　蔵〔▲庫〕　〜払い。〜開き。
くら　〔×鞍〕
くらい　位　〜が高い。数字の〜。
くらい　暗い
くらい　〔位〕　その〜。(「…ぐらい」とも)
くらいする　位する
くらいどり　位取り
くらいまけ　位負け
くらいれ　蔵入れ〔倉・▲庫〕
くらう　食らう
くらがえ　くら替え〔×鞍〕
くらがり　暗がり
くらく　苦楽　〜を共にする。
くらげ　〔▲水▲母・▲海▲月〕
くらし　暮らし
くらしきりょう　倉敷料 送　＊(倉庫の)保管料。
くらしむき　暮らし向き
くらす　暮らす
くらだし　蔵出し〔倉・▲庫〕
ぐらつく　足元が〜。

特 表外字・表外音訓を用いてよい特例の語　　付 常用漢字表の付表の語
送 送りがなを省く特例　　読 読みがなを付けるのが望ましい語　　＊類語・言いかえ例

くらばらい　蔵払い〔倉・▲庫〕	くりょ　苦慮
くらべもの　比べ物	くる　繰{くる}
くらべる　比べる〔▲較〕	くる　繰る　ページを〜。
くらます　〔×晦・暗〕	くる　来る　人が〜。(「寒くなってくる」
くらむ　〔×眩〕	などは,かな書き)
グラム　〔▲瓦〕	くるう　狂う
くらもと　蔵元	くるおしい　狂おしい
くらやしき　蔵屋敷	くるしい　苦しい
くらやみ　暗闇	くるしがる　苦しがる
くらわす　食らわす	くるしまぎれ　苦し紛れ
くらわたし　倉渡し〔蔵・▲庫〕	くるしみ　苦しみ
くり　庫裏〔×裡〕	くるしむ　苦しむ
くり　栗	くるしめる　苦しめる
くりあげる　繰り上げる	くるぶし　〔×踝〕
くりあわせる　繰り合わせる	くるま　車
くりいれきん　繰入金 送	くるまいす　①車いす②車椅子
くりいれる　繰り入れる	くるまえび　車えび〔×蝦・▲海
くりいろ　栗色	▲老〕
くりかえす　繰り返す	くるまざ　車座
くりかえる　繰り替える	くるまだい　車代
くりげ　栗毛	くるまどめ　車止め
くりこし　繰り越し	くるまよせ　車寄せ
くりこしきん　繰越金 送	**くるまる**　〔▲包〕
くりこす　繰り越す	**くるみ**　〔×胡▲桃〕　〜割り。
くりごと　繰り言　老いの〜。	**ぐるみ**　〔▲包〕　町〜。身〜。
くりこむ　繰り込む	**くるむ**　〔▲包〕
くりさげる　繰り下げる	**くるめく**　〔×眩〕
くりだす　繰り出す	**くるわ**　〔▲郭・×廓〕
くりぬく　〔×刳▲貫〕	くるわせる　狂わせる
くりのべる　繰り延べる	くれ　暮れ
くりひろげる　繰り広げる	くれかかる　暮れかかる〔掛〕

〔　〕使わない漢字　　×表外字(常用漢字表にない字)　　▲表外音訓(常用漢字表にない読み)
1〜6 教育漢字の学年配当　　①—②(①の表記を優先するが,②の表記を使ってもよい語)

くれぐれも 〔▲呉々〕	くろやま 黒山 〜の人だかり。
ぐれつ 愚劣	くろわく 黒枠
くれない 紅	ぐろん 愚論
くれなずむ 暮れなずむ〔▲泥〕	くわ 桑
くれる 暮れる	くわ 〔×鍬〕
くれる 〔▲呉〕 …して〜。	くわい 〔▲慈×姑〕
くろ 黒	くわいれ くわ入れ〔×鍬〕 〜式。
くろい 黒い	くわえる 加える
くろう 苦労	くわえる 〔×啣・×銜〕
ぐろう 愚弄 *ばかにする。からかう。	くわけ 区分け
くろうと 玄人付 〜はだし。	くわしい 詳しい〔▲委・▲精・▲細〕
くろおび 黒帯	
くろかみ 黒髪	くわす 食わす 一杯〜。
くろご 黒子 《芸能》(「黒衣」特とも)(「クロコ」とも)	くわずぎらい 食わず嫌い〔▲不×喰〕
くろこげ 黒焦げ	くわせもの 食わせ物 (人の場合は「食わせ者」)
くろざとう 黒砂糖	
くろじ 黒字 貿易〜。	くわだて 企て
くろしお 黒潮	くわだてる 企てる
くろしょうぞく 黒装束	くわばたけ 桑畑
くろずくめ 黒ずくめ〔▲尽〕	くわり 区割り
くろずむ 黒ずむ	くわわる 加わる
くろつち 黒土	くん 君 ③{クン/きみ}
くろぬり 黒塗り	くん 訓 ④{クン} 〜読み。
くろねこ 黒猫	くん 勲 {クン}
くろびかり 黒光り	くん 薫 {クン/かおる}
くろふね 黒船	ぐん 軍 ④{グン}
くろぼし 黒星	ぐん 郡 ④{グン}
くろまく 黒幕	ぐん 群 ⑤{グン/むれる・むれ・むら} 〜を抜く。
くろみ 黒み〔味〕 〜がかる。	ぐんい 軍医
くろめ 黒目 〜がち。	くんいく 訓育

特 表外字・表外音訓を用いてよい特例の語　付 常用漢字表の付表の語
送 送りがなを省く特例　読 読みがなを付けるのが望ましい語　*類語・言いかえ例

ぐんか	軍歌
くんかい	訓戒〔×誡〕
ぐんがくたい	軍楽隊
ぐんかん	軍艦
くんき	勲記
ぐんき	軍紀〔規〕 ～を乱す。
ぐんき	軍機 ～を漏らす。
ぐんき	軍旗
くんこう	勲功
ぐんこう	軍港
くんこく	訓告
ぐんこく	軍国 ～主義。
くんし	君子
くんじ	訓示〔辞〕
ぐんし	軍師
ぐんじ	軍事 ～力。～費。
ぐんしきん	軍資金
くんしゅ	君主 ～国。専制～。
ぐんじゅ	軍需 ～産業。～物資。
ぐんしゅう	群衆 (集まった人々) ～整理。
ぐんしゅう	群集 (群がり集まること)～心理。
ぐんしゅく	軍縮 (「軍備縮小」の略) 核～。
くんしょう	勲章
ぐんじょう	群青
ぐんじん	軍人
くんずほぐれつ	〔組▲解〕
くんずる	薫ずる
くんせい	くん製〔×燻・薫〕
ぐんせい	軍政
ぐんせい	群生〔×棲〕 高山植物の～。
ぐんぜい	軍勢
ぐんそう	軍曹 鬼～。
ぐんぞう	群像
ぐんぞく	軍属
ぐんたい	軍隊
ぐんだん	軍団
くんとう	勲等 位階～。
くんとう	薫陶 ＊教え。教え導く。
ぐんとう	軍刀
ぐんとう	群島
くんどく	訓読
ぐんば	軍馬
ぐんばい	軍配 ～を上げる。
ぐんばつ	軍閥
ぐんぱつ	群発 ～地震。
ぐんび	軍備
ぐんぶ	軍部
ぐんぶ	郡部
ぐんぶ	群舞
くんぷう	薫風
ぐんぷく	軍服
ぐんぽうかいぎ	軍法会議
ぐんもん	軍門 ～に下る。
ぐんゆう	群雄 ～割拠。
ぐんよう	軍用 ～機。～犬。
くんよみ	訓読み
ぐんらく	群落
ぐんりつ	軍律 (軍隊の規律)
くんりん	君臨

〔　〕使わない漢字　　×表外字(常用漢字表にない字)　　▲表外音訓(常用漢字表にない読み)
①〜⑥教育漢字の学年配当　　①−②(①の表記を優先するが，②の表記を使ってもよい語)

くんれい **訓令**
くんれん **訓練**

くんわ **訓話**

け

- け 気 ① {キ・ケ} 火の〜。
- け 家 ② {カ・ケ / いえ・や}
- け 化 ③ {カ・ケ / ばける・ばかす}
- け 仮 ⑤ {カ・ケ / かり}
- け 華 {カ・ケ / はな}
- け 懸 {ケン・ケ / かける・かかる}
- け 毛
- け 〔×卦〕
- げ 下 ① {カ・ゲ、した・しも・もと・さげる・さがる・くだる・くだす・くださる・おろす・おりる}
- げ 外 ② {ガイ・ゲ / そと・ほか・はずす・はずれる}
- げ 夏 ② {カ・ゲ / なつ}
- げ 解 ⑤ {カイ・ゲ / とく・とかす・とける}
- げ 牙 {ガ・ゲ / きば}
- けあがり 蹴上がり
- けあげる 蹴上げる
- けあし 毛足 〜が長い。
- けあな 毛穴〔▲孔〕
- けい 兄 ② {ケイ・キョウ / あに}
- けい 京 ② {キョウ・ケイ}
- けい 形 ② {ケイ・ギョウ / かた・かたち}
- けい 計 ② {ケイ / はかる・はからう} 百年の〜。
- けい 係 ③ {ケイ / かかる・かかり}
- けい 軽 ③ {ケイ / かるい・かろやか}
- けい 径 ④ {ケイ}
- けい 型 ④ {ケイ / かた}
- けい 景 ④ {ケイ}
- けい 競 ④ {キョウ・ケイ / きそう・せる}
- けい 経 ⑤ {ケイ・キョウ / へる}
- けい 境 ⑤ {キョウ・ケイ / さかい}
- けい 系 ⑥ {ケイ}
- けい 敬 ⑥ {ケイ / うやまう}
- けい 警 ⑥ {ケイ}
- けい 刑 {ケイ} 〜に服する。
- けい 茎 {ケイ / くき}
- けい 契 {ケイ / ちぎる}
- けい 恵 {ケイ・エ / めぐむ}
- けい 啓 {ケイ}
- けい 掲 {ケイ / かかげる}
- けい 渓 {ケイ}
- けい 蛍 {ケイ / ほたる}
- けい 傾 {ケイ / かたむく・かたむける}
- けい 携 {ケイ / たずさえる・たずさわる}
- けい 継 {ケイ / つぐ}
- けい 詣 {ケイ / もうでる}
- けい 慶 {ケイ}
- けい 憬 {ケイ}
- けい 稽 {ケイ}
- けい 憩 {ケイ / いこい・いこう}
- けい 鶏 {ケイ / にわとり・とり} （p.12参照）
- げい 芸 ④ {ゲイ} 〜が細かい。
- げい 迎 {ゲイ / むかえる}
- げい 鯨 {ゲイ / くじら}
- けいあい 敬愛
- けいい 経緯 ＊いきさつ。
- けいい 敬意

〔 〕使わない漢字　×表外字(常用漢字表にない字)　▲表外音訓(常用漢字表にない読み)
①〜⑥教育漢字の学年配当　①−②(①の表記を優先するが，②の表記を使ってもよい語)

げいいき	芸域	～が広い。	
けいいん	契印		
げいいん	鯨飲	～馬食。	
けいえい	経営	～者。	
けいえん	敬遠		
けいおんがく	軽音楽		
けいか	経過		
けいが	慶賀		
けいかい	軽快		
けいかい	警戒	～心。～態勢。	
けいがいか	形骸化		
けいかく	計画〔×劃〕	長期～。	
けいかん	景観		
けいかん	警官		
けいき	刑期		
けいき	計器	～飛行。	
けいき	契機		
けいき	景気		
けいきょもうどう	軽挙妄動		
けいきんぞく	軽金属		
けいく	警句		
けいぐ	敬具		
けいけい	軽々	～に論じる。	
げいげき	迎撃		
けいけん	経験	～則。～者。～談。	
けいけん	敬けん〔×虔〕	＊恭しい。	
けいげん	軽減		
けいこ	稽古	～事。～着。～場。	
けいご	敬語		
けいご	警護	要人の～。	
けいこう	経口	～感染。～投与。	
けいこう	蛍光	～染料。～塗料。	
けいこう	傾向		
けいこう	携行		
げいごう	迎合		
けいこうぎょう	軽工業		
けいこうとう	蛍光灯		
けいこく	渓谷		
けいこく	警告		
けいこつ	けい骨〔×頸〕		
げいごと	芸事		
けいさい	掲載		
けいざい	経済	～成長。～観念。	
けいさつ	警察	～官。～犬。～署。	
けいさん	計算	～ずく。原価～。	
けいさんき	計算機〔器〕	電子～。	
けいし	軽視		
けいし	警視	～総監。	
けいし	けい紙〔×罫〕		
けいじ	刑事	～責任。～訴訟。	
けいじ	計時	～員。	
けいじ	啓示		
けいじ	掲示	～板。	
けいじ	慶事		
けいしき	形式	～主義。～的。	
けいしき	型式	(飛行機・車両・機械などの型, モデル)	
けいじじょう	形じ上〔×而〕	～学。	
けいしつ	形質		
けいじどうしゃ	軽自動車		
けいしゃ	傾斜	～地。	
けいしゃ	鶏舎		

げいしゃ　芸者	けいそ　ケイ素〔×珪・×硅〕
けいしゅく　慶祝　～行事。	けいそう　係争〔×繋〕　～中の事件。
げいじゅつ　芸術　～院。～祭。	けいそう　軽装
げいしゅん　迎春	けいそうど　けいそう土〔×珪藻〕
けいしょう　敬称	けいそく　計測
けいしょう　景勝　～地。	けいぞく　継続　～審議。
けいしょう　軽少〔小〕	けいそつ　軽率〔卒〕
けいしょう　軽症　(病気の程度が軽いこと)	けいたい　形態〔体〕
けいしょう　軽傷	けいたい　携帯　～電話。
けいしょう　継承　王位を～する。	けいだい　境内
けいしょう　警鐘　～を鳴らす。	げいだん　芸談
けいじょう　刑場	けいちつ　啓ちつ〔×蟄〕（二十四節気）
けいじょう　形状　～記憶合金。	けいちゅう　傾注
けいじょう　計上	けいちょう　軽重　かなえの～を問う。
けいじょう　啓上　一筆～。	けいちょう　傾聴　～に値する。
けいじょう　経常　～収支。～利益。	けいちょう　慶弔　～電報。
けいじょう　警乗	けいちょうふはく　軽佻浮薄
けいしょく　軽食	けいつい　けい椎〔×頸〕
けいず　系図	けいてき　警笛
けいすい　軽水　～炉。	けいと　毛糸
けいすう　係数　安全～。エンゲル～。	けいど　経度
けいすう　計数　～に明るい。	けいど　軽度
けいせい　形成　人間～。	けいとう　系統
けいせい　形勢　有利な～。	けいとう　傾倒
けいせい　警世	けいとう　鶏頭
けいせいげか　形成外科　《医学》	げいとう　芸当
けいせき　形跡	げいどう　芸道
けいせつ　蛍雪　～の功。	けいどうみゃく　けい動脈〔×頸〕
けいせん　係船〔×繋〕　～料。	げいにん　芸人
けいせん　けい線〔×罫〕	げいのう　芸能　古典～。～界。

〔　〕使わない漢字　　×表外字(常用漢字表にない字)　　▲表外音訓(常用漢字表にない読み)
①～⑥教育漢字の学年配当　　①－②(①の表記を優先するが，②の表記を使ってもよい語)

けいば　競馬　～場。草～。	けいやく　契約　～金。～書。
けいはい　けい肺〔×珪・×硅〕	けいゆ　経由
けいはく　敬白	けいゆ　軽油
けいはく　軽薄	げいゆ　鯨油
けいはつ　啓発	けいよう　形容
けいばつ　刑罰	けいよう　掲揚　国旗の～。
けいはんざい　軽犯罪　《法律》～法。	けいようし　形容詞
けいひ　経費　必要～。～節減。	けいら　警ら〔×邏〕　＊巡回。パトロール。
けいび　軽微　～な損害。	
けいび　警備	けいらん　鶏卵
けいひん　景品　～付き。	けいり　経理　～内容。～状態。
げいひんかん　迎賓館	けいりゃく　計略
けいふ　系譜	けいりゅう　係留〔×繋〕　岸壁に～する。　＊つなぎ止める。
けいぶ　警部	
けいぶ　けい部〔×頸〕	けいりゅう　渓流
げいふう　芸風	けいりょう　計量　～単位。
けいふく　敬服	けいりょう　軽量　～級。
けいふぼ　継父母	けいりん　競輪　～場。
けいべつ　軽蔑	けいるい　係累〔×繋〕
けいべん　軽便　～鉄道。	けいれい　敬礼
けいぼ　敬慕　～の情。	けいれき　経歴
けいほう　刑法	けいれつ　系列
けいほう　警報　気象～。	**けいれん**　〔×痙×攣〕
けいぼう　警棒	けいろ　毛色
けいほうき　警報機　(小型, 簡易なものは,「警報器」とも)	けいろ　経路〔径〕
	けいろう　敬老　～会。～の日。
けいま　桂馬㊵	**けう**　〔▲希・×稀有〕　＊まれ(な)。
けいみょう　軽妙　～なしゃれ。	**けおされる**　〔気▲圧〕
けいむしょ　刑務所	けおとす　蹴落とす
げいめい　芸名	けおり　毛織り
けいもう　啓もう〔×蒙〕　＊啓発。	けおりもの　毛織物㊂

けが 〔▲怪我〕	げきぞう 激増
げか **外科** ～医。	げきたい 撃退
げかい **下界**	げきだん 劇団
けがす 汚す〔×穢〕	げきちん 撃沈
けがに 毛がに〔×蟹〕	げきつい 撃墜
けがにん けが人〔▲怪我〕	げきつう 激痛〔劇〕
けがらわしい 汚らわしい〔×穢〕	げきてき **劇的** ～な。
けがれ 汚れ〔×穢〕	げきど 激怒
けがれる 汚れる〔×穢〕	げきとう 激闘
けがわ 毛皮	げきどう **激動** ～期。
げき 劇⑥{ゲキ} ～映画。	げきどく 劇毒〔激〕 ＊猛毒。
げき 激⑥{ゲキ/はげしい}	げきとつ 激突
げき 隙{ゲキ/すき}	げきは 撃破
げき 撃{ゲキ/うつ}	げきひょう 劇評
げき 〔×檄〕 ～を飛ばす。～文。	げきぶつ 劇物〔激〕
げきか **劇化** 小説を～する。	げきへん 激変〔劇〕
げきか **激化** 反対運動の～。	げきむ 激務〔劇〕
げきが 劇画	げきめつ 撃滅
げきげん 激減〔劇〕	げきやく 劇薬〔激〕
げきさく **劇作** ～家。	けぎらい 毛嫌い
げきしゅう 激臭〔劇〕	げきりゅう 激流
げきしょ 激暑〔劇〕 ＊猛暑。酷暑。	**げきりん** 〔▲逆×鱗〕 ～に触れる。
げきしょう 激賞	げきれい 激励
げきじょう **劇場**	げきれつ 激烈〔劇〕
げきじょう 激情〔劇〕	げきろん 激論〔劇〕
げきしょうかんえん 劇症肝炎〔激〕	げけつ **下血** 《医学》
げきしょく 激職〔劇〕	**けげん** 〔▲怪×訝〕
げきしん **激震**〔劇〕 ～が走る。	げこ 下戸
げきじん **激甚** ～災害。	げこう 下校
げきする 激する	げこくじょう 下克上〔×剋〕
げきせん 激戦〔劇〕 ～区。～地。	**けさ** 〔×袈×裟〕

〔 〕使わない漢字　×表外字(常用漢字表にない字)　▲表外音訓(常用漢字表にない読み)
①〜⑥教育漢字の学年配当　①－②(①の表記を優先するが，②の表記を使ってもよい語)

けさ	①けさ ②**今朝**付
げざい	**下剤**
げさく	**戯作**特 〜者。
げざん	**下山** (「ゲサン」とも)
けし	〔×罌×粟・×芥子〕 〜粒。
げし	**夏至**
けしいん	**消印**送
けしかける	〔×嗾〕
けしからん	〔▲怪〕
けしき	**景色**付
けしきばむ	**気色ばむ**
げじげじ	〔×蚰×蜒〕
けしゴム	**消しゴム**
けしとぶ	**消し飛ぶ**
けしとめる	**消し止める**
けじめ	〔▲区▲別〕
げしゃ	**下車** 途中〜。
げしゅく	**下宿** 〜人。
げしゅにん	**下手人**
げじゅん	**下旬**
けしょう	**化粧** 〜品。
けしょうまわし	**化粧まわし**〔回・×廻〕
けしん	**化身**
けす	**消す**
げす	〔下▲種・▲衆・▲司〕 〜の勘ぐり。
げすい	**下水** 〜溝。〜道。
けずね	**毛ずね**〔×脛・×臑〕
けずりくず	**削りくず**〔×屑〕
けずりぶし	**削り節**
けずる	**削る**
けずる	〔×梳〕
げせない	〔解〕
げせわ	**下世話**
げせん	**下船**
けそう	**懸想**
げそく	**下足** 〜札。
けぞめ	**毛染め**
けた	**桁**{けた} 3〜の数字。
げた	〔下▲駄〕
げだい	**外題** 《芸能》
けたおす	**蹴倒す**
けだかい	**気高い**
けたぐり	〔蹴手繰〕《相撲》
けだし	〔▲蓋〕 *思うに。たぶん。
けたたましい	〜サイレン。
けたちがい	**桁違い**
げだつ	**解脱**
げたばき	**げた履き**〔下▲駄×穿〕
げたばこ	**げた箱**〔下▲駄〕
けたはずれ	**桁外れ**
けだま	**毛玉**
けだもの	〔▲獣〕
けだるい	〔気▲怠〕
げだん	**下段**
けち	〜をつける。
けちくさい	〔臭〕
けちらす	**蹴散らす**
けちんぼう	**けちん坊**
けつ	**血**③{ケツ/ち}
けつ	**決**③{ケツ/きめる・きまる} 〜を採る。

特表外字・表外音訓を用いてよい特例の語 　付常用漢字表の付表の語
送送りがなを省く特例 　読読みがなを付けるのが望ましい語 　＊類語・言いかえ例

けつ	欠 ④{ケツ/かける・かく}	げっけいかん	月けい冠〔×桂〕
けつ	結 ④{ケツ/むすぶ・ゆう・ゆわえる}	げっけいじゅ	月けい樹〔×桂〕
けつ	潔 ⑤{ケツ/いさぎよい}	けっこう	欠航
けつ	穴 ⑥{ケツ/あな}	けっこう	血行
けつ	傑 {ケツ}	けっこう	決行 　雨天～。
げつ	月 ①{ゲツ・ガツ/つき}	けっこう	結構 　～な話。～ずくめ。
けつあつ	血圧 　～降下剤。～測定。	けつごう	結合
けつい	決意	げっこう	月光
けついん	欠員	げっこう	激高〔×昂〕 　＊激怒。
けつえき	血液 　～型。～製剤。	けっこん	血痕
けつえん	血縁 　～関係。	けっこん	結婚
けっか	結果	けっさい	決済 　手形の～。
げっか	激化	けっさい	決裁 　大臣の～。
けっかい	決壊〔潰〕 　堤防の～。	けっさい	潔斎 　精進～。
けっかく	結核 　～菌。肺～。	けっさく	傑作
げつがく	月額	けっさん	決算 　～期。～報告。
げっかひょうじん	月下氷人　(仲人)	げっさん	月産
けっかん	欠陥 　～商品。	けっし	決死 　～隊。
けっかん	血管	けつじつ	結実
げっかん	月刊 　～誌。	けっして	決して
げっかん	月間	けっしゃ	結社 　政治～。
けっき	血気 　～にはやる。	げっしゃ	月謝
けっき	決起〔×蹶〕 　～大会。	けっしゅ	血腫 　《医学》
けつぎ	決議 　～文。	けっしゅう	結集
けっきゅう	血球 　白～。	げっしゅう	月収
げっきゅう	月給 　～日。～取り。	けっしゅつ	傑出
けっきょ	穴居	けつじょ	欠如〔×闕〕
けっきょく	結局	けっしょう	決勝 　～戦。～点。
けっきん	欠勤	けっしょう	結晶 　努力の～。
けづくろい	毛繕い	けっしょう	血しょう〔×漿〕
げっけい	月経	けつじょう	欠場

〔　〕使わない漢字　　×表外字(常用漢字表にない字)　　▲表外音訓(常用漢字表にない読み)
①〜⑥教育漢字の学年配当　　①−②(①の表記を優先するが，②の表記を使ってもよい語)

けっしょうばん　血小板　《医学》	けっちん　血沈　(「赤血球沈降速度」の略)
けっしょく　欠食　〜児童。	けってい　決定　〜権。〜版。
けっしょく　血色	けってん　欠点
げっしょく　月食〔×蝕〕	けっとう　血統　〜書。
けっしん　決心	けっとう　血糖　《医学》〜値。
けっしん　結審　《法律》	けっとう　決闘
けっする　決する	けっとう　結党
けっせい　血清	けつにく　血肉
けっせい　結成	けつにょう　血尿
けつぜい　血税	けっぱい　欠配
げっせかい　月世界	けっぱく　潔白
けっせき　欠席　〜裁判。	けつばん　欠番
けっせき　結石　《医学》腎臓〜。	けっぱん　血判　〜状。
けっせきとどけ　欠席届 送	けっぴょう　結氷
けっせつ　結節	げっぷ　月賦　〜払い。
けっせん　血栓　脳〜。	けつぶつ　傑物
けっせん　血戦　(血みどろの戦い)	けっぺき　潔癖　〜性。
けっせん　決戦　(勝敗を決める戦い)	けつべつ　決別〔×訣〕
けつぜん　決然〔×蹶〕	けつべん　血便
けっせんとうひょう　決選投票	けつぼう　欠乏
けっそう　血相　〜を変える。	げっぽう　月報
けっそく　結束　〜を固める。	けつまくえん　結膜炎　《医学》
けつぞく　血族　〜結婚。	けつまずく　蹴つまずく〔×躓〕
けっそん　欠損	けつまつ　結末
けったく　結託〔×托〕	げつまつ　月末
けったん　血たん〔×痰〕	けつみゃく　血脈
けつだん　決断　〜力。	けづめ　蹴爪
けつだんしき　結団式	げつめん　月面
けっちゃく　決着〔結〕　〜がつく。	けつゆうびょう　血友病　《医学》
けっちょう　結腸	げつよう　月曜　〜日。

特 表外字・表外音訓を用いてよい特例の語　　付 常用漢字表の付表の語
送 送りがなを省く特例　　読 読みがなを付けるのが望ましい語　　＊類語・言いかえ例

けつらく 欠落	けむい 煙い
けつりゅう 血流	けむし 毛虫
けつるい 血涙　～をしぼる。	けむたい 煙たい
けつれい 欠礼　年賀～。	けむたがる 煙たがる
げつれい 月例　～報告。	けむり 煙
げつれい 月齢	けむる 煙る
けつれつ 決裂	けもの 獣　～道。
けつろ 血路　～を開く。	げや 下野
けつろ 結露	**けやき**　〔×欅〕
けつろん 結論	けやぶる 蹴破る
げてもの　げて物〔下手〕	けやり 毛やり〔×槍〕
げどう 外道　(仏教・釣り)	けらい 家来
げどく 解毒　～作用。～剤。	げらく 下落　物価の～。
けとばす 蹴飛ばす	**けり**　〔×鳧〕　～がつく。～をつける。
けどる 気取る　気取られないように。	げり 下痢
けなげ　〔▲健気〕	ける 蹴る
けなす　〔×貶〕	**げれつ**　下劣
けなみ 毛並み	**けれん**　〔▲外連〕　～み。
けぬき 毛抜き	けわしい 険しい〔×嶮〕
げねつ 解熱　～剤。	けん 犬 ①{ケン/いぬ}
けねん 懸念	けん 見 ①{ケン/みる・みえる・みせる}
けはい 気配	けん 間 ②{カン・ケン/あいだ・ま}
けばけばしい	けん 研 ③{ケン/とぐ}
けばだつ　〔×毳立〕	けん 県 ③{ケン}
げばひょう 下馬評	けん 建 ④{ケン・コン/たてる・たつ}
けばり 毛ばり〔×鉤〕　(「毛針」とも)	けん 健 ④{ケン/すこやか}
けびょう 仮病　～を使う。	けん 験 ④{ケン・ゲン}
げひん 下品	けん 件 ⑤{ケン}　この～について。
けぶかい 毛深い	けん 券 ⑤{ケン}
けぶる　〔▲煙〕	けん 険 ⑤{ケン/けわしい}　～のある顔。
けまり 蹴まり〔×鞠〕	けん 検 ⑤{ケン}

〔 〕使わない漢字　×表外字(常用漢字表にない字)　▲表外音訓(常用漢字表にない読み)
①〜⑥教育漢字の学年配当　①—②(①の表記を優先するが，②の表記を使ってもよい語)

けん	絹 ⑥ {ケン/きぬ}		げん	幻 {ゲン/まぼろし}	
けん	権 ⑥ {ケン・ゴン}		げん	玄 {ゲン}	
けん	憲 ⑥ {ケン}		げん	弦 {ゲン/つる}〔×絃〕	
けん	肩 {ケン/かた}		げん	舷 {ゲン}	
けん	倹 {ケン}		げん	嫌 {ケン・ゲン/きらう・いや}	
けん	兼 {ケン/かねる}		けんあく	険悪	
けん	剣 {ケン/つるぎ}		げんあつ	減圧	
けん	拳 {ケン/こぶし}		けんあん	懸案	
けん	軒 {ケン/のき}		げんあん	原案	
けん	圏 {ケン}		けんい	権威	～主義。
けん	堅 {ケン/かたい}		けんいん	検印	
けん	嫌 {ケン・ゲン/きらう・いや}		けんいん	けん引〔×牽〕	～車。
けん	献 {ケン・コン}			～力。	
けん	遣 {ケン/つかう・つかわす}		げんいん	原因	
けん	賢 {ケン/かしこい}		げんいん	減員	
けん	謙 {ケン}		けんうん	巻雲〔絹〕[特]	
けん	鍵 {ケン/かぎ}		けんえい	県営	～球場。～住宅。
けん	繭 {ケン/まゆ}		げんえい	幻影	
けん	顕 {ケン}		けんえき	検疫	
けん	懸 {ケン・ケ/かける・かかる}		けんえき	権益	
けん	〔×腱〕 アキレス～。		げんえき	原液	
げん	元 ② {ゲン・ガン/もと}		げんえき	現役	
げん	言 ② {ゲン・ゴン/いう・こと}		げんえき	減益	～の決算。
げん	原 ② {ゲン/はら}		けんえつ	検閲	
げん	験 ④ {ケン・ゲン} ～がいい。		けんえん	犬猿	～の仲。
げん	限 ⑤ {ゲン/かぎる}		けんえん	嫌煙	～運動。～権。
げん	眼 ⑤ {ガン・ゲン/まなこ}		げんえん	減塩	
げん	現 ⑤ {ゲン/あらわれる・あらわす}		けんお	嫌悪	
げん	減 ⑤ {ゲン/へる・へらす}		けんおん	検温	～器。
げん	源 ⑥ {ゲン/みなもと}		げんおん	原音	
げん	厳 ⑥ {ゲン・ゴン/おごそか・きびしい}		けんか	献花	

[特] 表外字・表外音訓を用いてよい特例の語　　[付] 常用漢字表の付表の語
[送] 送りがなを省く特例　　[読] 読みがなを付けるのが望ましい語　　＊類語・言いかえ例

けんか	[×喧×嘩] ~腰。~別れ。	げんきづく	元気づく〔付〕
げんか	言下 ~に答える。	げんきづける	元気づける〔付〕
げんか	原価 ~計算。	けんきゃく	健脚 ~を競う。
げんか	現下 ~の情勢。	けんきゅう	研究 ~者。~開発。
けんかい	見解	げんきゅう	言及
けんがい	県外	げんきゅう	減給 ~処分。
けんがい	圏外	けんきょ	検挙
けんがい	懸崖 ~の菊。	けんきょ	謙虚
げんかい	限界	けんぎょう	兼業 ~農家。
げんかい	厳戒 ~態勢。	げんきょう	元凶〔×兇〕
げんがい	言外	げんきょう	現況
けんかく	剣客 (「ケンキャク」とも)	げんぎょう	現業
けんがく	見学	げんきょく	原曲
げんかく	幻覚 ~症状。	けんきん	献金 政治~。
げんかく	厳格	げんきん	現金 ~収入。~払い。
げんがく	減額	げんきん	厳禁 火気~。
げんがくがっそう	弦楽合奏	げんきんかきとめ	現金書留 送
げんかしょうきゃく	減価償却	げんきんとりひき	現金取引 送
げんがっき	弦楽器〔×絃〕	げんくん	元勲 明治の~。
けんがみね	剣が峰	けんけい	県警 (「県警察本部」の略)
けんがん	検眼 ~機。	げんけい	原形 ~に戻す。~をとどめない。
げんかん	玄関 ~口。~払い。	げんけい	原型 ~を作る。鋳物の~。
げんかん	厳寒	げんけい	減刑
けんぎ	建議	げんけい	厳刑 ~に処する。
けんぎ	県議 (「県議会議員」の略)	けんげき	剣劇
けんぎ	嫌疑 *容疑。	けんけつ	献血
げんき	元気	けんげん	建言
げんきいっぱい	元気いっぱい〔一杯〕	けんげん	権限 職務~。
げんき	原器 メートル~。	けんけんごうごう	喧々囂々
けんぎかい	県議会 ~議員。	けんご	堅固

〔 〕使わない漢字　×表外字(常用漢字表にない字)　▲表外音訓(表外音訓常用漢字表にない読み)
①〜⑥教育漢字の学年配当　①—②(①の表記を優先するが，②の表記を使ってもよい語)

げんこ	〔▲拳固〕
げんご	言語
げんご	原語
けんこう	兼行　昼夜～。
けんこう	健康　～保険。～診断。
けんこう	軒こう〔高・×昂〕　意気～。
けんごう	剣豪
げんこう	言行　～一致。～録。
げんこう	原稿　～用紙。～料。
げんこう	現行　～の制度。～法。
げんごう	元号　*年号。
けんこうこつ	肩甲骨〔×胛〕
げんこうはん	現行犯　《法律》
けんこく	建国　～記念の日。
げんこく	原告
げんこつ	〔▲拳骨〕
けんこんいってき	乾坤一擲(けんこんいってき)
けんさ	検査　会計～。身体～。
けんさい	賢妻
けんざい	建材
けんざい	健在
けんざい	顕在　～化。
げんさい	減殺
げんざい	原罪
げんざい	現在　～進行形。～地。
げんざいりょう	原材料
けんざかい	県境
けんさく	検索　情報～。
げんさく	原作　～者。
けんさつ	検札
けんさつ	検察　～官。～庁。
けんさつ	賢察
けんさん	研さん〔×鑽〕　*研究。
けんざん	剣山
けんざん	検算〔験〕
げんさん	原産　～地。
げんさん	減産
げんざん	減算　*引き算。
けんし	犬歯
けんし	剣士
けんし	検視
けんし	絹糸
けんし	繭糸
けんじ	健児
けんじ	検事
けんじ	堅持
けんじ	献辞
けんじ	顕示　自己～。
げんし	原子　～核。～量。
げんし	原始　～時代。～的。
げんし	原紙
げんし	原資
げんし	減資
げんじ	言辞　～を弄する。
けんしき	見識
けんじつ	堅実〔健〕
げんじつ	現実　～主義。～離れ。～味。
げんじな	源氏名
げんしばくだん	原子爆弾
げんじぼたる	源氏蛍

特 表外字・表外音訓を用いてよい特例の語　　付 常用漢字表の付表の語
送 送りがなを省く特例　　読 読みがなを付けるのが望ましい語　　*類語・言いかえ例

けんじゃ　賢者	げんじょう　現状　(今のありさま)
けんしゅ　堅守	～維持。～打破。
げんしゅ　元首　国家～。	げんじょう　現場
げんしゅ　原酒	けんしょうえん　けんしょう炎〔×腱
げんしゅ　原種	×鞘〕《医学》
げんしゅ　厳守　時間～。	けんしょく　兼職
けんしゅう　研修　～生。	げんしょく　原色
けんじゅう　拳銃	げんしょく　現職　～の大臣。
げんしゅう　減収	げんしょく　減食
げんじゅう　厳重	げんしりょく　原子力　～発電。～潜
げんじゅうしょ　現住所	水艦。
げんじゅうみん　原住民	げんしりん　原始林
げんしゅく　厳粛	げんしろ　原子炉
けんしゅつ　検出	けんしん　健診　(「健康診断」の略)
けんじゅつ　剣術	けんしん　検針　ガスの～。
けんしゅつ　現出	けんしん　検診　集団～。
げんじゅつ　幻術	けんしん　献身　～的。
けんしょ　見所　《芸能》	けんじん　県人　～会。
げんしょ　原書	けんじん　堅陣
けんしょう　肩章	けんじん　賢人　～会議。
けんしょう　健勝	げんじん　原人　北京～。
けんしょう　検証　現場～。	げんず　原図
けんしょう　憲章　児童～。	けんすい　懸垂
けんしょう　顕彰	げんすい　元帥
けんしょう　懸賞　～金。～募集。	げんすい　減水
けんじょう　献上	げんすい　減衰　～曲線。
けんじょう　謙譲　～の美徳。～語。	げんすいばく　原水爆
げんしょう　現象　社会～。老化～。	けんすう　件数
げんしょう　減少	けんずる　献ずる
げんじょう　原状　(元のありさま)	げんずる　減ずる　刑を～。
～回復。～に復する。	げんすん　原寸　～大。

〔　〕使わない漢字　　×表外字(常用漢字表にない字)　　▲表外音訓(常用漢字表にない読み)
①～⑥教育漢字の学年配当　　①―②(①の表記を優先するが，②の表記を使ってもよい語)

げんせ　現世　(「ゲンゼ」とも)	けんそん　謙遜
けんせい　県政　(県の行政)	げんぞん　現存　(「ゲンソン」とも)
けんせい　県勢　(県の情勢)	けんたい　検体　(検査の対象物)
けんせい　権勢　～を振るう。	けんたい　献体
けんせい　憲政	けんたい　けん怠〔×倦〕～感。
けんせい　けん制〔×牽〕～球。	*だるさ。もの憂さ。退屈。
けんぜい　県税	げんたい　原隊　～に復帰する。
げんせい　現勢	げんたい　減退　食欲～。
げんせい　厳正　～中立。	げんだい　原題
げんぜい　減税	げんだい　現代　～音楽。～人。
げんせいだい　原生代	けんだま　けん玉〔剣・拳〕
げんせいりん　原生林	けんたん　健たん〔×啖〕～家。
けんせき　けん責〔×譴〕～処分。	げんたん　減反
げんせき　原石	けんち　見地
けんせきうん　巻積雲〔絹〕特	げんち　言質　～を取る。
けんせつ　建設　～業界。～国債。	げんち　現地　～時間。～報告。
けんぜん　健全　～財政。	けんちき　検知器
げんせん　源泉〔原〕～課税。～徴収。	けんちく　建築　～基準法。～物。
げんせん　厳選	けんちょ　顕著
げんぜん　厳然〔×儼〕	けんちょう　県庁
げんそ　元素	けんちょう　堅調　～な相場。
けんそう　けん騒〔×喧×噪〕都会の～。*騒がしい。やかましい。	げんちょう　幻聴
	けんちょうぎ　検潮儀
けんぞう　建造　～物。	けんちんじる　けんちん汁〔▲巻▲繊〕
げんそう　幻想　～曲。	
げんぞう　現像　～液。	けんつく　〔剣突〕～を食わす。
けんそううん　巻層雲〔絹〕特	けんてい　検定　～試験。～済み。
けんそく　検束	げんてい　限定　～版。
げんそく　原則	けんでん　〔×喧伝〕*言いはやす。
げんそく　減速	げんてん　原典
げんそく　舷側	げんてん　原点

特 表外字・表外音訓を用いてよい特例の語　　付 常用漢字表の付表の語
送 送りがなを省く特例　　説 読みがなを付けるのが望ましい語　　*類語・言いかえ例

げんてん　減点	けんぱくしょ　建白書
げんど　限度　〜額。	げんばつ　厳罰　〜に処する。
けんとう　見当　〜がつく。〜違い。	げんぱつ　原発　(「原子力発電所」の略)
けんとう　拳闘　＊ボクシング。	
けんとう　健闘	けんばん　鍵盤　ピアノの〜。
けんとう　検討	げんばん　原板　(写真の場合)
けんどう　県道	げんばん　原盤　(レコードなどの場合)
けんどう　剣道	げんばん　原版　(印刷の場合)
げんとう　幻灯	けんび　兼備　才色〜。
げんとう　厳冬	けんびきょう　顕微鏡
げんどう　言動	けんぴつ　健筆　〜を振るう。
げんどうき　原動機　〜付き。	げんぴん　現品　〜限り。
げんどうりょく　原動力	けんぶ　剣舞
けんどじゅうらい　捲土重来　(「ケンドチョウライ」とも)	けんぷ　絹布
	げんぷ　厳父
けんない　圏内	げんふうけい　原風景
げんに　現に	げんぷく　元服
げんに　厳に　〜戒める。	けんぶつ　見物　〜人。
けんにょう　検尿	げんぶつ　現物　〜支給。〜取引。
けんにん　兼任	けんぶん　見聞　〜を広める。
けんにんふばつ　堅忍不抜　〜の精神。	けんぶん　検分〔見〕　下〜。(「実況見分」の場合は「見分」)
けんのう　献納	げんぶん　原文
けんのう　権能	げんぶんいっち　言文一致
げんのう　〔玄翁・能〕　(鉄のつち)	けんぺい　権柄　〜ずく。
げんば　現場　〜検証。〜監督。事故の〜。	けんぺい　憲兵
	けんぺいりつ　建ぺい率〔蔽・▲坪〕
けんぱい　献杯〔×盃〕	けんべん　検便　(便の検査)
げんぱい　減配	けんぼ　賢母　良妻〜。
けんばいき　券売機	けんぽ　健保　(「健康保険」の略)
げんばく　原爆　〜症。	げんぼ　原簿

けんぼう	権謀	～術数。	
けんぽう	剣法		
けんぽう	拳法		
けんぽう	憲法	～発布。～改正。	
げんぽう	減俸		
けんぼうしょう	健忘症		
げんぼく	原木		
げんぽん	原本		
けんま	研磨〔摩〕		
げんまい	玄米		
けんまく	〔剣・見幕〕		
げんみつ	厳密		
けんみん	県民		
けんむ	兼務		
けんめい	賢明		
けんめい	懸命	一生～。	
げんめい	言明		
げんめい	厳命		
げんめつ	幻滅		
げんめん	減免	税の～。	
けんもん	検問	～所。	
げんや	原野		
けんやく	倹約		
げんゆ	原油		
げんゆう	現有	～勢力。	
けんよう	兼用	晴雨～。	
けんり	権利	～金。	
げんり	原理		
けんりつ	県立	～高校。～病院。	
げんりゅう	源流		
げんりょう	原料		
げんりょう	減量		
けんりょく	権力	～闘争。国家～。	
けんるい	堅塁	～を誇る。	
けんろう	堅ろう〔×牢〕	＊堅固。丈夫。	
げんろう	元老		
げんろく	元禄	～時代。～文化。(p.12参照)	
げんろん	言論	～の自由。	
げんわく	幻惑〔×眩〕	～される。	

こ

- こ 戸 ② {コ / と}
- こ 古 ② {コ / ふるい・ふるす}
- こ 去 ③ {キョ・コ / さる}
- こ 庫 ③ {コ・ク}
- こ 湖 ③ {コ / みずうみ}
- こ 固 ④ {コ / かためる・かたまる・かたい}
- こ 故 ⑤ {コ / ゆえ}
- こ 個 ⑤ {コ}
- こ 己 ⑥ {コ・キ / おのれ}
- こ 呼 ⑥ {コ / よぶ}
- こ 拠 {キョ・コ}
- こ 孤 {コ}
- こ 弧 {コ} ～を描く。
- こ 股 {また}
- こ 虎 {コ / とら}
- こ 枯 {コ / かれる・からす}
- こ 虚 {キョ・コ}
- こ 雇 {コ / やとう}
- こ 誇 {コ / ほこる}
- こ 鼓 {コ / つづみ}
- こ 錮 {コ}
- こ 顧 {コ / かえりみる}
- こ 小 ～雨。
- こ 子 〔▲児〕
- こ 粉
- ご 五 ① {ゴ / いつ・いつつ}
- ご 午 ② {ゴ}
- ご 後 ② {ゴ・コウ / のち・うしろ・あと・おくれる}
- ご 語 ② {ゴ / かたる・かたらう}
- ご 期 ③ {キ・ゴ}　この～に及んで。
- ご 護 ⑤ {ゴ}
- ご 誤 ⑥ {ゴ / あやまる}
- ご 互 {ゴ / たがい}
- ご 呉 {ゴ}
- ご 娯 {ゴ}
- ご 悟 {ゴ / さとる}
- ご 御 {ギョ・ゴ / おん}　(p.24参照)
- ご 碁 {ゴ}
- ごあいさつ　①ごあいさつ　②ご挨拶
- こあきない　小商い
- こい　恋
- こい　故意
- こい　濃い
- こい　〔×鯉〕
- ごい　語意
- ごい　語彙
- こいうた　恋歌
- こいがたき　恋敵
- こいき　小粋〔意気〕
- こいくち　濃い口　～しょうゆ。
- こいこがれる　恋い焦がれる
- こいごころ　恋心
- こいし　小石
- こいじ　恋路
- ごいし　碁石
- こいしい　恋しい

〔　〕使わない漢字　　×表外字(常用漢字表にない字)　　▲表外音訓(常用漢字表にない読み)
①〜⑥教育漢字の学年配当　　①―②(①の表記を優先するが，②の表記を使ってもよい語)

こいしがる　恋しがる
こいしたう　恋い慕う
こいする　恋する
こいちゃ　濃い茶
こいなか　恋仲
こいぬ　小犬
こいぬ　子犬〔×仔〕
こいねがう　〔▲希・×冀・▲庶▲幾〕
こいのぼり　〔×鯉×幟〕
こいびと　恋人
こいぶみ　恋文
こいめ　濃いめ〔目〕　〜の味。
こいも　子芋
こいわずらい　①恋わずらい　②恋煩い〔患〕
ごいん　誤飲
こう　口①{コウ・ク／くち}
こう　校①{コウ}
こう　工②{コウ・ク}
こう　公②{コウ／おおやけ}
こう　広②{コウ、ひろい・ひろまる・ひろめる・ひろがる・ひろげる}
こう　交②{コウ、まじわる・まじえる・まじる・まざる・まぜる・かう・かわす}
こう　光②{コウ／ひかる・ひかり}
こう　考②{コウ／かんがえる}
こう　行②{コウ・ギョウ・アン／いく・ゆく・おこなう}
こう　後②{ゴ・コウ／のち・うしろ・あと・おくれる}
こう　高②{コウ／たかい・たか・たかまる・たかめる}
こう　黄②{コウ・オウ／き・こ}
こう　向③{コウ／むく・むける・むかう・むこう}
こう　幸③{コウ／さいわい・さち・しあわせ}

こう　港③{コウ／みなと}
こう　功④{コウ・ク}　年の〜。
こう　好④{コウ／このむ・すく}
こう　候④{コウ／そうろう}　秋冷の〜。
こう　航④{コウ}
こう　康④{コウ}
こう　効⑤{コウ／きく}
こう　厚⑤{コウ／あつい}
こう　耕⑤{コウ／たがやす}
こう　格⑤{カク・コウ}
こう　鉱⑤{コウ}
こう　構⑤{コウ／かまえる・かまう}
こう　興⑤{コウ・キョウ／おこる・おこす}
こう　講⑤{コウ}
こう　后⑥{コウ}
こう　孝⑥{コウ}
こう　皇⑥{コウ・オウ}
こう　紅⑥{コウ・ク／べに・くれない}
こう　降⑥{コウ／おりる・おろす・ふる}
こう　鋼⑥{コウ／はがね}
こう　勾{コウ}
こう　孔{コウ}
こう　巧{コウ／たくみ}
こう　甲{コウ・カン}　亀の〜。
こう　江{コウ／え}
こう　仰{ギョウ・コウ／あおぐ・おおせ}
こう　坑{コウ}
こう　抗{コウ}
こう　攻{コウ／せめる}
こう　更{コウ／さら・ふける・ふかす}
こう　肛{コウ}　(p.12 参照)

特 表外字・表外音訓を用いてよい特例の語　　付 常用漢字表の付表の語
送 送りがなを省く特例　　説 読みがなを付けるのが望ましい語　　＊類語・言いかえ例

こう—こうい

こう	拘 {コウ}	
こう	肯 {コウ}	
こう	侯 {コウ}	
こう	恒 {コウ}	
こう	洪 {コウ}	
こう	荒 {コウ／あらい・あれる・あらす}	
こう	郊 {コウ}	
こう	香 {コウ・キョウ／か・かおり・かおる} ～をたく。
こう	虹 {コウ／にじ} (p.12参照)
こう	貢 {コウ・ク／みつぐ}
こう	耗 {モウ・コウ}
こう	控 {コウ／ひかえる}
こう	梗 {コウ}
こう	喉 {コウ／のど}
こう	慌 {コウ／あわてる・あわただしい}
こう	硬 {コウ／かたい}
こう	絞 {コウ／しぼる・しめる・しまる}
こう	項 {コウ}
こう	溝 {コウ／みぞ}
こう	綱 {コウ／つな}
こう	酵 {コウ}
こう	稿 {コウ} ～を改める。
こう	衡 {コウ}
こう	購 {コウ}
こう	乞 {こう}
こう	乞う (限定用語)～ご期待。命乞い。雨乞い。
こう	請う (一般用語)許可を～。紹介を～。案内を～。
こう	恋う
こう	〔×斯〕

ごう	合 ② {ゴウ・ガッ・カッ／あう・あわす・あわせる}
ごう	強 ② {キョウ・ゴウ／つよい・つよまる・つよめる・しいる}
ごう	号 ③ {ゴウ}
ごう	業 ③ {ギョウ・ゴウ／わざ} ～を煮やす。
ごう	郷 ⑥ {キョウ・ゴウ} ～に入っては～に従え。
ごう	拷 {ゴウ}
ごう	剛 {ゴウ} ～の者。
ごう	傲 {ゴウ}
ごう	豪 {ゴウ}
ごう	〔×濠・×壕〕

こうあつ　高圧　～線。
こうあつざい　降圧剤　《医学》
こうあん　公安　～委員。～条例。
こうあん　考案
こうい　行為
こうい　好意　(親切な気持ち。慕わしい気持ち)～を寄せる。
こうい　厚意　(思いやりの気持ち。他人の行為に対して使う)ご～に感謝します。
こうい　皇位　～継承。
こうい　校医
ごうい　合意
こういき　広域　～行政。
こういしつ　更衣室
こういしょう　後遺症
こういっつい　好一対
こういってん　紅一点
こういん　工員
こういん　勾引〔拘〕　～状。

〔 〕使わない漢字　　×表外字(常用漢字表にない字)　　▲表外音訓(常用漢字表にない読み)
①～⑥教育漢字の学年配当　　①–②(①の表記を優先するが，②の表記を使ってもよい語)

こういん	公印		こうか	公課 公租～。
こういん	行員	(「銀行員」の略)	こうか	考課 人事～。
こういん	光陰	～矢のごとし。	こうか	効果 音響～。
ごういん	強引		こうか	校歌
こうう	降雨	人工～。～量。	こうか	高価
ごうう	豪雨	集中～。	こうか	高架 ～線。
こううつ	抗うつ〔鬱〕	～剤。	こうか	降下 急～。
こううん	幸運〔好〕	～児。	こうか	硬化 動脈～。
こううんき	耕うん機〔×耘〕		こうか	硬貨 百円～。
こううんりゅうすい	行雲流水		ごうか	業火〔×劫〕
こうえい	公営 ～企業。		ごうか	豪華 ～版。
こうえい	光栄		こうかい	公海
こうえい	後えい〔×裔〕	＊子孫。	こうかい	公開 一般～。非～。
こうえき	公益 ～事業。		こうかい	更改 契約～。
こうえき	交易 ＊貿易。		こうかい	後悔 ～先に立たず。
こうえつ	校閲		こうかい	航海 遠洋～。
こうえん	公園 国立～。自然～。		こうがい	口外 秘密を～する。
こうえん	公演		こうがい	口蓋
こうえん	好演		こうがい	公害
こうえん	後援		こうがい	光害
こうえん	高遠 ～な理想。		こうがい	鉱害
こうえん	講演		こうがい	郊外
こうえんきん	好塩菌		こうがい	校外
こうお	好悪		こうがい	構外
こうおつ	甲乙 ～つけがたい。		こうがい	梗概 ＊概要。あらすじ。あらまし。
こうおん	恒温			
こうおん	高音		ごうかい	豪快
こうおん	高温 ～多湿。		ごうがい	号外
ごうおん	号音		こうかいどう	公会堂
ごうおん	ごう音〔×轟〕			
こうか	工科			

特 表外字・表外音訓を用いてよい特例の語　　付 常用漢字表の付表の語
送 送りがなを省く特例　　読 読みがなを付けるのが望ましい語　　＊類語・言いかえ例

こうか―こうき

こうかがく	光化学	～スモッグ。		こうき	公器	新聞は～だ。
こうかく	口角	～泡を飛ばす。		こうき	広軌	
こうかく	広角	～レンズ。		こうき	光輝	
こうかく	甲殻	～類。		こうき	好奇	～心。
こうかく	降格	～人事。		こうき	好機	
こうかくか	好角家			こうき	後記	編集～。
こうがく	工学	～士。～部。		こうき	後期	
こうがく	光学	～器械。		こうき	香気	
こうがく	向学	～心。		こうき	高貴	
こうがく	好学	～の士。		こうき	校旗	
こうがく	後学	～のために。		こうき	綱紀	～粛正。
こうがく	高額	～所得者。		こうぎ	広義	
ごうかく	合格	～者。～点。		こうぎ	抗議	
こうかつ	〔×狡×猾〕	*ずるい。		こうぎ	講義	
こうかほうぎん	高歌放吟			ごうぎ	合議	～制。
こうかん	公館	在外～。		こうきあつ	高気圧	
こうかん	交換	～条件。		こうきゅう	公休	～日。
こうかん	交歓〔×驩〕	～会。		こうきゅう	好球	～必打。
こうかん	交感	～神経。		こうきゅう	後宮	
こうかん	好感			こうきゅう	高級	～品。
こうかん	好漢			こうきゅう	恒久	～の平和。
こうかん	高官	政府の～。		こうきゅう	高給	
こうかん	鋼管			こうきゅう	硬球	
こうかん	こう間〔×巷〕	*世間。		ごうきゅう	号泣	
こうがん	紅顔	～の美少年。		ごうきゅう	剛球〔豪・強〕	
こうがん	厚顔	～無恥。		ごうきゅう	強弓	
こうがん	〔×睾丸〕			こうきょ	皇居	
ごうがん	傲岸	～不遜。		**こうきょ**	〔×薨去〕	*ご逝去。
こうがんざい	抗がん剤〔×癌〕《医学》			こうぎょ	香魚	(あゆの異称)
				こうきょう	公共	～事業。～施設。
こうき	工期			こうきょう	好況	

〔 〕使わない漢字　×表外字(常用漢字表にない字)　▲表外音訓(常用漢字表にない読み)
①〜⑥教育漢字の学年配当　①−②(①の表記を優先するが，②の表記を使ってもよい語)

こうぎょう　工業	～生産。～団地。
こうぎょう　興行	～師。～主。
こうぎょう　鉱業〔×礦〕	～権。
こうぎょう　興業	
こうきょうがくだん　交響楽団	
こうきょうきょく　交響曲	
こうきょうし　交響詩	
こうきん　公金	～横領。
こうきん　抗菌	～作用。
こうきん　拘禁	
ごうきん　合金	
こうく　校区	
こうく　鉱区	
こうぐ　工具	
こうくう　高空	
こうくう　航空	～券。～便。
こうぐう　厚遇	
こうくうき　航空機	
こうくうぼかん　航空母艦	
こうぐち　坑口	
こうぐん　行軍	
こうげ　香華	
こうけい　口径	拳銃の～。
こうけい　光景	
こうけい　後継	～者。
こうげい　工芸	～家。～品。
ごうけい　合計	
こうけいき　好景気	
こうげき　攻撃	～機。人身～。
こうけつ　高潔	
ごうけつ　豪傑	
こうけつあつ　高血圧	
こうけん　後見	～人。
こうけん　貢献	
こうげん　公言	(おおっぴらに言う)
こうげん　広言	(口にまかせて言う)
こうげん　巧言	～令色。
こうげん　光源	
こうげん　抗原〔元〕	～抗体反応。
こうげん　高原	
ごうけん　合憲	
ごうけん　剛健	質実～。
こうけんりょく　公権力	
こうこ　公庫	
こうこ　後顧	～の憂い。
こうご　口語	～体。～文。
こうご　交互	
ごうご　豪語	
こうこう　孝行	親～。
こうこう　後攻	
こうこう　航行	
こうこう　高校	
こうこう　口こう〔×腔〕	(医学では「口くう」)～外科。
こうこう　〔×煌々・×皓々・×皎々〕	
こうごう　皇后	
ごうごう　〔×囂々〕	～たる非難。
ごうごう　〔×轟々〕	
こうごうしい　神々しい	
こうごうせい　光合成	
こうこうや　好々や〔×爺〕	
こうこがく　考古学	

特 表外字・表外音訓を用いてよい特例の語　　付 常用漢字表の付表の語
送 送りがなを省く特例　　読 読みがなを付けるのが望ましい語　　＊類語・言いかえ例

こうこく	公告	こうざん	高山
こうこく	公国 モナコ〜。	こうざん	鉱山
こうこく	広告 〜塔。意見〜。誇大〜。	こうし	子牛〔×仔・×犢〕
こうこく	抗告 《法律》準〜。即時〜。	こうし	公私 〜混同。
こうこく	興国	こうし	公使 〜館。
こうこつ	硬骨 〜漢。	こうし	行使 実力〜。武力〜。
こうこつ	〔×恍×惚〕	こうし	厚志
こうこつもじ	甲骨文字	こうし	格子 〜じま。〜戸。
こうさ	交差〔×叉〕 〜点。立体〜。	こうし	講師
こうさ	考査	**こうし**	〔×嚆矢〕 ＊始まり。
こうさ	黄砂 〜現象。	こうじ	工事
こうざ	口座 預金〜。	こうじ	小路 袋〜。
こうざ	高座	こうじ	公示
こうざ	講座	こうじ	好事 〜魔多し。
こうさい	公債	こうじ	好餌 悪徳商人の〜となる。
こうさい	光彩 〜を放つ。	こうじ	後事 〜を託す。
こうさい	交際 〜家。〜費。	**こうじ**	〔×麴〕 〜菌。
こうさい	高裁 (「高等裁判所」の略)	ごうし	合祀 特
こうさい	虹彩	ごうしがいしゃ	合資会社
こうさい	鉱さい〔×滓〕 〜ダム。	こうしき	公式 〜戦。
こうざい	功罪 〜相半ばする。	こうしき	硬式 〜テニス。
こうざい	鋼材	こうしせい	高姿勢
こうさく	工作 〜員。〜機械。政治〜。	こうしつ	皇室
こうさく	交錯	こうしつ	硬質
こうさく	耕作	こうじつ	口実
こうさつ	考察	こうじつ	好日
こうさつ	高札	こうじつせい	向日性
こうさつ	絞殺	**こうして**	〔×斯〕
こうざつ	交雑	こうしゃ	公社
こうさん	公算 〜が大きい。〜が強い。	こうしゃ	公舎 市長〜。
こうさん	降参	こうしゃ	巧者 試合〜。

こうしゃ	校舎	こうしょう	考証　時代〜。
こうしゃ	後者	こうしょう	行賞　論功〜。
こうしゃ	降車　〜口。	こうしょう	高尚　〜な趣味。
ごうしゃ	豪しゃ〔×奢〕	こうしょう	校章
こうしゃく	公爵	こうしょう	鉱床
こうしゃく	侯爵	こうしょう	工しょう〔×廠〕　海軍〜。
こうしゃく	講釈　〜師。	こうしょう	公しょう〔×娼〕
こうじゃく	耗弱　心神〜。	こうじょう	口上　《芸能》
こうしゃさい	公社債	こうじょう	工場
こうしゃほう	高射砲	こうじょう	向上　〜心。
こうしゅ	好手	こうじょう	交情　〜を深める。
こうしゅ	好守	こうじょう	厚情　〜にすがる。
こうしゅ	攻守	こうじょう	恒常　〜的。
こうじゅ	口授	ごうしょう	豪商
こうしゅう	口臭	ごうじょう	強情
こうしゅう	公衆　〜衛生。〜道徳。	こうじょうしょ	口上書
こうしゅう	講習　〜会。	こうじょうせん	甲状腺
こうしゅうは	高周波	こうしょうにん	公証人
こうしゅけい	絞首刑	こうしょく	公職　〜選挙法。〜追放。
こうじゅつ	口述　〜筆記。	こうしょく	好色
こうじゅつ	後述	こうしょはじめ	講書始 送
こうじゅつにん	公述人	こうじる	高じる〔×昂〕
こうじゅほうしょう	紅綬褒章〔賞〕 特	こうしん	口唇
こうしょ	高所　〜恐怖症。大所〜。	こうしん	行進　〜曲。分列〜。
こうじょ	公序　〜良俗。	こうしん	交信　〜記録。
こうじょ	控除〔×扣〕　扶養〜。	こうしん	更新　記録の〜。契約〜。
こうしょう	口承　〜文学。	こうしん	後進　〜性。
こうしょう	公称	こうしん	高進〔×昂・×亢〕　インフレの〜。
こうしょう	公傷	こうじん	公人
こうしょう	交渉　団体〜。	こうじん	幸甚

こうし―こうそ

こうじん	後じん〔×塵〕	～を拝する。
こうしんじょ	興信所	
こうじんぶつ	好人物	
こうしんりょう	香辛料	
こうず	構図	
こうすい	香水	
こうすい	降水	～量。～確率。
こうすい	硬水	
こうすい	鉱水	
こうずい	洪水	
こうずか	好事家	
こうする	抗する	時代に～。
こうずる	講ずる	
ごうする	号する	
こうせい	公正	～証書。～取引委員会。
こうせい	攻勢	～に転じる。
こうせい	更生〔×甦〕	会社～法。
こうせい	更正	(税金・予算の場合)～決定。追加～予算。
こうせい	厚生	～年金。
こうせい	後世〔生〕	～に伝える。
こうせい	後生	～畏るべし。
こうせい	恒星	
こうせい	校正	～刷り。原稿の～。
こうせい	構成	家族～。
ごうせい	合成	～樹脂。～繊維。
ごうせい	豪勢	
こうせいぶっしつ	抗生物質	
こうせき	功績	
こうせき	航跡	
こうせき	鉱石〔×礦〕	鉄～。
こうせきそう	洪積層	
こうせつ	公設	～市場。
こうせつ	巧拙	＊上手下手。
こうせつ	高説	
こうせつ	降雪	～量。
ごうせつ	豪雪	～地帯。
こうせん	口銭	
こうせん	工船	かに～。
こうせん	公選	総裁～。
こうせん	光線	太陽～。
こうせん	交戦	～国。
こうせん	好戦	～的。
こうせん	抗戦	徹底～。
こうせん	高専	(「高等専門学校」の略)
こうせん	鉱泉	
こうせん	鋼船	
こうぜん	公然	～わいせつ。～の秘密。
こうぜん	こう然〔×昂〕	～と胸を張る。
こうぜん	こう然〔×浩〕	～の気。
ごうせん	合繊	(「合成繊維」の略)
ごうぜん	傲然	
こうそ	公租	～公課。
こうそ	公訴	
こうそ	控訴	～審。
こうそ	酵素	
こうぞ	〔×楮〕	
ごうそ	強訴	
こうそう	広壮〔×宏〕	～な邸宅。

〔 〕使わない漢字　×表外字(常用漢字表にない字)　▲表外音訓(常用漢字表にない読み)
①～⑥教育漢字の学年配当　①―②(①の表記を優先するが，②の表記を使ってもよい語)

こうそう	好走	こうだん	講談　～師。
こうそう	抗争　暴力団の～。	ごうたん	豪胆〔剛〕
こうそう	香草	こうだんしゃ	高段者
こうそう	高僧	こうち	巧緻　～を極める。
こうそう	高層　～気流。超～ビル。	こうち	拘置　～所。
こうそう	構想　～を練る。	こうち	耕地　～整理。
こうぞう	構造　～改革。	こうち	高地
ごうそう	豪壮	ごうち	碁打ち
こうそく	拘束　身柄を～する。	こうちく	構築
こうそく	校則	こうちしょ	拘置所
こうそく	高速　～増殖炉。～道路。	こうちゃ	紅茶
こうそく	梗塞　《医学》心筋～。脳～。	こうちゃく	こう着〔×膠〕　～状態。
こうぞく	皇族	こうちゅう	甲虫
こうぞく	航続　～距離。	こうちょう	好調
こうぞく	後続　～列車。	こうちょう	紅潮
ごうぞく	豪族	こうちょう	校長
こうそくど	高速度　～撮影。	こうちょうかい	公聴会
こうた	小唄	こうちょく	硬直　財政の～化。
こうたい	交代〔替〕	ごうちょく	剛直〔強〕
こうたい	抗体　《医学》	こうちん	工賃
こうたい	後退　一歩～。	ごうちん	ごう沈〔×轟〕
こうだい	広大〔×宏〕	こうつう	交通　～渋滞。～網。
こうだい	後代	こうつごう	好都合
こうたいごう	皇太后	こうてい	工程　作業の～。
こうたいし	皇太子　～妃。	こうてい	行程　（陸上を行く場合）
こうたく	光沢	こうてい	航程　（飛行機，船で行く場合）
ごうだつ	強奪　現金を～する。		
こうたん	降誕　～祭。	こうてい	公邸
こうだん	公団　～住宅。	こうてい	皇帝
こうだん	後段　～で述べる。	こうてい	校訂〔定〕
こうだん	降壇	こうてい	校庭

特 表外字・表外音訓を用いてよい特例の語　　付 常用漢字表の付表の語
送 送りがなを省く特例　　読 読みがなを付けるのが望ましい語　　＊類語・言いかえ例

こうてい　肯定	こうどう　坑道
こうてい　高低	こうどう　香道
こうてい　高弟	こうどう　講堂
こうでい　拘泥　＊こだわる。執着。	ごうとう　強盗　居直り〜。〜罪。
ごうてい　豪邸	ごうどう　合同　〜公演。
こうていえき　口てい疫〔×蹄〕	こうとうぶ　後頭部
こうていぶあい　公定歩合 送	こうとうむけい　荒唐無稽
こうてき　公的　〜資金。〜機関。	こうとく　高徳　〜の僧。
こうてき　好適	こうどく　鉱毒
こうてきしゅ　好敵手	こうどく　講読　〜会。
こうてつ　更迭	こうどく　購読　新聞の〜料。
こうてつ　鋼鉄	こうとくしん　公徳心
こうてん　公転	こうない　坑内
こうてん　交点	こうない　校内
こうてん　好天	こうない　港内
こうてん　好転　事態が〜する。	こうない　構内
こうてん　荒天　＊悪天候。	こうないえん　口内炎
こうでん　公電	こうなん　後難　〜を恐れる。
こうでん　香典〔×奠〕　〜返し。〜袋。	こうなん　硬軟
こうてんてき　後天的	こうにゅう　購入
こうど　光度　〜計。	こうにん　公認　〜会計士。〜候補。
こうど　高度　〜成長。	こうにん　後任
こうど　硬度	こうねつ　高熱
こうとう　口頭　〜試問。〜弁論。〜で伝える。	こうねつひ　光熱費
こうとう　好投	こうねん　光年
こうとう　高等　〜学校。〜教育。	こうねん　後年
こうとう　高騰〔×昂〕　物価の〜。	こうねんき　更年期　〜障害。
こうとう　喉頭　〜がん。	こうのう　効能　〜書き。
こうどう　公道　天下の〜。	こうのう　後納　料金〜郵便。
こうどう　行動　単独〜。〜半径。	ごうのう　豪農
	こうのとり　〔×鸛〕

〔　〕使わない漢字　　×表外字(常用漢字表にない字)　　▲表外音訓(常用漢字表にない読み)
1〜6 教育漢字の学年配当　　①―②(①の表記を優先するが，②の表記を使ってもよい語)

ごうのもの　剛の者〔豪・強〕	こうはんいん　甲板員
こうは　硬派	こうはんせい　後半生
こうば　工場	こうひ　工費
こうはい　交配	こうひ　公妃
こうはい　光背	こうひ　公費
こうはい　後輩	こうび　交尾
こうはい　荒廃	こうび　後尾　列車の〜。
こうはい　降灰	ごうひ　合否
こうはい　高配　ご〜。	こうひつ　硬筆
こうはい　興廃　皇国の〜。	こうひょう　公表
こうばい　公売　《法律》〜に付す。	こうひょう　好評
こうばい　勾配　*傾斜。坂。	こうひょう　講評
こうばい　紅梅	こうひん　公賓
こうばい　購買　〜力。	こうびん　後便　（あとの便り）
こうばいすう　公倍数	こうふ　公布　法律の〜。
こうはいち　後背地	こうふ　交付〔附〕　〜金。
こうはく　紅白　〜試合。	こうぶ　後部　〜座席。
こうばく　広漠　〜たる平野。	こうふう　校風
こうばく　荒漠　〜たる原野。	こうふく　幸福
こうばしい　香ばしい〔▲芳〕	こうふく　降伏〔服〕
こうはつ　後発　〜のメーカー。	こうぶつ　好物
ごうはら　業腹	こうぶつ　鉱物
こうはん　公判　初〜。	こうふん　公憤
こうはん　広範〔汎〕（「広汎性発達障害」などは別）	こうふん　興奮〔×昂・×亢〕　〜剤。
	こうふん　口ふん〔×吻〕　*口ぶり。
こうはん　後半	こうぶん　構文
こうはん　鋼板　（「コウバン」とも）	こうぶんしょ　公文書
こうばん　交番	**こうべ**　〔▲首・▲頭〕
こうばん　降板	こうへい　工兵
ごうはん　合板	こうへい　公平
こうはんい　広範囲	こうへん　後編

㊗ 表外字・表外音訓を用いてよい特例の語　　㊖ 常用漢字表の付表の語
㊗ 送りがなを省く特例　　㊖ 読みがなを付けるのが望ましい語　　*類語・言いかえ例

こうべん　**抗弁**	こうみんかん　**公民館**
ごうべん　**合弁**　～会社。～事業。	こうみんけん　**公民権**　～停止。
こうほ　**候補**　～者。立～。	こうむ　**公務**　～員。
こうほ　**公募**	こうむてん　**工務店**
こうぼ　**酵母**　～菌。	こうむる　**被る**〔×蒙〕
こうほう　**工法**　ビル建築の～。	こうめい　**公明**　～正大。
こうほう　**公法**	こうめい　**高名**
こうほう　**公報**　選挙～。	ごうめいがいしゃ　**合名会社**
こうほう　**広報**〔×弘〕　～紙。	ごうもう　**剛毛**
こうほう　**後方**	こうもく　**項目**
こうほう　**航法**	**こうもり**　〔×蝙×蝠〕
こうほう　**高峰**	こうもりがさ　**こうもり傘**〔×蝙×蝠〕
こうぼう　**工房**	こうもん　**後門**　～のおおかみ。
こうぼう　**攻防**　与野党の～。	こうもん　**校門**
こうぼう　**興亡**　民族の～。	こうもん　**肛門**　(p.12参照)
こうぼう　**光ぼう**〔×芒〕　＊光。光線。	ごうもん　**拷問**
ごうほう　**号砲**　～一発。	こうや　**広野**〔×曠〕
ごうほう　**合法**　～手段。	こうや　**荒野**
ごうほう　**豪放**　～磊落（らいらく）。	こうや　**紺屋**　～の白ばかま。
こうぼく　**公僕**	こうやく　**口約**　＊口約束。
こうぼく　**香木**	こうやく　**公約**　選挙～。
こうぼく　**高木**　《植物》	こうやく　**こう薬**〔×膏〕
こうま　**子馬**〔×仔〕	こうやくすう　**公約数**　最大～。
こうまい　**高まい**〔×邁〕　＊気高い。	こうゆう　**公有**　～地。～林。
こうまん　**高慢**　～ちき。	こうゆう　**交友**　(友達との交際)～関係。～範囲。
ごうまん　**傲慢**　＊高慢。	こうゆう　**交遊**　不純な～。
こうみ　**香味**　～野菜。	こうゆう　**校友**
こうみゃく　**鉱脈**	ごうゆう　**豪勇**
こうみょう　**功名**　けがの～。～心。	ごうゆう　**豪遊**
こうみょう　**巧妙**　～な手口。	
こうみょう　**光明**　前途に～がさす。	

〔　〕使わない漢字　　×表外字(常用漢字表にない字)　　▲表外音訓(常用漢字表にない読み)
①〜⑥教育漢字の学年配当　　①−②(①の表記を優先するが，②の表記を使ってもよい語)

こうよう—こうわ

こうよう	公用	〜語。〜文。
こうよう	孝養	〜を尽くす。
こうよう	効用	薬の〜。
こうよう	高揚〔×昂〕	士気の〜。
こうよう	紅葉	
こうようじゅ	広葉樹	《植物》
ごうよく	強欲〔×慾〕	
こうら	甲羅	〜干し。
こうらく	行楽	〜帰り。〜地。
こうらん	高覧	ご〜。
こうり	小売り	(「小売商」「小売値」などは送)
こうり	公理	
こうり	功利	〜主義。
こうり	高利	
こうり	〔行×李〕	
ごうり	合理	〜化。〜的。不〜。
こうりがし	高利貸し	(「コウリカシ」とも)
ごうりき	強力〔剛〕	
こうりしょう	小売商 送	
こうりつ	公立	〜学校。
こうりつ	効率	〜がよい。
こうりつ	高率	〜の利息。
こうりゃく	攻略	
こうりゃく	後略	
こうりゅう	交流	国際〜。人事〜。
こうりゅう	勾留	《法律》(未決の被疑者・被告を拘置所に入れておくこと) 〜期限。〜理由の開示。
こうりゅう	拘留	《法律》(30日未満の自由刑) 20日の〜に処せられる。
こうりゅう	興隆	国家の〜。
ごうりゅう	合流	〜点。
こうりょ	考慮	
こうりょう	荒涼	
こうりょう	香料	
こうりょう	校了	
こうりょう	綱領	政策〜。
こうりょく	効力	
こうりん	後輪	
こうりん	降臨	天孫〜。
こうれい	好例	
こうれい	恒例	
こうれい	高齢〔令〕	〜者。〜化社会。
こうれいち	高冷地	
ごうれい	号令	
こうれつ	後列	
こうろ	行路	人生〜。
こうろ	香炉	
こうろ	航路	定期船の〜。〜標識。
こうろ	高炉	
こうろう	功労	〜者。
こうろう	高楼	
こうろん	口論	
こうろん	公論	万機〜に決すべし。
こうろん	高論	〜卓説。
こうろんおつばく	甲論乙駁 (おつばく)	
こうわ	講和〔×媾〕	〜条約。
こうわ	講話	
こうわん	港湾	

特 表外字・表外音訓を用いてよい特例の語　　付 常用漢字表の付表の語
送 送りがなを省く特例　　読 読みがなを付けるのが望ましい語　　＊類語・言いかえ例

ごうわん　剛腕	(「豪腕」とも書く)
こえ　声	
こえ　肥	
こえ　越え	山～。
こえい　孤影	～悄然(しょうぜん)。
ごえい　護衛	～艦。～兵。
ごえいか　御詠歌	
こえがかり　声がかり〔掛〕	お～。
こえがわり　声変わり	
こえだ　小枝	
こえだめ　肥だめ〔×溜〕	
ごえつどうしゅう　呉越同舟	
こえる　肥える	
こえる　越える	(場所，時間，点などを通過する)山を～。60の坂を～。権限を～。塀を乗り～。
こえる　超える	(ある一定の数量，基準，限度などを上回る)人口が100万を～。定員を～。1万円を～額。人間の能力を～。
こおう　呼応	
こおどり　小躍り	
こおり　氷	
こおりざとう　氷砂糖	
こおりすべり　氷滑り	
こおりつく　凍りつく〔付〕	
こおりづめ　氷詰め	
こおりどうふ　凍り豆腐〔氷〕	
こおりまくら　氷枕	
こおりみず　氷水	(「コオリスイ」とも)
こおる　凍る〔▲氷〕	
こおろぎ　〔×蟋×蟀〕	
ごおん　呉音	(漢字音の一つ)
こか　古歌	
こがい　戸外	
こがい　子飼い	～の部下。
ごかい　誤解	
こがいしゃ　子会社	
ごかいしょ　碁会所	
ごかく　互角	
ごがく　語学	
こがくれ　木隠れ	
こかげ　木陰〔×蔭〕	
こがす　焦がす	
こがた　小型	～車。
こがたな　小刀	
こかつ　枯渇〔×涸〕	資源の～。
ごがつにんぎょう　五月人形	
ごがつびょう　五月病	
こがね　小金	～をためる。
こがね　黄金	～色。
こがねむし　黄金虫	
こがら　小柄	
こがらし　木枯らし〔×凩〕	～1号。
こがれる　焦がれる	待ち～。
こかん　股間	
こがん　湖岸	
ごかん　五官	(感覚器官のこと)
ごかん　五感	(感覚の総称)
ごかん　語幹	
ごかん　語感	

〔　〕使わない漢字　　×表外字(常用漢字表にない字)　　▲表外音訓(常用漢字表にない読み)
①～⑥教育漢字の学年配当　　①－②(①の表記を優先するが，②の表記を使ってもよい語)

ごがん　護岸	～工事。
ごかんせい　互換性	
こかんせつ　股関節	
こき　古希〔×稀〕	(70歳)～の祝い。
こき　呼気	
ごき　語気	～を強める。
ごき　誤記	
ごぎ　語義	
こきおろす　こき下ろす〔▲扱〕	
ごきげん　①ご機嫌 ②御機嫌	～伺い。
ごきげんよう　①ごきげんよう ②御機嫌よう	
こきざみ　小刻み	
こきつかう　こき使う〔▲扱〕	
こぎつける　こぎ着ける〔×漕〕	
こぎって　小切手 送	
こきゃく　顧客　(「コカク」とも)	
こきゅう　呼吸　人工～。腹式～。	
こきゅう　こ弓〔×胡〕	
こきゅうき　呼吸器　～疾患。	
こきょう　故郷	
こぎよう　小器用	
こぎれい　〔小×綺麗〕	
こく　石 ① {セキ・シャク・コク / いし}	
こく　谷 ② {コク / たに}	
こく　国 ② {コク / くに}	
こく　黒 ② {コク / くろ・くろい}	
こく　告 ④ {コク / つげる}	
こく　刻 ⑥ {コク / きざむ}	
こく　穀 ⑥ {コク}	

こく　克 {コク}	
こく　酷 {コク}	それは～だ。
こく　〔濃・酷〕	～のある酒。
こく　〔▲扱〕	稲を～。
こぐ　〔×漕〕	
ごく　極 ④ {キョク・ゴク / きわめる・きわまる・きわみ}	
ごく　獄 {ゴク}	
ごく　〔極〕	～上等の品。
ごく　語句	
ごくあく　極悪	～非道。
こくい　国威	～の発揚。
こくい　黒衣	
ごくい　極意	
こくいん　刻印	
ごくいん　極印　(書物によっては「コクイン」とも)	
こくう　虚空	
こくう　穀雨　(二十四節気)	
こくうん　国運	～を賭ける。
こくえい　国営	～事業。
こくえき　国益	
こくえん　黒煙	
こくえん　黒鉛	
こくおう　国王	
こくがい　国外	～退去。～追放。
こくがく　国学	～者。
こくぎ　国技	
こくげん　刻限	
こくご　国語	
こくさい　国債	
こくさい　国際	～色。～線。～法。

特 表外字・表外音訓を用いてよい特例の語　　付 常用漢字表の付表の語

送 送りがなを省く特例　　読 読みがなを付けるのが望ましい語　　＊類語・言いかえ例

ごくさいしき　極彩色	こくたい　国体
こくさいれんごう　国際連合	こくち　告知　がんの～。～板。
こくさく　国策　～会社。	こぐち　小口　～の注文。
こくさん　国産　～品。～車。	こぐち　木口　（木材の切り口）
こくし　酷使	ごくちゅう　獄中
こくじ　告示　内閣～。	こくちょう　黒鳥
こくじ　告辞　学長の～。	こくてい　国定　～公園。
こくじ　国字	こくてん　黒点　太陽の～。
こくじ　国事　～行為。	こくど　国土　～開発。
こくじ　国璽	こくどう　国道
こくじ　酷似	ごくどう　極道　～者。
ごくし　獄死	こくない　国内　～産。～線。
ごくしゃ　獄舎	こくなん　国難
こくしょ　酷暑	こくはく　告白　罪の～。
こくじょう　国情〔状〕	こくはつ　告発　内部～。
ごくしょう　極小	こくばん　黒板　～拭き。
ごくじょう　極上	こくひ　国費
こくしょく　黒色　～火薬。	こくび　小首　～をかしげる。
こくじょく　国辱	ごくひ　極秘　～文書。～裏。
こくじん　黒人	ごくび　極微
こくすい　国粋　～主義。	こくびゃく　黒白　～をつける。
こくぜ　国是	こくひょう　酷評
こくせい　国政　～参加。～調査権。	こくひん　国賓
こくせい　国勢　～調査。	ごくひん　極貧
こくぜい　国税	こくふ　国府
こくせき　国籍	こくふ　国富　～論。
こくせん　国選　～弁護人。	こくふく　克服
こくそ　告訴	こくぶん　国文　～科。～学。
こくそう　国葬	こくべつ　告別　～式。
こくそう　穀倉　～地帯。	こくほう　国宝
こくぞく　国賊	こくぼう　国防　～長官。～色。

〔　〕使わない漢字　　×表外字（常用漢字表にない字）　　▲表外音訓（常用漢字表にない読み）
①～⑥教育漢字の学年配当　　①−②（①の表記を優先するが，②の表記を使ってもよい語）

こぐま	子熊	こける	眠り〜。笑い〜。
こくみん	国民 〜性。〜総生産。〜健康保険。	こげる	焦げる
こくむ	国務 〜大臣。	こけん	〔×沽券〕 〜に関わる。
こくめい	克明 〜に記す。	ごけん	護憲 〜運動。
こくめい	国名	ごげん	語源〔原〕
こくもつ	穀物	ここ	個々
ごくもん	獄門	ここ	〔×此▲処〕
こくゆう	国有 〜地。〜財産。	こご	古語
ごくらく	極楽 〜往生。〜浄土。	ごご	午後
こくりつ	国立 〜公園。〜大学。	ここう	孤高 〜を守る。
こくりょく	国力	ここう	虎口 〜を脱する。〜を逃れる。
こくるい	穀類	ここう	〔×糊・×餬口〕 〜をしのぐ。
こくれん	国連 (「国際連合」の略) 〜軍。	こごう	古豪
ごくろう	①ご苦労 ②御苦労 〜さま。	ごこう	後光 〜がさす。
こくろん	国論 〜を二分する。	こごえ	小声
こぐんふんとう	孤軍奮闘	こごえしぬ	凍え死ぬ
こけ	〔×苔〕	こごえる	凍える
こけい	固形 〜燃料。〜スープ。	ここく	故国
ごけい	互恵 〜平等。	ごこく	五穀 〜豊じょう。
こけおどし	〔虚仮▲威〕	ごこく	護国 〜神社。
こげくさい	焦げ臭い	ここち	心地 付 〜よい。
こげちゃいろ	焦げ茶色	こごと	小言
こけつ	虎穴	ここのか	九日, 9日
こげつき	焦げ付き 債権の〜。	ここのつ	九つ, 9つ
こげつく	焦げ付く	こごめ	〔小・粉米〕
こげめ	焦げ目	ここら	〔×此▲処〕
こけらおとし	こけら落とし〔×柿〕 《芸能》	こころ	心
		こころあたり	心当たり
		こころあて	心当て
		こころいき	心意気

特 表外字・表外音訓を用いてよい特例の語　　付 常用漢字表の付表の語
送 送りがなを省く特例　　読 読みがなを付けるのが望ましい語　　＊類語・言いかえ例

こころえ　**心得**　～顔。～違い。	こころもち　**心持ち**
こころえる　**心得る**	**こころもち**　～右へ寄せる。
こころおきなく　**心おきなく**〔置〕	こころもとない　**心もとない**〔▲許無〕
こころおぼえ　**心覚え**	
こころがけ　①**心がけ** ②**心掛け**	こころやすい　**心安い**
こころがける　①**心がける** ②**心掛ける**	こころゆくまで　**心行くまで**〔×迄〕
こころがまえ　**心構え**	こころよい　**快い**〔心〕
こころがわり　**心変わり**	ここん　**古今**
こころくばり　**心配り**	ごごんぜっく　**五言絶句**（漢詩）
こころぐみ　**心組み**	ごさ　**誤差**
こころぐるしい　**心苦しい**	ござ　〔×茣×蓙〕
こころざし　**志**	ごさい　**後妻**
こころざす　**志す**	こざいく　**小細工**　～を弄する。
こころだのみ　**心頼み**	ございます　〔御座〕
こころづかい　**心遣い**	**こざかしい**　〔小▲賢〕
こころづくし　**心尽くし**	こざかな　**小魚**
こころづけ　**心付け**	こさく　**小作**　～農。
こころづもり　**心積もり**	こさつ　**古刹**〔読〕＊歴史のある寺。
こころづよい　**心強い**	**こざっぱり**　～した服装。
こころない　**心ない**〔無〕	ごさどう　**誤作動**
こころなしか　**心なしか**〔成・×做〕	こさめ　**小雨**
こころならずも　**心ならずも**	こざら　**小皿**
こころにくい　**心憎い**	こさん　**古参**　～兵。最～。
こころね　**心根**	ごさん　**誤算**
こころのこり　**心残り**	ごさんかい　**午さん会**〔×餐〕
こころぼそい　**心細い**	ごさんけ　**御三家**
こころまかせ　**心任せ**	こし　**腰**
こころまち　**心待ち**	こし　**古紙**〔故〕
こころみ　**試み**	こし　〔×輿〕
こころみる　**試みる**	こし　**枯死**
	こじ　**古寺**

〔　〕使わない漢字　　×表外字(常用漢字表にない字)　　▲表外音訓(常用漢字表にない読み)
①～⑥教育漢字の学年配当　　①－②(①の表記を優先するが，②の表記を使ってもよい語)

こじ	固持	自説を〜する。	
こじ	固辞		
こじ	孤児	戦災〜。	
こじ	故事	〜来歴。	
こじ	誇示		
こじ	居士 付	一言〜。	
ごし	五指	〜に余る。	
ごし	越し	3年〜。窓〜。	
ごじ	誤字		
ごじ	護持		
こじあける	錠前を〜。		
こしあん	〔×漉×餡〕		
こしいれ	こし入れ〔×輿〕		
こしかけ	腰掛け		
こしかける	腰掛ける		
こしかた	来し方	〜行く末。	
こしき	古式	〜にのっとる。〜ゆかしい。	
ごしき	五色		
こしくだけ	腰砕け		
こしたんたん	虎視眈々（たんたん）		
こしつ	固執		
こしつ	個室		
ごじつ	後日	〜談。	
こしつき	腰つき〔付〕		
こじつける	理由を〜。		
こしなわ	腰縄		
こしぬけ	腰抜け		
こしひも	腰ひも〔×紐〕		
こしまき	腰巻き		

ごしゃ	誤射		
こしゃく	〔小×癪〕		
こしゅ	古酒		
こしゅ	固守		
ごじゅうおん	五十音		
ごじゅうかた	五十肩		
ごじゅうのとう	五重の塔		
こしょ	古書		
ごしょ	御所	〜車。	
ごじょ	互助	〜会。	
こしょう	小姓		
こしょう	呼称		
こしょう	故障		
こしょう	湖沼		
こしょう	〔×胡×椒〕		
こじょう	古城		
ごしょう	後生	〜大事。一生〜。	
ごじょう	互譲	〜の精神。	
こしょうがつ	小正月		
こしょく	古色	〜蒼然（そうぜん）。	
ごしょく	誤植		
こしらえる	〔×拵〕		
こじらせる	〔×拗〕		
こじれる	〔×拗〕		
こじわ	小じわ〔×皺〕		
こじん	古人	（昔の人）	
こじん	故人	（亡くなった人）	
こじん	個人	〜差。〜主義。〜教授。	
ごしん	護身	〜術。	
ごしん	誤診		
ごしんたい	①ご神体 ②御神体		

特 表外字・表外音訓を用いてよい特例の語　　付 常用漢字表の付表の語

送 送りがなを省く特例　　読 読みがなを付けるのが望ましい語　　＊類語・言いかえ例

こす—こたわ

こす **越す** (場所，時間，点などを通過する) 峠を〜。年を〜。先を〜。勝ち〜。飛び〜。

こす **超す** (一定の数量，基準，限度を上回る) 1億を〜人口。制限重量を〜。

こす 〔×濾・×漉〕
こすい **湖水**
こすい **鼓吹**
ごすい **午睡**
こすう **戸数**
こすう **個数**
こずえ 〔×梢〕
こすりつける 〔▲擦付〕
こする 〔▲擦〕
ごする 〔×伍〕 列強に〜。
ごぜ 〔×瞽▲女〕 〜歌。
こせい **個性**
こせいぶつ **古生物**
こせき **戸籍** 〜抄本。〜謄本。
こぜに **小銭** 〜入れ。
こぜりあい **小競り合い**
こせん **古銭**
ごせん **五線** 〜紙。〜譜。
ごせん **互選**
ごぜん **午前**
ごぜん **御前** 〜会議。〜試合。
こせんきょう **こ線橋**〔×跨〕
こせんじょう **古戦場**
こぞう **小僧**〔子〕
ごそう **護送**
ごぞうろっぷ **五臓六腑**

こそく 〔×姑息〕 〜な手段。
ごそくろう ①**ご足労** ②**御足労**
こそだて **子育て**
こぞって 〔▲挙〕
こそどろ **こそ泥** (泥棒)
こそばゆい 背中が〜。
ごぞんじ **ご存じ**〔御〕
こたい **固体** (「液体・気体」の対語)
こたい **個体** 〜差。
こだい **古代**
こだい **誇大** 〜広告。〜妄想。
ごたい **五体** 〜に力がみなぎる。
こだいこ **小太鼓**
こたえ **答え** (送りがなを省く場合は，p.44参照)
こたえる **答える** 問いに〜。
こたえる **応える** 期待に〜。
こたえる 〔▲堪〕 寒さが身に〜。
こだかい **小高い**
こだから **子宝**
ごたく **御託** 〜を並べる。
こだくさん **子だくさん**〔沢山〕
こだし **小出し**
こだち **木立**送
こだち **小太刀**
こたつ 〔×炬×燵〕
ごたつく 家の中が〜。
ごたぶん ①**ご多分** ②**御多分** 〜に漏れず。
こだま 〔木霊・×谺〕
こだわる 〔▲拘▲泥〕

〔 〕使わない漢字　　×表外字(常用漢字表にない字)　　▲表外音訓(常用漢字表にない読み)
①〜⑥教育漢字の学年配当　　①―②(①の表記を優先するが，②の表記を使ってもよい語)

こたん　枯淡　〜の境地。	こつざい　骨材
ごちそう　〔御×馳走〕　〜さま。	こっし　骨子
こちょう　誇張	こつずい　骨髄　〜炎。〜移植。〜バンク。
ごちょう　語調	
こちら　〔×此▲方〕	こっせつ　骨折
こぢんまり　〜した住まい。	こつぜん　こつ然〔×忽〕　＊突然。
こつ　骨 ⑥ {コツ/ほね}	こっそう　骨相　〜学。
こつ　滑 {カツ・コツ/すべる・なめらか}	こつそしょうしょう　骨粗しょう症〔×鬆〕《医学》
こつ　〔骨〕　仕事の〜。	
こっか　国花	ごったがえす　ごった返す
こっか　国家　〜公務員。〜試験。	ごったに　ごった煮
こっか　国歌	**こっち**　〔×此▲方〕
こっかい　国会　〜議員。〜議事堂。	こづち　小づち〔×槌〕
こづかい　小遣い　〜銭。〜帳。	こっちょう　骨頂　愚の〜。
こっかく　骨格〔×骼〕	こつづみ　小鼓　《芸能》
こつがら　骨柄　人品〜。	こづつみ　小包 送
こっかん　酷寒	こっとう　骨とう〔×董〕　〜品。
ごっかん　極寒	こつにく　骨肉　〜の争い。
こっき　克己　〜心。	こつにくしゅ　骨肉腫　《医学》
こっき　国旗	こっぱみじん　木っ端みじん〔▲微×塵〕
こっきょう　国教	
こっきょう　国境　〜線。〜地帯。	こつばん　骨盤
こっきん　国禁　〜を犯す。	こつぶ　小粒
こっく　刻苦　〜勉励。	こっぷん　骨粉　(肥料)
こづく　小突く　小突き回す。	こつまく　骨膜　〜炎。
こづくり　小作り	こづめ　小爪
こっけい　滑稽	ごづめ　後詰め
こっけん　国権	こづらにくい　小面憎い
こっこ　国庫　〜補助。	こて　〔×鏝〕
こっこう　国交　〜回復。〜断絶。	ごて　後手　〜に回る。
こっこく　刻々	こてい　固定　〜観念。〜給。〜資産。

こてい　湖底
こてきたい　鼓笛隊
こてさき　小手先
こてしらべ　小手調べ
こてなげ　小手投げ
こてん　古典　〜芸能。〜文学。
こてん　個展
ごてん　御殿
こと　言　ひと〜。
こと　事　〜を構える。(「…すること」などは, かな書き)(p.25 参照)
こと　異　意見を〜にする。
こと　琴
こと　箏 特　《芸能》.
こと　古都
ごと　〔▲毎〕　年〜に。夜〜。
ことあたらしい　事新しい
ことう　孤島　陸の〜。
こどう　鼓動
こどうぐ　小道具
ごどうさ　誤動作
ごとうしょ　①ご当所 ②御当所　〜相撲。
ごとうち　①ご当地 ②御当地
ことかく　事欠く
ことがら　事柄
こときれる　こと切れる〔事〕
こどく　孤独
ごとく　〔▲如〕
ごとく　五徳
ごどく　誤読

ことごとく　〔×悉〕
ことごとに　事ごとに〔▲毎〕
ことこまか　事細か　〜に説明する。
ことさら　①ことさら ②殊更
ことし　①ことし ②今年 付
ごとし　〔▲如〕
ことしじゅう　①ことし中 ②今年中
ことだま　言霊
ことたりる　事足りる
ことづける　言づける〔付・▲託〕
ことづて　言づて〔▲伝〕
ことづめ　琴爪
ことなる　異なる
ことに　①ことに ②殊に
ことにする　異にする
ことのほか　①ことのほか ②殊の外
ことば　①ことば ②言葉〔▲詞〕
ことばがき　ことば書き〔▲詞〕
ことはじめ　事始め
ことばじり　①ことばじり ②言葉尻　〜を捕らえる。
ことばづかい　①ことばづかい ②言葉遣い
ことばつき　①ことばつき ②言葉つき〔付〕
ことぶき　寿
ことほぐ　〔▲寿・言▲祝〕
こども　①子ども ②子供　(5月5日は「こどもの日」)
ことり　小鳥
ことわざ　〔×諺〕

〔　〕使わない漢字　　×表外字(常用漢字表にない字)　　▲表外音訓(常用漢字表にない読み)
1〜6 教育漢字の学年配当　　①−②(①の表記を優先するが, ②の表記を使ってもよい語)

ことわり　断り　〜状。
ことわり　〔▲理〕
ことわる　断る
こな　粉
こなぐすり　粉薬
こなごな　粉々　〜になる。
こなす　〔▲熟〕　仕事を〜。
こなひき　粉ひき〔▲挽〕
こなみじん　粉みじん〔▲微×塵〕
こなゆき　粉雪
こなれる　〔▲熟〕
ごなん　ご難〔御〕　〜続き。
こにくらしい　小憎らしい
こにもつ　小荷物
ごにん　誤認
こにんずう　小人数　(「コニンズ」とも)
ごにんばやし　五人ばやし〔×囃子〕
こぬか　小ぬか〔粉×糠〕　〜雨。
こねこ　子猫〔×仔〕
こねまわす　こね回す〔×捏〕
こねる　〔×捏〕
この　〔×此〕
このあいだ　この間〔×此〕
このえへい　近衛兵 特
このご　この期　〜に及んで。
このころ　〔×此頃〕　(「ころ」参照)
このごろ　〔×此頃〕　(「ごろ」参照)
このさい　この際〔×此〕
このたび　①このたび ②この度

このは　木の葉
このほか　①このほか ②この他　〔×此外〕
このほど　〔×此程〕
このましい　好ましい
このまま　〔×此×儘〕
このみ　好み
このみ　木の実　(「キノミ」とも)
このむ　好む
このもしい　好もしい
このよ　この世
ごば　後場　《株式》
こばい　故買　〜品。
こはく　〔×琥×珀〕　〜色。
ごはさん　①ご破算 ②御破算
こばしり　小走り
こはぜ　〔×鞐・小×鉤〕
ごはっと　①ご法度 ②御法度
こばな　小鼻　〜をうごめかす。
こばなし　小ばなし〔話・×咄〕
こはば　小幅
こばむ　拒む
こはるびより　小春日和
こはん　湖畔
こばん　小判
ごはん　①ごはん ②御飯　〜粒。
ごばん　碁盤
こび　〔×媚〕　〜を売る。
ごび　語尾
こびと　〔×侏▲儒〕　(童話)

特 表外字・表外音訓を用いてよい特例の語　　付 常用漢字表の付表の語
送 送りがなを省く特例　　読 読みがなを付けるのが望ましい語　　＊類語・言いかえ例

ごびゅう	誤びゅう〔×謬〕 ＊間違い。誤り。
こひょう	小兵
こびりつく	脳裏に～。
こびる	〔×媚〕 こびへつらう。
こびん	小瓶
こぶ	鼓舞
こぶ	〔×瘤〕
こぶ	昆布
こふう	古風
ごふく	呉服 ～商。
ごぶごぶ	五分五分
ごぶざき	5分咲き
ごぶさた	①ご無沙汰 ②御無沙汰
こぶし	小節 ～を利かせる。
こぶし	古武士 ～の風格。
こぶし	拳
ごふじょう	御不浄
こぶちゃ	昆布茶
こぶつしょう	古物商
こぶとり	小太り〔▲肥〕
こぶね	小舟
こぶまき	昆布巻き
こぶり	小降り 雨が～になる。
こぶり	小ぶり〔振〕 ～の湯飲み。
こふん	古墳
こぶん	子分〔▲乾▲児〕 親分～。
こぶん	古文
ごへい	御幣 ～担ぎ。
ごへい	語弊 ～がある。
こべつ	戸別 ～訪問。
こべつ	個別 ～折衝。
こべや	小部屋
ごほう	語法
ごほう	誤報
ごぼう	〔▲牛×蒡〕 ～抜き。
こぼく	古木
こぼす	〔▲零〕
こぼね	小骨
こぼれる	〔▲零〕
こぼんのう	子ぼんのう〔煩悩〕
こま	駒{こま} 将棋の～。～を進める。
こま	〔▲独▲楽〕
ごま	護摩 ～をたく。～壇。
ごま	〔×胡麻〕 ～あえ。～油。
こまい	古米
こまいぬ	こま犬〔×狛〕
こまかい	細かい
ごまかす	〔誤魔化〕
こまかに	細かに
こまぎれ	こま切れ〔小間・細〕
こまく	鼓膜
こまげた	駒げた〔下▲駄〕
こまごま	〔細々〕 ～と話す。
ごましお	ごま塩〔×胡麻〕 ～頭。
こましゃくれる	
こまねく	〔×拱〕 腕を～。(「こまぬく」とも)
ごまめ	〔×鱓〕
こまもの	小間物 ～屋。

〔 〕使わない漢字　　×表外字(常用漢字表にない字)　　▲表外音訓(常用漢字表にない読み)
①〜⑥教育漢字の学年配当　　①—②(①の表記を優先するが，②の表記を使ってもよい語)

こまやか 〔細・▲濃〕	こめぬか 米ぬか〔×糠〕
こまりきる 困りきる〔切〕	こめびつ 米びつ〔×櫃〕
こまりはてる 困り果てる	こめる 込める〔▲籠〕 心を～。弾を～。
こまりもの 困り者	
こまる 困る	こめん 湖面
こまわり 小回り ～が利く。	ごめん 御免 お役～。木戸～。
こみ 込み 税～。	ごめん 〔御免〕 ～ください。
ごみ 〔×塵×芥〕 ～処理。～収集車。	こも 〔▲薦・×菰〕 ～包み。
こみあう 混み合う 電車が～。	こもかぶり 〔▲薦▲被〕
こみあげる 込み上げる	ごもく 五目 ～ずし。～飯。
こみいる 込み入る	ごもくならべ 五目並べ
こみち 小道	こもごも 〔▲交々〕
ごみとり ごみ取り〔×塵・×芥〕	こもち 子持ち
ごみばこ ごみ箱〔×塵・×芥〕	こもの 小物
こみみ 小耳 ～に挟む。	こもり 子守 送
こむ 込 {こむ・こめる}	こもりうた 子守歌 送
こむ 込む （一般用語）手の込んだ料理。黙り～。仕事が立て～。負けが～。	こもる 籠もる
	こもれび 木漏れ日〔×洩〕
こむ 混む （「混雑」の限定用語）電車が～。混み合う店内。人混み。	こもん 小紋
	こもん 顧問
こむぎ 小麦 ～粉。～色。	こもんじょ 古文書
こむすび 小結 送	こや 小屋〔▲舎〕 ～掛け。
こむそう 虚無僧	こやく 子役 《芸能》
こむら 〔×腓〕 ～返り。	ごやく 誤訳
こめ 米	こやし 肥やし
こめかみ 〔×顳×顬〕	こやす 肥やす
こめぐら 米蔵	こやま 小山
こめだわら 米俵	こやみ 小やみ〔▲止〕 雨が～になる。
こめつぶ 米粒	こゆう 固有 ～名詞。
こめとぎ 米とぎ〔研〕	こゆき 小雪
こめどころ 米どころ〔所〕	こゆき 粉雪

特 表外字・表外音訓を用いてよい特例の語　　付 常用漢字表の付表の語
送 送りがなを省く特例　　読 読みがなを付けるのが望ましい語　　＊類語・言いかえ例

こゆび—ころ

こゆび　小指
こよい　〔▲今宵〕
こよう　小用
こよう　古謡
こよう　雇用〔×傭〕　＊雇う。
ごよう　御用
ごよう　誤用
ごようおさめ　御用納め　（放送では原則として「仕事納め」）
ごようきき　御用聞き
ごようきん　御用金
ごようたし　御用達㊙　（「ゴヨウタツ」とも）
ごようてい　御用邸
ごようはじめ　御用始め　（放送では原則として「仕事始め」）
こよみ　暦
こより　〔▲紙×縒〕
こらい　古来
ごらいこう　御来光〔▲迎〕　〜を拝む。
こらえしょう　こらえ性〔×怺・▲堪〕
こらえる　〔×怺・▲堪〕
ごらく　娯楽　大衆〜。健全〜。
こらしめる　懲らしめる
こらす　凝らす　息を〜。工夫を〜。
こらす　懲らす
ごらん　①ご覧 ②御覧　〜に入れる。（「…してごらん」は、なるべくかな書き）
こり　凝り　肩の〜。

ごりおし　ごり押し
こりかたまる　凝り固まる
こりこう　小利口〔×悧巧〕　〜な。
こりごり　〔懲〕
こりしょう　凝り性
こりつ　孤立　〜無援。
ごりむちゅう　五里霧中
ごりやく　御利益
こりょ　顧慮
ごりょう　御陵
ごりょうち　御料地
こりょうり　小料理　〜屋。
こりる　懲りる
ごりん　五輪　（オリンピック）〜旗。
ごりんとう　五輪塔
こる　凝る　肩が〜。
こるい　孤塁　〜を守る。
これ　〔▲是・×此・×之〕
これくらい　〔位〕
これだけ　〔×此丈〕
これほど　〔×此程〕
これまで　〔×此×迄〕
これら　〔×此▲等〕
ころ　頃{ころ}
ころ　頃　年の頃は40余り。頃を見はからって。
ころ　〔頃〕　このころ。あのころ。（前の部分がかなの場合は、かな書き）
ごろ　頃　食べ頃。近頃。年頃。中頃。日頃。見頃。前身頃。

〔　〕使わない漢字　　×表外字(常用漢字表にない字)　　▲表外音訓(常用漢字表にない読み)
①〜⑥教育漢字の学年配当　　①—②(①の表記を優先するが、②の表記を使ってもよい語)

ごろ 〔頃〕 （特定の日時や時間の後に付く場合は，かな書き）午後3時ごろ。1960年ごろ。（前の部分がかなの場合は，かな書き）このごろ。いつごろ。（その他）値ごろ。手ごろ。	こわす 壊す〔▲毀〕
	こわだか 声高 ～に話す。
	こわだんぱん こわ談判〔▲強〕 ～に及ぶ。
	こわね 声音
ごろ 語呂 ～合わせ。	こわばる 〔▲強張〕
ころあい 頃合い	こわめし こわ飯〔▲強〕
ころう 古老	こわもて 〔▲恐持〕
ころがす 転がす	こわれもの 壊れ物〔▲毀〕
ころがりこむ 転がり込む	こわれる 壊れる〔▲毀〕
ころがる 転がる	こん 金 ① {キン・コン／かね・かな}
ごろく 語録	こん 今 ② {コン・キン／いま}
ころげおちる 転げ落ちる	こん 根 ③ {コン／ね}
ころげこむ 転げ込む	こん 建 ④ {ケン・コン／たてる・たつ}
ころげまわる 転げ回る	こん 混 ⑤ {コン／まじる・まざる・まぜる・こむ}
ころげる 転げる	こん 困 ⑥ {コン／こまる}
ころし 殺し ～文句。	こん 昆 {コン}
ころす 殺す	こん 恨 {コン／うらむ・うらめしい}
ごろね ごろ寝	こん 婚 {コン}
ころばす 転ばす	こん 痕 {コン／あと}
ころぶ 転ぶ	こん 紺 {コン} ～色。
ころも 衣	こん 献 {ケン・コン}
ころもがえ 衣がえ〔▲更・替〕	こん 魂 {コン／たましい}
こわい 怖い〔▲恐〕	こん 墾 {コン}
こわい 〔▲強・▲剛〕 ～飯。	こん 懇 {コン／ねんごろ}
こわいろ 声色	ごん 言 ② {ゲン・ゴン／いう・こと}
こわがる 怖がる	ごん 勤 ⑥ {キン・ゴン／つとめる・つとまる}
こわき 小脇 ～に抱える。	ごん 権 ⑥ {ケン・ゴン}
こわけ 小分け	ごん 厳 ⑥ {ゲン・ゴン／おごそか・きびしい}
こわごわ 〔▲恐々・怖々〕	こんい 懇意
こわざ 小技〔業〕	こんいん 婚姻 ～届。

特 表外字・表外音訓を用いてよい特例の語　　付 常用漢字表の付表の語
送 送りがなを省く特例　　読 読みがなを付けるのが望ましい語　　＊類語・言いかえ例

こんか　婚家　(結婚先の家)	こんじき　金色
こんかい　今回	こんじゃく　今昔　〜の感。
こんがすり　紺がすり〔×絣・▲飛▲白〕	こんしゅう　今週
こんかん　根幹	こんじゅほうしょう　紺綬褒章〔賞〕特
こんがん　懇願	こんしゅん　今春
こんき　今季	こんじょう　今生　〜の別れ。
こんき　今期	こんじょう　根性
こんき　根気	こんじょう　紺青
こんき　婚期	こんしん　混信
こんぎ　婚儀　＊婚礼。	こんしん　こん身〔×渾〕　＊満身。全身。
こんきゅう　困窮	
こんきょ　根拠　〜地。	こんしんかい　懇親会
ごんぎょう　勤行　《仏教》	こんすい　こん睡〔×昏〕　〜状態。(刑法では「昏酔強盗」だが，放送では「こん睡強盗」を使う)
こんく　困苦	
こんくらべ　根比べ〔▲競〕	
ごんげ　権化	こんせい　混成　〜部隊。
こんけつ　混血	こんせい　懇請
こんげつ　今月	こんせいがっしょう　混声合唱
こんげん　根源〔元・原〕　悪の〜。	こんせき　痕跡
ごんげん　権現	こんせつ　懇切　〜丁寧。
こんご　今後	こんぜつ　根絶
こんこう　混交〔×淆〕　玉石〜。	こんせん　混戦
こんごう　混合　〜ダブルス。	こんせん　混線　電話の〜。
こんごうせき　金剛石　(ダイヤモンド)	こんぜん　婚前
こんごうづえ　金剛づえ〔×杖〕	こんぜん　混然〔×渾〕　〜一体。
ごんごどうだん　言語道断	こんだく　混濁〔×溷〕
こんさい　根菜	こんだて　献立 送
こんざい　混在	こんたん　魂胆
こんざつ　混雑	こんだん　懇談　〜会。
こんじ　根治　(「コンチ」とも)	こんちゅう　昆虫

〔　〕使わない漢字　　×表外字(常用漢字表にない字)　　▲表外音訓(常用漢字表にない読み)
1〜6 教育漢字の学年配当　　①—②(①の表記を優先するが，②の表記を使ってもよい語)

こんてい　根底〔×柢〕	こんぽう　こん包〔×梱〕
こんど　今度	こんぽん　根本
こんとう　こん倒〔×昏〕　*卒倒。	こんまけ　根負け
こんどう　金堂	こんめい　混迷〔×昏〕　政局の〜。
こんどう　金銅	こんもう　懇望
こんどう　混同　公私〜。	こんや　今夜
こんとん　混とん〔×渾×沌〕	こんやく　婚約　〜者。
こんな　〜はずではなかった。	こんゆう　今夕
こんなん　困難	こんよう　混用
こんにち　今日	こんよく　混浴
こんにちは　〔今日〕	こんらん　混乱
こんにゃく　〔×蒟×蒻〕　〜問答。	こんりゅう　建立　(神社・仏閣の場合)
こんにゅう　混入	こんりゅう　根粒〔×瘤〕　〜バクテリア。
こんねん　今年	こんりんざい　金輪際
こんぱい　困ぱい〔×憊〕	こんれい　婚礼
こんばん　今晩	**こんろ**　〔×焜炉〕　ガス〜。電気〜。
こんばんは　〔今晩〕	こんわかい　懇話会
こんぶ　昆布	こんわく　困惑
こんぺき　紺ぺき〔×碧〕	
こんぼう　混紡	
こんぼう　こん棒〔×棍〕	

特 表外字・表外音訓を用いてよい特例の語　　付 常用漢字表の付表の語
送 送りがなを省く特例　　読 読みがなを付けるのが望ましい語　　*類語・言いかえ例

さ

さ	左 ① {サ/ひだり}	さい	済 ⑥ {サイ・すむ・すます}
さ	作 ② {サク・サ/つくる}	さい	裁 ⑥ {サイ・たつ・さばく}
さ	茶 ② {チャ・サ}	さい	采 {サイ}
さ	差 ④ {サ/さす} ～がつく。	さい	砕 {サイ・くだく・くだける}
さ	再 ⑤ {サイ・サ/ふたたび}	さい	宰 {サイ}
さ	査 ⑤ {サ}	さい	栽 {サイ}
さ	砂 ⑥ {サ・シャ/すな}	さい	彩 {サイ/いろどる}
さ	佐 {サ}	さい	斎 {サイ}
さ	沙 {サ}	さい	債 {サイ}
さ	唆 {サ/そそのかす}	さい	催 {サイ/もよおす}
さ	詐 {サ}	さい	載 {サイ/のせる・のる}
さ	鎖 {サ/くさり}	さい	塞 {サイ・ソク/ふさぐ・ふさがる}
ざ	座 ⑥ {ザ/すわる} ～がしらける。	さい	歳 {サイ・セイ} （表などで年齢を表す場合は，「才」を使ってもよい）
ざ	挫 {ザ}		
さい	才 ② {サイ} （「歳」の項参照）	さい	埼 {さい} （埼玉県など地名のみ）
さい	切 ② {セツ・サイ/きる・きれる}	さい	〔×賽〕
さい	西 ② {セイ・サイ/にし}	さい	〔×犀〕
さい	細 ② {サイ/ほそい・ほそる・こまか・こまかい}	さい	差異
さい	祭 ③ {サイ/まつる・まつり}	ざい	材 ④ {ザイ}
さい	殺 ④ {サツ・サイ・セツ/ころす}	ざい	在 ⑤ {ザイ/ある}
さい	菜 ④ {サイ/な}	ざい	財 ⑤ {ザイ・サイ} ～を成す。
さい	最 ④ {サイ/もっとも} ～たるもの。	ざい	罪 ⑤ {ザイ/つみ}
さい	再 ⑤ {サイ・サ/ふたたび}	ざい	剤 {ザイ}
さい	災 ⑤ {サイ/わざわい}	さいあい	最愛
さい	妻 ⑤ {サイ/つま}	さいあく	最悪
さい	採 ⑤ {サイ/とる}	ざいあく	罪悪
さい	財 ⑤ {ザイ・サイ}	ざいい	在位
さい	際 ⑤ {サイ/きわ} この～。…する～。		

〔 〕使わない漢字　×表外字(常用漢字表にない字)　▲表外音訓(常用漢字表にない読み)
①～⑥教育漢字の学年配当　①－②(①の表記を優先するが，②の表記を使ってもよい語)

さいいき　西域　(歴史語。現在の中国西方地域は「セイイキ」とも)
さいえん　菜園
さいえん　才媛
さいか　西下
さいか　災禍
さいか　採火
ざいか　財貨
ざいか　罪科
さいかい　再会
さいかい　再開
さいかい　西海
さいかい　最下位
さいがい　災害　自然〜。労働〜。
ざいかい　財界　〜人。
ざいがい　在外　〜公館。
さいかいはつ　再開発
さいかいもくよく　斎戒もく浴〔×沐〕
さいかく　才覚
ざいがく　在学　〜生。
さいき　才気
さいき　再起　〜不能。
さいきかんぱつ　才気煥発
さいぎしん　さいぎ心〔×猜疑〕
さいきょ　再挙　＊再起。
さいきょう　最強
ざいきょう　在京
さいきん　細菌
さいきん　最近
ざいきん　在勤

さいく　細工　竹〜。〜物。
さいくつ　採掘　〜権。
さいくん　細君
ざいけ　在家　〜仏教。
さいけいこく　最恵国　〜待遇。
ざいけいちょちく　財形貯蓄　(「勤労者財産形成貯蓄」の略)
さいけいれい　最敬礼
さいけつ　採血
さいけつ　採決　(議案の可否を賛否の数で決めること)強行〜。起立〜。
さいけつ　裁決　(上位者による裁断,審査請求などに対する行政庁の決定)〜処分。国税不服審判所の〜。
さいげつ　歳月
さいけん　再見　古都〜。
さいけん　再建
さいけん　債券
さいけん　債権　〜者。
さいげん　再現
さいげん　際限　〜がない。
ざいげん　財源
さいこ　最古
さいご　最後
さいご　最期　(死に際)〜を遂げる。
ざいこ　在庫　〜管理。〜品。
さいこう　再考　〜を促す。
さいこう　再興
さいこう　採光
さいこう　採鉱
さいこう　最高　〜学府。〜幹部。

ざいごう　**在郷**　～軍人。	さいしゅう　**最終**　～段階。～回。
ざいごう　**罪業**　《仏教》	ざいじゅう　**在住**　パリ～。
ざいこうせい　**在校生**	さいしゅつ　**歳出**
さいこうちょう　**最高潮**	さいしょ　**最初**
さいこうび　**最後尾**　列車の～。	さいじょ　**才女**
さいこうほう　**最高峰**	ざいしょ　**在所**
さいごく　**西国**　(古典などでは「サイコク」)	さいしょう　**宰相**　＊首相。
さいごつうちょう　**最後通ちょう**〔×牒〕　＊最後通告。	さいしょう　**最小**　(いちばん小さいこと)～限。～公倍数。
さいころ　〔×骰・×賽▲子〕	さいしょう　**最少**　(いちばん少ないこと)～得点。～の人数。
さいこん　**再建**　(神社・仏閣の場合)	さいじょう　**斎場**
さいこん　**再婚**	さいじょう　**祭場**
さいさい　**再々**	さいじょう　**最上**
さいさき　**さい先**〔▲幸〕　～がいい。	ざいじょう　**罪状**　～認否。
さいさん　**再三**　～再四。	さいしょうげん　**最小限**〔少〕　被害を～に食い止める。(「最小限度」とも)
さいさん　**採算**　～が合う。～割れ。	さいしょく　**才色**　～兼備。
ざいさん　**財産**	さいしょく　**菜食**　～主義。
さいし　**才子**	ざいしょく　**在職**
さいし　**妻子**	さいしょり　**再処理**　核燃料の～。
さいし　**祭し**〔×祀〕　～料。	さいしん　**再診**
さいじ　**祭事**	さいしん　**再審**　《法律》～請求。
さいじ　**細字**	さいしん　**細心**　～の注意を払う。
さいじ　**催事**　～場。	さいしん　**最深**
さいしき　**彩色**	さいしん　**最新**　～型。～の技術。
さいじき　**歳時記**〔事〕	さいじん　**才人**
さいじつ　**祭日**　＊祝日。	さいじん　**祭神**
ざいしつ　**在室**	ざいす　①**座いす** ②**座椅子**
ざいしつ　**材質**	さいする　**際する**　…に際して。
さいしゅ　**採取**	さいすん　**採寸**
さいしゅう　**採集**　昆虫～。	

〔　〕使わない漢字　　×表外字(常用漢字表にない字)　　▲表外音訓(常用漢字表にない読み)
①～⑥教育漢字の学年配当　　①－②(①の表記を優先するが，②の表記を使ってもよい語)

ざいせ	在世		
さいせい	再生	録音の〜。〜紙。	
さいせい	再製	〜品。	
さいせい	祭政	〜一致。	
ざいせい	財政	〜改革。〜難。〜投融資。	

さいせいき　最盛期
さいせいさん　再生産
さいせき　砕石
さいせき　採石
ざいせき　在席
ざいせき　在籍
さいせつ　細説
さいせん　再選
さいせん　さい銭〔×賽〕　〜箱。
さいぜん　最前　＊先刻。
さいぜん　最善　〜を尽くす。
さいぜんせん　最前線
さいせんたん　最先端〔×尖〕
さいそく　細則
さいそく　催促
さいた　最多　〜記録。
さいたい　妻帯　〜者。
さいだい　細大　〜漏らさず。
さいだい　最大　〜限。〜級。
さいだいしゅんかんふうそく　最大瞬間風速
さいたかね　最高値
さいたく　採択　請願・陳情の〜。
ざいたく　在宅　〜勤務。
さいたる　最たる

さいたん　採炭
さいたん　最短　〜距離。
さいだん　祭壇
さいだん　裁断
ざいだん　財団　〜法人。
さいち　才知〔×智〕
さいちゅう　最中
ざいちゅう　在中
さいちょう　最長　〜不倒。
さいづち　〔才×槌〕
さいてい　最低　〜限。〜賃金。
さいてい　裁定　仲裁〜。
さいてき　最適
さいてん　祭典
さいてん　採点
さいど　再度
さいど　彩度
さいどく　再読
さいなむ　〔▲苛・×嘖〕
さいなん　災難
ざいにち　在日
さいにゅう　歳入
さいにん　再任
ざいにん　在任
ざいにん　罪人
さいにんしき　再認識
さいねん　再燃
さいねんしょう　最年少〔小〕　〜者。
さいねんちょう　最年長　〜者。
さいのう　才能
さいのかわら　さいの河原〔×賽〕

㊕表外字・表外音訓を用いてよい特例の語　㊗常用漢字表の付表の語
㊂送りがなを省く特例　㊞読みがなを付けるのが望ましい語　＊類語・言いかえ例

さいのめ　さいの目〔×賽・采〕　～に切る。	さいまつ　歳末
さいはい　采配　～を振る。　*指揮。	さいみつ　細密　～画。
さいばい　栽培　～漁業。	さいみんじゅつ　催眠術
さいはつ　再発	さいむ　債務　～者。～保証。
ざいばつ　財閥	ざいむ　財務
さいはて　最果て　～の地。	ざいめい　罪名
さいはん　再犯	さいもく　細目
さいはん　再版　本の～。	ざいもく　材木
さいはん　再販　～価格。	さいもん　祭文　《芸能》～語り。
さいばん　裁判　～所。～沙汰。	ざいや　在野
さいひ　採否	さいやすね　最安値
さいひ　歳費	さいゆ　採油　～権。
さいひょう　砕氷　～船。	さいゆうせん　最優先　～課題。
さいふ　財布	さいよう　採用
さいふ　採譜	さいらい　再来
さいぶ　細部	ざいらい　在来　～線。
さいふく　祭服〔斎〕	さいらん　採卵
ざいぶつ　財物	ざいりゅう　在留　～邦人。
さいぶん　細分　～化。	さいりょう　最良
さいぶん　祭文　～の朗読。	さいりょう　裁量　自由～。
ざいべい　在米　～邦人。	ざいりょう　材料
さいへん　再編　*再編成。組み替え。	ざいりょく　財力
さいへん　細片	さいるい　催涙　～ガス。～弾。
さいほう　再訪	さいれい　祭礼
さいほう　西方　～浄土。(西の方向は「セイホウ」)	さいろく　採録
	さいわい　幸い
さいほう　裁縫	さえき　差益　為替の～。
さいぼう　細胞	さえぎる　遮る
ざいほう　財宝	さえずる　〔×囀〕
さいほく　最北	さえる　〔×冴〕
	さお　〔×竿・×棹〕

〔　〕使わない漢字　　×表外字(常用漢字表にない字)　　▲表外音訓(常用漢字表にない読み)
①～⑥教育漢字の学年配当　　①―②(①の表記を優先するが，②の表記を使ってもよい語)

さおさす 〔×棹〕	さかずき 杯〔×盃〕
さおだけ さお竹〔×竿〕	さかだち 逆立ち
さおとめ 早乙女 付	さかだつ 逆立つ 髪の毛が〜。
さか 坂	さかだてる 逆立てる
さか 茶菓 〜の接待。	さかだる 酒だる〔×樽〕
さが 〔▲性〕 悲しい〜。	さかて 逆手 短刀を〜に握る。〜車輪。(「ぎゃくて」参照)
さかあがり 逆上がり	さかな 魚 〜釣り。
さかい 境〔▲界〕	さかな 〔×肴〕 酒の〜。
さかいめ 境目	さかなで 逆なで〔×撫〕
さかうらみ 逆恨み	さかなみ 逆波
さかえ 栄え	さかなや 魚屋
さかえる 栄える	さかねじ 〔逆×捻〕
さかおとし 逆落とし	さかのぼる ①さかのぼる ②遡る〔×溯・逆上〕
さかき 〔×榊〕	さかば 酒場
さがく 差額	さかまく 逆巻く
ざがく 座学〔×坐〕	さかみち 坂道
さかぐら 酒蔵〔倉〕	さかもり 酒盛り
さかげ 逆毛	さかや 酒屋
さかご 逆子〔▲児〕	さかやき 〔▲月▲代〕
さかさ 逆さ 〜ことば。〜富士。	さからう 逆らう
さかさま 逆さま〔様〕	さかり 盛り
さがしあてる 捜し当てる	さがり 下がり
さがしあてる 探し当てる	さがしだす 捜し出す (「探し出す」とも)
さかしい 〔▲賢〕	さかりば 盛り場
さがしだす 捜し出す (「探し出す」とも)	さがりめ 下がり目
さがしもの 捜し物	さかる 盛る 燃え〜。
ざがしら 座頭 《芸能》	さがる 下がる
さがす 捜す (無くしたもの, 居なくなった人を)犯人を〜。	さかん 左官
さがす 探す (欲しいものを)貸家を〜。職を〜。	さかん 盛ん
	さがん 左岸 (川下に向かって左の岸)

特 表外字・表外音訓を用いてよい特例の語　　付 常用漢字表の付表の語
送 送りがなを省く特例　　読 読みがなを付けるのが望ましい語　　＊類語・言いかえ例

さがん　砂岩
さき　崎{さき}
さき　先　～の大戦。～に立つ。
さき　左記
さぎ　詐欺　～師。(公職選挙法は「詐偽投票」)
さぎ　〔×鷺〕
さきおくり　先送り
さきおととい　〔▲一▲昨▲昨▲日〕
さきがけ　先駆け〔×魁〕
さきがける　先駆ける
さきごろ　先頃
さきざき　〔先々〕
さきさま　先様
さきぞめ　先染め
さきそろう　咲きそろう〔×揃〕
さきだか　先高　～を見越す。
さきだす　咲きだす
さきだつ　先立つ
さきだてる　先立てる
さぎちょう　左義長〔▲三×毬×杖〕
さきどり　先取り
さきにおう　咲き匂う
さきのばし　先延ばし
さきばしる　先走る
さきばらい　先払い
さきぶれ　先触れ
さきぼう　先棒　お～を担ぐ。
さきほこる　咲き誇る
さきぼそり　先細り
さきほど　先ほど〔程〕

さきまわり　先回り
さきみだれる　咲き乱れる
さきもの　先物　～買い。
さきものとりひき　先物取引送
さきもり　〔▲防▲人〕
さきゅう　砂丘
さきゆき　先行き
さぎょう　作業　～服。～員。
ざきょう　座興
さきわたし　先渡し
さきん　砂金
さきんずる　先んずる
さく　作②{サク・サ/つくる}
さく　昨④{サク}
さく　冊⑥{サツ・サク}
さく　策⑥{サク}　～を弄する。
さく　削{サク/けずる}
さく　柵{サク}
さく　索{サク}
さく　酢{サク/す}
さく　搾{サク/しぼる}
さく　錯{サク}
さく　咲{さく}
さく　咲く
さく　裂く　仲を～。布を～。
さく　割く　時間を～。紙面を～。
さくい　作為　(わざと手を加える)
　～的。無～に。～の跡が見える。
さくい　作意　(創作の意図。たくらみ)
さくいん　索引

〔　〕使わない漢字　×表外字(常用漢字表にない字)　▲表外音訓(常用漢字表にない読み)
①～⑥教育漢字の学年配当　①－②(①の表記を優先するが，②の表記を使ってもよい語)

さくが　作画
さくがら　作柄
さくがんき　削岩機〔×鑿〕
さくげん　削減
さくご　錯誤　試行～。時代～。
さくさく　〔×嘖々〕　好評～。
さくさん　酢酸〔×醋〕
さくし　作詞　～作曲。
さくし　作詩
さくし　策士
さくじつ　昨日
さくしゃ　作者
さくしゅ　搾取
さくじょ　削除
さくず　作図
さくする　策する
さくせい　作成　(文書,計画,原本など)法案の～。企画案の～。ホームページの～。
さくせい　作製　(物品,図面など)銅像の～。地図の～。標本の～。
さくせん　作戦〔策〕　陽動～。～会議。
さくそう　錯そう〔×綜〕　＊交錯。込み入る。入り交じる。
さくつけ　作付け　(「サクヅケ」とも)
さくづけめんせき　作付面積 送
さくてい　策定　計画の～。
さくどう　策動
さくにゅう　搾乳
さくねん　昨年
さくばく　索漠〔×莫〕　～とした風景。

さくばん　昨晩
さくひん　作品
さくふう　作風
さくぶん　作文
さくぼう　策謀
さくもつ　作物
さくや　昨夜
さくゆう　昨夕
さくら　桜　～色。～前線。
さくらもち　桜餅
さくらん　錯乱
さくらんぼ　〔桜▲桃〕
さぐり　探り　～を入れる。
さぐりあい　探り合い
さぐりあし　探り足
さくりゃく　策略
さぐる　探る
さくれつ　さく裂〔×炸〕　＊破裂。
ざくろ　〔×柘×榴〕
さけ　酒
さけ　〔×鮭〕　～缶。
さげ　下げ
さけかす　酒かす〔×粕・×糟〕
さけぐせ　酒癖　～が悪い。
さけずき　酒好き
さげすむ　①さげすむ　②蔑む〔×貶〕
さけつくり　酒造り
さけのみ　酒飲み〔×呑〕
さけび　叫び　～声。
さけびたり　酒浸り
さけぶ　叫ぶ

特 表外字・表外音訓を用いてよい特例の語　　付 常用漢字表の付表の語
送 送りがなを省く特例　　読 読みがなを付けるのが望ましい語　　＊類語・言いかえ例

さけめ　裂け目
さける　裂ける
さける　避ける
さげる　下げる
さげる　提げる　手に〜。手提げかばん。
さげん　左舷
ざこ　雑魚[付]
ざこう　座高〔×坐〕
さこく　鎖国
さこつ　鎖骨
ざこつ　座骨　〜神経痛。
ざこね　雑魚寝
ささ　〔×笹〕
ささい　〔×些・×瑣細〕　〜なこと。
ささえ　支え
さざえ　〔▲栄×螺〕
ささえる　支える
ささくれる　指先が〜。心が〜。
ささげる　〔×捧・▲献〕
ささつ　査察
さざなみ　さざ波〔▲小・×漣〕
ささぶね　さざ舟〔×笹〕
ささみ　さざ身〔×笹〕
さざめく　笑い〜。
ささやか　〔▲細〕
ささやき　〔▲私▲語・×囁〕
ささやく　〔▲私▲語・×囁〕
ささやぶ　〔×笹×藪〕
ささる　刺さる　とげが〜。
さざんか　〔×山▲茶花〕
さし　差し　〜で話し合う。

さじ　〔×匙〕
ざし　座視〔×坐〕
さしあげる　差し上げる
さしあし　差し足　抜き足〜。
さしあたり　〔差当〕
さしあみ　刺し網
さしいれる　差し入れる
さしえ　挿絵〔▲画〕送
さしおく　差し置く　先輩を差し置いて。
さしおさえ　差し押さえ
さしおさえる　差し押さえる
さしかえる　差し替える
さしかかる　〔差掛〕
さじかげん　さじ加減〔×匙〕
さしがね　差し金
さしき　挿し木
さじき　桟敷[付]《芸能》
ざしき　座敷送
さしきず　刺し傷
さしくる　差し繰る
さしこ　刺し子
さしこむ　差し込む　プラグを〜。
さしこむ　さし込む〔▲射・差〕　日が〜。
さしころす　刺し殺す
さしさわり　差し障り
さしず　指図送
さしずめ　〔差詰〕
さしせまる　差し迫る
さしだしぐち　差し出し口

〔　〕使わない漢字　　×表外字(常用漢字表にない字)　　▲表外音訓(常用漢字表にない読み)
①〜⑥教育漢字の学年配当　　①—②(①の表記を優先するが，②の表記を使ってもよい語)

さしだしにん　**差出人**送	さしもどし　**差し戻し**　~裁判。
さしだす　**差し出す**	さしもどす　**差し戻す**
さしちがえる　**刺し違える**　敵と~。	さしもの　**指し物**　~師。
さしちがえる　**差し違える**　《相撲》	さしゅ　**詐取**
さしつかえ　**差し支え**	さしょう　**査証**　入国~。
さしつかえる　**差し支える**付	さしょう　**詐称**　経歴~。
さして　**指し手**　(将棋)	さじょう　**砂上**　~の楼閣。
さして　**差し手**　《相撲》~争い。	ざしょう　**座礁**〔×坐〕
さして　~遠くない。　*それほど。	ざしょう　**挫傷**　脳~。
さしでがましい　**差し出がましい**	さしわたし　**差し渡し**　*直径。
さしでぐち　**差し出口**	さじん　**砂じん**〔×塵〕　*砂煙。砂ぼこり。
さしでる　**差し出る**	さす　**砂州**〔×洲〕
さしとめる　**差し止める**	さす　**刺す**　ナイフで~。虫に刺される。
さしね　**指し値**	さす　**指す**　目的地を指して進む。将棋を~。(「指をさす」「指さす」などは，かな書き)
さしのべる　**差し伸べる**　手を~。	
さしば　**差し歯**	
さしはさむ　**差し挟む**	
さしひかえる　**差し控える**	
さしひき　**差し引き**	さす　**差す**　傘を~。刀を~。
さしひきかんじょう　**差引勘定**送	さす　**挿す**　花を花瓶に~。
さしひく　**差し引く**	**さす**　〔▲注・▲点〕　水を~。目薬を~。
さしまねく　**差し招く**	**さす**　〔▲射・差〕　日が~。
さしまわし　**差し回し**〔×廻〕	**さすが**　〔▲流▲石・×遖〕
さしみ　**刺身**送	さずかる　**授かる**
さしみ　**差し身**　《相撲》	さずける　**授ける**
さしみず　**差し水**	**さすらう**　〔▲漂▲泊・▲流▲離〕
さしむかい　**差し向かい**	**さする**　〔▲摩・▲擦〕
さしむける　**差し向ける**	ざせき　**座席**〔×坐〕
	させつ　**左折**
	ざせつ　**挫折**
	させん　**左遷**

特 表外字・表外音訓を用いてよい特例の語　　付 常用漢字表の付表の語
送 送りがなを省く特例　　読 読みがなを付けるのが望ましい語　　*類語・言いかえ例

させん―さつし

ざぜん	座禅〔×坐〕
さぞ	〔×嘸〕 ～かし。～や。
さそい	誘い
さそいあわせる	誘い合わせる
さそいだす	誘い出す
さそいみず	誘い水
さそう	誘う
ざぞう	座像〔×坐〕
さそり	〔×蠍〕
さそん	差損 為替～。
さた	沙汰 地獄の～。
さだか	定か ～でない。
ざたく	座卓
さだまる	定まる
さだめ	定め
さだめし	〔定〕
さだめる	定める
ざだんかい	座談会
さち	幸 海の～。
ざちょう	座長
さつ	札 ④ {サツ/ふだ}
さつ	刷 ④ {サツ/する}
さつ	殺 ④ {サツ・サイ・セツ/ころす}
さつ	察 ④ {サツ}
さつ	冊 ⑥ {サツ・サク}
さつ	刹 {サツ・セツ}
さつ	拶 {サツ}
さつ	撮 {サツ/とる}
さつ	擦 {サツ/する・すれる}
さっ	早 ① {ソウ・サッ/はやい・はやまる・はやめる}
ざつ	雑 ⑤ {ザツ・ゾウ} 仕事が～だ。
さつい	殺意
さついれ	札入れ
さつえい	撮影 写真～。～所。
ざつえき	雑役
ざつおん	雑音
さっか	作家
ざっか	雑貨 ～店。日用～。
さつがい	殺害
さっかく	錯角 《数学》
さっかく	錯覚
ざつがく	雑学
さっかしょう	擦過傷
ざっかん	雑感
さつき	五月 付 (植物名は，かな書き)
さっき	殺気 ～立つ。
ざつき	座付き ～作者。
ざっき	雑記 ～帳。
さつきばれ	五月晴れ
さっきゅう	早急 (「ソウキュウ」とも)
ざっきょ	雑居 ～ビル。
さっきょう	作況 ～指数。 ＊作柄。
さっきょく	作曲
さっきん	殺菌 ～剤。低温～。
ざっきん	雑菌
ざっこく	雑穀
さっこん	昨今
さっし	冊子 小～。
さっし	察し ～がいい。
ざっし	雑誌
ざつじ	雑事

〔 〕使わない漢字　　×表外字(常用漢字表にない字)　　▲表外音訓(常用漢字表にない読み)
①～⑥教育漢字の学年配当　　①－②(①の表記を優先するが，②の表記を使ってもよい語)

ざっしゅ 雑種	さてい 査定
さっしょう 殺傷　〜力。	**さておく** 〔×扨・×拟置・▲措〕
ざっしょく 雑食　〜性の動物。	さてつ 砂鉄
さっしん 刷新　人事の〜。	さと 里
さつじん 殺人　〜鬼。〜犯。	**さとい** 〔×聡・▲敏〕　利に〜。
さっする 察する	さといも 里芋
ざつぜん 雑然	さとう 左党
さっそう 〔×颯爽〕	さとう 砂糖　〜漬け。〜水。
ざっそう 雑草	さどう 作動
さっそく 早速	さどう 茶道 (流派によって「チャドウ」とも)
ざった 雑多	**さとうきび** 〔砂糖×黍〕
さつたば 札束	さとおや 里親
ざつだん 雑談	さとがえり 里帰り
さっち 察知	さとご 里子
さっちゅうざい 殺虫剤	さとごころ 里心　〜がつく。
さっとう 殺到	さとし 諭し
ざっとう 雑踏〔×沓〕	さとす 諭す
ざつねん 雑念	さとびと 里人
ざっぱい 雑俳	さとやま 里山
ざっぱく 雑ぱく〔×駁〕　＊雑然。粗雑。	さとゆき 里雪
さつばつ 殺伐　〜とした風景。	さとり 悟り〔▲覚〕
ざっぴ 雑費	さとる 悟る
さっぷうけい 殺風景	さなえ 早苗 付
ざつぶん 雑文	**さなか** 〔▲最中〕
さつまあげ さつま揚げ〔×薩摩〕	**さながら** 〔▲宛〕
さつまいも 〔×薩摩×藷・芋〕	**さなぎ** 〔×蛹〕
ざつむ 雑務	さのう 左脳
ざつよう 雑用	さは 左派
さつりく 殺りく〔×戮〕　＊殺害。	**さば** 〔×鯖〕
さて 〔×扨・××拟・×偖・▲然×而〕	さはい 差配

さばおり　さば折り〔×鯖〕《相撲》	さまたげ　妨げ
さばき　裁き	さまたげる　妨げる
さばく　佐幕	さまつ　〔×瑣・×些末〕
さばく　砂漠〔沙〕	さまよう　〔×彷×徨〕
さばく　裁く	さみしい　〔▲寂・×淋〕
さばく　〔×捌〕　荷を〜。ハンドルさばき。	さみだれ　五月雨[付]
さはんじ　茶飯事　日常〜。	さむい　寒い
さび　〔×錆・×銹〕	さむえ　〔作務▲衣〕
さび　〔寂〕	さむがる　寒がる
さびしい　寂しい〔×淋〕	さむけ　寒気
さびしがる　寂しがる〔×淋〕	さむざむ　寒々　〜とした部屋。
さびつく　さび付く〔×錆〕	さむぞら　寒空
さびどめ　さび止め〔×錆〕	さむらい　侍
ざひょう　座標　〜軸。	さめ　〔×鮫〕
さびる　〔×錆〕	さめはだ　さめ肌〔×鮫▲膚〕
さびれる　寂れる	さめる　冷める　熱が〜。料理が〜。
ざぶとん　座布団	さめる　覚める　目が〜。
さべつ　差別　男女〜。	さめる　〔×褪〕　色が〜。
さほう　作法	さめる　〔▲醒〕　酔いが〜。
さぼう　砂防　〜林。	さもしい　根性が〜。
サボテン　〔▲仙▲人▲掌〕	ざもち　座持ち
さほど　〔左程〕	さもないと　〔▲然〕
さま　様	さもん　査問　〜委員会。
さま　〔様〕　ご苦労〜。	さや　〔×莢〕　そら豆の〜。
ざま　〔▲様・▲態〕　〜を見ろ。	さや　〔×鞘〕　刀の〜。
さまがわり　様変わり	さやあて　さや当て〔×鞘〕
さまざま　〔様々〕	さやいんげん　〔×莢隠元〕
さます　冷ます　お湯を〜。	さやえんどう　〔×莢×豌豆〕
さます　覚ます　目を〜。	さやか　〔▲清・▲明〕
さます　〔▲醒〕　酔いを〜。	ざやく　座薬〔×坐〕
	さゆ　さ湯〔▲白〕

〔　〕使わない漢字　　×表外字(常用漢字表にない字)　　▲表外音訓(常用漢字表にない読み)
[1]〜[6]教育漢字の学年配当　　①—②(①の表記を優先するが，②の表記を使ってもよい語)

さゆう　**左右**	**ざる**　〔×笊〕
ざゆう　**座右**　～の書。～の銘。	さるがく　**猿楽**　《芸能》
さよう　**作用**	さるぐつわ　**猿ぐつわ**〔×轡〕
さよう　〔▲然・左様〕	さるしばい　**猿芝居**
さようなら　〔▲然・左様〕	**さるすべり**　〔▲百▲日▲紅〕
さよきょく　**さ夜曲**〔▲小〕（セレナード）	ざるそば　〔×笊×蕎▲麦〕
さよく　**左翼**	さるぢえ　**猿知恵**〔×智×慧〕
さよなら　～勝ち。	さるまね　**猿まね**〔真×似〕
さら　**皿** ③{さら}	さるまわし　**猿回し**〔×廻〕
さらあらい　**皿洗い**	**さるもの**　**さる者**〔▲然〕　敵も～。
さらいげつ　**再来月**	**されこうべ**　〔×髑×髏〕（「しゃれこうべ」とも）
さらいしゅう　**再来週**	ざれごと　**ざれ言**〔▲戯〕
さらいねん　**再来年**	**ざれる**　〔▲戯〕
さらう　〔▲復▲習〕	さわ　**沢**　～登り。
さらう　〔×浚・×渫〕　川底を～。	さわかい　**茶話会**
さらう　〔×攫〕　波にさらわれる。	さわがしい　**騒がしい**
さらけだす　**さらけ出す**〔×曝〕	さわがに　〔沢×蟹〕
さらさ　〔更×紗〕	さわぎ　**騒ぎ**
さらさら　〔更々〕　～ない。	さわぎたてる　**騒ぎ立てる**
さらし　〔×晒〕　～者。	さわぐ　**騒ぐ**
さらす　〔×晒・×曝〕	**ざわめく**　〔▲騒〕
さらち　**さら地**〔▲新・更〕	さわやか　**爽やか**
さらに　①**さらに** ②**更に**	**さわらび**　〔▲早×蕨〕
さらまわし　**皿回し**	さわり　**触り**　舌～。手～。（「さわりの文句」などは，かな書き）
ざらめ　〔▲粗目〕	さわり　**障り**
さりげない　〔▲然気無〕	さわる　**触る**　手で～。
さる　**猿**	さわる　**障る**　気に～。しゃくに～。
さる　**去る**　危険が～。～…日。	さわん　**左腕**　～投手。
さる・申　～年。	さん　**三** ①{サン／み・みつ・みっつ}
さる　〔▲然〕　～場所。	

特 表外字・表外音訓を用いてよい特例の語　　付 常用漢字表の付表の語
送 送りがなを省く特例　　読 読みがなを付けるのが望ましい語　　＊類語・言いかえ例

さん　山　①{サン/やま}
さん　算　②{サン}
さん　参　④{サン/まいる}
さん　産　④{サン/うむ・うまれる・うぶ}
さん　散　④{サン/ちる・ちらす・ちらかす・ちらかる}
さん　酸　⑤{サン/すい}
さん　賛　⑤{サン}
さん　蚕　⑥{サン/かいこ}
さん　桟　{サン}
さん　惨　{サン・ザン/みじめ}
さん　傘　{サン/かさ}
ざん　残　④{ザン/のこる・のこす}
ざん　惨　{サン・ザン/みじめ}
ざん　斬　{ザン/きる}
ざん　暫　{ザン}
さんい　賛意
さんいつ　散逸〔×佚〕
さんいん　産院
さんか　参加
さんか　惨禍　戦争の〜。
さんか　産科
さんか　傘下　大企業の〜。
さんか　酸化　〜物。
さんか　賛歌〔×讃〕
さんが　山河　(「サンカ」とも)ふるさとの〜。
さんが　参賀
さんかい　山海　〜の珍味。
さんかい　山塊
さんかい　参会　〜者。
さんかい　散会

さんがい　三界　《仏教》
ざんがい　残骸
さんかいき　三回忌　(p.51参照)
さんかく　三角　〜関数。〜関係。
さんかく　参画〔×劃〕
さんがく　山岳　〜地帯。
さんがく　産学　〜協同。
ざんがく　残額
さんかくきん　三角巾
さんかくじょうぎ　三角定規〔木〕
さんかくす　三角州〔×洲〕
さんかくなみ　三角波
さんかっけい　三角形
さんがにち　三が日　正月の〜。
さんかん　山間
さんかん　参観　授業〜。
さんかんおう　三冠王
さんかんしおん　三寒四温
さんぎいん　参議院
ざんぎく　残菊
さんきゃく　三脚
ざんぎゃく　残虐
さんきゅう　産休　(「出産休暇」の略)
さんぎょう　産業　第1次〜。〜廃棄物。
ざんきょう　残響
ざんぎょう　残業
ざんきん　残金
さんきんこうたい　参勤交代
さんぐう　参宮
さんげ　散華
ざんげ　〔×懺▲悔〕

〔　〕使わない漢字　　×表外字(常用漢字表にない字)　　▲表外音訓(常用漢字表にない読み)
①〜⑥教育漢字の学年配当　　①−②(①の表記を優先するが，②の表記を使ってもよい語)

さんけい	山系	ヒマラヤ〜。	
さんけい	参詣 読		
さんげき	惨劇		
さんけつ	酸欠	（「酸素欠乏」の略）	
ざんげつ	残月		
さんけづく	産気づく〔付〕		
さんけん	散見		
さんげん	三絃 特 《芸能》		
ざんげん	ざん言〔×讒〕 ＊告げ口。		
さんげんしょく	三原色 光の〜。色の〜。		
さんげんそく	三原則 （場合によって「3原則」とも）		
さんけんぶんりつ	三権分立		
さんご	産後		
さんご	〔×珊×瑚〕 〜礁。		
さんこう	参考 〜書。〜人。		
ざんごう	〔×塹×壕〕		
ざんこく	残酷〔惨〕		
さんごくいち	三国一 〜の花嫁。		
さんこつ	散骨		
さんさい	山菜		
さんざい	散在		
さんざい	散財		
さんさがり	三下り 送 《芸能》		
さんさく	散策		
さんさしんけい	三さ神経〔×叉〕		
ざんさつ	惨殺		
ざんさつ	斬殺		
さんさろ	三差路〔×叉〕		
さんさん	〔×燦々〕		
さんざん	〔散々〕 〜な目に遭う。		
さんさんくど	三々九度		
さんさんごご	三々五々		
さんし	蚕糸		
さんじ	参事 〜官。		
さんじ	産児 〜制限。		
さんじ	惨事		
さんじ	賛辞〔×讃〕		
さんし	残し〔×滓〕 ＊残りかす。		
ざんし	惨死		
ざんじ	暫時 〜休憩。		
さんじげん	3次元		
さんしすいめい	山紫水明		
さんしゃく	参酌		
さんじゃく	三尺 （帯）		
さんじゅ	傘寿 （80歳）〜の祝い。		
ざんしゅ	斬首		
さんしゅう	参集		
さんじゅうそう	三重奏		
さんじゅうろっけい	三十六計 〜逃げるにしかず。		
さんしゅつ	産出 石油を〜する。		
さんしゅつ	算出		
さんじゅつ	算術 〜平均。〜級数。		
さんしゅのじんぎ	三種の神器		
さんじょ	賛助 〜金。		
ざんしょ	残暑		
さんしょう	三唱 万歳〜。		
さんしょう	参照		
さんしょう	〔山×椒〕		
さんじょう	参上		

特 表外字・表外音訓を用いてよい特例の語　　付 常用漢字表の付表の語
送 送りがなを省く特例　　読 読みがなを付けるのが望ましい語　　＊類語・言いかえ例

さんじょう　惨状　〜を呈する。
さんしょううお　〔山×椒魚〕
さんしょく　蚕食
さんじょくねつ　産じょく熱〔×褥〕
さんしん　三振
さんしん　三線 特読 （沖縄の楽器）
ざんしん　斬新　＊際立って目新しい。
さんしんとう　3親等
さんすい　山水　〜画。
さんすい　散水〔×撒〕　〜車。
さんすう　算数
さんすくみ　三すくみ〔×竦〕
さんずのかわ　さんずの川〔三▲途〕
さんする　産する
さんせい　酸性　〜土壌。〜雨。
さんせい　賛成
さんせいけん　参政権
さんせき　山積　問題が〜する。
ざんせつ　残雪
さんせん　参戦
さんぜん　参禅
さんぜん　産前　〜産後。
さんぜん　さん然〔×燦〕
さんそ　酸素　液体〜。〜吸入。
さんそう　山荘
さんそう　山草
ざんぞう　残像
さんぞく　山賊
さんそん　山村
ざんぞん　残存　（「ザンソン」とも）

さんだいばなし　三題ばなし〔×噺・×咄〕
ざんだか　残高　預金〜。
さんたん　賛嘆〔×讃〕
さんたん　〔惨×憺・×澹〕
さんだん　散弾〔×霰〕　〜銃。
さんだん　算段　やりくり〜。
さんだんとび　三段跳び
さんだんろんぽう　三段論法
さんち　山地
さんち　産地　〜直送。
さんちゅう　山中
さんちょう　山頂
さんちょく　産直　（産地直送・産地直結）
さんづけ　さん付け　〜で呼ぶ。
さんてい　算定
ざんてい　暫定　〜的。〜予算。
ざんど　残土
さんどう　参道
さんどう　産道
さんどう　賛同
ざんとう　残党
さんなん　三男　（続き柄）
さんにゅう　参入
さんにゅう　算入
ざんにん　残忍〔惨〕
さんにんしょう　3人称
ざんねん　残念
さんば　産婆　＊助産師。
さんぱい　参拝

〔　〕使わない漢字　　×表外字(常用漢字表にない字)　　▲表外音訓(常用漢字表にない読み)
①〜⑥教育漢字の学年配当　　①—②(①の表記を優先するが，②の表記を使ってもよい語)

さんは―さんり

さんばい　散灰	さんま　〔▲秋▲刀▲魚〕
ざんぱい　惨敗	さんまい　産米
さんぱいきゅうはい　三拝九拝	さんまい　三昧　読書～。(多くの場合, 連濁して「ザンマイ」)
さんばいず　三杯酢	
さんばがらす　三羽がらす〔×烏〕	さんまいめ　三枚目　《芸能》
さんばし　桟橋	さんまん　散漫
さんぱつ　散発	さんみ　酸味
さんぱつ　散髪	さんみいったい　三位一体
ざんぱん　残飯	さんみゃく　山脈
さんはんきかん　三半規管〔器官〕	ざんむ　残務　～整理。
さんび　賛美〔×讃〕	さんめんきじ　三面記事
さんぴ　賛否　～両論。	さんめんきょう　三面鏡
さんびか　賛美歌〔×讃〕	さんめんろっぴ　三面六臂　～の大活躍。
さんぴょう　散票	
ざんぴょう　残票	さんもん　三文　～小説。～判。
さんびょうし　三拍子　～そろう。	さんもん　山門
さんぴん　産品　1次～。	さんや　山野
ざんぴん　残品	さんやく　三役
さんぷ　産婦	さんやく　散薬　＊粉薬。
さんぷ　散布〔×撒〕　薬剤～。	さんゆこく　産油国
ざんぶ　残部	さんよ　参与
さんぷく　山腹	さんよう　山容
さんぶざき　3分咲き	さんよう　算用　～数字。
さんふじんか　産婦人科	さんらん　産卵　～期。
さんぶつ　産物	さんらん　散乱
さんぶん　散文　～詩。～的。	さんりゅう　三流
さんぽ　散歩	ざんりゅう　残留　～農薬。
さんぽう　三方　(方向の場合は「サンポウ」も)	ざんりょう　残量
	さんりん　山林
さんぽう　三宝　(仏・法・僧)	さんりんしゃ　三輪車
さんぼう　参謀　～総長。～本部。	さんりんぼう　三隣亡

特 表外字・表外音訓を用いてよい特例の語　　付 常用漢字表の付表の語
送 送りがなを省く特例　　読 読みがなを付けるのが望ましい語　　＊類語・言いかえ例

ざんるい　**残塁**	さんろく　**山麓**[読]　＊ふもと。
さんれつ　**参列**	

し

- し 子 ① {シ・ス / こ}
- し 四 ① {シ / よ・よつ・よっつ・よん}
- し 糸 ① {シ / いと}
- し 止 ② {シ / とまる・とめる}
- し 市 ② {シ / いち}
- し 矢 ② {シ / や}
- し 姉 ② {シ / あね}
- し 自 ② {ジ・シ / みずから}
- し 思 ② {シ / おもう}
- し 紙 ② {シ / かみ}
- し 仕 ③ {シ・ジ / つかえる}
- し 死 ③ {シ / しぬ}
- し 次 ③ {ジ・シ / つぐ・つぎ}
- し 使 ③ {シ / つかう}
- し 始 ③ {シ / はじめる・はじまる}
- し 指 ③ {シ / ゆび・さす}
- し 歯 ③ {シ / は}
- し 詩 ③ {シ}
- し 氏 ④ {シ / うじ}
- し 史 ④ {シ}
- し 司 ④ {シ}
- し 試 ④ {シ / こころみる・ためす}
- し 士 ④ {シ}　栄養～。介護福祉～。剣～。建築～。航海～。公認会計～。国～。歯科技工～。志～。司法書～。税理～。壮～。測量～。代議～。文～。弁護～。弁理～。名～。力～。
- し 師 ⑤ {シ}　医～。エックス線技～。看護～。曲～。講釈～。歯科医～。獣医～。宣教～。相場～。タテ～。調理～。調教～。調律～。手品～。振付～。美容～。保健～。薬剤～。理容～。
- し 支 ⑤ {シ / ささえる}
- し 示 ⑤ {ジ・シ / しめす}
- し 志 ⑤ {シ / こころざす・こころざし}
- し 枝 ⑤ {シ / えだ}
- し 資 ⑤ {シ}　生活の～。
- し 飼 ⑤ {シ / かう}
- し 至 ⑥ {シ / いたる}
- し 私 ⑥ {シ / わたくし・わたし}
- し 姿 ⑥ {シ / すがた}
- し 視 ⑥ {シ}
- し 詞 ⑥ {シ}
- し 誌 ⑥ {シ}
- し 旨 {シ / むね}
- し 伺 {シ / うかがう}
- し 刺 {シ / さす・ささる}
- し 祉 {シ}
- し 肢 {シ}
- し 施 {シ・セ / ほどこす}
- し 脂 {シ / あぶら}
- し 恣 {シ}
- し 紫 {シ / むらさき}
- し 嗣 {シ}

特 表外字・表外音訓を用いてよい特例の語　　付 常用漢字表の付表の語
送 送りがなを省く特例　　読 読みがなを付けるのが望ましい語　　＊類語・言いかえ例

し 雌 {め・めす}	しあげ 仕上げ 総〜。
し 賜 {たまわる}	しあげる 仕上げる
し 摯 {シ}	しあさって 〔▲明▲明▲後▲日〕
し 諮 {シ/はかる}	しあつ 指圧 〜療法。
じ 字 ① {ジ・あざ}	しあわせ 幸せ〔仕合・×倖〕
じ 耳 ① {ジ/みみ}	しあん 私案
じ 地 ② {チ・ジ} 〜でいく。	しあん 思案 〜顔。〜投げ首。引っ込み〜。
じ 寺 ② {ジ/てら}	しあん 試案 (試みの案)
じ 自 ② {ジ/みずから}	しい 四囲 〜の情勢。
じ 時 ② {ジ/とき}	しい 私意
じ 仕 ③ {シ・ジ/つかえる}	しい 紫衣 (「シエ」とも。高僧の着る衣)
じ 次 ③ {ジ・シ/つぐ・つぎ}	しい 〔▲椎〕 〜の木。〜の実。
じ 事 ③ {ジ・ズ/こと}	じい 示威 〜運動。
じ 持 ③ {ジ/もつ}	じい 侍医
じ 児 ④ {ジ・ニ}	じい 辞意
じ 治 ④ {ジ・チ/おさめる・おさまる・なおる・なおす}	しいか 詩歌
じ 辞 ④ {ジ/やめる}	しいく 飼育
じ 示 ⑤ {ジ・シ/しめす}	じいさん 〔×爺〕
じ 似 ⑤ {ジ/にる}	しいたけ 〔▲椎×茸〕
じ 除 ⑥ {ジョ・ジ/のぞく}	しいたげる 虐げる
じ 磁 ⑥ {ジ}	しいて 強いて
じ 侍 {ジ/さむらい}	しいてき 恣意的 読
じ 滋 {ジ}	しいな 〔×粃〕
じ 慈 {ジ/いつくしむ}	しいる 強いる
じ 餌 {ジ/えさ・え}	しいれ 仕入れ 〜先。〜品。
じ 璽 {ジ}	しいれる 仕入れる
じ 〔×痔〕	しいん 子音
しあい 試合 送	しいん 死因
じあい 自愛	しいん 試飲
じあい 慈愛	
しあがり 仕上がり	

〔 〕使わない漢字　×表外字(常用漢字表にない字)　▲表外音訓(常用漢字表にない読み)
①〜⑥教育漢字の学年配当　①−②(①の表記を優先するが，②の表記を使ってもよい語)

じいん　寺院
じう　慈雨　干天の〜。
じうた　地唄　《芸能》
じうたい　地謡　《芸能》
しうち　仕打ち
しうんてん　試運転
しえい　市営　〜住宅。〜バス。
しえい　私営
じえい　自営　〜業。
じえい　自衛　〜官。〜隊。〜手段。
しえき　私益
しえき　使役
しえん　支援　〜団体。
しえん　紫煙
しえん　私怨　*個人的な恨み。
じえん　自演　自作〜。
しお　塩
しお　潮〔×汐〕
しおあじ　塩味
しおおせる　〔▲為▲果・▲遂〕
しおかげん　塩加減
しおかぜ　潮風
しおから　塩辛
しおからい　塩辛い
しおき　仕置き
しおくり　仕送り
しおけ　塩気
しおけむり　潮煙
しおさい　潮さい〔▲騒〕（「潮ざい」とも）
しおざけ　塩ざけ〔×鮭〕

しおさめ　仕納め
しおじ　潮路
しおせんべい　①塩せんべい　②塩煎餅
しおだし　塩出し
しおづけ　塩漬け
しおどき　潮時
しおなり　潮鳴り
しおひがり　潮干狩り
しおびき　塩引き
しおまち　潮待ち
しおみず　塩水
しおめ　潮目
しおもみ　塩もみ〔×揉〕
しおやき　塩焼き
しおやけ　潮焼け
しおらしい　〜様子。
しおり　〔枝折・×栞〕
しおれる　〔▲萎〕
じおん　字音
しか　鹿{しか・か}　〜皮。〜狩り。
しか　市価
しか　歯科　〜医師。
しが　歯牙　〜にもかけない。
じか　自家　〜製。〜中毒。〜用。
じか　時価
じが　自我
しかい　司会　〜者。
しかい　市会　*市議会。
しかい　視界　〜が開ける。
しがい　市外　〜通話。

しがい　**市街**　～地。～戦。	**しかたがない**　〔仕方無〕
しがい　**死骸**　＊死体。遺体。	じかた　**地方**　《芸能》
じかい　**次回**	じかたび　**地下足袋**〔▲直〕
じかい　**自戒**	じがため　**地固め**
じかい　**自壊**　～作用。	じかだんぱん　**じか談判**〔▲直〕
じがい　**自害**	しがち　〔仕勝〕
しがいせん　**紫外線**	しかつ　**死活**　～問題。
しかえし　**仕返し**	じかつ　**自活**
しかく　**四角**　～い。	しかっけい　**四角形**
しかく　**死角**	しかつめらしい　〔鹿爪〕
しかく　**刺客**	じかどうちゃく　**自家撞着**　＊自己矛
しかく　**視覚**	盾。
しかく　**資格**	じかとりひき　**じか取引**〔▲直〕送
しがく　**史学**	しがない　～暮らし。
しがく　**私学**	じかに　〔▲直〕
じかく　**字画**	じがね　**地金**
じかく　**自覚**　～症状。	しかばね　〔×屍〕
しかくしめん　**四角四面**	じかび　**じか火**〔▲直〕
しかくばる　**四角張る**	じかまき　〔▲直×播〕
しかけ　**仕掛け**	しがみつく　柱に～。
しかけはなび　**仕掛け花火**	しかめっつら　**しかめっ面**〔×顰〕
しかける　**仕掛ける**	しかめる　〔×顰〕
しかざん　**死火山**　(古い分類)	しかも　〔×而〕
しかし　〔▲併・▲然〕　～ながら。	しがらみ　〔▲柵〕
しかじか　〔▲然々〕　かくかく～。	しかりつける　**叱りつける**〔付〕
じがじさん　**自画自賛**〔×讃〕	しかる　**叱る**
じかじゅふん　**自家受粉**	しかるに　〔▲然〕
しかず　〔▲如〕　百聞は一見に～。	しかるべき　〔▲然〕
じかせんえん　**耳下腺炎**	しかん　**士官**　下～。
じがぞう　**自画像**	しかん　**仕官**
しかた　〔仕方〕　あいさつの～。	しかん　**史観**　唯物～。

〔　〕使わない漢字　　×表外字(常用漢字表にない字)　　▲表外音訓(常用漢字表にない読み)
1〜6 教育漢字の学年配当　　①−②(①の表記を優先するが，②の表記を使ってもよい語)

しかん	〔×弛緩〕 筋~剤。 *ゆるみ。	しきかく	色覚
しがん	志願 ~者。~兵。	しきがわ	敷皮 送
じかん	次官	しきかん	色感
じかん	時間 ~給。~表。~割り。	しききん	敷金 送
しき	色 ② {ショク・シキ / いろ}	しきけん	識見
しき	式 ③ {シキ}	しきけん	指揮権 ~発動。
しき	織 ⑤ {ショク・シキ / おる}	しきさい	色彩
しき	識 ⑤ {シキ}	じきさん	直参
しき	士気 ~が上がる。	しきし	色紙
しき	四季	しきじ	式辞
しき	死期	しきじ	識字 ~運動。~率。
しき	私記	じきじき	〔直々〕
しき	指揮 ~官。~者。	しきしだい	式次第
しき	敷き 下~。鍋~。	しきしゃ	識者
しぎ	市議 (「市議会議員」の略)	しきしゃ	指揮者
しぎ	〔×鴫〕	しきじょう	式場
じき	食 ② {ショク・ジキ / くう・くらう・たべる}	しきそ	色素
じき	直 ② {チョク・ジキ / ただちに・なおす・なおる}	じきそ	直訴
じき	次期	しきそう	色相
じき	自棄 自暴~。	しきそくぜくう	色即是空
じき	時期 (とき・季節)~尚早。	しきたり	〔仕来〕
じき	時機 (機会・潮時)~を失する。	しきち	敷地 送
じき	磁気 ~テープ。	しきちょう	色調
じき	磁器	しきつめる	敷き詰める
じき	〔直〕 ~終わる。	じきでし	直弟子
じぎ	字義 ~どおり。	しきてん	式典
じぎ	児戯 ~に等しい。	じきでん	直伝
じぎ	時宜 ~に適する。	じきに	〔直〕
しきい	敷居 送	じきひつ	直筆
しきいし	敷石〔×鋪〕送	しきふ	敷布 送
しぎかい	市議会	しきふく	式服

特 表外字・表外音訓を用いてよい特例の語　付 常用漢字表の付表の語
送 送りがなを省く特例　読 読みがなを付けるのが望ましい語　*類語・言いかえ例

しきぶとん　敷布団送	しく　敷く
しきべつ　識別	じく　軸{ジク}
しきもの　敷物送	じく　字句
じぎゃく　自虐	じくあし　軸足
しきゅう　子宮　~外妊娠。~がん。	じくう　時空　~を超える。
しきゅう　支給	じくうけ　軸受け〔▲承〕
しきゅう　四球　(野球のフォアボール)	しぐさ　〔仕▲種・草〕
しきゅう　死球　(野球のデッドボール)	じくじ　〔×忸×怩〕　~たる思い。
しきゅう　至急　~便。~報。	＊恥ずかしい。
じきゅう　自給　~自足。	しくじる　試験を~。
じきゅう　持久　~戦。	しくつ　試掘
じきゅう　時給　＊時間給。	しくはっく　四苦八苦
しきゅうしき　始球式	じくばり　字配り
しきょ　死去	しくみ　仕組み
しきょう　市況　株式~。	しくむ　仕組む
しきょう　司教	しぐれ　時雨付
しぎょう　始業　~式。	しぐれる　〔▲時▲雨〕
じきょう　自供	しけ　〔▲時化〕
じぎょう　事業　~主。公共~。	じげ　地毛
しきょうひん　試供品	しけい　死刑　~囚。
しきよく　色欲〔×慾〕	しけい　私刑　＊リンチ。
しきょく　支局	しけい　紙型
じきょく　時局	じけい　字形
しきり　仕切り　部屋の~。~直し。	じけい　次兄
しきりに　〔▲頻〕	じけいだん　自警団
しきる　仕切る	しげき　刺激〔×戟〕　~臭。
しきわら　敷きわら〔×藁〕	しげしげ　〔▲繁々〕
しきん　至近　~距離。	しけつ　止血　~剤。
しきん　資金　~源。~難。~繰り。	じけつ　自決　民族~。
しぎん　詩吟	しげみ　茂み〔▲繁〕
しきんせき　試金石	しける　〔▲時化〕　海が~。

〔　〕使わない漢字　　×表外字(常用漢字表にない字)　　▲表外音訓(常用漢字表にない読み)
①~⑥教育漢字の学年配当　　①－②(①の表記を優先するが，②の表記を使ってもよい語)

しける	〔▲湿気〕 せんべいが～。	じごう	次号
しげる	茂る〔▲繁〕	じごうじとく	自業自得
しけん	私見 ～を述べる。	じごえ	地声
しけん	私権 《法律》	しごきおび	しごき帯〔▲扱〕
しけん	試験	しごく	至極 無礼～。
しげん	資源〔原〕 地下～。天然～。	しごく	〔▲扱〕
じけん	事件	じこく	自国
じげん	次元 ～が違う。	じこく	時刻 ～表。
じげん	時限 ～爆弾。～立法。	じごく	地獄 ～耳。
しけんかん	試験官	しごせん	子午線
しけんかん	試験管	しごと	仕事 ～場。
しこ	〔四股〕 ～を踏む。	しごとおさめ	仕事納め
しご	死後	しごとはじめ	仕事始め
しご	死語	しこな	しこ名〔▲醜・四股〕
しご	私語	しこみ	仕込み ～づえ。
じこ	自己 ～暗示。～満足。～批判。	しこむ	仕込む
じこ	事故 交通～。	しこり	〔▲凝〕
じご	事後 ～承諾。	しこん	紫紺 ～の優勝旗。
じご	持碁 （囲碁の引き分け）	しこん	歯根
しこう	至高	しさ	示唆
しこう	私行 ～をあばく。	じさ	時差 ～出勤。～ぼけ。
しこう	志向 権力～。高級品～。	しさい	司祭
しこう	指向 マイクの～性。	しさい	子細〔×仔〕 *詳細。わけ。
しこう	思考 ～力。水平～。	しざい	死罪
しこう	施行 法律の～。	しざい	私財 ～をなげうつ。
しこう	試行 ～期間。～錯誤。	しざい	資材 建築～。
しこう	歯こう〔×垢〕	じざい	自在 ～かぎ。自由～。
しこう	〔×嗜好〕 ～品。 *好み。	しさく	思索
じこう	事項 注意～。	しさく	施策
じこう	時効 《法律》	しさく	詩作
じこう	時候 ～のあいさつ。	しさく	試作 ～品。

特 表外字・表外音訓を用いてよい特例の語　付 常用漢字表の付表の語
送 送りがなを省く特例　読 読みがなを付けるのが望ましい語　*類語・言いかえ例

じさく	自作	~自演。~農。	
じざけ	地酒		
しさつ	刺殺		
しさつ	視察		
じさつ	自殺	~未遂。投身~。	
しさん	資産	固定~。含み~。~家。	
しさん	試算		
しざん	死産		
じさん	持参	~金。	
しし	四肢	＊手足。	
しし	志士	勤王の~。	
しし	獅子 特	~奮迅。越後~。	
しし	〔×猪〕	~鍋。	
しじ	支持	~者。~政党。	
しじ	私事	~にわたる。	
しじ	指示	~代名詞。	
しじ	師事		
じじ	時事	~問題。	
ししおどり	獅子踊り		
ししおどり	しし踊り	〔▲鹿〕	
ししがしら	獅子頭		
じじこっこく	時々刻々		
ししつ	紙質		
ししつ	資質	天性の~。	
しじつ	史実	~に基づく。	
じしつ	自失	ぼう然~。	
じしつ	自室		
じじつ	事実	~無根。	
じじつ	時日		
ししまい	獅子舞 送	《芸能》	
しじみ	〔×蜆〕	~汁。	

ししゃ	支社		
ししゃ	死者		
ししゃ	使者		
ししゃ	試写	映画の~。	
ししゃ	試射	銃の~。	
じしゃ	寺社	~奉行。	
じしゃ	自社		
ししゃく	子爵		
じしゃく	磁石		
じじゃく	自若	泰然~。	
ししゃごにゅう	四捨五入		
ししゅ	死守		
じしゅ	自主	~外交。~規制。~的。	
じしゅ	自首		
ししゅう	死臭	〔×屍〕	
ししゅう	詩集		
ししゅう	刺しゅう	〔×繍〕	
しじゅう	始終	一部~。~休む。	
じしゅう	自習	~時間。	
じしゅう	次週		
じじゅう	侍従		
しじゅうかた	四十肩		
しじゅうそう	四重奏		
ししゅうびょう	歯周病	《医学》	
ししゅく	私淑		
しじゅく	私塾		
じしゅく	自粛		
ししゅつ	支出		
しじゅほうしょう	紫綬褒章	〔賞〕特	
じしゅりゅうつうまい	自主流通米		
ししゅんき	思春期		

〔 〕使わない漢字　　×表外字(常用漢字表にない字)　　▲表外音訓(常用漢字表にない読み)
1〜6教育漢字の学年配当　　①—②(①の表記を優先するが，②の表記を使ってもよい語)

ししょ	支所	じしょく	辞職
ししょ	史書	じじょでん	自叙伝　*自伝。
ししょ	司書	ししょばこ	私書箱〔×函〕
しじょ	子女　良家の〜。	ししん	私心　〜を去る。
じしょ	自署　*自分の署名。	ししん	私信
じしょ	地所	ししん	指針
じしょ	辞書	しじん	私人
じじょ	次女〔▲二〕	しじん	詩人
じじょ	自助　〜努力。	じしん	自身　自分〜。
じじょ	侍女	じしん	自信　〜家。〜満々。
ししょう	支障　〜を来す。	じしん	地震　巨大〜。〜計。
ししょう	死傷　〜者。	じじん	自刃
ししょう	刺傷	じじん	自陣　(自分の陣地・陣営)
ししょう	師匠	ししんけい	視神経
しじょう	市場　〜価格。青果〜。	しずい	歯髄　〜炎。
しじょう	史上	じすい	自炊　〜生活。
しじょう	至上　〜命令。	しすう	指数　物価〜。
しじょう	私情　〜を交えず。	しずか	静か
しじょう	紙上	しずく	滴〔×雫〕
しじょう	詩情　〜豊かな。	しずけさ	静けさ
しじょう	試乗　〜会。	しずしず	静々
しじょう	誌上	じすべり	地滑り〔×辷〕
じしょう	自称	しずまりかえる	静まり返る
じしょう	事象	しずまる	静まる　風が〜。波が〜。
じじょう	自乗　*2乗(「ニジョウ」)。	しずまる	鎮まる　内乱が〜。
じじょう	自浄　〜作用。	しずむ	沈む
じじょう	事情　交通〜。〜聴取。	しずめる	沈める
じじょう	磁場	しずめる	静める　気を〜。
じじょうじばく	自縄自縛	しずめる	鎮める　反乱を〜。
ししょうせつ	私小説	しする	資する
ししょく	試食　〜品。	じする	持する　満を〜。

㋙ 表外字・表外音訓を用いてよい特例の語　㊠ 常用漢字表の付表の語
㋼ 送りがなを省く特例　㋫ 読みがなを付けるのが望ましい語　＊類語・言いかえ例

じする	辞する	友人宅を～。	しせん	支線
しせい	市井	～の人。	しせん	死線	～をさまよう。
しせい	市制	～を施行する。	しせん	視線	～が合う。
しせい	市政	～の功労者。	しぜん	自然	～とう汰。
しせい	市勢	～要覧。	じせん	自薦	～他薦。
しせい	死生	～観。	じぜん	次善	～の策。
しせい	至誠	～天に通ず。	じぜん	事前	～運動。
しせい	私製	～はがき。	じぜん	慈善	～事業。
しせい	施政	～方針。	**しそ**	〔紫×蘇〕
しせい	姿勢	～を正す。	しそう	死相	～が現れる。
しぜい	市税		しそう	志操	～堅固。
じせい	自生	山に～する植物。	しそう	思想	近代～。～家。
じせい	自制	～心。	しそう	試走
じせい	自省	～を促す。	しぞう	死蔵
じせい	時世	*時代。	しぞう	私蔵
じせい	時勢	～に後れる。	じそう	寺僧
じせい	辞世	～の句。	じぞう	地蔵
じせい	磁性		しそうのうろう	歯槽のう漏〔×膿〕
しせいかつ	私生活		しそく	子息
しせき	史跡〔×蹟〕		しぞく	士族	～の商法。
しせき	歯石		しぞく	氏族
じせき	自責	～の念。	じそく	自足	自給～。
じせき	次席		じそく	時速
じせき	事跡〔×蹟〕		じぞく	持続
じせきてん	自責点		しそちょう	始祖鳥
じせだい	次世代	～テレビ。	しそん	子孫
しせつ	私設	～秘書。	じそん	自尊	～心。独立～。
しせつ	使節	親善～。	じそん	自損	～行為。～事故。
しせつ	施設	公共～。	しそんじる	仕損じる
じせつ	自説		した	下
じせつ	時節	～柄。～到来。	した	舌

〔 〕使わない漢字　×表外字(常用漢字表にない字)　▲表外音訓(常用漢字表にない読み)
①～⑥教育漢字の学年配当　①－②(①の表記を優先するが，②の表記を使ってもよい語)

しだ〔歯×朶・▲羊▲歯〕	したがう 従う
じた 自他 ～ともに。	したがえる 従える
したあご ①下あご ②下顎	したがき 下書き
したあじ 下味 《料理》	したがって ①したがって ②従って〔▲随〕
したい 死体〔×屍〕	
したい 肢体	したぎ 下着
したい 姿態	したく 支度〔仕〕 ～金。身～。
しだい 次第 式～。事と～によっては。(「手紙が着きしだい」「金しだい」「手当たりしだい」などは，なるべくかな書き)	じたく 自宅
	したくさ 下草 森の～。
	したくちびる 下唇
	したげいこ 下稽古
じたい 字体	したごころ 下心
じたい 自体	したごしらえ 下ごしらえ〔×拵〕
じたい 事態 非常～。不測の～。	したさき 舌先
じたい 辞退	したざわり 舌触り
じだい 次代 ～を担う。	したじ 下地
じだい 地代	しだし 仕出し ～弁当。～屋。
じだい 事大 ～主義。～思想。	したしい 親しい
じだい 時代 江戸～。～劇。～錯誤。	したじき 下敷き
じだいおくれ 時代遅れ (「時代後れ」とも)	したしく 親しく
	したしみ 親しみ
しだいに 次第に	したしむ 親しむ
じだいもの 時代物 《芸能》	したしらべ 下調べ
したう 慕う	したそうだん 下相談
したうけ 下請け ～工事。	**したたか**〔▲強・▲健〕
したうけおい 下請負 送	**したためる**〔▲認〕
したうち 舌打ち	したたらず 舌足らず
したうちあわせ 下打ち合わせ	したたり 滴り
したえ 下絵	したたる 滴る
したえだ 下枝	したつづみ 舌鼓 (「シタヅツミ」とも)
したおび 下帯	

特 表外字・表外音訓を用いてよい特例の語　　付 常用漢字表の付表の語
送 送りがなを省く特例　　読 読みがなを付けるのが望ましい語　　＊類語・言いかえ例

したっぱ　下っ端
したっぱら　下っ腹
したづみ　下積み
したて　下手　〜に出る。
したて　仕立て　〜上がり。〜下ろし。
したてけん　仕立券送　〜付き。
したてなげ　下手投げ
したてもの　仕立物送
したてる　仕立てる
したどり　下取り　〜価格。
したぬい　下縫い
したぬり　下塗り
したのね　舌の根　〜の乾かぬうちに。
したばき　下履き
したばたらき　下働き
したはら　下腹
したび　下火
したまち　下町
したまわる　下回る
したみ　下見
したむき　下向き
したやく　下役
したよみ　下読み
じだらく　自堕落
したりがお　したり顔
しだれやなぎ　しだれ柳〔枝垂〕
しだれる　〔枝垂〕
したわしい　慕わしい
しだん　指弾　〜を受ける。
しだん　師団
しだん　詩壇

じたん　時短　(「労働時間の短縮」の略)
じだん　示談
じだんだ　〔地団太・駄〕　〜を踏む。
しち　七 ① {シチ / なな・ななつ・なの}
しち　質 ⑤ {シツ・シチ・チ}
しち　死地　〜に赴く。
じち　自治　〜領。地方〜。
しちいれ　質入れ
しちぐさ　質ぐさ〔草・▲種〕
しちごさん　七五三
しちごちょう　七五調
じちたい　自治体
しちてんばっとう　七転八倒〔×顛〕
しちどうがらん　七堂伽藍 特読
しちながれ　質流れ
しちなん　七難　〜八苦。
しちふくじん　七福神
しちふだ　質札
しちへんげ　七変化
しちみとうがらし　七味とうがらし〔唐辛子〕
しちめんちょう　七面鳥
しちめんどう　〔七面倒〕
しちや　質屋
しちゃく　試着
しちゅう　支柱
しちゅう　市中
しちゅう　死中　〜に活を求める。
じちょ　自著

〔　〕使わない漢字　　×表外字(常用漢字表にない字)　　▲表外音訓(常用漢字表にない読み)
①〜⑥教育漢字の学年配当　　①—②(①の表記を優先するが，②の表記を使ってもよい語)

しちよ—しつけ

しちよう　七曜　〜暦。
しちょう　支庁
しちょう　市長
しちょう　思潮
しちょう　視聴　テレビを〜する。
しちょう　試聴　レコードを〜する。
しちょう　〔▲征〕　(囲碁)
じちょう　次長
じちょう　自重　隠忍〜。
じちょう　自嘲
しちょうかく　視聴覚　〜教育。
しちょうしゃ　視聴者
しちょうそん　市町村
しちょうりつ　視聴率
しちょく　司直　〜の手に委ねる。
しちりん　〔七厘・輪〕
じちんさい　地鎮祭
しつ　室 ②{シツ/むろ}
しつ　失 ④{シツ/うしなう}
しつ　質 ⑤{シツ・シチ・チ}
しつ　叱 {シツ/しかる}
しつ　疾 {シツ}
しつ　執 {シツ・シュウ/とる}
しつ　湿 {シツ/しめる・しめす}
しつ　嫉 {シツ}
しつ　漆 {シツ/うるし}
じつ　日 ①{ニチ・ジツ/ひ・か}
じつ　実 ③{ジツ/み・みのる}　〜の親。
じっ　十 ①{ジュウ・ジッ/とお・と}　(「ジュッ」とも)
しつい　失意
じついん　実印

しつう　歯痛
じつえき　実益　趣味と〜。
じつえん　実演
しつおん　室温
しっか　失火
じっか　実家
じつがい　実害
しつがいこつ　しつ蓋骨〔▲膝〕
しっかく　失格
しっかり　〔▲確〕
しつかん　質感
しっかん　疾患　＊病気。
じっかん　十干　(「ジュッカン」とも)　〜十二支。
じっかん　実感
しっき　漆器
しつぎ　質疑　〜応答。
じつぎ　実技
しっきゃく　失脚
しつぎょう　失業　〜者。〜率。
じっきょう　実況　〜中継。
じつぎょう　実業　〜家。〜界。
じっきょうけんぶん　実況見分　(「検分」参照)
しっきん　失禁
しっく　疾駆　＊疾走。
しっくい　〔漆×喰〕
しつけ　〔×躾・仕付〕
しっけ　湿気
しっけい　失敬

㊵ 表外字・表外音訓を用いてよい特例の語　　㊵ 常用漢字表の付表の語
㊵ 送りがなを省く特例　　㊵ 読みがなを付けるのが望ましい語　　＊類語・言いかえ例

じっけい 実兄	じっしつ 実質　～賃金。
じっけい 実刑　～判決。	じっしゃ 実写
しつけいと　しつけ糸〔仕付〕	じっしゃかい 実社会
しっけつ 失血　《医学》	じつじゅ 実需　(実際の需要)
じつげつ 日月	じっしゅう 実収
しつける　〔×躾・仕付〕	じっしゅう 実習　教育～。～生。
しっけん 失権	しつじゅん 湿潤
しっけん 識見	しっしょう 失笑　～を買う。
しつげん 失言	じっしょう 実証
しつげん 湿原	じつじょう 実情〔状〕
じっけん 実権　～を握る。	しっしょく 失職
じっけん 実験　～台。動物～。	しっしん 失神〔心〕
じつげん 実現	しっしん 湿疹　《医学》
しっこう 失効	じっしんほう 十進法　(専門分野では算用数字も。「ジュッシンホウ」とも)
しっこう 執行　～委員。～部。	
しっこうゆうよ 執行猶予　《法律》	じっすう 実数
じっこう 実行　～予算。～力。	しっする 失する　時機を～。
じっこう 実効　～湿度。	しっせい 失政
しっこく 漆黒　～の髪。	しっせい 執政　～官。
しつごしょう 失語症	じっせい 実勢　～価格。
じつごと 実事　《芸能》～師。	じっせいかつ 実生活
じっこん　〔×昵懇〕～の間柄。	しっせき 叱責　＊叱る。
じっさい 実際　～問題。～上。	じっせき 実績
じつざい 実在	しつぜつ 湿舌　(天気図での用語)
しっさく 失策	じっせん 実戦　～部隊。
しつじ 執事	じっせん 実践
じっし 十指　(「ジュッシ」とも)　～に余る。	じっせん 実線　～を引く。
	しっそ 質素
じっし 実子	しっそう 疾走
じっし 実施	しっそう 失踪　＊姿を消す。
しつじつ 質実　～剛健。	じっそう 実相

じつぞう	実像
しっそうせんこく	失踪宣告 《法律》
しっそく	失速
じっそく	実測
じつぞん	実存 ～主義。
しった	〔叱×咤〕 ～激励。
しったい	失態 ～を演じる。
じったい	実体 (事物の本質・本体)生命の～。～のない会社。
じったい	実態 (状態・情勢)～調査。
じつだん	実弾 ～射撃。
しっち	失地 ～回復。
しっち	湿地 ～帯。
じっち	実地 ～訓練。
じっちゅうはっく	十中八九 (「ジュッチュウハック」とも)
しっちょう	失調 栄養～。
じっちょく	実直
しっつい	失墜
じつづき	地続き
じって	十手 (「ジュッテ」とも)
してん	失点
しっと	嫉妬 ～深い。～心。
しつど	湿度 ～計。実効～。
じっと	～見守る。
しっとう	執刀
じつどう	実働 ～時間。
しつないがく	室内楽
じつに	実に
しつねん	失念
しっぱい	失敗
じっぱひとからげ	十把一からげ 〔▲絡〕(「ジュッパヒトカラゲ」とも)
しっぴ	失費
じっぴ	実費
しっぴつ	執筆
しっぷ	湿布 温～。
じっぷ	実父
しっぷう	疾風 ～迅雷。
じつぶつ	実物 ～大。
しっぺい	疾病 ＊病気。
しっぺいがえし	しっぺい返し〔▲竹×篦〕(「しっぺ返し」とも)
しっぽ	尻尾 付
じつぼ	実母
しつぼう	失望 ～感。
しっぽう	七宝 ～焼。
しつむ	執務
じつむ	実務 ～家。～的。
しつめい	失明
じつめい	実名
しつもん	質問
しつよう	執よう〔×拗〕
じつよう	実用 ～品。～新案。
じづら	字面
しづらい	〔▲為▲辛〕
しつらえる	〔▲設〕
じつり	実利
しつりょう	質量
じつりょく	実力 ～行使。～者。
しつれい	失礼
じつれい	実例

特 表外字・表外音訓を用いてよい特例の語　　付 常用漢字表の付表の語
送 送りがなを省く特例　　読 読みがなを付けるのが望ましい語　　＊類語・言いかえ例

しつれん 失恋	しと 使途 〜不明金。
じつろく 実録	しとう 死闘
じつわ 実話	しどう 市道
して 仕手 《株式》〜株。	しどう 私道
シテ 《芸能》(p.30参照)	しどう 始動
しで 死出 〜の旅。	しどう 指導 〜要領。〜者。
してい 子弟	じとう 地頭
してい 私邸	じどう 自動 〜制御。〜販売機。
してい 指定 〜席。	じどう 児童 〜憲章。〜福祉。
してい 師弟 〜愛。〜関係。	じどうかいしゅん 児童買春 送 《法律》
しでかす 〔仕・▲為出〕	じどうしゃ 自動車
してき 史的 〜考察。〜唯物論。	**しとげる** 〔仕・▲為遂〕
してき 私的 〜諮問機関。〜な文章。	**しどころ** 〔▲為所〕 我慢の〜。
してき 指摘	しとだる 四斗だる〔×樽〕
してき 詩的	**しとね** 〔×茵・×褥〕
じてき 自適 悠々〜。	**しとめる** 〔仕止・留〕
してつ 私鉄	**しとやか** 〔▲淑〕
してん 支店 〜長。	じどり 地鳥
してん 支点	じどり 地鶏
してん 視点 〜を変える。	しな 品 品々。
しでん 市電	**しな** 〔▲科〕 〜を作る。
じてん 次点	しない 竹刀 付
じてん 自転 地球の〜。	**しなう** 〔×撓〕
じてん 字典 草書〜。	しなうす 品薄
じてん 事典 百科〜。	しなおす し直す〔仕・▲為〕
じてん 辞典 英和〜。国語〜。	しながき 品書き
じてん 時点	しなぎれ 品切れ
じでん 自伝	しなさだめ 品定め
じてんしゃ 自転車	**しなびる** 〔▲萎〕
してんのう 四天王	しなもの 品物
しと 使徒 平和の〜。	

〔　〕使わない漢字　　×表外字(常用漢字表にない字)　　▲表外音訓(常用漢字表にない読み)
1〜6 教育漢字の学年配当　　①—②(①の表記を優先するが，②の表記を使ってもよい語)

しなやか 〔×嫋・×撓〕	じにん 自認 (自身で認める)
じならし 地ならし〔▲均〕	じにん 辞任 引責〜。
じなり 地鳴り	しぬ 死ぬ
しなん 至難 〜の業。	じぬし 地主
しなん 指南 〜役。	じねつ 地熱 〜発電。
じなん 次男〔▲二〕 〜坊。	じねんじょ 〔自然×薯〕
しにがお 死に顔	しの 〔×篠〕
しにがね 死に金	しのぎ 〔×鎬〕 〜を削る。
しにがみ 死に神	しのぎ 〔×凌〕 一時〜。
しにぎわ 死に際	しのぐ 〔×凌〕
しにく 死肉〔×屍〕	しのこす し残す〔仕・▲為〕
しにく 歯肉 〜炎。	しののめ 〔▲東▲雲〕
しにざま 死にざま〔様〕	しのばせる 忍ばせる 懐に〜。
しにしょうぞく 死に装束	しのび 忍び 〜の術。〜の者。
しにせ 老舗付	しのびあし 忍び足
しにぞこない 死に損ない (「シニソコナイ」とも)	しのびあるき 忍び歩き
しにそこなう 死に損なう	しのびいる 忍び入る
しにたい 死に体 《相撲》	しのびがえし 忍び返し ＊泥棒よけ。
しにたえる 死に絶える	しのびこむ 忍び込む
しにどき 死に時	しのびない 忍びない〔無〕 見るに〜。
しにば 死に場	しのびなき 忍び泣き
しにはじ 死に恥	しのびやか 忍びやか
しにばな 死に花 〜を咲かす。	しのびよる 忍び寄る
しにみず 死に水 〜を取る。	しのびわらい 忍び笑い
しにめ 死に目 〜にあう。	しのぶ 忍ぶ
しにものぐるい 死に物狂い	しのぶ 〔×偲〕 故人を〜。
しにょう し尿〔×屎〕 〜処理。	しば 芝
しにわかれる 死に別れる	しば 〔×柴〕
しにん 死人 〜に口なし。	じば 磁場
じにん 自任 (自負する)	しはい 支配 〜者。〜層。〜人。
	しはい 賜杯

しばい　芝居　〜小屋。	じばん　〔×襦×袢〕（「じゅばん」参照）
しばいぎ　芝居気	
じばいせき　自賠責　（「自動車損害賠償責任保険」の略）	しはんき　四半期　第1〜。
	じはんき　自販機　（「自動販売機」の略）
しばいっけ　芝居っ気	しはんせいき　四半世紀
しばいぬ　しば犬〔×柴・芝〕	しひ　私費　〜留学。
しばいばなし　芝居ばなし〔×噺〕	しひ　詩碑
しばかり　芝刈り	じひ　自費　〜出版。
じはく　自白	じひ　慈悲　〜深い。
じばく　自縛　自縄〜。	じびいんこうか　耳鼻咽喉科
じばく　自爆	じびき　字引送　生き〜。
じばさんぎょう　地場産業	じびきあみ　地引き網
しばし　〔▲暫〕	じひつ　自筆
しばしば　〔×屢〕	しびと　死人
じはだ　地肌〔▲膚〕	じひびき　地響き
しはつ　始発　〜駅。	しひょう　指標
じはつ　自発　〜性。〜的。	しびょう　死病
しばふ　芝生付	じひょう　時評　文芸〜。
じばら　自腹　〜を切る。	じひょう　辞表
しはらい　支払い　〜能力。〜日。	じびょう　持病
しはらいにん　支払人送	**しびれる**　〔×痺〕
しはらう　支払う	しびん　〔×溲・▲尿瓶〕
しばらく　〔▲暫〕	しぶ　渋　〜抜き。
しばりあげる　縛り上げる	しぶ　支部
しばりくび　縛り首	しぶ　市部
しばりつける　縛りつける〔付〕	じふ　自負
しばる　縛る	じふ　慈父
しはん　市販	しぶい　渋い
しはん　死斑	しぶがき　渋柿
しはん　師範　〜学校。〜代。	しぶかわ　渋皮
じばん　地盤　〜沈下。	**しぶき**　〔▲飛×沫〕

〔　〕使わない漢字　　×表外字（常用漢字表にない字）　　▲表外音訓（常用漢字表にない読み）
①〜⑥教育漢字の学年配当　　①−②（①の表記を優先するが，②の表記を使ってもよい語）

しふく	至福	じべん	自弁　*自前。
しふく	私服	しへんけい	四辺形　平行～。
しふく	私腹	しぼ	思慕
しふく	雌伏	じぼ	慈母
しぶしぶ	〔渋々〕	しほう	四方　～八方。
しぶちゃ	渋茶	しほう	司法　～権。～取引。～試験。
しぶつ	死物		～修習生。～書士。
しぶつ	私物	しほう	至宝　(大切な宝)
じぶつ	事物	しほう	私法
しぶとい	～性格。	しぼう	死亡　～率。
じふぶき	地吹雪	しぼう	志望　進学～。
しぶみ	渋み〔味〕　柿の～。～のある色。	しぼう	脂肪　～酸。中性～。
		じほう	時報
しぶりばら	渋り腹	じぼうじき	自暴自棄
しぶる	渋る　言い～。返事を～。	しぼつ	死没〔×歿〕
しふん	私憤	**しぼむ**	〔▲萎・×凋〕
しふん	脂粉	しぼり	絞り
じぶん	自分　～勝手。～自身。～たち。	しぼりかす	搾りかす〔×滓〕
じぶん	時分	しぼりぞめ	絞り染め
しぶんごれつ	四分五裂	しぼりたて	搾りたて〔立〕　～の牛乳。
しぶんしょ	私文書　～偽造。	しぼりとる	搾り取る　金を～。
しべ	〔×蕊〕　雄～。	しぼる	絞る　タオルを～。知恵を～。音量を～。
しへい	紙幣		
じへいしょう	自閉症	しぼる	搾る　油を～。乳を～。
じべた	地べた	しほん	資本　～家。～主義。
しべつ	死別	しま	島　～伝い。
しへん	紙片	しま	死魔　～に襲われる。
しへん	詩編〔×篇〕　*詩集。	**しま**	〔×縞〕　～目。～柄。
しべん	支弁　日当を～する。	**しまい**	仕舞 送　《芸能》
しべん	至便　交通～。	しまい	姉妹
じへん	事変		

特 表外字・表外音訓を用いてよい特例の語　　付 常用漢字表の付表の語
送 送りがなを省く特例　　読 読みがなを付けるのが望ましい語　　*類語・言いかえ例

しまい　〔▲終・仕舞〕	お～。店じまい。
しまう　〔▲了・▲終・仕舞〕	
しまうま　〔×縞馬〕	
じまえ　自前	
しまかげ　島陰	～に隠れる。
しまかげ　島影	～が見える。
じまく　字幕	
しまぐに　島国	
しまだ　島田	高～。
しまつ　始末	～書。
しまながし　島流し	
しまめぐり　島巡り	
しまり　締まり	～がない。～屋。
しまる　閉まる	戸が～。店が～。
しまる　絞まる	首が～。
しまる　締まる	気持ちが～。
じまわり　地回り	
じまん　自慢	～話。力～。
しみ　染み	肌の～。服の～。
しみ　〔▲紙▲魚・▲衣▲魚〕（虫）	
じみ　滋味	
じみ　地味	～な服。
しみいる　①しみいる　②染み入る　〔×滲・×沁〕（「心にしみいる」などは，なるべくかな書き）	
しみこむ　①しみこむ　②染み込む　〔×滲・×沁〕（「心にしみこむ」などは，なるべくかな書き）	
しみじみ　〔×沁々〕	
しみず　清水 [付]	
じみち　地道	
しみつく　染みつく〔付・着〕	
しみったれ　〔×吝〕	
しみどうふ　しみ豆腐〔▲凍〕	
しみとおる　①しみとおる　②染み通る〔×滲〕（「心にしみとおる声」などは，なるべくかな書き）	
しみぬき　染み抜き	
しみる　〔×滲・×沁〕	煙が目に～。歯に～。身に～。心に～。
しみる　染みる	インクが紙に～。
しみる　〔▲凍〕	
…じみる　①じみる　②染みる	油～。汗～。（「年寄りじみる」などは，なるべくかな書き）
しみん　市民	～運動。～権。
じむ　事務	～員。～室。～所。
しむける　〔仕向〕	
じむとりあつかい　事務取扱 送	
しめ　〔▲注▲連〕	
しめい　氏名	
しめい　死命	～を制する。
しめい　使命	～感。
しめい　指名	～手配。～解雇。
じめい　自明	～の理。
しめかざり　しめ飾り〔▲注▲連・▲七▲五▲三〕	
しめきり　締め切り	～日。
しめきる　締め切る	申し込みを～。
しめきる　閉めきる〔切〕	窓を～。
しめくくる　締めくくる〔括〕	

〔 〕使わない漢字　　×表外字(常用漢字表にない字)　　▲表外音訓(常用漢字表にない読み)
1～6 教育漢字の学年配当　　①－②(①の表記を優先するが，②の表記を使ってもよい語)

しめこみ　締め込み	しも　霜
しめころす　絞め殺す〔締〕	しもがれ　霜枯れ
しめし　示し　～がつかない。	しもき　下期
しめしあわせる　示し合わせる	じもく　耳目　～を集める。
しめす　示す	しもごえ　下肥
しめす　湿す	しもざ　下座
しめだす　閉め出す　家から～。	しもじも　下々
しめだす　締め出す　仲間から～。	しもつき　霜月　（陰暦11月）
しめつ　死滅	しもて　下手
じめつ　自滅	じもと　地元
しめつける　締めつける〔付〕	しもどけ　①霜どけ ②霜解け〔▲融〕
しめっぽい　湿っぽい　（「～話」などは，かな書きも）	しもばしら　霜柱
	しもはんき　下半期
しめて　締めて〔×〆〕　～1万円。	**しもぶくれ**　〔下膨・×脹〕
しめなわ　**しめ縄**〔▲注▲連・▲七▲五▲三〕	しもふり　霜降り
	しもべ　〔▲僕〕
しめやか	しもやけ　霜焼け
しめらす　湿らす	しもよけ　霜よけ〔▲除〕
しめり　湿り　お～。	しもん　指紋
しめりけ　湿り気	しもん　試問　口頭～。
しめる　占める	しもん　諮問　～機関。
しめる　閉める　窓を～。店を～。	じもん　自問　～自答。
しめる　湿る	しゃ　視野
しめる　絞める　首を～。	しゃ　車 ①｛シャ／くるま｝
しめる　締める　帯を～。家計を～。蛇口を～。	しゃ　社 ②｛シャ／やしろ｝
	しゃ　写 ③｛シャ／うつす・うつる｝
しめん　四面	しゃ　者 ③｛シャ／もの｝
しめん　紙面	しゃ　舎 ⑤｛シャ／―｝
しめん　誌面	しゃ　謝 ⑤｛シャ／あやまる｝
じめん　地面	しゃ　砂 ⑥｛サ・シャ／すな｝
しも　下	しゃ　射 ⑥｛シャ／いる｝

㊙ 表外字・表外音訓を用いてよい特例の語　　㊞ 常用漢字表の付表の語
㊋ 送りがなを省く特例　　㊌ 読みがなを付けるのが望ましい語　　＊類語・言いかえ例

しゃ—しゃく

しゃ	捨	⑥{シャ/すてる}		しゃく	昔	③{セキ・シャク/むかし}
しゃ	赦	{シャ}		しゃく	借	④{シャク/かりる}
しゃ	斜	{シャ/ななめ}		しゃく	尺	⑥{シャク}
しゃ	煮	{シャ/にる・にえる・にやす}		しゃく	釈	{シャク}
しゃ	遮	{シャ/さえぎる}		しゃく	酌	{シャク/くむ}　お〜をする。
しゃ	〔×紗〕			しゃく	爵	{シャク}
じゃ	邪	{ジャ}		**しゃく**	〔×勺〕（尺貫法で容積・面積を表す単位）
じゃ	蛇	{ジャ・ダ/へび}				
じゃあく	邪悪			**しゃく**	〔×杓〕	
しゃい	謝意			**しゃく**	〔×癪〕　〜に障る。
しゃいん	社員			**しゃく**	〔×笏〕	
しゃうん	社運　〜を賭ける。			じゃく	弱	②{ジャク、よわい・よわる・よわまる・よわめる}
しゃおく	社屋				10センチ〜。
しゃおん	遮音			じゃく	着	③{チャク・ジャク/きる・きせる・つく・つける}
しゃおん	謝恩　〜会。			じゃく	若	⑥{ジャク・ニャク/わかい・もしくは}
しゃかい	社会　〜科。〜現象。〜主義。〜福祉。			じゃく	寂	{ジャク・セキ/さび・さびしい・さびれる}
しゃがい	社外　〜秘。〜重役。			しゃくい	爵位	
しゃがい	車外			しゃくざい	借財	
じゃがいも	〔芋〕			**しゃくし**	〔×杓子〕　〜定規。猫も〜も。
しゃがむ				じゃくし	弱視	
しゃがれごえ　しゃがれ声〔×嗄〕				じゃくしゃ	弱者　〜救済。
しゃかん	舎監			**しゃくしゃく**	〔×綽々〕　余裕〜。
しゃかんきょり	車間距離			しやくしょ	市役所	
じゃき	邪気　〜を払う。〜がない。			**しゃくじょう**	〔×錫×杖〕	
しゃきょう	写経			じゃくしょう	弱小	
じゃきょう	邪教			しゃくぜん	釈然　〜としない。
しゃきん	謝金			じゃくたい	弱体　〜化。
しやく	試薬			しゃくち	借地　〜権。
しゃく	石	①{セキ・シャク・コク/いし}		じゃぐち	蛇口	
しゃく	赤	①{セキ・シャク、あか・あかい・あからむ・あからめる}		じゃくてん	弱点	
				じゃくでん	弱電　〜メーカー。

〔　〕使わない漢字　　×表外字(常用漢字表にない字)　　▲表外音訓(常用漢字表にない読み)
①〜⑥教育漢字の学年配当　　①−②(①の表記を優先するが，②の表記を使ってもよい語)

しゃくど　尺度
しゃくどう　赤銅　〜色。
しゃくなげ　〔石×楠▲花〕
じゃくにくきょうしょく　弱肉強食
しゃくねつ　**しゃく熱**〔×灼〕　〜の太陽。
じゃくねん　若年〔弱〕
じゃくはい　若輩〔弱〕
しゃくはち　尺八
しゃくほう　釈放
しゃくめい　釈明
しゃくや　借家　〜住まい。
しゃくやく　〔×芍薬〕
しゃくよう　借用　〜証書。
しゃくりあげる　**しゃくり上げる**〔×噦〕
しゃくりょう　酌量　情状〜。
しゃけ　〔×鮭〕
しゃげき　射撃　一斉〜。
しゃけん　車券
しゃけん　車検
じゃけん　邪けん〔×慳〕
しゃこ　車庫
しゃこう　社交　〜性。〜界。
しゃこう　斜坑
しゃこう　遮光
じゃこう　じゃ香〔×麝〕
しゃこうしん　射幸心〔×倖〕
しゃこく　社告
しゃさい　社債
しゃざい　謝罪

しゃさつ　射殺
しゃし　斜視
しゃし　〔×奢×侈〕　＊ぜいたく。おごり。
しゃじ　社寺
しゃじ　謝辞
しゃじく　車軸
しゃじつ　写実　〜主義。
しゃしゅ　社主
しゃしゅ　車種
じゃしゅう　邪宗
しゃしょう　車掌
しゃじょう　車上
しゃしょく　写植　（「写真植字」の略）
しゃしん　写真
じゃしん　邪心
じゃしん　邪神
しゃしんき　写真機
じゃすい　邪推
しゃする　謝する
しゃせい　写生
しゃせつ　社説
しゃぜつ　謝絶　面会〜。
しゃせん　車線　追い越し〜。
しゃせん　斜線
しゃそう　車窓
しゃたい　車体
しゃたく　社宅
しゃだつ　〔×洒脱〕　軽妙〜。
しゃだん　遮断
しゃだんき　遮断機

しゃた—しゃれ

しゃだんほうじん　社団法人
しゃちほこ　〔×鯱〕
しゃちゅう　社中　《芸能》
しゃちゅう　車中
しゃちょう　社長
しゃっか　借家　《法律》
しゃっかん　借款　円〜。
じゃっかん　若干　〜名。
じゃっかん　弱冠　(「若冠」は誤り)　〜20歳。
しゃっかんほう　尺貫法
じゃっき　じゃっ起〔×惹〕　＊引き起こす。
しゃっきん　借金
しゃっくり　〔×吃▲逆・×嗽〕
しゃっけい　借景
じゃっこう　寂光　《仏教》〜浄土。
しゃてい　射程　〜に入る。
しゃてき　射的　〜場。
しゃでん　社殿
しゃとう　斜塔
しゃどう　車道
じゃどう　邪道
しゃない　社内　〜報。〜預金。
しゃない　車内
しゃにくさい　謝肉祭　(カーニバル)
しゃにむに　〔遮二無二〕
じゃねん　邪念　〜を払う。
じゃのめがさ　蛇の目傘
しゃば　車馬　〜賃。
しゃば　〔×娑婆〕

しゃばけ　しゃば気〔×娑婆〕(「しゃばっ気」とも)
じゃばら　蛇腹
しゃふう　社風
しゃふつ　煮沸
しゃへい　遮蔽　〜物。
しゃべる　〔×喋〕
しゃへん　斜辺　《数学》
しゃほん　写本
シャボン　〜玉。
じゃま　邪魔
じゃまだて　邪魔立て
しゃみせん　三味線 ⑥
しゃむしょ　社務所
しゃめい　社名
しゃめい　社命
しゃめん　赦免
しゃめん　斜面
しゃも　〔▲軍▲鶏〕
しゃもじ　〔×杓文字〕
しゃよう　社用　〜族。
しゃよう　斜陽　〜化。〜産業。〜族。
しゃり　舎利　仏〜。
じゃり　砂利 ⑥
しゃりょう　車両〔×輛〕
しゃりん　車輪
しゃれ　〔×洒▲落〕　お〜。〜本。
しゃれい　謝礼
しゃれけ　しゃれ気〔×洒▲落〕(「しゃれっ気」とも)

〔　〕使わない漢字　　×表外字(常用漢字表にない字)　　▲表外音訓(常用漢字表にない読み)
①〜⑥教育漢字の学年配当　　①-②(①の表記を優先するが, ②の表記を使ってもよい語)

しゃれこうべ 〔×髑×髏〕(「されこうべ」とも)

しゃれる 〔×洒▲落〕

じゃれる 〔▲戯〕

じゃんけん 〔拳〕

しゅ **手** ① {シュ/て・た}

しゅ **首** ② {シュ/くび}

しゅ **主** ③ {シュ・ス/ぬし・おも} ～として。

しゅ **守** ③ {シュ・ス/まもる・もり}

しゅ **取** ③ {シュ/とる}

しゅ **酒** ③ {シュ/さけ・さか}

しゅ **種** ④ {シュ/たね}

しゅ **修** ⑤ {シュウ・シュ/おさめる・おさまる}

しゅ **衆** ⑥ {シュウ・シュ} 若い～。

しゅ **朱** {シュ} ～を入れる。

しゅ **狩** {シュ/かる・かり}

しゅ **殊** {シュ/こと}

しゅ **珠** {シュ}

しゅ **趣** {シュ/おもむき}

しゅ **腫** {シュ/はれる・はらす}

じゅ **受** ③ {ジュ/うける・うかる}

じゅ **授** ⑤ {ジュ/さずける・さずかる}

じゅ **従** ⑥ {ジュウ・ショウ・ジュ/したがう・したがえる}

じゅ **就** ⑥ {シュウ・ジュ/つく・つける}

じゅ **樹** ⑥ {ジュ}

じゅ **寿** {ジュ/ことぶき}

じゅ **呪** {ジュ/のろう}

じゅ **需** {ジュ}

じゅ **儒** {ジュ}

しゅい **首位** ～争い。

しゅい **趣意** ～書。(国会用語は「質問主意書」)

しゅいん **主因**

しゅいんせん **朱印船** 御～。

しゆう **市有** ～地。

しゆう **私有** ～財産。～地。

しゆう **雌雄** ～を決する。

しゅう **秋** ② {シュウ/あき}

しゅう **週** ② {シュウ}

しゅう **州** ③ {シュウ/す}

しゅう **拾** ③ {シュウ・ジュウ/ひろう}

しゅう **終** ③ {シュウ/おわる・おえる}

しゅう **習** ③ {シュウ/ならう}

しゅう **集** ③ {シュウ/あつまる・あつめる・つどう}

しゅう **周** ④ {シュウ/まわり}

しゅう **祝** ④ {シュク・シュウ/いわう}

しゅう **修** ⑤ {シュウ・シュ/おさめる・おさまる}

しゅう **収** ⑥ {シュウ/おさめる・おさまる}

しゅう **宗** ⑥ {シュウ・ソウ}

しゅう **就** ⑥ {シュウ・ジュ/つく・つける}

しゅう **衆** ⑥ {シュウ・シュ}

しゅう **囚** {シュウ}

しゅう **舟** {シュウ/ふね・ふな}

しゅう **秀** {シュウ/ひいでる}

しゅう **臭** {シュウ/くさい・におう}

しゅう **袖** {シュウ/そで}

しゅう **執** {シツ・シュウ/とる}

しゅう **羞** {シュウ}

しゅう **愁** {シュウ/うれえる・うれい}

しゅう **酬** {シュウ}

しゅう **醜** {シュウ/みにくい}

㊵ 表外字・表外音訓を用いてよい特例の語　㊖ 常用漢字表の付表の語
㊸ 送りがなを省く特例　㊙ 読みがなを付けるのが望ましい語　＊類語・言いかえ例

しゅう―しゅう

しゅう	蹴	{シュウ/ける}	しゅうか	衆寡 ～敵せず。
しゅう	襲	{シュウ/おそう}	しゅうか	集荷〔×蒐・貨〕
じゆう	自由	～意志。～詩。～自在。	じゅうか	銃火 ～を浴びせる。
じゆう	事由		しゅうかい	集会
じゅう	十 ①	{ジュウ・ジッ/とお・と}	しゅうかいさつ	集改札
じゅう	中 ①	{チュウ・ジュウ/なか}	じゅうかがくこうぎょう	重化学工業
じゅう	住 ③	{ジュウ/すむ・すまう}	じゅうかき	重火器 (重機関銃・大砲など)
じゅう	重 ③	{ジュウ・チョウ/え・おもい・かさねる・かさなる}	しゅうかく	収穫 ～期。～量。
じゅう	拾 ③	{シュウ・ジュウ/ひろう}	しゅうがく	修学 ～旅行。
じゅう	従 ⑥	{ジュウ・ショウ・ジュ/したがう・したがえる}	しゅうがく	就学 ～年齢。～児童。
じゅう	縦 ⑥	{ジュウ/たて}	じゅうかさんぜい	重加算税
じゅう	汁	{ジュウ/しる}	じゆうがた	自由形〔型〕
じゅう	充	{ジュウ/あてる}	しゅうかん	収監 《法律》
じゅう	柔	{ジュウ・ニュウ/やわらか・やわらかい}	しゅうかん	週間 1～。
じゅう	渋	{ジュウ/しぶ・しぶい・しぶる}	しゅうかん	習慣 生活～。悪～。
じゅう	銃	{ジュウ}	じゅうかん	縦貫 ～鉄道。
じゅう	獣	{ジュウ/けもの}	じゅうがん	銃眼
しゅうあく	醜悪		しゅうかんし	週刊誌
しゅうあけ	週明け		しゅうき	周忌 一～。
じゅうあつ	重圧 ～感。		しゅうき	周期 ～的。
しゅうい	周囲 ～の目。		しゅうき	臭気 ～が漂う。
じゅういし	獣医師		しゅうき	秋季 (季節)～運動会。
しゅういつ	秀逸		しゅうき	秋期 (期間)～講座。
しゅういん	衆院 (「衆議院」の略)		しゅうぎ	祝儀 ～袋。
しゅうう	しゅう雨〔×驟〕		しゅうぎ	衆議 ～一決。
しゅうえき	収益		じゅうき	重機 (大型の建設機械)
しゅうえき	就役		じゅうき	銃器
しゅうえん	周縁 ～部。		じゅうき	じゅう器〔×什〕 (家具・道具類)
しゅうえん	終えん〔×焉〕 ～の地。		
じゅうおう	縦横 ～無尽。		しゅうぎいん	衆議院
しゅうか	秀歌		

〔 〕使わない漢字　　×表外字(常用漢字表にない字)　　▲表外音訓(常用漢字表にない読み)
①～⑥教育漢字の学年配当　　①—②(①の表記を優先するが，②の表記を使ってもよい語)

しゅうきゅう	週休	～2日制。	
じゅうきょ	住居	～表示。	
しゅうきょう	宗教	～法人。新興～。	
しゅうぎょう	修業	～証書。～年限。	
しゅうぎょう	終業	～式。	
しゅうぎょう	就業	～規則。～人口。	
じゅうぎょういん	従業員		
しゅうきょく	終曲		
しゅうきょく	終局	事件の～。	
しゅうきょく	終極	～の目標。	
しゅうぎょとう	集魚灯		
しゅうきん	集金	～人。～日。	
じゅうきんぞく	重金属		
しゅうぐ	衆愚	～政治。	
じゅうぐん	従軍	～看護婦。	
しゅうけい	集計		
じゅうけい	重刑		
じゅうけいしょう	重軽傷		
しゅうげき	襲撃		
じゅうげき	銃撃	～戦。	
しゅうけつ	終結		
しゅうけつ	集結		
じゅうけつ	充血		
しゅうけん	集権	中央～。	
しゅうげん	祝言		
じゅうけん	銃剣	～術。	
じゅうご	銃後	～の守り。	
しゅうこう	周航	（船で回る）	
しゅうこう	修好〔交〕	～条約。	
しゅうこう	就航	新造船の～。	
しゅうごう	集合	～体。	
じゅうこう	重厚		
じゅうこう	銃口		
じゅうこうぎょう	重工業		
じゅうごや	十五夜		
じゅうこん	重婚	～罪。	
しゅうさ	収差	色～。	
しゅうさい	秀才		
じゅうざい	重罪		
しゅうさく	秀作		
しゅうさく	習作		
じゅうさつ	銃殺	～刑。	
しゅうさん	集散	～地。離合～。	
じゅうさんや	十三夜		
しゅうし	収支	～見込み。	
しゅうし	宗旨	～変え。	
しゅうし	修士		
しゅうし	終止	～形。	
しゅうし	終始	～一貫。	
しゅうじ	修辞	～学。～法。	
しゅうじ	習字		
じゅうし	重視		
じゅうじ	十字	～を切る。～路。	
じゅうじ	従事		
じゅうじか	十字架		
しゅうじつ	終日		
じゅうじつ	充実	～感。	
しゅうしふ	終止符	～を打つ。	
じゅうしゃ	従者		
しゅうじゅ	収受		
しゅうしゅう	収拾	事態を～する。	

㊞ 表外字・表外音訓を用いてよい特例の語　㊞ 常用漢字表の付表の語
㊞ 送りがなを省く特例　　㊞ 読みがなを付けるのが望ましい語　　＊類語・言いかえ例

しゅうしゅう	収集〔×蒐〕	切手を〜する。	
しゅうじゅう	主従 特		
じゅうじゅう	重々		
しゅうしゅく	収縮		
しゅうじゅく	習熟		
じゅうじゅん	従順〔柔〕		
じゅうしょ	住所	〜不定。〜録。	
しゅうしょうろうばい	周章狼狽		
しゅうしょう	終章		
しゅうしょう	愁傷	ご〜さま。	
じゅうしょう	重唱	二〜。	
じゅうしょう	重症	（重い病気）〜患者。	
じゅうしょう	重傷		
しゅうしょく	秋色	〜が深まる。	
しゅうしょく	修飾	〜語。	
しゅうしょく	就職	〜難。〜戦線。	
じゅうしょく	住職		
しゅうしん	修身	（戦前の教科）	
しゅうしん	執心	ご〜。	
しゅうしん	終身	〜刑。〜雇用。	
しゅうしん	就寝		
しゅうじん	囚人		
しゅうじん	衆人	〜環視。	
しゅうじん	集じん〔×塵〕	〜機。	
じゅうしん	重心		
じゅうしん	重臣		
じゅうしん	銃身		
じゅうすい	重水		
じゅうすいそ	重水素		
しゅうせい	修正	法案の〜。	
しゅうせい	修整	写真の〜。	
しゅうせい	終生〔世〕	〜忘れない。	
しゅうせい	習性	動物の〜。	
しゅうせい	集成	〜材。	
じゅうせい	銃声		
じゅうぜい	重税	〜に苦しむ。	
しゅうせき	集積	〜回路。	
じゅうせき	重責	〜を担う。	
しゅうせん	周旋		
しゅうせん	終戦	〜の日。〜後。	
しゅうぜん	修繕		
じゅうぜん	従前	〜どおり。	
しゅうそ	臭素		
しゅうそう	秋霜	〜烈日。	
しゅうぞう	収蔵	〜庫。〜品。	
じゅうそう	重曹		
じゅうそう	銃創	貫通〜。	
じゅうそう	縦走		
しゅうそく	収束	（おさまる。おさめる）事態を〜させる。	
しゅうそく	終息〔×熄〕	（終わる）伝染病が〜する。	
しゅうぞく	習俗		
じゅうそく	充足	〜感。	
じゅうぞく	従属		
しゅうたい	醜態	〜を演じる。	
じゅうたい	重体〔態〕		
じゅうたい	渋滞	交通〜。	
じゅうたい	縦隊	2列〜。	
じゅうだい	重大	〜視。〜性。	
しゅうたいせい	集大成		

〔 〕使わない漢字　　×表外字(常用漢字表にない字)　　▲表外音訓(常用漢字表にない読み)
①〜⑥教育漢字の学年配当　　①—②(①の表記を優先するが，②の表記を使ってもよい語)

じゅうたく	住宅	～街。～難。	
しゅうだつ	収奪		
しゅうだん	集団	～検診。～生活。	
じゅうたん	〔×絨×毯・×毬〕		
じゅうだん	銃弾		
じゅうだん	縦断	日本列島～。	
しゅうたんば	愁嘆場	《芸能》	
しゅうち	周知	～徹底。～の事実。	
しゅうち	衆知〔×智〕	～を集める。	
しゅうちしん	羞恥心		
しゅうちゃく	執着	～心。	
しゅうちゃく	終着	～駅。	
しゅうちゅう	集中	～豪雨。～砲火。～講義。	
じゅうちん	重鎮		
しゅうてい	舟艇	上陸用～。	
しゅうてん	終点		
しゅうでん	終電	(「終電車」の略)～に乗り遅れる。	
じゅうてん	重点	～主義。	
じゅうてん	充填	読	
じゅうでん	充電	～期間。	
じゅうでん	重電	～部門。	
しゅうと	州都		
しゅうと	宗徒	＊信徒。	
しゅうと	〔×舅〕		
じゅうど	重度	～の障害。	
しゅうとう	周到	用意～。	
しゅうどう	修道	～院。～士。～女。	
じゅうとう	充当		
じゅうどう	柔道		
じゅうとうほう	銃刀法	(「銃砲刀剣類所持等取締法」の略)	
しゅうとく	拾得	～物。	
しゅうとく	習得	外国語の～。	
しゅうとく	修得	単位を～する。	
しゅうとめ	〔×姑〕		
じゅうなん	柔軟	～体操。	
じゅうにく	獣肉		
じゅうにし	十二支		
じゅうにしちょう	十二指腸		
じゅうにひとえ	十二ひとえ	〔▲単〕	
じゅうにぶん	十二分		
しゅうにゅう	収入	～印紙。～源。～役。	
しゅうにん	就任		
じゅうにん	住人		
じゅうにんといろ	十人十色		
じゅうにんなみ	十人並み		
しゅうねん	周年	創立30～。	
しゅうねん	執念	～深い。	
しゅうのう	収納		
しゅうは	宗派		
しゅうは	秋波	～を送る。	
しゅうはい	集配	郵便物の～。	
じゅうばこ	重箱	～読み。	
しゅうはすう	周波数		
じゅうはちばん	十八番	《芸能》歌舞伎～。(「オハコ」と読む場合は, かな書き)	
しゅうはつ	終発		
じゅうばつ	重罰		
しゅうばん	終盤	～戦。	

しゅうび	愁眉 読	～を開く。	
しゅうひょう	集票		
じゅうびょう	重病	～人。	
しゅうふく	修復〔覆〕	文化財の～。両国の関係～。	
しゅうぶん	秋分	～の日。	
しゅうぶん	醜聞		
じゅうぶん	十分〔充〕		
しゅうへき	習癖		
しゅうへん	周辺		
しゅうほう	週報		
しゅうぼう	衆望	～を担う。	
じゅうほう	銃砲		
シューマイ	〔▲焼▲売〕		
しゅうまく	終幕		
しゅうまつ	終末	～処理場。～医療。	
しゅうまつ	週末		
じゅうまん	充満		
じゅうみん	住民	～票。～税。	
しゅうむ	宗務	～所。	
しゅうめい	襲名	～披露。	
じゅうめん	渋面	～を作る。	
しゅうもく	衆目	～の一致するところ。	
しゅうもん	宗門		
じゅうもんじ	十文字		
しゅうや	終夜	～営業。	
しゅうやく	集約		
じゅうやく	重役		
じゅうゆ	重油		
しゅうゆう	周遊	～券。	
しゅうよう	収用	《法律》土地～法。	
しゅうよう	収容	～人員。～所。	
しゅうよう	修養	～を積む。	
じゅうよう	重用	(「チョウヨウ」とも)	
じゅうよう	重要	～参考人。～視。～文化財。	
しゅうらい	襲来	敵機の～。	
じゅうらい	従来	～どおり。	
しゅうらく	集落〔×聚〕		
じゅうらん	縦覧	名簿の～。	
しゅうり	修理		
しゅうりょう	収量		
しゅうりょう	修了	課程を～する。～証書。	
しゅうりょう	終了	試合～。	
じゅうりょう	十両	《相撲》	
じゅうりょう	重量	～感。～級。	
じゅうりょうあげ	重量挙げ		
じゅうりょうぜい	従量税		
じゅうりょく	重力		
じゅうりん	〔×蹂×躙〕	人権～。	
しゅうれい	秀麗		
しゅうれい	秋冷		
しゅうれっしゃ	終列車		
しゅうれん	修練〔錬〕		
しゅうれん	収れん〔×斂〕		
しゅうろう	就労	～時間。	
じゅうろうどう	重労働		
しゅうろく	収録	番組の～。	
しゅうわい	収賄		
しゅえい	守衛		
じゅえき	受益	～者。	

〔 〕使わない漢字　　×表外字(常用漢字表にない字)　　▲表外音訓(常用漢字表にない読み)
1〜6 教育漢字の学年配当　　①—②(①の表記を優先するが，②の表記を使ってもよい語)

じゅえき　樹液	じゅく　熟 ⑥{ジュク/うれる}
しゅえん　主演	じゅく　塾{ジュク}
しゅえん　酒宴	しゅくえん　祝宴
じゅかい　樹海	しゅくえん　宿縁
しゅかく　主客　〜転倒。	しゅくが　祝賀　〜会。
じゅがく　儒学	しゅくがん　宿願
しゅかん　主幹　編集〜。	しゅくげん　縮減　予算の〜。
しゅかん　主管　〜事項。	じゅくご　熟語
しゅかん　主観　〜的。	しゅくさつ　縮刷　〜版。
しゅがん　主眼	しゅくし　祝詞
しゅき　手記	しゅくじ　祝辞
しゅき　酒気　〜を帯びる。	じゅくし　熟柿 [特][読]
しゅき　酒器	じゅくじくん　熟字訓
しゅぎ　主義　民主〜。〜主張。	しゅくじつ　祝日
しゅきゃく　主客　〜転倒。	しゅくしゃ　宿舎　公務員〜。国民〜。
じゅきゅう　受給　年金〜者。	しゅくしゃく　縮尺
じゅきゅう　需給　〜関係。	しゅくしゅく　粛々　〜として。
しゅきゅうは　守旧派	しゅくじょ　淑女
しゅぎょう　修行　(仏道・武道)武者〜。〜僧。	しゅくしょう　祝勝　〜会。
しゅぎょう　修業　(学問・技術)師匠の下で〜する。花嫁〜。	しゅくしょう　縮小〔少〕　〜均衡。
じゅきょう　儒教	しゅくず　縮図　社会の〜。
じゅぎょう　授業　〜料。	じゅくす　熟す
しゅぎょく　珠玉　〜の作品。	じゅくすい　熟睡
しゅく　宿 ③{シュク/やど・やどる・やどす}	しゅくする　祝する
しゅく　祝 ④{シュク・シュウ/いわう}	しゅくせい　粛正　綱紀〜。
しゅく　縮 ⑥{シュク/ちぢむ・ちぢまる・ちぢめる・ちぢれる・ちぢらす}	しゅくせい　粛清　反党分子の〜。血の〜。
しゅく　叔{シュク}	じゅくせい　塾生　(塾の学生)
しゅく　淑{シュク}	じゅくせい　熟成　ワインが〜する。
しゅく　粛{シュク}	しゅくぜん　粛然
	しゅくだい　宿題

[特]表外字・表外音訓を用いてよい特例の語　　[付]常用漢字表の付表の語
[送]送りがなを省く特例　　[読]読みがなを付けるのが望ましい語　　＊類語・言いかえ例

じゅくたつ 熟達	しゅごう 酒豪
じゅくち 熟知	じゅこう 受講　〜生。
しゅくちょく 宿直　〜室。	しゅこうぎょう 手工業
しゅくてき 宿敵	しゅこうげい 手工芸
しゅくてん 祝典	しゅこうりょう 酒こう料〔×肴〕
しゅくでん 祝電	しゅさ 主査
じゅくどく 熟読　〜玩味。	しゅさい 主宰　(上に立ってとりまとめる)劇団を〜する。
じゅくねん 熟年	
しゅくば 宿場　〜町。	しゅさい 主催　(中心となってもよおす)展覧会を〜。
しゅくはい 祝杯〔×盃〕　〜を挙げる。	
しゅくはく 宿泊	しゅざい 取材
しゅくふく 祝福	しゅざん 珠算
しゅくほう 祝砲	じゅさんじょ 授産所
しゅくぼう 宿坊	しゅさんち 主産地
しゅくぼう 宿望	しゅし 種子　〜植物。
しゅくめい 宿命	しゅし 趣旨　提案の〜。
じゅくりょ 熟慮　〜断行。	しゅじ 主事　指導〜。
じゅくれん 熟練　〜工。	じゅし 樹脂　〜加工。合成〜。
しゅくん 主君	しゅじい 主治医
しゅくん 殊勲　〜賞。	しゅじく 主軸　チームの〜。
しゅけい 主計　〜官。	しゅしゃ 取捨　〜選択。
しゅげい 手芸　〜品。	しゅじゅ 種々　〜雑多。
じゅけい 受刑　〜者。	じゅじゅ 授受　金銭の〜。
しゅけん 主権　〜在民。〜者。	しゅじゅう 主従
じゅけん 受検　(検査を受ける)	しゅじゅつ 手術
じゅけん 受験　(試験を受ける)	じゅじゅつ 呪術〔×咒〕
しゅげんじゃ 修験者	しゅしょう 主将〔首〕
しゅご 主語	しゅしょう 主唱　(中心となって唱えること)憲法擁護を〜する。
しゅご 守護　〜神。	
しゅこう 手交	しゅしょう 首唱　(先んじて唱えること)進化論の〜者。
しゅこう 趣向　〜を凝らす。	

〔　〕使わない漢字　　×表外字(常用漢字表にない字)　　▲表外音訓(常用漢字表にない読み)
①〜⑥教育漢字の学年配当　　①−②(①の表記を優先するが，②の表記を使ってもよい語)

しゅしょう	首相	～指名。	
しゅしょう	殊勝	～な心がけ。	
しゅじょう	衆生	《仏教》	
じゅしょう	受賞	(賞を受ける)～の喜び。	
じゅしょう	授賞	(賞を授ける)	
じゅしょうしき	授賞式〔受〕		
じゅしょうしゃ	受章者	(勲章を受けた人。文化勲章などの場合)	
じゅしょうしゃ	受賞者	(賞を受けた人)	
しゅしょく	主食		
しゅしょく	酒色	～にふける。	
しゅしょく	酒食	～のもてなし。	
しゅしん	主審		
しゅじん	主人	～公。	
じゅしん	受信	～機。	
じゅしん	受診		
しゅす	〔×繻子〕		
じゅず	数珠 付	～つなぎ。	
しゅすい	取水	～口。	
じゅすい	入水 特	(時代語)＊身投げ。投身自殺。	
しゅせい	守勢	～に回る。	
しゅせい	酒精	(アルコール)	
しゅぜい	酒税		
じゅせい	受精	～卵。体外～。	
じゅせい	授精	人工～。	
しゅせき	主席	国家～。	
しゅせき	首席	～代表。～で卒業。	
しゅせき	酒席		
しゅせきさん	酒石酸		
しゅせん	主戦	～投手。～論。	
しゅせんど	守銭奴		
じゅそ	〔呪×詛〕	＊呪い。まじない。	
しゅぞう	酒造	～業。	
じゅぞうき	受像機		
しゅぞく	種族		
しゅたい	主体	～性。～的。	
しゅだい	主題	～歌。	
じゅたい	受胎		
じゅたく	受託	～収賄。	
じゅだく	受諾		
しゅたる	主たる	～目的。	
しゅだん	手段	常とう～。非常～。	
しゅちく	種畜	～牧場。	
しゅちゅう	手中	～に収める。	
じゅちゅう	受注〔×註〕		
しゅちょう	主張		
しゅちょう	首長	～選挙。～国。	
しゅつ	出 ① {シュツ・スイ / でる・だす}		
じゅつ	述 ⑤ {ジュツ / のべる}		
じゅつ	術 ⑤ {ジュツ}	～を巡らす。	
しゅつえん	出演		
しゅっか	出火		
しゅっか	出荷		
じゅっかい	述懐		
しゅっかん	出棺		
しゅつがん	出願	特許の～。	
しゅっきん	出金	～伝票。	
しゅっきん	出勤		
しゅっけ	出家		

特 表外字・表外音訓を用いてよい特例の語　　付 常用漢字表の付表の語
送 送りがなを省く特例　　読 読みがなを付けるのが望ましい語　　＊類語・言いかえ例

しゅつげき　出撃	しゅったつ　出立 [送]
しゅっけつ　出欠	じゅっちゅう　術中　〜に陥る。〜にはまる。
しゅっけつ　出血　〜多量。〜サービス。	しゅっちょう　出張　〜所。海外〜。
しゅつげん　出現	しゅっちょう　出超　(「輸出超過」の略)
じゅつご　述語　(文法の場合)	しゅってい　出廷　(法廷に出ること)
じゅつご　術語　＊学術用語。専門用語。	しゅってん　出典
しゅっこう　出向　〜社員。	しゅってん　出店
しゅっこう　出航	しゅってん　出展
しゅっこう　出港	しゅつど　出土　〜品。
じゅっこう　熟考	しゅっとう　出頭　警察に〜する。
しゅっこく　出国	しゅつどう　出動　救急車の〜。
しゅつごく　出獄　＊出所。	しゅつにゅうこく　出入国　〜管理。
じゅっさく　術策　＊策略。	しゅつば　出馬
しゅっさつ　出札　〜掛。〜口。	しゅっぱつ　出発　〜点。〜進行。
しゅっさん　出産	しゅっぱん　出版　自費〜。〜物。
しゅっし　出資　〜金。	しゅっぴ　出費
しゅっしょ　出所　〜不明の金。	しゅっぴん　出品
しゅっしょう　出生　〜届。〜率。(「シュッセイ」とも)	しゅっぺい　出兵　シベリア〜。
しゅつじょう　出場　〜権。〜校。	しゅつぼつ　出没
しゅっしょく　出色　〜の出来栄え。	しゅっぽん　出奔
しゅっしょしんたい　出処進退	しゅつらんのほまれ　出藍の誉れ [読]
しゅっしん　出身　〜地。〜校。	しゅつりょう　出漁
しゅつじん　出陣　学徒〜。	しゅつりょく　出力
しゅっすい　出水	しゅつるい　出塁
しゅっせ　出世　〜魚。〜頭。〜作。	しゅと　首都〔主〕　〜圏。
しゅっせい　出征　〜兵士。	しゅとう　酒盗　(かつおの塩辛)
しゅっせき　出席	しゅとう　種痘
しゅっそう　出走　〜馬。	しゅどう　手動　〜式。
しゅつだい　出題	しゅどう　主導　〜権。

〔　〕使わない漢字　　×表外字(常用漢字表にない字)　　▲表外音訓(常用漢字表にない読み)
1〜6 教育漢字の学年配当　　①−②(①の表記を優先するが，②の表記を使ってもよい語)

じゅどう　受動	～的。
しゅとく　取得	
しゅとして　主として	
じゅなん　受難	～曲。
しゅにく　朱肉	
じゅにゅう　授乳	
しゅにん　主任	～弁護人。
じゅにん　受忍	～限度。
しゅぬり　朱塗り	
しゅのう　首脳〔主〕	～会談。政府～。
じゅのう　受納	
しゅはい　酒杯〔×盃〕	
じゅばく　呪縛	
しゅはん　主犯〔首〕	～格。
しゅはん　首班〔主〕	＊首相。
じゅばん　〔×襦×袢〕（「じばん」とも）	
しゅび　守備	～隊。
しゅび　首尾	上々の～。～一貫。
じゅひ　樹皮	
しゅひぎむ　守秘義務	
しゅひつ　主筆	
しゅひつ　朱筆	～を入れる。
しゅびょう　種苗	
じゅひょう　樹氷	
しゅひん　主賓	
しゅふ　主婦	専業～。
しゅふ　首府	
しゅぶん　主文	判決～。
じゅふん　受粉	自家～。
じゅふん　授粉	人工～。
しゅべつ　種別	
しゅほ　酒保	（兵営内の売店）
しゅほう　手法	
しゅほう　主峰	
しゅほう　主砲	
しゅぼう　首謀	～者。
しゅぼば　種ぼ馬〔×牡〕	
しゅみ　趣味	悪～。
しゅみだん　しゅみ壇〔▲須▲弥〕《仏教》	
じゅみょう　寿命	
しゅもく　種目	競技～。
じゅもく　樹木	～医。
じゅもん　呪文	
しゅやく　主役	
じゅよ　授与	卒業証書の～。
しゅよう　主要	～な議題。
しゅよう　腫瘍	《医学》
じゅよう　受容	
じゅよう　需要〔用〕	潜在～。有効～。
じゅようひ　需用費	（地方予算科目）
しゅよく　主翼	
しゅら　修羅	
しゅらば　修羅場	～をくぐり抜ける。～と化す。（仏教では「シュラジョウ」とも）
しゅらん　酒乱	
じゅり　受理	
しゅりけん　手裏剣	
じゅりつ　樹立	国交～。政権の～。
しゅりゅう　主流	～派。

特 表外字・表外音訓を用いてよい特例の語　　付 常用漢字表の付表の語
送 送りがなを省く特例　　読 読みがなを付けるのが望ましい語　　＊類語・言いかえ例

しゅりゅうだん　**手りゅう弾**〔×榴〕（「テリュウダン」とも）＊手投げ弾。
しゅりょう　**首領**
しゅりょう　**狩猟**
しゅりょう　**酒量**
じゅりょう　**受領**　〜印。〜証。
しゅりょく　**主力**　〜商品。
じゅりん　**樹林**
しゅるい　**種類**
じゅれい　**樹齢**
しゅれん　**手練**　〜の早業。
しゅろ　〔×棕×櫚〕
しゅわ　**手話**　〜通訳。
じゅわき　**受話器**
しゅわん　**手腕**　政治的〜。
しゅん　**春**　②｛シュン・はる｝
しゅん　**俊**　｛シュン｝
しゅん　**瞬**　｛シュン・またたく｝
しゅん　**旬**　｛ジュン・シュン｝　〜のもの（魚・野菜など）。
じゅん　**順**　④｛ジュン｝　〜に並ぶ。
じゅん　**準**　⑤｛ジュン｝
じゅん　**純**　⑥｛ジュン｝
じゅん　**旬**　｛ジュン・シュン｝
じゅん　**巡**　｛ジュン・めぐる｝
じゅん　**盾**　｛ジュン・たて｝
じゅん　**准**　｛ジュン｝
じゅん　**殉**　｛ジュン｝
じゅん　**循**　｛ジュン｝
じゅん　**潤**　｛ジュン・うるおう・うるおす・うるむ｝
じゅん　〔遵〕｛ジュン｝　（「順」を使う。p.14参照）
じゅんあい　**純愛**
じゅんい　**順位**
しゅんえい　**俊英**
じゅんえき　**純益**
じゅんえん　**順延**　雨天〜。
じゅんおくり　**順送り**
じゅんか　**純化**〔×醇〕
じゅんかい　**巡回**　〜診療。〜図書館。
じゅんかつゆ　**潤滑油**
しゅんかん　**瞬間**　〜風速。
じゅんかん　**旬刊**
じゅんかん　**旬間**
じゅんかん　**循環**
じゅんかんき　**循環器**　《医学》
じゅんかんごし　**准看護師**
しゅんき　**春季**　（「秋季」参照）
しゅんき　**春期**　（「秋期」参照）
しゅんぎく　**春菊**
じゅんきゅう　**準急**
じゅんきょ　**準拠**
じゅんきょう　**殉教**　〜者。
じゅんきょう　**順境**
じゅんぎょう　**巡業**
じゅんきょうじゅ　**准教授**
じゅんきん　**純金**
じゅんぐり　**順繰り**
しゅんけいぬり　**春慶塗**　送
じゅんけつ　**純血**　〜種。
じゅんけつ　**純潔**　〜教育。

じゅんけっしょう　準決勝〔准〕	じゅんすい　純水
しゅんげん　**しゅん厳**〔×峻〕　〜な態度。　*厳しい。	じゅんすい　純粋　〜培養。
しゅんこう　〔×竣工・功〕　*落成。完成。完工。	じゅんずる　殉ずる　主君に〜。
	じゅんずる　準ずる
じゅんこう　巡行　山車の〜。	じゅんせい　純正
じゅんこう　巡航　〜速度。〜ミサイル。	しゅんせつ　春雪
	しゅんせつ　春節
じゅんこう　順光	**しゅんせつ**　〔×浚×渫〕　〜船。
じゅんこく　殉国	じゅんぜん　純然　〜たる国産品。
じゅんさ　巡査	しゅんそく　俊足〔×駿〕
しゅんさい　俊才〔×駿〕	じゅんたく　潤沢
しゅんじ　瞬時	しゅんだん　春暖
じゅんし　巡視　〜船。	じゅんちょう　順調
じゅんし　殉死	じゅんて　順手
じゅんじ　順次	じゅんど　純度
じゅんじつ　旬日	しゅんとう　春闘　(「春季闘争」の略)
じゅんしゅ　順守〔遵〕	じゅんとう　順当　〜に勝つ。
しゅんしゅう　俊秀	じゅんなん　殉難
しゅんじゅう　春秋　〜に富む。	じゅんのう　順応　〜性。
しゅんじゅん　**しゅん巡**〔×逡〕　*尻込み。ためらう。	じゅんぱい　巡拝
	じゅんぱく　純白
じゅんじゅん　順々　〜に。	しゅんぱつりょく　瞬発力
じゅんじゅん　〔×諄々〕　〜と説く。	じゅんばん　順番
じゅんじょ　順序　〜立てる。	じゅんび　準備
しゅんしょう　春宵	しゅんびん　俊敏
じゅんしょう　准将	じゅんぷう　順風　〜満帆(マンパン)。
じゅんじょう　純情	しゅんぶん　春分　〜の日。
じゅんしょく　殉職	じゅんぶんがく　純文学
じゅんしょく　潤色	しゅんべつ　**しゅん別**〔×峻〕
じゅんしん　純真	じゅんぽう　順法〔遵〕　〜の精神。〜闘争。

特 表外字・表外音訓を用いてよい特例の語　付 常用漢字表の付表の語
送 送りがなを省く特例　読 読みがなを付けるのが望ましい語　*類語・言いかえ例

じゅんぼく	純朴〔×醇〕
しゅんみん	春眠　～暁を覚えず。
しゅんめ	〔×駿▲馬〕
じゅんもう	純毛
じゅんゆうしょう	準優勝〔准〕
じゅんよう	準用
じゅんようかん	巡洋艦
しゅんらい	春雷
じゅんれい	巡礼
しゅんれつ　しゅん烈	〔×峻〕　＊厳しい。
じゅんれつ	順列　～組み合わせ。
じゅんろ	順路
しょ　書	②{ショ・かく}
しょ　所	③{ショ・ところ}
しょ　暑	③{ショ・あつい}
しょ　初	④{ショ・はじめ・はじめて・はつ・うい・そめる}
しょ　処	⑥{ショ}
しょ　署	⑥{ショ}
しょ　諸	⑥{ショ}
しょ　庶	{ショ}
しょ　緒	{ショ・チョ・お}
じょ　女	①{ジョ・ニョ・ニョウ・おんな・め}
じょ　助	③{ジョ・たすける・たすかる・すけ}
じょ　序	⑤{ジョ}　論文の～。
じょ　除	⑥{ジョ・ジ・のぞく}
じょ　如	{ジョ・ニョ}
じょ　叙	{ジョ}
じょ　徐	{ジョ}
しょあく	諸悪　～の根源。
じょい	叙位　～叙勲。
しょいこ	〔▲背▲負子〕
しょいこむ　しょい込む	〔▲背▲負〕
しょいちねん	初一念　＊初志。
しょいん	書院　～造り。
しょいん	署員
しよう	子葉《植物》
しよう	仕様　～書き。(「しようがない」は，なるべくかな書き)
しよう	私用　～電話。
しよう	使用　～者。～人。～済み。
しよう	枝葉　～末節。
しよう	試用　～品。～薬。
しょう　小	①{ショウ・ちいさい・こ・お}
しょう　上	①{ジョウ・ショウ，うえ・うわ・かみ・あげる・あがる・のぼる・のぼせる・のぼす}
しょう　生	①{セイ・ショウ，いきる・いかす・いける・うまれる・うむ・おう・はえる・はやす・き・なま}
しょう　正	①{セイ・ショウ，ただしい・ただす・まさ}　～一位。
しょう　青	①{セイ・ショウ，あお・あおい}
しょう　少	①{ショウ・すくない・すこし}
しょう　声	①{セイ・ショウ・こえ・こわ}
しょう　星	②{セイ・ショウ・ほし}
しょう　昭	③{ショウ}
しょう　消	③{ショウ・きえる・けす}
しょう　商	③{ショウ・あきなう}
しょう　章	③{ショウ}
しょう　勝	③{ショウ・かつ・まさる}
しょう　相	③{ソウ・ショウ・あい}
しょう　省	④{セイ・ショウ・かえりみる・はぶく}
しょう　松	④{ショウ・まつ}

〔　〕使わない漢字　　×表外字(常用漢字表にない字)　　▲表外音訓(常用漢字表にない読み)
①〜⑥教育漢字の学年配当　　①−②(①の表記を優先するが，②の表記を使ってもよい語)

しょう	笑 ④ {ショウ/わらう・えむ}		しょう	症 {ショウ}
しょう	唱 ④ {ショウ/となえる}		しょう	祥 {ショウ}
しょう	清 ④ {セイ・ショウ/きよい・きよまる・きよめる}		しょう	哨 {ショウ} (p.12 参照)
しょう	焼 ④ {ショウ/やく・やける}		しょう	渉 {ショウ}
しょう	象 ④ {ショウ・ゾウ}		しょう	紹 {ショウ}
しょう	照 ④ {ショウ/てる・てらす・てれる}		しょう	訟 {ショウ}
しょう	賞 ④ {ショウ}		しょう	掌 {ショウ}
しょう	承 ⑤ {ショウ/うけたまわる}		しょう	晶 {ショウ}
しょう	性 ⑤ {セイ・ショウ}　〜が合う。		しょう	焦 {ショウ/こげる・こがす・こがれる・あせる}
しょう	招 ⑤ {ショウ/まねく}		しょう	硝 {ショウ}
しょう	政 ⑤ {セイ・ショウ/まつりごと}		しょう	粧 {ショウ}
しょう	証 ⑤ {ショウ/あかす} (p.12 参照)		しょう	詔 {ショウ/みことのり}
しょう	精 {セイ・ショウ}		しょう	奨 {ショウ}
しょう	従 ⑥ {ジュウ・ショウ・ジュ/したがう・したがえる}		しょう	詳 {ショウ/くわしい}
しょう	将 ⑥ {ショウ}		しょう	彰 {ショウ}
しょう	傷 ⑥ {ショウ/きず・いたむ・いためる}		しょう	憧 {ショウ/あこがれる}
しょう	障 ⑥ {ショウ/さわる}		しょう	衝 {ショウ}
しょう	装 ⑥ {ソウ・ショウ/よそおう}		しょう	償 {ショウ/つぐなう}
しょう	升 {ショウ/ます}		しょう	礁 {ショウ}
しょう	井 {セイ・ショウ/い}		しょう	鐘 {ショウ/かね}
しょう	召 {ショウ/めす}		しょう	〔▲背▲負〕
しょう	匠 {ショウ}		じょう	滋養　＊栄養。
しょう	床 {ショウ/とこ・ゆか}		じょう	上 ① {ジョウ・ショウ/うえ・うわ・かみ・あげる・あがる・のぼる・のぼせる・のぼす}
しょう	抄 {ショウ}　平家物語〜。			
しょう	肖 {ショウ}		じょう	場 ② {ジョウ/ば}
しょう	尚 {ショウ}		じょう	定 {テイ・ジョウ/さだめる・さだまる・さだか}
しょう	姓 {セイ・ショウ}		じょう	乗 ③ {ジョウ/のる・のせる}
しょう	昇 {ショウ/のぼる}		じょう	成 ④ {セイ・ジョウ/なる・なす}
しょう	沼 {ショウ/ぬま}		じょう	静 ④ {セイ・ジョウ/しず・し/しずか・しずまる・しずめる}
しょう	称 {ショウ}		じょう	条 ⑤ {ジョウ}
しょう	宵 {ショウ/よい}		じょう	状 ⑤ {ジョウ}

じょう 常 ⑤ {ジョウ/つね・とこ}
じょう 情 ⑤ {ジョウ・セイ/なさけ} 親子の〜。
じょう 城 ⑥ {ジョウ/しろ}
じょう 盛 ⑥ {セイ・ジョウ/もる・さかる・さかん}
じょう 蒸 ⑥ {ジョウ/むす・むれる・むらす}
じょう 丈 {ジョウ/たけ}
じょう 冗 {ジョウ}
じょう 浄 {ジョウ}
じょう 剰 {ジョウ}
じょう 畳 {ジョウ/たたむ・たたみ}
じょう 縄 {ジョウ/なわ}
じょう 壌 {ジョウ}
じょう 嬢 {ジョウ}
じょう 錠 {ジョウ}
じょう 譲 {ジョウ/ゆずる}
じょう 醸 {ジョウ/かもす}
じょう 〔×帖〕
じょうあい 情愛 夫婦の〜。
しょうあく 掌握 人心を〜する。
しょうい 小異 大同〜。
しょうい 少尉
じょうい 上位
じょうい 上意 〜下達。
じょうい 譲位
じょうい 〔×攘×夷〕 尊皇〜。
しょういぐんじん 傷い軍人〔×痍〕
しょういだん 焼い弾〔×夷〕
しょういん 勝因
じょういん 上院 〜議員。
じょういん 乗員
しょううん 勝運

じょうえい 上映
しょうえん 小宴
しょうえん 硝煙
じょうえん 上演
しょうおう 照応
しょうおん 消音 〜器。
じょうおん 常温
しょうか 昇華
しょうか 消化 〜器。〜不良。
しょうか 消火 〜器。〜栓。
しょうか 消夏〔×銷〕 〜法。
しょうか 唱歌
しょうか 商科 〜大学。
しょうか 商家
しょうか しょう歌〔×頌〕 *賛歌
しょうが 〔生×薑・×姜〕
じょうか 上下 〜両院。
じょうか 城下 〜町。
じょうか 浄化 〜槽。
しょうかい 商会
しょうかい 紹介 自己〜。
しょうかい 照会 (問い合わせ)
しょうかい 哨戒 (p.12参照)〜機。
しょうがい 生涯 〜学習。
しょうがい 渉外 〜係。
しょうがい 傷害 〜事件。〜保険。
しょうがい 障害〔×碍〕 〜物。
じょうがい 城外
じょうがい 場外 〜乱闘。〜ホームラン。

〔 〕使わない漢字　×表外字(常用漢字表にない字)　▲表外音訓(常用漢字表にない読み)
①〜⑥教育漢字の学年配当　①−②(①の表記を優先するが，②の表記を使ってもよい語)

しょうかき　小火器　(小銃・軽機関銃など)
しょうかく　昇格
しょうがく　小額　(小さな額面)〜紙幣。
しょうがく　少額　(僅かな額)〜の貯蓄。
しょうがく　奨学　〜金。〜生。
じょうかく　城郭〔×廓〕
しょうがくせい　小学生
しょうかせん　消火栓
しょうがつ　正月
しょうがっこう　小学校
しょうかん　小寒
しょうかん　召喚　(呼び出す)裁判所に〜する。〜状。
しょうかん　召還　(呼び戻す。呼び返す)駐米大使を〜する。
しょうかん　将官
しょうかん　商館　オランダ〜。
しょうかん　償還　債券の〜。
じょうかん　上官
じょうかん　乗艦
じょうかん　情感
じょうかんぱん　上甲板
しょうき　正気　〜の沙汰。
しょうき　勝機　〜を逃す。
しょうき　〔×鍾×馗〕
しょうぎ　省議
しょうぎ　将棋〔×棊〕　〜倒し。〜盤。
しょうぎ　〔床×几〕
じょうき　上気　〜した顔。

じょうき　上記　〜のとおり。
じょうき　常軌　〜を逸した行為。
じょうき　蒸気　〜機関車。〜船。
じょうぎ　定規〔木〕　三角〜。
じょうぎ　情義〔×誼〕
じょうきげん　上機嫌
しょうきゃく　焼却　〜炉。
しょうきゃく　消却〔×銷〕　負債の〜。
しょうきゃく　償却　減価〜。
じょうきゃく　上客
じょうきゃく　乗客
しょうきゅう　昇級
しょうきゅう　昇給
じょうきゅう　上級　〜職。〜生。
しょうきゅうし　小休止
しょうきょ　消去
しょうぎょう　商業　〜高校。〜簿記。
じょうきょう　上京
じょうきょう　状況〔情〕　〜証拠。
しょうきょく　小曲
しょうきょくてき　消極的
しょうきん　賞金
じょうきん　常勤　非〜。
じょうく　冗句　＊むだな句。冗談。
じょうくう　上空
しょうぐん　将軍　〜家。
じょうげ　上下　〜水道。〜動。
しょうけい　小計
しょうけい　憧憬　(「ショウケイ」が本来の読み。「ドウケイ」は慣用読み)＊憧れ。憧れる。

㊣ 表外字・表外音訓を用いてよい特例の語　　㊣ 常用漢字表の付表の語
㊣ 送りがなを省く特例　　㊣ 読みがなを付けるのが望ましい語　　＊類語・言いかえ例

じょうけい　情景〔状〕	しょうこく　小国
しょうけいもじ　象形文字　(「〜モンジ」とも)	じょうこく　上告　〜審。
しょうげき　衝撃　〜波。	しょうこり　性懲り　〜もなく。
しょうけん　正絹　〜のネクタイ。	しょうこん　商魂　〜たくましい。
しょうけん　商圏	しょうさ　小差〔少〕　〜で勝つ。
しょうけん　証券　〜取引所。	じょうざ　上座
しょうげん　証言	しょうさい　商才　〜にたける。
じょうけん　条件　〜付き。〜反射。	しょうさい　詳細　〜な説明。
じょうげん　上弦　〜の月。	じょうさい　城塞　＊とりで。
じょうげん　上限	じょうざい　浄財
しょうこ　証拠　〜固め。〜品。	じょうざい　錠剤
しょうご　正午	じょうさし　状差し
じょうご　上戸　泣き〜。	しょうさっし　小冊子
じょうご　〔▲漏▲斗〕	しょうさん　称賛〔賞×讃〕　〜に値する。
しょうこう　小康　〜状態。	しょうさん　勝算
しょうこう　昇降　〜口。	しょうさん　硝酸　〜塩。〜銀。
しょうこう　将校	じょうさん　蒸散　〜作用。
しょうこう　商工　〜会議所。〜業。	しょうし　少子　〜化。
しょうこう　商港	しょうし　笑止　〜千万。
しょうこう　焼香	しょうし　焼死　〜体。
しょうごう　称号	しょうし　証紙
しょうごう　商号	しょうじ　小事　大事の前の〜。
しょうごう　照合　原本と〜する。	しょうじ　正時　毎〜。
じょうこう　上皇	しょうじ　商事　〜会社。
じょうこう　条項　禁止〜。平和〜。	しょうじ　障子　〜紙。
じょうこう　乗降　〜客。	じょうし　上司
しょうこうぐん　症候群	じょうし　上肢　＊腕。手。
しょうこうねつ　しょうこう熱〔×猩紅〕	じょうし　情死　〜を遂げる。
しょうこきん　証拠金	じょうし　城し〔×址〕　(固有名詞では「城址」とも)＊城跡。

〔　〕使わない漢字　　×表外字(常用漢字表にない字)　　▲表外音訓(常用漢字表にない読み)
①〜⑥教育漢字の学年配当　　①−②(①の表記を優先するが，②の表記を使ってもよい語)

じょうじ	常時
じょうじ	情事
しょうじき	正直
じょうしき	常識
じょうしきまく	定式幕　《芸能》
しょうしげん	省資源
しょうしつ	消失
しょうしつ	焼失　〜面積。
じょうしつ	上質
じょうじつ	情実
しょうしゃ	商社
しょうしゃ	勝者
しょうしゃ	照射　エックス線の〜。
しょうしゃ	〔×瀟×洒〕　*しゃれた。
じょうしゃ	乗車　〜券。
じょうしゅ	城主
じょうしゅ	情趣
じょうじゅ	成就　大願〜。
しょうしゅう	召集　（国会の場合と旧日本軍の場合）〜令状。
しょうしゅう	招集　（一般的な場合）会議の〜。地方議会の〜。
しょうしゅう	消臭　〜剤。
しょうじゅう	小銃
じょうしゅう	常習　〜者。〜犯。
じょうしゅう	常襲　〜地帯。
しょうじゅつ	詳述
じょうじゅつ	上述
しょうじゅん	照準
じょうじゅん	上旬
しょうしょ	小暑　（二十四節気）
しょうしょ	証書　卒業〜。借用〜。
しょうしょ	詔書
しょうじょ	少女
じょうしょ	浄書
じょうじょ	乗除　加減〜。
しょうしょう	少々
しょうしょう	少将
しょうじょう	症状
しょうじょう	清浄　六根〜。
しょうじょう	賞状
じょうしょう	上昇　〜気流。
じょうしょう	常勝　〜軍。
じょうじょう	上々〔乗〕　〜の首尾。
じょうじょう	上場　〜会社。
じょうじょう	情状　〜酌量。
しょうしょく	小食　（「少食」とも）
じょうしょく	常食
しょうじる	生じる
じょうじる	乗じる
しょうしん	小心　〜翼々。
しょうしん	昇進〔×陞〕
しょうしん	焼身　〜自殺。
しょうしん	傷心
しょうじん	小人
しょうじん	精進　〜揚げ。〜料理。
じょうしん	上申　〜書。
じょうじん	常人
しょうしんしょうめい	正真正銘
しょうず	小豆　〜相場。
じょうず	上手 ㊊
しょうすい	小水　*尿。小便。

㊚ 表外字・表外音訓を用いてよい特例の語　㊊ 常用漢字表の付表の語
㊁ 送りがなを省く特例　㊄ 読みがなを付けるのが望ましい語　＊類語・言いかえ例

しょうすい	[×憔×悴] *やつれる。	じょうせん	乗船
じょうすい	上水 〜道。	しょうせんきょく	小選挙区 〜制。
じょうすいじょう	浄水場	しょうそ	勝訴
じょうすいち	浄水池	じょうそ	上訴
しょうすう	小数 (1に満たない数)	しょうそう	少壮
しょうすう	少数 〜意見。〜民族。	しょうそう	尚早 時期〜。
じょうすう	乗数	しょうそう	焦燥[×躁] 〜感。
じょうすう	常数	しょうぞう	肖像 〜画。〜権。
しょうすうてん	小数点	じょうそう	上層 〜部。
しょうする	称する	じょうそう	情操 〜教育。
しょうする	賞する	じょうぞう	醸造 〜酒。
しょうずる	生ずる	しょうそく	消息 〜不明。〜通。
じょうずる	乗ずる	しょうぞく	装束
しょうせい	小生	しょうたい	正体 〜を現す。
しょうせい	招請 〜状。	しょうたい	招待 〜状。〜券。
しょうせい	笑声	じょうたい	上体 〜を起こす。
じょうせい	上製	じょうたい	状態[情] 健康〜。混乱〜。
じょうせい	情勢[状] 国際〜。〜判断。	じょうたい	常態 (普通の状態)
じょうせい	醸成	じょうだい	上代
じょうせき	上席	じょうだい	城代 〜家老。
じょうせき	定石 (囲碁)〜どおり。	しょうだく	承諾
じょうせき	定跡 (将棋)	じょうたつ	上達
しょうせつ	小雪 (二十四節気)	しょうたん	賞嘆
しょうせつ	小節	しょうだん	昇段
しょうせつ	小説	しょうだん	商談
じょうせつ	常設 〜館。〜展。	じょうだん	上段
じょうぜつ	じょう舌[×饒・冗] *おしゃべり。	じょうだん	冗談
しょうせん	商船	しょうち	招致[召] オリンピックを〜する。
しょうせん	商戦 歳末〜。	しょうち	承知
しょうぜん	しょう然[×悄]	じょうち	常置

〔 〕使わない漢字　　×表外字(常用漢字表にない字)　　▲表外音訓(常用漢字表にない読み)
①〜⑥教育漢字の学年配当　　①−②(①の表記を優先するが, ②の表記を使ってもよい語)

じょうち	情痴
しょうちくばい	松竹梅
しょうちゅう	掌中　～の玉。
しょうちゅう	焼酎
じょうちゅう	条虫　(寄生虫の一種)
じょうちゅう	常駐
じょうちょ	情緒　～不安定。
しょうちょう	小腸
しょうちょう	省庁
しょうちょう	消長　勢力の～。
しょうちょう	象徴　平和の～。
じょうちょう	冗長　～な。
じょうちょう	場長
しょうちょく	詔勅
しょうちん	消沈〔×銷〕　意気～。
しょうつき	祥月　～命日。
じょうてい	上程　法案の～。
じょうでき	上出来
しょうてん	昇天
しょうてん	商店　～街。～主。
しょうてん	焦点　論議の～。～距離。
しょうでん	昇殿　～参拝。
しょうと	省都　(省の首都)
しょうと	商都
しょうど	焦土　～と化する。
しょうど	照度　～計。
じょうと	譲渡　～所得。
じょうど	浄土　《仏教》極楽～。
しょうとう	小刀
しょうとう	小党　～分立。
しょうとう	消灯
しょうどう	唱道〔称〕　改革を～する。
しょうどう	衝動　～買い。
じょうとう	上等
じょうとう	常とう〔×套〕　～手段。～句。　＊ありきたり。
じょうどう	常道　憲政の～。
じょうとうしき	上棟式
しょうとく	生得
しょうどく	消毒　～薬。
じょうとくい	上得意
しょうとつ	衝突
しょうとりひき	商取引 送
じょうない	場内
しょうに	小児　～科。～まひ。
しょうにゅうせき	鍾乳石 特
しょうにゅうどう	鍾乳洞 特
しょうにん	小人　～料金。
しょうにん	上人
しょうにん	昇任〔×陞〕
しょうにん	承認
しょうにん	商人
しょうにん	証人　～喚問。
じょうにん	常任　～理事国。
しょうにんずう	少人数　(「ショウニンズ」とも)
しょうね	性根　～を据える。
しょうねつ	焦熱　～地獄。
じょうねつ	情熱　～家。～的。
しょうねん	少年　～少女。
しょうねん	生年　～16歳。
じょうねん	情念

特 表外字・表外音訓を用いてよい特例の語　　付 常用漢字表の付表の語
送 送りがなを省く特例　　読 読みがなを付けるのが望ましい語　　＊類語・言いかえ例

しょうねんば　正念場	じょうぶつ　成仏
しょうのう　小脳	しょうぶどころ　勝負どころ〔所〕
しょうのう　〔×樟脳〕	しょうぶん　性分
じょうのう　上納　〜金。	じょうぶん　条文　法律の〜。
じょうば　乗馬	しょうへい　将兵
しょうはい　勝敗	しょうへい　招へい〔×聘〕　＊招く。招請。
しょうはい　賞杯	
しょうばい　商売　〜敵(ガタキ)。〜柄。	しょうへき　障壁〔×牆〕　〜画。関税〜。
しょうばつ　賞罰	じょうへき　城壁
じょうはつ　蒸発	しょうべん　小便
しょうばん　相伴	じょうほ　譲歩
じょうはんしん　上半身	しょうほう　商法　悪徳〜。
しょうひ　消費　〜者。〜税。	しょうほう　詳報
しょうび　焦眉(しょうび)読　〜の急。	しょうぼう　消防　〜車。〜艇。
しょうび　賞美〔称〕	じょうほう　上方　＊上の方。
じょうひ　冗費〔剰〕　〜節約。	じょうほう　乗法　＊かけ算。
じょうび　常備　〜軍。〜薬。	じょうほう　情報
しょうひょう　商標　登録〜。	しょうほん　正本
しょうびょう　傷病　〜兵。	しょうほん　抄本　戸籍〜。
しょうひん　小品	じょうまえ　錠前
しょうひん　商品　〜券。	じょうまん　冗漫
しょうひん　賞品	しょうみ　正味〔身〕
じょうひん　上品	しょうみ　賞味　〜期限。
しょうふ　**しょう**婦〔×娼〕	じょうみゃく　静脈
しょうぶ　勝負	しょうみょう　声明　《仏教》
しょうぶ　〔×菖×蒲〕　〜湯。	じょうむ　乗務　〜員。
じょうぶ　上部　〜団体。	じょうむ　常務　〜取締役。
じょうぶ　丈夫　〜な体。	しょうめい　証明　〜書。
しょうふく　承服〔伏〕	しょうめい　照明　〜係。〜弾。
しょうふだ　正札　〜付き。	しょうめつ　消滅

しょう—しよう

しょうめん	正面	～玄関。
しょうもう	消耗	～品。
じょうもの	上物	
しょうもん	証文	
じょうもん	定紋	
じょうもん	城門	
じょうもん	縄文	～土器。～時代。
しょうや	庄屋⑲	
しょうやく	生薬	
じょうやく	条約	
じょうやど	定宿〔常〕	
じょうやとい	常雇い	
じょうやとう	常夜灯	
しょうゆ	〔×醬油〕	
しょうよ	賞与	
じょうよ	剰余	～金。
しょうよう	小用	
しょうよう	称揚〔賞〕	
しょうよう	従容	～として。
しょうよう	商用	
しょうよう	〔×逍×遥〕	＊散歩。そぞろ歩き。
じょうよう	常用	～漢字。
じょうようしゃ	乗用車	
じょうよく	情欲〔×慾〕	
しょうらい	招来	＊招く。もたらす。
しょうらい	将来	
しょうらん	照覧	
しょうり	小利	
しょうり	勝利	
じょうり	条理	（物事の筋道）不～。～が立たない。
じょうり	情理	（人情と道理）～を尽くす。
じょうりく	上陸	
しょうりつ	勝率	
しょうりゃく	省略	
じょうりゅう	上流	～階級。～社会。
じょうりゅう	蒸留〔×溜〕	～水。～酒。
しょうりょ	焦慮	～に駆られる。
しょうりょう	小量	（狭い度量の意味も）＊少量。狭量。
しょうりょう	少量	（僅か）
しょうりょう	精霊	《仏教》～送り。～流し。
しょうりょく	省力	～化。
じょうりょくじゅ	常緑樹	
じょうるり	浄瑠璃	《芸能》
しょうれい	省令	
しょうれい	症例	
しょうれい	奨励	～賞。～金。
じょうれい	条例	公害防止～。
じょうれん	常連〔定〕	
じょうろ	〔如雨露〕	
しょうろう	鐘楼	
しょうろく	抄録	
しょうわ	昭和	（年号）
しょうわ	笑話	
しょうわ	唱和	
しょうわる	性悪	

---

⑲表外字・表外音訓を用いてよい特例の語　付常用漢字表の付表の語
送送りがなを省く特例　読読みがなを付けるのが望ましい語　＊類語・言いかえ例

じょうわん	上腕	~部。	
しょえん	初演		
じょえん	助演		
じょおう	女王	~蜂。	
しょか	初夏		
しょか	書架		
しょか	書家		
しょが	書画		
しょかい	初回		
じょがい	除外		
じょがくせい	女学生	(女学校の生徒)	
しょかつ	所轄		
じょがっこう	女学校	高等~。	
しょかん	所感	年頭の~。	
しょかん	所管	~事項。	
しょかん	書簡〔×翰〕		
じょかん	女官	(皇室用語は「ニョカン」)	
しょき	初期		
しょき	所期	~の目的を達する。	
しょき	書記	~官。~長。	
しょき	暑気	~あたり。~払い。	
しょきゅう	初級		
じょきょ	除去		
しょぎょう	所業〔行〕		
じょきょう	助教		
しょぎょうむじょう	諸行無常		
じょきょく	序曲		
じょきん	除菌		
しよく	私欲	私利~。	
しょく	色 ② {ショク・シキ / いろ}		
しょく	食 ② {ショク・ジキ / くう・くらう・たべる}		
しょく	植 ③ {ショク / うえる・うわる}		
しょく	織 ⑤ {ショク・シキ / おる}		
しょく	職 ⑤ {ショク} ~を探す。		
しょく	拭 {ショク / ふく・ぬぐう}		
しょく	殖 {ショク / ふえる・ふやす}		
しょく	飾 {ショク / かざる}		
しょく	触 {ショク / ふれる・さわる}		
しょく	嘱 {ショク}		
じょく	辱 {ジョク / はずかしめる}		
しょくあたり	食あたり〔▲中〕		
しょくいき	職域		
しょくいん	職員	~組合。	
しょぐう	処遇		
しょくえん	食塩		
しょくぎょう	職業	~安定所。~病。	
しょくげん	食言		
しょくご	食後		
しょくざい	食材		
しょくざい	しょく罪〔×贖〕	*罪の償い。	
しょくし	食指	~を動かす。	
しょくじ	食事		
しょくじ	植字		
しょくしゅ	触手		
しょくしゅ	職種		
しょくじゅ	植樹	記念~。~祭。	
しょくしょう	食傷	~気味。	
しょくしょう	職掌	~柄。	
しょくじりょうほう	食事療法	(「食餌療法」とも)《医学》	

〔 〕使わない漢字　×表外字(常用漢字表にない字)　▲表外音訓(常用漢字表にない読み)
①~⑥教育漢字の学年配当　①−②(①の表記を優先するが，②の表記を使ってもよい語)

しょくしん	触診 《医学》	しょくもつ	食物　〜繊維。〜連鎖。
しょくせい	植生	しょくよう	食用　〜油。〜がえる。
しょくせい	職制	しょくよく	食欲〔×慾〕　〜不振。
しょくせき	職責	しょくりょう	食料　(食べ物，その材料)〜品。生鮮〜。
しょくぜん	食前　〜食後。		
しょくぜん	食膳	しょくりょう	食糧　(おもに主食，穀物)戦後の〜難。
しょくだい	しょく台〔×燭〕		
しょくたく	食卓	しょくりん	植林
しょくたく	嘱託　〜殺人。	しょくれき	職歴
しょくちゅうどく	食中毒	しょくん	諸君
しょくつう	食通	じょくん	叙勲　叙位〜。
しょくどう	食堂　社員〜。	しょけい	処刑
しょくどう	食道　〜がん。	しょけい	諸兄
しょくにく	食肉	じょけつ	女傑
しょくにん	職人　〜かたぎ。	**しょげる**	〔×悄気〕
しょくのう	職能　〜給。	しょけん	初見　〜で演奏する。
しょくば	職場　〜結婚。〜放棄。	しょけん	所見
しょくばい	触媒	じょげん	助言
しょくはつ	触発	じょげん	序言
しょくパン	食パン	しょこ	書庫
しょくひ	食費	しょこう	諸公　大臣〜。
しょくひん	食品　〜衛生。〜添加物。	しょこう	しょ光〔×曙〕　＊夜明けの光。光明。
しょくぶつ	植物　〜油。〜園。		
しょくぶん	職分	じょこう	徐行　〜運転。
しょくべに	食紅	しょこく	諸国
しょくぼう	嘱望　将来を〜される。	じょことば	序ことば〔▲詞〕
しょくみ	食味	しょこん	初婚
しょくみんち	植民地〔殖〕	しょさ	所作
しょくむ	職務　〜権限。〜質問。	しょさい	書斎
しょくもう	植毛	しょざい	所在　〜地。〜ない。
しょくもく	嘱目	じょさいない	如才ない

㊚表外字・表外音訓を用いてよい特例の語　　㊙常用漢字表の付表の語
㊋送りがなを省く特例　　㊙読みがなを付けるのが望ましい語　　＊類語・言いかえ例

しょさごと　所作事　《芸能》	じょすうし　助数詞　(「1個」の「個」や「2枚」の「枚」など)
しょさん　所産	
じょさんし　助産師	じょすうし　序数詞　(「5番目」「第1番」など順序を表す語)
しょし　初志　～を貫く。	
しょし　諸氏	しょする　処する
しょじ　所持　～品。不法～。	じょする　叙する
しょじ　諸事　～節約。～万端。	しょせい　処世　～術。
じょし　女子　～学生。	しょせい　書生
じょし　女史	じょせい　女性
じょし　助詞	じょせい　女婿
じょじ　女児	じょせい　助成　～金。
じょじ　叙事　～詩。	しょせき　書籍
しょしき　書式	じょせき　除籍
じょしつ　除湿　～器。	しょせつ　諸説　～紛々。
しょしゃ　書写	じょせつ　除雪　～作業。～車。
じょしゅ　助手　～席。撮影～。	しょせん　初戦　(第1戦)
しょしゅう　初秋	しょせん　緒戦　(戦いの始まった頃)（「チョセン」とも）
じょじゅつ　叙述	
しょしゅん　初春	しょせん　①しょせん　②所詮
しょじゅん　初旬	しょぞう　所蔵　～品。
しょしょ　処暑　(二十四節気)	じょそう　女装
しょじょ　処女　～作。～航海。	じょそう　助走　～路。
じょじょ　徐々　～に。	じょそう　序奏
しょじょう　書状	じょそう　除草　～剤。
じょしょう　序章	しょぞく　所属
じょじょう　叙情〔×抒〕　～詩。	しょぞん　所存
しょしん　初心　～者。	しょたい　所帯〔▲世〕　～を持つ。～道具。～やつれ。(「せたい　世帯」の項参照)
しょしん　初診　～料。	
しょしん　所信　～表明。	
じょすう　除数　《数学》	しょたい　書体
	しょだい　初代

〔　〕使わない漢字　　×表外字(常用漢字表にない字)　　▲表外音訓(常用漢字表にない読み)
①～⑥教育漢字の学年配当　　①-②(①の表記を優先するが，②の表記を使ってもよい語)

じょたい　除隊	しょなのか　初七日　(「ショナヌカ」
しょたいめん　初対面	「ショシチニチ」とも)
しょだな　書棚	しょにち　初日
しょだん　初段	しょにんきゅう　初任給
しょち　処置	しょねつ　暑熱
しょちゅう　暑中　～見舞い。	しょねん　初年　～兵。
じょちゅうぎく　除虫菊	じょのくち　序の口
しょちょう　初潮	しょは　諸派
しょちょう　署長	しょばつ　処罰
じょちょう　助長	しょはん　初犯
しょっかいせい　職階制	しょはん　初版　～本。
しょっかく　食客	しょはん　諸般　～の事情。
しょっかく　触角　(昆虫の器官)	じょばん　序盤　～戦。
しょっかく　触覚　(物に触れた感じ)	しょひょう　書評
しょっかん　食間　～に服用。	しょふう　書風
しょっかん　触感	しょぶん　処分　行政～。懲戒～。
しょっき　食器	じょぶん　序文
しょっき　織機	しょほ　初歩
しょっけん　食券	しょほう　処方
しょっけん　職権　～乱用。	しょほうせん　処方箋
しょてい　所定　～の手続き。	じょまく　序幕　《芸能》
じょてい　女帝	じょまく　除幕　～式。
しょてん　書店	しょみん　庶民
しょとう　初冬	しょむ　庶務
しょとう　初等　～教育。	しょめい　書名
しょとう　初頭　20世紀～。	しょめい　署名
しょとう　諸島　小笠原～。	じょめい　助命
しょどう　初動　～捜査。～態勢。	じょめい　除名　～処分。
しょどう　書道	しょめん　書面
じょどうし　助動詞	しょもう　所望
しょとく　所得　～税。給与～。	しょもつ　書物

㊙表外字・表外音訓を用いてよい特例の語　　㊞常用漢字表の付表の語
㊧送りがなを省く特例　　㊚読みがなを付けるのが望ましい語　　＊類語・言いかえ例

じょや 除夜 〜の鐘。
じょやく 助役
しょゆう 所有 〜権。〜者。
じょゆう 女優
しょよう 所用 (用事・用件)〜で外出する。
しょよう 所要 (必要)〜経費。〜日数。
しょり 処理 事務〜。
じょりゅう 女流
じょりょく 助力
しょるい 書類
じょれつ 序列
しょろう 初老
じょろん 序論
しら 〔白〕 〜を切る。
じらい 地雷 〜原。
しらうお 白魚 (シラウオ科)〜のような指。(ハゼ科の魚は「しろうお」)
しらが 白髪〔付〕 〜染め。〜交じり。
しらかば 〔白×樺〕
しらかべ 白壁
しらかわよふね 白河夜船
しらき 白木 〜造り。
しらぎく 白菊
しらける ①しらける ②白ける
しらこ 白子 魚の〜。
しらじら ①しらじら ②白々 夜が〜と明ける。
しらじらしい ①しらじらしい ②白々しい

しらす 〔白子〕 〜干し。〜うなぎ。
じらす 〔▲焦〕
しらずしらず 知らず知らず
しらせ 知らせ〔▲報〕
しらせる 知らせる〔▲報〕
しらたまこ 白玉粉
しらなみ 白波
しらは 白刃
しらはた 白旗 源氏の〜。
しらはのや 白羽の矢
しらびょうし 白拍子
しらふ 〔▲素▲面〕
しらべ 調べ
しらべる 調べる
しらほ 白帆
しらみ 〔×虱〕 〜つぶし。
しらむ ①しらむ ②白む 空が〜。
しらゆき 白雪
しり 私利 〜私欲。
しり 尻{しり}〔×臀〕
しりあい 知り合い
しりあう 知り合う
しりあがり 尻上がり
しりうま 尻馬 〜に乗る。
しりおし 尻押し
じりき 自力 〜で更生する。
じりき 地力 〜を発揮する。
しりきれ 尻切れ 〜とんぼ。
しりごみ 尻込み
しりさがり 尻下がり
しりすぼまり 尻すぼまり〔×窄〕

〔 〕使わない漢字　×表外字(常用漢字表にない字)　▲表外音訓(常用漢字表にない読み)
①〜⑥教育漢字の学年配当　①−②(①の表記を優先するが，②の表記を使ってもよい語)

しりぞく	退く	しるしばんてん	印ばんてん〔半天・×纏〕
しりぞける	退ける〔▲斥〕	しるす	記す〔▲誌・▲印〕
じりだか	じり高　〜の相場。	しるべ	知る辺　〜を頼る。
しりつ	市立	**しるべ**	〔▲導・▲標〕　道〜。
しりつ	私立	しれい	司令　〜官。〜塔。〜部。
じりつ	自立	しれい	指令　ストライキ〜。
じりつ	自律　〜神経。	じれい	事例　〜研究。
しりとり	〔尻取〕	じれい	辞令　外交〜。
しりぬぐい	尻拭い	しれつ	歯列　〜矯正。
しりぬけ	尻抜け	**しれつ**	〔×熾烈〕　〜な競争。＊激烈。
しりめ	尻目	しれもの	しれ者〔▲痴〕
しりめつれつ	支離滅裂	しれる	知れる　(「…かもしれない」などは，なるべくかな書き)
しりもち	尻餅　〜をつく。	**じれる**	〔▲焦〕
じりやす	じり安	しれわたる	知れ渡る
しりゅう	支流	しれん	試練〔×煉〕
じりゅう	時流　〜に乗る。	しろ	白
しりょ	思慮　〜深い。〜分別。	しろ	城
しりょう	史料	しろ	代　苗〜。
しりょう	死霊	しろあと	城跡
しりょう	資料	しろあり	白あり〔×蟻〕
しりょう	飼料　配合〜。	しろい	白い
しりょく	死力　〜を尽くす。	**じろう**	〔×痔×瘻〕《医学》
しりょく	視力　矯正〜。	**しろうお**	〔▲素魚〕 (ハゼ科)
しりょく	資力	しろうと	素人 付
じりょく	磁力　〜線。	しろかき	代かき〔×搔〕
しる	汁	しろくじちゅう	四六時中
しる	知る	しろくま	白熊
しるこ	汁粉	しろぐみ	白組
しるし	印		
しるし	〔▲徴〕　津波のくる〜。		
しるし	〔▲標〕　お礼の〜。		

特 表外字・表外音訓を用いてよい特例の語　　付 常用漢字表の付表の語
送 送りがなを省く特例　　読 読みがなを付けるのが望ましい語　　＊類語・言いかえ例

しろくろ　白黒
しろざけ　白酒
しろじ　白地
しろながすくじら　〔白長須鯨〕
しろはた　白旗
しろぼし　白星
しろみ　白身　〜の魚。
しろむく　白むく〔無×垢〕
しろめ　白目
しろもの　代物
しろん　試論
じろん　持論
しわ　〔×皺〕
しわがれる　〔×嗄〕
しわけ　仕訳　《簿記》〜帳。
しわけ　仕分け　商品の〜。
しわざ　仕業
しわす　師走 付
しわぶき　〔×咳〕
しわよせ　しわ寄せ〔×皺〕
じわれ　地割れ
しん　森 ①{シン/もり}
しん　心 ②{シン/こころ}
しん　新 ②{シン/あたらしい・あらた・にい}
しん　親 ②{シン/おや・したしい・したしむ}
しん　申 ③{シン/もうす}
しん　身 ③{シン/み}
しん　神 ③{シン・ジン/かみ・かん・こう}
しん　真 ③{シン/ま}　〜に迫る。
しん　深 ③{シン/ふかい・ふかまる・ふかめる}
しん　進 ③{シン/すすむ・すすめる}
しん　臣 ④{シン・ジン}
しん　信 ④{シン}　〜を失う。
しん　針 ⑥{シン/はり}
しん　伸 {シン/のびる・のばす・のべる}
しん　芯 {シン}
しん　辛 {シン/からい}
しん　侵 {シン/おかす}
しん　津 {シン/つ}
しん　唇 {シン/くちびる}
しん　娠 {シン}
しん　振 {シン/ふる・ふるう・ふれる}
しん　浸 {シン/ひたす・ひたる}
しん　紳 {シン}
しん　診 {シン/みる}
しん　寝 {シン/ねる・ねかす}
しん　慎 {シン/つつしむ}
しん　審 {シン}
しん　震 {シン/ふるう・ふるえる}
しん　請 {セイ・シン/こう・うける}
しん　薪 {シン/たきぎ}
しん　疹 {シン}　(p.12 参照)

しん　芯　鉛筆の〜。ご飯に〜がある。
　　　ろうそくの〜。バットの〜。
しん　〔心〕　〜から納得する。〜は素直な子だ。〜の強い人。(「心」は「シン」と読まずに「ココロ」と読むおそれがあるので，かな書きとする)
じん　人 ①{ジン・ニン/ひと}
じん　神 ③{シン・ジン/かみ・かん・こう}
じん　臣 ④{シン・ジン}
じん　仁 ⑥{ジン・ニ}

〔　〕使わない漢字　　×表外字(常用漢字表にない字)　　▲表外音訓(常用漢字表にない読み)
①〜⑥教育漢字の学年配当　　①—②(①の表記を優先するが，②の表記を使ってもよい語)

しん―しんき

じん	刃 {ジン/は}
じん	尽 {ジン/つくす・つきる・つかす}
じん	迅 {ジン}
じん	甚 {ジン/はなはだ・はなはだしい}
じん	陣 {ジン}　背水の〜。
じん	尋 {ジン/たずねる}
じん	腎 {ジン}

しんあい　親愛
じんあい　〔×塵×埃〕　＊ちり。ごみ。ほこり。
しんあん　新案　〜特許。
しんい　真意
じんい　人為　〜的。
しんいき　神域　（神社の境内）
しんいり　新入り
じんいん　人員
しんいんせい　心因性　《医学》
しんうち　真打ち
しんえい　新鋭
じんえい　陣営　保守〜。
しんえいたい　親衛隊
しんえん　深遠　〜な思想。
しんえん　深えん〔×淵〕
じんえん　腎炎
しんおう　深奥
しんおん　心音
しんか　臣下
しんか　神火　（「ジンカ」とも）
しんか　真価　〜を発揮する。
しんか　深化
しんか　進化　〜論。

じんか　人家
しんかい　深海　〜魚。
しんがい　心外
しんがい　侵害　人権〜。
じんかいせんじゅつ　人海戦術
しんかいち　新開地
しんがお　新顔
しんかく　神格　〜化。
しんがく　神学　〜校。
しんがく　進学　〜祝。〜率。
じんかく　人格　〜者。
じんがさ　陣がさ〔×笠〕
しんがた　新型〔形〕
しんかぶ　新株
しんがら　新柄　〜の着物。
しんがり　〔▲殿〕
しんかん　信管
しんかん　神官　（神道では「神職」）
しんかん　森閑〔深〕
しんかん　新刊　〜書。
しんかん　新館
しんかん　〔震×撼〕　＊揺るがす。
しんがん　心眼
しんがん　真がん〔×贋〕
しんかんせん　新幹線
しんき　神器　（神をまつるときに用いる器具）（「じんぎ」参照）
しんき　新奇　〜な趣向。
しんき　新規　〜採用。〜開店。〜まき直し。
しんぎ　神技

特 表外字・表外音訓を用いてよい特例の語　　付 常用漢字表の付表の語
送 送りがなを省く特例　　読 読みがなを付けるのが望ましい語　　＊類語・言いかえ例

しんぎ　信義　～を重んじる。
しんぎ　真偽
しんぎ　審議　～会。
じんぎ　仁義　～を切る。
じんぎ　神器　(神からさずかった宝器)
　　三種の～。
しんきいってん　心機一転
しんきじく　新機軸
しんきゅう　進級
しんきゅう　新旧　～交代。
しんきゅう　〔×鍼×灸〕　～院。
しんきょ　新居
しんきょう　心境　～の変化。
しんきょう　信教　～の自由。
しんきょう　進境　～著しい。
しんきょく　新曲
しんきろう　〔×蜃気楼〕
しんきん　親近　～感。
しんぎん　しん吟〔×呻〕
しんきんこうそく　心筋梗塞　《医学》
しんく　辛苦
しんく　深紅〔真〕
しんぐ　寝具
じんく　甚句
しんくう　真空　～管。～パック。
じんぐう　神宮
しんぐん　進軍
しんけい　神経　～質。～痛。～衰弱。
　～戦。
じんけい　陣形
しんげき　進撃　快～。

しんげき　新劇
しんけつ　心血　～を注ぐ。
しんげつ　新月
しんけん　真剣　～勝負。
しんけん　親権
しんげん　進言
しんげん　森厳　～な。
しんげん　震源　～地。
しんげん　しん言〔×箴〕　(戒めのこと
　ば)～集。
じんけん　人絹　(「人造絹糸」の略)
じんけん　人権　～じゅうりん。～侵害。
じんけんひ　人件費
しんご　新語
じんご　人後　～に落ちない。
しんこう　信仰
しんこう　振興　～策。
しんこう　深更　*夜更け。
しんこう　進行　～係。～形。議事～。
しんこう　侵攻　(相手国に侵入して攻
　める)
しんこう　進攻　(攻め進む)
しんこう　進講
しんこう　新興　～国。
しんこう　親交　～を結ぶ。
しんごう　信号　～機。
じんこう　人口　～密度。
じんこう　人工　～衛星。～的。
じんこうこきゅう　人工呼吸
じんこうじゅせい　人工授精〔受〕
じんこうじゅふん　人工授粉〔受〕

〔　〕使わない漢字　　×表外字(常用漢字表にない字)　　▲表外音訓(常用漢字表にない読み)
1～6　教育漢字の学年配当　　①－②(①の表記を優先するが，②の表記を使ってもよい語)

じんこうしんぱい **人工心肺** 《医学》	しんじゃ **信者**
しんこきゅう **深呼吸**	じんじゃ **神社** ～仏閣。
しんこく **申告** 確定～。	しんしゃく **しん酌**〔×酌〕 ＊考慮。配慮。
しんこく **深刻**〔酷〕	しんしゅ **進取** ～の気性。
しんこくざい **親告罪**	しんしゅ **新酒**
しんこっちょう **真骨頂**	しんしゅ **新種**
しんこん **心魂**〔神〕 ～を傾ける。	しんじゅ **真珠** ～貝。
しんこん **新婚**	じんしゅ **人種**
しんさ **審査** ～員。	しんじゅう **心中** 一家～。無理～。
しんさい **震災**	しんしゅく **伸縮** ～自在。
じんさい **人災**	しんじゅしき **親授式**
じんざい **人材**	しんしゅつ **進出**
しんさく **新作**	しんじゅつ **針術**〔×鍼〕 ＊はり。
しんさつ **診察** ～券。～室。	じんじゅつ **仁術**
しんさつ **新札**	しんしゅつきぼつ **神出鬼没**
しんさん **辛酸** ～をなめる。	しんしゅん **新春**
しんざん **深山** ～幽谷。	しんしょ **信書** (個人間の手紙)～の秘密。
しんざん **新参** ～者。	しんしょ **親書** (自筆の手紙・元首などの公式の手紙)大統領の～。
しんし **紳士** ～協定。～録。	
しんし **真摯**〔読〕 ＊真面目。真剣。	しんしょう **心証** 《法律》～を害する。
しんじ **神事**	しんしょう **心象** ～風景。
じんじ **人事** ～異動。	しんしょう **辛勝**
しんしき **神式**	しんしょう **身上** ～を潰す。～持ち。
しんしき **新式**	しんじょう **身上** 堅い守りが～。
しんしつ **心室**	しんじょう **心情** ～を察する。
しんしつ **寝室**	しんじょう **真情** ～を吐露する。
しんじつ **信実** (真心)～を尽くす。	しんじょう **信条** 生活～。
しんじつ **真実** ～味。	じんじょう **尋常**
じんじふせい **人事不省**	しんしゃ **深謝**
しんしゃ **新車**	しんしょうひつばつ **信賞必罰**

㊙ 表外字・表外音訓を用いてよい特例の語　㊖ 常用漢字表の付表の語
㊤ 送りがなを省く特例　㊥ 読みがなを付けるのが望ましい語　＊類語・言いかえ例

しんしょうぼうだい　針小棒大
しんしょく　侵食〔×蝕〕　領土を～する。
しんしょく　浸食〔×蝕〕　海水の～作用。
しんしょく　神職
しんしょく　寝食
しんしょばん　新書判
しんじる　信じる
しんしん　心身〔身心〕　～を鍛える。
しんしん　津々　興味～。
しんしん　〔深々〕　～と夜が更ける。～と降りしきる雪。～と冷え込む。
しんしん　新進　～気鋭。
しんじん　信心　～深い。
しんじん　深甚
しんじん　新人
しんじん　審尋　(裁判)
じんしん　人心　～が離反する。
じんしん　人臣　位～を極める。
じんしん　人身　～攻撃。～事故。
しんしんこうじゃく　心神耗弱〔身〕
しんしんそうしつ　心神喪失〔身〕
しんすい　心酔
しんすい　浸水　床上(下)～。
しんすい　進水　～式。
しんずい　心髄　(中心・中枢)
しんずい　神髄〔真〕　(奥義)文学の～。
しんずる　信ずる
しんせい　申請
しんせい　神聖

しんせい　真正
しんせい　真性　～コレラ。
しんせい　新生　～児。
しんせい　新制　～高校。
しんせい　新星　芸能界の～。
じんせい　人生　～観。～論。
しんせいだい　新生代
しんせき　真跡〔×蹟〕　＊真筆。
しんせき　親戚　＊親類。
じんせき　人跡〔×蹟〕　～未踏。
しんせつ　新雪
しんせつ　新設
しんせつ　新説
しんせつ　親切〔深〕　～心。
しんせん　深浅
しんせん　新鮮　～味。
しんぜん　神前　～結婚。
しんぜん　親善　国際～。～大使。
じんせん　人選
しんそう　真相　～究明。
しんそう　深窓　～の令嬢。
しんそう　深層　～心理。～水。
しんそう　新装　～開店。
しんぞう　心臓　～病。～移植。～まひ。
しんぞう　新造　～船。
じんぞう　腎臓
じんぞう　人造　～湖。
しんぞく　親族
じんそく　迅速
しんそこ　心底〔真〕　～から。
しんそつ　新卒

〔 〕使わない漢字　　×表外字(常用漢字表にない字)　　▲表外音訓(常用漢字表にない読み)
①〜⑥教育漢字の学年配当　　①―②(①の表記を優先するが，②の表記を使ってもよい語)

しんたい　身体	しんちょう　新調
しんたい　進退	**じんちょうげ**　〔▲沈丁▲花〕
しんだい　身代　〜限り。	しんちょく　進捗 読　〜状況。
しんだい　寝台　〜車。	＊はかどる。
じんたい　人体　〜実験。	しんちんたいしゃ　新陳代謝
じんたい　じん帯〔×靱〕	しんつう　心痛　〜のあまり。
じんだい　神代　〜杉。	じんつう　陣痛
じんだい　甚大　被害〜。	じんつうりき　神通力
しんたいうかがい　進退伺 送	しんて　新手　（囲碁・将棋など）
しんたいしょうがいしゃ　身体障害者	しんてい　進呈
しんたく　信託　貸付〜。〜銀行。〜統治。	じんていじんもん　人定尋問　《法律》
しんたん　心胆	しんてん　伸展　（勢いや規模が広がること）勢力の〜。
しんたん　薪炭　＊燃料。	しんてん　進展　（局面が展開すること）事件の〜。
しんだん　診断　健康〜。〜書。	
じんち　人知〔×智〕	しんてん　親展
じんち　陣地	しんでん　神殿
しんちく　新築　〜祝。	しんでん　新田　〜開発。
じんちく　人畜　〜無害。	しんでんず　心電図
しんちゃ　新茶	しんでんづくり　寝殿造り
しんちゃく　新着　〜の図書。	しんと　信徒
しんちゅう　心中　〜を察する。	しんど　深度
しんちゅう　進駐　〜軍。	しんど　震度
しんちゅう　〔真×鍮〕	しんとう　心頭　怒り〜に発する。
じんちゅう　陣中　〜見舞い。	しんとう　神道
しんちょ　新著	しんとう　浸透〔×滲〕
しんちょう　身長	しんとう　新党
しんちょう　伸長〔×暢〕　体力の〜。	しんとう　親等　1〜。
しんちょう　伸張　勢力の〜。	しんとう　震とう〔×盪〕　脳〜。
しんちょう　深長　意味〜。	しんどう　神童
しんちょう　慎重	

特 表外字・表外音訓を用いてよい特例の語　　付 常用漢字表の付表の語
送 送りがなを省く特例　　読 読みがなを付けるのが望ましい語　　＊類語・言いかえ例

しんどう　振動	振り子の〜。機械の〜。(音の)〜数。
しんどう　震動	火山の〜。地震の〜。
しんどう　新道	
じんとう　陣頭	〜指揮。
じんどう　人道	〜主義。
じんとうぜい　人頭税	
じんとく　人徳	
じんどる　陣取る	
しんない　新内	〜流し。〜節。
しんに　真に	
しんにち　親日	〜家。〜派。
しんにゅう　侵入〔浸〕	(不法に入る) 家宅〜。
しんにゅう　進入	(進み入ること) 〜方向。〜路。
しんにゅう　新入	〜社員。〜生。
しんにん　信任	〜投票。
しんにん　新任	〜の先生。
しんにんしき　親任式	
しんにんじょう　信任状	
しんねん　信念	
しんねん　新年	
しんのう　親王	
しんぱ　新派	(「新派劇」の略)
じんば　人馬	〜一体。
しんぱい　心肺	〜機能。人工〜。
しんぱい　心配	
じんぱい　じん肺〔×塵〕	
じんばおり　陣羽織 送	
しんぱく　心拍〔×搏〕	〜数。
しんばつ　神罰	
しんぱん　侵犯	領海〜。
しんぱん　信販	(「信用販売」の略)
しんぱん　新版	
しんぱん　審判	歴史の〜。
しんはんにん　真犯人	
しんぴ　神秘	
しんびがん　審美眼	
しんぴつ　真筆	
しんぴょうせい　信ぴょう性〔×憑〕	
しんぴん　新品	
じんぴん　人品	〜骨柄。
しんぷ　神父	
しんぷ　新婦	新郎〜。
しんぷ　新譜	
しんぷう　新風	〜を吹き込む。
しんぷく　心服	
しんぷく　振幅	
しんふぜん　心不全	
しんぶつ　神仏	
じんぶつ　人物	
しんぶん　新聞	〜記者。〜紙。〜小説。
じんぶん　人文	〜科学。〜地理。
しんぺい　新兵	
しんぺん　身辺	〜整理。
しんぽ　進歩	
しんぼう　心房	
しんぼう　心棒〔芯〕	
しんぼう　辛抱	〜強い。
しんぼう　信望	〜が厚い。
しんぼう　信奉	〜者。

〔　〕使わない漢字　　×表外字(常用漢字表にない字)　　▲表外音訓(常用漢字表にない読み)
1〜6 教育漢字の学年配当　　①―②(①の表記を優先するが，②の表記を使ってもよい語)

じんぼう　**人望**	しんようがし　**信用貸し**
しんぼうえんりょ　**深謀遠慮**	しんようじゅ　**針葉樹**
しんぼく　**神木**	しんようとりひき　**信用取引** 送
しんぼく　**親睦**　＊懇親。親交。	しんらい　**信頼**
しんまい　**新米**	しんらつ　**辛辣** 読　＊手厳しい。
じんましん　〔×蕁麻疹〕《医学》	しんらばんしょう　**森羅万象**
しんみ　**新味**　〜を出す。	しんり　**心理**　〜学。〜小説。
しんみ　**親身**　〜の世話。	しんり　**真理**
しんみつ　**親密**	しんり　**審理**　《法律》
じんみゃく　**人脈**	じんりきしゃ　**人力車**
しんみょう　**神妙**	しんりゃく　**侵略**〔×掠〕　〜戦争。
じんみん　**人民**　〜裁判。〜戦線。	しんりょう　**診療**　〜所。夜間〜。
しんめ　**新芽**	しんりょえんぼう　**深慮遠謀**
しんめい　**身命**	しんりょく　**新緑**
じんめい　**人名**	じんりょく　**人力**　〜の限り。
じんめい　**人命**　〜救助。	じんりょく　**尽力**
じんめん　**人面**　〜獣心。	しんりん　**森林**　〜浴。
しんめんもく　**真面目** 読　(「シンメンボク」とも。「シンメンモク」「シンメンボク」は，読みがなを付ける)	じんりん　**人倫**
	しんるい　**親類**
	じんるい　**人類**
しんもつ　**進物**	しんれい　**心霊**　〜現象。
しんもん　**審問**　《法律》	しんれい　**神霊**　〜の加護。
じんもん　**尋問**〔×訊〕　証人〜。反対〜。	しんれき　**新暦**
	しんろ　**進路**　〜指導。台風の〜。(飛行機，船などの場合は「**針路**」とも)
しんや　**深夜**　〜営業。	
しんやく　**新約**　〜聖書。	しんろう　**心労**　(気苦労・精神的疲れ)
しんやく　**新薬**	しんろう　**辛労**　(苦労)
しんゆう　**親友**	しんろう　**新郎**　〜新婦。
しんよう　**信用**	しんわ　**神話**
じんよう　**陣容**	

特 表外字・表外音訓を用いてよい特例の語　　付 常用漢字表の付表の語
送 送りがなを省く特例　　読 読みがなを付けるのが望ましい語　　＊類語・言いかえ例

す

す	子	①{シ・ス/こ}
す	数	②{スウ・ス/かず・かぞえる}
す	主	③{シュ・ス/ぬし・おも}
す	守	③{シュ・ス/まもる・もり}
す	素	⑤{ソ・ス}
す	須	{ス}
す	州	三角～。中～。
す	巣	
す	酢	
す	〔×簀〕	
す	〔×簾〕	
ず	図	②{ズ・ト/はかる} ～に乗る。
ず	頭	②{トウ・ズ・ト/あたま・かしら} ～が高い。
ず	事	③{ジ・ズ/こと}
ず	豆	③{トウ・ズ/まめ}
すあし	素足	
ずあん	図案	
すい	水	①{スイ/みず}
すい	出	①{シュツ・スイ/でる・だす}
すい	垂	⑥{スイ/たれる・たらす}
すい	推	⑥{スイ/おす}
すい	吹	{スイ/ふく}
すい	炊	{スイ/たく}
すい	帥	{スイ}
すい	衰	{スイ/おとろえる}
すい	粋	{スイ/いき}
すい	酔	{スイ/よう}
すい	遂	{スイ/とげる}
すい	睡	{スイ}
すい	穂	{スイ/ほ}
すい	酸い	
ずい	随	{ズイ}
ずい	髄	{ズイ} 骨の～まで。
すいあげる	吸い上げる	
すいあつ	水圧	
すいい	水位	
すいい	推移	
ずいい	随意	～筋。～契約。
すいいき	水域	危険～。
ずいいち	随一	
ずいいん	随員	
すいうん	水運	
すいえい	水泳	
すいおん	水温	
すいか	〔▲西×瓜〕	
すいがい	水害	
すいがら	吸い殻	
すいがん	酔眼	～もうろう。
ずいき	随喜	～の涙。
すいきゃく	酔客	
すいきゅう	水球	
すいぎゅう	水牛	
すいきょ	推挙	
すいきょう	水郷	
すいきょう	酔狂〔粋〕	
すいぎん	水銀	～柱。～電池。

〔 〕使わない漢字　　×表外字(常用漢字表にない字)　　▲表外音訓(常用漢字表にない読み)
①～⑥教育漢字の学年配当　　①—②(①の表記を優先するが，②の表記を使ってもよい語)

すいくち	吸い口	すいしん	水深　〜10メートル。
すいくん	垂訓　山上の〜。	すいしん	推進
すいぐん	水軍　村上〜。	すいじん	水神
すいけい	水系　利根川〜。	すいじん	粋人
すいけい	推計	すいせい	水生〔×棲〕　〜植物。
すいげん	水源　〜地。〜池。	すいせい	水性　〜塗料。
すいこう	遂行　任務を〜。	すいせい	水星
すいこう	推こう〔×敲〕（文章を練ること）	すいせい	水勢
すいごう	水郷	すいせい	すい星〔×彗〕
ずいこう	随行	すいせいがん	水成岩
すいこむ	吸い込む	すいせん	水仙
すいさい	水彩　〜画。	すいせん	水洗　〜便所。
すいさつ	推察	すいせん	推薦　〜入学。〜状。
すいさん	水産　〜物。	すいぜん	垂ぜん〔×涎〕　〜の的。
すいさん	炊さん〔×爨〕　飯ごう〜。	すいそ	水素　〜爆弾。
すいし	水死　〜体。	すいそう	水葬
すいじ	炊事　〜場。	すいそう	水槽
ずいじ	随時	すいそう	吹奏　〜楽。
すいしつ	水質　〜汚濁。〜検査。	すいぞう	すい臓〔×膵〕
すいしゃ	水車　〜小屋。	ずいそう	随想　〜録。
すいじゃく	衰弱　神経〜。全身〜。	すいそく	推測
すいじゅん	水準　給与〜。〜器。	すいぞくかん	水族館
ずいしょ	随所〔処〕	すいたい	衰退〔×頽〕
すいしょう	水晶　〜体。〜時計。	すいたい	推戴🈷　会長に〜する。
すいしょう	推称〔賞〕（褒めたたえること）〜に値する。	すいだす	吸い出す
すいしょう	推奨（人に薦めること）〜番組。〜銘柄。	すいちゅう	水中　〜眼鏡。
		すいちゅうよくせん	水中翼船
すいじょう	水上　〜スキー。	すいちょく	垂直　〜線。
すいじょうき	水蒸気	すいつく	吸い付く
		すいてい	水底
		すいてい	推定　〜年齢。

🈴 表外字・表外音訓を用いてよい特例の語　　🈵 常用漢字表の付表の語
🈲 送りがなを省く特例　　🈷 読みがなを付けるのが望ましい語　　＊類語・言いかえ例

すいてき	水滴
すいでん	水田
すいとう	水痘　＊水ぼうそう。
すいとう	水筒
すいとう	水稲
すいとう	出納　～係。～簿。
すいどう	水道
ずいどう	ずい道〔×隧〕（トンネル）
すいとりがみ	吸い取り紙
すいとる	吸い取る
すいなん	水難
すいのみ	吸い飲み〔×呑〕
すいばく	水爆（「水素爆弾」の略）
すいはん	炊飯　～器。
すいばん	水盤
ずいはん	随伴
すいび	衰微
ずいひつ	随筆
すいぶん	水分
ずいぶん	①ずいぶん ②随分
すいへい	水平　～線。
すいへい	水兵
すいへん	水辺
すいほう	水泡　～に帰す。
すいぼう	水防　～訓練。
すいぼう	衰亡
ずいほうしょう	瑞宝章 特
すいぼくが	水墨画
すいぼつ	水没
すいま	睡魔
すいみつとう	水蜜桃
すいみゃく	水脈
すいみん	睡眠　～薬。～不足。
すいめん	水面
すいもの	吸い物
すいもん	水門
すいよう	水曜
すいようえき	水溶液
すいよく	水浴
すいらいてい	水雷艇
すいり	水利　～権。
すいり	推理　～小説。
すいりく	水陸　～両用。
すいりゅう	水流
すいりょう	水量
すいりょう	推量
すいりょく	水力　～発電。
すいりょく	推力
すいれい	水冷　～式。
すいれん	〔睡×蓮〕
すいろ	水路
すいろん	推論
すう	数 ②{スウ・ス / かず・かぞえる}
すう	枢 {スウ}
すう	崇 {スウ}
すう	吸う
すうがく	数学
すうき	数奇　～な運命。
すうききょう	枢機卿 特
すうこう	崇高　～な精神。
すうし	数詞
すうじ	数字　算用～。

〔　〕使わない漢字　　×表外字（常用漢字表にない字）　　▲表外音訓（常用漢字表にない読み）
①〜⑥教育漢字の学年配当　　①－②（①の表記を優先するが，②の表記を使ってもよい語）

すうしき　数式
すうじく　枢軸　～国。
ずうずうしい　〔▲図々〕
すうせい　すう勢〔×趨〕　＊大勢。成り行き。
すうたい　素謡　《芸能》
ずうたい　〔▲図体〕
すうち　数値
すうはい　崇拝　偶像～。個人～。
すうみついん　枢密院
すうよう　枢要
すうり　数理
すうりょう　数量
すえ　末
すえおく　据え置く
すえおそろしい　末恐ろしい
すえぜん　据え膳
すえたのもしい　末頼もしい
すえつけ　据え付け
すえつける　据え付ける
すえっこ　末っ子
すえながく　末永く
すえひろがり　末広がり
すえる　据｛すえる・すわる｝
すえる　据える
すえる　〔×饐〕　すえた臭い。
ずが　図画
ずかい　図解
ずがいこつ　頭蓋骨
すがお　素顔
すかさず　〔透〕

すかし　透かし
すかしぼり　透かし彫り
すかす　透かす
すかす　〔▲空〕　腹を～。
すかす　〔×賺〕　なだめ～。
すがすがしい　〔▲清々〕
すがた　姿
すがら　道～。夜(ヨ)も～。
ずがら　図柄
すがりつく　〔×縋付〕
すがる　〔×縋〕
ずかん　図鑑　動物～。
ずかんそくねつ　頭寒足熱
すき　数寄〔奇〕　～を凝らす。
すき　好き
すき　隙〔透〕　～がない。
すき　〔×鋤・×犂〕
すぎ　杉｛すぎ｝
すきかって　好き勝手
すききらい　好き嫌い
すきこのむ　すき好む〔好〕
すぎさる　過ぎ去る
すきずき　好き好き
すきっぱら　すきっ腹〔▲空〕
すきとおる　透き通る
すぎな　〔杉菜〕
すぎない　過ぎない　食べ～。言い～。
（「動詞＋すぎない」は漢字。ただし、「形容詞，形容動詞＋すぎない」は、なるべくかな書き。「甘すぎない」）
すぎない　〔過〕　(p.26参照)…に～。

すぎなみき　杉並木[送]
すきばら　すき腹〔▲空〕
すきほうだい　好き放題
すきま　隙間〔透〕(「透き間」は不使用)　～風。
すきや　数寄屋〔奇〕[付]　～造り。
すきやき　すき焼き〔×鋤〕
すぎゆく　過ぎ行く
すぎる　過ぎる　食べ～。言い～。
　(「動詞＋すぎる」は漢字。ただし、「形容詞，形容動詞＋すぎる」は，なるべくかな書き。「甘すぎる」「高すぎる」「静かすぎる」)
ずきん　頭巾
すく　好く
すく　透く
すく　〔▲空〕　電車が～。おなかが～。
すく　〔×鋤〕　土を～。
すく　〔×梳〕　髪を～。
すく　〔×漉〕　紙を～。
すぐ　〔▲直〕
ずく　〔▲尽〕　腕～。力～。
すくい　救い　～の手。
すくい　〔×掬〕　金魚～。ひと～。
すくいあげる　すくい上げる〔×掬〕
すくいだす　救い出す
すくいなげ　すくい投げ〔×掬〕
すくう　救う
すくう　巣くう
すくう　〔×掬〕　足を～。
すぐさま　〔▲直様〕

すくない　少ない〔×尠〕
すくなくとも　少なくとも
すくなめ　少なめ〔×尠目〕
すくむ　〔×竦〕
ずくめ　〔▲尽〕　結構～。
すくめる　〔×竦〕　肩を～。
すぐれる　優れる〔▲勝〕(「健康がすぐれない」などは，かな書き)
すけ　助　飲み～。
ずけい　図形
すげかえる　すげ替える〔▲挿〕
すげがさ　〔×菅×笠〕
すけそうだら　〔助宗×鱈〕(「すけとうだら」とも)
すけだち　助太刀
すげない　～返事。
すける　透ける
すげる　〔▲挿〕　鼻緒を～。
すごい　〔▲凄〕
ずこう　図工
すごうで　すご腕〔▲凄〕
すこし　少し〔×尠〕
すごす　過ごす　休暇を～。見～。
すこぶる　〔×頗〕
すごむ　〔▲凄〕
すごもり　①巣ごもり　②巣籠もり
すこやか　健やか
すごろく　〔▲双六〕
すさび　〔▲遊〕
すさぶ　〔▲荒〕　吹き～。
すさまじい　〔▲凄〕

〔　〕使わない漢字　　×表外字(常用漢字表にない字)　　▲表外音訓(常用漢字表にない読み)
①～⑥教育漢字の学年配当　　①－②(①の表記を優先するが，②の表記を使ってもよい語)

すさむ 〔▲荒〕	**すすぐ** 〔▲濯・▲雪〕
ずさん 〔×杜×撰〕 ＊粗雑。でたらめ。	**すすける** 〔×煤〕
	すずしい 涼しい
すし 〔▲寿司・×鮨〕	**すずなり** 鈴なり〔▲生〕
すじ 筋〔▲条〕	**すすはらい** すす払い〔×煤〕
ずし 図示	**すずみだい** 涼み台
ずし 〔×厨子〕	**すすみでる** 進み出る
すじあい 筋合い	**すすむ** 進む
すじかい 筋交い ～に。	**すずむ** 涼む
すじがき 筋書き ～どおり。	**すずむし** 鈴虫
すじがね 筋金 ～入り。	**すすめ** 勧め〔▲奨〕
ずしき 図式	**すずめ** 〔×雀〕
すじこ 筋子	**すすめる** 進める 交渉を～。時計を～。
すじだて 筋立て	
すじちがい 筋違い	**すすめる** 勧める〔▲奨〕 入会を～。食事を～。
すしづめ すし詰め	
すじみち 筋道	**すすめる** 薦める 良書を～。
すじむかい 筋向かい	**すずらん** 〔鈴×蘭〕
すじむこう 筋向こう	**すずり** 〔×硯〕 ～石。～箱。
すじょう 素性〔姓・生〕	**すすりあげる** すすり上げる〔×啜〕
ずじょう 図上 ～演習。～作戦。	**すすりなく** すすり泣く〔×啜〕
ずじょう 頭上	**すする** 〔×啜〕
す 〔×煤〕	**ずせつ** 図説
すず 鈴	**すそ** 裾 {すそ}
すず 〔×錫〕 （元素名・化学物質は「スズ」とカタカナで書く）	**すそ** ①すそ ②裾
	すその ①すそ野 ②裾野
すずかけ 〔鈴・×篠懸・掛〕	**すそわけ** ①すそ分け ②裾分け お～。
すずかぜ 涼風	
すすき 〔▲薄・×芒〕	**すだく** 〔▲集〕
すすぎ 〔▲濯〕	**すだつ** 巣立つ
すずき 〔×鱸〕	**ずだぶくろ** ずだ袋〔頭×陀〕

㊳表外字・表外音訓を用いてよい特例の語 　㊝常用漢字表の付表の語
㊧送りがなを省く特例 　㊨読みがなを付けるのが望ましい語 　＊類語・言いかえ例

すたる―すへ

すたる	廃る
すだれ	〔×簾〕
すたれる	廃れる
ずつ	〔▲宛〕 1つ〜。
ずつう	頭痛
すっかり	〔×悉▲皆〕
すづけ	酢漬け
すっぱい	酸っぱい
すっぱだか	素っ裸
すっぱぬく	すっぱ抜く〔素破〕
すっぽかす	約束を〜。
すっぽん	〔×鼈〕
すで	素手
すていし	捨て石
すていん	捨て印
すてき	〔素敵〕
すてご	捨て子〔▲棄〕
すてぜりふ	捨てぜりふ〔▲台▲詞〕
すてどころ	捨て所
すでに	①すでに ②既に
すてね	捨て値
すてばち	捨てばち〔鉢〕
すてみ	捨て身
すてる	捨てる〔▲棄〕
すどおし	素通し
すどおり	素通り
すどまり	素泊まり
すな	砂〔▲沙〕 〜遊び。
すなあらし	砂嵐
すなお	素直
すなぎも	砂肝
すなけむり	砂煙
すなじ	砂地
すなどけい	砂時計
すなば	砂場
すなはま	砂浜
すなぶくろ	砂袋
すなぼこり	砂ぼこり〔×埃〕
すなやま	砂山
すなわち	〔▲即・▲則・×乃〕
ずぬける	〔頭・図抜〕
すね	〔×脛・×臑〕
すねあて	すね当て〔×脛・×臑〕
すねかじり	〔×脛・×臑×囓〕
すねる	〔×拗〕
ずのう	頭脳 〜労働。〜流出。
すのこ	〔×簀子〕
すのもの	酢の物
すばこ	巣箱
すばしこい	
すはだ	素肌〔▲膚〕
すはだか	素裸
ずばぬける	〔抜〕
すばやい	素早い〔速〕
すばらしい	〔素晴〕
すばる	〔×昴〕 (星)
ずはん	図版
ずひょう	図表
ずぶとい	〔図太〕
ずぶぬれ	〔×濡〕
すぶり	素振り バットの〜。
すべ	〔▲術〕

〔 〕使わない漢字　　×表外字(常用漢字表にない字)　　▲表外音訓(常用漢字表にない読み)
①〜⑥教育漢字の学年配当　　①-②(①の表記を優先するが，②の表記を使ってもよい語)

すべからく 〔▲須〕
すべて ①すべて ②全て〔▲凡・▲総〕
すべり 滑り〔×辷〕
すべりこむ 滑り込む
すべりだい 滑り台
すべりだし 滑り出し
すべりどめ 滑り止め
すべる 滑る〔×辷〕
すべる 統べる〔▲総〕
ずぼし 図星
すぼまる 〔×窄〕
すぼめる 〔×窄〕
ずぼら ～な性格。
すまい 住まい〔居〕
すまう 住まう
すまき す巻き〔×簀〕
すまし 澄まし〔▲清〕 お～。～汁。
すます 済ます 食事を～。
すます 澄ます〔▲清〕 耳を～。
すませる 済ませる
すまない 〔済〕 ～ことをした。
すみ 炭 ～俵。
すみ 墨 ～をする。～つぼ。
すみ 隅〔▲角〕
すみ 済み 使用～。
すみえ 墨絵
すみか 住みか〔×栖・×棲家・▲処〕
すみかえ 住み替え
すみきる 澄み切る

すみごこち 住み心地
すみこむ 住み込む
すみずみ 隅々 ～に。～まで。
すみぞめ 墨染め ～の衣。
すみつく 住み着く
すみながし 墨流し
すみなれる 住み慣れる〔×馴〕
すみび 炭火
すみやか 速やか
すみやき 炭焼き ～窯。～小屋。
すみれ 〔×菫〕
すみわたる 澄み渡る
すむ 住む〔×棲〕
すむ 済む (「すみません」は, なるべくかな書き)
すむ 澄む〔▲清〕
ずめん 図面
すもう 相撲 付
すもうとり 相撲取り
すもも 〔×李〕
すやき 素焼き
すよみ 素読み
ずらす いすを～。
すり 刷り 色～。校正～。
すり 〔×掏×摸〕
すりあがる 刷り上がる
すりあし すり足〔×摺〕
すりえ すり餌〔×擂〕
すりかえる すり替える
すりガラス 〔▲磨▲硝▲子〕
すりきず ①すり傷 ②擦り傷

特 表外字・表外音訓を用いてよい特例の語　付 常用漢字表の付表の語
送 送りがなを省く特例　説 読みがなを付けるのが望ましい語　＊類語・言いかえ例

すりきれる ①すり切れる ②擦り切れる
すりこぎ すりこ木〔×擂粉〕
すりこみ 刷り込み (動物の行動習性)
すりこむ ①すり込む ②擦り込む〔×摺〕 薬を傷口に～。
ずりさがる ずり下がる
すりつぶす ①すりつぶす ②すり潰す〔×擂・▲磨〕
すりぬける すり抜ける〔×摺・擦〕
すりばち すり鉢〔×擂〕
すりへる すり減る〔▲磨〕
すりみ すり身〔×摺〕 魚の～。
すりむく ①すりむく ②擦りむく〔▲剝〕
すりもの 刷り物
すりよる ①すり寄る ②擦り寄る
する 刷る 年賀状を～。
する ①する ②擦る マッチを～。
する 〔▲為〕 息子を医者に～。
する 〔×掏〕 財布をすられる。
する 〔×擂・×摺〕 みそを～。墨を～。
ずるい 〔×狡〕
するどい 鋭い
するめ 〔×鯣〕 ～いか。
ずれ 考え方の～。
すれあう ①すれあう ②擦れ合う
すれちがい ①すれ違い ②擦れ違い
すれちがう ①すれ違う ②擦れ違う
すれっからし 〔擦枯〕
すれる ①すれる ②擦れる すそが～。
ずれる 日程が～。
すろうにん 素浪人
ずろく 図録
すわ 〔▲驚▲破〕 ～一大事。
すわり 据わり ～がよい。
すわりこむ 座り込む〔×坐〕
すわる 座る
すわる 据わる 腰が～。度胸が～。
すん 寸⑥{スン} ～足らず。
すんか 寸暇 ～を惜しむ。
すんげき 寸劇
すんこく 寸刻 ～を惜しむ。
すんし 寸志
すんしゃく 寸借 ～詐欺。
すんぜん 寸前
すんだん 寸断
すんづまり 寸詰まり
すんてつ 寸鉄 ～人を刺す。
すんびょう 寸秒 ～を争う。
すんびょう 寸描
すんぴょう 寸評
すんぶん 寸分 ～たがわない。
すんぽう 寸法 ～書き。

〔 〕使わない漢字　×表外字(常用漢字表にない字)　▲表外音訓(常用漢字表にない読み)
①～⑥教育漢字の学年配当　①－②(①の表記を優先するが，②の表記を使ってもよい語)

せ

せ	世	③ {セイ・セ/よ}
せ	施	{シ・セ/ほどこす}
せ	瀬	{⎯/せ} 立つ〜がない。
せ	背	〜を向ける。〜が高い。
せ	〔▲畝〕	
ぜ	是	{ゼ} 〜が非でも。
せい	正	① {セイ・ショウ/ただしい・ただす・まさ}
せい	生	① {セイ・ショウ、いきる・いかす・いける・うまれる・うむ・おう・はえる・はやす・き・なま}
せい	青	① {セイ・ショウ/あお・あおい}
せい	西	② {セイ・サイ/にし}
せい	声	② {セイ・ショウ/こえ・こわ}
せい	星	② {セイ・ショウ/ほし}
せい	晴	② {セイ/はれる・はらす}
せい	世	③ {セイ・セ/よ}
せい	整	③ {セイ/ととのえる・ととのう}
せい	成	④ {セイ・ジョウ/なる・なす}
せい	省	④ {セイ・ショウ/かえりみる・はぶく}
せい	清	④ {セイ・ショウ/きよい・きよまる・きよめる}
せい	静	④ {セイ・ジョウ/しず・しずか・しずまる・しずめる}
せい	性	⑤ {セイ・ショウ}
せい	制	⑤ {セイ}
せい	政	⑤ {セイ・ショウ/まつりごと}
せい	勢	⑤ {セイ/いきおい}
せい	情	⑤ {ジョウ・セイ/なさけ}
せい	精	⑤ {セイ・ショウ} 〜を出す。
せい	製	⑤ {セイ}
せい	盛	⑥ {セイ・ジョウ/もる・さかる・さかん}
せい	聖	⑥ {セイ}
せい	誠	⑥ {セイ/まこと}
せい	井	{セイ・ショウ/い}
せい	征	{セイ}
せい	斉	{セイ}
せい	姓	{セイ・ショウ}
せい	牲	{セイ}
せい	凄	{セイ}
せい	逝	{セイ/ゆく・いく}
せい	婿	{セイ/むこ}
せい	歳	{サイ・セイ}
せい	誓	{セイ/ちかう}
せい	請	{セイ・シン/こう・うける}
せい	醒	{セイ}
せい	背	〜が高い。〜比べ。
せい	〔▲所為〕	
ぜい	説	④ {セツ・ゼイ/とく}
ぜい	税	⑤ {ゼイ}

せいあい　性愛
せいあくせつ　性悪説
せいあつ　制圧　(ただし「がん征圧月間」)
せいあん　成案
せいい　誠意
せいいき　聖域
せいいく　成育　(主に動物の場合)稚魚の〜場。
せいいく　生育　(主に植物の場合)稲の〜。

㊗ 表外字・表外音訓を用いてよい特例の語　　㊝ 常用漢字表の付表の語
㊚ 送りがなを省く特例　　㊛ 読みがなを付けるのが望ましい語　　＊類語・言いかえ例

せいいっぱい	精いっぱい〔一杯〕
せいう	晴雨　～兼用。
せいうん	青雲　～の志。
せいうん	星雲
せいえい	精鋭　少数～。
せいえき	精液
せいえん	声援
せいえん	製塩
せいおう	西欧　～文化。～風。
せいおん	静穏
せいか	生花
せいか	生家
せいか	正課
せいか	成果　～を上げる。
せいか	声価　～が高まる。
せいか	青果　～市場。～物。
せいか	盛夏
せいか	聖火
せいか	聖歌　～隊。
せいか	精華
せいか	製菓
せいか	製靴　～業。
せいかい	正解
せいかい	政界
せいかい	盛会
せいかいけん	制海権
せいかがく	生化学
せいかく	正確〔精〕
せいかく	性格
せいがく	声楽　～家。～曲。
ぜいがく	税額
せいかつ	生活　～苦。～給。～設計。
せいかっこう	背格好〔×恰〕
せいかん	生還
せいかん	制汗　～剤。
せいかん	静観　事態を～する。
せいかん	精かん〔×悍〕
せいがん	正眼〔青〕　～の構え。
せいがん	西岸
せいがん	請願
ぜいかん	税関
せいがんざい	制がん剤〔×癌〕
せいがんしゃ	晴眼者
せいき	世紀
せいき	生気　～を回復する。
せいき	精気　～を養う。
せいき	正規　～の手続き。
せいき	性器
せいぎ	正義　～感。～漢。
せいきゅう	性急　～な改革。
せいきゅう	請求　～書。
せいきょ	逝去
せいぎょ	成魚
せいぎょ	制御〔×馭・×禦〕　～装置。
せいきょう	生協　（「生活協同組合」の略）
せいきょう	盛況
せいぎょう	正業　（正当な職業）～に就く。
せいぎょう	生業　（生活のための仕事）

〔　〕使わない漢字　　×表外字(常用漢字表にない字)　　▲表外音訓(常用漢字表にない読み)
①〜⑥教育漢字の学年配当　　①−②(①の表記を優先するが，②の表記を使ってもよい語)

せいきょういく　性教育	せいごう　整合〔斉〕　~性。
せいきょうと　清教徒　（ピューリタン）	せいこううどく　晴耕雨読
せいぎょき　盛漁期	せいこうとうてい　西高東低　（気象）
せいきょく　政局	せいこうほう　正攻法
せいきん　精勤　~賞。	せいこつ　整骨　~院。
ぜいきん　税金	ぜいこみ　税込み
せいくうけん　制空権	せいこん　成婚
せいくらべ　背比べ	せいこん　精根　（心身の精力と根気）~尽きる。
せいけい　生計　~を立てる。	せいこん　精魂　（魂・精神）~を込める。
せいけい　成形　（形をつくる）胸部~。	せいさ　精査
せいけい　成型　（型にはめてつくる）~加工。プラスチックの~。	せいざ　正座
せいけい　整形　（形を整える）顔の~をする。	せいざ　星座
せいけいげか　整形外科　（やけど痕などの治療は,「形成外科」）	せいざ　静座
せいけい　西経	せいさい　制裁
せいけい　政経	せいさい　精彩〔生〕　~を放つ。~を欠く。
せいけつ　清潔	せいさい　精細　~に描く。
せいけん　政見　~放送。	せいざい　製材
せいけん　政権　軍事~。	せいざい　製剤　血液~。
せいげん　制限　~速度。	せいさく　制作　（芸術作品などをつくること）絵画の~。番組の~。卒業~。
ぜいげん　税源	せいさく　製作　（機械や道具を使って物品をつくること）機械の~。家具の~。
せいご　生後　~2か月。	せいさく　政策　金融~。営業~。
せいご　正誤　~表。	せいさつよだつ　生殺与奪　~の権を握る。
せいこう　生硬　~な文章。	せいさん　生産　~財。~者。~性。大量~。
せいこう　成功　~報酬。	せいさん　成算　~がある。
せいこう　性向　貯蓄~。消費~。	
せいこう　性行　（性質や行い）	
せいこう　精巧	
せいこう　製鋼	

せいさん　青酸	～カリ。～化合物。～ソーダ。
せいさん　清算	(貸借の結末をつけること)借金の～。過去を～する。
せいさん　精算	(細かに計算すること)運賃の～。
せいさん　凄惨(せいさん)[読]	*悲惨。
せいざん　青山	人間(ジンカン)いたるところ～あり。
せいさんかっけい　正三角形	
せいし　正史	
せいし　生死	～の境。
せいし　正視	～するに忍びない。
せいし　制止	
せいし　姓氏	
せいし　精子	
せいし　静止	～衛星。
せいし　製糸	
せいし　製紙	
せいし　誓詞	
せいじ　青磁	
せいじ　政治	～活動。～資金。
せいしき　正式	
せいしき　清しき[▲拭]	(体を拭くこと)
せいしつ　正室	
せいしつ　性質	
せいじつ　誠実	
せいじゃ　正邪	
せいじゃ　聖者	
せいじゃく　静寂	
ぜいじゃく　ぜい弱[×脆]	*もろい。
せいしゅ　清酒	
せいじゅう　成獣	
ぜいしゅう　税収	
せいしゅく　静粛	
せいじゅく　成熟	
せいしゅん　青春	
せいじゅん　清純	～派。
せいしょ　青書	外交～。
せいしょ　清書	
せいしょ　聖書	
せいじょ　聖女	
せいしょう　斉唱	
せいしょう　政商	
せいじょう　正常	
せいじょう　政情[状]	～不安。
せいじょう　清浄	
せいじょうき　星条旗	
せいしょうねん　青少年	
せいしょく　生食	
せいしょく　生殖	
せいしょく　聖職	～者。
せいしん　清新	～な気風。
せいしん　誠心	～誠意。
せいしん　精神	～鑑定。
せいじん　成人	～式。
せいじん　聖人	
せいず　製図	
せいすい　盛衰	栄枯～。
せいずい　精髄	

[　]使わない漢字　　×表外字(常用漢字表にない字)　　▲表外音訓(常用漢字表にない読み)
1〜6 教育漢字の学年配当　　①—②(①の表記を優先するが，②の表記を使ってもよい語)

せいすう	正数		せいたい	生態 野鳥の〜。
せいすう	整数		せいたい	声帯
せいする	制する 機先を〜。		せいたい	政体 共和〜。立憲〜。
せいせい	生成 宇宙の〜。		せいたい	静態
せいせい	清々〔晴〕 〜する。		せいたい	整体 〜術。
せいせい	精製 石油〜。		せいだい	盛大
せいぜい	〔精々〕		せいたいもしゃ	声帯模写
ぜいせい	税制		せいたく	請託 《法律》
せいせいどうどう	正々堂々		せいだく	清濁 〜併せのむ。
せいせき	成績		**ぜいたく**	〔×贅沢〕 〜三昧。
せいぜつ	凄絶 読 *すさまじい。		せいだす	精出す
せいせっかい	生石灰		せいたん	生誕
せいせん	聖戦		せいだん	政談 〜演説。
せいせん	精選		せいち	生地 （生まれた土地）
せいぜん	生前		せいち	聖地 （神聖な土地）
せいぜん	整然〔井〕		せいち	精緻 *精巧。精密。
せいせんしょくりょうひん 生鮮食料品			せいち	整地 （土地をならすこと）
			ぜいちく	ぜい竹〔×筮〕
せいぜんせつ	性善説		せいちゃ	製茶
せいそ	清そ〔×楚〕 *清らか。		せいちゅう	成虫
せいそう	正装 （正式の服装）		せいちょう	正調
せいそう	盛装 （着飾ること）		せいちょう	成長 経済〜。〜期の子ども。動・植物の〜。
せいそう	政争 〜の具。			
せいそう	星霜 *年月。		せいちょう	生長 （「生長の家」のように固有名詞の場合など）
せいそう	清掃			
せいぞう	製造 〜業。〜元。		せいちょう	成鳥
せいそうけん	成層圏		せいちょう	性徴 第2次〜。
せいそく	生息〔×棲・×栖〕 〜地。		せいちょう	政庁
せいぞろい	勢ぞろい〔×揃〕		せいちょう	清澄 〜な空気。
せいぞん	生存 〜競争。			
せいたい	生体 〜解剖。〜反応。			

特 表外字・表外音訓を用いてよい特例の語　　付 常用漢字表の付表の語
送 送りがなを省く特例　　読 読みがなを付けるのが望ましい語　　*類語・言いかえ例

せいちょう　清聴	（聴いてくれることの尊敬語）ご～を感謝します。
せいちょう　静聴	（静かに聴く）ご～願います。
せいちょうざい　整腸剤	
せいつう　精通	
せいてい　制定	
せいてき　政敵	
せいてき　静的	
せいてつ　製鉄	～所。
せいてん　青天	～白日。～のへきれき。
せいてん　晴天	
せいてん　聖典	
せいてんかん　性転換	～手術。
せいでんき　静電気	
せいと　生徒	
せいど　制度	選挙～。封建～。
せいど　精度	～を高める。
せいとう　正当	～防衛。
せいとう　正統	～派。
せいとう　政党	
せいとう　製糖	
せいどう　正道	～を踏み外す。
せいどう　制動	（ブレーキ）～機。～をかける。
せいどう　青銅	～器。
せいどう　聖堂	
せいどく　精読	
せいとん　整頓	＊整理。
せいにく　精肉	
ぜいにく　ぜい肉〔×贅〕	
せいねん　生年	（生まれた年）～月日。
せいねん　成年	（一人前の大人と認められる年齢）～に達する。
せいねん　青年	～期。～団。
せいのう　性能	
せいは　制覇	
せいばい　成敗	けんか両～。
せいはく　精白	米を～する。
せいはつ　整髪	～料。
せいばつ　征伐	
せいはん　正犯	《法律》共同～。
せいはん　製版	
せいはんたい　正反対	
せいひ　正否	～の判断。
せいひ　成否	～の鍵を握る。
せいび　整備	～士。
ぜいびき　税引き	
せいひょう　青票	（国会の反対票）
せいひょう　製氷	
せいびょう　聖びょう〔×廟〕	
せいひれい　正比例	
せいひん　清貧	～に甘んじる。
せいひん　製品	
せいふ　政府	
せいぶ　西部	～劇。
せいふく　正副	
せいふく　制服	
せいふく　征服	
せいぶつ　生物	～学。
せいぶつ　静物	～画。
せいふん　製粉	

〔　〕使わない漢字　　×表外字(常用漢字表にない字)　　▲表外音訓(常用漢字表にない読み)
①〜⑥教育漢字の学年配当　　①―②(①の表記を優先するが，②の表記を使ってもよい語)

せいぶん	成分	有効〜。〜輸血。		せいやく	誓約	〜書。
せいぶん	成文	〜化する。		せいやく	製薬	〜会社。
せいへき	性癖			せいゆ	精油	（石油を精製すること）
せいべつ	生別	*生き別れ。		せいゆ	製油	（油の製品を作ること）
せいべつ	性別			せいゆう	声優	
せいへん	政変			せいゆう	清遊	
せいぼ	生母			せいよう	西洋	〜人。〜料理。
せいぼ	聖母			せいよう	静養	
せいぼ	歳暮			せいよく	性欲〔×慾〕	
せいほう	西方	（仏教は「サイホウ」）		せいらい	生来	
せいほう	製法			せいり	生理	〜学。
せいぼう	声望			せいり	整理	区画〜。人員〜。
せいぼう	制帽			ぜいりし	税理士	
ぜいほう	税法			せいりつ	成立	
せいほうけい	正方形			ぜいりつ	税率	
せいほん	製本			せいりゃく	政略	〜結婚。
せいまい	精米			せいりゅう	清流	
せいみつ	精密	〜機械。		せいりゅうき	整流器	
せいむ	政務			せいりゅうとう	青竜刀	
ぜいむ	税務	〜署。		せいりょう	声量	
せいめい	生命	〜力。〜線。		せいりょう	清涼	〜飲料。〜剤。
せいめい	声明	〜文。共同〜。		せいりょく	勢力	〜範囲。〜争い。
せいめい	姓名			せいりょく	精力	〜的。
せいめい	清明	（二十四節気）		せいるい	声涙	〜ともに下る。
せいめん	製麺			せいれい	政令	〜指定都市。
せいもく	星目〔聖・井〕	（囲碁）		せいれい	精励	
せいもん	正門			せいれい	精霊	（死者の魂・自然物に宿る精）
せいもん	声紋					
せいや	聖夜	（クリスマスイブ）		せいれき	西暦	
せいやく	成約	輸出の〜。		せいれつ	整列	
せいやく	制約	時間の〜。		せいれつ	清れつ〔×冽〕	*清らか。

㊙ 表外字・表外音訓を用いてよい特例の語　㊙ 常用漢字表の付表の語
㊙ 送りがなを省く特例　㊙ 読みがなを付けるのが望ましい語　*類語・言いかえ例

せいれん　清廉　〜潔白。
せいれん　精練　(繊維から不純物を除去すること)糸を〜する。
せいれん　精錬　(精製して純度の高い金属をつくること)粗鋼を〜する。
せいれん　製錬〔×煉〕　(鉱石から金属を取り出し,精製・加工すること)〜所。
せいろ　〔▲蒸▲籠〕
せいろう　晴朗　天気〜。
せいろん　正論
せおいなげ　背負い投げ
せおう　背負う
せおよぎ　背泳ぎ
せかい　世界　〜一。
せかいじゅう　世界中
せかいたいせん　世界大戦　第1次〜。(「第一次〜」とも)
せがき　施餓鬼　《仏教》
せかす　〔▲急〕
せかっこう　背格好〔×恰〕
せがむ
せがれ　〔×倅〕
せき　夕 ①{セキ・ゆう}
せき　石 ①{セキ・シャク・コク・いし}
せき　赤 ①{セキ・シャク・あか・あかい・あからむ・あからめる}
せき　昔 ③{セキ・シャク・むかし}
せき　席 ④{セキ}
せき　積 ④{セキ・つむ・つもる}
せき　責 ⑤{セキ・せめる}
せき　績 ⑤{セキ}
せき　斥{セキ}
せき　析{セキ}
せき　脊{セキ}
せき　隻{セキ}
せき　寂{ジャク・セキ さび・さびしい・さびれる}
せき　惜{セキ おしい・おしむ}
せき　戚{セキ}
せき　跡{セキ あと}
せき　籍{セキ}
せき　関
せき　〔×堰〕
せき　〔×咳〕
せきうん　積雲
せきえい　石英
せきがいせん　赤外線
せきがく　せき学〔×碩〕　＊大家。権威。
せきこむ　〔×咳込〕
せきこむ　〔▲急込〕
せきさい　積載　〜量。
せきざい　石材　〜店。
せきさん　積算
せきじ　席次
せきしつ　石室
せきじつ　昔日　〜の面影。
せきじゅうじ　赤十字
せきしゅつ　析出
せきしゅん　惜春
せきじゅん　席順
せきしょ　関所　〜破り。
せきじょう　席上
せきしょく　赤色　〜テロ。

〔　〕使わない漢字　　×表外字(常用漢字表にない字)　　▲表外音訓(常用漢字表にない読み)
①〜⑥教育漢字の学年配当　　①−②(①の表記を優先するが,②の表記を使ってもよい語)

せきずい　脊髄
せきせつ　積雪　〜量。
せきぞう　石像
せきたてる　〔▲急立〕
せきたん　石炭　〜殻。〜ガス。
せきちゅう　石柱
せきちゅう　脊柱
せきつい　脊椎　〜カリエス。
せきてい　石庭
せきてい　席亭
せきとう　石塔
せきどう　赤道　〜直下。
せきとして　寂として　〜声なし。
せきどめ　せき止め〔×咳〕
せきとめる　せき止める〔▲塞・×堰〕
せきとり　関取 送
せきにん　責任　〜感。〜体制。
せきねん　積年　〜の恨み。
せきのやま　関の山
せきはい　惜敗
せきばらい　〔×咳払〕
せきはん　赤飯
せきばんが　石版画　（リトグラフ）
せきひ　石碑
せきひん　赤貧　〜洗うがごとし。
せきふ　石ふ〔×斧〕
せきぶつ　石仏
せきぶん　積分　微〜。
せきべつ　惜別　〜の情。
せきぼく　石墨
せきむ　責務

せきめん　赤面
せきもり　関守 送
せきゆ　石油　〜化学。〜ストーブ。
せきらら　赤裸々
せきらんうん　積乱雲
せきり　赤痢　〜菌。
せきりょう　席料
せきわけ　関脇 特
せきわん　隻腕　＊片腕。
せく　〔▲急〕
せく　〔×咳〕
せけん　世間　〜並み。〜ずれ。
せけんてい　世間体
せこ　世故　〜にたける。
せこ　〔▲勢子〕
せこう　施工　（建築など）〜主。
セし　セ氏　（温度目盛り）
せじ　世事　〜に疎い。
せじ　世辞　お〜。
せしゅ　施主
せしゅう　世襲　〜制。
せじょう　世上　〜の評判。
せじょう　世情
せじょう　施錠
せすじ　背筋
ぜせい　是正
せせこましい　〜路地。
ぜぜひひ　是々非々　〜主義。
せせらぎ　〜の音。
せせらわらう　せせら笑う〔▲嘲〕
せそう　世相

特 表外字・表外音訓を用いてよい特例の語　　付 常用漢字表の付表の語
送 送りがなを省く特例　　読 読みがなを付けるのが望ましい語　　＊類語・言いかえ例

せそく―せつこ

せぞく	**世俗** ～的。
せたい	**世帯** (戸籍，統計などの場合) ～主。～数。
せだい	**世代** ～交代。
せたけ	**背丈**
せち	**節** ④{セツ・セチ / ふし}
せち	**世知**〔×智〕
せちえ	**節会**
せちがらい	〔世知辛〕
せつ	**切** ②{セツ・サイ / きる・きれる}
せつ	**雪** ②{セツ / ゆき}
せつ	**折** ④{セツ / おる・おり・おれる}
せつ	**殺** ④{サツ・サイ・セツ / ころす}
せつ	**節** ④{セツ・セチ / ふし} ～を曲げる。その～。
せつ	**説** ④{セツ・ゼイ / とく}
せつ	**接** ⑤{セツ / つぐ}
せつ	**設** ⑤{セツ / もうける}
せつ	**拙**{セツ / つたない}
せつ	**刹**{サツ・セツ}
せつ	**窃**{セツ}
せつ	**摂**{セツ}
ぜつ	**舌** ⑤{ゼツ / した}
ぜつ	**絶** ⑤{ゼツ / たえる・たやす・たつ}
せつえい	**設営**
ぜつえん	**絶縁** ～体。
ぜっか	**舌禍**
せっかい	**切開** 帝王～。
せっかい	**石灰** ～岩。～石。
せつがい	**雪害**
ぜっかい	**絶海** ～の孤島。
せっかく	**石かく**〔×梛〕
せっかく	〔折角〕
せっかち	〔▲性▲急〕
せっかん	**石棺**
せっかん	〔折×檻〕
せつがん	**接岸**
ぜつがん	**舌がん**〔×癌〕
せっき	**石器** ～時代。
せっき	**節気** 二十四～。
せっきゃく	**接客** ～業。
せっきょう	**説教**
ぜっきょう	**絶叫**
せっきょく	**積極** ～策。～論。
せっきん	**接近** 台風が～する。
せっく	**節句**
ぜっく	**絶句**
せつぐう	**接遇** ＊接待。もてなし。
せっくつ	**石窟**
せっけい	**設計** ～図。
せっけい	**雪渓**
ぜっけい	**絶景**
せっけっきゅう	**赤血球**
せっけん	**接見**
せっけん	**席けん**〔▲巻・×捲〕 ＊勢力を広げる。攻めまくる。
せっけん	〔石×鹼〕
せつげん	**接舷**
せつげん	**雪原**
せつげん	**節減** 経費～。
ぜつご	**絶後** 空前～。
せっこう	**斥候**

〔　〕使わない漢字　　×表外字(常用漢字表にない字)　　▲表外音訓(常用漢字表にない読み)
①～⑥教育漢字の学年配当　　①―②(①の表記を優先するが，②の表記を使ってもよい語)

せっこう	拙攻	せつぜい	節税
せっこう	石こう〔×膏〕	ぜっせい	絶世　～の美人。
せつごう	接合	せつせつ	切々　～と訴える。
ぜっこう	絶交	せっせん	接戦
ぜっこう	絶好　～の機会。～球。	せっせん	接線〔切〕《数学》
せっこつ	接骨　～院。	ぜっせん	舌戦
せっさたくま	切磋琢磨	せっそう	節操
ぜっさん	絶賛〔×讃〕	せつぞう	雪像
せつじつ	切実	せっそく	拙速
せっしゃ	接写	せつぞく	接続　～詞。
せっしゃくわん	切歯扼腕	せっそくどうぶつ	節足動物
せっしゅ	接種　予防～。	せった	〔雪▲駄〕
せっしゅ	摂取　栄養の～。	せったい	接待　～費。
せっしゅう	接収	ぜったい	絶対　～多数。～安静。
せつじょ	切除	ぜつだい	絶大
せっしょう	折衝	ぜったいぜつめい	絶体絶命〔対〕
せっしょう	殺生	ぜったいち	絶対値
せっしょう	摂政	せつだん	切断〔×截〕
せつじょう	雪上　～車。	せっち	設置
ぜっしょう	絶唱	せっちゃく	接着　～剤。
せっしょく	接触　～事故。～感染。	せっちゅう	折衷〔中〕　和洋～。～案。
せっしょく	節食	せっちゅう	雪中　～行軍。
せつじょく	雪辱　～戦。	ぜっちょう	絶頂　～期。
ぜっしょく	絶食	せってい	設定
せっすい	節水	せってん	接点〔切〕
せっする	接する	せつでん	節電
ぜっする	絶する	せつど	節度
せっせい	摂生　(養生すること)～に努める。	せっとう	窃盗　～罪。
		せっとうご	接頭語
せっせい	節制　(慎むこと)酒, たばこを～する。	せっとく	説得　～力。
		せつな	刹那　～主義。

せつない　切ない	せつれつ　拙劣
せつに　①せつに　②切に	せつわ　説話
せっぱく　切迫	せと　瀬戸
せっぱつまる　せっぱ詰まる〔切羽〕	せど　背戸
せっぱん　折半〔切〕	せとぎわ　瀬戸際
ぜっぱん　絶版	せともの　瀬戸物
せつび　設備　～投資。	せなか　背中　～合わせ。
せつぴ　雪庇　(雪のひさし)	ぜに　銭　～勘定。
せつびご　接尾語	ぜにかね　銭金　～の問題。
ぜっぴつ　絶筆	ぜにん　是認
ぜっぴん　絶品	せのび　背伸び
せっぷく　切腹	せばまる　狭まる
せつぶん　節分	せばめる　狭める
せっぷん　〔接×吻〕	せばんごう　背番号
ぜっぺき　絶壁	せひ　施肥
せっぺん　切片	ぜひ　是非　(名詞)～を論じる。
せつぼう　切望	ぜひ　①ぜひ　②是非　(副詞。どうしても)～頼む。～とも。～お会いしたい。
せっぽう　説法	
ぜつぼう　絶望	
ぜつぼう　舌ぼう〔×鋒〕　～鋭い。	せひょう　世評
ぜつみょう　絶妙	**せびる**　金を～。
ぜつむ　絶無	せびれ　背びれ〔×鰭〕
せつめい　説明	せびろ　背広
ぜつめい　絶命　絶体～。	せぶみ　瀬踏み
ぜつめつ　絶滅	せぼね　背骨
せつもん　設問	せまい　狭い
せつやく　節約	せまくるしい　狭苦しい
せつゆ　説諭　*諭す。言い聞かす。	せまる　迫る
せつり　摂理　自然の～。	**せみ**　〔×蟬〕
せつりつ　設立	せめ　責め　～を果たす。
ぜつりん　絶倫	せめいる　攻め入る
	せめおとす　攻め落とす

〔　〕使わない漢字　　×表外字(常用漢字表にない字)　　▲表外音訓(常用漢字表にない読み)
①～⑥教育漢字の学年配当　　①－②(①の表記を優先するが，②の表記を使ってもよい語)

せめく	責め苦	地獄の〜。	せん	千 ①{セン/ち}
せめぐ	〔×鬩〕		せん	川 ①{セン/かわ}
せめこむ	攻め込む		せん	先 ①{セン/さき}
せめたてる	攻めたてる〔立〕		せん	船 ②{セン/ふね・ふな}
せめたてる	責めたてる〔立〕		せん	線 ②{セン}
せめつける	責めつける		せん	浅 ④{セン/あさい}
せめて	〜これだけでも。		せん	戦 ④{セン/いくさ・たたかう}
せめほろぼす	攻め滅ぼす		せん	選 ④{セン/えらぶ} 〜に漏れる。
せめよせる	攻め寄せる		せん	銭 ⑤{セン/ぜに}
せめる	攻める		せん	宣 ⑥{セン}
せめる	責める		せん	専 ⑥{セン/もっぱら}
せもたれ	背もたれ〔×凭〕		せん	泉 ⑥{セン/いずみ}
せり	競り	〜市。〜売り。	せん	洗 ⑥{セン/あらう}
せり	〔×芹〕		せん	染 ⑥{セン/そめる・そまる・しみる・しみ}
せりあう	競り合う		せん	仙 {セン}
せりあげ	せり上げ〔▲迫〕《芸能》		せん	占 {セン/しめる・うらなう}
せりあげる	競り上げる		せん	扇 {セン/おうぎ}
せりおとす	競り落とす		せん	栓 {セン} 〜を抜く。
せりだし	せり出し〔▲迫〕		せん	旋 {セン}
せりふ	〔▲台▲詞・▲科▲白〕		せん	煎 {セン/いる}
せりょう	施療		せん	羨 {セン/うらやむ・うらやましい}
せる	競る		せん	腺 {セン}
ゼロさいじ	ゼロ歳児	「0歳児」と書いてもよい)	せん	詮 {セン}
			せん	践 {セン}
せわ	世話	〜好き。〜焼き。	せん	箋 {セン}
せわしい	〔▲忙〕		せん	潜 {セン/ひそむ・もぐる}
せわた	背わた〔▲腸〕		せん	遷 {セン}
せわたしぶね	瀬渡し船		せん	薦 {セン/すすめる}
せわにん	世話人		せん	繊 {セン}
せわもの	世話物	《芸能》	せん	鮮 {セン/あざやか}
せわやく	世話役		ぜん	前 ②{ゼン/まえ}

㊙ 表外字・表外音訓を用いてよい特例の語　　㊝ 常用漢字表の付表の語
㊂ 送りがなを省く特例　　㊙ 読みがなを付けるのが望ましい語　　＊類語・言いかえ例

ぜん	全 ③{まったく・すべて / ゼン}	せんがい	選外　〜佳作。
ぜん	然 ④{ゼン・ネン}	ぜんかい	全快
ぜん	善 ⑥{ゼン / よい}	ぜんかい	全開　エンジン〜。
ぜん	禅{ゼン}	ぜんかい	全壊〔潰〕
ぜん	漸{ゼン}	ぜんかい	前回
ぜん	膳{ゼン}	ぜんかいいっち	全会一致
ぜん	繕{ゼン / つくろう}	せんがく	浅学　〜非才。
ぜんあく	善悪	ぜんがく	全額
せんい	船医	せんかくしゃ	先覚者
せんい	戦意　〜喪失。	ぜんがくぶ	前額部
せんい	繊維	せんかん	戦艦
ぜんい	善意	せんかん	選管　(「選挙管理委員会」の略)
せんいき	戦域		
ぜんいき	全域	せんがん	洗眼
せんいつ	専一	せんがん	洗顔　〜せっけん。
せんいん	船員	ぜんかん	全巻
ぜんいん	全員	ぜんかん	全館
せんえい	先鋭〔×尖〕　〜分子。	せんき	戦記
せんえい	船影	せんき	戦機　〜が熟す。
ぜんえい	前衛	せんぎ	先議　〜権。
せんえつ	せん越〔×僭〕　＊出過ぎ。	せんぎ	詮議
せんおう	専横〔×擅〕	ぜんき	前記
せんか	専科	ぜんき	前期
せんか	戦火　〜を交える。	せんきゃく	先客
せんか	戦果　〜を上げる。	せんきゃく	船客
せんか	戦禍　〜を被る。	せんきゃくばんらい	千客万来
せんか	選果　〜作業。	ぜんきゅう	全休
せんが	線画	せんきょ	占拠
ぜんか	全科	せんきょ	選挙　〜公報。
ぜんか	前科	せんぎょ	鮮魚　〜商。
せんかい	旋回〔×廻〕	せんきょう	仙境〔郷〕

〔 〕使わない漢字　　×表外字(常用漢字表にない字)　　▲表外音訓(常用漢字表にない読み)
①〜⑥教育漢字の学年配当　　①−②(①の表記を優先するが，②の表記を使ってもよい語)

せんきょう	戦況	せんこ	千古　（大昔）〜不易。
せんぎょう	専業　〜農家。	せんご	戦後
せんきょうし	宣教師	ぜんこ	全戸
せんきょく	戦局	ぜんご	前後　〜不覚。〜左右。
せんきょく	選曲	せんこう	先行
せんぎり	千切り〔繊〕	せんこう	先攻
せんきん	千金　一獲〜。	せんこう	専行　独断〜。
せんく	先駆　〜者。	せんこう	専攻　〜科目。
せんく	線区　（鉄道）	せんこう	戦功
せんぐう	遷宮	せんこう	選考〔詮・×銓衡〕
せんくち	先口	せんこう	潜行
ぜんくつ	前屈	せんこう	潜航　〜艇。
ぜんぐん	全軍	せんこう	線香　〜花火。
せんぐんばんば	千軍万馬	せんこう	選鉱
ぜんけい	全景	せんこう	鮮紅　〜色。
ぜんけい	前掲	せんこう	せん孔〔×穿〕
ぜんけい	前傾　〜姿勢。	せんこう	せん光〔×閃〕
せんけつ	先決	ぜんこう	全校
せんけつ	専決　〜処分。	ぜんこう	前項
せんけつ	潜血　《医学》〜反応。	ぜんこう	善行
せんけつ	鮮血	ぜんごう	前号
せんげつ	先月	せんこく	先刻　〜承知だ。
ぜんげつ	前月	せんこく	宣告
せんけん	先見　〜の明。	せんごく	戦国　〜時代。
せんけん	先遣　〜隊。	ぜんこく	全国
せんけん	専権　〜事項。	ぜんごさく	善後策　〜を講ずる。
せんげん	宣言	ぜんざ	前座
ぜんけん	全県	せんさい	先妻
ぜんけん	全権　〜大使。	せんさい	戦災　〜孤児。
ぜんげん	前言　〜を翻す。	せんさい	繊細
ぜんげん	漸減	せんざい	洗剤　中性〜。

⑰表外字・表外音訓を用いてよい特例の語　　付常用漢字表の付表の語
送送りがなを省く特例　　読読みがなを付けるのが望ましい語　　＊類語・言いかえ例

せんざい	潜在　～意識。
ぜんさい	前菜
ぜんざい	〔善×哉〕
せんざいいちぐう	千載一遇〔歳〕
せんさく	詮索〔×穿×鑿〕
せんさばんべつ	千差万別
せんし	先史　～時代。
せんし	戦士
せんし	戦史
せんし	戦死　～者。
せんじ	戦時　～中。～色。
ぜんじ	禅師　一休～。
ぜんじ	漸次〔時〕 ＊次第に。
せんじぐすり	煎じ薬
せんしつ	船室
せんじつ	先日　～来。
ぜんじつ	前日
せんじつめる	煎じ詰める
せんしゃ	洗車
せんしゃ	戦車
せんじゃ	選者
ぜんしゃ	全社　～を挙げて。
ぜんしゃ	前車　～のてつを踏む。
ぜんしゃ	前者
せんしゅ	先取　～点。
せんしゅ	船主
せんしゅ	船首
せんしゅ	選手　～権。～団。
せんしゅう	先週
せんしゅう	専修　～学校。
せんしゅう	選集
せんじゅう	先住　～民族。
せんじゅう	専従　組合～。
ぜんしゅう	全集
ぜんしゅう	前週
せんしゅうらく	千秋楽
せんしゅつ	選出
せんじゅつ	戦術
ぜんじゅつ	前述
せんしょ	選書
ぜんしょ	善処
せんしょう	先勝
せんしょう	戦勝〔×捷〕　～国。
せんしょう	戦傷　～死。～者。
せんしょう	選奨　芸術～。
せんじょう	洗浄〔×滌〕
せんじょう	扇情〔×煽〕　～的。
せんじょう	戦場
ぜんしょう	全勝　～優勝。
ぜんしょう	全焼
ぜんじょう	禅譲
せんじょうこん	線条痕〔旋・×綾〕
せんしょうせん	前哨戦　(p.12参照)
ぜんしょうとう	前照灯　(ヘッドライト)
せんしょく	染色
せんしょく	染織
ぜんしょく	前職
せんしょくたい	染色体
せんじる	煎じる
せんしん	先進　～国。
せんしん	専心

せんじん	千尋〔×仞〕	～の谷。	
せんじん	先人	～の足跡をたどる。	
せんじん	先陣	～争い。	
ぜんしん	全身	～全霊。～麻酔。	
ぜんしん	前身		
ぜんしん	前進	一歩～。	
ぜんしん	漸進		
ぜんじん	全人	～教育。	
ぜんじんみとう	前人未到	～の記録。～の境地。	
せんす	扇子		
せんすい	泉水		
せんすい	潜水	～艦。～士。～病。	
せんする	宣する		
ぜんせ	前世		
せんせい	先生		
せんせい	先制	～攻撃。	
せんせい	専制	～政治。	
せんせい	宣誓	選手～。	
ぜんせい	全盛	～期。	
ぜんせい	善政		
せんせいじゅつ	占星術		
せんせき	船籍		
せんせき	戦跡		
せんせき	戦績		
せんせん	戦線	人民～。統一～。～の拡大。	
せんせん	宣戦	～布告。	
せんぜん	戦前	～派。	
ぜんせん	全線	～開通。	
ぜんせん	前線	梅雨～。	
ぜんせん	善戦		
ぜんぜん	全然		
せんせんきょうきょう	戦々恐々〔×兢〕		
せんせんげつ	先々月		
せんぞ	先祖	～返り。～代々。	
せんそう	船倉〔×艙〕		
せんそう	船窓		
せんそう	戦争	～犯罪人。受験～。	
ぜんそう	前奏	～曲。	
ぜんそう	禅僧		
ぜんぞう	漸増	＊徐々に増加。	
せんぞく	専属		
ぜんそく	〔×喘息〕		
せんたい	船体		
せんだい	先代		
せんだい	船台		
ぜんたい	全体	～会議。～主義。	
ぜんだいみもん	前代未聞		
せんたく	洗濯	～機。～物。	
せんたく	選択	～肢。～の余地。	
せんだつ	先達		
せんだって	〔先▲達〕		
ぜんだて	膳立て	お～。	
ぜんだま	善玉		
せんたん	先端〔×尖〕	～産業。～技術。	
せんたん	戦端	～を開く。	
せんだん	専断〔×擅〕	＊独り決め。	
せんだん	船団	捕鯨～。	
せんだん	〔×栴×檀〕		

特 表外字・表外音訓を用いてよい特例の語　　付 常用漢字表の付表の語
送 送りがなを省く特例　　読 読みがなを付けるのが望ましい語　　＊類語・言いかえ例

せんた―せんは

ぜんだん	前段	
せんち	戦地	～に赴く。
ぜんち	全治	～2か月。
ぜんち	全知〔×智〕	～全能。
センチメートル	〔×糎〕	
せんちゃ	煎茶	
せんちゃく	先着	～順。
せんちゅう	戦中	～派。
せんちょう	船長	
ぜんちょう	全長	
ぜんちょう	前兆	
せんて	先手	～を取る。
せんてい	先帝	
せんてい	選定	
せんてい	〔×剪定〕	
ぜんてい	前提	
せんてつ	銑鉄 特	
ぜんでら	禅寺	
せんでん	宣伝	
せんてんてき	先天的	
せんと	遷都	
せんど	先途	ここを～と。
せんど	鮮度	
ぜんと	前途	～多難。～洋々。
ぜんど	全土	日本～。
せんとう	先頭〔登〕	
せんとう	戦闘	～機。
せんとう	銭湯	
せんどう	先導	パトカーの～。
せんどう	扇動〔×煽〕	民衆を～する。
せんどう	船頭	

ぜんどう	善導	
ぜんとうよう	前頭葉	
ぜんなんぜんにょ	善男善女	
ぜんに	禅尼	
ぜんにちせい	全日制	～高校。
せんにちて	千日手	(将棋)
せんにゅう	潜入	
せんにゅうかん	先入観	
せんにん	仙人	
せんにん	先任	
せんにん	専任	～講師。
ぜんにん	前任	～者。
ぜんにん	善人	
せんにんばり	千人針	
せんにんりき	千人力	
せんぬき	栓抜き	
せんねん	先年	
せんねん	専念	
ぜんねん	前年	～比。
せんのう	洗脳	
ぜんのう	全納	
ぜんのう	前納	
ぜんのう	全能	全知～。
ぜんば	前場	《株式》
せんばい	専売	～特許。
せんぱい	先輩	
ぜんぱい	全敗	
ぜんぱい	全廃	
せんぱく	浅薄	
せんぱく	船舶	
せんばつ	選抜	～試験。

〔 〕使わない漢字　×表外字(常用漢字表にない字)　▲表外音訓(常用漢字表にない読み)
①〜⑥教育漢字の学年配当　①—②(①の表記を優先するが，②の表記を使ってもよい語)

せんぱつ 先発	～隊。～投手。
せんぱつ 洗髪	
せんばづる 千羽鶴	
せんばん 千万	迷惑～。
せんばん 旋盤	
せんぱん 先般	～来。
せんぱん 戦犯	(「戦争犯罪人」の略)
ぜんはん 前半	～戦。
ぜんぱん 全般	
せんび 船尾	
せんぴ 戦費	
ぜんぴ 前非	～を悔いる。
せんぴょう 選評	
せんびょうし 戦病死	
せんびょうしつ 腺病質	
ぜんぶ 全部	
ぜんぶ 前部	
せんぷう 旋風	
せんぷうき 扇風機〔器〕	
せんぷく 船腹	
せんぷく 潜伏	～期。
ぜんぷく 全幅	～の信頼。
ぜんぶん 全文	
ぜんぶん 前文	＊前書き。
せんべい ①せんべい ②煎餅	
せんぺい 先兵〔×尖〕	
ぜんべい 全米	～オープン。
せんべつ 選別	
せんべつ せん別〔×餞〕	
せんべん 先べん〔×鞭〕	～をつける。
ぜんぺん 全編〔×篇〕	
ぜんぺん 前編〔×篇〕	
せんぺんいちりつ 千編一律〔×篇〕	
せんぺんばんか 千変万化	
せんぼう 羨望	～の的。
せんぽう 先方	
せんぽう 戦法	
せんぽう 先ぽう〔×鋒〕	急～。
ぜんぼう 全貌	＊全容。
ぜんぽう 前方	
せんぼうきょう 潜望鏡	
ぜんぽうこうえんふん 前方後円墳	
せんぼつ 戦没〔×歿〕	～者。
ぜんまい 〔×薇〕	
ぜんまい 〔▲発▲条〕	
せんまいづけ 千枚漬送	
せんまいどおし 千枚通し	
せんみん 選民	
せんむ 専務	～取締役。
せんめい 鮮明	
せんめつ せん滅〔×殲〕	＊皆殺し。全滅。
ぜんめつ 全滅	
せんめん 洗面	～器。～用具。
ぜんめん 全面	～的。
ぜんめん 前面	
せんもう 繊毛	
ぜんもう 全盲	
せんもん 専門	～家。～学校。～教育。～職。
ぜんもん 全問	～正解。

ぜんもん　**前門**　〜の虎，後門のおおかみ。
ぜんもん　**禅門**
ぜんもんどう　**禅問答**
ぜんや　**前夜**　〜祭。
せんやく　**先約**
ぜんやく　**全訳**
せんゆう　**専有**　〜面積。
せんゆう　**戦友**
せんゆうけん　**占有権**　《法律》
せんゆうりつ　**占有率**　市場〜。
せんよう　**占用**　(自分のものにして使う)土地の〜。
せんよう　**専用**　〜電話。〜道路。
せんよう　**宣揚**　国威の〜。
ぜんよう　**全容**　事件の〜。
ぜんら　**全裸**
せんらん　**戦乱**
せんりがん　**千里眼**
せんりつ　**旋律**
せんりつ　**戦慄**
ぜんりつせん　**前立腺**
せんりひん　**戦利品**
せんりゃく　**戦略**　〜爆撃。販売〜。
ぜんりゃく　**前略**

せんりゅう　**川柳**
せんりょ　**千慮**　〜の一失。
せんりょ　**浅慮**　〜を恥じる。
せんりょう　**千両**　〜箱。〜役者。
せんりょう　**占領**　〜軍。〜政策。
せんりょう　**染料**
せんりょう　**選良**
ぜんりょう　**全量**
ぜんりょう　**善良**
ぜんりょうせい　**全寮制**
せんりょく　**戦力**
ぜんりょく　**全力**　〜投球。
ぜんりん　**前輪**　〜駆動。
ぜんりん　**善隣**　〜友好。
せんれい　**先例**
せんれい　**洗礼**
ぜんれい　**全霊**　全身〜。
ぜんれい　**前例**
ぜんれき　**前歴**
せんれつ　**戦列**
せんれつ　**鮮烈**
ぜんれつ　**前列**　最〜。
せんれん　**洗練**〔×煉〕
せんろ　**線路**

そ

- そ 組 ②{ソ/くむ・くみ}
- そ 想 ③{ソウ・ソ}
- そ 祖 ⑤{ソ}
- そ 素 ⑤{ソ・ス}
- そ 阻 {ソ/はばむ}
- そ 狙 {ソ/ねらう}
- そ 租 {ソ}
- そ 措 {ソ}
- そ 粗 {ソ/あらい}
- そ 疎 {ソ/うとい・うとむ}
- そ 訴 {ソ/うったえる}
- そ 塑 {ソ}
- そ 遡 {ソ/さかのぼる}
- そ 礎 {ソ/いしずえ}
- ぞ 曽 {ソウ・ゾ}
- そあく 粗悪 〜品。
- そあん 素案
- そい 粗衣 〜粗食。
- そいね 添い寝
- そいん 素因
- そいん 訴因 《法律》
- そう 早 ①{ソウ・サッ/はやい・はやまる・はやめる}
- そう 草 ①{ソウ/くさ}
- そう 走 ②{ソウ/はしる}
- そう 相 ③{ソウ・ショウ/あい}
- そう 送 ③{ソウ/おくる}
- そう 想 ③{ソウ・ソ} 〜を練る。
- そう 争 ④{ソウ/あらそう}
- そう 倉 ④{ソウ/くら}
- そう 巣 ④{ソウ/す}
- そう 総 ⑤{ソウ}
- そう 宗 ⑥{シュウ・ソウ}
- そう 奏 ⑥{ソウ/かなでる}
- そう 窓 ⑥{ソウ/まど}
- そう 創 ⑥{ソウ/つくる}
- そう 装 ⑥{ソウ・ショウ/よそおう}
- そう 層 ⑥{ソウ}
- そう 操 ⑥{ソウ/みさお・あやつる}
- そう 双 {ソウ/ふた}
- そう 壮 {ソウ}
- そう 荘 {ソウ}
- そう 捜 {ソウ/さがす}
- そう 挿 {ソウ/さす}
- そう 桑 {ソウ/くわ}
- そう 掃 {ソウ/はく}
- そう 曹 {ソウ}
- そう 曽 {ソウ・ゾ}
- そう 爽 {ソウ/さわやか}
- そう 喪 {ソウ/も}
- そう 痩 {ソウ/やせる}
- そう 葬 {ソウ/ほうむる}
- そう 僧 {ソウ}
- そう 遭 {ソウ/あう}
- そう 槽 {ソウ}
- そう 踪 {ソウ}
- そう 燥 {ソウ}

特 表外字・表外音訓を用いてよい特例の語　付 常用漢字表の付表の語
送 送りがなを省く特例　読 読みがなを付けるのが望ましい語　＊類語・言いかえ例

そう―そうき

そう	霜	{ソウ/しも}
そう	贈	{ゾウ・ソウ/おくる}
そう	騒	{ソウ/さわぐ}
そう	藻	{ソウ/も}
そう	筝	特 《芸能》
そう	〔×艘〕	
そう	沿う	道に～。海岸沿い。期待に～。趣旨に～。方針に～。
そう	添う	付き～。寄り～。
ぞう	象	4{ショウ・ゾウ}
ぞう	造	5{ゾウ/つくる}
ぞう	雑	5{ザツ・ゾウ}
ぞう	像	5{ゾウ}
ぞう	増	5{ゾウ/ます・ふえる・ふやす}
ぞう	蔵	6{ゾウ/くら}
ぞう	臓	6{ゾウ}
ぞう	憎	{ゾウ/にくむ・にくい・にくらしい・にくしみ}
ぞう	贈	{ゾウ・ソウ/おくる}
そうあい	相愛	相思～。
そうあたり	総当たり	
そうあん	草案	(文章の下書き)
そうあん	創案	(初めて考え出すこと)
そうあん	草あん〔×庵〕	
そうあん	僧あん〔×庵〕	
そうい	相違〔異〕	～ない。
そうい	創意	～工夫。
そうい	僧衣	
そうい	総意	
そういん	僧院	
そういん	総員	
ぞういん	増員	

そううつびょう	そううつ病〔×躁鬱〕	《医学》
そううん	層雲	
ぞうえい	造営	～物。
ぞうえいざい	造影剤	
ぞうえき	増益	増収～。
ぞうえん	造園	～業。
ぞうえん	増援	
ぞうお	憎悪	～の念。
そうおう	相応	分～。
そうおん	騒音〔×噪〕	
ぞうか	造花	
ぞうか	増加	
そうかい	壮快	(元気で気持ちよい)
そうかい	爽快	(爽やかで快い)
そうかい	掃海	～作業。～艇。
そうかい	総会	～屋。
そうがい	霜害	
そうがかり	①総がかり ②総掛かり	
そうがく	総額	
ぞうがく	増額	
そうかつ	総括〔轄〕	～質問。
そうかん	壮観	
そうかん	相関	～関係。
そうかん	送還	捕虜の～。
そうかん	創刊	～号。
ぞうかん	増刊	
ぞうがん	象眼〔×嵌〕	
そうがんきょう	双眼鏡	
そうき	早期	
そうき	想起	

〔 〕使わない漢字　×表外字(常用漢字表にない字)　▲表外音訓(常用漢字表にない読み)
1～6 教育漢字の学年配当　①-②(①の表記を優先するが，②の表記を使ってもよい語)

そうぎ	争議	労働～。～権。	
そうぎ	葬儀		
ぞうき	臓器	～移植。	
ぞうきばやし	雑木林		
そうきょ	壮挙		
そうぎょう	早暁	＊明け方。夜明け。	
そうぎょう	創業	会社の～者。	
そうぎょう	操業	～短縮。～率。	
ぞうきょう	増強		
そうきょく	箏曲 特 《芸能》		
そうきょくせん	双曲線		
そうぎり	総ぎり〔×桐〕	～のたんす。	
そうきん	送金		
ぞうきん	雑巾	～がけ。	
そうぐう	遭遇		
そうくずれ	総崩れ		
そうくつ	巣窟	＊根城。巣。	
そうけ	宗家	○○流の～。	
ぞうげ	象牙	～の塔。	
そうけい	早計		
そうけい	総計		
そうげい	送迎	～バス。	
ぞうけい	造形〔型〕	～美術。	
ぞうけい	造詣 読	～が深い。	
ぞうけつ	造血	～作用。	
ぞうけつ	増血	～剤。	
ぞうけつ	増結	車両を～する。	
そうけっさん	総決算		
そうけん	双肩		
そうけん	壮健		
そうけん	送検		
そうけん	創建	（寺の建物などの場合）	
そうけん	総見		
そうげん	草原		
ぞうげん	増減		
そうこ	倉庫		
そうご	壮語	大言～。	
そうご	相互	～依存。～理解。	
ぞうご	造語		
そうこう	壮行	～会。	
そうこう	走行	～距離。	
そうこう	奏功〔効〕		
そうこう	草稿		
そうこう	霜降	（二十四節気）	
そうこう	〔×糟×糠〕	～の妻。	
そうごう	相好	～を崩す。	
そうごう	総合〔×綜〕	～雑誌。～大学。	
そうこうげき	総攻撃		
そうこうしゃ	装甲車		
そうこく	相克〔×剋〕		
そうこん	早婚		
そうごん	荘厳		
ぞうごん	雑言	悪口～。	
そうさ	捜査	～員。公開～。	
そうさ	操作	遠隔～。	
ぞうさ	造作〔雑〕	（面倒）～ない。（「ゾウサク」は別語）	
そうさい	相殺		
そうさい	葬祭	冠婚～。	
そうさい	総裁	名誉～。	
そうざい	総菜〔×惣〕		

特 表外字・表外音訓を用いてよい特例の語　　付 常用漢字表の付表の語
送 送りがなを省く特例　　読 読みがなを付けるのが望ましい語　　＊類語・言いかえ例

そうさ―そうせ

そうさく	捜索	家宅～。～願い。		

そうさく　捜索　家宅～。～願い。
そうさく　創作　～劇。
ぞうさく　造作　(家の内部の仕上げ。目鼻だち)家の～に凝る。顔の～。～付き。
そうさせん　走査線
ぞうさつ　増刷
そうざらい　総ざらい〔×浚〕
そうざん　早産
ぞうさん　増産
そうし　相思　～相愛。
そうし　草紙〔双〕
そうし　創始　～者。
そうじ　送辞
そうじ　掃除　大～。～機。
ぞうし　増資
そうしき　葬式
そうじけい　相似形
そうじしょく　総辞職　内閣～。
そうしつ　喪失　自信～。
そうじて　総じて
そうしゃ　壮者　～をしのぐ。
そうしゃ　走者
そうしゃ　奏者　オルガン～。
そうしゃ　掃射　機銃～。
そうしゃじょう　操車場
そうしゅ　双手　＊もろ手。
そうしゅ　宗主　～国。
そうじゅう　操縦　～士。
ぞうしゅう　増収
ぞうしゅうわい　贈収賄
そうじゅく　早熟

そうしゅん　早春
そうしょ　双書〔×叢〕
そうしょ　草書　～体。
ぞうしょ　蔵書
そうしょう　宗匠
そうしょう　総称
そうじょう　相乗　～効果。～作用。
そうじょう　僧正
ぞうしょう　蔵相
そうじょうざい　騒じょう罪〔×擾〕《法律》(現在は「騒乱罪」)
そうしょく　草食　～動物。
そうしょく　装飾　～品。室内～。
そうしょく　僧職
ぞうしょく　増殖
ぞうしょくろ　増殖炉　高速～。
そうしん　送信　～機。～所。
そうしん　喪心〔神〕
そうしん　痩身[読]　＊痩せた体。
ぞうしん　増進　食欲～。
そうしんぐ　装身具
そうすい　送水　～管。
そうすい　総帥
ぞうすい　増水
ぞうすい　雑炊
そうすう　総数
そうする　奏する　功を～。
そうせい　早世　＊若死に。
そうせい　創世　(世界の出来始め)～記。
そうせい　創成　(初めて出来上がること)民俗学の～期。

〔　〕使わない漢字　　×表外字(常用漢字表にない字)　　▲表外音訓(常用漢字表にない読み)
①～⑥教育漢字の学年配当　　①―②(①の表記を優先するが，②の表記を使ってもよい語)

そうぜい　総勢	そうたい　早退
ぞうせい　造成　宅地〜。〜地。	そうたい　相対　〜性理論。〜的。
ぞうぜい　増税	そうたい　総体
そうせいじ　双生児	そうだい　壮大〔荘〕　〜な計画。
そうせき　僧籍	そうだい　総代　卒業生〜。
そうせきうん　層積雲	ぞうだい　増大
そうせつ　創設　〜者。	そうだち　総立ち
そうぜつ　壮絶	そうたつ　送達
ぞうせつ　増設	そうだつ　争奪　〜戦。
そうせん　操船	そうたん　操短　(「操業短縮」の略)
そうぜん　騒然	そうだん　相談　人生〜。身の上〜。
ぞうせん　造船　〜所。	そうち　送致
そうせんきょ　総選挙　(衆議院の場合)	そうち　装置　舞台〜。〜産業。
そうそう　早々	ぞうちく　増築
そうそう　草々	そうちゃく　装着
そうぞう　創造　天地〜。〜性。	そうちょう　早朝
そうぞう　想像　〜力。	そうちょう　荘重〔壮〕
そうそうき　草創期	そうちょう　総長
そうそうこうしんきょく　葬送行進曲	ぞうちょう　増長
そうぞうしい　騒々しい	そうで　総出
そうそうたる　〔×錚々〕　*立派な。一流の。有名な。堂々たる。	そうてい　装丁〔×釘・×幀〕
	そうてい　想定
そうそく　総則	そうてい　そう艇〔×漕〕　(競技用ボートをこぐこと)
そうぞく　相続　〜権。〜税。	ぞうてい　贈呈　花束〜。
そうそふ　曽祖父　*ひい(お)じいさん。	そうてん　争点　選挙の〜。
そうそぼ　曽祖母　*ひい(お)ばあさん。	そうてん　装填 読
そうそん　曽孫　*ひ孫。	そうでん　相伝　一子〜。
そうだ　操だ〔×舵〕　〜手。〜室。*かじを取る。	そうでん　送電　〜線。
	そうと　壮図　〜むなしく。
	そうと　壮途　〜に就く。

特 表外字・表外音訓を用いてよい特例の語　　付 常用漢字表の付表の語

送 送りがなを省く特例　　読 読みがなを付けるのが望ましい語　　*類語・言いかえ例

そうとう 双頭	〜のわし。
そうとう 相当	
そうとう 掃討〔×蕩〕	敵を〜する。
そうとう 総統	
そうどう 僧堂	
そうどう 騒動	お家〜。
ぞうとう 贈答	〜品。
そうどういん 総動員	
そうとく 総督	
そうなめ 総なめ〔×嘗〕	
そうなん 遭難	
ぞうに 雑煮	
そうにゅう 挿入	
そうねん 壮年	
そうは 走破	
そうば 相場	
ぞうは 増派	
ぞうはい 増配	
そうはく そう白〔×蒼〕	顔面〜。
そうはつ 双発	〜機。
ぞうはつ 増発	
そうばな 総花	〜式。〜的。
そうばん 早晩	
ぞうはん 造反	〜分子。
そうび 装備	重〜。
ぞうひょう 雑兵	
ぞうびん 増便	
そうふ 送付〔附〕	
そうふう 送風	〜機。
そうふく 僧服	
ぞうふく 増幅	〜器。
ぞうぶつしゅ 造物主	
そうへい 僧兵	
ぞうへい 増兵	
ぞうへいきょく 造幣局	
そうへき 双璧	
そうべつ 送別	〜会。
ぞうほ 増補	
そうほう 双方	
そうほう 走法	
そうほう 奏法	
そうぼう 僧坊〔房〕	
そうほうこう 双方向	
そうまとう 走馬灯	
そうむ 総務	
そうめい 〔×聡明〕	*賢明。英明。
そうめいきょく 奏鳴曲	*ソナタ。
そうめん 〔▲素麺〕	
そうもく 草木	
ぞうもつ 臓物	
そうもん 相聞	〜歌。
そうゆ 送油	
ぞうよ 贈与	〜税。
そうらん 争乱	〜の世。
そうらんざい 騒乱罪	
そうり 総理	〜大臣。
ぞうり 草履 付	
そうりつ 創立	〜記念日。
そうりょ 僧侶	*僧。
そうりょう 送料	
そうりょう 総量	〜規制。
ぞうりょう 増量	

そうり―そくし

そうりょく　走力
そうりょく　総力　〜戦。〜を挙げる。
ぞうりん　造林
そうるい　走塁
そうるい　藻類
そうれい　壮麗
そうれつ　壮烈　〜な死。
そうれつ　葬列
そうろ　走路
そうろうぶん　候文
そうろん　総論
そうわ　挿話
ぞうわい　贈賄　〜罪。
ぞうわく　増枠
そえがき　添え書き
そえぎ　添え木
そえぢ　添え乳
そえもの　添え物
そえる　添える〔▲副〕
そえん　疎遠
ソーダ　〔曹▲達〕　カセイ〜。
そかい　租界
そかい　疎開　集団〜。
そがい　阻害〔×碍〕
そがい　疎外　〜感。人間〜。
そかく　組閣
そがん　訴願　（昭和37年，行政不服審査法成立以降は「不服申し立て」）
そきゅう　遡及 読　この規定は5月に〜して適用される。

そく　足 ① {ソク／あし・たりる・たる・たす}
そく　息 ③ {ソク／いき}
そく　速 ③ {ソク／はやい・はやめる・はやまる・すみやか}
そく　束 ④ {ソク／たば}
そく　側 ④ {ソク／がわ}　（「かわ」とも）
そく　則 ⑤ {ソク}
そく　測 ⑤ {ソク／はかる}
そく　即 {ソク}
そく　促 {ソク／うながす}
そく　捉 {ソク／とらえる}
そく　塞 {サイ・ソク／ふさぐ・ふさがる}
そぐ　〔▲殺・▲削〕　興味を〜。
ぞく　族 ③ {ゾク}
ぞく　続 ④ {ゾク／つづく・つづける}
ぞく　属 ⑤ {ゾク}
ぞく　俗 {ゾク}　〜な言い方。
ぞく　賊 {ゾク}
ぞくあく　俗悪
そくい　即位
ぞくうけ　俗受け
そくおう　即応
そくおん　促音
ぞくぐん　賊軍
ぞくご　俗語
そくざ　即座
そくさい　息災　無病〜。
そくし　即死
そくじ　即時
ぞくじ　俗字
ぞくじ　俗事
そくしつ　側室

特 表外字・表外音訓を用いてよい特例の語　　付 常用漢字表の付表の語
送 送りがなを省く特例　　読 読みがなを付けるのが望ましい語　　＊類語・言いかえ例

そくじつ 即日
そくしゃ 速射　～砲。
ぞくしゅつ 続出
ぞくしょう 俗称
そくしん 促進
ぞくしん 俗信
ぞくじん 俗人
そくしんぶつ 即身仏
そくする 即する　事実に即して。
そくする 則する　法に則した処置。
ぞくする 属する
ぞくせ 俗世
そくせい 即製　～の品。
そくせい 促成　～栽培。
そくせい 速成　～講座。
ぞくせい 族生〔×簇〕（群がって生える）
ぞくせい 属性（その物が持っている性質）
そくせき 即席　～料理。
そくせき 足跡　先人の～。
ぞくせけん 俗世間
ぞくせつ 俗説
そくせんそっけつ 速戦即決
そくせんりょく 即戦力
ぞくぞく 続々
そくたつ 速達
そくだん 即断（その場ですぐ決断する）～即決。
そくだん 速断（素早く判断する。早まった判断）

そくてい 測定
そくど 速度
そくとう 即答
ぞくとう 続投
ぞくとう 続騰
そくとうよう 側頭葉
そくどく 速読
ぞくねん 俗念
そくばい 即売　～会。
そくばく 束縛
ぞくはつ 続発
ぞくぶつ 俗物
そくぶつてき 即物的
そくぶん 側聞〔×仄〕
そくへき 側壁
ぞくへん 続編
そくほう 速報
ぞくほう 続報
そくみょう 即妙　当意～。
ぞくみょう 俗名
そくめん 側面
ぞくよう 俗謡
ぞくらく 続落
そくりょう 測量　～士。
そくりょく 速力　全～。
そくろう 足労　ご～をかける。
そぐわない 実情に～。
そけいぶ そけい部〔×鼠×蹊〕
そげき 狙撃　～兵。
そげる 〔▲殺・▲削〕
そこ 底　～をつく。

〔　〕使わない漢字　　×表外字（常用漢字表にない字）　　▲表外音訓（常用漢字表にない読み）
1～6 教育漢字の学年配当　　①－②（①の表記を優先するが，②の表記を使ってもよい語）

そこ 〔×其▲処〕
そご 〔×齟×齬〕
そこあげ 底上げ　賃金水準の〜。
そこいじ 底意地　〜が悪い。
そこいれ 底入れ　景気の〜。
そこう 素行
そこう 粗鋼
そこうお 底魚
そこがため 底固め
そこく 祖国
そこそこ あいさつも〜に。
そこぢから 底力
そこつ 粗こつ〔×忽〕　〜者。
　*軽はずみ。軽率。
そこづみ 底積み
そこなう 損なう
そこなだれ 底雪崩　（全層雪崩のこと）
そこぬけ 底抜け
そこね 底値
そこねる 損ねる　機嫌を〜。
そこひ 〔底×翳〕　（眼病）
そこびえ 底冷え
そこびかり 底光り
そこびきあみ 底引き網〔×曳〕
そこわれ 底割れ
そさい そ菜〔×蔬〕　*野菜。
そざい 素材
そざつ 粗雑
そし 阻止〔×沮〕
そし 素子

そじ 素地　（「ソチ」とも）
そしき 組織　〜労働者。〜票。
そしつ 素質
そしな 粗品
そしゃく 租借　〜地。
そしゃく 〔×咀×嚼〕　*かみ砕く。
　読みこなす。消化する。
そしょう 訴訟　刑事〜。民事〜。
そじょう 訴状
そじょう そ上〔×俎〕　〜に載せる。
そじょう 遡上〔×溯〕[読]　さけの〜。
そしょく 粗食
そしらぬかお そしらぬ顔〔素知〕
そしり 〔×謗・×譏〕
そしる 〔×謗・×譏〕
そすい 疎水〔×疏〕　（固有名詞は「○○疏水」とも）
そすう 素数
そせい 粗製　〜乱造。
そせい 蘇生[特]　*生き返る。息を吹き返す。よみがえる。
そぜい 租税
そせき 礎石
そせん 祖先
そそう 阻喪〔×沮〕　意気〜。
そそう 粗相　〜のないように。
そぞう 塑像
そそぐ 注ぐ〔×灌〕
そそぐ 〔▲雪〕　恥を〜。
そそっかしい

[特]表外字・表外音訓を用いてよい特例の語　　[付]常用漢字表の付表の語
[送]送りがなを省く特例　　[読]読みがなを付けるのが望ましい語　　*類語・言いかえ例

そそのかす　唆す
そそりたつ　そそり立つ〔×聳〕
そそる　〔▲唆〕　興味を〜。
そぞろ　〔▲漫〕　〜歩き。
そだいごみ　粗大ごみ〔×塵・×芥〕
そだち　育ち
そだつ　育つ
そだてあげる　育て上げる
そだてのおや　育ての親
そだてる　育てる
そち　素地
そち　措置
そちゃ　粗茶
そつ　卒 ④{ソツ}
そつ　率 ⑤{ソツ・リツ／ひきいる}
そつ　〜がない。
そつい　訴追　刑事〜。
そつう　疎通〔×疏〕　意思の〜。
そつえん　卒園
ぞっか　俗化
ぞっかい　俗界
そっき　速記　〜録。
そっきゅう　速球
そっきょう　即興　〜曲。〜詩人。
そつぎょう　卒業　〜式。〜生。
ぞっきょく　俗曲
そっきん　即金　〜で支払う。
そっきん　側近
そっけつ　即決　〜裁判。
そっけない　〔素気〕

そっこう　即効　(一般用語。すぐに効き目が出る)景気回復の〜薬。
そっこう　速効　(限定用語。薬学, 歯学, 農学)〜性肥料。
そっこう　速攻
そっこう　側溝
ぞっこう　続行
そっこうじょ　測候所
そっこく　即刻
そつじゅ　卒寿　(90歳)
そっせん　率先〔卒〕
そつぜん　卒然　(「率然」とも書く)
　＊突然。出し抜け。
そっち　〔×其▲方〕
そっちゅう　卒中　脳〜。
そっちょく　率直〔卒〕
そっとう　卒倒
そで　袖
そでぐち　袖口
そでたけ　袖丈
そてつ　〔×蘇鉄〕
そでまく　袖幕　《芸能》
そと　外
そとうみ　外海
そとがけ　外掛け
そとがこい　外囲い
そとがわ　外側
そどく　素読
そとぜい　外税
そとづら　外面

〔 〕使わない漢字　　×表外字(常用漢字表にない字)　　▲表外音訓(常用漢字表にない読み)
①〜⑥教育漢字の学年配当　　①−②(①の表記を優先するが, ②の表記を使ってもよい語)

そとは—そめむ

そとば 〔▲卒▲塔婆〕（「そとうば」とも）	そばがら そば殻
そとぼり 外堀〔×濠〕 ～を埋める。	そばだつ 〔×峙〕
そとまご 外孫	そばだてる 〔×欹〕 耳を～。
そとまた 外股	そばづえ 〔▲側×杖〕 ～を食う。
そとまわり 外回り	そばどころ 〔×蕎▲麦▲処〕
そなえ 供え お～。～物。	そばや そば屋〔×蕎▲麦〕
そなえ 備え 老後の～。	そびえる 〔×聳〕
そなえつけ 備え付け	そびやかす 〔×聳〕 肩を～。
そなえつける 備え付ける	そびょう 素描
そなえる 供える	そひん 粗品 ～進呈。
そなえる 備える〔▲具〕	そふ 祖父
そなわる 備わる〔▲具〕	そぶり 〔素振〕
そねむ 〔▲妬・▲嫉〕	そぼ 祖母
その 園〔×苑〕	そぼう 粗暴
その 〔×其・▲夫〕	そぼく 素朴
そのうえ その上〔×其〕	そぼふる そぼ降る
そのうち 〔×其内〕	そまつ 粗末
そのかわり 〔×其代〕	そまる 染まる
そのくせ 〔×其癖〕	そむく 背く〔▲反・×叛〕
そのせつ その節〔×其〕	そむける 背ける〔▲反・×叛〕
そのた その他〔×其〕	そめ 染送 （製品の場合）型絵～。友禅～。
そのとおり 〔×其通〕	
そのばかぎり その場限り〔×其〕	そめ 染め ～が悪い。ろうけつ～。
そのへん その辺〔×其〕	そめ 初め 書き～。橋の渡り～。
そのほか ①そのほか ②その他〔×其外〕	そめあげる 染め上げる
	そめかえる 染め替える
そのまま 〔×其×儘〕	そめこ 染め粉
そば 〔▲傍・▲側〕	そめつけ 染め付け
そば 〔×蕎▲麦〕 ざる～。	そめなおす 染め直す
そばかす 〔×雀▲斑〕	そめぬく 染め抜く
	そめむら 染めむら〔▲斑〕

特 表外字・表外音訓を用いてよい特例の語　付 常用漢字表の付表の語
送 送りがなを省く特例　読 読みがなを付けるのが望ましい語　＊類語・言いかえ例

そめも―そろえ

そめもの　染め物
そめる　初める　咲き〜。見〜。
そめる　染める
そめわける　染め分ける
そもそも　〔▲抑〕
そや　粗野
そよう　素養
そよかぜ　そよ風〔▲微〕
そよぐ　〔▲戦〕
そよふく　そよ吹く
そら　空　秋の〜。(「そらで言う」などは，なるべくかな書き)
そら　①そら②空　(接頭語)
そらいろ　空色
そらおそろしい　①そら恐ろしい②空恐ろしい
そらおぼえ　①そら覚え②空覚え
そらごと　①そら言②空言　(いつわりのことば)
そらごと　①そら事②空事　(いつわり事)
そらす　反らす　胸を〜。
そらす　〔▲逸〕　視線を〜。
そらぞらしい　①そらぞらしい②空々しい
そらだのみ　①そら頼み②空頼み
そらなみだ　①そら涙②空涙
そらに　①そら似②空似
そらね　①そら寝②空寝

そらねんぶつ　①そら念仏②空念仏　(口先だけの念仏)(「カラネンブツ」は「実行の伴わない主張」の意味)
そらまめ　そら豆〔▲蚕〕
そらみみ　①そら耳②空耳
そらもよう　空もよう〔模様〕
そらよろこび　①そら喜び②空喜び
そらんじる　〔×諳・空〕
そり　反り　〜が合わない。
そり　〔×橇〕
そりかえる　反り返る
そりみ　反り身
そりゃく　粗略〔疎・×麁〕　〜に扱う。
そりゅうし　素粒子
そる　〔×剃〕
そる　反る
それ　〔×其・▲夫〕
それがし　〔▲某〕
それきり　〔×其切・▲限〕
それぞれ　〔×其々・▲夫々〕
それだけ　〔×其丈〕
それでは　〔×其〕
それどころか　〔×其▲処・所〕
それとも　〔×其共〕
それほど　〔×其程〕
それゆえ　〔×其故〕
それる　〔▲逸〕
そろい　〔×揃〕
そろう　疎漏〔粗〕
そろう　〔×揃〕
そろえる　〔×揃〕

〔　〕使わない漢字　　×表外字(常用漢字表にない字)　　▲表外音訓(常用漢字表にない読み)
①〜⑥教育漢字の学年配当　　①―②(①の表記を優先するが，②の表記を使ってもよい語)

そろばん 〔▲算・▲十露盤〕
そん 村 ①{ソン/むら}
そん 孫 ④{ソン/まご}
そん 損 ⑤{ソン/そこなう・そこねる}
そん 存 ⑥{ソン・ゾン}
そん 尊 ⑥{ソン、たっとい・とうとい・たっとぶ・とうとぶ}
そん 遜 {ソン}
ぞん 存 ⑥{ソン・ゾン}
そんえき 損益 ～計算書。
そんかい 損壊 家屋の～。
そんがい 損害 ～賠償。～保険。
ぞんがい 存外
そんがん 尊顔 ご～を拝する。
そんきょ 〔×蹲×踞〕 ～の姿勢。
そんきん 損金
そんけい 尊敬
そんげん 尊厳 ～死。
そんざい 存在 ～感。
ぞんざい
そんじ 損じ 書き～。
ぞんじ 存じ ご～の人。
そんしつ 損失
そんしょう 尊称
そんしょう 損傷

そんしょく 遜色 ～がない。 ＊見劣り。
そんじる 損じる
そんする 存する
ぞんずる 存ずる 存じません。
そんぞく 存続
そんぞく 尊属 直系～。
そんだい 尊大
そんたく 〔×忖度〕 ＊推量。推測。
そんちょう 村長
そんちょう 尊重
そんとく 損得
そんな ～ことはない。
ぞんねん 存念
そんのう 尊皇〔王〕 ～じょうい。
そんぱい 存廃
そんぷ 尊父 ご～。
ぞんぶん 存分
そんぼう 存亡 危急～。
そんみん 村民
ぞんめい 存命
そんもう 損耗
そんらく 村落
そんりつ 存立
そんりょう 損料

㊾表外字・表外音訓を用いてよい特例の語　㊷常用漢字表の付表の語
㊸送りがなを省く特例　㊵読みがなを付けるのが望ましい語　＊類語・言いかえ例

た

- た 太 ② {タイ・タ / ふとい・ふとる}
- た 多 ② {タ / おおい}
- た 他 ③ {タ / ほか}
- た 汰 {タ}
- た 田
- だ 打 ③ {ダ / うつ}
- だ 妥 {ダ}
- だ 唾 {ダ / つば}
- だ 蛇 {ジャ・ダ / へび}
- だ 堕 {ダ}
- だ 惰 {ダ}
- だ 駄 {ダ}
- たあいない 〔他愛無〕
- ダース 〔▲打〕
- たい 大 ① {ダイ・タイ / おお・おおきい・おおいに}
- たい 太 ② {タイ・タ / ふとい・ふとる}
- たい 台 ② {ダイ・タイ}
- たい 体 ② {タイ・テイ / からだ}　～をかわす。～を成さない。
- たい 代 ③ {ダイ・タイ / かわる・かえる・よ・しろ}
- たい 対 ③ {タイ・ツイ}
- たい 待 ③ {タイ / まつ}
- たい 帯 ④ {タイ / おびる・おび}
- たい 隊 ④ {タイ}
- たい 退 ⑤ {タイ / しりぞく・しりぞける}
- たい 貸 ⑤ {タイ / かす}
- たい 態 ⑤ {タイ}
- たい 耐 {タイ / たえる}
- たい 怠 {タイ / おこたる・なまける}
- たい 胎 {タイ}
- たい 泰 {タイ}
- たい 堆 {タイ}
- たい 袋 {タイ / ふくろ}
- たい 逮 {タイ}
- たい 替 {タイ / かえる・かわる}
- たい 滞 {タイ / とどこおる}
- たい 戴 {タイ}
- たい 他意　～はない。
- たい 〔▲度〕　水が飲み～。
- たい 〔×鯛〕
- だい 大 ① {ダイ・タイ / おお・おおきい・おおいに}
- だい 内 ② {ナイ・ダイ}
- だい 台 ② {ダイ・タイ}　3～の車。100万円～。
- だい 弟 ② {テイ・ダイ・デ / おとうと}
- だい 代 ③ {ダイ・タイ / かわる・かえる・よ・しろ}　父の～から。2000年～。40～。
- だい 第 ③ {ダイ}
- だい 題 ③ {ダイ}
- たいあたり　体当たり
- たいあつ　耐圧
- たいあん　対案　(相手の案に対する案)　野党の～。
- だいあん　代案　(代わりの案)
- たいあんきちにち　大安吉日　(「タイアンキチジツ」とも)

〔　〕使わない漢字　　×表外字(常用漢字表にない字)　　▲表外音訓(常用漢字表にない読み)
①〜⑥教育漢字の学年配当　　①−②(①の表記を優先するが，②の表記を使ってもよい語)

たいい	大尉		たいか	耐火 ~建築。
たいい	大意		たいか	滞貨〔荷〕 ~の山。
たいい	体位 ~の向上。		たいが	大河
たいい	退位		だいか	代価 ~を払う。
たいいく	体育 ~館。~祭。		たいかい	大会
だいいち	第一 ~印象。~人者。		たいかい	大海
だいいちじさんぎょう	第1次産業		たいかい	退会
だいいちじせかいたいせん	第1次世界大戦 (「第一次世界大戦」とも)		たいがい	大概
			たいがい	対外 ~政策。
だいいちじん	第1陣		たいがい	体外 ~受精。
だいいっせい	第一声		だいがえち	代替え地 (「代替」は「ダイタイチ」) *替え地。
だいいっせん	第一線			
だいいっとう	第1党 (「第一党」とも)(p.47参照)		たいかく	体格
			たいがく	退学 ~処分。
だいいっぽ	第一歩 ~を踏み出す。		だいがく	大学 ~院。~生。
たいいほう	対位法		たいかくせん	対角線
たいいん	退院		たいがため	体固め
たいいん	隊員		だいがわり	代替わり (主人・経営者・年代などの交代)
たいいんれき	太陰暦 *旧暦。			
たいえき	体液		だいがわり	台替わり (株価の場合)
たいえき	退役 ~軍人。		たいかん	体感 ~温度。
たいおう	対応 ~策。		たいかん	退官 定年~。
だいおう	大王		たいかん	耐寒
たいおん	体温 ~計。		たいがん	対岸 ~の火事。
だいおん	大恩		だいかん	大寒 (二十四節気)
だいおんじょう	大音声		だいかん	代官
たいか	大火		だいがん	大願 (「タイガン」とも) ~成就。
たいか	大家 日本画の~。			
たいか	大過 ~なく。		たいかんしき	戴冠式 読
たいか	対価		たいき	大気 ~汚染。~圏。
たいか	退化		たいき	大器 ~晩成。

たいき 待機	自宅〜。
たいぎ 大義	〜名分。
たいぎ 大儀	歩くのは〜だ。
だいぎいん 代議員	
だいぎし 代議士	
だいきち 大吉	
だいきぼ 大規模	
たいきゃく 退却	
たいきゅう 耐久	〜消費財。
だいきゅう 代休	
たいきょ 大挙	
たいきょ 退去	
たいきょう 胎教	
たいきょく 大局	〜的見地。
たいきょく 対局	(囲碁・将棋)
たいきょくけん 太極拳	
だいきらい 大嫌い	
たいきん 大金	
たいきん 退勤	
だいきん 代金	
だいきんひきかえ 代金引換	送
だいく 大工	
たいくう 対空	〜ミサイル。
たいくう 滞空	〜時間。
たいぐう 待遇	課長〜。〜改善。
たいくつ 退屈	〜しのぎ。
たいぐん 大軍	
たいぐん 大群	
たいけい 大系	文学〜。
たいけい 大計	百年の〜。
たいけい 体系	理論的〜。
たいけい 体刑	*体罰。
たいけい 体形	(体のかたち。体つき) 〜が崩れる。
たいけい 体型	(体格の型)肥満〜。標準〜。
たいけい 隊形	〜を整える。
だいけい 台形	
たいけつ 対決	
たいけん 体験	〜学習。
たいげん 大言	〜壮語。
たいげん 体言	(文法の場合)
たいげん 体現	(具体的な形に表す)
たいこ 太古	
たいこ 太鼓	〜腹。〜判。
たいご 隊ご〔×伍〕	*隊列。
たいこう 大公	
たいこう 大綱	政策の〜。
たいこう 対抗	〜意識。〜馬。
たいこう 対校	〜試合。
たいこう 退行	
たいこう 退校	
だいこう 代行	〜バス。
たいこうしゃ 対向車	
たいこうぼう 太公望	
たいこく 大国	
だいこくばしら 大黒柱	
だいごみ だいご味〔×醍×醐〕	*妙味。
だいこん 大根	〜おろし。
たいさ 大佐	
たいさ 大差	

〔 〕使わない漢字　×表外字(常用漢字表にない字)　▲表外音訓(常用漢字表にない読み)
1〜6 教育漢字の学年配当　①−②(①の表記を優先するが, ②の表記を使ってもよい語)

たいざ	対座〔×坐〕		たいしゃ	大社　~造り。
だいざ	台座		たいしゃ	大赦
たいさい	大祭		たいしゃ	代謝　新陳~。
たいざい	滞在		たいしゃ	退社
だいざい	大罪		だいしゃ	台車
だいざい	題材		だいじゃ	大蛇
たいさく	大作		たいしゃく	貸借　~対照表。
たいさく	対策		だいしゃりん	大車輪
だいさく	代作		たいじゅ	大樹　寄らば~の陰。
たいさん	退散		たいしゅう	大衆　~運動。~文学。
だいさんごく	第三国		たいしゅう	体臭
だいさんしゃ	第三者		たいじゅう	体重
だいさんせかい	第三世界		たいしゅつ	退出
だいさんセクター	第三セクター		たいしょ	大暑　(二十四節気)
たいさんぼく	泰山木		たいしょ	対処
たいざんめいどう	大山鳴動		だいしょ	代書
たいし	大志		たいしょう	大正　(年号)
たいし	大使　~館。親善~。		たいしょう	大将
たいじ	対じ〔×峙〕　*対立。対抗。にらみ合い。		たいしょう	大勝
			たいしょう	大賞
たいじ	胎児		たいしょう	対称　(釣り合い)左右~。
たいじ	退治　ねずみ~。		たいしょう	対象　(相手・目標)調査~。
だいし	大師		たいしょう	対照　(比較・対比)新旧の~。~的。
だいし	台紙			
だいじ	大事　(「オオゴト」と誤読のおそれがあるので注意)		たいしょう	隊商
			たいじょう	退場
だいじ	題字		だいしょう	大小
たいした	大した　~ことはない。		だいしょう	代償
たいしつ	体質　特異~。		だいじょうだん	大上段
だいしっこう	代執行		だいじょうてき	大乗的　~見地。
たいして	大して		だいじょうぶ	大丈夫　~だ。

特 表外字・表外音訓を用いてよい特例の語　　付 常用漢字表の付表の語
送 送りがなを省く特例　　読 読みがなを付けるのが望ましい語　　*類語・言いかえ例

たいし―たいた

たいしょうりょうほう	対症療法
たいしょく	大食　〜漢。
たいしょく	退色〔×褪〕
たいしょく	退職　〜金。〜手当。
たいしょこうしょ	大所高所
だいじり	台尻
たいしん	耐震　〜構造。
たいじん	大人
たいじん	対人　〜関係。〜地雷。
たいじん	対陣
たいじん	退陣　首相に〜を求める。
だいしん	代診
だいじん	大尽　＊金持ち。
だいじん	大臣
だいず	大豆
だいすう	代数
だいすき	大好き
たいする	体する　師の教えを〜。
たいする	対する　相手に〜。
だいする	題する
たいせい	大成　若くして〜する。
たいせい	大勢　時代の〜。〜が決する。
たいせい	体勢　(体の構え)〜が崩れる。
たいせい	体制　(統一的, 持続的な組織・制度)支配〜。政治〜。
たいせい	態勢　(一時的な対応・身構え)受け入れ〜。着陸〜。
たいせい	胎生
たいせい	耐性　《医学》〜菌。
たいせい	退勢〔×頽〕　〜を挽回する。
たいせいほうかん	大政奉還
たいせいよう	大西洋〔太〕
たいせき	体積
たいせき	退席
たいせき	堆積
たいせつ	大切
たいせつ	大雪　(二十四節気)
たいせん	大戦　世界〜。
たいせん	対戦
たいぜん	泰然　〜自若。
たいせんしょうかいき	対潜哨戒機
たいそう	大層
たいそう	体操　器械〜。
たいぞう	退蔵　〜品。〜物資。
たいそうのれい	大喪の礼
だいそつ	大卒　(「大学卒業」の略)
だいそれた	大それた
たいだ	怠惰
だいだ	代打
だいたい	大体
だいたい	大隊
だいだい	代々
だいだい	〔×橙〕
だいたいこつ	大たい骨〔×腿〕
だいたいち	代替地　＊替え地。
だいだいてき	大々的
だいたいぶ	大たい部〔×腿〕　＊太もも。
だいたすう	大多数
たいだん	対談

〔　〕使わない漢字　　×表外字(常用漢字表にない字)　　▲表外音訓(常用漢字表にない読み)
①〜⑥教育漢字の学年配当　　①―②(①の表記を優先するが, ②の表記を使ってもよい語)

たいだん　退団	だいどく　代読
だいたん　大胆　~不敵。	だいどころ　台所
だいだんえん　大団円	たいない　体内
だいち　大地	たいない　胎内
だいち　台地	だいなごん　大納言
たいちょう　体長	だいなし　台なし〔無〕
たいちょう　体調　~を崩す。	だいにじせかいたいせん　第2次世界大戦　(「第二次世界大戦」とも)
たいちょう　退庁	
たいちょう　退潮	たいにち　対日　~感情。
たいちょう　隊長	たいにち　滞日
だいちょう　大腸　~菌。~がん。	たいにん　大任　~を果たす。
だいちょう　台帳　住民基本~。	たいにん　退任
たいてい　大抵	たいねつ　耐熱　~ガラス。
たいてい　大帝	たいのう　滞納〔怠〕
たいてい　退廷　~を命じる。	だいのう　大脳　~皮質。
たいてき　大敵	だいのうかい　大納会
たいど　態度	たいは　大破
たいとう　台頭〔×擡〕　*出現。進出。勢力を得てくる。	たいはい　大敗　~を喫する。
	たいはい　退廃〔×頽〕　~的。
たいとう　対等　~な立場。	だいばかり　台ばかり〔×秤〕
たいとう　帯刀　名字~。	だいはちぐるま　大八車
たいとう　〔×駘×蕩〕　春風~。	たいばつ　体罰
たいどう　大道　天下の~。	だいはっかい　大発会
たいどう　胎動	たいはん　大半
たいどう　帯同　*同行。同伴。	たいばん　胎盤
だいとう　大刀	たいひ　対比
だいどう　大同　~小異。~団結。	たいひ　待避　~所。~線。
だいどう　大道　~芸人。	たいひ　退避　~訓練。
だいとうりょう　大統領	たいひ　堆肥
たいとく　体得	だいひつ　代筆
たいどく　胎毒	たいびょう　大病

㊥ 表外字・表外音訓を用いてよい特例の語　　㊗ 常用漢字表の付表の語
㊷ 送りがなを省く特例　　㊙ 読みがなを付けるのが望ましい語　　*類語・言いかえ例

だいひょう	代表	～者。～作。	
たいふ	大夫	(大名の家老など)(「東宮大夫」は「ダイブ」)	
たいぶ	大部	～の論文。	
だいぶ	大夫	東宮～。	
だいぶ	〔大分〕	(「だいぶん」とも)	
たいふう	台風〔×颱〕	～一過。	
だいふく	大福	～帳。～餅。	
だいぶたい	大舞台	(晴れの場、活躍の場の意味では、①「オオブタイ」②「ダイブタイ」とする。歌舞伎など古典芸能の場合は、「オオブタイ」のみ)	
だいぶつ	大仏		
だいぶぶん	大部分		
たいへい	太平〔泰・大〕	～の世。	
たいへいよう	太平洋〔大〕	～戦争。	
たいべつ	大別		
たいへん	大変		
だいべん	大便		
だいべん	代弁		
たいほ	退歩		
たいほ	逮捕	～状。	
たいほう	大砲		
たいぼう	耐乏	～生活。	
たいぼう	待望		
たいぼく	大木		
だいほん	台本		
だいほんえい	大本営	～発表。	
たいま	大麻		
たいまい	大枚	(多額のこと)	
たいまつ	〔▲松▲明〕		
たいまん	怠慢		
だいみょう	大名	～行列。	
たいめい	大命	～が下る。	
たいめい	待命	～制度。	
だいめい	題名		
だいめいし	代名詞		
たいめん	体面	～を保つ。	
たいめん	対面	親子の～。	
たいもう	大望		
だいもく	題目		
たいやく	大厄		
たいやく	大役		
たいやく	対訳		
だいやく	代役		
たいよ	貸与	＊貸す。貸し与える。	
たいよう	大洋		
たいよう	大要	＊要点。あらまし。	
たいよう	太陽	～系。～電池。～灯。	
たいよう	態様〔体〕	＊ありさま。様子。	
だいよう	代用	～品。	
たいようねんすう	耐用年数		
たいようれき	太陽暦		
たいら	平ら		
たいらか	平らか		
たいらげる	平らげる		
だいり	内裏	～様。～びな。	
だいり	代理	～店。～人。	
だいりき	大力	～無双。	
たいりく	大陸	～棚。	
だいりせき	大理石		
たいりつ	対立		

〔 〕使わない漢字　×表外字(常用漢字表にない字)　▲表外音訓(常用漢字表にない読み)
①〜⑥教育漢字の学年配当　①−②(①の表記を優先するが、②の表記を使ってもよい語)

たいりゃく　**大略**	だえん　**だ円**〔×楕〕＊長円。
たいりゅう　**対流**	たおこし　**田起こし**
たいりゅう　**滞留**	たおす　**倒す**
たいりょう　**大量**	たおる　**手折る**
たいりょう　**大漁**	たおれる　**倒れる**〔×仆〕
たいりょうばた　**大漁旗**（「タイリョウキ」とも）	たか　**高**　売上〜。
	たか　**多寡**　数量の〜は問わない。
たいりょく　**体力**	たか　〔高〕　〜が知れる。
たいりん　**大輪**　〜の菊。	たか　〔×鷹〕
たいれい　**大礼**	たが　〔×箍〕　〜を締める。
たいれつ　**隊列**	たかい　**他界**
たいろ　**退路**　〜を断つ。	たかい　**高い**
たいろう　**大老**	たがい　**互い**　お〜。〜に。
だいろっかん　**第六感**	だかい　**打開**
たいわ　**対話**	たがいちがい　**互い違い**
だいわれ　**台割れ**（株価などの場合）	たかいびき　**高いびき**〔×鼾〕
たう　**多雨**　高温〜。	たがう　〔▲違〕
たうえ　**田植え**	たかがり　**たか狩り**〔×鷹〕
たえがたい　**耐え難い**	たかく　**多角**　〜経営。〜的。
だえき　**唾液**　＊つば。	たがく　**多額**
たえしのぶ　**耐え忍ぶ**	たかくけい　**多角形**
たえず　**絶えず**	たかげた　**高げた**〔下▲駄〕
たえだえ　**絶え絶え**　息も〜に。	だがし　**駄菓子**
たえて　**絶えて**　〜久しい。	たかしお　**高潮**
たえま　**絶え間**　〜ない。	たかしまだ　**高島田**　文金〜。
たえる　**耐える**（こらえる）苦痛に〜。寒さに〜。	たかじょう　**たか匠**〔×鷹〕
	たかだい　**高台**
たえる　**堪える**（する力がある，…に値する）任に〜。見るに堪えない。	たかだか　**高々**　声〜と。
	たかだか　〔高々〕　〜100円の品。
たえる　**絶える**（途切れる，なくなる）消息が〜。	だかつ　〔蛇×蝎〕　〜のごとく嫌う。
	たかつき　**高つき**〔×坏〕

特 表外字・表外音訓を用いてよい特例の語　　付 常用漢字表の付表の語
送 送りがなを省く特例　　説 読みがなを付けるのが望ましい語　　＊類語・言いかえ例

だがっき　打楽器
たかとび　高飛び　犯人が～する。(スポーツでは「高跳び」「走り高跳び」)
たかなみ　高波
たかなる　高鳴る
たかね　高値
たかね　高根〔×嶺〕　～の花。
たがね　〔×鏨〕
たかのぞみ　高望み
たかは　タカ派〔×鷹〕
たかひく　高低
たかびしゃ　高飛車　～に出る。
たかぶる　高ぶる〔×昂〕
たかまくら　高枕
たかまり　高まり
たかまる　高まる〔×昂〕
たかみ　高み　～の見物。
たかめ　高め〔目〕
たかめる　高める
たがやす　耕す
たから　宝
だから
たからか　高らか
たからくじ　宝くじ〔×籤〕
たからぶね　宝船
たからもの　宝物
たかる　〔▲集〕
たかわらい　高笑い
たかん　多感　～な年頃。
だかん　だ換〔×兌〕　～券。

たき　滝{$\underset{たき}{滝}$}
たき　多岐　複雑～。
だき　唾棄　＊排斥。軽蔑。
だきあう　抱き合う
だきあげる　抱き上げる
だきあわせ　抱き合わせ
だきおこす　抱き起こす
だきかかえる　抱きかかえる〔抱〕
たきぎ　薪
たきぎのう　薪能　《芸能》
たきぐち　滝口
たきぐち　たき口〔×焚〕　窯の～。
たきこむ　炊き込む　炊き込みごはん。
だきこむ　抱き込む
だきしめる　抱き締める
たきだし　炊き出し
たきたて　炊きたて〔立〕
だきつく　抱きつく〔付〕
たきつける　〔×焚付〕
たきつぼ　滝つぼ〔×壺〕
だきとめる　抱き留める
だきね　抱き寝
たきのぼり　滝登り　こいの～。
たきび　たき火〔×焚〕
たきもの　たき物〔×焚〕
だきゅう　打球
だきょう　妥協　～案。～点。
たきょく　多極　～化。
たぎる　〔×滾〕
たく　度③{$\underset{たび}{ド・ト・タク}$}　支度。
たく　宅⑥{タク}

〔　〕使わない漢字　　×表外字(常用漢字表にない字)　　▲表外音訓(常用漢字表にない読み)
①〜⑥教育漢字の学年配当　　①—②(①の表記を優先するが，②の表記を使ってもよい語)

たく　択{タク}
たく　沢{タク/さわ}
たく　卓{タク}
たく　拓{タク}
たく　託{タク}
たく　濯{タク}
たく　炊く
たく　〔×焚・×炷・▲薫〕
だく　諾{タク}
だく　濁{ダク/にごる・にごす}
だく　抱く
たくあん　〔沢×庵〕
たぐい　①たぐい　②類い　～ない。～まれな。米や麦の～。
たくいつ　択一　二者～。
たくえつ　卓越
だくおん　濁音
たくさん　〔沢山〕
たくしあげる　たくし上げる
たくじしょ　託児所
たくじょう　卓上　～日記。
たくする　託する〔×托〕
たくせつ　卓説
たくぜつ　卓絶
たくせん　託宣　ご～。
たくそう　託送
だくだく　諾々　唯々～。
たくち　宅地　～造成。
だくてん　濁点
たくはい　宅配　～便。
たくはつ　たく鉢〔×托〕《仏教》

たくばつ　卓抜　～な技術。
だくひ　諾否　～を問う。
たくほん　拓本
たくましい　〔×逞〕
たくましゅうする　〔×逞〕（「たくましくする」とも）想像を～。
たくみ　巧み　～な術。ことば～に。
たくみ　〔▲工・▲匠〕　飛騨の～。
たくらむ　〔▲企〕
たくらん　たく卵〔×托〕
だくりゅう　濁流
たぐる　手繰る
たくわえ　蓄え〔▲貯〕
たくわえる　蓄える〔▲貯〕
たけ　竹
たけ　丈　身の～。
だけ　〔▲丈〕　これ～で十分だ。
たげい　多芸
たけうま　竹馬
たけがき　竹垣
たけかご　竹籠
だげき　打撃
たけくらべ　丈比べ
たけざいく　竹細工
たけざお　竹ざお〔×竿〕
たけだけしい　〔▲猛々〕
だけつ　妥結　交渉が～する。
たけづつ　竹筒
たけなが　丈長
たけなわ　〔×酣・×闌〕　宴～。春～。

特 表外字・表外音訓を用いてよい特例の語　　付 常用漢字表の付表の語
送 送りがなを省く特例　　読 読みがなを付けるのが望ましい語　　＊類語・言いかえ例

たけのこ　①たけのこ ②竹の子〔×筍〕
たけべら　竹べら〔×篦〕
たけぼうき　竹ぼうき〔×箒〕
たけやぶ　竹やぶ〔×藪〕
たけやり　竹やり〔×槍〕
たけりたつ　〔×哮・▲猛立〕
たける　〔▲長〕　世故に～。
たける　〔×哮・▲猛〕
たげん　多元　～論。
たげん　多言　～を要しない。
たこ　〔×凧〕　～揚げ。
たこ　〔×胼×胝〕　耳に～ができる。
たこ　〔×蛸〕
たこあし　たこ足〔×蛸〕　～配線。
たこう　多幸　ご～を祈る。
だこう　蛇行
たこく　他国
たこくせき　多国籍　～企業。
たこつぼ　〔×蛸×壺〕
たごん　他言　～は無用。
たさい　多才　～な人。
たさい　多彩　～な催し。
たさく　多作
ださく　駄作
たさつ　他殺
たさん　多産
ださん　打算　～的。
たざんのいし　他山の石
たし　足し　家計の～にする。
たじ　他事

たじ　多事　～多端。
だし　山車 付
だし　〔出▲汁〕　昆布で～をとる。人を～に使う。
だしあう　出し合う
だしいれ　出し入れ
だしおくれる　出し遅れる
だしおしみ　出し惜しみ
たしか　確か〔×慥〕
たしかめる　確かめる
だしがら　出し殻
たしざん　足し算
だししぶる　出し渋る
だしじる　だし汁〔出〕
たしせいせい　多士済々 特
たしつ　多湿　高温～。
たじつ　他日
だしなげ　出し投げ
たしなみ　〔×嗜〕
たしなむ　〔×嗜〕
たしなめる　〔×窘〕
だしぬく　出し抜く
だしぬけ　出し抜け
だしもの　出し物〔▲演〕
だしゃ　打者
だじゃれ　〔駄×洒▲落〕
たしゅ　多種　～多様。
たじゅう　多重　～放送。～人格。
だじゅん　打順
たしょう　多少
たじょう　多情　～多恨。

〔 〕使わない漢字　　×表外字(常用漢字表にない字)　　▲表外音訓(常用漢字表にない読み)
①～⑥教育漢字の学年配当　　①－②(①の表記を優先するが，②の表記を使ってもよい語)

たしょうのえん　多生の縁　(「他生の縁」とも)
たしょく　多色　〜刷り。
たじろぐ　敵の攻撃に〜。
だしん　打診
たしんきょう　多神教
たす　足す
だす　出す　(「歩きだす」「降りだす」などは，なるべくかな書き)
たすう　多数　〜決。〜派。
たすかる　助かる
たすき　〔×襷〕　〜掛け。
たすけ　助け
たすけあう　助け合う
たすけぶね　助け船〔舟〕
たすける　助ける〔▲援・▲扶・×輔〕
たずさえる　携える
たずさわる　携わる
たずねびと　尋ね人
たずねる　訪ねる　知人を〜。
たずねる　尋ねる〔×訊〕　道を〜。
だする　堕する
たぜい　多勢　〜に無勢。
だせい　惰性
たせん　他薦　自薦〜。
たせん　多選
だせん　打線
たそがれ　〔▲黄×昏〕
だそく　蛇足　〜ながら。
たた　多々　〜ある。

ただ　〔×只〕　(無料)
ただ　〔▲唯・▲徒・×只〕
だだ　〔駄々〕　〜をこねる。
ただい　多大　〜な戦果。〜な犠牲。
だたい　堕胎
ただいま　〔▲唯・×只今〕
たたえる　〔▲称・▲賛〕　功労を〜。
たたえる　〔×湛〕　水を〜。
たたかい　戦い　(一般的。戦争・競技など)言論の〜。優勝を懸けた〜。
たたかい　闘い　(闘争・利害・対立・争いなど)公害反対の〜。労使の〜。
たたかう　戦う　敵と〜。
たたかう　闘う　病気と〜。
たたき　〔▲三▲和▲土〕
たたき　〔×叩〕　あじの〜。
たたきあう　たたき合う〔×叩〕
たたきあげる　たたき上げる〔×叩〕
たたきうり　たたき売り〔×叩〕
たたきおこす　たたき起こす〔×叩〕
たたきおとす　たたき落とす〔×叩〕
たたきこむ　たたき込む〔×叩〕
たたきだい　たたき台〔×叩〕
たたきつける　〔×叩付〕
たたきふせる　たたき伏せる〔×叩〕
たたく　〔×叩・×敲〕
ただごと　〔▲徒・×只・▲唯事〕
ただし　〔但〕｛ただし｝　(p.14参照)
ただしい　正しい
ただしがき　ただし書き〔但〕

㈵ 表外字・表外音訓を用いてよい特例の語　　㈰ 常用漢字表の付表の語
㈠ 送りがなを省く特例　　㈰ 読みがなを付けるのが望ましい語　　＊類語・言いかえ例

たたす―たちさ

ただす　正す　誤りを〜。	たちあいえんぜつ　立会演説 送 〜会。
ただす　〔×糾・▲糺〕　罪を〜。	たちあいにん　立会人 送
ただす　〔▲質〕　疑問点を〜。	たちあう　立ち会う
たたずまい　〔×佇〕	たちあがる　立ち上がる
たたずむ　〔×佇〕	たちい　立ち居
ただただ　〔▲唯々・×只々〕	たちいた　裁ち板
ただちに　直ちに	たちいたる　立ち至る
だだっ子〔駄々・▲児〕	たちいふるまい　立ち居振る舞い
だだっぴろい　だだっ広い	たちいり　立ち入り　〜検査。
ただのり　ただ乗り〔×只〕	たちいる　立ち入る
ただばたらき　ただ働き〔×只〕	たちうお　太刀魚
たたみ　畳	たちうち　太刀打ち
たたみおもて　畳表	たちうり　立ち売り
たたみがえ　畳替え〔換〕	たちおうじょう　立往生 送
たたみかける　畳みかける〔掛〕	たちおくれる　立ち遅れる〔後〕
たたみこむ　畳み込む	たちおよぎ　立ち泳ぎ
たたむ　畳む	たちかえる　立ち返る
ただもの　ただ者〔▲徒・×只・▲唯〕　〜ではない。	たちがれ　立ち枯れ
ただよう　漂う	たちき　立ち木
ただよわす　漂わす	たちぎえ　立ち消え
たたり　〔×祟〕　弱り目に〜目。	たちぎき　立ち聞き
たたる　〔×祟〕	たちきる　断ち切る
ただれる　〔×爛〕	たちぐい　立ち食い
たたん　多端　多事〜。	たちぐされ　立ち腐れ
たち　太刀 付	たちくらみ　立ちくらみ〔×眩〕
たち　〔▲性▲質〕　〜の悪い。	たちげいこ　立ち稽古
たち　〔▲達〕　子ども〜。(ただし、「友達」付 は漢字で書く)	たちこめる　立ちこめる〔▲籠・込〕
たちあい　立ち会い　保証人の〜。	たちさる　立ち去る
たちあい　立ち合い　《相撲》	たちさわぐ　立ち騒ぐ

〔　〕使わない漢字　　×表外字(常用漢字表にない字)　　▲表外音訓(常用漢字表にない読み)
1〜6 教育漢字の学年配当　　①−②(①の表記を優先するが，②の表記を使ってもよい語)

たちすくむ　立ちすくむ〔×竦〕	だちょう　〔×駝鳥〕
たちつくす　立ち尽くす	たちよみ　立ち読み
たちどおし　立ち通し	たちよる　立ち寄る
たちどころに　〔立所〕	たちわざ　立ち技
たちどまる　立ち止まる	だちん　駄賃
たちなおる　立ち直る	たちんぼう　立ちん坊
たちならぶ　立ち並ぶ	たつ　達 ④{タツ}
たちのき　立ち退き　～料。	たつ　竜
たちのく　立ち退く 付	たつ　立つ〔▲起〕　席を～。腹が～。波～。役～。筆が～。
たちのみ　立ち飲み	
たちば　立場 送	たつ　建つ　家が～。銅像が～。
たちばさみ　裁ちばさみ〔×鋏〕	たつ　断つ　交際を～。酒を～。
たちはだかる　立ちはだかる	たつ　裁つ　布地を～。
たちはたらく　立ち働く	たつ　絶つ　命を～。消息を～。
たちばな　〔×橘〕	たつ・辰　～年。
たちばなし　立ち話	たつ　〔▲発〕　成田空港を～。
たちははばとび　立ち幅跳び	たつ　〔▲経〕　月日が～。
たちばん　立ち番	だつ　脱{ダツ/ぬぐ・ぬげる}
たちふさがる　①立ちふさがる ②立ち塞がる	だつ　奪{ダツ/うばう}
たちまち　〔×忽〕	だつ　〔立〕　いら～。けば～。殺気～。
たちまわりさき　立ち回り先	だつい　脱衣　～場。
たちまわる　立ち回る	だっかい　脱会
たちみ　立ち見　～席。	だっかい　奪回
たちむかう　立ち向かう	たっかん　達観　人生を～する。
たちもち　太刀持ち	だっかん　奪還
たちもどる　立ち戻る	だっきゃく　脱却　不況からの～。
たちもの　裁ち物	だっきゅう　卓球
たちやく　立役 送 《芸能》(歌舞伎の語。できるだけ読みがなを付ける)	だっきゅう　脱臼
	たづくり　田作り
たちゆく　立ち行く	たっけん　卓見〔達〕
	だっこ　〔抱〕

特 表外字・表外音訓を用いてよい特例の語　　付 常用漢字表の付表の語
送 送りがなを省く特例　　読 読みがなを付けるのが望ましい語　　＊類語・言いかえ例

だっこう	脱肛　《医学》(p.12参照)
だっこう	脱稿
だっこく	脱穀　〜機。
だつごく	脱獄　〜囚。
だつじ	脱字
だっしふんにゅう	脱脂粉乳
だっしめん	脱脂綿
たっしゃ	達者
だっしゅ	奪取
だっしゅう	脱臭　〜剤。
だっしゅつ	脱出
だっしょく	脱色
たつじん	達人
だっすい	脱水　〜症状。
たっする	達する　目標額に〜。
だっする	脱する　危機を〜。
たつせ	立つ瀬　〜がない。
たっせい	達成　目標を〜する。
だつぜい	脱税
だっせん	脱線
だっそう	脱走　〜兵。
だったい	脱退　組織から〜する。
たっちゅう	〔▲塔▲頭〕《仏教》
たっとい	尊い　(場合により「貴い」)
だっとう	脱党
たっとぶ	尊ぶ　(場合により「貴ぶ」)
たづな	手綱　〜を締める。
たつのおとしご	〔▲海▲馬・竜落子〕
だっぴ	脱皮
たっぴつ	達筆
だつぼう	脱帽
だっぽう	脱法
たつまき	竜巻 送
だつもう	脱毛
だつらく	脱落
だつりゅう	脱硫　〜装置。
だつりょくかん	脱力感
だつりん	脱輪
たて	盾〔×楯〕
たて	縦〔×竪〕
たて	〔立〕塗り〜。焼き〜のパン。
たて	タテ〔▲殺▲陣〕《芸能》
だて	立て　2本〜。2頭〜。
だて	建て　2階〜。
だて	〔×伊▲達〕
たてあな	縦穴〔×竪▲坑〕（ただし「竪穴住居」特《考古》）
たてあみ	建て網〔立〕
たていた	立て板　〜に水。
たていと	縦糸〔▲経〕
たてうり	建て売り　〜住宅。
だておとこ	だて男〔×伊▲達〕
たてかえ	立て替え　〜払い。
たてかえる	立て替える　金を〜。
たてかえる	建て替える　家を〜。
たてがき	縦書き
たてかける	立てかける〔掛〕
たてがた	縦型〔形〕
たてがみ	〔×鬣〕
たてかんばん	立て看板
たてぎょうじ	立行司 送 《相撲》
たてぐ	建具 送

〔　〕使わない漢字　×表外字(常用漢字表にない字)　▲表外音訓(常用漢字表にない読み)
1〜6 教育漢字の学年配当　①—②(①の表記を優先するが，②の表記を使ってもよい語)

たてこう　立て坑〔×竪〕	たてまえ　建て前〔立〕　新築家屋の〜。本音(ホンネ)と〜。
たてごと　たて琴〔×竪〕	
たてこむ　立て込む〔建〕　仕事が〜。住宅が〜。	だてまき　だて巻き〔×伊▲達〕
	たてまし　建て増し
たてこもる　①立てこもる　②立て籠もる	たてまつる　奉る
	だてめがね　だて眼鏡〔×伊▲達〕
たてし　タテ師〔▲殺▲陣〕	たてもの　建物送
たてじく　縦軸	たてや　建屋送
たてじま　縦じま〔×縞〕	たてやくしゃ　立て役者
たてじゃみせん　立三味線送《芸能》(邦楽の語。できるだけ読みがなを付ける)	たてゆれ　縦揺れ
	たてよこ　縦横
	たてる　立てる
たてつく　①たてつく　②盾つく〔×楯突〕	たてる　建てる　家を〜。碑を〜。
	たてる〔▲点〕　茶を〜。
たてつけ　立て付け〔付〕　〜が悪い。	たてわり　縦割り　〜行政。
たてつづけ　立て続け　〜に。	たてん　他店
たてつぼ　建坪送	だてん　打点
たてなおし　立て直し　(一般用語)赤字経営の〜。計画の〜。財政の〜。態勢の〜。	だでん　打電
	だとう　打倒
	だとう　妥当
たてなおし　建て直し　(建築)家の〜。社屋の〜。	たとえ　例え〔×譬〕
	たとえ〔▲仮・▲縦▲令〕
たてなおす　立て直す　(一般用語)	たとえば　例えば〔×譬〕
たてなおす　建て直す　(建築)	たとえばなし　例え話〔×譬・▲喩〕
たてなが　縦長	たとえる　例える〔×譬〕
たてね　建値送	たどたどしい　〜話し方。
たてひざ　①立てひざ　②立て膝	たどりつく〔×辿〕
たてぶえ　縦笛	たどる〔×辿〕
たてふだ　立て札	だどん〔▲炭団〕
たてまえ　点前特	たな　棚{たな}
	たなあげ　棚上げ

特表外字・表外音訓を用いてよい特例の語　　付常用漢字表の付表の語
送送りがなを省く特例　　読読みがなを付けるのが望ましい語　　＊類語・言いかえ例

たなおろし　棚卸し〔▲店〕
たなこ　〔▲店子〕
たなごころ　〔▲掌〕
たなざらい　棚ざらい〔×浚〕（「棚ざらえ」とも）
たなざらし　〔▲店×晒〕
たなだ　棚田
たなばた　七夕［付］
たなびく　〔棚引〕
たなん　多難　前途〜。
たに　谷
だに　〔▲壁×蝨〕
たにあい　谷あい〔▲間〕
たにかぜ　谷風
たにがわ　谷川
たにく　多肉　〜植物。
たにし　〔田×螺〕
たにぞこ　谷底　（「タニソコ」とも）
たにま　谷間
たにん　他人
たにんずう　多人数　（「タニンズ」とも）
たぬき　〔×狸〕　〜寝入り。
たね　種
たねあかし　種明かし
たねあぶら　種油
たねいた　種板
たねいも　種芋
たねうし　種牛
たねうま　種馬
たねぎれ　種切れ

たねつけ　種付け
たねとり　種取り
たねび　種火
たねほん　種本
たねまき　種まき〔×蒔〕
たねもみ　種もみ〔×籾〕
たねん　多年　〜生。〜草。
たのしい　楽しい〔▲愉〕
たのしがる　楽しがる〔▲愉〕
たのしげ　楽しげ〔▲愉〕
たのしみ　楽しみ〔▲愉〕
たのしむ　楽しむ〔▲愉〕
たのみ　頼み　〜の綱。
たのみこむ　頼み込む
たのむ　頼む
たのむ　〔×恃〕　多勢を〜。
たのもしい　頼もしい〔▲母〕
たば　束
だは　打破　因習を〜する。
だば　駄馬
たばい　多売　薄利〜。
たばこ　〔▲煙▲草〕　〜銭。〜盆。
たばさむ　手挟む
たはた　田畑〔×畠〕
たはつ　多発　事故〜地点。
たばねる　束ねる
たび　旅
たび　足袋［付］
たび　①たび　②度　この〜。…する〜。
だび　〔×茶×毘〕　〜に付す。　＊火葬。

〔　〕使わない漢字　　×表外字（常用漢字表にない字）　　▲表外音訓（常用漢字表にない読み）
①〜⑥教育漢字の学年配当　　①−②（①の表記を優先するが，②の表記を使ってもよい語）

たびかさなる ①たび重なる ②度重なる	だほ 拿捕(特)(読) ＊捕まえる。捕らえる。
たびさき 旅先	たほう 他方
たびじ 旅路	たぼう 多忙
たびじたく 旅支度	だぼう 打棒
たびしょ 旅所 みこしのお〜。	たほうとう 多宝塔
たびだつ 旅立つ	だぼく 打撲 〜傷。
たびたび ①たびたび ②度々	たま 玉〔▲珠〕 〜にきず。
たびづかれ 旅疲れ	たま 球 ピンポンの〜。
たびびと 旅人	たま 弾 ピストルの〜。
たびまわり 旅回り 〜の芸人。	たま 霊〔▲魂〕
だぶつく 商品が〜。	たま 〔×稀・▲偶〕 〜の休み。
だふや ダフ屋	たまう 〔▲給・▲賜〕
たぶらかす 〔×誑〕	たまぐし 玉串 〜料。
たぶん 他聞 〜をはばかる。	たまげる 〔▲魂▲消〕
たぶん 多分 (名詞)〜の寄付。	たまご 卵〔玉子〕
たぶん ①たぶん ②多分 (副詞) 〜あしたも晴れるだろう。	たまごどうふ 卵豆腐
	たまごとじ 卵とじ〔×綴〕
だぶん 駄文	たまごやき 卵焼き
たべかけ 食べかけ〔掛〕	たましい 魂
たべかす 食べかす〔×滓〕	だましうち だまし討ち〔×騙〕
たべごろ 食べ頃	だましえ だまし絵〔×騙〕
たべざかり 食べ盛り	たまじゃり 玉砂利
たべすぎ 食べ過ぎ	だます 〔×騙〕
たべずぎらい 食べず嫌い	たまたま 〔▲偶〕
たべのこす 食べ残す	たまつき 玉突き〔▲球×撞〕 〜衝突。
たべほうだい 食べ放題	
たべもの 食べ物	たまてばこ 玉手箱
たべる 食べる	たまに 〔▲偶〕
たべん 多弁	たまねぎ 〔玉×葱〕
だべん 駄弁	

たまのこし	玉のこし〔×輿〕 ～に乗る。
たまのり	玉乗り
たまのれん	〔▲珠▲暖×簾〕
たままつり	霊祭り〔▲魂〕
たまむし	玉虫 ～色。
たまもの	〔▲賜物〕
たまよけ	弾よけ〔▲除〕
たまらない	〔▲堪〕
たまりかねる	〔▲堪兼〕
たまりじょうゆ	〔×溜×醬油〕
たまりば	たまり場〔×溜〕
たまりみず	たまり水〔×溜〕
たまる	〔×溜〕
だまる	黙る
たまわりもの	賜り物
たまわる	賜る
たみ	民
だみん	惰眠 ～をむさぼる。
たむけ	手向け
たむける	手向ける
たむし	〔田虫〕
たむろする	〔▲屯〕
ため	〔▲為〕
だめ	①だめ ②駄目
ためいき	ため息〔×溜〕
ためいけ	ため池〔×溜〕
ためおけ	〔×溜×桶〕
だめおし	①だめ押し ②駄目押し
ためこむ	ため込む〔×溜・▲貯〕
ためし	試し〔▲験〕
ためし	〔▲例〕 負けた～がない。
ためす	試す〔▲験〕
ためつすがめつ	矯めつすがめつ〔×眇〕
ためらう	〔×躊×躇〕
ためる	矯める 枝を～。角を～。
ためる	〔×溜・▲貯〕 金を～。
ためん	他面
ためん	多面 ～的。～体。
たもあみ	たも網
たもう	多毛 ～症。
たもくてき	多目的 ～ダム。
たもつ	保つ
たもと	〔×袂〕 ～を分かつ。
たやす	絶やす
たやすい	〔▲容▲易〕
たゆう	太夫 特 《芸能》
たゆむ	〔×弛〕 たゆみなく。
たよう	他用
たよう	多用
たよう	多様 多種～。
たより	便り
たより	頼り ～ない。
たよる	頼る
たら	〔×鱈〕
たらい	〔×盥〕
たらいまわし	たらい回し〔×盥〕
だらく	堕落
だらけ	砂～。血～。借金～。
だらける	

〔 〕使わない漢字　×表外字(常用漢字表にない字)　▲表外音訓(常用漢字表にない読み)
①〜⑥教育漢字の学年配当　①−②(①の表記を優先するが，②の表記を使ってもよい語)

たらこ	①たらこ ②たら子〔×鱈〕
だらしない	～服装。
たらす	垂らす 帯を～。よだれを～。
たらす	〔▲放・▲滴〕 しずくを～。
たらず	足らず 1年～。
たらちね	〔▲垂乳根〕 ～の。
たらふく	〔×鱈腹〕
たりき	他力
だりつ	打率
たりゅう	他流 ～試合。
たりょう	多量 出血～。
だりょく	惰力
たりる	足りる
たる	足る
たる	〔×樽〕 ～酒。～詰め。
だるい	〔×懈〕
たるき	垂木〔×椽〕特
だるま	〔▲達磨〕
たるみ	〔×弛〕
たるむ	〔×弛〕
だれ	誰 {だれ}
だれぎみ	だれ気味〔×弛〕
たれこめる	垂れこめる〔▲籠・込〕
たれさがる	垂れ下がる
たれながし	垂れ流し〔▲放〕
たれまく	垂れ幕
たれる	垂れる 枝が～。範を～。
たれる	〔▲放・▲滴〕 水が～。
だれる	〔×弛〕
たわいない	〔他▲愛無〕
たわごと	たわ言〔▲戯〕
たわし	〔▲束子〕
たわむ	〔×撓〕
たわむれ	戯れ
たわむれる	戯れる
たわめる	〔×撓〕
たわら	俵
たわわ	〔×撓〕 枝も～に。
たん	反 ③ {ハン・ホン・タン / そる・そらす}
たん	炭 ③ {タン / すみ}
たん	短 ③ {タン / みじかい}
たん	単 ④ {タン}
たん	担 ⑥ {タン / かつぐ・になう}
たん	探 ⑥ {タン / さぐる・さがす}
たん	誕 ⑥ {タン}
たん	丹 {タン}
たん	旦 {タン・ダン}
たん	胆 {タン}
たん	淡 {タン / あわい}
たん	嘆 {タン / なげく・なげかわしい}〔×歎〕
たん	端 {タン / はし・は・はた} ～を発する。
たん	綻 {タン / ほころびる}
たん	鍛 {タン / きたえる}
たん	壇 {ダン・タン}
たん	〔×痰〕
だん	男 ① {ダン・ナン / おとこ}
だん	談 ③ {ダン}
だん	団 ⑤ {ダン・トン}
だん	断 ⑤ {ダン / たつ・ことわる} ～を下す。
だん	段 ⑥ {ダン}

特 表外字・表外音訓を用いてよい特例の語　　付 常用漢字表の付表の語
送 送りがなを省く特例　　読 読みがなを付けるのが望ましい語　　＊類語・言いかえ例

たん―たんさ

だん	暖 ⑥ {ダン、あたたか・あたたか / い・あたたまる・あたためる} ～をとる。	だんぎ	談義 下手の長～。
だん	旦 {タン・ダン}	だんぎ	談議 (話し合う)政治～。
だん	弾 {ダン / ひく・はずむ・たま}	たんきゅう	探究 (研究・考究)真理の～。
だん	壇 {ダン・タン}	たんきゅう	探求 (追求・探索)幸福の～。
だんあつ	弾圧	だんきゅう	段丘 河岸～。
たんい	単位	たんきょり	短距離
だんい	段位	たんぐつ	短靴
たんいつ	単一 ～組合。	だんけつ	団結 ～権。～力。
だんいん	団員	たんけん	探検〔険〕 ～家。～隊。
たんおんかい	短音階	たんけん	短剣
たんか	担架	たんげん	単元
たんか	単価	だんげん	断言
たんか	単科 ～大学。	たんご	単語
たんか	炭化	たんご	端午 ～の節句。
たんか	短歌	だんこ	断固〔×乎〕 ～たる決意。
たんか	〔×啖×呵〕 ～を切る。	**だんご**	〔団子〕
だんか	檀家 ㊵	たんこう	炭坑 (石炭を掘る穴)
だんかい	団塊 ～の世代。	たんこう	炭鉱〔×礦〕 (石炭の鉱山)
だんかい	段階	たんこう	探鉱 (鉱床などを探すこと)
だんがい	断崖 *崖。絶壁。	だんこう	団交 (「団体交渉」の略)
だんがい	弾劾 ～裁判。	だんこう	断行 改革を～する。
だんかざり	段飾り	だんごう	談合
たんかん	胆管	たんこうしょく	淡紅色
たんがん	単眼	たんこうぼん	単行本
たんがん	嘆願〔×歎〕 ～書。	だんこん	弾痕
だんがん	弾丸	たんさ	探査 火星～機。
たんき	単記 ～投票。	たんざ	端座〔×坐〕
たんき	短気	だんさ	段差
たんき	短期 ～大学。	だんざい	断罪
だんき	暖気		

〔 〕使わない漢字　×表外字(常用漢字表にない字)　▲表外音訓(常用漢字表にない読み)
①～⑥教育漢字の学年配当　①－②(①の表記を優先するが，②の表記を使ってもよい語)

たんさいが　淡彩画	だんしょう　断章
たんさいぼう　単細胞	だんしょう　談笑
たんさく　単作　〜地帯。	だんしょく　暖色
たんさく　探索	だんじり　〔▲楽▲車・▲山▲車・
たんざく　短冊〔▲尺〕	×檀尻〕
たんさん　単産（「産業別単一労働組合」	だんじる　断じる
の略）	だんじる　談じる
たんさん　炭酸　〜ガス。〜水。	たんしん　単身　〜赴任。
たんし　端子	たんしん　短信
だんし　男子　成年〜。	たんしん　短針
だんじ　男児　日本〜。	たんじん　炭じん〔×塵〕　〜爆発。
たんしき　単式　〜簿記。	たんす　〔×簞×笥〕
だんじき　断食	たんすい　淡水　〜魚。
たんじじつ　短時日	だんすい　断水
たんじつ　短日　〜植物。	たんすいかぶつ　炭水化物
だんじて　断じて	たんすいろ　短水路
たんしゃ　単車　（オートバイ）	たんすう　単数
だんしゃく　男爵	たんずる　嘆ずる〔×歎〕
だんしゅ　断酒	だんずる　弾ずる　琴を〜。
たんしゅう　反収〔▲段〕	たんせい　丹精〔誠〕　〜して菊を育て
たんじゅう　胆汁	る。
たんじゅう　短銃　＊拳銃。	たんせい　嘆声〔×歎〕
たんしゅく　短縮　〜授業。操業〜。	たんせい　端正〔整〕　〜な顔だち。
たんじゅん　単純　〜平均。〜化。	だんせい　男性　〜的。
たんしょ　短所	だんせい　弾性
だんじょ　男女　〜同権。〜共学。	だんせいがっしょう　男声合唱
たんしょう　単勝　（競馬・競輪）	たんせき　胆石
たんしょう　探勝	だんぜつ　断絶　国交〜。
たんしょう　短小	たんせん　単線　〜運転。
たんしょう　嘆賞〔称〕	たんぜん　丹前
たんじょう　誕生　〜祝。〜日。	たんぜん　端然

㊵表外字・表外音訓を用いてよい特例の語　　㊴常用漢字表の付表の語
㊿送りがなを省く特例　　㊺読みがなを付けるのが望ましい語　　＊類語・言いかえ例

だんせん　断線	たんつぼ　〔×痰×壺〕
だんぜん　断然　～有利。	たんてい　探偵
たんそ　炭素	だんてい　断定
たんぞう　鍛造	たんてき　端的
だんそう　男装　～の麗人。	たんでん　炭田
だんそう　断層　活～。	たんとう　担当
だんそう　弾倉	たんとう　短刀
たんそく　嘆息〔×歎〕	たんどう　胆道　～閉鎖症。
だんぞく　断続　～的。	だんとう　弾頭　核～。
たんそびょう　炭そ病〔×疽〕	だんとう　暖冬　～異変。
だんそんじょひ　男尊女卑	だんどう　弾道　～弾。
たんたい　単体	だんとうだい　断頭台
たんだい　短大　(「短期大学」の略)	たんとうちょくにゅう　単刀直入
だんたい　団体　政治～。～交渉。	たんどく　丹毒　《医学》
たんたん　淡々　～とした心境。	たんどく　単独　～行動。～登頂。
たんたん　〔×坦々〕　～とした道。	だんどり　段取り
だんだん　段々　～畑。	だんな　旦那〔×檀〕　～衆。若～。
だんだん　〔段々〕　～大きくなる。	たんなる　単なる
たんち　探知	たんに　単に
だんち　団地	たんにん　担任
だんち　暖地	だんねつ　断熱　～材。
だんちがい　段違い	たんねん　丹念
だんちがいへいこうぼう　段違い平行棒	だんねん　断念
たんちょ　端緒　(常用漢字表では「タンショ」だが，放送では「タンチョ」)	たんねんど　単年度
	たんのう　胆のう〔×囊〕　～炎。
たんちょう　単調	たんのう　堪能　(放送では「タンノウ」。「カンノウ」の読みは不使用)
たんちょう　探鳥	
たんちょう　短調	たんぱ　短波　～放送。
だんちょう　団長	たんぱく　淡泊〔白〕　～な味。
だんちょう　断腸　～の思い。	たんぱく　〔×蛋白〕
	たんぱくしつ　たんぱく質〔×蛋白〕

〔　〕使わない漢字　　×表外字(常用漢字表にない字)　　▲表外音訓(常用漢字表にない読み)
①〜⑥教育漢字の学年配当　　①－②(①の表記を優先するが，②の表記を使ってもよい語)

たんぱつ　単発　～機。
だんぱつ　断髪　～式。
だんぱん　談判
たんび　たん美〔×耽〕　～主義。
たんぴょう　短評
たんぴん　単品
たんぷく　単複
たんぶん　単文
たんぶん　短文
たんぺん　短編〔×篇〕　～小説。
だんぺん　断片　～的。
たんぽ　田んぼ〔×圃〕　～道。
たんぽ　担保
たんぼう　探訪　社会～。
だんぼう　暖房〔×煖〕　～器具。
だんボール　段ボール　～箱。
たんぽぽ　〔×蒲▲公▲英〕
たんまつ　端末　～機。
だんまつま　断末魔
だんまり　〔▲黙〕《芸能》

たんめい　短命　～内閣。
だんめん　断面　～図。
たんもう　短毛
たんもの　反物
だんやく　弾薬　～庫。
だんゆう　男優
たんらく　短絡
だんらく　段落
だんらん　団らん〔×欒〕　一家～。
たんり　単利
だんりゅう　暖流
たんりょ　短慮
たんりょく　胆力
だんりょく　弾力　～性。
たんれい　端麗
たんれん　鍛錬〔練〕
だんろ　暖炉〔×煖〕
だんろん　談論　～風発。
だんわ　談話

ち

ち	地 ②{チ・ジ}	～の利を得る。
ち	池 ②{チ / いけ}	
ち	知 ②{チ / しる}	
ち	治 ④{ジ・チ / おさめる・おさまる・なおる・なおす}	
ち	置 ④{チ / おく}	
ち	質 ⑤{シツ・シチ・チ}	言質(ゲンチ)。
ち	値 ⑥{チ / ね・あたい}	
ち	恥 {チ / はじる・はじ・はじらう・はずかしい}	
ち	致 {チ / いたす}	
ち	遅 {チ / おくれる・おくらす・おそい}	
ち	痴 {チ}	
ち	稚 {チ}	
ち	緻 {チ}	
ち	血 ～を分ける。～のつながり。
ち	乳
ちあい	血合い　かつおの～。
ちあゆ	稚あゆ〔×鮎〕
ちあん	治安
ちい	地位
ちい	地異　天変～。
ちいき	地域
ちいく	知育〔×智〕
ちいさい	小さい
ちいさな	小さな
ちいさめ	小さめ〔目〕
ちえ	知恵〔×智×慧〕　～比べ。
ちえねつ	知恵熱
ちえぶくろ	知恵袋
ちえん	地縁
ちえん	遅延
ちか	地下
ちか	地価　～公示。
ちかい	地階
ちかい	近い
ちかい	誓い
ちがい	稚貝
ちがい	違い
ちがいほうけん	治外法権
ちかう	誓う
ちがう	違う
ちがえる	違える
ちかがい	地下街
ちかく	地殻　～変動。
ちかく	知覚　～神経。
ちかく	近く
ちかけい	地下茎　《植物》
ちかごう	地下ごう〔×壕〕
ちかごろ	近頃
ちかしい	近しい〔▲親〕
ちかしつ	地下室
ちかすい	地下水
ちかぢか	①ちかぢか ②近々
ちかづく	近づく〔付〕
ちかづける	近づける〔付〕
ちかてつ	地下鉄
ちかどう	地下道

〔 〕使わない漢字　　×表外字(常用漢字表にない字)　　▲表外音訓(常用漢字表にない読み)
①〜⑥教育漢字の学年配当　　①−②(①の表記を優先するが，②の表記を使ってもよい語)

ちかま　近間	ちぎる　〔千切〕
ちかまわり　近回り〔×廻〕	ちぎれぐも　ちぎれ雲〔千切〕
ちかみち　近道〔▲路〕	ちぎれる　〔千切〕
ちかめ　近め〔目〕　～の直球。	ちく　竹　①{チク/たけ}
ちかよせる　近寄せる	ちく　築　⑤{チク/きずく}
ちかよる　近寄る	ちく　畜　{チク}
ちから　力	ちく　逐　{チク}
ちからいっぱい　力いっぱい〔一杯〕	ちく　蓄　{チク/たくわえる}
ちからおとし　力落とし	ちく　地区
ちからくらべ　力比べ〔▲競〕	ちくいち　逐一
ちからこぶ　力こぶ〔×瘤〕	ちぐう　知遇
ちからしごと　力仕事	ちくおんき　蓄音機〔器〕
ちからずく　力ずく〔▲尽〕　～で奪い取る。	ちくけん　畜犬　～登録。
ちからぞえ　力添え	ちくごやく　逐語訳
ちからだめし　力試し	ちぐさ　千草
ちからづく　力づく〔付〕（元気づく）	ちくざい　蓄財
ちからづける　力づける〔付〕	ちくさん　畜産　～物。
ちからづよい　力強い	ちくじ　逐次
ちからまかせ　力任せ	ちくしょう　畜生
ちからまけ　力負け	ちくじょう　逐条　～審議。
ちからもち　力持ち	ちくじょう　築城
ちかん　痴漢	ちくせき　蓄積
ちかん　置換	ちくてい　築庭
ちき　知己　＊知人。友人。	ちくてい　築堤
ちき　稚気	ちくでんち　蓄電池
ちきゅう　地球　～儀。	ちくねん　逐年　＊年々。年を追って。
ちぎょ　稚魚	ちくのうしょう　蓄のう症〔×膿〕
ちきょう　地峡　パナマ～。	ちくば　竹馬　～の友。
ちぎり　契り　夫婦の～。	ちくび　乳首
ちぎる　契る	ちくりん　竹林　（「タケバヤシ」とも）
	ちくわ　〔竹輪〕

㋱表外字・表外音訓を用いてよい特例の語　㋭常用漢字表の付表の語
㋞送りがなを省く特例　㋦読みがなを付けるのが望ましい語　＊類語・言いかえ例

ちけい　地形	ちそ　地租　～改正。
ちけん　地検　（「地方検察庁」の略）	ちそう　地層
ちけん　治験	ちぞめ　血染め
ちけんしゃ　地権者	ちたい　地帯　安全～。工業～。
ちご　稚児付　～行列。	ちたい　遅滞　～なく。
ちこく　遅刻	ちだい　地代
ちさい　地裁　（「地方裁判所」の略）	ちたいくう　地対空　～ミサイル。
ちさん　治山　～治水。	ちち　父
ちし　地誌	ちち　乳
ちし　致死　過失～。傷害～。	ちち　遅々　～として。
ちじ　知事	ちちうえ　父上
ちしお　血潮〔×汐〕	ちちおや　父親
ちしき　知識〔×智〕　～人。～階級。	ちちかた　父方
ちじき　地磁気	ちちくさい　乳臭い
ちじく　地軸	ちぢこまる　縮こまる
ちしつ　地質　～調査。～学。	ちちはは　父母
ちしゃ　知者〔×智〕	ちぢまる　縮まる
ちしょう　知将	ちぢみ　縮送　小千谷～。
ちしょう　致傷　過失～罪。	ちぢみ　縮み　～の着物。
ちじょう　地上　～権。	ちぢみあがる　縮み上がる
ちじょう　痴情	ちぢむ　縮む
ちじょく　恥辱	ちぢめる　縮める
ちしりょう　致死量	ちちゅう　地中
ちじん　知人	ちぢらす　縮らす
ちず　地図	ちぢれげ　縮れ毛
ちすい　治水　治山～。	ちぢれる　縮れる
ちすじ　血筋	ちつ　秩　{チツ}
ちせい　地勢	ちつ　窒　{チツ}
ちせい　治世	ちっきょ　ちっ居〔×蟄〕　＊謹慎。
ちせい　知性　～的。	ちっけん　畜犬　～登録。
ちせつ　稚拙	ちっこう　築港

〔　〕使わない漢字　　×表外字（常用漢字表にない字）　　▲表外音訓（常用漢字表にない読み）
①～⑥教育漢字の学年配当　　①-②（①の表記を優先するが，②の表記を使ってもよい語）

ちつじょ　秩序	ちびる〔×禿〕
ちっそ　窒素	ちぶ　恥部
ちっそく　窒息　〜死。	ちぶさ　乳房
ちつづき　血続き	ちへいせん　地平線
ちてい　地底	ちへど　血へど〔▲反吐〕
ちてき　知的　〜所有権。	ちほ　地歩　〜を占める。
ちてん　地点	ちほう　地方　〜自治。〜公共団体。〜色。〜債。〜分権。
ちどうせつ　地動説	
ちとく　知徳〔×智〕	ちほう　痴ほう〔×呆〕　＊認知症。
ちとせあめ　〔千▲歳×飴〕	ちぼう　知謀〔×智〕
ちどめ　血止め	**ちまき**　〔×粽・×茅巻〕
ちどり　千鳥　〜足。	**ちまた**　〔×巷〕
ちなまぐさい　血生臭い〔×腥〕	ちまつり　血祭り　〜に挙げる。
ちなみに〔▲因〕	ちまなこ　血眼　〜でさがす。〜になる。
ちなむ〔▲因〕	ちまみれ　血まみれ〔▲塗〕
ちにち　知日　〜家。	ちまめ　血まめ〔豆・▲肉▲刺〕
ちぬき　血抜き	ちまよう　血迷う
ちねつ　地熱　〜発電所。(「ジネツ」とも)	ちみ　地味　〜が肥える。
	ちみち　血道　〜を上げる。
ちのう　知能〔×智〕　〜犯。	ちみつ　緻密　＊綿密。精密。
ちのうしすう　知能指数	ちみどろ　血みどろ
ちのけ　血の気	**ちみもうりょう**　〔×魑魅×魍×魎〕
ちのみご　乳飲み子〔×呑▲児〕	ちめい　地名
ちのり　血のり〔×糊〕	ちめいしょう　致命傷
ちのり　地の利　〜を得る。	ちめいてき　致命的
ちはい　遅配	ちめいど　知名度
ちばしる　血走る	ちもく　地目　〜変更。
ちばなれ　乳離れ　(「チチバナレ」とも)	ちゃ　茶　②{チャ・サ}
	ちゃいろ　茶色
ちばん　地番	ちゃうけ　茶うけ〔請〕
ちひょう　地表	ちゃえん　茶園

特 表外字・表外音訓を用いてよい特例の語　　付 常用漢字表の付表の語
送 送りがなを省く特例　　読 読みがなを付けるのが望ましい語　　＊類語・言いかえ例

ちゃか	茶菓
ちゃかい	茶会
ちゃがし	茶菓子
ちゃかす	〔茶化〕
ちゃかっしょく	茶褐色
ちゃがま	茶釜
ちゃがゆ	茶がゆ〔×粥〕
ちゃがら	茶殻
ちゃき	茶器
ちゃきん	茶巾
ちゃく	着 ③ {チャク・ジャク きる・きせる・つく・つける}
ちゃく	嫡 {チャク} 〜男。
ちゃくい	着衣
ちゃくえき	着駅
ちゃくがん	着岸
ちゃくがん	着眼 〜点。
ちゃくし	嫡子
ちゃくじつ	着実
ちゃくしゅ	着手
ちゃくしゅつ	嫡出 《法律》〜子。
ちゃくじゅん	着順
ちゃくしょう	着床 《医学》
ちゃくしょく	着色
ちゃくしん	着信 〜専用の電話。
ちゃくすい	着水
ちゃくせき	着席
ちゃくせつ	着雪 〜注意報。
ちゃくそう	着想
ちゃくだつ	着脱 〜自在。
ちゃくだん	着弾
ちゃくち	着地
ちゃくちゃく	着々
ちゃくにん	着任
ちゃくばらい	着払い
ちゃくひょう	着氷
ちゃくふく	着服
ちゃくもく	着目
ちゃくよう	着用
ちゃくりく	着陸
ちゃくりゅう	嫡流 源氏の〜。
ちゃこし	茶こし〔×漉〕
ちゃさじ	茶さじ〔×匙〕
ちゃしつ	茶室
ちゃしぶ	茶渋
ちゃしゃく	茶しゃく〔×杓〕
ちゃじん	茶人
ちゃせき	茶席
ちゃせん	茶せん〔×筅〕
ちゃだい	茶代
ちゃたく	茶たく〔×托〕
ちゃだな	茶棚
ちゃだんす	茶だんす〔×簞×笥〕
ちゃっか	着火
ちゃづけ	茶漬け
ちゃっこう	着工
ちゃづつ	茶筒
ちゃつぼ	茶つぼ〔×壺〕
ちゃつみ	茶摘み
ちゃどう	茶道 (流派によって「サドウ」とも)
ちゃどうぐ	茶道具
ちゃどころ	茶どころ〔所〕

〔 〕使わない漢字　×表外字(常用漢字表にない字)　▲表外音訓(常用漢字表にない読み)
①〜⑥教育漢字の学年配当　①-②(①の表記を優先するが，②の表記を使ってもよい語)

ちゃのま　茶の間	ちゅう　抽{チュウ}
ちゃのみ　茶飲み　〜友達。〜話。	ちゅう　衷{チュウ}
ちゃのゆ　茶の湯	ちゅう　酎{チュウ}　焼酎。
ちゃばこ　茶箱	ちゅう　鋳{チュウ/いる}
ちゃばしら　茶柱　〜が立つ。	ちゅう　駐{チュウ}
ちゃばたけ　茶畑	ちゅうい　中位
ちゃばな　茶花	ちゅうい　中尉
ちゃばなし　茶話	ちゅうい　注意　〜報。〜力。
ちゃばら　茶腹　〜もいっとき。	ちゅうおう　中央　〜分離帯。〜集権。
ちゃばん　茶番　〜劇。	ちゅうおし　中押し　（囲碁）
ちゃびん　茶瓶	ちゅうか　中華　〜鍋。〜思想。
ちゃぶだい　ちゃぶ台　〔▲卓×袱〕	ちゅうかい　仲介
ちゃぼ　〔×矮▲鶏〕	ちゅうかい　注解〔×註〕
ちゃみせ　茶店	ちゅうがい　虫害
ちゃめ　〔茶目〕〜っ気。	ちゅうがえり　宙返り
ちゃや　茶屋	ちゅうかく　中核
ちゃわかい　茶話会	ちゅうがく　中学　〜校。〜生。
ちゃわん　茶わん〔×椀・×碗〕	ちゅうがた　中型
ちゃわんむし　茶わん蒸し〔×椀・×碗〕	ちゅうかん　中間　〜色。〜決算。
	ちゅうかん　昼間　〜人口。
ちゃんこなべ　ちゃんこ鍋	ちゅうかんしゅくしゅ　中間宿主
ちゆ　治癒	ちゅうき　中期　〜計画。
ちゅう　中①{チュウ・ジュウ/なか}	ちゅうき　注記〔×註〕
ちゅう　虫①{チュウ/むし}	ちゅうぎ　忠義　〜立て。
ちゅう　昼②{チュウ/ひる}	ちゅうきゅう　中級
ちゅう　注③{チュウ/そそぐ}　〜を付ける。	ちゅうきょり　中距離
ちゅう　柱③{チュウ/はしら}	ちゅうきん　忠勤　〜を尽くす。
ちゅう　仲④{チュウ/なか}	ちゅうきん　鋳金
ちゅう　忠⑥{チュウ}	ちゅうきんとう　中近東
ちゅう　宙⑥{チュウ}　〜に浮く。	ちゅうくう　中空
ちゅう　沖{チュウ}	ちゅうけい　中継　〜点。

特 表外字・表外音訓を用いてよい特例の語　　付 常用漢字表の付表の語
送 送りがなを省く特例　　読 読みがなを付けるのが望ましい語　　＊類語・言いかえ例

ちゅうけん	中堅
ちゅうけん	忠犬
ちゅうげん	中元
ちゅうこ	中古　〜車。〜品。
ちゅうこう	中興　〜の祖。
ちゅうこう	忠孝
ちゅうこうしょく	昼光色
ちゅうこうねん	中高年
ちゅうこく	忠告
ちゅうごし	中腰
ちゅうこんひ	忠魂碑
ちゅうさ	中佐
ちゅうざ	中座
ちゅうさい	仲裁
ちゅうざい	駐在　〜所。〜員。
ちゅうさんかいきゅう	中産階級
ちゅうし	中止
ちゅうし	注視
ちゅうじえん	中耳炎
ちゅうじく	中軸
ちゅうじつ	忠実
ちゅうしゃ	注射　〜器。予防〜。
ちゅうしゃ	駐車　〜違反。〜禁止。
ちゅうしゃく	注釈〔×註〕
ちゅうしゃじょう	駐車場
ちゅうしゅう	中秋　(陰暦8月15日その日のこと)
ちゅうしゅう	仲秋　(陰暦8月。その期間やその季節)
ちゅうしゅうのめいげつ	中秋の名月〔仲明〕
ちゅうしゅつ	抽出
ちゅうじゅん	中旬
ちゅうしょう	中小　〜企業。〜の私鉄。
ちゅうしょう	中傷
ちゅうしょう	抽象　〜芸術。〜論。
ちゅうじょう	中将
ちゅうじょう	衷情　〜を訴える。
ちゅうしょく	昼食
ちゅうしん	中心　〜街。〜部。
ちゅうしん	忠臣
ちゅうしん	注進　ご〜。
ちゅうしん	衷心　〜から。
ちゅうすい	注水
ちゅうすいえん	虫垂炎
ちゅうすう	中枢　〜神経。
ちゅうせい	中世
ちゅうせい	中性　〜子。〜洗剤。〜脂肪。
ちゅうせい	忠誠　〜心。
ちゅうぜい	中背　中肉〜。
ちゅうせいだい	中生代
ちゅうせきそう	沖積層
ちゅうせつ	忠節　〜を尽くす。
ちゅうぜつ	中絶　妊娠〜。
ちゅうせん	①抽せん ②抽選〔×籤〕＊くじ引き
ちゅうせんきょく	中選挙区
ちゅうそう	中層　〜アパート。
ちゅうぞう	鋳造
ちゅうたい	中退　(「中途退学」の略)
ちゅうたい	中隊　〜長。

〔　〕使わない漢字　　×表外字(常用漢字表にない字)　　▲表外音訓(常用漢字表にない読み)
①〜⑥教育漢字の学年配当　　①−②(①の表記を優先するが，②の表記を使ってもよい語)

ちゅうだん　中段
ちゅうだん　中断
ちゅうちょ　〔×躊×躇〕　＊ためらい。
ちゅうづり　宙づり〔×吊〕
ちゅうてつ　鋳鉄
ちゅうと　中途　～半端。
ちゅうとう　中東
ちゅうとう　中等
ちゅうどう　中道　～政治。～路線。
ちゅうどく　中毒　～死。～症状。
ちゅうとん　駐屯　～地。
ちゅうなごん　中納言
ちゅうにく　中肉　～中背。
ちゅうにち　中日　彼岸の～。(相撲の場合「ナカビ」)
ちゅうにゅう　注入
ちゅうにん　中人
ちゅうねん　中年
ちゅうは　中波
ちゅうハイ　酎ハイ
ちゅうばいか　虫媒花　《植物》
ちゅうばん　中盤　～戦。
ちゅうび　中火
ちゅうぶ　中部
ちゅうふう　中風
ちゅうふく　中腹
ちゅうぶらりん　宙ぶらりん〔中〕
ちゅうぶる　中古
ちゅうべい　中米
ちゅうべい　駐米　～大使。
ちゅうへん　中編〔×篇〕　～小説。

ちゅうぼう　ちゅう房〔×厨〕　＊調理室。
ちゅうみつ　ちゅう密〔×稠〕　＊密集。
ちゅうもく　注目　～の的。
ちゅうもん　中門
ちゅうもん　注文〔×註〕
ちゅうや　昼夜　～兼行。
ちゅうよう　中庸
ちゅうりきこ　中力粉　《料理》
ちゅうりつ　中立　～国。～地帯。
ちゅうりゃく　中略
ちゅうりゅう　中流　～階級。
ちゅうりゅう　駐留　～軍。
ちゅうりん　駐輪　～場。
ちゅうわ　中和
ちょ　貯　④{チョ}
ちょ　著　⑥{チョ / あらわす・いちじるしい}
ちょ　緒　{ショ・チョ / お}
ちょう　町　①{チョウ / まち}
ちょう　長　②{チョウ / ながい}　一日(イチジツ)の～。
ちょう　鳥　②{チョウ / とり}
ちょう　朝　②{チョウ / あさ}
ちょう　丁　③{チョウ・テイ}〔×挺〕　ピストル１～。
ちょう　重　③{ジュウ・チョウ / え・おもい・かさねる・かさなる}
ちょう　帳　③{チョウ}
ちょう　調　③{チョウ / しらべる・ととのう・ととのえる}
ちょう　兆　④{チョウ / きざす・きざし}
ちょう　腸　④{チョウ}
ちょう　張　⑤{チョウ / はる}

ちょう　庁⑥{チョウ}
ちょう　頂⑥{チョウ/いただく・いただき}
ちょう　潮⑥{チョウ/しお}
ちょう　弔{チョウ/とむらう}
ちょう　挑{チョウ/いどむ}
ちょう　彫{チョウ/ほる}
ちょう　眺{チョウ/ながめる}
ちょう　釣{チョウ/つる}
ちょう　貼{チョウ/はる}
ちょう　超{チョウ/こえる・こす}
ちょう　跳{チョウ/はねる・とぶ}
ちょう　徴{チョウ}
ちょう　嘲{チョウ/あざける}
ちょう　澄{チョウ/すむ・すます}
ちょう　諜{チョウ}　(p.12参照)
ちょう　聴{チョウ/きく}
ちょう　懲{チョウ/こりる・こらす・こらしめる}
ちょう　〔×蝶〕
ちょうあい　**ちょう愛**〔×寵〕　＊特別にかわいがる。
ちょうい　弔意　～を表す。
ちょうい　潮位
ちょういきん　弔慰金
ちょういん　調印　～式。
ちょうえき　懲役　無期～。
ちょうえつ　超越
ちょうえんビブリオ　腸炎ビブリオ　(食中毒菌。放送では「菌」を付ける)
ちょうおん　長音
ちょうおんかい　長音階
ちょうおんそく　超音速
ちょうおんぱ　超音波
ちょうか　長歌
ちょうか　釣果　＊釣りの成果(獲物)。
ちょうか　超過　～勤務。～料金。
ちょうかい　懲戒　～免職。
ちょうかく　聴覚
ちょうカタル　腸カタル
ちょうかん　長官
ちょうかん　朝刊
ちょうかんず　鳥観図〔×瞰〕
ちょうき　弔旗　～を掲げる。
ちょうき　長期　～計画。～予報。～戦。
ちょうぎかい　町議会
ちょうぎょ　釣魚
ちょうきょう　調教　～師。
ちょうきょり　長距離　～電話。～列車。
ちょうきん　彫金
ちょうきん　超勤　(「超過勤務」の略)～手当。
ちょうけい　長兄
ちょうけし　帳消し
ちょうけつ　長欠　(「長期欠席・欠勤」の略)
ちょうこう　兆候〔徴〕
ちょうこう　長考
ちょうこう　聴講　～生。
ちょうごう　調合　薬の～。
ちょうこうぜつ　長広舌〔口〕
ちょうこうそう　超高層　～ビル。

〔　〕使わない漢字　　×表外字(常用漢字表にない字)　　▲表外音訓(常用漢字表にない読み)
①～⑥教育漢字の学年配当　　①－②(①の表記を優先するが，②の表記を使ってもよい語)

ちょうこく	彫刻	~家。~刀。	
ちょうさ	調査		
ちょうざい	調剤		
ちょうさんぼし	朝三暮四		
ちょうし	長子		
ちょうし	調子	~づく。~外れ。	
ちょうし	〔×銚子〕		
ちょうじ	弔辞		
ちょうじ	〔×寵児〕	＊人気者。花形。	
ちょうしゃ	庁舎		
ちょうじゃ	長者	億万~。~番付。	
ちょうしゅ	聴取	事情~。ラジオの~。	
ちょうじゅ	長寿	不老~。	
ちょうしゅう	徴収	税金の~。会費の~。	
ちょうしゅう	徴集	軍需物資の~。	
ちょうしゅう	聴衆		
ちょうじゅう	鳥獣	~保護区。	
ちょうしょ	長所		
ちょうしょ	調書		
ちょうじょ	長女		
ちょうしょう	嘲笑	＊冷笑。あざ笑う。	
ちょうじょう	頂上		
ちょうしょく	朝食		
ちょうじり	帳尻	~を合わせる。	
ちょうしん	長身		
ちょうしん	長針		
ちょうじん	鳥人		
ちょうじん	超人	~的。	
ちょうしんき	聴診器		
ちょうず	〔▲手▲水〕	~鉢。	
ちょうずる	長ずる		
ちょうせい	町制	~を敷く。	
ちょうせい	町政		
ちょうせい	調製	（注文で作る）	
ちょうせい	調整	意見の~。	
ちょうぜい	徴税		
ちょうせつ	調節		
ちょうぜつ	超絶		
ちょうせん	挑戦	~者。~状。	
ちょうぜん	超然		
ちょうそ	彫塑		
ちょうそう	鳥葬		
ちょうぞう	彫像		
ちょうそく	長足	~の進歩。	
ちょうそん	町村	~合併。~長。	
ちょうだ	長打		
ちょうだ	長蛇	~の列。	
ちょうだい	長大		
ちょうだい	頂戴	~物。~する。（「…してちょうだい」などは，なるべくかな書き）	
ちょうたいこく	超大国		
ちょうたつ	調達	資金を~する。	
ちょうたん	長短		
ちょうたんぱ	超短波		
ちょうチフス	腸チフス		
ちょうちょう	町長		
ちょうちょう	長調		
ちょうちょう	〔×蝶々〕	（「ちょうちょ」とも）	
ちょうちょうはっし	丁々発止〔▲打〕		

ちょう—ちょう

ちょうちん 〔▲提▲灯〕 ～行列。
ちょうつがい 〔×蝶▲番〕
ちょうづめ 腸詰め
ちょうづら 帳づら〔面〕 ～を合わせる。
ちょうてい 朝廷
ちょうてい 調停 ～委員。
ちょうてん 頂点
ちょうでん 弔電
ちょうでんどう 超電導〔伝〕
ちょうど 調度 ～品。
ちょうど 〔丁・×恰度〕
ちょうとうは 超党派
ちょうどきゅう 超ど級〔×弩〕
ちょうな 〔▲手×斧〕
ちょうない 町内 ～会。
ちょうなん 長男
ちょうにん 町人
ちょうねんてん 腸捻転 ～症。
ちょうのうりょく 超能力
ちょうば 帳場
ちょうば 跳馬
ちょうはつ 長髪
ちょうはつ 挑発 ～行為。
ちょうはつ 徴発 物資の～。
ちょうはつ 調髪
ちょうばつ 懲罰
ちょうふ 貼付〔×附〕 (「チョウフ」が本来の読み。「テンプ」は慣用読み) ＊貼る。貼り付ける。
ちょうふく 重複 (「ジュウフク」とも)

ちょうぶつ 長物 無用の～。
ちょうぶん 弔文
ちょうぶん 長文
ちょうへい 徴兵 ～忌避。～検査。
ちょうへいそく 腸閉塞 読 ～症。
ちょうへき 腸壁
ちょうへん 長編〔×篇〕 ～小説。
ちょうぼ 帳簿 二重～。
ちょうほう 弔砲
ちょうほう 重宝〔調法〕 ～がる。
ちょうほう 諜報 (p.12参照)～機関。 ＊情報。秘密情報。
ちょうぼう 眺望
ちょうほうけい 長方形
ちょうほんにん 張本人
ちょうみりょう 調味料
ちょうみん 町民
ちょうむすび ちょう結び〔×蝶〕
ちょうめ 丁目 1～1番地。
ちょうめい 長命
ちょうめん 帳面 ～づら。
ちょうもん 弔問 ～客。
ちょうもん 聴聞 ～会。
ちょうやく 跳躍
ちょうよう 長幼 ～の序。
ちょうよう 重陽 (菊の節句)
ちょうよう 徴用
ちょうらく ちょう落〔×凋〕 ＊没落。落ち目。
ちょうり 調理 ～場。～師。
ちょうりつ 調律 ～師。

〔 〕使わない漢字　　×表外字(常用漢字表にない字)　　▲表外音訓(常用漢字表にない読み)
1～6 教育漢字の学年配当　　①—②(①の表記を優先するが，②の表記を使ってもよい語)

ちょうりゅう　潮流	ちょくちょう　直腸
ちょうりょう　跳りょう〔×梁〕	ちょくつう　直通
＊横行。はびこる。	ちょくばい　直売　産地〜。
ちょうりょく　張力　表面〜。	ちょくはん　直販　＊直売。
ちょうりょく　聴力　〜検査。	ちょくほうたい　直方体
ちょうるい　鳥類	ちょくめい　勅命
ちょうれい　朝礼	ちょくめん　直面
ちょうれいぼかい　朝令暮改	ちょくやく　直訳
ちょうろう　長老	ちょくゆにゅう　直輸入
ちょうわ　調和	ちょくりつ　直立　〜不動。
ちよがみ　千代紙	ちょくりゅう　直流
ちょきん　貯金　郵便〜。〜を取り崩す。	ちょくれつ　直列
ちょく　直②{チョク・ジキ / ただちに・なおす・なおる}	ちょこ　〔×猪▲口〕
ちょく　勅{チョク}	ちょさく　著作　〜権。
ちょく　捗{チョク}	ちょしゃ　著者
ちょくえい　直営	ちょじゅつ　著述　〜業。
ちょくげき　直撃　〜弾。	ちょしょ　著書
ちょくげん　直言	ちょすい　貯水　〜池。〜量。
ちょくご　直後	ちょせん　緒戦
ちょくご　勅語　教育〜。	ちょぞう　貯蔵　〜庫。
ちょくし　直視	ちょちく　貯蓄
ちょくし　勅使　＊（天皇の）お使い。	ちょっか　直下　急転〜。〜型地震。
ちょくしゃ　直射　〜日光。	ちょっかく　直角　《数学》〜三角形。
ちょくじょう　直情　〜径行。	ちょっかつ　直轄
ちょくしん　直進	ちょっかっこう　直滑降
ちょくせつ　直接　〜税。	ちょっかん　直感　（すぐに感じる）危険を〜する。
ちょくせん　直線　〜距離。	ちょっかん　直観　（推理・判断によらず把握する）〜的。
ちょくぜん　直前	
ちょくそう　直送　産地〜。	ちょっかんひりつ　直間比率　（税）
ちょくぞく　直属　〜の上司。	ちょっきゅう　直球

特 表外字・表外音訓を用いてよい特例の語　　付 常用漢字表の付表の語
送 送りがなを省く特例　　読 読みがなを付けるのが望ましい語　　＊類語・言いかえ例

ちょっきん　直近
ちょっけい　直系　〜親族。
ちょっけい　直径
ちょっけつ　直結
ちょっこう　直行　〜便。
ちょっと　〔▲一・▲寸・▲鳥渡〕
ちょとつもうしん　猪突猛進　＊がむしゃら。無鉄砲。
ちょぼく　貯木　〜場。
ちょめい　著名　〜人。
ちょんまげ　〔▲丁×髷〕
ちらかす　散らかす
ちらかる　散らかる
ちらしずし　〔散×鮨・▲寿司〕
ちらす　散らす
ちらつく
ちらばる　散らばる
ちり　地理
ちり　〔×塵〕　〜あくた。
ちりがみ　ちり紙〔×塵〕
ちりぢり　〔散々〕
ちりとり　ちり取り〔×塵〕
ちりばめる　〔×鏤〕
ちりめん　〔▲縮×緬〕
ちりゃく　知略〔×智〕
ちりょう　治療
ちりょく　地力　＊地味（チミ）。
ちりょく　知力　〜と体力。
ちる　散る
ちわげんか　痴話げんか〔×喧×嘩〕
ちん　賃 ⑥ ｛チン｝

ちん　沈 ｛チン／しずむ・しずめる｝
ちん　珍 ｛チン／めずらしい｝
ちん　陳 ｛チン｝
ちん　鎮 ｛チン／しずめる・しずまる｝
ちん　〔朕〕｛チン｝　（p.14 参照）
ちん　〔×狆〕
ちんあげ　賃上げ　＊ベースアップ。
ちんあつ　鎮圧
ちんうつ　①沈うつ　②沈鬱
ちんか　沈下　地盤〜。
ちんか　鎮火
ちんがし　賃貸し
ちんがり　賃借り
ちんき　珍奇
ちんきゃく　珍客
ちんきん　沈金　（まき絵の技法）
ちんぎん　賃金〔銀〕　〜格差。〜引き上げ。
ちんこう　沈降　赤血球〜速度。
ちんこん　鎮魂　〜歌。
ちんざ　鎮座
ちんし　沈思　〜黙考。
ちんじ　珍事〔×椿〕
ちんしゃ　陳謝
ちんしゅ　珍種
ちんじゅ　鎮守　〜の森。
ちんじゅう　珍獣
ちんじゅつ　陳述　冒頭〜。
ちんじょう　陳情
ちんせい　沈静　（自然に落ち着く）
ちんせい　鎮静　（人為的に静める）

〔　〕使わない漢字　　×表外字（常用漢字表にない字）　　▲表外音訓（常用漢字表にない読み）
①〜⑥教育漢字の学年配当　　①―②（①の表記を優先するが，②の表記を使ってもよい語）

ちんせいざい　**鎮静剤**	ちんでん　**沈殿**〔×澱〕　～池。
ちんせつ　**珍説**	ちんとう　**珍答**
ちんせん　**沈潜**	ちんぴん　**珍品**
ちんたい　**沈滞**	ちんぷ　**陳腐**
ちんたい　**賃貸**　～住宅。	ちんぼつ　**沈没**
ちんちゃく　**沈着**　～な行動。	ちんみ　**珍味**
ちんちょう　**珍重**	ちんみょう　**珍妙**
ちんちょう　**珍鳥**	ちんもく　**沈黙**
ちんつう　**沈痛**　～な表情。	ちんもん　**珍問**
ちんつう　**鎮痛**　～剤。～作用。	ちんれつ　**陳列**　～棚。

つ

つ	通 ② {ツウ・ツ／とおる・とおす・かよう}			
つ	都 ③ {ト・ツ／みやこ}			
つ	津			
つい	対 ③ {タイ・ツイ} 〜の茶わん。			
つい	追 ③ {ツイ／おう}			
つい	椎 {ツイ}			
つい	墜 {ツイ}			

つい 〔▲終〕 〜の住みか。
ついえ 費え
ついえる 費える 財産が〜。時間が〜。
ついえる 〔▲潰〕 夢はついえた。
ついおく 追憶
ついか 追加
ついかんばん 椎間板 《医学》〜ヘルニア。
ついき 追記
ついきそ 追起訴
ついきゅう 追及 （追い詰める）責任を〜する。
ついきゅう 追究 （深く究める）学問を〜する。
ついきゅう 追求 （あくまでも追い求める）利潤を〜する。
ついく 対句
ついげき 追撃
ついし 追試 （「追試験」の略）
ついし 墜死
ついじ 〔▲築地〕 〜塀。

ついしけん 追試験
ついしゅ つい朱〔▲堆〕
ついじゅう 追従 （後につき従う）
ついしょう 追従 （機嫌をとる）
ついしん 追伸
ついずい 追随
ついせき 追跡
ついぜん 追善 〜供養。〜興行。
ついそう 追走
ついそう 追想
ついぞう 追贈
ついそうけん 追送検
ついたち 一日，1日 付
ついたて 〔▲衝立〕
ついちょう 追徴 〜金。
ついて 〔就〕 …に〜。
ついで 次いで
ついで 〔▲序〕 〜に。
ついとう 追悼 〜文。
ついとつ 追突 〜事故。
ついな 〔追×儺〕
ついに 〔▲遂・▲終・×竟〕
ついにん 追認
ついばむ 〔×啄〕
ついひ 追肥
ついび 追尾
ついぼ 追慕
ついほう 追放 国外〜。

〔 〕使わない漢字　　×表外字(常用漢字表にない字)　　▲表外音訓(常用漢字表にない読み)
①〜⑥ 教育漢字の学年配当　　①—②(①の表記を優先するが，②の表記を使ってもよい語)

ついやす　費やす	つうずる　通ずる
ついらく　墜落　〜事故。	つうせき　痛惜　〜の念。
つう　通　②{ツウ・ツ/とおる・とおす・かよう}	つうせつ　通説
つう　痛　⑥{ツウ/いたい・いたむ・いためる}	つうせつ　痛切　〜に感じる。
つういん　通院	つうぞく　通俗　〜小説。
つういん　痛飲	つうだ　痛打
つううん　通運	つうたつ　通達
つうか　通貨　〜偽造。	つうち　通知
つうか　通過	つうちひょう　通知表
つうかい　痛快	つうちょう　通帳
つうがく　通学　〜路。	つうちょう　通ちょう〔×牒〕　最後〜。
つうかん　通関　〜手続き。	＊通告。
つうかん　痛感	つうどく　通読
つうき　通気　〜性。	つうねん　通年　〜営業。
つうぎょう　通暁	つうねん　通念　社会〜。
つうきん　通勤	つうはん　通販　（「通信販売」の略）
つうく　痛苦	つうふう　通風
つうげき　痛撃	つうふう　痛風　《医学》
つうこう　通行　一方〜。〜止め。	つうふん　痛憤
つうこく　通告	つうへい　通弊
つうこん　痛恨　〜事。	つうほう　通報　気象〜。
つうさん　通算	つうやく　通訳　同時〜。
つうし　通史	つうよう　通用　〜期間。〜門。
つうじ　通じ	つうよう　痛よう〔×痒〕　〜を感じない。
つうしょう　通称	
つうしょう　通商　〜条約。	つうらん　通覧
つうじょう　通常　〜国会。	つうれい　通例
つうじる　通じる	つうれつ　痛烈
つうしん　通信　〜網。〜販売。	つうろ　通路
つうじん　通人	つうわ　通話　〜料。
つうしんぼ　通信簿	つえ　〔×杖〕

特 表外字・表外音訓を用いてよい特例の語　　付 常用漢字表の付表の語
送 送りがなを省く特例　　読 読みがなを付けるのが望ましい語　　＊類語・言いかえ例

つか　塚{つか}
つか　〔▲柄〕　刀の〜。
つかい　使い　子どもの〜。人〜。
つかい　遣い　かな〜。小〜。気〜。心〜。筆〜。
つがい　〔▲番〕　〜の小鳥。
つかいかた　使い方
つかいがって　使い勝手
つかいこなす　使いこなす
つかいこむ　使い込む
つかいすて　使い捨て
つかいて　使い手
つかいで　使いで〔出〕　〜がある。
つかいなれる　使い慣れる
つかいはしり　使い走り　(「ツカイバシリ」とも)
つかいはたす　使い果たす
つかいふるす　使い古す
つかいみち　使いみち〔▲途・道〕
つかいわける　使い分ける
つかう　使う　(場合により「遣う」。気を〜)(「つかい」参照)
つかえる　仕える　人に〜。
つかえる　〔×閊・▲支〕　道が〜。胸が〜。
つがえる　〔▲番〕　弓に矢を〜。
つかさどる　〔▲司・▲掌〕
つかす　尽かす　愛想を〜。
つかねる　〔▲束〕
つかのま　つかの間〔▲束〕
つかまえる　捕まえる〔×摑〕

つかまつる　〔▲仕〕
つかまりだち　つかまり立ち〔×摑・▲捉〕
つかまる　捕まる　泥棒が〜。
つかまる　〔×摑・▲捉〕　木に〜。
つかみあい　つかみ合い〔×摑〕
つかみかかる　〔×摑掛〕
つかみだす　つかみ出す〔×摑〕
つかみどころ　〔×摑所〕
つかみどり　つかみ取り〔×摑〕　魚の〜。
つかむ　〔×摑〕
つかる　漬かる
つかる　〔▲浸〕　家が水に〜。
つかれ　疲れ
つかれはてる　疲れ果てる
つかれる　疲れる
つかれる　〔×憑〕
つかわす　遣わす
つき　月
つき　付き　条件〜。〜が回る。(ただし「社長付」送)
つき　尽き　運の〜。
つき　突き
つき　〔付〕　雨天に〜中止。体〜。
つき　〔×搗〕　〜の足りない餅。
つぎ　次
つぎ　接ぎ　〜木。
つぎ　継ぎ　〜を当てる。
つきあい　〔付合・▲交▲際〕
つきあう　〔付合・▲交▲際〕

〔　〕使わない漢字　　×表外字(常用漢字表にない字)　　▲表外音訓(常用漢字表にない読み)
1〜6 教育漢字の学年配当　　①−②(①の表記を優先するが，②の表記を使ってもよい語)

つきあかり　月明かり
つきあげる　突き上げる
つきあたり　突き当たり　〜を曲がる。
つきあたる　突き当たる
つきあわせる　突き合わせる
つぎあわせる　継ぎ合わせる
つきおくれ　月遅れ　〜のお盆。(場合により「月後れ」)
つきおとし　突き落とし
つきおとす　突き落とす
つきかえす　突き返す
つきかかる　突きかかる〔掛〕
つきかげ　月影
つきがけ　月掛け　〜貯金。
つきがわり　月替わり
つぎき　接ぎ木
つきぎめ　月ぎめ〔▲極〕
つききり　付ききり〔切〕
つきくずす　突き崩す
つきごと　月ごと〔▲毎〕
つぎこむ　つぎ込む〔▲注〕
つきころす　突き殺す
つきささる　突き刺さる
つきさす　突き刺す
つきずえ　月末
つきすすむ　突き進む
つきせぬ　尽きせぬ　〜思い。
つきそい　付き添い
つきそいにん　付き添い人　(少年法では「付添人」送)
つきそう　付き添う

つきたおす　突き倒す
つきだし　突き出し　《相撲》
つきだす　突き出す
つぎたす　継ぎ足す
つきたらず　月足らず
つきづき　月々
つぎつぎ　次々
つきっきり　付きっきり〔切〕
つきつける　突きつける〔付〕
つきつめる　突き詰める
つきでる　突き出る
つきとおす　突き通す
つきとばす　突き飛ばす
つきとめる　突き止める〔留〕　正体を〜。
つきなかば　月半ば
つきなみ　月並み〔▲次〕
つぎに　次に
つきぬける　突き抜ける
つぎのま　次の間　〜付き。
つぎはぎ　継ぎはぎ〔▲接〕
つきはじめ　月初め
つきはてる　尽き果てる
つきはなす　突き放す
つきばらい　月払い
つきひ　月日
つきびと　付き人
つきまとう　付きまとう〔×纏〕
つきみ　月見
つきみそう　月見草
つぎめ　継ぎ目〔接〕

特 表外字・表外音訓を用いてよい特例の語　　付 常用漢字表の付表の語
送 送りがなを省く特例　　説 読みがなを付けるのが望ましい語　　＊類語・言いかえ例

つきもの　**付き物**　(付属するもの)
つきもの　〔×憑物〕
つきやぶる　**突き破る**
つきやま　**築山** 付
つきゆび　**突き指**
つきよ　**月夜**
つきる　**尽きる**
つきわり　**月割り**
つく　**付く**　インクが〜。気が〜。条件が〜。
つく　①つく ②付く〔▲点〕火が〜。
つく　〔▲点〕明かりが〜。
つく　**突く**　刀で〜。
つく　**着く**　(到着)
つく　**就く**　職に〜。守備に〜。
つく　〔▲吐〕うそを〜。ため息を〜。
つく　〔▲即〕王位に〜。
つく　〔×搗・×舂〕餅を〜。
つく　〔▲衝〕不意を〜。鼻を〜悪臭。
つく　〔×撞〕鐘を〜。
つぐ　**次ぐ**　(順次)富士山に〜高い山。
つぐ　**接ぐ**　(接着)木を〜。骨を〜。
つぐ　**継ぐ**〔▲嗣〕(継承)家業を〜。
つぐ　〔▲注〕酒を〜。金をつぎこむ。
づく　活気〜。調子〜。
つくえ　**机**
つくし　〔▲土▲筆〕
づくし　**尽くし**　心〜。
つくす　**尽くす**
つくだに　**つくだ煮**〔×佃〕

つくづく　〜眺める。
つくつくぼうし　〔法師・▲寒×蟬〕
つぐない　**償い**
つぐなう　**償う**
つぐみ　〔×鶫〕
つぐむ　〔×噤〕
つくり　**作り**　(「作る」参照)
つくり　**造り**　(「造る」参照)
つくり　〔×旁〕漢字の〜。
つくりかえる　**作り替える**　(「造り替える」とも)
つくりごと　**作り事**
つくりざかや　**造り酒屋**
つくりだす　**作り出す**
つくりつけ　**作りつけ**〔付〕
つくりなおす　**作り直す**　(「造り直す」とも)
つくりばなし　**作り話**
つくりもの　**作り物**
つくりわらい　**作り笑い**
つくる　**作る**　(小規模のもの。無形のもの)米を〜。人形を〜。俳句を〜。規則を〜。
つくる　**造る**　(大規模のもの。製造・造成・醸造)道路を〜。庭を〜。酒を〜。
つくる　**創る**　(限定用語)(「新しい文化を〜。画期的な作品をつくり出す」などの場合、使用も可。「町(街)づくり、人づくり」は、かな書きとするが、「創る」と書く場合もある。使い分けに迷う場合は、かな書き)

〔　〕使わない漢字　　×表外字(常用漢字表にない字)　　▲表外音訓(常用漢字表にない読み)
1〜6 教育漢字の学年配当　　①−②(①の表記を優先するが、②の表記を使ってもよい語)

つくろう　繕う　繕い物。
つけ　付け　〜で買う。
つけ　〔付〕　雨に〜風に〜。
ツケ　《芸能》
つげ　〔×柘▲植〕　〜のくし。
づけ　漬け　浅〜。みそ〜。
つけあがる　〔付上〕
つけあわせ　付け合わせ
つけいる　〔付入〕
つけかえる　付け替える
つけぐすり　付け薬
つげぐち　告げ口
つけくわえる　付け加える
つけげ　付け毛
つけこむ　漬け込む
つけこむ　つけ込む〔付〕　他人の弱みに〜。
つけじる　付け汁
つけたし　付け足し
つけたり　付けたり
つけどころ　付けどころ〔所〕　目の〜。
つけとどけ　付け届け
つけな　漬け菜
つけね　付け根
つけねらう　付け狙う
つけびと　付け人
つけまわす　付け回す〔×廻〕
つけめ　〔付目〕
つけもの　漬物 送
つけやき　付け焼き
つけやきば　付け焼き刃

つける　漬 {つける・つかる}
つける　付ける　名前を〜。
つける　①つける　②付ける〔▲点〕　火を〜。
つける　〔▲点〕　明かりを〜。テレビを〜。
つける　着ける　舟を岸に〜。
つける　就ける　役職に〜。
つける　漬ける　梅を〜。
つける　〔▲浸〕　消毒液に〜。
つげる　告げる
づける　〔付〕　位置〜。元気〜。
つごう　都合
つごもり　〔×晦〕
つじ　〔×辻〕　〜強盗。
つじつま　〔×辻×褄〕　〜を合わせる。
つた　〔×蔦〕
づたい　伝い　屋根〜。
つたう　伝う
つたえきく　伝え聞く
つたえる　伝える
つたない　①つたない　②拙い
つたわる　伝わる
つち　土
つち　〔×槌〕　〜音。
つちいろ　土色
つちかう　培う
つちけいろ　土気色
つちけむり　土煙
つちつかず　土つかず〔付〕
つちふまず　土踏まず

つちぼこり　土ぼこり〔×埃〕	つっぱる　突っ張る
つつ　筒	つっぷす　突っ伏す
つつうらうら　津々浦々（「ツヅウラウラ」とも）	**つつましい**　〔▲慎〕
つっかい　〔突▲支〕　～棒。	**つつましやか**　〔▲慎〕
つっかえす　突っ返す	**つづまる**　〔▲約〕
つっかかる　突っかかる〔掛〕	つつみ　堤
つっかける　突っかける〔掛〕	つつみ　包み
つつがなく　〔×恙無〕	つづみ　鼓
つづき　続き	つつみかくす　包み隠す
つづきがら　続き柄	つつみがみ　包み紙
つづきもの　続き物	つつむ　包む
つっきる　突っ切る	**つづめる**　〔▲約〕
つつく　〔▲突〕	つづらおり　つづら折り
つづく　続く	つづり　〔×綴〕
つづけざまに　続けざまに〔様〕	つづりかた　つづり方〔×綴〕
つづける　続ける	つづる　〔×綴〕
つっけんどん　〔突×慳貪〕	つづれおり　つづれ織〔×綴〕送
つっこみ　突っ込み　～が足りない。	**つて**　〔▲伝〕　～を頼る。人づて。
つっこむ　突っ込む	つと　〔×苞〕（わらづと）
つつさき　筒先	つど　〔都度〕　その～。
つつじ　〔×躑×躅〕	つどい　集い
つつしみ　慎み　～深い。	つどう　集う
つつしむ　慎む　ことばを～。酒を～。	つとに　〔×夙〕　～名高い。
つつしんで　謹んで　～聴く。	つとまる　務まる　（任務）議長の役が～。
つつそで　筒袖	つとまる　勤まる　（勤務）私にはこの会社が勤まらない。
つったつ　突っ立つ	
つつぬけ　筒抜け	つとめ　務め　（役目・義務）
つっぱしる　突っ走る	つとめ　勤め　（仕事・勤務）
つっぱねる　突っぱねる〔×撥〕	つとめぐち　勤め口
つっぱり　突っ張り	つとめさき　勤め先

〔　〕使わない漢字　　×表外字(常用漢字表にない字)　　▲表外音訓(常用漢字表にない読み)
1〜6 教育漢字の学年配当　　①-②(①の表記を優先するが，②の表記を使ってもよい語)

つとめて　努めて	つぶさに　〔▲具・▲備〕
つとめにん　勤め人	つぶし　潰し　～がきく。
つとめる　努める〔▲勉〕（努力）解決に～。看病に～。	つぶす　潰す
	つぶぞろい　粒ぞろい〔×揃〕
つとめる　務める　（任務）議長を～。	つぶて　〔×礫〕
つとめる　勤める　（勤務）会社に～。	つぶやき　〔×呟〕
つな　綱	つぶやく　〔×呟〕
つながり　〔×繋〕	つぶより　粒より〔▲選〕
つながる　〔×繋〕	つぶら　〔▲円〕　～な瞳。
つなぎ　〔×繋〕　～目。	つぶる　〔×瞑〕
つなぐ　〔×繋〕	つぶれる　潰れる
つなひき　綱引き〔×曳〕	つぼ　坪｛つぼ｝
つなみ　津波〔▲浪〕　～警報。	つぼ　〔×壺〕
つなわたり　綱渡り	つぼにわ　坪庭
つね　常　世の～。	つぼね　〔▲局〕
つねづね　常々	つぼまる　〔×窄〕
つねに　常に	つぼみ　〔×蕾・×莟〕
つねる　〔×抓〕	つぼむ　〔×窄〕
つの　角	つぼめる　〔×窄〕
つのかくし　角隠し	つぼやき　つぼ焼き〔×壺〕
つのだる　角だる〔×樽〕	つま　妻
つのぶえ　角笛	つま　〔妻〕　刺身の～。
つのる　募る	つま　〔×褄〕　（和服の語）～を取る。
つば　唾　（「つばき」は，かな書き）	つまさき　①つま先　②爪先
つば　〔×鍔〕　刀の～。	つまされる　身に～。
つばき　〔×椿〕　～油。	つましい　〔▲倹〕
つばさ　翼	つまずき　〔×躓〕
つばぜりあい　つばぜり合い〔×鍔▲迫〕	つまずく　〔×躓〕
	つまだつ　①つま立つ　②爪立つ
つばめ　〔×燕〕	つまだてる　①つま立てる　②爪立てる
つぶ　粒	

特 表外字・表外音訓を用いてよい特例の語　　付 常用漢字表の付表の語
送 送りがなを省く特例　　読 読みがなを付けるのが望ましい語　　＊類語・言いかえ例

つまはじき ①つまはじき ②爪はじき〔▲弾〕
つまびき ①つま弾き ②爪弾き
つまびらか 〔▲詳・▲審〕
つまみ 〔▲摘・▲撮・×抓〕
つまみあらい つまみ洗い〔▲摘・▲撮・×抓〕
つまみぐい つまみ食い〔▲摘・▲撮・×抓〕
つまみだす つまみ出す〔▲摘・▲撮・×抓〕
つまむ 〔▲摘・▲撮・×抓〕
つまようじ ①つまようじ ②爪ようじ〔×楊枝〕
つまらない 〔詰〕
つまり 〔詰〕
つまる 詰まる
つみ 罪
つみ 詰み (将棋)
つみ 摘み 茶〜。
づみ 積み 下〜。
つみあげる 積み上げる
つみおろし 積み降ろし
つみかえる 積み替える〔換〕
つみかさなる 積み重なる
つみかさねる 積み重ねる
つみき 積み木
つみくさ 摘み草
つみこむ 積み込む
つみだし 積み出し 〜港。
つみだす 積み出す

つみたて 積み立て
つみたてきん 積立金 送
つみたてる 積み立てる
つみつくり 罪作り
つみとる 摘み取る
つみに 積み荷
つみのこす 積み残す
つみびと 罪人
つみぶかい 罪深い (「ツミフカイ」とも)
つみほろぼし 罪滅ぼし
つむ 詰む
つむ 摘む
つむ 積む
つむぎ 〔×紬〕 (織物)
つむぎうた 紡ぎ歌
つむぐ 紡ぐ 糸を〜。
つむじ 〔▲旋▲毛〕 〜曲がり。
つむじかぜ つむじ風〔▲旋〕
つむる 〔×瞑〕 目を〜。
つめ 爪 {つめ・つま}
つめ 詰め 〜が不十分。
づめ 〔詰〕 走り〜。
つめあと 爪痕〔跡〕 熊の〜。台風の〜。
つめあわせ 詰め合わせ
つめえり 詰め襟〔×衿〕 〜の服。
つめかえる 詰め替える
つめかける 詰めかける〔掛〕
つめきり 爪切り
つめご 詰め碁

〔 〕使わない漢字　×表外字(常用漢字表にない字)　▲表外音訓(常用漢字表にない読み)
①〜⑥教育漢字の学年配当　①—②(①の表記を優先するが，②の表記を使ってもよい語)

つめこみ　詰め込み	~教育。
つめこむ　詰め込む	
つめしょ　詰め所	
つめしょうぎ　詰め将棋	
つめたい　冷たい	
つめばら　詰め腹	~を切らされる。
つめびき　①つめ弾き　②爪弾き	
（「ツマビキ」とも）	
つめもの　詰め物	
つめよる　詰め寄る	
つめる　詰める	
つもり　〔積・▲心・▲算〕	…する~。会う~。
つもる　積もる	
つや　通夜	
つや　①つや　②艶	
つやけし　①つや消し　②艶消し	
つやだし　①つや出し　②艶出し	
つややか　①つややか　②艶やか	
つゆ　露	
つゆ　梅雨 [付]	
つゆ　〔露〕	~知らず。
つゆあけ　梅雨明け	
つゆいり　梅雨入り	
つゆくさ　露草	
つゆざむ　梅雨寒	
つゆはらい　露払い	
つゆばれ　梅雨晴れ	
つよい　強い〔▲剛〕	
つよがる　強がる	
つよき　強気	
つよごし　強腰	
つよび　強火	
つよふくみ　強含み	《株式》
つよまる　強まる	
つよみ　強み〔味〕	
つよめ　強め	
つよめる　強める	
つら　面	
つらあて　面当て	
つらい　〔▲辛〕	
つらがまえ　面構え	
つらだましい　面魂	
つらつき　面つき〔付〕	
つらつら　〔▲熟々〕	
つらなる　連なる〔▲列〕	
つらぬきとおす　貫き通す	
つらぬく　貫く	
つらね　連ね	《芸能》
つらねる　連ねる〔▲列〕	
つらよごし　面汚し	
つらら　〔▲氷▲柱〕	
つり　釣り	
つりあう　釣り合う	
つりあげる　釣り上げる	魚を~。
つりあげる　つり上げる〔×吊〕	荷を~。値段を~。
つりいと　釣り糸	
つりかご　釣り籠	
つりかご　つり籠〔×吊〕	
つりがね　釣り鐘	
つりかわ　つり革〔×吊皮〕	

㊧表外字・表外音訓を用いてよい特例の語　　㊝常用漢字表の付表の語
㊛送りがなを省く特例　　㊜読みがなを付けるのが望ましい語　　＊類語・言いかえ例

つりこまれる　釣り込まれる　話に～。
つりざお　釣りざお〔×竿〕
つりさげる　つり下げる〔×吊〕
つりせん　釣り銭
つりだし　つり出し〔×吊〕
つりだす　つり出す〔×吊〕
つりだな　つり棚〔×吊〕
つりどうぐ　釣り道具
つりばし　つり橋〔×吊〕
つりばり　釣り針〔×鉤〕
つりびと　釣り人
つりひも　〔×吊×紐〕
つりぶね　釣り舟　(「釣り船」とも)
つりぼり　釣堀送
つりわ　つり輪〔×吊▲環〕
つる　鶴{つる}　折り～。
つる　弦　弓の～。
つる　釣る　魚を～。
つる　〔×吊〕　首を～。棚を～。
つる　〔×蔓〕
つる　〔×攣〕　筋肉が～。
つるかめ　鶴亀　(「つるかめ算」は、かな書き)
つるぎ　剣
つるくさ　つる草〔×蔓〕
つるしあげ　つるし上げ〔×吊〕

つるしがき　つるし柿〔×吊〕
つるす　〔×吊〕
つるはし　〔鶴×嘴〕
つるべ　〔釣▲瓶〕
つるべうち　つるべ撃ち〔釣▲瓶〕
つるべおとし　つるべ落とし〔釣▲瓶〕
ツレ　《芸能》(p.30 参照)
つれ　連れ　家族～。
つれあい　連れ合い
つれこ　連れ子
つれこむ　連れ込む
つれさる　連れ去る
つれそう　連れ添う
つれだす　連れ出す
つれだつ　連れ立つ
つれづれ　〔▲徒▲然〕
つれて　〔▲連〕　成長するに～。
つれない　～態度。
つれもどす　連れ戻す
つれる　連れる　連れていく。
つれる　釣れる
つわもの　〔▲兵・▲強者〕
つわり　〔▲悪▲阻〕
つんざく　〔×劈〕

〔　〕使わない漢字　　×表外字(常用漢字表にない字)　　▲表外音訓(常用漢字表にない読み)
1～6 教育漢字の学年配当　　①―②(①の表記を優先するが，②の表記を使ってもよい語)

て

て	手	
で	弟 ②{テイ・ダイ・デ/おとうと}	
で	出	水の〜が悪い。
てあい	手合い	
であい	出会い[×逢・遭]	(川の場合は「出合い」。本流と支流との〜)〜と別れ。
であいがしら	出会い頭	(場合によって「出合い頭」とも)
であう	出会う[×逢・遭]	(「出合う」とも。災難に〜)(人の場合は一般的に「出会う」)友人に〜。
てあか	手あか[×垢]	
てあき	手空き[明]	
てあし	手足	
であし	出足	
てあたりしだい	手当たりしだい[次第]	
てあつい	手厚い	
てあて	手当送	年末〜。
てあて	手当て	傷の〜。
てあみ	手編み	
てあら	手荒	
てあらい	手洗い	〜鉢。〜所。
てあらい	手荒い	〜扱い。
であるく	出歩く	
てあわせ	手合わせ	
てい	体 ②{タイ・テイ/からだ}	〜のいい返事。ほうほうの〜。
てい	弟 ②{テイ・ダイ・デ/おとうと}	
てい	丁 ③{チョウ・テイ}	
てい	定 ③{テイ・ジョウ/さだめる・さだまる・さだか}	
てい	庭 ③{テイ/にわ}	
てい	低 ④{テイ/ひくい・ひくめる・ひくまる}	
てい	底 ④{テイ/そこ}	
てい	停 ④{テイ}	
てい	提 ⑤{テイ/さげる}	
てい	程 ⑤{テイ/ほど}	
てい	呈 {テイ}	
てい	廷 {テイ}	
てい	抵 {テイ}	
てい	邸 {テイ}	
てい	亭 {テイ}	
てい	貞 {テイ}	
てい	帝 {テイ}	
てい	訂 {テイ}	
てい	逓 {テイ}	
てい	偵 {テイ}	
てい	堤 {テイ/つつみ}	
てい	艇 {テイ}	
てい	締 {テイ/しまる・しめる}	
てい	諦 {テイ/あきらめる}	
でい	泥 {デイ/どろ}	
ていあつ	低圧	〜部。
ていあん	提案	

特 表外字・表外音訓を用いてよい特例の語　付 常用漢字表の付表の語
送 送りがなを省く特例　読 読みがなを付けるのが望ましい語　＊類語・言いかえ例

ていい　帝位	ていけん　定見
ていいち　定位置	ていげん　低減
ていいん　定員	ていげん　逓減　*漸減。
ていえん　庭園	ていげん　提言
ていおう　帝王　〜学。	ていこ　艇庫
ていおうせっかい　帝王切開　《医学》	ていこう　抵抗　〜力。〜器。
ていおん　低音	ていこく　定刻
ていおん　低温　〜殺菌。	ていこく　帝国　〜主義。
ていか　低下　学力の〜。	ていさい　体裁
ていか　定価	ていさつ　偵察　〜機。〜飛行。
ていがく　低額　〜所得者。	ていし　停止
ていがく　定額　〜貯金。	ていじ　丁字　〜形。〜定規。〜路。
ていがく　停学　〜処分。	ていじ　定時
ていがくねん　低学年	ていじ　提示〔呈〕
ていかん　定款	ていしせい　低姿勢
ていかん　諦観　*諦め。	ていじせい　定時制　〜高校。
ていき　定期　〜券。〜便。〜預金。	ていしゃ　停車　〜場。急〜。
ていき　提起　問題を〜する。	ていしゅ　亭主　〜関白。
ていぎ　定義	ていしゅう　定収
ていきあつ　低気圧	ていじゅう　定住
ていきゅう　低級	ていしゅうは　低周波
ていきゅう　庭球　(テニス)	ていしゅく　貞淑
ていきゅうび　定休日	ていしゅつ　提出
ていきょう　提供	ていしょう　定昇　(「定期昇給」の略)
ていくう　低空　〜飛行。	〜込み。
ていけい　定形　〜郵便物。	ていしょう　提唱
ていけい　定型　〜詩。	ていしょく　定食
ていけい　提携　業務〜。	ていしょく　定植
ていけい　てい形〔×梯〕　*台形。	ていしょく　定職　〜がない。〜に就く。
ていけつ　締結　条約の〜。	ていしょく　抵触〔×牴・×觝〕
ていけつあつ　低血圧	*触れる。差し障りがある。矛盾する。

〔　〕使わない漢字　　×表外字(常用漢字表にない字)　　▲表外音訓(常用漢字表にない読み)
①〜⑥教育漢字の学年配当　　①−②(①の表記を優先するが，②の表記を使ってもよい語)

ていしょく　停職	ていちょう　艇長
ていしん　通信	ていっぱい　手いっぱい〔一杯〕
ていしん　艇身　1～の差。	ていてつ　てい鉄〔×蹄〕
ていしん　てい身〔×挺〕　女子～隊。	ていでん　停電
でいすい　泥酔	ていてんかんそく　定点観測
ていすう　定数　～正。	ていど　程度
ていする　呈する	ていとう　低頭　平身～。
ていせい　訂正	ていとう　抵当　～権。～流れ。
ていせい　帝政　～時代。～ロシア。	ていとく　提督
ていせつ　定説　～を覆す。	ていとん　停頓　＊行き悩む。停滞。
ていせつ　貞節	ていねい　丁寧〔×叮×嚀〕
ていせん　停船	でいねい　泥ねい〔×濘〕　＊ぬかるみ。
ていせん　停戦　～協定。	ていねん　定年〔停〕　～制。～退職。
ていそ　定礎　～式。	ていねん　諦念
ていそ　提訴	ていはく　停泊〔×碇〕
ていそう　低層　～住宅。	ていはつ　てい髪〔×剃〕
ていそう　貞操	ていばん　定番
ていそく　低速	ていひょう　定評
ていぞく　低俗	ていへん　底辺
ていそくすう　定足数	ていぼう　堤防
ていたい　停滞　景気の～。～前線。	ていぼく　低木　《植物》
ていたい　手痛い　～打撃。	ていほん　定本
ていたく　邸宅	ていまい　弟妹
ていたらく　体たらく	ていめい　低迷　景気の～。
ていだん　てい談〔×鼎〕	ていめん　底面
でいたん　泥炭	ていやく　定訳
ていち　低地	ていよく　体よく〔▲態〕　～断る。
ていちあみ　定置網	ていらく　低落　株価の～。
ていちゃく　定着	ていり　廷吏
ていちょう　丁重〔×鄭〕	ていり　低利
ていちょう　低調	ていり　定理　ピタゴラスの～。

特 表外字・表外音訓を用いてよい特例の語　　付 常用漢字表の付表の語
送 送りがなを省く特例　　読 読みがなを付けるのが望ましい語　　＊類語・言いかえ例

でいり　出入り	~口。
ていりつ　低率	
ていりつ　定率	
ていりつ　てい立〔×鼎〕	＊3者対立。
ていりゅう　底流	
でいりゅう　泥流	
ていりゅうじょ　停留所	
ていりょう　定量	~分析。
ていれ　手入れ	
ていれい　定例	~の会議。
ていれつ　低劣	
ていれん　低廉	
てうえ　手植え	お~の松。
てうす　手薄	
てうち　手打ち	~そば。
てうち　手討ち	~にする。
ており　手負い	~の虎。
ておくれ　手遅れ	(「手後れ」とも)
でおくれる　出遅れる	
ておけ　手おけ〔×桶〕	
ておしぐるま　手押し車	
ておち　手落ち	
ておどり　手踊り	
ておの　手おの〔×斧〕	
ており　手織り	
てかがみ　手鏡	
てがかり　手がかり〔掛・懸〕	
てかぎ　手かぎ〔×鉤〕	
てがき　手書き	
でがけ　出がけ〔掛〕	
てがける　手がける〔掛〕	
でかける　出かける〔掛〕	
てかげん　手加減	
てかご　手籠	
てかず　手数	
でかす　〔出▲来〕	
てかせ　手かせ〔×枷〕	~足かせ。
でかせぎ　出稼ぎ	
てがた　手形	約束~。~交換。
でかた　出方	相手の~。
てがたい　手堅い	
てがたな　手刀	~を切る。
てがみ　手紙	
てがら　手柄	~話。
てがる　手軽	
てき　笛	③{テキ/ふえ}
てき　的	④{テキ/まと}
てき　適	⑤{テキ/—}
てき　敵	⑤{テキ/かたき}
てき　摘	{テキ/つむ}
てき　滴	{テキ/しずく・したたる}
でき　溺	{デキ/おぼれる}
でき　出来	~がよい。
できあい　溺愛	
できあい　出来合い	~の服。　＊既製。
できあがる　出来上がる	
できあき　出来秋	
てきい　敵意	
てきおう　適応	~性。
てきおん　適温	
てきか　摘果	

〔　〕使わない漢字　　×表外字(常用漢字表にない字)　　▲表外音訓(常用漢字表にない読み)
①〜⑥教育漢字の学年配当　　①—②(①の表記を優先するが，②の表記を使ってもよい語)

てきがいしん	敵がい心〔×愾〕
てきかく	的確〔適〕　~な表現。
てきかく	適格　~者。~審査。
てきがた	敵方
てきぎ	適宜
できぐあい	出来具合送
てきぐん	敵軍
てきごう	適合
てきこく	敵国
できごころ	出来心
できごと	出来事
てきざいてきしょ	適材適所
てきさく	適作　適地~。
てきし	敵視
できし	溺死
てきしゃ	適者　~生存。
てきしゅつ	摘出〔×剔〕
てきしょ	適所　適材~。
てきしょう	敵将
てきじょう	敵情〔状〕
てきじん	敵陣
てきず	手傷〔▲創・×疵〕
てきする	適する
てきする	敵する
てきせい	適正　~な価格。
てきせい	適性　~検査。
てきせつ	適切
てきぜん	敵前　~逃亡。
できそこない	出来損ない
てきたい	敵対
できだか	出来高　~払い。
できたて	出来たて〔立〕
てきち	適地　~栽培。~適作。
てきち	敵地　~に乗り込む。
てきちゅう	的中〔適〕
てきど	適度
てきとう	適当
てきにん	適任
できばえ	出来栄え〔映〕
てきはつ	摘発
てきひ	適否
てきびしい	手厳しい
てきへい	敵兵
てきほう	適法
てきめん	〔×覿面〕　効果~。天罰~。
できもの	〔出来物〕
てきやく	適役
てきよう	適用　法律の~。
てきよう	摘要　(要点の抜粋)
てきりょう	適量
できる	出来る　ビルが~。用事が~。 (「…することができる」「できるだけ」 などは, なるべくかな書き)
てきれい	適齢　~期。
てぎれきん	手切れ金
てぎわ	手際　不~。
てぐす	〔▲天▲蚕▲糸〕
てぐすねひく	てぐすね引く〔手▲薬練〕
てくせ	手癖　~が悪い。
てぐち	手口　犯罪の~。
でぐち	出口

でくのぼう　〔▲木▲偶坊〕
てくばり　**手配り**
てくび　**手首**〔×頸〕
てくらがり　**手暗がり**
てぐるま　**手車**
でくわす　**出くわす**〔▲交・▲会〕
でげいこ　**出稽古**
てこ　〔×梃子・×梃〕
てこいれ　**てこ入れ**〔×梃〕
てごころ　**手心**　～を加える。
てこずる　〔手古×摺〕
てごたえ　**手応え**
でこぼこ　**凸凹**付　～道。
てごま　**手駒**
てごろ　**手ごろ**〔頃〕
てごわい　**手ごわい**〔▲強〕
でさかり　**出盛り**
てさき　**手先**
でさき　**出先**　～機関。
てさぐり　**手探り**〔▲捜〕
てさげ　**手提げ**〔下〕　～かばん。～金庫。
てさばき　**手さばき**〔×捌〕
てざわり　**手触り**
でし　**弟子**　～入り。
てしお　**手塩**　～にかける。
てしごと　**手仕事**
てした　**手下**
てじな　**手品**　～師。
てじめ　**手締め**
てじゃく　**手酌**

でしゃばる　**出しゃばる**
てじゅん　**手順**
てじょう　**手錠**
でじろ　**出城**
てすう　**手数**　～料。
てずから　**手ずから**
てすき　**手すき**〔透・隙〕　～の時間。
てすき　**手すき**〔×漉〕　～の和紙。
ですぎる　**出過ぎる**
てすさび　**手すさび**〔▲遊〕
でずっぱり　**出ずっぱり**〔突張〕
てすり　**手すり**〔×摺〕
てずり　**手刷り**
てせい　**手製**
てぜい　**手勢**　～を率いる。
てぜま　**手狭**
てそう　**手相**
でぞめしき　**出初め式**
でそろう　**出そろう**〔×揃〕
てだい　**手代**
てだし　**手出し**
でだし　**出だし**〔出〕
てだすけ　**手助け**
てだて　**手だて**〔▲段〕
でたとこしょうぶ　**出たとこ勝負**
てだま　**手玉**　お～。～に取る。
でたらめ　〔出×鱈目〕
てだれ　**手だれ**〔▲練〕
てぢか　**手近**
てちがい　**手違い**
てちょう　**手帳**〔×帖〕

〔　〕使わない漢字　　×表外字(常用漢字表にない字)　　▲表外音訓(常用漢字表にない読み)
①～⑥教育漢字の学年配当　　①―②(①の表記を優先するが，②の表記を使ってもよい語)

てつ	鉄 ③{テツ}
てつ	迭{テツ}
てつ	哲{テツ}
てつ	徹{テツ}
てつ	撤{テツ}
てつ	〔×轍〕 ～を踏む。
てっか	鉄火 ～場。～巻き。
てっかい	撤回
でづかい	出遣い 《芸能》
てっかく	的確〔適〕
てっかく	適格
てつがく	哲学
てつかず	手付かず ～の状態。
てつかぶと	鉄かぶと〔×兜〕
てづかみ	手づかみ〔×摑〕
てっかん	鉄管
てつき	手つき〔付〕
てっき	鉄器
てっき	適期
てっき	敵機
てっきょ	撤去
てっきょう	鉄橋
てっきり	～…と思ったら。
てっきん	鉄琴
てっきん	鉄筋 ～コンクリート。
てつくず	鉄くず〔×屑〕
でつくす	出尽くす 議論が～。
てづくり	手作り〔造〕
てつけ	手付け
てつけきん	手付金 送
てっけん	鉄拳 ＊げんこつ。
てっこう	鉄鋼
てっこう	手っ甲 ～きゃはん。
てっこうじょ	鉄工所
てっこうせき	鉄鉱石
てっこく	敵国
てっこつ	鉄骨
てつざい	鉄材
てっさく	鉄柵
てっしゅう	撤収
てっしょう	徹宵 ～勤務。
てつじょうもう	鉄条網
てつじん	哲人
てつじん	鉄人
てっする	徹する
てつせい	鉄製
てっせん	鉄扇
てっせん	鉄線
てっそく	鉄則
てったい	撤退
てつだい	手伝い
てつだう	手伝う 付
でっち	〔▲丁稚〕 ～奉公。
でっちあげる	〔×捏上〕
てっつい	鉄つい〔×鎚〕 ～を下す。
てつづき	手続き
てってい	徹底 周知～。～抗戦。
てっとう	鉄塔
てつどう	鉄道 ～員。～網。
てっとうてつび	徹頭徹尾
てっとりばやい	手っとり早い
てっぱい	撤廃

特 表外字・表外音訓を用いてよい特例の語　　付 常用漢字表の付表の語
送 送りがなを省く特例　　読 読みがなを付けるのが望ましい語　　＊類語・言いかえ例

でっぱる	出っ張る
てっぱん	鉄板　〜焼き。
てつびん	鉄瓶
てつぶん	鉄分
てっぷん	鉄粉
てっぺい	撤兵
てっぺき	鉄壁　金城〜。
てっぺん	鉄片
てっぺん	〔▲天辺〕
てつぼう	鉄棒
てっぽう	鉄砲
てっぽうだま	鉄砲玉
てっぽうみず	鉄砲水
てづまり	手詰まり
てつめんぴ	鉄面皮
てつや	徹夜
てづり	手釣り
てづる	手づる〔×蔓〕
てつろ	鉄路
てつわん	鉄腕　〜投手。
でどころ	出どころ〔所・▲処〕　うわさの〜。資金の〜。
てどり	手取り
てないしょく	手内職
てなおし	手直し
でなおす	出直す
てながざる	手長猿
てなぐさみ	手慰み
てなげだん	手投げ弾
てなずける	手なずける〔▲懐〕
てなべ	手鍋　〜提げても。
てなみ	手並み　お〜。
てならい	手習い
てならし	手慣らし〔×馴〕
てなれる	手慣れる〔×馴〕
てにてに	手に手に
てにもつ	手荷物
てにをは	〜を直す。
てぬい	手縫い
てぬかり	手抜かり
てぬき	手抜き　〜工事。
てぬぐい	手拭い
てぬるい	手ぬるい〔▲緩〕
てのうち	手の内　〜を見せる。
てのうら	手の裏　〜を返す。
てのひら	手のひら〔▲掌〕　〜を返す。
てば	手羽　〜先。
てはい	手配
ではいり	出はいり〔入・×這〕
てばこ	手箱
てはじめ	手始め
ではじめ	出始め
てはず	手はず〔×筈〕
ではずれ	出外れ
てばた	手旗　〜信号。
てはっちょう	手八丁　口八丁〜。
ではな	出はな〔▲端〕　〜をくじく。（「出ばな」とも）
でばな	出花　番茶も〜。
てばなし	手放し　〜で喜ぶ。
てばなす	手放す〔離〕

〔　〕使わない漢字　　×表外字(常用漢字表にない字)　　▲表外音訓(常用漢字表にない読み)
①〜⑥教育漢字の学年配当　　①−②(①の表記を優先するが，②の表記を使ってもよい語)

でばぼうちょう　出刃包丁〔×庖〕
てばやい　手早い
ではらう　出払う
でばん　出番
てびかえる　手控える
てびき　手引送　(案内などの文書)　～書。
てびき　手引き　(誘導などの動作)　～する。
てひどい　手ひどい〔▲酷〕
てびょうし　手拍子
てびろい　手広い
てふうきん　手風琴　＊アコーディオン。
てふき　手拭き　お～。
てぶくろ　手袋
でぶしょう　出不精〔無〕
てぶそく　手不足
てふだ　手札
でぶね　出船
てぶら　手ぶら
てぶり　①手ぶり　②手振り
てべんとう　手弁当
てほどき　手ほどき〔▲解〕
てぼり　手彫り
てほん　手本
てま　手間　～賃。片～。
てまえ　手前　～みそ。～勝手。
てまえ　点前特　(「タテマエ」とも)お～。
でまえ　出前　～持ち。

でまかせ　出任せ
てまき　手巻き
てまくら　手枕
でまど　出窓
てまどる　手間取る
てまね　手まね〔真▲似〕
てまねき　手招き
てまめ　手まめ〔▲忠▲実〕
てまり　手まり〔×鞠・×毬〕
てまわし　手回し
てまわりひん　手回り品
でまわる　出回る
てみじか　手短　～に話す。
でみせ　出店
てみやげ　手土産
てむかう　手向かう
でむかえる　出迎える
でむく　出向く
てもち　手持ち　～品。
てもちぶさた　手持ち無沙汰
てもと　手元〔▲許〕
でもの　出物　手ごろな～。
てもり　手盛り　お～。
てら　寺
てらう　〔×衒〕　奇を～。
てらこや　寺子屋
てらしあわせる　照らし合わせる
てらす　照らす
てらせん　てら銭〔寺〕
てらまいり　寺参り
てり　照り

特表外字・表外音訓を用いてよい特例の語　　付常用漢字表の付表の語
送送りがなを省く特例　　読読みがなを付けるのが望ましい語　　＊類語・言いかえ例

てりかえし 照り返し
てりつける 照りつける〔付〕
てりはえる 照り映える
てりやき 照り焼き
てりゅうだん 手りゅう弾〔×榴〕
　(「シュリュウダン」とも)＊手投げ弾。
てりょうり 手料理
てる 照る
でる 出る
てるてるぼうず てるてる坊主〔照〕
てれかくし てれ隠し〔照〕
てれくさい 〔照臭〕
てれる 〔照〕
てれわらい てれ笑い〔照〕
てれん 手練　～手管。
てわけ 手分け
てわたす 手渡す
てん 天 ①{テン/あめ・あま}
てん 店 ②{テン/みせ}
てん 点 ②{テン}
てん 転 ③{テン、ころがる・ころげる・ころがす・ころぶ}
てん 典 ④{テン}
てん 展 ⑥{テン}
てん 添 {テン/そえる・そう}
てん 塡 {テン}
てん 殿 {デン・テン/との・どの}
でん 田 ①{デン/た}
でん 電 ②{デン}
でん 伝 ④{デン/つたわる・つたえる・つたう}
でん 殿 {デン・テン/との・どの}
でんあつ 電圧

てんい 転移　《医学》がんの～。
でんい 電位　～差。
てんいむほう 天衣無縫
てんいん 店員
てんうん 天運
でんえん 田園　～都市。～風景。
てんか 天下　～分け目。～一品。～御免。
てんか 点火
てんか 添加　～物。
てんか 転嫁　責任～。
てんが 典雅　～な調べ。
でんか 伝家　～の宝刀。
でんか 殿下
でんか 電化　～製品。
てんかい 展開
てんかい 転回
てんがい 天涯　～孤独。
てんがい 天蓋
でんかい 電解　(「電気分解」の略)～質。～液。
でんがく 田楽
てんかたいへい 天下太平〔泰〕
てんかふん 天花粉〔×瓜〕
てんかん 転換　～期。～社債。
てんかん 〔×癲×癇〕
てんがん 点眼　～薬。
てんがんきょう 天眼鏡
てんき 天気　～予報。～図。
てんき 転記
てんき 転機　～に立つ。

〔 〕使わない漢字　　×表外字(常用漢字表にない字)　　▲表外音訓(表外漢字表にない読み)
①～⑥教育漢字の学年配当　　①－②(①の表記を優先するが，②の表記を使ってもよい語)

でんき 伝記	～小説。
でんき 電気	(電力一般)～器具。～機関車。
でんき 電器	(主に日用器具)家庭～。
でんき 電機	(電力を使った機械)
でんきゅう 電球	
てんきょ 典拠	
てんきょ 転居	
てんぎょう 転業	
でんきょく 電極	
てんきん 転勤	
てんぐ 〔天×狗〕	
てんくう 天空	
てんぐさ 〔天草〕	
でんぐりがえる でんぐり返る	
てんけい 典型	～的。
てんけい 点景〔添〕	～人物。
でんげき 電撃	
てんけん 点検	総～。
でんげん 電源	～開発。
てんこ 点呼	
てんこう 天候	～不順。悪～。
てんこう 転向	
てんこう 転校	
でんこう 電光	～石火。～掲示板。
てんこく てん刻〔×篆〕	
てんごく 天国	
でんごん 伝言	～板。
てんさ 点差	
てんさい 天才	～児。
てんさい 天災	
てんさい 転載	無断～。
てんざい 点在	
てんさいとう てんさい糖〔×甜菜〕	
てんさく 転作	～作物。
てんさく 添削	
でんさんき 電算機	
てんし 天子	
てんし 天使	
てんじ 点字	～訳。
てんじ 展示	～場。
でんし 電子	～機器。
でんじしゃく 電磁石	
でんじは 電磁波	
てんしゃ 転写	
でんしゃ 電車	
てんしゅ 店主	
てんじゅ 天寿	～を全うする。
でんじゅ 伝授	秘伝を～する。
てんしゅかく 天守閣	
てんしゅつ 転出	
てんしゅどう 天主堂	
てんしょ てん書〔×篆〕	
てんじょう 天上	～界。～天下。
てんじょう 天井	～裏。～画。
てんじょう 添乗	～員。
でんしょう 伝承	民間～。
てんじょうさじき 天井桟敷	
てんじょうびと 殿上人	
てんしょく 天職	
てんしょく 転職	
でんしょく 電飾	(イルミネーション)

特 表外字・表外音訓を用いてよい特例の語　　付 常用漢字表の付表の語

送 送りがなを省く特例　　読 読みがなを付けるのが望ましい語　　＊類語・言いかえ例

でんしょばと	伝書ばと〔×鳩〕	てんたん	〔×恬淡〕 ＊淡泊。あっさり。
てんじる	転じる	てんち	天地 ～神明。～無用。
てんしん	点心	てんち	転地 ～療養。
てんしん	転身（職業・考え方などを完全に変える）	でんち	田地（「デンジ」とも）～田畑。
てんしん	転進（進む方向を変える）	でんち	電池 乾～。蓄～。
てんじん	天神	てんちゅう	天ちゅう〔×誅〕 ～を加える。 ＊天罰。
でんしん	電信 ～柱。	でんちゅう	電柱
てんしんらんまん	天真らんまん〔×爛漫〕	てんちょう	店長
てんすい	天水 ～おけ。	てんちょう	転調
てんすう	点数	てんてき	天敵
てんずる	点ずる	てんてき	点滴 《医学》
てんずる	転ずる	てんてこまい	〔転・天手古舞〕
てんせい	天性 ～の才能。	でんてつ	電鉄（「電気鉄道」の略）
でんせつ	伝説	てんてん	点々
てんせん	点線	てんてん	転々
てんせん	転戦	てんとう	店頭 ～価格。
でんせん	伝染 ～病。	てんとう	点灯
でんせん	伝線 靴下の～。	てんとう	転倒〔×顚〕
でんせん	電線	でんとう	伝統 ～芸能。～工芸品。
てんそう	転送	でんとう	電灯
でんそう	伝送 映像の～。	でんどう	伝道（宗教の場合）～師。
でんそう	電送 写真～。	でんどう	伝導 熱の～。
てんぞく	転属	でんどう	殿堂 音楽の～。白亜の～。
てんそん	天孫 ～降臨。	でんどう	電動 ～式。
てんたい	天体 ～望遠鏡。	てんどうせつ	天動説
てんたく	転宅	てんとうむし	〔天道虫〕
でんたく	電卓	てんどん	天丼
でんたつ	伝達	てんにゅう	転入
		てんにょ	天女

〔 〕使わない漢字　×表外字（常用漢字表にない字）　▲表外音訓（常用漢字表にない読み）
1〜6 教育漢字の学年配当　①—②（①の表記を優先するが、②の表記を使ってもよい語）

てんにん　天人	てんぶくろ　天袋
てんにん　転任	てんぷら　天ぷら〔×麩羅〕
でんねつ　電熱　～器。	てんぶん　天分　～に恵まれる。
てんねん　天然　～色。～ガス。	でんぶん　伝聞
てんねんきねんぶつ　天然記念物	でんぶん　電文
てんねんとう　天然痘	でんぷん　〔×澱粉〕
てんのう　天皇　～陛下。	てんぺん　転変　有為～。
でんのう　電脳	てんぺんちい　天変地異
てんのうざん　天王山	てんぽ　店舗
てんのうせい　天王星	てんぼう　展望　～台。
てんば　天馬　～空(クウ)を行く。	でんぽう　電報
でんぱ　伝ぱ〔×播〕　＊伝わり広まる。	てんま　天馬
でんぱ　電波	てんまく　天幕
てんばい　転売	てんません　伝馬船 付
でんぱた　田畑　田地～。	**てんまつ**　〔×顛末〕　＊いきさつ。一部
てんばつ　天罰	始終。始末。成り行き。
てんぱん　典範　皇室～。	てんまど　天窓
てんぴ　天日　(太陽の光・熱)～乾燥。	てんめい　天命
てんぴ　天火　＊オーブン。	てんめつ　点滅
てんびき　天引き	てんもん　天文　～学。～台。
てんびょう　点描	てんやく　点訳　＊点字訳。
でんぴょう　伝票	てんやもの　店屋物
てんびん　〔天×秤〕　～棒。	てんよ　天与　～の才。
てんぷ　天賦　～の才能。	てんよう　転用　農地～。
てんぷ　添付　＊添える。付ける。	でんらい　伝来　先祖～。
てんぷ　貼付〔×附〕（「チョウフ」が	てんらく　転落〔×顛〕
本来の読み。「テンプ」は慣用読み）	てんらん　天覧　～相撲。
＊貼る。貼り付ける。	てんらんかい　展覧会
でんぶ　でん部〔×臀〕	でんりそう　電離層
でんぶ　〔田×麩〕	でんりゅう　電流
てんぷく　転覆〔×顛〕　列車～。	でんりょく　電力　～料金。

特 表外字・表外音訓を用いてよい特例の語　　付 常用漢字表の付表の語
送 送りがなを省く特例　　読 読みがなを付けるのが望ましい語　　＊類語・言いかえ例

でんれい **伝令**

でんわ **電話** ～線。～番号。

でんわき **電話機**

と

と	土	①{ド・ト/つち}	
と	図	②{ズ・ト/はかる}	
と	頭	②{トウ・ズ・ト/あたま・かしら}	
と	度	③{ド・ト・タク/たび}	法度(ハット)。
と	都	③{ト・ツ/みやこ}	
と	登	③{トウ・ト/のぼる}	
と	徒	④{ト}	
と	斗	{ト}	
と	吐	{ト/はく}	
と	妬	{ト/ねたむ}	
と	途	{ト}	帰国の〜。
と	渡	{ト/わたる・わたす}	
と	塗	{ト/ぬる}	
と	賭	{ト/かける}	
と	戸		
ど	土	①{ド・ト/つち}	
ど	度	③{ド・ト・タク/たび}	〜が過ぎる。
ど	努	④{ド/つとめる}	
ど	奴	{ド}	
ど	怒	{ド/いかる・おこる}	

どあい　度合い
とあみ　投網 付
とい　問い　(送りがなを省略する場合は, p.44 参照)
とい　〔×樋〕
といあわせ　問い合わせ
といあわせる　問い合わせる
といかける　問いかける〔掛〕
といき　吐息
といし　砥石 特 読
といた　戸板
といただす　問いただす〔▲質・×糺〕
といつめる　問い詰める

とう	刀	②{トウ/かたな}
とう	冬	②{トウ/ふゆ}
とう	当	②{トウ/あたる・あてる}　〜の本人。
とう	東	②{トウ/ひがし}
とう	道	②{ドウ・トウ/みち}
とう	答	②{トウ/こたえる・こたえ}
とう	読	②{ドク・トク・トウ/よむ}
とう	頭	②{トウ・ズ・ト/あたま・かしら}
とう	投	③{トウ/なげる}
とう	豆	③{トウ・ズ/まめ}
とう	島	③{トウ/しま}
とう	湯	③{トウ/ゆ}
とう	登	③{トウ・ト/のぼる}
とう	等	③{トウ/ひとしい}
とう	灯	④{トウ/ひ}
とう	統	⑤{トウ/すべる}
とう	党	⑥{トウ}
とう	討	⑥{トウ/うつ}
とう	納	⑥{ノウ・ナッ・ナ・ナン・トウ/おさめる・おさまる}
とう	糖	⑥{トウ}
とう	到	{トウ}
とう	逃	{トウ/にげる・にがす・のがす・のがれる}

特 表外字・表外音訓を用いてよい特例の語　　付 常用漢字表の付表の語
送 送りがなを省く特例　　読 読みがなを付けるのが望ましい語　　＊類語・言いかえ例

とう　倒 {トウ・たおれる・たおす}
とう　凍 {トウ・こおる・こごえる}
とう　唐 {トウ・から}
とう　桃 {トウ・もも}
とう　透 {トウ・すく・すかす・すける}
とう　悼 {トウ・いたむ}
とう　盗 {トウ・ぬすむ}
とう　陶 {トウ}
とう　塔 {トウ}
とう　搭 {トウ}
とう　棟 {トウ・むね・むな}
とう　痘 {トウ}
とう　筒 {トウ・つつ}
とう　稲 {トウ・いね・いな}
とう　踏 {トウ・ふむ・ふまえる}
とう　謄 {トウ}
とう　藤 {トウ・ふじ}
とう　闘 {トウ・たたかう}
とう　騰 {トウ}
とう　問う
とう　〔▲訪〕
とう　〔×薹〕　～が立つ。
とう　〔×籐〕
どう　同 ② {ドウ・おなじ}
どう　道 ② {ドウ・トウ・みち}
どう　動 ③ {ドウ・うごく・うごかす}
どう　童 ③ {ドウ・わらべ}
どう　堂 ④ {ドウ}
どう　働 ④ {ドウ・はたらく}
どう　銅 ⑤ {ドウ}
どう　導 ⑤ {ドウ・みちびく}

どう　洞 {ドウ・ほら}
どう　胴 {ドウ}
どう　瞳 {ドウ・ひとみ}
どう　〔▲如▲何〕
どうあげ　胴上げ
とうあつせん　等圧線
とうあん　答案
どうい　同意
どうい　胴衣　救命～。
どういげんそ　同位元素
とういじょう　糖衣錠
とういす　①とういす　②とう椅子　〔×籐〕
とういそくみょう　当意即妙
とういつ　統一
どういつ　同一　～視。
とういん　党員
とういん　登院
どういん　動員　学徒～。
とうえい　冬営　～手当。
とうえい　投影　～図。
とうおう　東欧
どうおん　同音　～語。異口～。
とうか　灯下　～書を読む。
とうか　灯火　～管制。
とうか　投下　爆弾を～する。
とうか　透過　～性。
とうか　等価　～交換。
どうか　同化　～作用。
どうか　銅貨
どうが　動画

〔　〕使わない漢字　　×表外字(常用漢字表にない字)　　▲表外音訓(常用漢字表にない読み)
①~⑥教育漢字の学年配当　　①ー②(①の表記を優先するが，②の表記を使ってもよい語)

とうかい	東海	どうき	同期　〜生。
とうかい	倒壊〔潰〕　家屋の〜。	どうき	動機
とうがい	当該　＊その問題の。	どうき	銅器
とうがい	凍害	**どうき**	〔動×悸〕　＊激しい鼓動。
とうがい	等外	どうぎ	動議　緊急〜。
とうかく	当確　（「当選確実」の略）	どうぎ	道義　〜的責任。
とうかく	倒閣　〜運動。	どうぎご	同義語
とうかく	頭角　〜を現す。	**とうきび**	〔唐×黍〕
どうかく	同格	とうきゅう	投球　全力〜。
どうがく	同額	とうきゅう	等級
どうかせん	導火線	とうぎゅう	闘牛　〜場。
とうかつ	統括〔轄〕	どうきゅう	同級　〜生。
どうかつ	どう喝〔×恫×喝〕　＊おどし。	とうぎょ	統御
とうがらし	〔唐辛子〕	どうきょ	同居　〜人。
とうかん	投かん〔×函〕	どうきょう	同郷
どうかん	同感	どうきょう	道教
どうかん	導管	どうぎょう	同行　〜二人(ニニン)。
どうがん	童顔	どうぎょう	同業　〜者。
とうき	冬季　（季節）〜オリンピック。	とうきょく	当局
とうき	冬期　（期間）〜講習。	とうきょり	等距離　〜外交。
とうき	当期　〜の業績。	どうぐ	道具　家財〜。〜箱。
とうき	投棄　不法〜。	どうぐだて	道具立て
とうき	投機	とうくつ	盗掘
とうき	党紀　（党の風紀）〜を乱す。	どうくつ	洞窟
とうき	党規　（党の規則）〜違反。	とうけ	当家
とうき	陶器	とうげ	峠{とうげ}　〜を越える。
とうき	登記　不動産の〜。	どうけ	道化　〜師。〜役。
とうき	騰貴　物価の〜。	とうけい	東経
とうぎ	討議	とうけい	統計
とうぎ	党議	とうけい	闘鶏
		とうげい	陶芸　〜家。〜品。

特 表外字・表外音訓を用いてよい特例の語　　付 常用漢字表の付表の語
送 送りがなを省く特例　　読 読みがなを付けるのが望ましい語　　＊類語・言いかえ例

どうけい	同形	～の図形。	どうこく	〔×慟×哭〕 ＊号泣。
どうけい	同型	～の船。	とうこつ	頭骨
どうけい	同系		とうこん	闘魂
どうけい	同慶	ご～の至り。	どうこん	同根
どうけい	憧憬	(「ショウケイ」が本来の読み。「ドウケイ」は慣用読み) ＊憧れ。憧れる。	とうさ	踏査 実地～。
			とうざ	当座 ～しのぎ。～預金。
			どうさ	動作 基本～。
とうけつ	凍結	資産の～。	とうさい	当歳 ～馬。
どうけつ	洞穴		とうさい	搭載 ミサイルを～する。
とうけん	刀剣		とうさい	登載 名簿に～する。
とうけん	闘犬			＊掲載。
どうけん	同権	男女～。	とうざい	東西
とうげんきょう	桃源郷〔境〕		どうざい	同罪
とうこう	刀工		とうさく	倒錯
とうこう	投光	～器。	とうさく	盗作
とうこう	投降		どうさつ	洞察 ～力。
とうこう	投稿		とうさん	倒産 連鎖～。
とうこう	陶工		とうさん	父さん 付
とうこう	登校	不～。	どうさん	動産
とうごう	投合	意気～。	どうざん	銅山
とうごう	統合		とうし	投資 設備～。～信託。
どうこう	同行	任意～。	とうし	凍死
どうこう	同好	～会。～の士。	とうし	透視 ～術。
どうこう	動向	社会の～。	とうし	闘士
どうこう	銅鉱		とうし	闘志 ～満々。
どうこう	瞳孔	＊瞳。	とうじ	冬至
どうこういきょく	同工異曲		とうじ	当時
とうこうせん	等高線		とうじ	杜氏（とうじ）特読 (「トジ」とも)
とうごく	投獄		とうじ	湯治 ～場。～客。
とうごく	東国		とうじ	答辞
どうこく	同国		どうし	同志 ～の集まり。

〔 〕使わない漢字　　×表外字(常用漢字表にない字)　　▲表外音訓(常用漢字表にない読み)
①～⑥教育漢字の学年配当　　①－②(①の表記を優先するが，②の表記を使ってもよい語)

どうし	①どうし ②同士	いとこ〜。	

女〜。乗用車〜の衝突。

どうし	動詞
どうし	導師 《仏教》
どうじ	同時 ～通訳。
どうじ	童子
どうしうち	同士討ち
とうしき	等式
とうじき	陶磁器
とうじしゃ	当事者
とうしつ	等質
とうしつ	糖質
とうじつ	当日
どうしつ	同室
どうしつ	同質
どうじつ	同日 ～選挙。
どうして	〔▲如▲何〕
とうしゃ	投射
とうしゃばん	謄写版
とうしゅ	当主
とうしゅ	投手 ～戦。～力。
とうしゅ	党首
どうしゅ	同種
とうしゅう	踏襲〔×蹈〕
どうしゅうせい	道州制
とうしゅく	投宿
どうしゅく	同宿
とうしょ	当初 ～予算。
とうしょ	当所 ご～。
とうしょ	投書 ～欄。
とうしょ	頭書 ～のとおり。
とうしょ	島しょ〔×嶼〕
どうじょ	童女
とうしょう	刀匠
とうしょう	凍傷
とうしょう	闘将
とうじょう	東上
とうじょう	登場 ～人物。
とうじょう	搭乗 ～員。～券。
どうじょう	同上
どうじょう	同乗 ～者。
どうじょう	同情 ～心。
どうじょう	道場 ～破り。
どうしょういむ	同床異夢
どうしょくぶつ	動植物
とうじる	投じる
どうじる	動じる 物に動じない。
とうしん	刀身
とうしん	灯心
とうしん	投身 ～自殺。
とうしん	東進
とうしん	答申
とうじん	党人 ～派。
どうしん	同心
どうしん	童心 ～に返る。
どうじん	同人 ～雑誌。
どうしんえん	同心円
とうしんだい	等身大
とうすい	陶酔
とうすい	統帥 ～権。
どうすいかん	導水管
とうすいせい	透水性

特 表外字・表外音訓を用いてよい特例の語　付 常用漢字表の付表の語
送 送りがなを省く特例　読 読みがなを付けるのが望ましい語　＊類語・言いかえ例

とうすう	頭数	飼育〜。	
どうすう	同数		
とうせい	当世	〜風。〜向き。	
とうせい	東征		
とうせい	党勢		
とうせい	陶製		
とうせい	統制	言論〜。〜経済。	
とうせい	騰勢	〜に転じる。	
どうせい	同姓	〜同名。	
どうせい	同性	〜愛。	
どうせい	動静		
どうせい	同せい〔×棲〕	*同居。	
とうせき	投石		
とうせき	透析	《医学》人工〜。	
とうせき	党籍	〜離脱。	
どうせき	同席		
とうせつ	当節	*近頃	
とうせん	当選	選挙で〜する。	
とうせん	①当せん ②当選〔×籤〕 くじの〜番号。 *くじ引きに当たる。		
とうぜん	当然		
とうぜん	陶然		
どうせん	銅銭		
どうせん	銅線		
どうせん	導線		
どうぜん	同然	紙くず〜。	
どうぞ 〔▲何▲卒〕			
とうそう	逃走		
とうそう	闘争		
どうそう	同窓	〜会。〜生。	
どうぞう	銅像		
とうそく	党則		
とうぞく	盗賊		
どうぞく	同族	〜会社。	
どうそじん	道祖神		
とうそつ	統率〔卒〕	〜力。	
とうた	とう汰〔×淘〕	自然〜。	
とうだい	当代	〜きっての。	
とうだい	灯台		
どうたい	同体	一心〜。	
どうたい	胴体	〜着陸。	
どうたい	動体	(動いているもの)〜視力。	
どうたい	動態	(活動,変動している状態)人口〜調査。	
どうたい	導体		
とうだいもり	灯台守 送		
どうたく	銅鐸 特		
とうたつ	到達		
とうだん	登壇		
とうち	当地	ご〜。	
とうち	統治	信託〜。	
とうちゃく	到着		
どうちゃく	同着		
どうちゅう	道中	〜記。〜すごろく。	
とうちょう	盗聴	〜器。	
とうちょう	登庁	初〜。	
とうちょう	登頂	ヒマラヤ〜。	
とうちょう	頭頂	〜部。	
どうちょう	同調	〜者。	
とうちょく	当直		
とうつう	とう痛〔×疼〕	*痛み。	

〔 〕使わない漢字　×表外字(常用漢字表にない字)　▲表外音訓(常用漢字表にない読み)
①〜⑥教育漢字の学年配当　①—②(①の表記を優先するが，②の表記を使ってもよい語)

とうて―とうふ

とうてい	到底		とうは	党派
どうてい	道程		とうは	踏破
とうてき	投てき〔×擲〕	~競技。	どうはい	同輩
どうてき	動的		とうはいごう	統廃合
とうてつ	透徹	~した理論。	とうばく	倒幕 （幕府を倒すこと）
どうてん	同点		とうばく	討幕 （幕府を討つこと）
どうてん	動転〔×顛〕	気が~する。	とうはつ	頭髪
とうど	凍土		とうばつ	討伐 ~隊。
とうど	陶土		とうはん	登はん〔×攀〕
とうど	糖度		とうばん	当番
とうとい	尊い （場合により「貴い」）		とうばん	登板
とうとう	〔到頭〕		どうはん	同伴 ~者。
どうとう	同等		どうばん	銅板
どうどう	同道		どうばんが	銅版画
どうどう	堂々	正々~。	とうひ	当否
どうどうめぐり	堂々巡り〔×廻〕		とうひ	逃避 ~行。
どうとく	道徳	~心。	とうひ	党費
とうとつ	唐突		とうひょう	投票 人気~。~用紙。
とうとぶ	尊ぶ （場合により「貴ぶ」）		とうびょう	闘病 ~生活。
とうどり	頭取送		どうひょう	道標
どうなが	胴長		どうびょう	同病 ~相あわれむ。
とうなん	東南	~東。	とうひょうばこ	投票箱〔×函〕
とうなん	盗難		とうひん	盗品
とうにゅう	投入		とうふ	豆腐
とうにゅう	豆乳		とうぶ	東部
どうにゅう	導入	~部。	とうぶ	頭部
とうにょうびょう	糖尿病		どうふう	同封
とうにん	当人		とうふく	倒伏 稲の~。
どうにん	同人	~雑誌。	どうぶつ	動物 ~園。~質。
とうねん	当年		どうぶるい	胴震い
どうねん	同年		とうぶん	当分 ~の間。

特 表外字・表外音訓を用いてよい特例の語　　付 常用漢字表の付表の語
送 送りがなを省く特例　　読 読みがなを付けるのが望ましい語　　＊類語・言いかえ例

とうふ―とうり

とうぶん	等分	3～。	とうもろこし	[▲玉×蜀×黍]	
とうぶん	糖分		どうもん	同門	
とうへき	盗癖		どうもん	洞門	
とうへん	等辺	二～三角形。	とうや	陶冶 [読]	*鍛錬。
とうべん	答弁		とうやく	投薬	
とうほう	当方		とうゆ	灯油	
とうほう	東方		とうよ	投与	薬の～。
とうぼう	逃亡		とうよう	当用	～日記。
どうほう	同胞		とうよう	東洋	～人。
とうほく	東北		とうよう	盗用	デザインの～。
とうぼく	倒木		とうよう	登用[庸]	人材の～。
とうほん	謄本	戸籍～。	どうよう	同様	
とうほんせいそう	東奔西走		どうよう	動揺	
どうまき	胴巻き		どうよう	童謡	
どうまわり	胴回り		とうらい	到来	～物。
とうみつ	糖蜜		とうらく	当落	
どうみゃく	動脈	～硬化。肺～。	どうらく	道楽	
どうみゃくりゅう	動脈りゅう [×瘤]		どうらん	胴乱	
とうみょう	灯明		どうらん	動乱	
とうみん	冬眠		どうり	道理	
とうみん	島民		とうりつ	倒立	
とうむ	党務		とうりとうりゃく	党利党略	
とうめい	透明	～度。～人間。	とうりゅう	とう留[×逗]	*滞在。
どうめい	同名	同姓～。	とうりゅうもん	登竜門	
どうめい	同盟	～国。	とうりょう	投了	(囲碁・将棋)
とうめん	当面		とうりょう	等量	
どうもう	どう猛[×獰]		とうりょう	棟りょう[×梁]	(大工の親方)
とうもく	頭目	*かしら。首領。	どうりょう	同量	
どうもと	胴元		どうりょう	同僚	
どうもり	堂守 [送]		どうりょく	動力	～源。～炉。

〔 〕使わない漢字　×表外字(常用漢字表にない字)　▲表外音訓(常用漢字表にない読み)
①～⑥教育漢字の学年配当　①―②(①の表記を優先するが，②の表記を使ってもよい語)

とうるい　盗塁	とおまき　遠巻き
どうるい　同類	とおまわし　遠回し〔×廻〕　～に言う。
とうれい　答礼	とおまわり　遠回り〔×廻〕
どうれつ　同列	とおみ　遠見
どうろ　道路	とおめ　遠目
とうろう　灯籠　石～。雪～。～流し。	とおめがね　遠眼鏡
とうろく　登録　～商標。	とおり　通り　裏の～。声の～がいい。
とうろん　討論　～会。	**とおり**　〔通〕次の～。予想どおり。
どうわ　同和	とおりあめ　通り雨
どうわ　童話	とおりあわせる　通り合わせる
とうわく　当惑	とおりいっぺん　通りいっぺん〔一遍〕
とえい　都営　～住宅。	とおりがかり　通りがかり〔掛〕
とえはたえ　十重二十重 付	とおりかかる　通りかかる〔掛〕
とお　**十**，10	とおりこす　通り越す
とおあさ　遠浅	とおりすがり　通りすがり
とおい　遠い	とおりすぎる　通り過ぎる
とおう　渡欧	とおりそうば　通り相場
とおえん　遠縁	とおりぬける　通り抜ける
とおか　**十日**，10 日	とおりま　通り魔
とおく　遠く	とおりみち　通り道〔▲路〕
とおざかる　遠ざかる	とおる　通る
とおざける　遠ざける	**とおる**　〔▲徹・▲透〕光が～。
とおし　通し　～切符。～番号。	とか　渡河　＊川を渡る。
とおしきょうげん　通し狂言　《芸能》	とが　〔▲科・×咎〕
とおす　通す	とかい　都会　～人。大～。
とおせんぼ　通せんぼ〔▲坊〕	どがいし　度外視
とおで　遠出	とがき　ト書き　《芸能》
とおのく　遠のく〔▲退〕	**とかく**　〔×兎角〕
とおのり　遠乗り	**とかげ**　〔×蜥×蜴〕
とおび　遠火　～で焼く。	
とおぼえ　遠ぼえ〔×吠〕	

特 表外字・表外音訓を用いてよい特例の語　　付 常用漢字表の付表の語
送 送りがなを省く特例　　読 読みがなを付けるのが望ましい語　　＊類語・言いかえ例

とかす　溶かす〔▲融・×熔・×鎔〕
　砂糖を水に〜。バターを〜。はんだを〜。
　粉ミルクを湯で〜。絵の具を〜。
とかす　解かす　(「解く」参照)
とかす　①とかす　②解かす〔▲融〕
　(雪と氷の場合)氷を〜。雪を〜。
とかす　〔解・×梳〕髪を〜。
とがめ　〔×咎〕〜立て。
とがめる　〔×咎〕
とがらす　〔×尖〕
とがる　〔×尖〕
どかん　土管
とき　時　〜がたつ。(「…したとき」「万一のとき」などは，なるべくかな書き)
とき　〔▲斎〕お〜。
とき　〔×鬨〕〜の声。
とき　〔×鴇・▲朱×鷺〕〜色。
どき　土器
どき　怒気
ときあかす　解き明かす
ときおり　時折
とぎし　研ぎ師
とぎじる　とぎ汁〔▲磨・研〕
とぎすます　研ぎ澄ます
ときたま　時たま〔▲偶〕
ときたまご　溶き卵
ときどき　時々
ときとして　時として
ときに　時に
ときはなす　解き放す〔離〕
ときはなつ　解き放つ

ときふせる　説き伏せる
ときほぐす　解きほぐす
ときめく　時めく　今を〜。
ときめく　胸が〜。
どぎも　〔度肝・▲胆〕〜を抜く。
とぎょ　渡御　みこしの〜。
どきょう　度胸　〜試し。
どきょう　読経　付
ときょうそう　徒競走
とぎれる　途切れる〔▲跡〕
ときわぎ　ときわ木〔▲常×磐〕
ときわず　常磐津　特　《芸能》
とく　読　②{ドク・トク・トウ / よむ}
とく　特　④{トク}
とく　得　④{トク / える・うる}　〜をする。
とく　徳　⑤{トク}
とく　匿　{トク}
とく　督　{トク}
とく　篤　{トク}
とく　溶く　水で〜。
とく　解く　問題を〜。包みを〜。
とく　説く　道理を〜。
とく　〔×梳・解〕髪を〜。
とぐ　研ぐ〔▲磨〕刀を〜。(「米をとぐ」は，かな書き)
どく　読　②{ドク・トク・トウ / よむ}
どく　毒　④{ドク}
どく　独　⑤{ドク / ひとり}
どく　〔▲退〕
とくい　特異　〜体質。〜日。
とくい　得意　〜な顔。〜先。〜満面。

〔　〕使わない漢字　　×表外字(常用漢字表にない字)　　▲表外音訓(常用漢字表にない読み)
①〜⑥教育漢字の学年配当　　①−②(①の表記を優先するが，②の表記を使ってもよい語)

とくいく	徳育	とくじゅ	特需 ～景気。
どぐう	土偶	とくしゅう	特集〔×輯〕 ～号。
どくえい	独泳	どくしゅう	独習 ～書。
どくえん	独演 ～会。	どくしょ	読書
どくが	毒牙 ～にかかる。	とくしょう	特賞
どくが	毒が〔×蛾〕	どくしょう	独唱 ～者。
とくがく	篤学	とくしょく	特色
どくがく	独学	とくしん	特進 (特別の昇進)
どくガス	毒ガス	とくしん	得心 ～ずく。
とくぎ	特技 ～を生かす。	どくしん	独身 ～寮。
とくぎ	徳義 ～心。	どくしんじゅつ	読唇術
どくきのこ	毒きのこ〔×茸〕	とくする	得する
どくぎん	独吟	どくする	毒する
どくけ	毒気	とくせい	特性 ～を生かす。
どくごかん	読後感	とくせい	特製 ～のケーキ。
どくさい	独裁 ～政治。	どくせい	毒性
とくさく	得策	とくせつ	特設
とくさつ	特撮 (「特殊撮影」の略)	どくぜつ	毒舌
どくさつ	毒殺	とくせん	特選
とくさん	特産 ～品。～物。	どくせん	独占 ～禁止法。
とくし	特使	どくぜん	独善 ～的。
どくじ	独自	どくそ	毒素
とくしか	篤志家	どくそう	毒草
とくしつ	特質 日本文化の～。	どくそう	独走 ～態勢に入る。
とくしつ	得失 利害～。	どくそう	独奏 ～者。
とくじつ	篤実 温厚～。	どくそう	独創 ～性。～的。
とくしゃ	特赦	とくそく	督促 ～状。
どくしゃ	読者	とくだい	特大
どくじゃ	毒蛇	とくたいせい	特待生
どくしゃく	独酌	とくだね	特種
とくしゅ	特殊 ～法人。	とくだん	特段

とくた―とけと

どくだん **独断**	～専行。～的。
どくだんじょう **独壇場**〔×擅〕	
とぐち **戸口**	
とくちゅう **特注**	
とくちょう **特長**	（特別な長所）～を生かす。
とくちょう **特徴**	（特に目立つ点）～のある声。
どくづく **毒づく**	
とくてい **特定**	
とくてん **特典**	
とくてん **得点**	
とくと 〔篤〕	～考える。
とくど **得度**	～式。
とくとうせき **特等席**	
とくとく **得々**	～と語る。
どくとく **独特**〔得〕	
どくどくしい **毒々しい**	
とくに **特に**	
とくのう **篤農**	～家。
とくは **特派**	～員。～大使。
どくは **読破**	
とくばい **特売**	～場。～品。
どくはく **独白**	
とくひつ **特筆**	～大書。
とくひょう **得票**	～数。～率。
どくぶつ **毒物**	
とくべつ **特別**	～会計。～国会。～区。
どくへび **毒蛇**	
とくほう **特報**	
とくぼう **徳望**	～家。
どくぼう **独房**	
とくほん **読本**	文章～。
どくみ **毒味**〔見〕	
とくむきかん **特務機関**	
どくむし **毒虫**	
とくめい **匿名**	
とくめい **特命**	～全権大使。
とくもく **徳目**	
どくや **毒矢**	
とくやく **特約**	～店。
どくやく **毒薬**	
とくゆう **特有**	
とくよう **徳用**〔得〕	～品。
とくり 〔徳利〕	
どくりつ **独立**	～独歩。～国。～採算制。
どくりょく **独力**	
とぐるま **戸車**	
とくれい **特例**	
とくれい **督励**	部下を～する。
とぐろ	～を巻く。
どくろ 〔×髑×髏〕	
とげ 〔×棘〕	～抜き。
とけあう **溶け合う**	（まざり合う）
とけあう **解け合う**	（うちとけ合う）
とけい **時計**［付］	
とけこむ **溶け込む**	新しい職場に～。
どげざ **土下座**	
とけつ **吐血**	
とげとげしい 〔×棘々・▲刺々〕	

〔 〕使わない漢字　　×表外字(常用漢字表にない字)　　▲表外音訓(常用漢字表にない読み)
①～⑥教育漢字の学年配当　　①―②(①の表記を優先するが，②の表記を使ってもよい語)

とける―としつ

とける　溶ける〔▲融・×熔・×鎔〕
　水に～。鉄が～。洗剤が水に～。
とける　解ける　帯が～。緊張が～。
　謎が～。
とける　①とける　②解ける〔▲融〕
　(雪と氷の場合)氷が～。雪が～。(「ゆき
　どけ」参照)
とげる　遂げる
どける　〔▲退〕
どけん　土建　～業。
とこ　床
どこ　〔▲何▲処〕
とこあげ　床上げ
とこう　渡航　海外～。
どごう　怒号
とこしえに　〔▲永〕　＊永久に。永遠
　に。
とこずれ　①床ずれ　②床擦れ
とこなつ　常夏
とこのま　床の間
とこばしら　床柱
とこはる　常春
とこや　床屋
とこやま　床山
とこよ　常世　～の国。
ところ　所〔▲処〕　住んでいる～。(た
　だし「法律の定めるところにより」「現
　在のところ」などは，かな書き)
ところが　〔所・▲処〕
どころか　お茶～水もない。
ところがき　所書き〔▲処〕

ところきらわず　所嫌わず
ところで　〔所・▲処〕
ところてん　〔▲心▲太〕
ところどころ　〔所々・▲処々〕
ところばんち　所番地
とさいぬ　土佐犬　(「トサケン」とも)
とさか　〔▲鶏▲冠〕
とざす　閉ざす〔▲鎖〕
とざま　外様特　～大名。
とざん　登山　～道。～隊。
とし　年〔▲歳〕
とし　都市　～ガス。～計画。～銀行。
とじ　〔×綴〕　新聞～。
とじいと　とじ糸〔×綴〕
としうえ　年上
としおいる　年老いる
としおとこ　年男〔▲歳〕
としがい　年がい〔▲甲×斐〕　～もな
　い。
としかさ　年かさ〔×嵩〕
としかっこう　年格好〔×恰〕
としご　年子
としこし　年越し　～そば。
としごと　年ごと〔▲毎〕
とじこむ　とじ込む〔×綴〕
とじこめる　閉じ込める
とじこもる　①閉じこもる　②閉じ籠
　もる
としごろ　年頃
としした　年下
どしつ　土質

特 表外字・表外音訓を用いてよい特例の語　　付 常用漢字表の付表の語
送 送りがなを省く特例　　読 読みがなを付けるのが望ましい語　　＊類語・言いかえ例

としつき　年月	としわすれ　年忘れ
としなみ　年波　寄る〜。	としん　都心　〜部。副〜。
としのいち　年の市〔▲歳〕	どす　(「短刀」の俗語)
としのこう　年の功	どすう　度数
としのせ　年の瀬〔▲歳〕	どすぐろい　どす黒い
としは　年端　〜も行かぬ。	とする　賭する　一命を〜。
とじぶた　①とじぶた ②とじ蓋〔×綴〕　われ鍋に〜。	どする　度する　度し難い。
としま　年増 ㊙	とせい　都政
とじまり　戸締まり	とせい　渡世　〜人。
としまわり　年回り〔×廻〕	とぜい　都税
としゃ　吐しゃ〔×瀉〕 (吐くこと)　〜物。	どせい　土星
どしゃ　土砂	どせい　怒声
どしゃくずれ　土砂崩れ	どせきりゅう　土石流
どしゃぶり　どしゃ降り〔土砂〕	とぜつ　途絶〔×杜〕
としゅ　斗酒　〜なお辞せず。	とせん　渡船　〜場(バ)。
としゅ　徒手　〜空拳。〜体操。	とそ　〔×屠×蘇〕
としょ　図書　〜館。	とそう　塗装
とじょう　途上　発展〜国。	どそう　土葬
とじょう　登城	どぞう　土蔵　〜破り。
とじょう　と場〔×屠〕　＊食肉処理場。	どそく　土足　〜厳禁。
どじょう　土壌　〜汚染。	どだい　土台
どじょう　〔▲泥×鰌〕　〜すくい。	とだえる　途絶える〔▲跡〕
としょうじ　戸障子	とだな　戸棚
どしょうぼね　土性骨	とたん　塗炭　〜の苦しみ。
としょく　徒食　無為〜。	とたん　①とたん ②途端
としより　年寄り (相撲の場合は「年寄」㊂)	どたんば　土壇場
とじる　閉じる	とち　栃 {トチ} (栃木県など地名のみ。「とちの木」「とち餅」の「とち」は、かな書き)
とじる　〔×綴〕	とち　〔栃〕
	とち　土地　〜柄。

〔　〕使わない漢字　　×表外字(常用漢字表にない字)　　▲表外音訓(常用漢字表にない読み)
①〜⑥教育漢字の学年配当　　①−②(①の表記を優先するが、②の表記を使ってもよい語)

どちゃく　土着
とちゅう　途中　〜経過。
どちゅう　土中
とちょう　徒長　〜枝(シ)。
とちょう　都庁
どちら　〔▲何▲方〕
とつ　凸{トツ}
とつ　突{トツ/つく}
とっか　特価　〜品。
どっかいりょく　読解力
とっかん　突貫　〜工事。
とっき　突起　〜物。
とっき　特記　〜事項。
どっき　毒気
とっきゅう　特急　〜列車。超〜。
とっきゅう　特級　〜品。
とっきょ　特許　〜権。
どっきょ　独居　〜老人。
どっきんほう　独禁法　(「独占禁止法」の略)
とつぐ　嫁ぐ
とっくみあい　取っ組み合い
とっくり　〔▲徳利〕
とっくん　特訓
とっけい　特恵　〜関税。
とつげき　突撃
とっけん　特権　〜階級。
どっこうせん　独航船
とっこうたい　特攻隊
とっこうやく　特効薬
とっさ　〔×咄×嗟〕

とっしゅつ　突出
とつじょ　突如
とっしん　突進
とつぜん　突然　〜死。〜変異。
とったん　突端
どっち　〔▲何▲方〕
とっつき　〔取付〕　〜にくい人。
とって　取っ手〔▲把〕
とってい　突堤
とっておき　取って置き
とってかわる　取って代わる
とつとつ　〔×訥々・×吶々〕　〜として。
とつにゅう　突入　スト〜。
とっぱ　突破　〜口。
とっぱつ　突発　〜事故。
とっぱん　凸版
とっぴ　〔突飛〕
とっぴょうし　突拍子　〜もない。
とっぷう　突風
とつべん　とつ弁〔×訥〕　＊口下手。
どっぽ　独歩　独立〜。
とつめんきょう　凸面鏡
とつレンズ　凸レンズ
どて　土手
とてい　徒弟　〜制度。
とてつもない　〔途×轍無〕
とても　〔×迚〕
どてら　〔×褞・×縕×袍〕
どどいつ　都々逸 特　《芸能》
ととう　徒党

特 表外字・表外音訓を用いてよい特例の語　　付 常用漢字表の付表の語
送 送りがなを省く特例　　読 読みがなを付けるのが望ましい語　　＊類語・言いかえ例

どとう	怒とう〔×濤〕
とどく	届く
とどけ	届け　〜を出す。(「欠席届」などは「○○届」送)
とどけさき	届け先
とどけずみ	届け済み
とどけで	届け出　(「トドケイデ」とも。その場合「出」は特)
とどけでる	届け出る
とどける	届 6 {とどける・とどく}
とどける	届ける
とどこおり	滞り　〜なく。
とどこおる	滞る
ととのう	調う　(調達・まとまる)資金が〜。商談が〜。
ととのう	整う　(整理・そろう)準備が〜。隊列が〜。
ととのえる	調える　味を〜。金を〜。
ととのえる	整える　体調を〜。文章を〜。
とどまる	〔▲止・▲留〕
とどめ	〔▲止〕　〜を刺す。
どどめ	土留め〔止〕
とどめる	〔▲止・▲留〕
とどろかす	〔×轟〕
とどろく	〔×轟〕
となえる	唱える〔▲称〕　異を〜。念仏を〜。
となえる	〔▲称〕　＊称する。
どなた	〔▲何▲方〕
どなべ	土鍋
となり	隣
となりあう	隣り合う
となりあわせ	隣り合わせ
となりきんじょ	隣近所
となりぐみ	隣組
どなる	〔怒・×呶鳴〕
とにかく	〔×兎角〕
との	殿
どの	殿
どの	〔▲何〕　〜人。〜辺。
どのう	土のう〔×嚢〕
とのがた	殿方
とのこ	との粉〔×砥〕
とのさま	殿様　〜商売。
とばく	賭博　＊ばくち。
とばす	飛ばす
どはずれ	度外れ
どはつ	怒髪　〜天をつく。
とばっちり	〜を食う。
とばり	〔▲帳・×帷〕
とはんしゃせん	登坂車線
とび	〔×鳶〕
とびあがる	飛び上がる　空高く〜。(場合により「跳び上がる」)
とびあるく	飛び歩く
とびいし	飛び石　〜連休。
とびいた	飛び板　〜飛び込み。
とびいり	飛び入り
とびうお	飛び魚
とびおきる	飛び起きる
とびおりる	飛び降りる〔下〕

〔　〕使わない漢字　　×表外字(常用漢字表にない字)　　▲表外音訓(常用漢字表にない読み)
1〜6 教育漢字の学年配当　　①—②(①の表記を優先するが，②の表記を使ってもよい語)

とびかう　飛び交う	どぶいた　どぶ板〔▲溝〕
とびかかる　飛びかかる〔掛〕	とぶくろ　戸袋
とびきり　飛び切り　〜上等。	どぶねずみ　〔▲溝×鼠〕
とびぐち　〔×鳶口〕	とぶらう　〔▲弔〕
とびこえる　飛び越える	どぶろく　〔▲濁▲酒〕
とびこす　飛び越す	とべい　渡米
とびこみ　飛び込み　〜台。	どべい　土塀
とびこむ　飛び込む	とほ　徒歩
とびしょく　とび職〔×鳶〕	とほう　途方　〜に暮れる。〜もない。
とびだしナイフ　飛び出しナイフ	どぼく　土木　〜工事。
とびだす　飛び出す	**とぼける**　〔×恍‥×惚〕
とびたつ　飛び立つ	とぼしい　乏しい
とびち　飛び地	どま　土間
とびちる　飛び散る	とまどう　戸惑う
とびつく　飛びつく〔付〕	とまり　止まり　行き〜。
とびでる　飛び出る	とまり　泊まり　〜客。〜込み。
とびどうぐ　飛び道具	とまり　留まり　歩〜。
とびとび　〔飛〕	とまりがけ　泊まりがけ〔掛〕
とびのく　飛びのく〔▲退〕	とまりぎ　止まり木
とびのる　飛び乗る	とまる　止まる　車が〜。水道が〜。
とびばこ　とび箱〔跳・飛〕	とまる　泊まる　宿に〜。船が港に〜。
とびはねる　跳びはねる	とまる　留まる　目に〜。
とびひ　飛び火	とみ　富
とびまわる　飛び回る〔×廻〕	とみくじ　富くじ〔×籤〕
どひょう　土俵　〜入り。〜際。	とみに　〔▲頓〕
とびら　扉　〜絵。	とみん　都民
どびん　土瓶　〜蒸し。	とむ　富む
とふ　塗布	とむらい　弔い　〜合戦。
とぶ　飛ぶ　（飛行・飛躍）空を〜。	とむらう　弔う
とぶ　跳ぶ　（跳躍）片足で〜。	とめ　止め　通行〜。
どぶ　〔▲溝〕　〜川。	とめ　留め　局〜。

㋫表外字・表外音訓を用いてよい特例の語　　㋙常用漢字表の付表の語
㋞送りがなを省く特例　　㋱読みがなを付けるのが望ましい語　　＊類語・言いかえ例

とめおく	留め置く
とめがね	留め金〔止〕
とめそで	留め袖
とめど	〔止・留▲処〕 ～なく。
とめばり	留め針
とめる	止める〔▲停〕 交通を～。
とめる	泊める 客を～。
とめる	留める 気に～。ボタンを～。
とも	友〔×朋〕
とも	共 ～倒れ。～にする。
とも	供〔▲伴〕 お～。
とも	〔×艫〕
ども	〔共〕 私～。
ともあれ	〔×兎有〕
ともえ	〔×巴〕 三つどもえ。
ともかく	〔×兎角〕
ともかせぎ	共稼ぎ ＊共働き。
ともぎれ	共ぎれ〔切・▲布〕
ともぐい	共食い
ともしび	ともし火〔▲灯〕
ともす	〔▲点・▲灯〕
ともだおれ	共倒れ
ともだち	友達 付
ともづな	とも綱〔×艫・・×纜〕
ともづり	友釣り
ともども	〔共々〕
ともなう	伴う …に伴って。
ともに	〔共〕 …すると～。
ともばたらき	共働き
ともびき	友引 送
どもり	土盛り
ともる	〔▲点・▲灯〕
どもる	〔×吃〕
とやかく	～言う。
どよう	土用 ～波。～干し。
どよう	土曜 ～日。
どよめく	〔▲響〕
とら	虎
とら・寅	～年。
どら	〔▲銅×鑼〕
とらい	渡来 ～人。
とらえどころ	捕らえどころ〔所〕
とらえる	捕らえる 犯人を～。
とらえる	捉える 要点を～。チャンスを～。心を～。レーダーが機影を～。
とらがり	虎刈り
どらごえ	どら声〔▲銅×鑼〕
どらねこ	どら猫
とらのこ	虎の子
とらのまき	虎の巻
ドラムかん	ドラム缶〔×罐〕
どらむすこ	どら息子
とらわれ	捕らわれ〔▲囚〕 ～の身。
とらわれる	捕らわれる
とらわれる	〔捉・▲囚〕 因習に～。
とり	鳥
とり	鶏 (p.12参照)
とり・酉	～年。
とりあう	取り合う
とりあえず	〔取▲敢〕
とりあげる	取り上げる〔採〕
とりあつかい	取り扱い

〔 〕使わない漢字　×表外字(常用漢字表にない字)　▲表外音訓(常用漢字表にない読み)
1～6 教育漢字の学年配当　①－②(①の表記を優先するが，②の表記を使ってもよい語)

とりあつかいじょ　取扱所送	とりきめ　取り決め〔▲極〕
とりあつかいだか　取扱高送	とりきめる　取り決める〔▲極〕
とりあつかいちゅうい　取扱注意送	とりくずす　取り崩す　貯金を〜。
とりあつかいてん　取扱店送	とりくち　取り口
とりあつかいにん　取扱人送	とりくみ　取組送　《相撲》
とりあつかいひん　取扱品送	とりくみ　取り組み　問題への〜。
とりあつかいほう　取扱法送	とりくむ　取り組む
とりあつかう　取り扱う	とりけす　取り消す
とりあわせ　取り合わせ	**とりこ**　〔▲虜・・×擒〕
とりい　鳥居	とりこしぐろう　取り越し苦労
とりいそぐ　取り急ぐ	とりこぼし　取りこぼし〔▲零〕
とりいる　取り入る	とりこみ　取り込み　〜詐欺。〜中。
とりいれ　取り入れ〔▲穫〕　稲の〜。	とりこむ　取り込む
とりいれぐち　取り入れ口	とりごや　鳥小屋
とりいれる　取り入れる	とりこわす　取り壊す
とりうちぼう　鳥打ち帽	とりさげる　取り下げる
とりえ　①とりえ　②取り柄〔得〕　〜がない。	とりざた　取り沙汰
とりおこなう　執り行う　式を〜。	とりざら　取り皿
とりおさえる　取り押さえる〔抑〕	とりさる　取り去る
とりおとす　取り落とす	とりしきる　取りしきる〔仕切〕
とりかえ　取り替え〔換〕　部品の〜。	とりしまり　取締り送
とりかえし　取り返し　〜がつかない。	とりしまりほう　取締法送
とりかえす　取り返す	とりしまりほんぶ　取締本部送
とりかえる　取り替える〔換〕	とりしまりやく　取締役送
とりかかる　取りかかる〔掛〕	とりしまる　取り締まる
とりかご　鳥籠	とりしらべ　取り調べ　〜を受ける。
とりかこむ　取り囲む	とりしらべかん　取調官送
とりかじ　取りかじ〔×舵〕	とりしらべしつ　取調室送
とりかたづける　取り片づける〔付〕	とりしらべる　取り調べる
とりかわす　取り交わす	とりすがる　取りすがる〔×縋〕
	とりすます　取り澄ます

特 表外字・表外音訓を用いてよい特例の語　　付 常用漢字表の付表の語
送 送りがなを省く特例　　認 読みがなを付けるのが望ましい語　　＊類語・言いかえ例

とりそろえる　取りそろえる〔×揃〕	とりのぞく　取り除く
とりだか　取り高	とりはからう　取り計らう
とりだす　取り出す	とりはこぶ　取り運ぶ
とりたて　取り立て　借金の〜。	とりはずす　取り外す
とりたて　取りたて　〜の魚。	とりはだ　鳥肌〔▲膚〕　〜が立つ。
とりたてる　取り立てる	とりはらう　取り払う
とりちがえる　取り違える	とりひき　取り引き　〜する。
とりちらす　取り散らす	とりひきじょ　取引所 送
とりつ　都立	とりひきだか　取引高 送
とりつかれる　取りつかれる〔×憑〕	とりぶん　取り分
とりつぎ　取り次ぎ	とりまき　取り巻き
とりつぎてん　取次店 送	とりまぎれる　取り紛れる
とりつく　取りつく〔付〕	とりまく　取り巻く
とりつぐ　取り次ぐ	とりまぜる　取り混ぜる
とりつくろう　取り繕う	とりまとめる　取りまとめる〔×纏〕
とりつけ　取り付け　〜工事。〜騒ぎ。	とりみだす　取り乱す
とりつける　取り付ける	とりむすぶ　取り結ぶ
とりで　〔×砦〕	とりめ　鳥目
とりとめ　取りとめ〔止・留〕　〜のない話。	とりもち　鳥もち〔×黐〕
とりとめる　取り留める　一命を〜。	とりもつ　取り持つ　座を〜。
とりなおし　取り直し	とりもどす　取り戻す
とりなおす　取り直す　気を〜。	とりもなおさず　〔取直〕
とりなおす　撮り直す　写真を〜。	とりもの　捕り物
とりなす　〔取・執成〕	とりものちょう　捕物帳〔×帖〕送
とりにがす　取り逃がす	とりやめる　取りやめる〔▲止〕
とりにく　鳥肉	とりょう　塗料
とりにく　鶏肉　（「ケイニク」とも）	どりょう　度量　〜が広い。
とりのいち　酉の市 特	どりょうこう　度量衡
とりのける　取りのける〔▲除〕	どりょく　努力　〜家。
とりのこす　取り残す	とりよせ　鳥寄せ
	とりよせる　取り寄せる

〔　〕使わない漢字　　×表外字(常用漢字表にない字)　　▲表外音訓(常用漢字表にない読み)
1〜6 教育漢字の学年配当　　①—②(①の表記を優先するが，②の表記を使ってもよい語)

とりわけ 〔取分〕 ～難しい。
とりわける 取り分ける 皿に～。
とる 取る〔▲獲〕 (一般的)獲物を～。魚を～。汚れを～。料金を～。連絡を～。
とる 捕る (捕らえる)ねずみを～。虫を～。
とる 採る (採用・採取)卒業生を～。血を～。きのこを～。
とる 執る 事務を～。
とる 撮る 写真を～。
とる 〔▲盗〕 他人の金を～。
とる 〔▲摂〕 栄養を～。
どるい 土塁
どれ 〔▲何〕
どれい 土鈴
どれい 奴隷
とれだか 取れ高
とれたて 取れたて ～の野菜。
どれほど 〔▲何程〕
とれる 取れる
とろ 吐露 真情を～する。
どろ 泥
とろう 徒労 ～に終わる。
どろうみ 泥海
どろえのぐ 泥絵の具
どろくさい 泥臭い
どろぐつ 泥靴
とろける 〔×蕩〕
どろじあい 泥仕合 送
どろなわ 泥縄 ～式。
どろぬま 泥沼

とろび とろ火〔▲弱〕
どろぼう 泥棒
どろまみれ 泥まみれ〔▲塗〕
どろみず 泥水
どろみち 泥道
どろよけ 泥よけ〔▲除〕
とろろ 〔×薯×蕷〕
とろろこんぶ とろろ昆布 (「トロロコブ」とも)
どろんこ 泥んこ
とわ 〔▲永▲久〕 ～に。
どわすれ 度忘れ
とん 団 ⑤{ダン・トン}
とん 屯{トン}
とん 豚{トン/ぶた}
とん 頓{トン}
トン 〔屯〕 (重量の単位)
どん 貪{ドン/むさぼる}
どん 鈍{ドン/にぶい・にぶる}
どん 曇{ドン/くもる}
…どん …丼 天～。牛～。
どんか 鈍化
どんかく 鈍角
とんカツ 豚カツ
どんかん 鈍感
どんき 鈍器
とんきょう 頓狂
どんぐり 〔▲団×栗〕
とんこつ 豚骨 《料理》
とんざ 頓挫 ＊つまずく。
どんさい 鈍才

特 表外字・表外音訓を用いてよい特例の語　　付 常用漢字表の付表の語
送 送りがなを省く特例　　読 読みがなを付けるのが望ましい語　　＊類語・言いかえ例

とんし　頓死　*急死。
とんしゃ　豚舎
とんじゃく　頓着
どんじゅう　鈍重
とんしょ　屯所
とんじる　豚汁　（「ブタジル」とも）
どんす　〔×緞子〕
どんする　鈍する　貧すれば～。
とんそう　とん走〔×遁〕　*逃走。
どんぞこ　どん底
とんち　〔頓×智〕
とんちゃく　頓着　（「トンジャク」とも）
どんちょう　〔×緞帳〕
とんちんかん　〔頓珍漢〕
どんつう　鈍痛
どんづまり　どん詰まり

とんでもない
どんてん　曇天
どんでんがえし　どんでん返し
とんでんへい　屯田兵
どんどやき　どんど焼き　（左義長）
とんとんびょうし　とんとん拍子
とんび　〔×鳶〕
とんぷくやく　頓服薬
どんぶり　丼 {どんぶり・どん}　～勘定。～鉢。～飯。
とんぼ　〔×蜻×蛉〕
トンボ　《芸能》
とんぼがえり　とんぼ返り
とんや　問屋
どんよく　貪欲　*強欲。
どんらん　〔貪×婪〕

〔　〕使わない漢字　　×表外字(常用漢字表にない字)　　▲表外音訓(常用漢字表にない読み)
1～6 教育漢字の学年配当　　①―②(①の表記を優先するが，②の表記を使ってもよい語)

な

な 南 ②{ナン・ナ / みなみ}	ないごうがいじゅう 内剛外柔
な 納 ⑥{ノウ・ナッ・ナ・ナン・トウ / おさめる・おさまる}	ないこく 内国 〜航路。
な 那 {ナ}	ないさい 内妻
な 奈 {ナ}	ないざい 内在
な 名	**ないし** 〔×乃至〕 ＊…から…（まで）。または。
な 菜	
ない 内 ②{ナイ・ダイ / うち}	ないじ 内示
ない 亡い あの人も今は〜。	ないじ 内耳 〜炎。
ない 無い （p.26参照）	ないしきょう 内視鏡
ない 食べ〜。	ないじつ 内実
ないあつ 内圧	ないじゅ 内需
ないい 内意	ないしゅう 内周
ないえん 内縁	ないじゅうがいごう 内柔外剛
ないおう 内応	ないしゅっけつ 内出血
ないか 内科	**ないしょ** 〔内緒・所・▲証〕 〜話。
ないかい 内海	ないじょ 内助 〜の功。
ないがい 内外	ないじょう 内情
ないかく 内角	ないしょく 内職
ないかく 内閣	ないしん 内心
ないがしろ 〔▲蔑〕	ないしん 内申 〜書。
ないき 内規	ないじん 内陣
ないきょく 内局	ないしんのう 内親王
ないきん 内勤	ないせい 内政 〜干渉。
ないけい 内径	ないせい 内省
ないけん 内見 〜会。 ＊内覧。	ないせん 内戦
ないこう 内向 〜性。〜的性格。	ないせん 内線 〜電話。
ないこう 内攻 病気が〜する。	ないそう 内装
ないこう 内航 〜船。	

特 表外字・表外音訓を用いてよい特例の語　付 常用漢字表の付表の語
送 送りがなを省く特例　読 読みがなを付けるのが望ましい語　＊類語・言いかえ例

ないぞう	内蔵	露出計~のカメラ。	
ないぞう	内臓		
ないだく	内諾		
ないだん	内談		
ないつう	内通		
ないてい	内定	就職が~する。	
ないてい	内偵		
ないてき	内的		
ないない	内々	~の相談。	
ないねんきかん	内燃機関		
ないぶ	内部	~抗争。~留保。	
ないふくやく	内服薬		
ないふん	内紛		
ないぶん	内聞	~に済ます。	
ないぶんぴつ	内分泌	(「ナイブンピ」とも)	
ないへき	内壁	胃の~。	
ないほう	内包	危険性を~する。	
ないまぜ	〔×綯交〕		
ないみつ	内密		
ないむ	内務		
ないめい	内命		
ないめん	内面		
ないものねだり	無い物ねだり		
ないや	内野	~手。	
ないゆう	内憂	~外患。	
ないよう	内容		
ないらん	内乱		
ないらん	内覧		
ないりく	内陸	~部。	
ないりんざん	内輪山		
なう	〔×綯〕	縄を~。	
なうて	名うて	~の達人。	
なえ	苗		
なえぎ	苗木		
なえどこ	苗床		
なえる	萎える		
なお	〔▲尚・▲猶・×仍〕		
なおさら	〔▲尚・▲猶更〕		
なおざり	〔▲等▲閑〕		
なおす	直す	誤りを~。故障を~。	
なおす	治す〔▲癒〕	病気を~。	
なおる	直る	ゆがみが~。	
なおる	治る〔▲癒〕	けがが~。	
なおれ	名折れ		
なか	中		
なか	仲	~を裂く。	
ながあめ	長雨		
なかい	仲居		
ながい	長居		
ながい	長い	(場合により「永い」)	
ながいき	長生き〔永〕		
ながいす	①長いす ②長椅子		
ながいも	長芋〔×薯〕		
なかいり	中入り	~後。	
ながうた	長唄		
ながえ	長柄		
なかがい	仲買 送		
なかがいにん	仲買人 送		
ながぐつ	長靴		
なかごろ	中頃		

〔 〕使わない漢字　×表外字(常用漢字表にない字)　▲表外音訓(常用漢字表にない読み)
1~6 教育漢字の学年配当　①―②(①の表記を優先するが，②の表記を使ってもよい語)

ながし　**流し**	～台。～びな。いかだ～。精霊～。
ながしあみ　**流し網**	～漁船。
ながしかく　**長四角**	
ながしこむ　**流し込む**	
ながしめ　**流し目**〔▲眼〕	
なかす　**中州**〔×洲〕	
ながす　**流す**	
ながそで　**長袖**	
なかぞら　**中空**	
なかたがい　**仲たがい**〔▲違〕	
なかだち　**仲立ち**〔▲媒〕	
ながたび　**長旅**	
ながたらしい　**長たらしい**	
なかだるみ　**中だるみ**〔×弛〕	
ながだんぎ　**長談義**〔議〕	
ながちょうば　**長丁場**	
なかつぎ　**中継ぎ**	
ながつき　**長月**　(陰暦9月)	
ながつづき　**長続き**	
なかて　〔中手・▲稲〕	
なかなおり　**仲直り**	
なかなか　〔中々・▲却々〕	
ながなが　**長々**　～世話になる。	
なかにわ　**中庭**	
ながねん　**長年**	
ながのわかれ　**永の別れ**	
なかば　**半ば**	
ながばなし　**長話**	
なかび　**中日**　相撲の～。	
ながびく　**長引く**	
ながひばち　**長火鉢**	
なかぶた　①**中ぶた** ②**中蓋**	
なかほど　**中ほど**〔程〕	
なかぼね　**中骨**　《料理》	
なかま　**仲間**　～入り。～外れ。～割れ。	
なかまく　**中幕**　《芸能》	
なかみ　**中身**〔味〕	
ながめ　**長め**〔目〕	
ながめ　**眺め**	
ながめる　**眺める**	
ながもち　**長持ち**　(道具)	
ながもち　**長もち**〔▲保〕 ～する。	
ながや　**長屋**〔家〕	
なかやすみ　**中休み**　梅雨の～。	
なかゆび　**中指**	
なかよし　①**仲よし** ②**仲良し**〔▲好〕	
ながら　〔×乍〕　歩き～。	
ながらえる　**長らえる**〔▲存〕　(場合により「永らえる」とも)	
ながらく　**長らく**	
ながれ　**流れ**　～解散。～作業。～者。	
ながれこむ　**流れ込む**	
ながれだま　**流れ弾**	
ながれつく　**流れ着く**	
ながれぼし　**流れ星**	
ながれる　**流れる**	
ながわずらい　**長患い**	
なかんずく　〔▲就▲中〕　＊なかでも。	
なき　**亡き**　～父をしのぶ。	
なき　**泣き**　～の涙。	
なぎ　〔×凪・▲和〕	

特　表外字・表外音訓を用いてよい特例の語　　付　常用漢字表の付表の語
送　送りがなを省く特例　　読　読みがなを付けるのが望ましい語　　＊類語・言いかえ例

なきおとし　泣き落とし	なく　鳴く〔×啼〕
なきがお　泣き顔	なぐ　〔×凪・▲和〕
なきがら　〔亡▲骸〕	なぐさみ　慰み
なきかわす　鳴き交わす	なぐさむ　慰む
なきくずれる　泣き崩れる	なぐさめ　慰め　～顔。
なきくらす　泣き暮らす	なぐさめる　慰める
なきごえ　泣き声	なくす　亡くす　子どもを～。
なきごえ　鳴き声〔×啼〕	なくす　無くす　財布を～。
なきごと　泣き言	なくなく　泣く泣く
なぎさ　〔×渚・×汀〕	なくなる　亡くなる　父が～。
なきさけぶ　泣き叫ぶ	なくなる　無くなる　物が～。
なきじゃくる　泣きじゃくる	なぐりあい　殴り合い
なきじょうご　泣き上戸	なぐりかかる　殴りかかる〔掛〕
なきすな　鳴き砂	なぐりがき　なぐり書き〔×擲・▲撲〕
なぎたおす　なぎ倒す〔×薙〕	
なきつく　泣きつく〔付〕	なぐりこみ　殴り込み〔×擲〕
なきつら　泣き面　(「泣きっ面」とも)	なぐりつける　殴りつける〔付〕
なきどころ　泣きどころ〔所〕	なぐりとばす　殴り飛ばす
なきなき　泣き泣き	なぐる　殴る〔▲撲〕
なぎなた　〔×薙・▲長▲刀〕	なげ　投げ
なきねいり　泣き寝入り	なげいれ　投げ入れ
なぎはらう　なぎ払う〔×薙〕	なげいれる　投げ入れる
なきはらす　泣き腫らす	**なげうつ**　〔×抛・×擲〕
なきふす　泣き伏す	なげうり　投げ売り
なきべそ　泣きべそ	なげかける　投げかける〔掛〕
なきまね　泣きまね〔真▲似〕	なげかわしい　嘆かわしい〔×歎〕
なきむし　泣き虫	なげき　嘆き〔×歎〕
なきやむ　泣きやむ〔▲止〕	なげく　嘆く〔×歎〕
なきりぼうちょう　菜切り包丁	なげこむ　投げ込む
なきわらい　泣き笑い	**なげし**　〔▲長▲押〕
なく　泣く	なげすてる　投げ捨てる〔×棄〕

〔　〕使わない漢字　　×表外字(常用漢字表にない字)　　▲表外音訓(常用漢字表にない読み)
①～⑥教育漢字の学年配当　　①－②(①の表記を優先するが，②の表記を使ってもよい語)

なげせん　投げ銭	なす　〔×茄子〕
なげだす　投げ出す	なすび　〔×茄子〕
なげつける　投げつける〔付〕	なすりあい　なすり合い〔▲擦〕
なげづり　投げ釣り	なすりつける　〔▲擦付〕罪を〜。
なげとばす　投げ飛ばす	なぜ　〔▲何▲故〕
なけなし　〜の金。	なぞ　謎{なぞ}
なげなわ　投げ縄	なぞとき　謎解き
なげやり　〔投▲遣〕	なぞらえる　〔準・▲擬〕
なげる　投げる	なぞる　字を〜。
なげわざ　投げ技	なた　〔×鉈〕
なこうど　仲人 付	なだい　名代　〜の菓子。
なごむ　和む	なだい　名題　《芸能》〜役者。
なごやか　和やか	なだかい　名高い
なごり　名残 付　〜惜しい。	なだたる　名だたる
なさけ　情け	なたね　菜種　〜油。〜梅雨。
なさけごころ　情け心	なだめる　〔×宥〕
なさけしらず　情け知らず	なだらか　〜な坂道。
なさけない　情けない〔無〕	なだれ　雪崩 付
なさけぶかい　情け深い	なだれこむ　なだれ込む〔▲雪▲崩〕
なさけようしゃ　情け容赦	なつ　夏
なざし　名指し　〜で非難する。	なっ　納 ⑥{ノウ・ナッ・ナ・ナン・トウ おさめる・おさまる}
なさる　〔▲為〕	なついん　なつ印〔×捺〕　＊押印。
なし　梨{なし}	なつがけ　夏掛け
なし　無し	なつかしい　懐かしい
なしくずし　なし崩し〔▲済〕	なつかしむ　懐かしむ
なしとげる　成し遂げる〔▲為〕	なつかぜ　①夏かぜ②夏風邪
なじみ　〔×馴染〕	なつがれ　夏枯れ
なじむ　〔×馴染〕	なつく　懐く
なじる　〔▲詰〕	なつくさ　夏草
なす　成す　財を〜。名を〜。	なつぐも　夏雲
なす　〔▲為〕　〜すべもない。	なつげ　夏毛

特 表外字・表外音訓を用いてよい特例の語　　付 常用漢字表の付表の語

送 送りがなを省く特例　　読 読みがなを付けるのが望ましい語　　＊類語・言いかえ例

なづけ　名付け	なでつける　〔×撫付〕
なづけおや　名付け親	なでまわす　なで回す〔×撫〕
なつける　懐ける	なでる　〔×撫〕
なづける　名付ける	など　〔▲等〕
なつこだち　夏木立 送	なとり　名取 送　日本舞踊の〜。
なつすがた　夏姿	なな　七
なっせん　なっ染〔×捺〕（染色）	なないろ　七色，7色　七色の声。
なつぞら　夏空	ななくさ　七草　〜がゆ。
なっとう　納豆	ななくせ　七癖　無くて〜。
なっとく　納得	ななころびやおき　七転び八起き
なっとくずく　納得ずく〔▲尽〕	ななつ　七つ，7つ　七つ道具。
なつどり　夏鳥	ななひかり　七光り　親の光は〜。
なつば　夏場	ななふしぎ　七不思議
なっぱ　菜っぱ〔葉〕	ななめ　斜め
なつび　夏日	なに　何
なつふく　夏服	なに　〔何〕　〜，かまわないよ。
なつまけ　夏負け　（「夏ばて」とも）	なにがし　〔▲某〕
なつまつり　夏祭り	なにくれ　何くれ〔▲呉〕　〜となく。
なつみかん　夏みかん〔▲蜜×柑〕	なにくわぬかお　何食わぬ顔
なつむき　夏向き	なにげない　何気ない
なつめ　〔×棗〕	なにごと　何事
なつもの　夏物	なにさま　何様
なつやすみ　夏休み	なにしおう　名にし負う
なつやせ　夏痩せ	なにしろ　何しろ
なつやま　夏山	なにせ　何せ
なであげる　なで上げる〔×撫〕	なにとぞ　何とぞ〔▲卒〕
なでおろす　なで下ろす〔×撫〕　胸を〜。	なにひとつ　何一つ
なでがた　なで肩〔×撫〕	なにぶん　何分
なでぎり　なで斬り〔×撫〕	なにほど　何程
なでしこ　〔×撫子〕	なにも　何も　〜ない。
	なにも　〔何〕　〜そんなにまで…。

〔　〕使わない漢字　　×表外字(常用漢字表にない字)　　▲表外音訓(常用漢字表にない読み)
1〜6 教育漢字の学年配当　　①−②(①の表記を優先するが，②の表記を使ってもよい語)

なにもかも	何もかも〔▲彼〕
なにもの	何者
なにもの	何物　〜も残らぬ。
なにやかや	何やかや〔▲彼〕
なにゆえ	何故　(「ナゼ」は「なぜ」と書く)
なにより	何より
なにわぶし	浪花節 特
なぬし	名主
なのか	七日，7日　(「ナヌカ」とも)
なのはな	菜の花
なのり	名乗り〔▲告〕　〜を上げる。〜出る。
なのる	名乗る〔▲告〕
なびく	〔×靡〕
なふだ	名札
なぶる	〔×嬲〕
なべ	鍋 {なべ}
なべぞこ	鍋底　〜景気。
なべぶた	①鍋ぶた ②鍋蓋
なべもの	鍋物
なべやき	鍋焼き　〜うどん。
なべりょうり	鍋料理
なま	生　〜の魚。〜クリーム。
なまあくび	〔生▲欠▲伸〕
なまあげ	生揚げ
なまあたたかい	なま暖かい〔生〕
なまいき	生意気
なまえ	名前
なまがし	生菓子
なまかじり	〔生×齧〕
なまがわき	生乾き
なまき	生木　〜を裂く。
なまきず	生傷
なまぐさい	生臭い〔×腥〕
なまくび	生首
なまくら	〔▲鈍〕
なまけもの	怠け者
なまける	怠ける〔×懶〕
なまこ	〔▲海×鼠〕
なまごみ	生ごみ〔×塵・×芥〕
なまごろし	生殺し
なまじ	〜…しないほうがよい。
なます	〔×膾・×鱠〕
なまず	〔×鯰〕
なまたまご	生卵
なまつば	生唾
なまづめ	生爪
なまなましい	生々しい
なまにえ	生煮え
なまぬるい	〔生▲温〕
なまばな	生花
なまはんか	〔生半可〕
なまビール	生ビール
なまびょうほう	生兵法
なまへんじ	なま返事〔生〕
なまほし	生干し
なまみ	生身
なまみず	生水
なまめかしい	〔▲艶〕
なまもの	なま物〔生〕　(「生物」と書かない)

特 表外字・表外音訓を用いてよい特例の語　　付 常用漢字表の付表の語
送 送りがなを省く特例　　読 読みがなを付けるのが望ましい語　　＊類語・言いかえ例

なまやけ　生焼け
なまやさい　生野菜
なまやさしい　〔生易〕
なまゆで　生ゆで〔×茹〕
なまよい　なま酔い〔生〕
なまり　鉛
なまり　〔×訛〕
なまりぶし　なまり節〔生〕
なまる　〔×訛〕　ことばが〜。
なまる　〔▲鈍〕　腕が〜。
なみ　波〔▲浪・×濤〕
なみ　並　〜の人間。〜の牛肉。
なみ　並み　十人〜。世間〜。
なみいた　波板
なみうちぎわ　波打ち際
なみうつ　波打つ
なみがしら　波頭
なみかぜ　波風
なみき　並木⑤　〜道。
なみだ　涙
なみたいてい　並大抵
なみだぐましい　涙ぐましい
なみだぐむ　涙ぐむ
なみだごえ　涙声
なみだつ　波立つ
なみだもろい　涙もろい〔×脆〕
なみなみ　〔並々〕　〜ならぬ。
なみにく　並肉
なみのはな　波の花
なみのり　波乗り
なみはずれる　並外れる

なみま　波間
なみまくら　波枕
なみよけ　波よけ〔▲除〕
なむさんぼう　南無三宝
なめくじ　〔×蛞×蝓〕
なめこ　〔滑子〕
なめしがわ　なめし皮〔×鞣〕（「なめし革」とも）
なめす　〔×鞣〕
なめらか　滑らか
なめる　〔×嘗・・×舐〕
なや　納屋〔家〕
なやましい　悩ましい
なやます　悩ます
なやみ　悩み
なやむ　悩む
なら　〔×楢〕
ならい　習い
ならう　習う　（習得）ピアノを〜。〜より慣れよ。
ならう　①ならう　②倣う〔×傚〕（模倣）前例に〜。
ならく　奈落　〜の底。
ならす　鳴らす
ならす　慣らす　体を〜。
ならす　〔▲均〕　＊平均する。
ならす　〔×馴〕　馬を〜。
ならずもの　ならず者
ならづけ　奈良漬⑤
ならない　…しては〜。
ならび　並び　歯〜。

〔　〕使わない漢字　　×表外字（常用漢字表にない字）　　▲表外音訓（常用漢字表にない読み）
①〜⑥教育漢字の学年配当　　①−②（①の表記を優先するが，②の表記を使ってもよい語）

ならびたつ　並び立つ	なるべく　〔成▲可〕
ならびに　〔並〕	なるほど　〔成程〕
ならぶ　並ぶ〔▲列〕	なれ　慣れ
ならべたてる　並べ立てる〔▲列〕	なれ　〔×汝〕
ならべる　並べる〔▲列〕	なれあい　なれ合い〔×馴〕
ならわし　習わし〔▲慣〕	なれずし　〔▲熟×鮨〕
なり　鳴り　海〜。〜を潜める。	なれそめ　なれ初め〔×馴〕
なり　〔×也〕	なれっこ　慣れっこ
なり　〔▲形・▲態〕　〜が大きい。	なれなれしい　〔×馴〕
なり　言い〜になる。子ども〜の考え。	なれのはて　成れの果て
なりあがり　成り上がり　〜者。	なれる　慣れる　仕事に〜。
なりかわる　成り代わる　本人に成り代わって…。	なれる　〔×馴・×狎〕　ライオンが人に〜。
なりきん　成金送　将棋の〜。土地〜。	なわ　縄
なりさがる　成り下がる	なわしろ　苗代
なりすます　成り済ます	なわとび　縄跳び
なりたち　成り立ち　国の〜。	なわのれん　縄のれん〔▲暖×簾〕
なりたつ　成り立つ	なわばしご　縄ばしご〔×梯子〕
なりて　なり手〔▲為〕　〜がない。	なわばり　縄張り
なりひびく　鳴り響く	なん　男①{ダン・ナン / おとこ}
なりふり　〔▲形振〕　〜構わず。	なん　南②{ナン・ナ / みなみ}
なりもの　鳴り物　《芸能》〜入り。	なん　納⑥{ノウ・ナッ・ナ・ナン・トウ / おさめる・おさまる}
なりゆき　成り行き	なん　難⑥{ナン / かたい・むずかしい}　〜を逃れる。〜がある。
なりわい　〔▲生▲業〕	
なりわたる　鳴り渡る	なん　軟{ナン / やわらか・やわらかい}
なる　成る　宿願〜。2つの元素から〜。	なんい　南緯
なる　鳴る	なんい　難易　〜度。
なる　〔▲生〕　実が〜。	なんおう　南欧
なる　〔▲為〕　冬に〜。大人に〜。	なんか　南下
なるこ　鳴子送	なんか　軟化
なるたけ　〔成丈〕	なんが　南画

特　表外字・表外音訓を用いてよい特例の語　　付　常用漢字表の付表の語
送　送りがなを省く特例　　読　読みがなを付けるのが望ましい語　　＊類語・言いかえ例

なんか―なんへ

なんかい　南海	なんせい　南西
なんかい　難解	なんせんほくば　南船北馬
なんかん　難関　～を突破する。	なんだい　難題　無理～。
なんがん　南岸	なんたいどうぶつ　軟体動物
なんぎ　難儀	なんたん　南端
なんきつ　難詰	なんちゃくりく　軟着陸
なんきゅう　軟球	なんちょう　軟調
なんぎょう　難行　～苦行。	なんちょう　難聴
なんきょく　南極　～海。	なんてき　難敵
なんきょく　難局　～を打開する。	なんでも　何でも
なんきん　軟禁	なんてん　南天
なんきんまめ　南京豆	なんてん　難点
なんくせ　難癖　～をつける。	**なんと**　〔何〕　～美しい。
なんげん　南限	なんど　何度　～も。
なんご　難語	なんど　納戸
なんこう　難航	なんど　難度
なんこう　軟こう〔×膏〕	なんとう　南東
なんこうふらく　難攻不落	なんどく　難読　～の地名。
なんごく　南国	なんとなく　何となく〔無〕
なんこつ　軟骨	なんとも　何とも〔共〕　～言えない。
なんざん　難産	なんなく　難なく〔無〕
なんじ　何時	なんにも　何にも
なんじ　難事	なんねん　何年
なんじ　〔×汝〕	なんねんせい　難燃性
なんしき　軟式	なんぱ　軟派
なんじゃく　軟弱	なんぱ　難破　～船。
なんじゅう　難渋　＊難儀。	なんばん　南蛮　～船。～煮。
なんしょ　難所	なんびょう　難病
なんしょく　難色　～を示す。	なんぶ　南部
なんしん　南進	なんぶつ　難物
なんすい　軟水	なんべい　南米

〔　〕使わない漢字　　×表外字(常用漢字表にない字)　　▲表外音訓(常用漢字表にない読み)
①～⑥教育漢字の学年配当　　①―②(①の表記を優先するが，②の表記を使ってもよい語)

なんべん　**軟便**	なんめん　**南面**
なんべん　**何べん**〔遍〕　～も。	なんもん　**難問**　～が山積する。
なんぽう　**南方**	なんよう　**南洋**
なんぼく　**南北**	なんら　**何ら**〔▲等〕　～必要ない。
なんみん　**難民**	なんろ　**難路**

に

- に 二① {ニ/ふた・ふたつ}
- に 児④ {ジ・ニ}
- に 仁⑥ {ジン・ニ}
- に 尼 {ニ/あま}
- に 弐 {ニ}
- に 荷　肩の〜が下りる。
- にあう　似合う
- にあがり　二上り送　《芸能》
- にあげ　荷揚げ
- にいさん　兄さん付
- にいづま　新妻
- にいなめさい　新嘗祭特
- にいぼん　新盆
- にいんせい　二院制
- にうけ　荷受け　〜人。
- にうごき　荷動き
- にえ　煮え　生〜。半〜。
- にえかえる　煮え返る　腹が〜。
- にえきらない　煮えきらない〔切〕
- にえくりかえる　煮えくり返る
- にえたぎる　煮えたぎる〔×滾〕
- にえたつ　煮え立つ
- にえゆ　煮え湯
- にえる　煮える
- におい　匂い　花の〜。＊香り。
- におい　臭い　魚の腐った〜。生ごみが臭う。＊臭気。
- におい　犯罪の〜。下町の〜。(「気配が感じられる」という意味の場合や, 迷ったときは, かな書き)
- におう　匂 {におう}
- におう　匂う　(よいにおい)梅の花が〜。
- におう　臭う　(悪いにおい)生ごみが〜。ガスが〜。
- におう　不正が〜。(「気配が感じられる」という意味の場合や, 迷ったときは, かな書き)
- におう　仁王　〜立ち。
- におろし　荷降ろし
- におわす　匂わす　(よいにおい)
- におわす　臭わす　(悪いにおい)
- におわす　犯罪を〜。辞任を〜。(「ほのめかす」という意味の場合や, 迷ったときは, かな書き)
- にがい　苦い
- にかいだて　２階建て
- にかいや　二階家〔屋〕
- にかえす　煮返す
- にがお　似顔　〜絵。
- にがす　逃がす　(「のがす」は「逃す」と書く)
- にがて　苦手
- にがにがしい　苦々しい
- にがみ　苦み〔味〕
- にがみばしる　苦みばしる〔味走〕

〔　〕使わない漢字　×表外字(常用漢字表にない字)　▲表外音訓(常用漢字表にない読み)
①〜⑥教育漢字の学年配当　①−②(①の表記を優先するが, ②の表記を使ってもよい語)

にがむし　苦虫
にかよう　似通う
にがり　〔苦▲塩・▲汁〕
にがりきる　苦りきる〔切〕
にかわ　〔×膠〕　～付け。
にがわらい　苦笑い
にがんレフ　二眼レフ
にきさく　二期作
にきび　〔▲面×皰〕
にぎやか　〔×賑〕
にきょくぶんか　二極分化
にぎらせる　握らせる
にぎり　握り　お～。ひと～の米。
にぎりこぶし　握り拳
にぎりしめる　握りしめる〔▲緊〕
にぎりずし　握りずし〔▲寿司・×鮨〕
にぎりつぶす　①握りつぶす ②握り潰す
にぎりめし　握り飯
にぎる　握る
にぎわう　〔×賑〕
にぎわす　〔×賑〕
にく　肉②{ニク}
にくあつ　肉厚
にくい　憎い
にくい　〔▲難〕　やり～。
にくかん　肉感　～的。
にくがん　肉眼
にくぎゅう　肉牛
にくげ　憎げ〔気〕
にくじき　肉食　《仏教》～妻帯。

にくしつ　肉質
にくしみ　憎しみ
にくしゅ　肉腫　《医学》
にくじゅう　肉汁　(「ニクジル」とも)
にくしょく　肉食　～動物。
にくしん　肉親
にくずれ　荷崩れ
にくずれ　煮崩れ　《料理》
にくせい　肉声
にくたい　肉体　～労働。
にくだん　肉弾　～戦。
にくづき　肉づき〔付〕　～がよい体。
にくづけ　肉づけ〔付〕　～する。
にくにくしい　憎々しい
にくはく　肉薄〔迫〕
にくばなれ　肉離れ
にくひつ　肉筆
にくぶと　肉太　～の字。
にくぼそ　肉細
にくまれぐち　憎まれ口
にくまれっこ　憎まれっ子　～世にはばかる。
にくまれやく　憎まれ役
にくまんじゅう　肉まんじゅう〔×饅▲頭〕
にくむ　憎む〔▲悪〕
にくや　肉屋
にくようしゅ　肉用種
にくらしい　憎らしい
にくるい　肉類
にぐるま　荷車

特 表外字・表外音訓を用いてよい特例の語　　付 常用漢字表の付表の語
送 送りがなを省く特例　　読 読みがなを付けるのが望ましい語　　＊類語・言いかえ例

にぐん 二軍 (スポーツ)
にげ 逃げ ～を打つ。
にげあし 逃げ足
にげうせる 逃げうせる〔▲失〕
にげおくれる 逃げ遅れる
にげかくれ 逃げ隠れ
にげきる 逃げきる〔切〕
にげぐち 逃げ口
にげこうじょう 逃げ口上
にげごし 逃げ腰
にげこむ 逃げ込む
にげだす 逃げ出す
にげのびる 逃げ延びる
にげば 逃げ場
にげまどう 逃げ惑う
にげまわる 逃げ回る
にげみず 逃げ水
にげみち 逃げ道〔▲路〕
にげる 逃げる〔×迯・×遁〕
にげん 二元 ～的。～論。
にこごり 煮こごり〔▲凝〕
にごす 濁す
にこみ 煮込み ～うどん。
にこむ 煮込む
にこやか ～な顔。
にごり 濁り ～水。
にごりざけ 濁り酒 ＊どぶろく。
にごる 濁る
にごん 二言
にざかな 煮魚
にさばき 荷さばき〔×捌〕

にざまし 煮冷まし
にさんかたんそ 二酸化炭素
にさんにち 2～3日 (p.46参照)
にし 西 ～風。～日本。
にじ 虹
にじ 二次 ～感染。～被害。～災害。
　～利用。(p.48参照)
にじ 2次 ～試験。
にじかい 二次会
にしき 錦 ～を飾る。
にしきえ 錦絵
にしきごい 〔錦×鯉〕
にしきのみはた 錦の御旗 特
にしきへび 〔錦蛇〕
にじげん 2次元
にしじんおり 西陣織 送
にじっせいき 20世紀 (「ニジュッセイキ」とも)
にしのまる 西の丸 (城)
にしはんきゅう 西半球
にしび 西日
にじほうていしき 2次方程式
にじます 〔虹×鱒〕
にじみでる にじみ出る〔×滲〕
にじむ 〔×滲〕
にしめ 煮しめ〔▲染〕
にしめる 煮しめる〔▲染〕
にしゃたくいつ 二者択一
にじゅう 二重 ～写し。～帳簿。～人格。～価格。
にじゅうしせっき 二十四節気〔季〕

〔 〕使わない漢字　×表外字(常用漢字表にない字)　▲表外音訓(常用漢字表にない読み)
①～⑥教育漢字の学年配当　①－②(①の表記を優先するが，②の表記を使ってもよい語)

にじゅうしょう　二重唱
にじゅうしょうとつ　二重衝突
にじょう　2乗
にじりよる　にじり寄る〔×躙〕
にじる　煮汁
にしん　2審《法律》
にしん　〔×鰊・×鯡〕
にしんとう　2親等
にしんほう　二進法　(専門分野では算用数字も)
にせ　偽〔×贋〕
にせい　二世　(跡継ぎの場合など。一般的には算用数字)
にせがね　偽金〔×贋〕
にせさつ　偽札〔×贋〕
にせもの　偽者〔×贋〕
にせもの　偽物〔×贋〕
にせる　似せる
にそう　尼僧
にそくさんもん　二束三文
にだい　荷台
にたき　煮炊き〔×焚〕
にだしじる　煮出し汁
にだす　煮出す
にたつ　煮立つ
にたりよったり　似たり寄ったり
にだんがまえ　二段構え
にち　日 ①{ニチ・ジツ／ひ・か}
にちぎんけん　日銀券
にちげん　日限
にちじ　日時

にちじょう　日常　〜茶飯事。
にちぶ　日舞　(「日本舞踊」の略)
にちべい　日米
にちぼつ　日没
にちや　日夜
にちよう　日曜　〜画家。〜大工。
にちようひん　日用品
にちりん　日輪　(太陽)
にっか　日課
につかわしい　似つかわしい
にっかん　日刊
にっき　日記　〜帳。
にっきゅう　日給
にっきん　日勤
につく　似つく　似ても似つかぬ。
にづくり　荷造り
につけ　煮つけ〔付〕
にっけい　日系　〜人。〜2世。
にっけい　日計　〜表。
にっけい　肉けい〔×桂〕　(シナモン)
にっこう　日光　〜浴。
にっさん　日参
にっさん　日産
にっし　日誌
にっしゃびょう　日射病　(高温・高熱条件による急性障害の総称は「熱中症」)
にっしょう　日照　〜権。〜時間。
にっしょうき　日章旗　＊日の丸(の旗)。
にっしょく　日食〔×蝕〕
にっしんげっぽ　日進月歩
にっすう　日数

㊙ 表外字・表外音訓を用いてよい特例の語　　㊙ 常用漢字表の付表の語
㊙ 送りがなを省く特例　　㊙ 読みがなを付けるのが望ましい語　　＊類語・言いかえ例

にっちもさっちも 〔二▲進三▲進〕
にっちゅう 日中
にっちょく 日直
にってい 日程
にっとう 日当
にっぽう 日報
にっぽん 日本
にっぽんいち 日本一
にっぽんご 日本語 (「ニホンゴ」とも)
にっぽんじゅう 日本中
につまる 煮詰まる
につめる 煮詰める
にとうだて 2頭立て 〜の馬車。
にとうぶん 2等分
にとうへい 2等兵 (場合によって漢数字も)
にとうへんさんかっけい 二等辺三角形
にとうりゅう 二刀流
にどでま 二度手間
にどね 二度寝
にないて 担い手
になう 担う
になわ 荷縄
ににんぐみ 2人組 送
ににんさんきゃく 二人三脚
ににんしょう 2人称
にぬし 荷主
にのあし 二の足 〜を踏む。
にのうで 二の腕

にのかわり 二の替わり 《芸能》
にのく 二の句 〜が継げない。
にのぜん 二の膳
にのつぎ 二の次
にのまい 二の舞 送
にのまる 二の丸 (城)
にのや 二の矢 〜が継げない。
にはいず 二杯酢
にばしゃ 荷馬車
にばんせんじ 二番煎じ
にひゃくとおか 二百十日
にひゃくはつか 二百二十日
にぶ 二部, 2部 〜作。
にぶい 鈍い
にぶがっしょう 二部合唱
にふくめる 煮含める
にふだ 荷札
にぶらせる 鈍らせる
にぶる 鈍る
にぶん 二分 天下を〜する。
にべ 〔×膠〕 〜もない。
にぼし 煮干し
にほん 日本
にほんが 日本画
にほんがみ 日本髪
にほんご 日本語
にほんし 日本紙
にほんしゅ 日本酒
にほんじゅう 日本中
にほんだて 2本立て〔建〕 〜の映画。
にほんとう 日本刀

〔 〕使わない漢字　×表外字(常用漢字表にない字)　▲表外音訓(常用漢字表にない読み)
1〜6 教育漢字の学年配当　①—②(①の表記を優先するが，②の表記を使ってもよい語)

にほんのうえん　日本脳炎
にほんばれ　日本晴れ
にまいじた　二枚舌
にまいめ　二枚目　《芸能》
にまめ　煮豆
にめんせい　二面性
にもうさく　二毛作
にもつ　荷物
にもの　煮物
にやく　荷役
にゃく　若 ⑥ {ジャク・ニャク/わかい・もしくは}
にやす　煮やす　業を〜。
にゅう　入 ① {ニュウ/いる・いれる・はいる}
にゅう　乳 ⑥ {ニュウ/ちち・ち}
にゅう　柔 {ジュウ・ニュウ/やわらか・やわらかい}
にゅういん　入院　〜患者。
にゅうえき　乳液
にゅうえん　入園
にゅうか　入荷　〜量。
にゅうか　乳価
にゅうかい　入会　〜金。
にゅうかく　入閣
にゅうがく　入学　〜願書。〜試験。
にゅうかん　入館
にゅうがん　乳がん〔×癌〕
にゅうぎゅう　乳牛
にゅうきょ　入居　〜者。
にゅうぎょりょう　入漁料
にゅうきん　入金
にゅうこ　入庫
にゅうこう　入校

にゅうこう　入港
にゅうこく　入国　〜手続き。
にゅうこんしき　入魂式
にゅうざい　乳剤
にゅうさつ　入札
にゅうさん　乳酸　〜飲料。〜菌。
にゅうざん　入山　〜料。
にゅうし　入試　(「入学試験」の略)高校〜。
にゅうし　乳歯
にゅうじ　乳児
にゅうしつ　入室
にゅうしぼう　乳脂肪
にゅうしゃ　入社
にゅうじゃく　柔弱
にゅうしゅ　入手
にゅうしょ　入所
にゅうしょう　入省
にゅうしょう　入賞
にゅうじょう　入城
にゅうじょう　入場　〜行進。〜券。
にゅうしょく　入植〔殖〕　〜者。〜地。
にゅうしん　入信
にゅうすい　入水　〜自殺。(「じゅすい」参照)
にゅうせいひん　乳製品
にゅうせき　入籍
にゅうせん　入選　〜作。
にゅうせん　乳腺　〜炎。
にゅうたい　入隊
にゅうだん　入団

にゅうちょう　**入超**（「輸入超過」の略）
にゅうてい　**入廷**
にゅうでん　**入電**
にゅうとう　**入刀**
にゅうとう　**入党**
にゅうどうぐも　**入道雲**
にゅうねん　**入念**
にゅうばい　**入梅**
にゅうはくしょく　**乳白色**
にゅうばち　**乳鉢**
にゅうぶ　**入部**
にゅうぼう　**乳房**
にゅうぼう　**乳棒**
にゅうまく　**入幕**《相撲》新〜。
にゅうもん　**入門**　〜書。
にゅうよう　**入用**
にゅうようじ　**乳幼児**
にゅうよく　**入浴**　〜剤。
にゅうりょう　**入寮**
にゅうりょう　**乳量**
にゅうりょく　**入力**
にゅうわ　**柔和**
にょ　**女** ①{ジョ・ニョ・ニョウ / おんな・め}
にょ　**如** {ジョ・ニョ}
にょいぼう　**如意棒**
にょう　**女** ①{ジョ・ニョ・ニョウ / おんな・め}
にょう　**尿** {ニョウ}
にょうい　**尿意**
にょうさん　**尿酸**
にょうそ　**尿素**
にょうどう　**尿道**

にょうどくしょう　**尿毒症**《医学》
にょうぼう　**女房**　姉さん〜。〜役。
にょうぼうことば　**女房ことば**〔▲詞〕
にょうろけっせき　**尿路結石**《医学》
にょじつ　**如実**　〜に物語る。
にょにん　**女人**　〜禁制。
にょらい　**如来**《仏教》
にら　〔×韮〕
にらみ　〔×睨〕　〜が利く。
にらみあう　**にらみ合う**〔×睨〕
にらみつける　〔×睨付〕
にらむ　〔×睨〕
にらめっこ　〔×睨〕
にらんせい　**二卵性**　〜双生児。
にりつはいはん　**二律背反**
にりゅう　**二流**
にりんしゃ　**二輪車**
にる　**似る**
にる　**煮る**
にれ　〔×楡〕
にわ　**庭**　〜いじり。〜続き。
にわいし　**庭石**
にわか　〔仁輪加・×俄〕《芸能》
にわかあめ　**にわか雨**〔×俄〕
にわかじこみ　**にわか仕込み**〔×俄〕
にわかに　〔×俄〕
にわき　**庭木**
にわきど　**庭木戸**
にわくさ　**庭草**
にわさき　**庭先**

にわし―にんよ

にわし	庭師		にんじゃ	忍者 ～屋敷。
にわづたい	庭伝い		にんじゅう	忍従
にわとり	鶏		にんじゅつ	忍術 ～使い。
にん	人 ①{ジン・ニン／ひと}		にんしょう	人称 1～。
にん	任 ⑤{ニン／まかせる・まかす}		にんしょう	認証 ～式。電子～。
にん	認 ⑥{ニン／みとめる}		にんじょう	人情 ～味。
にん	妊 {ニン}		にんじょう	にん傷〔▲刃〕 ～沙汰。
にん	忍 {ニン／しのぶ・しのばせる}		にんしん	妊娠 ～中絶。～中毒症。
にんい	任意 ～出頭。～同行。		にんじん	〔人▲参〕
にんか	認可		にんずう	人数 (「ニンズ」とも)
にんかん	任官		にんずる	任ずる
にんき	人気 ～稼業。～投票。～取り。		にんそう	人相 ～書き。
にんき	任期 ～満了。		にんたい	忍耐 ～力。
にんぎょ	人魚		にんち	任地
にんきょう	仁きょう〔×俠〕		にんち	認知
にんぎょう	人形 ～劇。指～。		にんちしょう	認知症
にんぎょうじょうるり	人形浄瑠璃		にんてい	認定 ～証。
にんぎょうつかい	人形使い (文楽では「人形遣い」)		にんにく	〔▲大×蒜〕
			にんぴ	認否 罪状～。
にんぎょうぶり	人形振り 《芸能》		にんぴにん	人非人 ＊人でなし。
にんく	忍苦		にんぷ	妊婦
にんげん	人間 ～性。		にんぽう	忍法
にんげんこくほう	人間国宝		にんむ	任務
にんげんなみ	人間並み		にんめい	任命
にんげんみ	人間味		にんめん	任免 ～権。
にんげんわざ	人間業〔技〕		にんよう	任用
にんさんぷ	妊産婦		にんよう	認容 ＊容認。
にんしき	認識 ～不足。～論。			

特 表外字・表外音訓を用いてよい特例の語　　付 常用漢字表の付表の語
送 送りがなを省く特例　　読 読みがなを付けるのが望ましい語　　＊類語・言いかえ例

ぬ

ぬいあげる　縫い上げる
ぬいあわせる　縫い合わせる
ぬいいと　縫い糸
ぬいかえす　縫い返す
ぬいぐるみ　縫いぐるみ〔▲包〕
ぬいこ　縫い子
ぬいこむ　縫い込む
ぬいしろ　縫い代
ぬいつける　縫い付ける
ぬいとり　縫い取り
ぬいばり　縫い針
ぬいめ　縫い目
ぬいもの　縫い物
ぬいもん　縫い紋
ぬう　縫う
ぬか　〔×糠〕
ぬかあめ　ぬか雨〔×糠〕
ぬかす　抜かす〔▲脱〕　腰を〜。1ページ〜。
ぬかずく　〔▲額〕
ぬかづけ　ぬか漬け〔×糠〕
ぬかみそ　〔×糠味×噌〕
ぬかよろこび　ぬか喜び〔×糠〕
ぬかり　抜かり　手〜。
ぬかる　抜かる
ぬかるむ　〔▲泥×濘〕（「ぬかる」とも）
ぬかるみ　〔▲泥×濘〕
ぬき　抜き　5人〜。食事〜。

ぬき　〔▲貫〕
ぬきあし　抜き足　〜差し足。
ぬきうち　抜き打ち　〜に検査する。
ぬきがき　抜き書き
ぬきがたい　抜き難い　〜不信感。
ぬきさし　抜き差し　〜ならない。
ぬぎすてる　脱ぎ捨てる
ぬきずり　抜き刷り
ぬきだす　抜き出す
ぬきて　抜き手
ぬきとる　抜き取る
ぬきみ　抜き身
ぬきよみ　抜き読み
ぬきんでる　〔抜・▲抽・×擢〕
ぬく　抜く
ぬぐ　脱ぐ
ぬぐいとる　拭い取る
ぬぐう　拭う
ぬくもり　〔▲温〕
ぬけあな　抜け穴
ぬけがけ　抜け駆け〔×駈〕　〜の功名。
ぬけがら　抜け殻〔▲脱〕
ぬけかわる　抜け替わる〔代〕
ぬけげ　抜け毛〔▲脱〕
ぬけだす　抜け出す
ぬけでる　抜け出る
ぬけぬけ　〜と言う。
ぬけみち　抜け道〔▲路〕

〔　〕使わない漢字　　×表外字(常用漢字表にない字)　　▲表外音訓(常用漢字表にない読み)
①〜⑥教育漢字の学年配当　　①−②(①の表記を優先するが，②の表記を使ってもよい語)

ぬけめ	抜け目 ～がない。	ぬりえ	塗り絵
ぬける	抜ける〔▲脱〕	ぬりかえる	塗り替える〔換〕
ぬげる	脱げる	ぬりぐすり	塗り薬
ぬし	主	ぬりこめる	塗り込める
ぬすっと	〔盗▲人〕 ～たけだけしい。	ぬりたて	塗りたて〔立〕 ペンキ～。
ぬすびと	盗人	ぬりたてる	塗りたてる〔立〕
ぬすみ	盗み	ぬりつける	塗り付ける
ぬすみあし	盗み足	ぬりつぶす	①塗りつぶす ②塗り潰す
ぬすみぎき	盗み聞き〔聴〕	ぬりばし	塗り箸
ぬすみぐい	盗み食い〔×喰〕	ぬりぼん	塗り盆
ぬすみどり	盗み撮り	ぬりもの	塗り物
ぬすみとる	盗み取る	ぬりわん	塗りわん〔×椀〕
ぬすみみ	盗み見	ぬる	塗る
ぬすみよみ	盗み読み	**ぬるい**	〔▲温〕
ぬすむ	盗む	ぬるまゆ	ぬるま湯〔▲微▲温〕
ぬの	布	**ぬるむ**	〔▲温〕
ぬのじ	布地	ぬれえん	ぬれ縁〔×濡〕
ぬのめ	布目	ぬれがみ	ぬれ髪〔×濡〕
ぬま	沼	**ぬれぎぬ**	〔×濡▲衣〕 ～を着せる。
ぬまち	沼地	ぬれごと	ぬれ事〔×濡〕《芸能》
ぬめり	〔▲滑〕	ぬれて	ぬれ手〔×濡〕 ～であわ。
ぬめる	〔▲滑〕	**ぬれねずみ**	〔×濡×鼠〕
ぬらす	〔×濡〕	ぬれば	ぬれ場〔×濡〕《芸能》
ぬり	塗送 春慶～。	ぬればいろ	ぬれ羽色〔×濡〕
ぬり	塗り ～が悪い。漆～。	**ぬれる**	〔×濡〕
ぬりあげる	塗り上げる		

ね

ね	音
ね	根
ね	値　〜が張る。
ね・子	(十二支)〜の年。
ねあがり	値上がり
ねあげ	値上げ　便乗〜。
ねあせ	寝汗〔▲盗〕
ねい	寧{ネイ}
ねいき	寝息
ねいす	①寝いす　②寝椅子
ねいりばな	寝入りばな〔▲端〕
ねいる	寝入る
ねいろ	音色
ねうごき	値動き
ねうち	値打ち
ねえ	(感動詞)
ねえさん	姉さん 付
ねえさん	〔×姐〕
ねおき	寝起き
ねがい	願い　(「退職願」などは「○○願」送)
ねがいあげる	願い上げる
ねがいごと	願い事
ねがいさげ	願い下げ
ねがいでる	願い出る
ねがう	願う
ねがえり	寝返り　〜を打つ。
ねがお	寝顔
ねがさ	値がさ〔×嵩〕　〜株。
ねかす	寝かす
ねかせる	寝かせる
ねがわくは	願わくは
ねがわしい	願わしい
ねぎ	〔×葱〕　〜坊主。〜畑。
ねぎらう	〔▲労・×犒〕　労を〜。
ねぎる	値切る
ねぐされ	根腐れ　〜病。
ねくずれ	値崩れ
ねぐせ	寝癖
ねくび	寝首　〜をかく。
ねぐら	〔×塒〕
ねぐるしい	寝苦しい
ねこ	猫
ねこかぶり	猫かぶり〔▲被〕
ねこぐるま	猫車　(運搬用の一輪車)
ねごこち	寝心地
ねこじた	猫舌
ねこぜ	猫背
ねこそぎ	根こそぎ〔×刮〕
ねごと	寝言
ねこなでごえ	猫なで声〔×撫〕
ねこみ	寝込み　〜を襲う。
ねこむ	寝込む
ねこめいし	猫目石　(キャッツアイ)
ねこやなぎ	〔猫柳〕
ねごろ	値ごろ〔頃〕　〜感。

〔　〕使わない漢字　　×表外字(常用漢字表にない字)　　▲表外音訓(常用漢字表にない読み)
1〜6 教育漢字の学年配当　　①−②(①の表記を優先するが，②の表記を使ってもよい語)

ねころぶ　寝転ぶ
ねさがり　値下がり
ねさげ　値下げ
ねざけ　寝酒
ねざす　根ざす〔差〕
ねざめ　寝覚め　～が悪い。
ねざや　値ざや〔×鞘〕　～稼ぎ。
ねじ　〔×螺・▲捻子〕　～を巻く。
ねじあげる　ねじ上げる〔×捩〕
ねじきる　ねじ切る〔×捩・▲捻〕
ねじくぎ　〔×螺子×釘〕
ねじける　〔×拗〕
ねじこむ　ねじ込む〔×捩・▲捻〕
ねしずまる　寝静まる
ねしな　寝しな
ねじふせる　ねじ伏せる〔×捩・▲捻〕
ねじまげる　ねじ曲げる〔×捩〕
ねじまわし　ねじ回し〔×螺子×廻〕
ねじめ　音締め　三味線の～。
ねじやま　ねじ山〔×螺子〕
ねしょうがつ　寝正月
ねしょうべん　寝小便
ねじりはちまき　ねじり鉢巻き〔×捩・▲捻〕
ねじる　〔×捩・▲捻〕
ねじれる　〔×捩・▲捻〕
ねじろ　根城
ねすぎる　寝過ぎる
ねすごす　寝過ごす
ねずみ　〔×鼠〕

ねずみこう　ねずみ講〔×鼠〕
ねずみざん　ねずみ算〔×鼠〕
ねずみとり　ねずみ取り〔×鼠捕〕
ねぞう　寝相
ねそびれる　寝そびれる
ねそべる　寝そべる
ねたきり　寝たきり
ねたばこ　寝たばこ〔▲煙▲草〕
ねたましい　妬ましい〔▲嫉〕
ねたみ　妬み〔▲嫉〕
ねたむ　妬む〔▲嫉〕
ねだやし　根絶やし
ねだる　〔▲強▲請〕
ねだん　値段
ねちがえる　寝違える
ねつ　熱 ④ {ネツ/あつい}
ねつあい　熱愛
ねつい　熱意
ねつえん　熱演
ねっから　根っから
ねつき　寝つき〔付〕
ねっき　熱気
ねっききゅう　熱気球
ねっきょう　熱狂　～的。
ねつく　寝つく〔付〕
ねづく　根づく〔付〕
ねっけつ　熱血　～漢。
ねつげん　熱源
ねっさ　熱砂
ねつさまし　熱冷まし〔▲醒〕

特 表外字・表外音訓を用いてよい特例の語　　付 常用漢字表の付表の語
送 送りがなを省く特例　　読 読みがなを付けるのが望ましい語　　＊類語・言いかえ例

ねっしゃびょう　熱射病　（高温・高熱条件による急性障害の総称は「熱中症」)
ねっしょう　熱唱
ねつじょう　熱情
ねつしょり　熱処理
ねっしん　熱心
ねっする　熱する
ねっせい　熱誠
ねっせん　熱戦
ねっせん　熱線　（赤外線）
ねつぞう　ねつ造〔×捏〕　＊でっちあげ。
ねったい　熱帯　〜雨林。〜低気圧。
ねったいぎょ　熱帯魚
ねったいや　熱帯夜
ねっちゅう　熱中
ねっちゅうしょう　熱中症　（高温・高熱条件による急性障害の総称)
ねつっぽい　熱っぽい
ねつでんどう　熱伝導
ねっとう　熱湯
ねっとう　熱闘
ねっぱ　熱波
ねつびょう　熱病
ねっぷう　熱風
ねつべん　熱弁　〜を振るう。
ねつぼう　熱望
ねづよい　根強い
ねつらい　熱雷
ねつりょう　熱量
ねつれつ　熱烈　〜な歓迎。

ねどこ　寝床
ねとぼける　寝とぼける〔×呆・×惚〕
ねとまり　寝泊まり
ねなしぐさ　根なし草〔無〕
ねばつく　粘つく〔着〕
ねはば　値幅〔▲巾〕
ねばり　粘り
ねばりけ　粘りけ〔気〕
ねばりごし　粘り腰
ねばりつく　粘りつく〔着〕
ねばりづよい　粘り強い
ねばりぬく　粘り抜く
ねばる　粘る
ねはん　〔×涅×槃〕《仏教》〜会(エ)。
ねびえ　寝冷え
ねびき　値引き
ねぶかい　根深い
ねぶくろ　寝袋
ねぶそく　寝不足
ねふだ　値札
ねぶみ　値踏み
ねぼう　寝坊
ねぼけ　寝ぼけ〔×呆・×惚〕　〜眼。
ねぼける　寝ぼける〔×呆・×惚〕
ねほりはほり　根掘り葉掘り
ねま　寝間
ねまき　寝巻き〔間着〕
ねまわし　根回し
ねみみ　寝耳　〜に水。
ねむい　眠い〔▲睡〕

〔　〕使わない漢字　　×表外字(常用漢字表にない字)　　▲表外音訓(常用漢字表にない読み)
①〜⑥教育漢字の学年配当　　①－②(①の表記を優先するが，②の表記を使ってもよい語)

ねむがる	眠がる〔▲睡〕
ねむけ	眠気〔▲睡〕 〜覚まし。
ねむたい	眠たい〔▲睡〕
ねむのき	ねむの木〔▲合▲歓〕
ねむらせる	眠らせる〔▲睡〕
ねむり	眠り〔▲睡〕
ねむりぐすり	眠り薬〔▲睡〕
ねむりこむ	眠り込む
ねむる	眠る〔▲睡〕
ねもと	根元〔下・▲許・本〕
ねや	〔×閨〕
ねゆき	根雪
ねらい	狙い（「企画のねらい」などは、なるべくかな書き）
ねらいうち	狙い打ち （主に野球）カーブを〜。
ねらいうち	狙い撃ち （主に射撃。比喩的にも）銃で〜。弱者を〜。
ねらいめ	狙い目
ねらう	狙う（「経費節約をねらう」などは、なるべくかな書き）
ねり	練り〔×煉・▲錬〕
ねりあげる	練り上げる
ねりあるく	練り歩く
ねりあわせる	練り合わせる
ねりえ	練り餌
ねりぎぬ	練り絹
ねりせいひん	練り製品
ねりなおす	練り直す
ねりはみがき	練り歯磨き〔×煉〕
ねりようかん	練りようかん〔羊×羹〕
ねる	寝る
ねる	練る〔×煉・▲錬〕
ねれる	練れる〔×煉・▲錬〕 練れた人。
ねわざ	寝技
ねわざし	寝業師
ねん	年 ①｛ネン／とし｝
ねん	念 ④｛ネン｝ 〜を押す。〜のため。
ねん	然 ④｛ゼン・ネン｝
ねん	燃 ⑤｛ネン／もえる・もやす・もす｝
ねん	捻 ｛ネン｝
ねん	粘 ｛ネン／ねばる｝
ねんいり	念入り
ねんえき	粘液
ねんおし	念押し
ねんが	年賀 〜状。
ねんがく	年額
ねんかん	年間 〜収入。
ねんかん	年鑑
ねんがん	念願
ねんき	年忌 《仏教》
ねんき	年季 〜奉公。〜を入れる。
ねんき	年期 （1年を単位とする期間）
ねんきゅう	年休 （「年次休暇」の略）
ねんきん	年金 国民〜。
ねんぐ	年貢 〜米。
ねんげつ	年月
ねんげん	年限
ねんこう	年功 〜序列。
ねんごう	年号

特 表外字・表外音訓を用いてよい特例の語　　付 常用漢字表の付表の語
送 送りがなを省く特例　　読 読みがなを付けるのが望ましい語　　＊類語・言いかえ例

ねんごろ	①**ねんごろ** ②懇ろ
ねんざ	捻挫
ねんさん	年産
ねんし	年始　〜回り。
ねんし	ねん糸〔×撚〕
ねんじ	年次　〜計画。
ねんしゅう	年収
ねんじゅう	年中
ねんじゅうぎょうじ	年中行事　(「ネンチュウ〜」とも)
ねんしゅつ	捻出
ねんしょ	年初
ねんしょ	念書
ねんしょう	年少　〜者。
ねんしょう	年商
ねんしょう	燃焼　完全〜。
ねんじる	念じる
ねんすう	年数
ねんずる	念ずる
ねんだい	年代　〜記。〜物。
ねんちゃく	粘着　〜力。
ねんちょう	年長　〜者。
ねんど	年度　〜替わり。〜末。
ねんど	粘土　〜細工。
ねんとう	年頭　〜の所感。
ねんとう	念頭　〜に置く。
ねんない	年内
ねんねん	年々　〜歳々。
ねんぱい	年配〔輩〕　〜者。
ねんばんがん	粘板岩
ねんぴ	燃費　〜がいい。
ねんぴょう	年表
ねんぷ	年賦
ねんぷ	年譜
ねんぶつ	念仏
ねんぽう	年俸
ねんぽう	年報
ねんまく	粘膜
ねんまつ	年末　〜調整。
ねんらい	年来
ねんり	年利
ねんりき	念力
ねんりつ	年率
ねんりょう	燃料　液体〜。
ねんりん	年輪
ねんれい	年齢　(表などでは「**年令**」としてもよい)

〔　〕使わない漢字　　×表外字(常用漢字表にない字)　　▲表外音訓(常用漢字表にない読み)
①〜⑥教育漢字の学年配当　　①−②(①の表記を優先するが，②の表記を使ってもよい語)

の

の　野
のう　農 ③ {ノウ}
のう　能 ⑤ {ノウ}　～がない。
のう　納 ⑥ {ノウ・ナッ・ナ・ナン・トウ／おさめる・おさまる}
のう　脳 ⑥ {ノウ}
のう　悩 {ノウ／なやむ・なやます}
のう　濃 {ノウ／こい}
のうえん　脳炎　日本～。
のうえん　農園
のうか　農家
のうかい　納会
のうがき　能書き
のうがく　能楽　～師。～堂。
のうがく　農学　～博士。
のうかすいたい　脳下垂体
のうかん　納棺
のうかん　脳幹
のうかんき　農閑期
のうき　納期
のうきぐ　農機具
のうきょう　納経
のうきょう　農協　(「農業協同組合」の略)
のうぎょう　農業
のうきょうげん　能狂言　《芸能》
のうきん　納金
のうぐ　農具
のうげい　農芸　～化学。

のうけっせん　脳血栓　《医学》
のうこう　農耕　～民族。
のうこう　濃厚　～飼料。
のうこうそく　脳梗塞　《医学》
のうこつ　納骨　～堂。
のうこん　濃紺
のうさぎょう　農作業
のうさくぶつ　農作物
のうざしょう　脳挫傷　《医学》
のうさつ　悩殺
のうさんぶつ　農産物
のうし　脳死　《医学》
のうじ　農事
のうしゅく　濃縮　～ウラン。
のうしゅっけつ　脳出血　《医学》
のうしゅよう　脳腫瘍　《医学》
のうじょう　農場　～主。
のうしょうぞく　能装束
のうしんとう　脳震とう〔×盪〕　《医学》
のうずい　脳髄
のうせい　脳性　～まひ。
のうせい　農政
のうぜい　納税　～者。
のうそっちゅう　脳卒中
のうそん　農村
のうたん　濃淡
のうち　農地　～改革。～転用。

のうてん　脳天
のうど　濃度
のうどう　能動　～的。
のうどう　農道
のうなんかしょう　脳軟化症
のうにゅう　納入
のうは　脳波
のうはんき　農繁期
のうひん　納品　～書。
のうひんけつ　脳貧血
のうふ　納付　～金。
のうぶたい　能舞台
のうべん　能弁
のうほう　農法
のうみそ　脳みそ〔味×噌〕
のうみつ　濃密
のうみん　農民　～運動。
のうむ　濃霧　～注意報。
のうめん　能面　《芸能》
のうやく　農薬　残留～。
のうようち　農用地
のうり　能吏
のうり　脳裏〔×裡〕
のうりつ　能率
のうりょう　納涼
のうりょく　能力　～給。
のうりん　農林
のがす　逃す〔×遁〕　(「にがす」は「逃がす」と書く)
のがれる　逃れる〔×遁〕
のき　軒

のぎく　野菊
のきさき　軒先
のきした　軒下
のきなみ　軒並み
のく　〔▲退〕　飛び～。(ただし「立ち退く」付)
のけぞる　〔▲仰反〕
のけもの　のけ者〔▲除〕
のける　〔▲除・▲退〕　押し～。やって～。
のこぎり　〔×鋸〕
のこし　残し　食べ～。
のこす　残す〔▲遺〕
のこらず　残らず
のこり　残り
のこりが　残り香
のこりび　残り火
のこりもの　残り物
のこる　残る
のざらし　野ざらし〔×晒〕
のし　〔×熨▲斗〕　～紙。～袋。
のしあがる　のし上がる〔▲伸〕
のしいか　〔▲伸×烏▲賊〕
のしかかる　〔▲伸掛〕
のしもち　のし餅〔▲伸〕
のじゅく　野宿
のす　〔▲伸〕
のせる　乗せる　客を車に～。電波に～。
のせる　載せる　荷物を棚に～。雑誌に～。荷台に～。

〔　〕使わない漢字　　×表外字(常用漢字表にない字)　　▲表外音訓(常用漢字表にない読み)
①〜⑥教育漢字の学年配当　　①−②(①の表記を優先するが，②の表記を使ってもよい語)

のぞきこむ　のぞき込む〔×覗・×覘・×窺〕

のぞきみ　のぞき見〔×覗・×覘・×窺〕

のぞく　除く

のぞく　〔×覗・×覘・×窺〕

のそだち　野育ち

のぞましい　望ましい

のぞみ　望み

のぞみうす　望み薄

のぞみどおり　望みどおり〔通〕

のぞむ　望む　富士山を～。平和を～。

のぞむ　臨む　海に～別荘。会議に～。

のたうちまわる　のたうち回る

のだて　野だて〔▲点〕（場合により「野点」特とも）

のたまう　〔▲宣〕

のたれじに　野たれ死に〔垂〕

のち　後

のちぞい　後添い

のちに　後に

のちのち　①のちのち②後々

のちのよ　後の世

のちほど　後ほど〔程〕

ノット　〔▲節〕

のっとり　乗っ取り　～犯。

のっとる　乗っ取る　会社を～。飛行機を～。

のっとる　〔▲則〕　古式に～。

のっぴきならない　〔▲退引〕

のづみ　野積み

のてん　野天　～風呂。

のど　①のど②喉

のどか　〔▲長▲閑〕

のどごし　①のどごし②喉越し

のどじまん　のど自慢〔喉〕

のどぼとけ　①のどぼとけ②喉仏

のどもと　①のど元②喉元

のどわ　①のど輪②喉輪　～攻め。

ののしる　①ののしる②罵る

のばす　伸ばす　才能を～。手足を～。

のばす　延ばす　返事を～。

のばなし　野放し

のはら　野原

のび　野火

のび　伸び　～をする。

のびあがる　伸び上がる

のびざかり　伸び盛り

のびちぢみ　伸び縮み

のびなやむ　伸び悩む

のびのび　伸び伸び　～と育つ。

のびのび　延び延び　～になる。

のびやか　伸びやか〔×暢〕

のびりつ　伸び率

のびる　伸びる　(伸長)売り上げが～。しわが～。身長が～。

のびる　延びる　(延期・延長)会期が～。鉄道が～。

のぶし　野武士

のぶとい　野太い

のべ　野辺　～の送り。

のべ　延べ　～人員。～日数。

特 表外字・表外音訓を用いてよい特例の語　　付 常用漢字表の付表の語
送 送りがなを省く特例　　読 読みがなを付けるのが望ましい語　　＊類語・言いかえ例

のべいた　延べ板　金の〜。
のべがね　延べ金
のべつ　〜に。〜幕なし。
のべばらい　延べ払い
のべぼう　延べ棒　金の〜。
のべる　伸べる　救済の手を〜。
のべる　延べる　床を〜。日を〜。
のべる　述べる〔▲陳〕　意見を〜。
のほうず　〔野放図〕
のぼす　上す　日程に〜。
のぼせあがる　のぼせ上がる〔▲逆▲上〕
のぼせる　上せる　話題に〜。
のぼせる　〔▲逆▲上〕
のぼとけ　野仏
のぼり　上り　〜列車。〜調子。
のぼり　登り　木〜。山〜。
のぼり　〔×幟〕
のぼりがま　登り窯
のぼりくだり　上り下り
のぼりくち　上り口　(「ノボリグチ」とも)階段の〜。
のぼりくち　登り口　(「ノボリグチ」とも)山の〜。
のぼりざか　上り坂〔登〕
のぼりつめる　上り詰める　石段を〜。
のぼりつめる　登り詰める　山道を〜。
のぼる　上る　(「下」の対)坂を〜。階段を〜。川を〜。損害が1億円に〜。
のぼる　昇る　(勢いよく上へ)日が〜。エレベーターで〜。
のぼる　登る　(「降」の対。よじのぼる)山に〜。木に〜。
のまずくわず　飲まず食わず〔×呑〕
のみ　〔×蚤〕
のみ　〔×鑿〕
のみあかす　飲み明かす〔×呑〕
のみかけ　飲みかけ〔×呑掛〕
のみくい　飲み食い〔×呑×喰〕
のみぐすり　飲み薬〔×呑〕
のみくだす　飲み下す
のみくち　飲み口　〜がいい。
のみこうい　ノミ行為
のみこみ　飲み込み〔×呑〕　〜が早い。
のみこむ　飲み込む〔×呑〕
のみしろ　飲み代
のみすぎ　飲み過ぎ
のみたおす　飲み倒す〔×呑〕
のみち　野道
のみつぶれる　①飲みつぶれる　②飲み潰れる
のみて　飲み手〔×呑〕　＊酒飲み。
のみで　飲みで　〜がある。
のみのいち　のみの市〔×蚤〕
のみほす　飲み干す〔×呑〕
のみみず　飲み水〔×呑〕
のみもの　飲み物〔×呑〕
のみや　飲み屋〔×呑〕
のむ　飲む〔×呑〕　水を〜。
のむ　〔×呑・▲喫〕　条件を〜。錠剤を〜。
のめる　〔▲倒〕　前に〜。

〔　〕使わない漢字　　×表外字(常用漢字表にない字)　　▲表外音訓(常用漢字表にない読み)
①〜⑥教育漢字の学年配当　　①−②(①の表記を優先するが, ②の表記を使ってもよい語)

のやき　野焼き	のりこす　乗り越す
のやま　野山	のりこむ　乗り込む
のら　野良 付　~着。~仕事。	のりしろ　〔×糊代〕
のらいぬ　野良犬	のりすごす　乗り過ごす
のらねこ　野良猫	のりすてる　乗り捨てる
のり　乗り　自転車~。2人~。	のりそこなう　乗り損なう
のり　〔×糊〕	のりぞめ　乗り初め
のり　〔▲海×苔〕	のりだす　乗り出す
のりあい　乗り合い	のりつぐ　乗り継ぐ
のりあいじどうしゃ　乗合自動車 送	のりづけ　のり付け〔×糊〕
のりあいばしゃ　乗合馬車 送	のりつける　乗りつける〔付〕
のりあいぶね　乗合船 送	のりづめ　乗りづめ〔詰〕
のりあげる　乗り上げる	のりて　乗り手
のりあわせる　乗り合わせる	のりと　祝詞 付
のりいれ　乗り入れ　~禁止。相互~。	のりにげ　乗り逃げ
のりいれる　乗り入れる	のりば　乗り場
のりうつる　乗り移る	のりまき　のり巻き〔▲海×苔〕
のりおくれる　乗り遅れる	のりまわす　乗り回す
のりおり　乗り降り	のりめん　のり面〔▲法〕　（堤防など
のりかえ　乗り換え	の人工の斜面）
のりかええき　乗換駅 送	のりもの　乗り物
のりかえる　乗り換える	のる　乗る　車に~。時流に~。相談に
のりかかる　乗りかかる〔掛〕	~。電波に~。
のりき　乗り気	のる　載る　新聞に~。名簿に~。棚に
のりきる　乗り切る	載った荷物。
のりくみ　乗り組み	のれん　〔▲暖×簾〕　縄~。~分け。
のりくみいん　乗組員 送	のろい　呪い〔×詛〕　~をかける。
のりくむ　乗り組む	のろい　〔▲鈍〕
のりこえる　乗り越える	のろう　呪う〔×詛〕
のりごこち　乗り心地	のろけ　〔×惚気〕
のりこし　乗り越し	のろし　〔×狼▲煙〕　~を上げる。

特 表外字・表外音訓を用いてよい特例の語　　付 常用漢字表の付表の語
送 送りがなを省く特例　　読 読みがなを付けるのが望ましい語　　＊類語・言いかえ例

のろのろ ～運転。(p.31 参照)
のわき **野分き** (「野分け」とも)

のんき 〔×呑・×暢気〕

は

- は 波 ③ {ハ/なみ}
- は 破 ⑤ {ハ/やぶる・やぶれる}
- は 派 ⑥ {ハ}
- は 把 {ハ}
- は 覇 {ハ} 〜を競う。
- は 刃
- は 羽
- は 葉
- は 歯
- は 端 山の〜。
- ば 馬 ② {バ/うま・ま}
- ば 婆 {バ}
- ば 罵 {バ/ののしる}
- ば 場
- ばあい 場合 送
- はあく 把握
- ばあさん 〔▲婆〕 お〜。
- ばあたり 場当たり
- はあり 羽あり〔×蟻〕
- はい 配 ③ {ハイ/くばる}
- はい 敗 ④ {ハイ/やぶれる}
- はい 拝 ⑥ {ハイ/おがむ}
- はい 肺 ⑥ {ハイ}
- はい 背 ⑥ {ハイ/せ・せい・そむく・そむける}
- はい 俳 ⑥ {ハイ}
- はい 杯 {ハイ/さかずき}
- はい 胚 {ハイ} (p.12参照)
- はい 排 {ハイ}
- はい 廃 {ハイ/すたれる・すたる}
- はい 輩 {ハイ}
- はい 灰
- ばい 売 ② {バイ/うる・うれる}
- ばい 買 ② {バイ/かう}
- ばい 倍 ③ {バイ}
- ばい 梅 ④ {バイ/うめ}
- ばい 培 {バイ/つちかう}
- ばい 陪 {バイ}
- ばい 媒 {バイ}
- ばい 賠 {バイ}
- はいあがる はい上がる〔×這〕
- はいあん 廃案
- はいいろ 灰色
- はいいん 敗因
- ばいう 梅雨 〜前線。
- はいえい 背泳
- はいえき 廃液 工場〜。
- はいえつ 拝謁 国王に〜する。
- はいえん 肺炎
- はいえん 排煙
- ばいえん 梅園
- ばいえん ばい煙〔×煤〕
- はいおく 廃屋
- はいか 配下〔輩〕 ＊部下。
- はいが 俳画
- はいが 胚芽 (p.12参照)〜米。
- ばいか 倍加

特 表外字・表外音訓を用いてよい特例の語　　付 常用漢字表の付表の語
送 送りがなを省く特例　　読 読みがなを付けるのが望ましい語　　＊類語・言いかえ例

はいかい　俳諧	はいけん　拝見
はいかい　〔×俳×徊〕　＊うろつく。ぶらつく。歩き回る。	はいご　背後
	はいこう　廃校
はいがい　排外　〜思想。	はいこう　廃坑　（廃止された坑道）
ばいかい　媒介	はいこう　廃鉱　（廃止された鉱山）
ばいがく　倍額	はいごう　俳号
はいガス　排ガス　（「排気ガス」とも）	はいごう　配合
はいかつりょう　肺活量	ばいこく　売国　〜奴。
はいかん　拝観　〜料。	はいざい　配剤　天の〜。
はいかん　配管　〜工事。	はいざい　廃材
はいかん　廃刊　雑誌が〜になる。	はいざら　灰皿
はいがん　拝顔　＊お目にかかる。	はいざん　敗残　〜兵。
はいがん　肺がん〔×癌〕	はいし　廃止　虚礼〜。
はいき　排気　〜ガス。〜口。〜量。	はいじ　廃寺
はいき　廃棄〔毀〕　〜物。〜処分。	はいしゃ　敗者　〜復活戦。
はいきしゅ　肺気腫　《医学》	はいしゃ　廃車
ばいきゃく　売却	はいしゃ　歯医者　＊歯科医師。
はいきゅう　配給　〜米。〜所。	はいしゃく　拝借
はいきょ　廃虚〔×墟〕　〜と化す。	ばいしゃく　媒酌〔×妁〕　〜人。
はいぎょう　廃業	ばいしゅう　買収　用地〜。
はいきん　拝金　〜主義。	はいしゅつ　排出　〜基準。
はいきん　背筋　〜力。	はいしゅつ　輩出　＊人材が続々世に出る。
ばいきん　ばい菌〔×黴〕　＊細菌。	
はいく　俳句	ばいしゅん　売春　〜婦。
はいぐうしゃ　配偶者	はいじょ　排除
はいぐん　敗軍　〜の将。	ばいしょう　賠償　〜金。損害〜。
はいけい　拝啓	はいしょく　配色　〜がいい。
はいけい　背景　事件の〜。	はいしょく　敗色　〜が濃い。
はいげき　排撃	ばいしょく　陪食
はいけっかく　肺結核　《医学》	はいしん　背信　〜行為。
はいけつしょう　敗血症　《医学》	はいしん　配信

〔　〕使わない漢字　　×表外字(常用漢字表にない字)　　▲表外音訓(常用漢字表にない読み)
①〜⑥教育漢字の学年配当　　①−②(①の表記を優先するが，②の表記を使ってもよい語)

はいじん	俳人	はいそう	配送
はいじん	廃人	はいそう	敗走
ばいしん	陪審 ~制度。	はいぞう	肺臓
ばいじん	〔×煤×塵〕	ばいぞう	倍増
はいすい	配水 ~管。~池(チ)。	はいぞく	配属
はいすい	排水 ~溝。~量。~路。	はいそん	廃村
はいすい	廃水 (使用済みの水)工場の~。	はいた	排他 ~的。
		はいた	歯痛
はいすいのじん	背水の陣	はいたい	敗退
ばいすう	倍数	ばいたい	媒体
はいする	拝する	はいだす	はい出す〔×這〕
はいする	配する	はいたつ	配達 新聞~。
はいする	排する	はいだん	俳壇
はいする	廃する	はいち	配置 ~転換。
はいせい	俳聖 ~芭蕉。	はいちょう	拝聴
はいせい	敗勢 *敗色。	はいでる	はい出る〔×這〕
はいせき	排斥 ~運動。	はいてん	配点
ばいせき	陪席 ~裁判官。	はいでん	拝殿
はいせつ	排雪	はいでん	配電 ~盤。
はいせつ	排せつ〔×泄〕 ~物。	ばいてん	売店
はいぜつ	廃絶 核~。	はいとう	配当 ~金。~付き。~落ち。高~。
はいせん	杯洗〔×盃〕		
はいせん	配船	はいどうみゃく	肺動脈
はいせん	配線 ~工事。~図。	はいとく	背徳〔×悖〕 ~行為。
はいせん	敗戦 ~国。	はいどく	拝読
はいせん	廃船	ばいどく	梅毒〔×黴〕
はいせん	廃線	はいとり	はい取り〔×蠅〕 ~紙。
はいぜん	配膳	はいにち	排日 ~思想。
ばいせん	ばい煎〔×焙〕 (コーヒー豆などを煎る)	はいにゅう	胚乳
		はいにょう	排尿
はいそ	敗訴	はいにん	背任 ~罪。

特 表外字・表外音訓を用いてよい特例の語　　付 常用漢字表の付表の語

送 送りがなを省く特例　　説 読みがなを付けるのが望ましい語　　*類語・言いかえ例

はいのう	背のう〔×嚢〕
ばいばい	売買　～契約。
はいはん	背反　二律～。
はいび	配備
はいひん	廃品　～回収。
はいふ	肺ふ〔×腑〕　～をえぐる。～をつく。
はいふ	配付　(各人に配ること)議案書の～。資料の～。
はいふ	配布　(大勢に渡すこと)ビラを～する。
はいぶ	廃部
はいふく	拝復
はいぶつ	廃物　～利用。
はいぶん	配分　比例～。重点～。
はいべん	排便
はいぼく	敗北　～感。～主義。
はいほん	配本
はいまわる	はい回る〔×這〕
はいめい	拝命
ばいめい	売名　～行為。
はいめん	背面　～跳び。
はいもん	肺門　《医学》
はいやく	配役
ばいやく	売約　～済み。
ばいやく	売薬
はいゆ	廃油
はいゆう	俳優
ばいよう	培養　～土。
はいらん	排卵　～誘発剤。
ばいりつ	倍率
はいりょ	配慮
はいりょう	拝領　～の刀。
ばいりん	梅林
はいる	入る
はいれい	拝礼
はいれつ	配列〔排〕
はう	〔×這〕
はうた	端唄
はえ	映え　夕～。
はえ	栄え　～ある勝利。見～。
はえ	〔×蠅〕　(「はい」とも)
はえかわる	生え変わる
はえぎわ	生え際
はえたたき	〔×蠅×叩〕　(「はいたたき」とも)
はえなわ	〔▲延縄〕　～漁業。
はえぬき	生え抜き
はえる	生える　草が～。
はえる	映える　夕日に～。
はえる	栄える　優勝に～。
はおと	羽音
はおり	羽織 送
はおる	羽織る
はか	墓
はか	〔▲捗〕　～がいく。
ばか	〔馬鹿・×莫×迦〕
はかい	破戒　～僧。
はかい	破壊　～力。
はかいし	墓石
はがいじめ	羽交い締め
はがき	①はがき ②葉書 送

〔　〕使わない漢字　　×表外字(常用漢字表にない字)　　▲表外音訓(常用漢字表にない読み)
①～⑥教育漢字の学年配当　　①―②(①の表記を優先するが，②の表記を使ってもよい語)

はかく　破格　〜の待遇。
ばかげる　〔馬鹿〕
ばかさわぎ　ばか騒ぎ〔馬鹿〕
ばかしょうじき　ばか正直〔馬鹿〕
はがす　剥がす
ばかす　化かす
ばかず　場数　〜を踏む。
はかせ　博士付　物知り〜。（学位としては「ハクシ」）
はがた　歯形　（歯でかんだ痕）〜が付く。
はがた　歯型　（歯並びをうつしとったもの）〜を取る。
はかたおり　博多織送
ばかぢから　ばか力〔馬鹿〕
ばかていねい　ばか丁寧〔馬鹿×叮×嚀〕
はかどる　〔▲捗〕
はかない　〔▲果▲敢無・×儚〕　〜夢。
はかなむ　〔×儚〕　世を〜。
はがね　鋼
はかば　墓場
はかばかしい　〔▲捗々〕
ばかばかしい　〔馬鹿〕
はかぶ　端株　《株式》
はかま　〔×袴〕
はかまいり　墓参り
はがみ　歯がみ〔×嚙〕
はかもり　墓守送
はがゆい　歯がゆい〔×痒〕
はからい　計らい
はからう　計らう

はからずも　図らずも
はかり　〔×秤〕
はかりうり　量り売り〔計〕
はかりごと　〔▲謀〕
はかりしれない　計り知れない
はかる　図る　（意図・企画）解決を〜。自殺を〜。便宜を〜。
はかる　計る　（計算・計画）時間を〜。国の将来を〜。
はかる　測る　（長さ，距離，深さ，面積など）距離を〜。血圧を〜。
はかる　量る　（重さ，容積など）目方を〜。
はかる　謀る　暗殺を〜。悪事を〜。（「はかりごと」は，かな書き）
はかる　諮る　議会に〜。
はがれる　剥がれる
はがんいっしょう　破顔一笑
はき　破棄〔毀〕　条約の〜。
はき　覇気
はぎ　〔×萩〕
はぎあわせる　はぎ合わせる〔▲接〕
はききよめる　掃き清める
はきけ　吐き気〔×嘔〕
はぎしり　歯ぎしり〔×軋〕
はきすて　履き捨て
はきすてる　吐き捨てる
はきだす　吐き出す　口から〜。
はきだす　掃き出す　ほうきで〜。
はきたて　掃き立て　蚕の〜。
はきだめ　掃きだめ〔×溜〕　〜に鶴。

特 表外字・表外音訓を用いてよい特例の語　　付 常用漢字表の付表の語
送 送りがなを省く特例　　読 読みがなを付けるのが望ましい語　　＊類語・言いかえ例

見出し	表記	備考
はきちがえる	①はき違える ②履き違える	靴を〜。自由を〜。
はぎとる	剝ぎ取る	
はきもの	履物 送	
ばきゃく	馬脚	〜を現す。
はきゅう	波及	
はぎょう	覇業	〜を遂げる。
はきょく	破局	
はぎれ	歯切れ	〜がいい。
はぎれ	〔端切・▲布〕	
はく	白 ① {ハク・ビャク / しろ・しら・しろい}	
はく	博 ④ {ハク・バク}	
はく	伯 {ハク}	
はく	拍 {ハク・ヒョウ} 〔×搏〕	
はく	泊 {ハク / とまる・とめる}	
はく	迫 {ハク / せまる}	
はく	剝 {ハク / はがす・はぐ・はがれる・はげる}	
はく	舶 {ハク}	
はく	薄 {ハク / うすい・うすめる・う / すまる・うすらぐ・うすれる}	
はく	〔×箔〕	〜が付く。
はく	吐く 〔×嘔〕	
はく	掃く	
はく	履く	
はく	〔×穿〕	ズボンを〜。
はぐ	剝ぐ	
はぐ	〔▲接〕	
ばく	麦 ② {バク / むぎ}	
ばく	博 ④ {ハク・バク}	
ばく	暴 ⑤ {ボウ・バク / あばく・あばれる}	
ばく	幕 ⑥ {マク・バク}	
ばく	漠 {バク}	〜とした考え。
ばく	縛 {バク / しばる}	
ばく	爆 {バク}	
ばぐ	馬具	
はくあ	白亜 〔×堊〕	〜の殿堂。
はくあい	博愛	
はくい	白衣	(医師, 看護師の衣服)
ばくおん	爆音	
ばくが	麦芽	〜糖。
はくがい	迫害	
はくがく	博学	
はくがんし	白眼視	
はぐき	①歯ぐき ②歯茎 〔×齦〕	
はくぎん	白銀	
はぐくむ	育む	
ばくげき	爆撃	〜機。
はくげきほう	迫撃砲	
はくさい	白菜	
はくし	白紙	〜委任。〜撤回。
はくし	博士	医学〜。文学〜。〜号。
はくじ	白磁	
ばくし	爆死	
はくしき	博識	
はくじつ	白日	青天〜。〜夢。
はくしゃ	拍車	〜をかける。
はくしゃ	薄謝	
はくしゃく	伯爵	
はくじゃく	薄弱	意志〜。根拠〜。
はくしゃせいしょう	白砂青松	(「ハクサ〜」とも)
はくしゅ	拍手	〜喝采。
はくじゅ	白寿	(99歳)〜の祝い。

〔 〕使わない漢字　×表外字(常用漢字表にない字)　▲表外音訓(常用漢字表にない読み)
①〜⑥教育漢字の学年配当　①−②(①の表記を優先するが, ②の表記を使ってもよい語)

ばくしゅう　麦秋
はくしょ　白書　経済〜。
ばくしょ　ばく書〔×曝〕（書物の虫干し）
はくじょう　白状
はくじょう　薄情
ばくしょう　爆笑
はくしょく　白色
はくしん　迫真　〜の演技。
はくじん　白人
ばくしん　爆心　〜地。
ばくしん　ばく進〔×驀〕　＊突進。
はくする　博する　好評を〜。
はくせい　剝製
はくせん　白線
ばくぜん　漠然
ばくだい　ばく大〔×莫〕　＊多大。膨大。
はくだく　白濁
はくだつ　剝脱　＊剝げ落ちる。
はくだつ　剝奪　＊取り上げる。剝ぎ取る。
ばくだん　爆弾
はくち　泊地
ばくち　〔博▲打・×奕〕　〜打ち。
ばくちく　爆竹
はくちず　白地図
はくちゅう　白昼　〜夢。
はくちゅう　伯仲　勢力〜。
はくちょう　白鳥
ばくと　博徒

はくどう　拍動〔×搏〕
はくないしょう　白内障　《医学》
はくねつ　白熱　〜戦。
はくば　白馬
ばくは　爆破
はくばい　白梅
はくはつ　白髪
ばくはつ　爆発　〜音。〜物。
はくび　白眉
はくひょう　白票
はくひょう　薄氷　〜を踏む思い。
ばくふ　幕府
ばくふ　〔×瀑布〕　＊滝。
ばくふう　爆風
はくぶつ　博物　〜館。〜誌。
はくへいせん　白兵戦
はくぼ　薄暮
はくぼく　白墨
はくまい　白米
ばくまつ　幕末
はくめい　薄命　美人〜。
はくめい　薄明　〜の空。
ばくやく　爆薬
はくらい　舶来　〜品。
ばくらい　爆雷
はぐらかす　話を〜。
はくらく　伯楽　名〜。
はくらく　剝落　＊剝げ落ちる。
はくらんかい　博覧会　万国〜。
はくり　薄利　〜多売。
はくり　剝離　網膜〜。

㊩表外字・表外音訓を用いてよい特例の語　　㊭常用漢字表の付表の語
㊪送りがなを省く特例　　㊫読みがなを付けるのが望ましい語　　＊類語・言いかえ例

はくりきこ　薄力粉	はごいた　羽子板
ばくりょう　幕僚　〜部。〜長。	はこいり　箱入り　〜娘。
はくりょく　迫力　〜満点。	はこう　波高
はぐるま　歯車	はこがき　箱書き
はぐれる　〔▲逸〕　仲間に〜。	はごたえ　歯応え
ばくろ　暴露〔×曝〕	はこづめ　箱詰め
はくろうびょう　白ろう病〔×蠟〕	はこにわ　箱庭
はけ　〔▲刷毛〕	はこび　運び
はげ　〔×禿〕	はこぶ　運ぶ
はけい　波形	はこぶね　箱舟〔▲方〕
はげいとう　〔葉鶏頭〕	**はこべ**　〔×蘩×蔞〕
はけぐち　はけ口〔×捌〕（「ハケクチ」とも）	はこぼれ　刃こぼれ〔▲毀〕
	はこまくら　箱枕
はげしい　激しい〔▲烈・▲劇〕	はごろも　羽衣　〜伝説。〜の松。
はげたか　〔×禿×鷹〕	**はさ**　〔▲稲▲架〕
ばけねこ　化け猫	はさい　破砕〔×摧〕
ばけのかわ　化けの皮　〜が剝がれる。	はざかいき　端境期
はげまし　励まし	はさき　刃先
はげます　励ます	はざくら　葉桜
はげみ　励み	**はざま**　〔▲狭間〕
はげむ　励む	はさまる　挟まる
ばけもの　化け物　〜屋敷。	**はさみ**　〔×鋏〕
はげやま　はげ山〔×禿〕	はさみうち　挟み撃ち
はける　〔×捌〕　在庫品が〜。	はさみこむ　挟み込む
はげる　〔×禿〕	はさみしょうぎ　挟み将棋
はげる　剝げる　ペンキが〜。	**はさむ**　挟む〔▲挿〕　口を〜。
ばける　化ける	**はさむ**　〔×剪・×鋏〕　枝を〜。
はけん　派遣　特使を〜する。	はざわり　歯触り
はけん　覇権　〜を握る。	はさん　破産
ばけん　馬券（「勝ち馬投票券」の通称）	はし　箱{はし}
はこ　箱③{はこ}〔×函〕	はし　端（「ハジ」とも）

〔　〕使わない漢字　　×表外字（常用漢字表にない字）　　▲表外音訓（常用漢字表にない読み）
①〜⑥教育漢字の学年配当　　①−②（①の表記を優先するが，②の表記を使ってもよい語）

はし 橋	はじめね 始値送
はじ 恥	はじめる 始める
はじいる 恥じ入る	はしゃ 覇者
はしおき 箸置き	ばしゃ 馬車 〜馬。荷〜。
はしか 〔▲麻▲疹〕	**はしゃぐ** 子どもが〜。
はしがかり 橋懸送 《芸能》	はしやすめ 箸休め 《料理》
はしがき 〔端書〕	はしゅつ 派出 〜所。
はじき 〔▲弾〕 お〜。	ばじゅつ 馬術
はじきだす はじき出す〔▲弾〕	ばしょ 場所
はじく 〔▲弾〕	はじょう 波状 〜攻撃。
はしくれ 端くれ	**ばしょう** 〔×芭×蕉〕 〜の葉。
はしけ 〔×艀〕	ばじょう 馬上 〜の人となる。
はしげた 橋桁	はしょうふう 破傷風
はじける 〔▲弾〕	ばしょがら 場所柄
はしご 〔×梯子〕 〜酒。〜車。	**はしょる** 〔▲端▲折〕
はじさらし 恥さらし〔×曝〕	はしら 柱
はじしらず 恥知らず	はじらう 恥じらう〔▲羞〕
はした 〔▲端〕	はしらせる 走らせる
はしたがね はした金〔▲端〕	**はしり** 〔走〕 〜のみかん。〜梅雨。
はしたない 〔▲端無〕	はしりがき 走り書き
はしづめ 橋詰め (橋のたもと)	はしりたかとび 走り高跳び
ばじとうふう 馬耳東風	はしりはばとび 走り幅跳び
はしなくも 〔端〕	はしりまわる 走り回る
はしばこ 箸箱	はしる 走る
はじまり 始まり	はじる 恥じる〔▲羞・×愧〕
はじまる 始まる	はしわたし 橋渡し
はじめ 初め 〜から。年の〜。〜のうち。	ばしん 馬身 1〜の差。
はじめ 始め 仕事〜。	**はす** 〔×蓮〕 〜池。
はじめ 先生を〜。	**はす** 〔▲斜〕 〜に構える。
はじめて 初めて	**はず** 〔×筈〕 …する〜だ。
	はすい 破水 《医学》

特 表外字・表外音訓を用いてよい特例の語　　付 常用漢字表の付表の語
送 送りがなを省く特例　　読 読みがなを付けるのが望ましい語　　＊類語・言いかえ例

はすう　端数	ばだい　場代　*席料。
ばすえ　場末	はたいろ　旗色　〜が悪い。
はずかしい　恥ずかしい	はたおり　機織り
はずかしめ　辱め　〜を受ける。	はだか　裸　〜一貫。
はずかしめる　辱める	はだかうま　裸馬
はずす　外す	はたがしら　旗頭　一方の〜。
はすっぱ〔×蓮葉〕	はだかせん　裸線
はずみ　弾み　〜をつける。	はだかでんきゅう　裸電球
はずみ〔▲機・弾〕　ものの〜。	はたき〔×叩〕
はずむ　弾む	はだぎ　肌着
はすむかい　はす向かい〔▲斜〕（斜め向かい）	はたきこみ　はたき込み〔×叩〕
はずれ　外れ	はたく〔×叩〕
はずれる　外れる	はたけ　畑〔×畠〕
はぜ〔▲沙▲魚・×鯊〕	はたけちがい　畑違い〔×畠〕
はせい　派生	はだける〔▲開〕
ばせい　罵声　*ののしり声。	はたご〔▲旅▲籠〕（旅館・宿屋）
はせさんじる　はせ参じる〔×馳〕	はたざお　旗ざお〔×竿〕
はせつける〔×馳着〕	はたさく　畑作〔×畠〕
はぜる〔▲爆〕	はだざむい　肌寒い〔▲膚〕（「ハダサムイ」とも）
ばそり　馬そり〔×橇〕	はだざわり　肌触り〔▲膚〕
はそん　破損	はだし〔▲裸▲足・×跣〕
はた　畑③{はた・はたけ}〔×畠〕	はたしあい　果たし合い
はた　旗	はたして　果たして
はた　端	はたじるし　旗印〔▲標〕
はた　機	はたす　果たす
はた〔▲傍〕　〜から見ると…。	はたち　畑地〔×畠〕
はだ　肌{はだ}〔▲膚〕	はたち　二十，二十歳 付
はだあい　肌合い	はだぬぎ　肌脱ぎ〔▲膚〕
はたあげ　旗揚げ〔挙・上〕	はだみ　肌身〔▲膚〕　〜離さず。
はだあれ　肌荒れ	はため　はた目〔▲傍〕

〔　〕使わない漢字　　×表外字(常用漢字表にない字)　　▲表外音訓(常用漢字表にない読み)
①〜⑥教育漢字の学年配当　　①−②(①の表記を優先するが，②の表記を使ってもよい語)

はためいわく　はた迷惑〔▲傍〕
はためく　旗が〜。
はたもと　旗本
はたらき　働き
はたらきかける　働きかける〔掛〕
はたらきぐち　働き口
はたらきざかり　働き盛り
はたらきて　働き手
はたらきばち　働き蜂
はたらきもの　働き者
はたらく　働く
はたん　破綻　＊失敗。破局。行き詰まり。
はだん　破談
はち　八 ① {ハチ／や・やつ・やっつ・よう}
はち　鉢 {ハチ・ハツ}
はち　蜂
ばち　罰 {バツ・バチ}
ばち　〔×撥〕〜さばき。
ばちあたり　罰当たり
はちあわせ　鉢合わせ
はちうえ　鉢植え
ばちがい　場違い
はちきれる　はち切れる
はちく　破竹　〜の勢い。
はちじゅうはちや　八十八夜
はちじゅうはっかしょ　八十八か所　四国〜。
はちのす　蜂の巣
はちぶんめ　八分目　腹〜。
はちまき　鉢巻き

はちみつ　蜂蜜
はちミリ　8ミリ　〜映写機。
はちめんろっぴ　八面六臂
はちもの　鉢物
はちゅうるい　は虫類〔×爬〕
はちょう　波長
はつ　発 ③ {ハツ・ホツ}
はつ　鉢 {ハチ・ハツ}
はつ　髪 {ハツ／かみ}
はつ　初　〜公判。〜登庁。〜節句。
はつ　法 ④ {ホウ・ハッ・ホッ}
ばつ　末 ④ {マツ・バツ／すえ}
ばつ　伐 {バツ}
ばつ　抜 {バツ／ぬく・ぬける・ぬかす・ぬかる}
ばつ　罰 {バツ・バチ}
ばつ　閥 {バツ}
ばつ　〜が悪い。〜を合わせる。
はつあん　発案
はつい　発意
はついく　発育　〜盛り。
はつうま　初午 特
はつうり　初売り
はつえき　発駅
はつえんとう　発炎筒　(炎で明るい光を放つ。自動車、鉄道の事故現場や道路作業などで使う)
はつえんとう　発煙筒　(煙を出す。防災訓練などで使う)
はつおん　発音
はつか　二十日，20日 付
はっか　発火　〜点。

特 表外字・表外音訓を用いてよい特例の語　　付 常用漢字表の付表の語
送 送りがなを省く特例　　読 読みがなを付けるのが望ましい語　　＊類語・言いかえ例

はっか　薄荷	はっこう　発光　〜体。
はつが　発芽	はっこう　発行　証明書の〜。
はっかい　発会　〜式。	はっこう　発効　条約の〜。
はつがお　初顔	はっこう　発酵〔×醱〕
はつかおあわせ　初顔合わせ	はっこう　薄幸〔×倖〕　〜の少女。
はっかく　発覚	はっこういちう　八紘一宇
はつかしょうがつ　二十日正月	はつごおり　初氷
はつがま　初釜	はっこつ　白骨
はっかん　発刊	ばっさい　伐採
はっかん　発汗	**はっさく**〔八×朔〕
はつかんせつ　初冠雪	はっさん　発散
はっき　発揮	はつざん　初産
はつぎ　発議	ばっし　末子
はづき　葉月　（陰暦8月）	ばっし　抜糸
はっきゅう　白球	ばっし　抜歯
はっきゅう　発給　旅券の〜。	はつしも　初霜
はっきゅう　薄給	はっしゃ　発車
はっきん　白金　*プラチナ。	はっしゃ　発射
はっきん　発禁　（「発売禁止」の略）	はっしょう　発症
ばっきん　罰金　〜刑。	はっしょう　発祥　〜の地。
はっくつ　発掘	はつじょう　発条　*バネ。ぜんまい。
はづくろい　羽繕い	はつじょう　発情　〜期。
ばつぐん　抜群　〜の成績。	はっしょく　発色
はっけ〔八×卦〕	はっしん　発信　〜機。〜人。
はっけっきゅう　白血球	はっしん　発振　〜器。
はっけつびょう　白血病	はっしん　発進　緊急〜。
はっけん　発見	はっしん　発疹　《医学》（「ホッシン」とも）
はっけん　白鍵	
はつげん　発言　〜権。〜力。	はっすい　はっ水〔×撥〕　（水をはじく）〜加工。
はつげん　発現	
はつこい　初恋	ばっすい　抜粋〔×萃〕

〔　〕使わない漢字　　×表外字（常用漢字表にない字）　　▲表外音訓（常用漢字表にない読み）
①〜⑥教育漢字の学年配当　　①−②（①の表記を優先するが，②の表記を使ってもよい語）

はつずり　初刷り
はっする　発する
ばっする　罰する
はっせい　発生
はっせい　発声　～練習。
はっそう　発送
はっそう　発想
ばっそく　罰則　～規定。
ばっそん　末孫
ばった　〔▲飛×蝗〕
はつたいけん　初体験　(「ショタイケン」とも)
はったつ　発達
はつだより　初便り
はっちゃく　発着　～場。
はっちゅう　発注〔×註〕
はっちょう　八丁　口～手～。
ばってい　末弟
ばってき　抜てき〔×擢〕　主役に～する。　＊登用。
はってん　発展
はってんとじょうこく　発展途上国
はつでん　発電　～機。
ばってん　罰点
はっと　法度　ご～。
はつどう　発動　強権の～。
ばっとう　抜刀
はつどうき　発動機　(エンジン)
ばつなぎ　場つなぎ〔×繋〕
はつに　初荷

はつね　初音
はつねつ　発熱
はつのり　初乗り　～運賃。
はっぱ　発破　(「部下に～をかける」は「ハッパ」)
はっぱ　葉っぱ
はつばい　発売　新～。
はつはる　初春
はつひ　初日
はっぴ　①はっぴ　②法被〔▲半〕
はつひので　初日の出
はつびょう　発病
はっぴょう　発表
はっぷ　発布　憲法～。
はつふゆ　初冬
はっぷん　発奮　(「発憤」とも)
はつほ　初穂
はっぽう　八方　～塞がり。～美人。
はっぽう　発泡　～酒。～スチロール。
はっぽう　発砲　銃を～。
はつぼん　初盆
ばっぽんてき　抜本的
はつまご　初孫
はつみみ　初耳
はつめい　発明　～家。
はつもう　発毛
はつもうで　初詣送　(「初詣」以外は，原則として「○○詣で」と送りがなを付ける)
はつもの　初物
はつゆき　初雪

特 表外字・表外音訓を用いてよい特例の語　　付 常用漢字表の付表の語
送 送りがなを省く特例　　読 読みがなを付けるのが望ましい語　　＊類語・言いかえ例

はつゆめ　初夢
はつよう　発揚　国威の〜。
はつらつ　〔×溌×剌〕
はつれい　発令
はつろ　発露
はて　果て〔▲涯〕
はで　派手　〜好き。
ばていけい　馬てい形〔×蹄〕
はてしない　果てしない
はてる　果てる　変わり〜。
はてんこう　破天荒　＊空前。前代未聞。
はと　〔×鳩〕
はとう　波とう〔×濤〕　＊大波。
ばとう　罵倒　＊ののしる。
はとは　ハト派〔×鳩〕
はとば　波止場 付
はとぶえ　はと笛〔×鳩〕
はとむね　はと胸〔×鳩〕
はどめ　歯止め
はな　花　〜を生ける。
はな　華　あの人は〜がある。
はな　鼻　〜を明かす。
はな　〔×洟〕　〜をかむ。
はな　〔▲端〕　出ばな。寝入りばな。
はなあらし　花嵐
はないき　鼻息　〜が荒い。
はないけ　花生け〔▲活〕
はなうた　鼻歌　(「鼻唄」とも)〜交じり。
はなうり　花売り　〜娘。
はなお　鼻緒
はなかご　花籠

はながさ　花がさ〔×笠〕
はなかぜ　①鼻かぜ ②鼻風邪
はながた　花形〔型〕　〜役者。
はながつお　花がつお〔×鰹〕
はながみ　鼻紙
はながら　花柄
はなぐすり　鼻薬　〜をかがせる。
はなくそ　鼻くそ〔×屎・×糞〕
はなぐもり　花曇り
はなげ　鼻毛
はなごえ　鼻声
はなござ　花ござ〔×莫×蓙〕
はなことば　花言葉〔▲詞〕
はなごよみ　花暦
はなざかり　花盛り
はなさき　鼻先　〜であしらう。
はなし　話
はなしあい　話し合い
はなしあいて　話し相手
はなしあう　話し合う
はなしか　はなし家〔×噺・×咄〕
はなしがい　放し飼い
はなしかける　話しかける〔掛〕
はなしかた　話し方
はなしごえ　話し声
はなしことば　①話しことば ②話し言葉
はなしょうぶ　花しょうぶ〔×菖×蒲〕
はなじろむ　鼻白む
はなす　話す

〔　〕使わない漢字　　×表外字(常用漢字表にない字)　　▲表外音訓(常用漢字表にない読み)
①〜⑥教育漢字の学年配当　　①—②(①の表記を優先するが，②の表記を使ってもよい語)

はなす　放す　鳥を〜。見〜。	はなみ　花実　死んで〜が咲くものか。
はなす　離す　手を〜。目を〜。	はなみ　歯並み
はなすじ　鼻筋　〜の通った顔。	はなみず　鼻水
はなせる　話せる	はなみち　花道
はなぞの　花園	**はなむけ**　〔×餞〕
はなたけ　鼻たけ〔×茸〕《医学》	はなむこ　花婿〔×聟〕
はなたて　花立て	はなめ　花芽
はなたば　花束	はなめがね　鼻眼鏡
はなだより　花便り	はなもち　鼻持ち　〜ならない。
はなたれ　〔×洟垂〕〜小僧。	はなもよう　花模様
はなぢ　鼻血	はなもり　花守 送
はなつ　放つ	はなやか　華やか〔花〕
はなづつ　花筒	はなやぐ　華やぐ〔花〕
はなっぱしら　鼻っ柱	はなよめ　花嫁　〜修業。〜御寮。
はなつまみ　鼻つまみ〔▲摘〕	はならび　歯並び
はなづまり　鼻詰まり	はなれ　離れ　〜座敷。
はなつみ　花摘み	ばなれ　場慣れ〔×馴〕
はなづら　鼻面	はなれじま　離れ島
はなばさみ　花ばさみ〔×鋏〕	はなればなれ　離れ離れ
はなばしら　鼻柱	はなれる　放れる　（解放）束縛を〜。放れ馬。
はなはだ　甚だ	
はなばたけ　花畑〔×畠〕	はなれる　離れる　（分離・去る）職を〜。人心が〜。
はなはだしい　甚だしい	
はなばなしい　華々しい〔花〕	はなれわざ　離れ業〔放技〕
はなび　花火	はなわ　花輪〔▲環〕
はなびえ　花冷え	はなわ　鼻輪〔▲環〕
はなびら　花びら〔▲弁〕	**はにかむ**　〔▲含▲羞〕
はなふだ　花札	ばにく　馬肉
はなふぶき　花吹雪	はにわ　埴輪 特
はなまつり　花祭り	
はなみ　花見　〜客。〜酒。	

特 表外字・表外音訓を用いてよい特例の語　　付 常用漢字表の付表の語
送 送りがなを省く特例　　読 読みがなを付けるのが望ましい語　　＊類語・言いかえ例

はね　羽	(主につばさ。昆虫のはね。比喩的にも)鳥の〜。トンボの〜。飛行機の〜。
はね　羽根	(バラバラにした鳥のはね。羽根形の器具, 部品)赤い〜。ヘリコプターの〜。扇風機の〜。
はね　跳ね	〜が上がる。
ばね　〔▲発▲条〕	〜仕掛け。
はねあがる　跳ね上がる	
はねあげる　はね上げる〔×撥〕	列車が雪を〜。
はねおきる　跳ね起きる	
はねかえす　はね返す〔×撥〕	(跳ねてひっくり返す場合は「跳ね返す」)
はねかえる　跳ね返る	
はねかざり　羽飾り	
はねつき　羽根つき〔突〕	
はねつける　〔×撥付〕	
はねとばす　はね飛ばす〔×撥〕	
はねのける　〔×撥▲除〕	
はねばし　跳ね橋	
はねぶとん　羽根布団	
はねまわる　跳ね回る	
はねる　跳ねる	魚が〜。
はねる　〔×撥〕	筆を〜。不良品を〜。
はは　母	
はば　幅〔▲巾〕	〜を利かす。
ばば　馬場	
ははおや　母親	
ははかた　母方	
はばかり　〔×憚〕	〜ながら。
はばかる　〔×憚〕	人目を〜。
はばたく　羽ばたく〔×搏〕	
はばつ　派閥	〜争い。
はばとび　幅跳び	
はばひろい　幅広い	
はばむ　阻む〔×沮〕	
はばよせ　幅寄せ	(車の運転)
はびこる　〔×蔓▲延〕	
はふ　破風	唐〜。
はぶ　〔波布〕	〜にかまれる。
はぶく　省く	
はぶたえ　羽二重	
はブラシ　歯ブラシ〔▲刷子〕	
はぶり　羽振り	〜がよい。
ばふん　馬ふん〔×糞〕	
はへい　派兵	海外〜。
はへん　破片	
はぼたん　〔葉×牡丹〕	
はま　浜	
はまかぜ　浜風	
はまき　葉巻 送	
はまぐり　〔×蛤〕	
はまべ　浜辺	
はまやき　浜焼き	
はまゆう　〔浜▲木▲綿〕	
はまりやく　はまり役〔▲適・×嵌・▲填〕	
はまる　〔▲適・×嵌・▲填〕	
はみがき　歯磨き	〜粉。練り〜。
はみだす　はみ出す	
はみでる　はみ出る	

〔　〕使わない漢字　　×表外字(常用漢字表にない字)　　▲表外音訓(常用漢字表にない読み)
①〜⑥ 教育漢字の学年配当　　①─②(①の表記を優先するが, ②の表記を使ってもよい語)

はむ 〔▲食〕
はむかう 刃向かう
はむし 羽虫
はめ 〔破・羽目〕 とんだ〜になる。〜を外す。
はめいた 羽目板
はめこむ はめ込む〔×嵌・▲填〕
はめつ 破滅
はめる 〔×嵌・▲填〕
ばめん 場面
はもの 刃物
はもん 波紋 〜を呼ぶ。〜が広がる。
はもん 破門
はやあし 早足〔速〕
はやい 早い 気が〜。時期が〜。〜者勝ち。
はやい 速い〔▲疾〕 球が〜。テンポが〜。車の速さ。
はやうち 早打ち 太鼓の〜。〜の碁。
はやうち 早撃ち 銃の〜。
はやうま 早馬
はやうまれ 早生まれ
はやおき 早起き
はやがてん 早合点 (「ハヤガッテン」とも)
はやがね 早鐘
はやがわり 早変わり
はやく 端役
はやくち 早口 〜ことば。
はやざき 早咲き
はやし 林

はやし 囃子㊙ 《芸能》〜方。素〜。
はやしたてる 〔×囃立〕
はやじに 早死に
はやじまい 早じまい〔仕舞〕
はやす 生やす ひげを〜。
はやす 〔×囃〕
はやて 〔▲疾▲風〕
はやで 早出
はやてまわし 早手回し
はやね 早寝 〜早起き。
はやのみこみ 早飲み込み〔×呑〕
はやばまい 早場米
はやばや 〔早々〕 〜と。
はやばん 早番
はやびけ 早引け〔▲退〕
はやまる 早まる 出発時間が〜。順番が〜。早まった行動。
はやまる 速まる 回転のスピードが〜。脈拍が〜。
はやみち 早道
はやみひょう 早見表
はやみみ 早耳
はやめ 早め〔目〕
はやめる 早める (時間・日を)
はやめる 速める (速度を)
はやり 〔▲流▲行〕
はやりうた はやり歌〔▲流▲行〕
はやりすたり ①はやりすたり ②はやり廃り〔▲流▲行〕
はやる 〔▲逸〕 血気に〜。
はやる 〔▲流▲行〕

はやわかり　早分かり〔▲判・▲解〕	はらくだし　腹下し
はやわざ　早業〔技〕	はらぐろい　腹黒い
はら　原	はらげい　腹芸
はら　腹〔×肚〕　～を据える。	はらごしらえ　腹ごしらえ〔×拵〕
ばら　〔▲散〕　～で売る。	はらごなし　腹ごなし
ばら　〔×薔×薇〕	はらす　晴らす
はらあて　腹当て	はらす　腫らす　目を～。
はらい　払い	ばらせん　ばら銭〔▲散〕
はらい　〔×祓〕　お～。	はらだたしい　腹立たしい
はらいきよめる　はらい清める〔×祓▲浄〕	はらだち　腹立ち
	はらちがい　腹違い
はらいこみ　払い込み	ばらつき
はらいこみきん　払込金〔送〕	はらつづみ　腹鼓　(「ハラヅツミ」とも)
はらいこむ　払い込む	はらっぱ　原っぱ
はらいさげる　払い下げる	はらづもり　腹積もり
はらいせ　腹いせ〔▲癒〕	はらどけい　腹時計
はらいた　腹痛	ばらにく　ばら肉〔×肋〕
はらいだす　払い出す	はらばい　腹ばい〔×這〕
はらいっぱい　腹いっぱい〔一杯〕	はらはちぶ　腹八分
はらいのける　払いのける〔▲除〕	はらびれ　腹びれ〔×鰭〕
はらいもどす　払い戻す	はらまき　腹巻き
ばらいろ　ばら色〔×薔×薇〕	ばらまく　餌を～。
はらう　払う	はらむ　〔×孕〕
はらう　〔×祓〕	はらわた　〔▲腸〕
ばらうり　ばら売り〔▲散〕	はらをたてる　腹を立てる
はらおび　腹帯	はらん　波乱〔×瀾〕　～万丈。
はらがけ　腹掛け	はり　針〔×鉤〕
はらがまえ　腹構え	はり　張り　～のある声。
はらから　〔▲同▲胞〕	はり　〔×梁〕
はらきり　腹切り	はり　〔×鍼〕　～・きゅう。
はらぐあい　腹具合〔送〕	はり　〔×玻▲璃〕

〔　〕使わない漢字　　×表外字(常用漢字表にない字)　　▲表外音訓(常用漢字表にない読み)
1〜6 教育漢字の学年配当　　①−②(①の表記を優先するが，②の表記を使ってもよい語)

はりあい　張り合い　～が出る。	はりつめる　張り詰める　氷が～。
はりあう　張り合う	はりて　張り手
はりあげる　張り上げる	はりとばす　はり飛ばす〔▲撲〕
はりいた　張り板	はりばこ　針箱
はりかえ　張り替え　障子の～。ふすまの～。	はりばん　張り番
	はりふだ　張り札
はりかえる　張り替える　障子を～。ふすまを～。ギターの弦を～。	はりぼて　張りぼて
	はりめぐらす　張り巡らす
はりかえる　貼り替える　ばんそうこうを～。商品のシールを～。	はる　春
	はる　張る　(一般用語)テントを～。ロープを～。氷が～。タイル張り。
はりがね　針金	
はりがみ　貼り紙	はる　貼る　(のりではる場合などの限定用語)切手を～。ポスターを～。
ばりき　馬力	
はりきる　張り切る	はる　〔▲撲〕　ほおを～。
はりくよう　針供養	ばる　形式～。
はりこ　張り子　～の虎。	はるいちばん　春一番
はりこみ　張り込み	はるか　〔×遥〕
はりこむ　張り込む	はるがすみ　春がすみ〔×霞〕
はりさける　張り裂ける	はるかぜ　春風
はりさし　針刺し	はるご　春ご〔▲蚕〕
はりしごと　針仕事	はるさき　春先
はりたおす　はり倒す〔▲撲〕	はるさめ　春雨
はりだす　張り出す　(外に出っ張る)高気圧が～。枝が～。(人目につくところに掲げる)試験の結果を～。	はるばる　〔×遥々〕
	はるまき　春まき〔×蒔・・×播〕　～の野菜。
はりだす　貼り出す　(のりなどではる場合)	はるめく　春めく
	はるもの　春物　～衣料。
はりつけ　〔×磔〕	はるやすみ　春休み
はりつける　張り付ける　記者を警察署に～。	はれ　晴れ　(送りがなを省く場合は,p.44参照)
はりつける　貼り付ける　切手を～。	はれ　腫れ　～が引く。

特 表外字・表外音訓を用いてよい特例の語　　付 常用漢字表の付表の語

送 送りがなを省く特例　　読 読みがなを付けるのが望ましい語　　＊類語・言いかえ例

はれあがる	晴れ上がる	はん	帆 {ハン/ほ}
はれあがる	腫れ上がる	はん	汎 {ハン} (「汎太平洋」「汎用性」など,「汎」を使う語は,読みがなを付ける)
ばれい	馬齢 ~を重ねる。		
ばれいしょ	〔馬鈴×薯〕		
はれがましい	晴れがましい	はん	伴 {ハン・バン/ともなう}
はれぎ	晴れ着	はん	阪 {ハン} 阪神,京阪など地名のみに使用
はれすがた	晴れ姿		
はれつ	破裂	はん	畔 {ハン}
はれて	晴れて ~夫婦になる。	はん	般 {ハン}
はればれ	晴れ晴れ	はん	販 {ハン}
はれま	晴れ間	はん	斑 {ハン}
はれもの	腫れ物	はん	搬 {ハン}
はれやか	晴れやか	はん	煩 {ハン・ボン/わずらう・わずらわす}
はれる	晴れる	はん	頒 {ハン}
はれる	腫れる	はん	範 {ハン} ~を垂れる。
バレル	(容量の単位)	はん	繁 {ハン}
はれわたる	晴れ渡る	はん	藩 {ハン}
はれんち	破廉恥 ~罪。	ばん	番 ②{バン}
はろう	波浪 ~注意報。	ばん	万 ②{マン・バン} ~やむをえず。
はわたり	刃渡り	ばん	板 ③{ハン・バン/いた}
はん	半 ②{ハン/なかば}	ばん	判 ⑤{ハン・バン} B5~。
はん	反 ③{ハン・ホン・タン/そる・そらす}	ばん	晩 ⑥{バン}
はん	坂 ③{ハン/さか}	ばん	伴 {ハン・バン/ともなう}
はん	板 ③{ハン・バン/いた}	ばん	挽 {バン} (p.12参照)
はん	飯 ④{ハン/めし}	ばん	蛮 {バン}
はん	犯 ⑤{ハン/おかす}	ばん	盤 {バン}
はん	判 ⑤{ハン・バン}	はんい	犯意
はん	版 ⑤{ハン} ~を重ねる。	はんい	範囲 勢力~。
はん	班 ⑥{ハン}	はんえい	反映
はん	凡 {ボン・ハン}	はんえい	繁栄
はん	汎 {ハン}	はんえいきゅう	半永久

〔 〕使わない漢字　×表外字(常用漢字表にない字)　▲表外音訓(常用漢字表にない読み)
①〜⑥教育漢字の学年配当　①−②(①の表記を優先するが,②の表記を使ってもよい語)

はんえり　半襟〔×衿〕	はんきゅう　半球　南〜。
はんえん　半円　〜形。	はんきょう　反共
はんおん　半音　〜階。	はんきょう　反響
はんか　反歌	ばんきん　板金〔×鈑〕
はんが　版画	ばんぐみ　番組送
ばんか　晩夏	ばんくるわせ　番狂わせ
ばんか　挽歌　(p.12参照)	はんけい　半径
はんかい　半壊	はんげき　反撃
ばんかい　挽回　(p.12参照)名誉〜。	はんげしょう　半夏生
ばんがい　番外	はんけつ　判決　有罪〜。〜文。
はんがえし　半返し	はんげつ　半月
はんかがい　繁華街	はんげつばん　半月板
はんかく　反核　〜運動。	はんけん　半券
はんがく　半額	はんけん　版権
ばんがく　晩学	はんげん　半減　〜期。
はんかくめい　反革命	はんげん　半舷　〜上陸。
ばんがさ　番傘	ばんけん　番犬
はんかつう　半可通	**はんこ**　〔判子〕
ばんカラ　蛮カラ	はんご　反語
はんかん　反感	ばんこ　万古　〜不易。
はんがん　半眼	はんこう　反攻　〜作戦。
はんがん　判官	はんこう　反抗　〜期。〜的。
ばんかん　万感　〜胸に迫る。	はんこう　犯行
はんかんはんみん　半官半民	はんこう　藩校
はんき　反旗〔×叛〕　〜を翻す。	**はんごう**　〔飯×盒〕
はんき　半期　上〜。	ばんこう　蛮行
はんき　半旗　〜を掲げる。	ばんごう　番号　電話〜。〜順。
はんぎ　版木〔板〕	ばんこく　万国　〜共通。〜博覧会。
ばんき　晩期　縄文〜。	はんこつ　反骨　〜精神。
はんぎゃく　反逆〔×叛〕　〜児。	ばんこつ　万骨　〜枯る。
はんきゅう　半弓	

はんこ―はんせ

ばんこっき	万国旗（「バンコクキ」とも）
ばんごや	番小屋
はんごろし	半殺し
はんこん	はん痕〔×瘢〕　*傷痕。
ばんこん	晩婚
はんさ	煩さ〔×瑣〕　*煩雑。
はんざい	犯罪　凶悪〜。少年〜。
ばんざい	万歳　〜三唱。
はんさく	半作　（平年の半分の作柄）
ばんさく	万策　〜尽きる。
はんざつ	煩雑〔繁〕
はんさよう	反作用
ばんさんかい	晩さん会〔×餐〕
はんし	半死　〜半生。
はんし	半紙
はんし	範士　（剣道・弓道などの称号）
はんし	藩士
はんじ	判事
ばんじ	万事　〜休す。一事が〜。
はんした	版下
はんじもの	判じ物
はんしゃ	反射　〜鏡。〜的。
ばんしゃく	晩酌
ばんじゃく	盤石〔×磐〕　〜の備え。
はんしゅ	藩主
はんしゅう	半周
ばんしゅう	晩秋
はんじゅく	半熟　〜卵。
はんしゅつ	搬出
ばんしゅん	晩春
はんしょう	反証
はんしょう	半焼
はんしょう	半鐘
はんじょう	半畳　〜を入れる。
はんじょう	繁盛〔×昌〕
ばんしょう	万象　森羅〜。
ばんしょう	万障　〜繰り合わせる。
ばんしょう	晩鐘
ばんじょう	万丈　波乱〜。
はんしょく	繁殖〔×蕃〕　〜期。
はんじる	判じる
はんしん	半身　上〜。〜不随。
ばんじん	万人
はんしんはんぎ	半信半疑
はんすう	半数
はんすう	反すう〔×芻〕
はんズボン	半ズボン
はんする	反する
はんせい	反省　〜会。
はんせい	半生　〜をささげる。
ばんせい	万世　〜不易。
ばんせい	晩生　（農業用語）〜種。
ばんせい	晩成　大器〜。
ばんせい	蛮声
はんせいき	半世紀
はんせいひん	半製品
はんせき	版籍　〜奉還。
ばんせつ	晩節　〜を全うする。〜を汚（ケガ）す。
はんせん	反戦　〜運動。〜論。
はんせん	帆船

〔　〕使わない漢字　　×表外字（常用漢字表にない字）　　▲表外音訓（常用漢字表にない読み）
①〜⑥教育漢字の学年配当　　①―②（①の表記を優先するが，②の表記を使ってもよい語）

はんぜん　判然	はんとう　半島
ばんぜん　万全　〜を期す。〜の策。	はんどう　反動　〜的。
はんそう　帆走	ばんとう　番頭
はんそう　搬送　急病人を〜する。	はんどうたい　半導体
ばんそう　伴走　〜車。	はんとうめい　半透明
ばんそう　伴奏　ピアノの〜。	はんどく　判読
ばんそう　伴僧	はんとし　半年
ばんそうこう　〔▲絆創×膏〕	はんなま　半生
はんそく　反則　〜負け。〜金。	ばんなん　万難　〜を排して。
はんそで　半袖	はんにえ　半煮え
はんたい　反対　〜尋問。〜派。	はんにち　反日　〜運動。
ばんだい　番台	はんにち　半日
はんたいせい　反体制	はんにゃ　般若　特読　〜の面。
はんだくおん　半濁音	はんにゅう　搬入　＊運び込む。
はんだづけ　はんだ付け〔▲盤×陀・半田〕	はんにん　犯人　真〜。〜像。
はんだん　判断　姓名〜。〜力。	ばんにん　万人　〜向き。
ばんたん　万端　準備〜整う。	ばんにん　番人
ばんち　番地	はんにんまえ　半人前
ばんちゃ　番茶	はんね　半値
はんちゅう　範ちゅう〔×疇〕	はんねん　半年
はんちょう　班長	ばんねん　晩年
はんつき　半月	はんのう　反応
ばんづけ　番付　送　長者〜。	ばんのう　万能
ばんて　番手　2〜。	はんのうはんぎょ　半農半漁
はんてい　判定　〜勝ち。	はんぱ　半端　中途〜。
はんてん　反転	ばんば　ばん馬〔×輓〕
はんてん　斑点〔班〕　＊まだら。	はんばい　販売　〜店。通信〜。
はんてん　〔半天・×纏〕	はんばく　反ばく〔×駁〕　＊反論。
はんと　版図　〜を広げる。	ばんぱく　万博　（「万国博覧会」の略）
はんとう　反騰	はんぱつ　反発〔×撥〕
	はんはん　半々

特 表外字・表外音訓を用いてよい特例の語　　付 常用漢字表の付表の語

送 送りがなを省く特例　　読 読みがなを付けるのが望ましい語　　＊類語・言いかえ例

はんびらき　**半開き**	はんもと　**版元**
はんぴれい　**反比例**	はんもん　**反問**
はんぷ　**頒布**	**はんもん**　〔煩×悶〕　*悩み。苦悩。
はんぷく　**反復**〔覆〕	ばんや　**番屋**
ばんぶつ　**万物**　〜の霊長。	ばんゆう　**蛮勇**
はんぶん　**半分**	はんよう　**汎用**［読］　〜性。
ばんぺい　**番兵**	はんら　**半裸**
はんべつ　**判別**	ばんらい　**万雷**　〜の拍手。
はんぺん　〔半片・▲平〕　（食品）	はんらく　**反落**　《株式》
はんぼう　**繁忙**　*忙しい。せわしい。	はんらん　**反乱**〔×叛〕　〜軍。
はんまい　**飯米**	はんらん　**氾濫**　（「濫」は「氾濫」の限定使用）(p.13参照)河川の〜。　*あふれる。
はんみ　**半身**　〜の構え。	
ばんみん　**万民**	ばんり　**万里**　〜の長城。
はんめい　**判明**	はんりょ　**伴侶**　*連れ合い。
ばんめし　**晩飯**	はんれい　**凡例**
はんめん　**反面**　その〜。〜教師。	はんれい　**判例**　《法律》
はんめん　**半面**　隠れた〜。	はんろ　**販路**
はんも　**繁茂**	はんろん　**反論**
はんもく　**反目**	

〔　〕使わない漢字　　×表外字(常用漢字表にない字)　　▲表外音訓(常用漢字表にない読み)
①〜⑥教育漢字の学年配当　　①−②(①の表記を優先するが，②の表記を使ってもよい語)

ひ

ひ	皮 ③ {ヒ・かわ}
ひ	悲 ③ {ヒ・かなしい・かなしむ}
ひ	飛 ④ {ヒ・とぶ・とばす}
ひ	費 ④ {ヒ・ついやす・ついえる}
ひ	比 ⑤ {ヒ・くらべる}
ひ	非 ⑤ {ヒ}
ひ	肥 ⑤ {ヒ・こえる・こえ・こやす・こやし}
ひ	否 ⑥ {ヒ・いな}
ひ	批 ⑥ {ヒ}
ひ	秘 ⑥ {ヒ・ひめる}
ひ	妃 {ヒ}
ひ	彼 {ヒ・かれ・かの}
ひ	披 {ヒ}
ひ	泌 {ヒツ・ヒ}
ひ	卑 {ヒ・いやしい・いやしむ・いやしめる}
ひ	疲 {ヒ・つかれる}
ひ	被 {ヒ・こうむる}
ひ	扉 {ヒ・とびら}
ひ	碑 {ヒ}
ひ	罷 {ヒ}
ひ	避 {ヒ・さける}
ひ	日 〜が暮れる。
ひ	火
ひ	灯
び	美 ③ {ビ・うつくしい}
び	鼻 ③ {ビ・はな}
び	備 ⑤ {ビ・そなえる・そなわる}
び	尾 {ビ・お}

び　眉 {ビ・まゆ}
び　微 {ビ}
ひあい　悲哀　幻滅の〜。
ひあがる　干上がる〔▲乾〕
ひあし　日足　(「日脚」とも)
ひあそび　火遊び
ひあたり　日当たり
ひあぶり　火あぶり〔×焙・×炙〕
ひいき　〔×贔×屓〕　〜筋。〜目。
ひいく　肥育　〜牛。
びいしき　美意識
ひいちにち　日一日
ひいては　〔▲延〕
ひいでる　秀でる
ひいらぎ　〔×柊〕
ビールびん　ビール瓶〔×壜〕
ひいれしき　火入れ式
ひいろ　ひ色〔×緋〕
ひうちいし　火打ち石〔×燧〕
ひうん　非運　(不運・不幸)
ひうん　悲運　(悲しい運命)
ひえ　〔×稗〕
ひえきる　冷えきる〔切〕
ひえこみ　冷え込み
ひえこむ　冷え込む
ひえしょう　冷え性　(冷えやすい体質)
ひえしょう　冷え症　(病気の場合)
ひえびえ　冷え冷え

特 表外字・表外音訓を用いてよい特例の語　　付 常用漢字表の付表の語
送 送りがなを省く特例　　読 読みがなを付けるのが望ましい語　　＊類語・言いかえ例

ひえる　冷える	ひがら　日柄
びえん　鼻炎	ひからす　光らす
ひおうぎ　ひ扇〔×檜〕	ひからびる　干からびる〔▲乾〕
ひおどし　〔×緋×縅〕　〜のよろい。	ひかり　光
びおん　微温　〜的。	ひかりかがやく　光り輝く
びおん　鼻音	ひかる　光る
ひか　皮下　〜注射。〜脂肪。	ひかん　悲観　〜論。
ひか　悲歌	ひかん　避寒　〜地。
びか　美化	ひがん　彼岸
ひがい　被害　〜者。〜妄想。	ひがん　悲願
ひかえ　控え	びかん　美観
ひかえしつ　控え室	びがん　美顔　〜術。〜水。
ひかえめ　控えめ〔目〕	ひがんえ　彼岸会　《仏教》
ひがえり　日帰り　〜旅行。	ひかんざくら　ひ寒桜〔×緋〕
ひかえる　控える	ひがんざくら　彼岸桜
ひかく　比較	ひがんばな　彼岸花
ひかく　皮革	ひき　匹〔×疋〕
ひかく　非核　〜三原則。	ひき　悲喜　〜こもごも。
びがく　美学	びぎ　美技
ひかげ　日陰〔×蔭〕	ひきあい　引き合い　〜に出す。
ひがけ　日掛け　〜貯金。	ひきあう　引き合う
ひかげん　火加減	ひきあげ　引き上げ　金利の〜。
ひがさ　日傘	ひきあげ　引き揚げ　〜者。
ひかされる　引かされる	ひきあげる　引き上げる　(引っ張り上げる。程度を上げる)給与を〜。川に落ちた人を〜。ボートを岸に〜。
ひがし　東	
ひがし　干菓子〔▲乾〕	
ひかぜい　非課税	
ひがた　干潟	ひきあげる　引き揚げる　(元の場所に戻す。戻る)外国から〜。沈没船を海上に〜。
ひがみ　〔×僻〕　〜根性。	
ひがむ　〔×僻〕	
ひがめ　ひが目〔×僻〕	ひきあてきん　引当金 送
	ひきあてる　引き当てる

〔　〕使わない漢字　　×表外字(常用漢字表にない字)　　▲表外音訓(常用漢字表にない読み)
①〜⑥教育漢字の学年配当　　①−②(①の表記を優先するが，②の表記を使ってもよい語)

ひきあわせる　引き合わせる	ひきしぼる　引き絞る
ひきいる　率いる	ひきしまる　引き締まる
ひきいれる　引き入れる	ひきしめ　引き締め　金融〜。
ひきうけ　引き受け	ひきしめる　引き締める
ひきうけにん　引受人 送	ひぎしゃ　被疑者　《法律》＊容疑者。
ひきうける　引き受ける	ひきずりこむ　引きずり込む〔×摺〕
ひきうす　ひき臼〔×碾・▲挽〕	ひきずる　引きずる〔×摺〕
ひきうつし　引き写し	ひきぞめ　弾き初め
ひきおこす　引き起こす	ひきたおし　引き倒し　ひいきの〜。
ひきおとす　引き落とす	ひきたおす　引き倒す
ひきおろす　引き降ろす	ひきだし　引き出し〔▲抽▲斗〕　机の〜。
ひきかえ　引き換え　代金〜。	ひきだす　引き出す
ひきかえけん　引換券 送	ひきたつ　引き立つ
ひきかえす　引き返す	ひきたて　引き立て　〜役。
ひきかえる　引き換える	ひきたてる　引き立てる
ひきがえる〔×蟇×蛙〕	ひきちぎる　引きちぎる〔千切〕
ひきがたり　弾き語り	ひきつぐ　引き継ぐ
ひきがね　引き金	ひきつける　引き付ける
ひきぎわ　引き際〔▲退〕　〜が潔い。	ひきつづき　引き続き
ひきげき　悲喜劇	ひきつづく　引き続く
ひきこみせん　引き込み線	ひきづな　引き綱
ひきこむ　引き込む	**ひきつる**〔引×攣〕
ひきこもり　引きこもり〔籠〕	ひきつれる　引き連れる
ひきこもる　引きこもる〔籠〕	ひきて　引き手　ふすまの〜。
ひきころす　ひき殺す〔×轢〕	ひきて　弾き手
ひきさがる　引き下がる	ひきでもの　引き出物
ひきさく　引き裂く	ひきど　引き戸
ひきさげる　引き下げる	ひきとめる　引き止める〔留〕
ひきさる　引き去る	ひきとる　引き取る
ひきざん　引き算	ひきなみ　引き波
ひきしお　引き潮〔×汐〕	

特 表外字・表外音訓を用いてよい特例の語　　付 常用漢字表の付表の語
送 送りがなを省く特例　　読 読みがなを付けるのが望ましい語　　＊類語・言いかえ例

ひきにく	ひき肉〔▲挽〕
ひきにげ	ひき逃げ〔×轢〕
ひきぬき	引き抜き
ひきぬく	引き抜く
ひきのばす	引き伸ばす　写真を〜。
ひきのばす	引き延ばす　回答を〜。
ひきはがす	引き剝がす
ひきはなす	引き離す
ひきはらう	引き払う
ひきふね	引き船〔×曳〕（「ヒキブネ」とも）
ひきまく	引幕　送　《芸能》（歌舞伎の幕の一種。できるだけ読みがなを付ける）
ひきまゆ	引き眉
ひきまわし	引き回し〔×廻〕　よろしくお〜の程を。
ひきまわす	引き回す〔×廻〕
ひきもきらず	引きも切らず
ひきもどす	引き戻す
ひきゃく	飛脚
ひきゅう	飛球
びきょ	美挙　＊立派な行い。
ひきょう	秘境　〜を探る。
ひきょう	悲境〔況〕　〜に泣く。
ひきょう	〔卑×怯〕　〜者。
ひぎょう	罷業　同盟〜。　＊ストライキ。
ひきよせる	引き寄せる
ひきより	飛距離
ひきわけ	引き分け
ひきわたす	引き渡す
ひきん	卑近　〜な例。
ひきんぞく	非金属
ひく	引く〔×曳・×牽・×惹・▲退・▲抽〕
ひく	弾く　ピアノを〜。
ひく	〔×碾・▲挽〕　臼を〜。のこぎりで〜。
ひく	〔×轢〕　人を〜。
びく	〔▲魚▲籠〕
ひくい	低い
ひくつ	卑屈
ひくて	引く手　〜あまた。
ひくまる	低まる
ひくめ	低め〔目〕
ひくめる	低める
ひぐらし	〔×蜩〕
ひぐれ	日暮れ
ひけ	引け〔▲退〕　〜を取る。
ひげ	卑下
ひげ	〔×髭・×鬚・×髯〕
ひげき	悲劇
ひけぎわ	引け際〔▲退〕
ひけし	火消し
ひげそり	〔×髭×剃〕
ひけつ	否決
ひけつ	秘けつ〔×訣〕
ひげづら	ひげ面〔×髭〕
ひけどき	引け時〔▲退〕　会社の〜。
ひけめ	引け目
ひける	引ける〔▲退〕　気が〜。
ひけん	比肩　＊匹敵。

〔　〕使わない漢字　　×表外字（常用漢字表にない字）　　▲表外音訓（常用漢字表にない読み）
1〜6 教育漢字の学年配当　　①−②（①の表記を優先するが，②の表記を使ってもよい語）

ひげんぎょう　非現業	ひこぼし　ひこ星〔×彦〕
ひけんしゃ　被験者	ひごろ　日頃
ひご　飛語〔×蜚〕　流言〜。＊デマ。	ひざ　膝｛ひざ｝
ひご　〔×庇護〕　＊かばう。守る。保護。	ひざ　①ひざ　②膝　〜を交える。
ひご　〔×篦〕　竹〜。	ひさい　非才〔×菲〕　浅学〜。
ひごい　〔×緋×鯉〕	ひさい　被災　〜者。〜地。
ひこう　肥厚　〜性鼻炎。	びさい　微細
ひこう　非行　〜少年。	びざい　微罪
ひこう　飛行　有視界〜。計器〜。	ひざかけ　①ひざかけ　②膝掛け
ひごう　非業　〜の死。	ひざがしら　①ひざ頭　②膝頭
びこう　尾行　犯人を〜する。	ひざかり　日盛り
びこう　備考　〜欄。	ひさく　秘策　〜を授ける。
びこう　鼻孔	ひさご　〔×瓢・×瓠・×匏〕
びこう　鼻こう〔×腔〕　（医学では「鼻くう」）	ひさし　〔×庇・×廂〕
ひこうかい　非公開	ひざし　日ざし〔差・▲射〕
ひこうき　飛行機	ひさしい　久しい
ひこうし　飛行士　宇宙〜。	ひさしぶり　久しぶり〔振〕
ひこうしき　非公式	ひざづめだんぱん　①ひざ詰め談判　②膝詰め談判
ひこうじょう　飛行場	ひさびさ　久々
ひこうせん　飛行船	ひざまくら　①ひざ枕　②膝枕
ひこうてい　飛行艇	ひざまずく　〔×跪〕
ひこうにん　非公認〔否〕	ひさめ　氷雨
ひごうほう　非合法	ひざもと　①ひざ元　②膝元〔下〕
ひごうり　非合理	ひさん　飛散
ひこく　被告　〜人。	ひさん　悲惨
ひこくみん　非国民　〜呼ばわり。	ひし　秘史
ひこつ　ひ骨〔×腓〕	ひじ　肘｛ひじ｝
びこつ　尾骨	ひじ　秘事　〜を暴く。
びこつ　鼻骨	ひじ　①ひじ　②肘〔×肱〕
ひごと　日ごと〔▲毎〕　〜に。	びじ　美辞　〜麗句。

㋹表外字・表外音訓を用いてよい特例の語　㋺常用漢字表の付表の語
㋸送りがなを省く特例　㋱読みがなを付けるのが望ましい語　＊類語・言いかえ例

ひじかけ ①**ひじ掛け** ②肘掛け
　〜いす。
ひしがた **ひし形**〔×菱〕
ひじき〔▲鹿▲尾▲菜〕
ひしつ **皮質** 大脳〜。
びしてき **微視的**
ひじでっぽう ①**ひじ鉄砲** ②肘鉄砲
ひしめく〔×犇〕
ひしもち **ひし餅**〔×菱〕
ひしゃ **飛車**
ひしゃく〔▲柄×杓〕
びじゃく **微弱**
ひしゃたい **被写体**
びしゅ **美酒**
ひじゅう **比重**
びしゅう **美醜**
ひじゅつ **秘術** 〜を尽くす。
びじゅつ **美術** 〜館。〜品。
ひじゅん **批准** 条約の〜。
ひしょ **秘書** 社長〜。〜官。
ひしょ **避暑** 〜地。
びじょ **美女**
ひしょう **卑小** 〜な考え。
ひしょう **飛しょう**〔×翔〕 大空を〜
　する。＊飛行。
ひじょう **非情**
ひじょう **非常** 〜時。〜事態。〜手段。
　〜に。
びしょう **微小** 〜動物。
びしょう **微少** 〜な量。
びしょう **微笑**

ひじょうきん **非常勤**
ひじょうぐち **非常口**
ひじょうしき **非常識**
ひじょうしょく **非常食**
ひじょうせん **非常線**
びしょうねん **美少年**
びしょく **美食** 〜家。
びしょぬれ〔×濡〕
ひじり〔▲聖〕
びじん **美人** 〜画。
ひすい〔×翡×翠〕
ひずみ〔×歪〕
ひずむ〔×歪〕
ひする **比する**
ひする **秘する**
びせい **美声**
びせいぶつ **微生物**
びせきぶん **微積分**《数学》
ひぜに **日銭**
ひせんきょけん **被選挙権**
ひせんとういん **非戦闘員**
びぜんやき **備前焼**送
ひせんろん **非戦論**
ひそ **ヒ素**〔×砒〕（化学用語）
ひそう **皮相** ＊うわべ。上っ面。
ひそう **悲壮** 〜感。
ひぞう **秘蔵**
ひぞう **ひ臓**〔×脾〕
びぞう **微増**
ひそか〔▲秘・▲私・▲密〕
ひぞく **卑俗**

〔　〕使わない漢字　　×表外字(常用漢字表にない字)　　▲表外音訓(常用漢字表にない読み)
①〜⑥教育漢字の学年配当　　①−②(①の表記を優先するが，②の表記を使ってもよい語)

ひぞっこ　秘蔵っ子㊕
ひそむ　潜む
ひそめる　潜める　身を〜。
ひそめる　〔×顰〕　眉を〜。
ひそやか　〔▲密〕
ひだ　〔×襞〕
ひたい　額
ひだい　肥大
びたいちもん　びた一文〔×鐚〕
ひたかくし　ひた隠し〔▲直〕
ひたしもの　浸し物
ひたす　浸す
ひたすら　〔×只▲管〕
ひだち　肥立ち　産後の〜。
ひだね　火種
ひたはしり　ひた走り〔▲直〕（「ヒタバシリ」とも）〜に走る。
ひだまり　日だまり〔▲陽×溜〕
ひたむき　〔▲直向〕
ひだり　左
ひだりがわ　左側
ひだりきき　左利き
ひだりて　左手
ひだりまえ　左前
ひだりまわり　左回り
ひだりよつ　左四つ
ひたる　浸る　感激に〜。
ひだるい　〔×饑〕
ひだるま　火だるま〔▲達磨〕
ひたん　悲嘆〔×歎〕　〜に暮れる。
ひだん　被弾

びだん　美談
びだんし　美男子
びちく　備蓄　石油の〜。〜米。
ひちゅう　秘中　〜の秘。
びちょうせい　微調整
ひちりき　〔×篳×篥〕（雅楽器）
ひつ　筆③{ヒツ/ふで}
ひつ　必④{ヒツ/かならず}
ひつ　匹{ヒツ/ひき}
ひつ　泌{ヒツ・ヒ}
ひつ　〔×櫃〕
ひつあつ　筆圧
ひつう　悲痛
ひっか　筆禍　〜事件。
ひっかえす　引っ返す
ひっかかる　引っ掛かる
ひっかく　〔引×搔〕
ひっかける　引っ掛ける
ひっかぶる　〔引▲被〕
ひっき　筆記　〜試験。〜用具。
ひつぎ　〔×柩〕
ひっきりなし　〔引切無〕
ひっくくる　〔引▲括〕
びっくり　〔×吃▲驚〕　〜仰天。
ひっくりかえす　ひっくり返す〔引繰〕
ひつけ　火付け　〜役。
ひづけ　日付㊁　〜変更線。
ひっけい　必携
ひっけん　必見
ひっこう　筆耕

ひっこす　引っ越す
ひっこぬく　引っこ抜く
ひっこみじあん　引っ込み思案
ひっこむ　引っ込む
ひっさげる　ひっ提げる〔引〕
ひっさつ　必殺
ひっさん　筆算
ひっし　必至　～の情勢。
ひっし　必死　～の努力。
ひつじ　羊
ひつじ・未　(十二支)～年。
ひつじかい　羊飼い
ひっしゃ　筆写
ひっしゃ　筆者
ひつじゅ　必需　～品。
ひっしゅう　必修　～科目。
ひつじゅん　筆順
ひっしょう　必勝
ひつじょう　必定
ひっす　必須　＊必要。不可欠。
ひっせい　筆勢
ひっせき　筆跡〔×蹟〕
ひつぜつ　筆舌　～に尽くし難い。
ひっせん　筆洗
ひつぜん　必然　～性。～的。
ひったくる　〔引手繰〕
ひったてる　引っ立てる
ひつだん　筆談
ひっち　筆致
ひっちゃく　必着
ひっちゅう　必中　一発～。

ひっつかむ　〔引×攫〕
ひってき　匹敵
ひっとう　筆頭　戸籍～者。
ひつどく　必読　～書。
ひっとらえる　ひっ捕らえる〔引〕
ひっぱく　ひっ迫〔×逼〕　＊窮迫。
ひつばつ　必罰　信賞～。
ひっぱりだこ　引っ張りだこ
ひっぱりまわす　引っ張り回す
ひっぱる　引っ張る
ひっぽう　筆法
ひっぽう　筆ぽう〔×鋒〕　鋭い～。
ひづめ　〔×蹄〕
ひつめい　筆名　＊ペンネーム。
ひつよう　必要
ひつりょく　筆力
ひてい　否定
びていこつ　尾てい骨〔×骶〕　＊尾骨。
びてき　美的
ひてつきんぞく　非鉄金属
ひでり　日照り〔×旱〕　～続き。
ひでん　秘伝
びてん　美点
びでん　美田
ひでんか　妃殿下
ひと　人
ひとあし　一足　～先に。
ひとあせ　一汗　～かく。
ひとあたり　一当たり
ひとあたり　人当たり　～がよい。

ひとあめ　一雨
ひとあれ　一荒れ
ひとあわ　一泡　～吹かせる。
ひとあんしん　一安心
ひどい　〔▲酷・非▲道〕
ひといき　一息　～入れる。～つく。
ひといきれ　人いきれ〔▲熱・×熅〕
ひといちばい　人一倍
ひとう　秘湯
ひどう　非道　極悪～。
びどう　微動
ひとえ　一重　紙～の差。
ひとえ　〔▲単▲衣〕　～物。
ひとえに　〔▲偏〕
ひとおし　一押し
ひとおじ　人おじ〔▲怖〕
ひとおもいに　一思いに
ひとかかえ　一抱え
ひとがき　人垣
ひとかげ　人影
ひとかけら　一かけら〔▲片〕
ひとかせぎ　一稼ぎ
ひとかたならず　一方ならず
ひとかたまり　一塊　～になる。
ひとかど　〔一▲廉・角〕　～の人物。
ひとがら　人柄
ひとかわ　一皮　～むける。
ひとぎき　人聞き　～が悪い。
ひとぎらい　人嫌い
ひときわ　〔一際〕　～目立つ。
ひとく　秘匿　取材源の～。

びとく　美徳　謙譲の～。
ひとくさり　〔一×齣〕
ひとくせ　一癖
ひとくち　一口
ひとくちばなし　一口話〔×咄〕
ひとくふう　一工夫
ひとくろう　一苦労
ひとけ　人け〔気〕
ひどけい　日時計
ひとこえ　一声　もう～。
ひとごえ　人声
ひとこきゅう　一呼吸　～入れる。～おく。
ひとごこち　人心地　～がつく。
ひとこと　ひと言〔一〕
ひとごと　ひと事〔▲他▲人・人〕
ひとこま　一こま〔×齣〕　思い出の～。
ひとごみ　人混み〔込〕
ひところ　〔一頃〕
ひとごろし　人殺し
ひとさしゆび　人さし指〔指・差〕
ひとざと　人里
ひとさらい　人さらい〔×攫〕　＊誘拐。
ひとさわがせ　人騒がせ
ひとさわぎ　一騒ぎ
ひとしい　等しい〔▲均〕
ひとしお　〔一▲入〕
ひとしきり　〔一▲頻〕
ひとしく　〔等・▲均・▲斉〕
ひとしごと　一仕事

㊥ 表外字・表外音訓を用いてよい特例の語　　㊸ 常用漢字表の付表の語
㊫ 送りがなを省く特例　　㊱ 読みがなを付けるのが望ましい語　　＊類語・言いかえ例

ひとじち　**人質**	ひととおり　**ーとおり**〔通〕
ひとしれず　**人知れず**	ひとどおり　**人通り**
ひとずき　**人好き**	**ひととき**　〔一時〕
ひとすじなわ　**一筋縄**	ひとところ　**ーところ**〔所・▲処〕
ひとすじに　**一筋に**	ひととなり　**人となり**
ひとそろい　**ーそろい**〔×揃〕	ひととび　**ー飛び**
ひとだかり　**人だかり**〔▲集〕	ひとなか　**人なか**〔中〕
ひとだすけ　**人助け**	ひとなかせ　**人泣かせ**
ひとだのみ　**人頼み**	ひとなつこい　**①人なつこい ②人懐**
ひとたび　**①ひとたび ②ーたび**〔度〕	こい　(「人なつっこい」とも)
ひとだま　**人だま**〔▲魂〕	ひとなみ　**人波**　～をかき分ける。
ひとたまり　〔一×溜〕 ～もない。	ひとなみ　**人並み**
ひとちがい　**人違い**	ひとにぎり　**ー握り**
ひとつ　**一つ，1つ**	ひとねいり　**ー寝入り**
ひとつ　〔一〕 ～やってみよう。	ひとねむり　**ー眠り**
ひとつあな　**一つ穴**　～のむじな。	ひとばしら　**人柱**
ひとつおぼえ　**一つ覚え**	ひとはた　**ー旗**　～揚げる。
ひとつがい　**1つがい**〔▲番〕	ひとはだ　**ー肌**　～脱ぐ。
ひとづかい　**人使い**	ひとはだ　**人肌**
ひとつかま　**一つ釜**　～の飯を食う。	ひとはな　**ー花**　～咲かせる。
ひとつき　**ー突き**	ひとばらい　**人払い**
ひとつき　〔一月〕	ひとびと　**人々**　(「人びと」とも)
ひとづきあい　**人づきあい**〔付合〕	ひとひねり　**ーひねり**〔▲捻〕
ひとづて　**人づて**〔▲伝〕	ひとふで　**ー筆**　～書き。
ひとつひとつ　**ー一つ一つ**	ひとふり　**1ふり**〔振・▲口〕　～の刀。
ひとつぶだね　**一粒種**	ひとべらし　**人減らし**
ひとづま　**人妻**	ひとまえ　**人前**
ひとで　**人手**　～に渡る。～不足。	ひとまかせ　**人任せ**
ひとで　**人出**　～が多い。	ひとまく　**ー幕**　…する～もあった。
ひとで　〔人手・▲海▲星〕	ひとまくみ　**ー幕見**　《芸能》
ひとでなし　**人でなし**〔無〕	ひとまくもの　**ー幕物**　《芸能》

〔　〕使わない漢字　　×表外字(常用漢字表にない字)　　▲表外音訓(常用漢字表にない読み)
①～⑥教育漢字の学年配当　　①－②(①の表記を優先するが，②の表記を使ってもよい語)

ひとまず 〔一▲先〕	ひとりたび 1人旅
ひとまとめ 〔一×纏〕	ひとりっこ 一人っ子
ひとまね 人まね〔真▲似〕	ひとりでに 〔独〕
ひとまわり 一回り ～大きい。	ひとりのこらず 一人残らず
ひとみ 瞳〔×眸〕	ひとりひとり 一人一人 (「一人ひと
ひとみごくう 人身ごくう〔御▲供〕	り」とも)
ひとみしり 人見知り	ひとりぶたい 独り舞台
ひとむかし 一昔	ひとりぼっち 独りぼっち
ひとめ 一目 ～会いたい。	ひとりみ 独り身
ひとめ 人目 ～を避ける。	ひとりむすこ 一人息子
ひとめぐり 一巡り	ひとりむすめ 一人娘
ひともうけ 〔一×儲〕	ひとりもの 独り者
ひともじ 人文字	ひとりよがり 独り善がり
ひとやく 一役 ～買う。	ひとわたり 〔一渡〕
ひとやすみ ①ひと休み ②一休み	ひな 〔×雛〕
ひとり 一人，1人 付	ひなが 日長 (場合により「日永」)
ひとり 独り (単独・孤独)	ひながた ひな型〔×雛〕
ひどり 日取り	ひなぎく 〔×雛菊〕
ひとりあるき 1人歩き 夜道の～。	ひなた 〔日▲向〕 ～ぼっこ。～水。
ひとりあるき 独り歩き ～できる子	ひなだん ひな壇〔×雛〕
ども。	ひなどり ひな鳥〔×雛〕
ひとりがてん 独り合点 (「ヒトリガ	ひなにんぎょう ひな人形〔×雛〕
ッテン」とも)	ひなびる 〔×鄙〕 ひなびた里。
ひとりぎめ 独り決め	ひなまつり ひな祭り〔×雛〕
ひとりぐらし 1人暮らし ～の気安さ。	ひなわじゅう 火縄銃
ひとりぐらし 独り暮らし ～の老人。	ひなん 非難〔批〕 ～ごうごう。
ひとりごと 独り言	ひなん 避難 ～民。～所。
ひとりじめ 独り占め	びなん 美男 ～子。
ひとりずつ 1人ずつ	ひにく 皮肉
ひとりずもう 独り相撲	ひにくる 皮肉る
ひとりだち 独り立ち	ひにち 日にち〔日〕

特 表外字・表外音訓を用いてよい特例の語　付 常用漢字表の付表の語
送 送りがなを省く特例　読 読みがなを付けるのが望ましい語　＊類語・言いかえ例

ひにひ　日に日に
ひにょうき　泌尿器
ひにん　否認〔非〕
ひにん　避妊　～手術。～薬。
ひにんじょう　非人情
ひねくれる　〔▲捻〕
びねつ　微熱
ひねもす　〔▲終▲日〕
ひねりだす　ひねり出す〔▲捻〕
ひねりまわす　ひねり回す〔▲捻・×撚・×拈〕
ひねる　〔▲捻・×撚・×拈〕
ひのいり　日の入り
ひのえうま・丙午
ひのき　〔×檜〕
ひのきぶたい　ひのき舞台　(芸能用語では「檜舞台」⑱とも)
ひのくるま　火の車
ひのけ　火の気
ひのこ　火の粉
ひので　火の手　～が上がる。
ひので　日の出
ひのべ　日延べ
ひのまる　日の丸
ひのみ　火の見　～やぐら。
ひのめ　日の目　～を見る。
ひのもと　火の元
ひばいひん　非売品
ひばく　被爆　(特に原爆の場合)～者。
ひばく　被ばく〔×曝〕　(放射線などの場合)

ひばし　火箸
ひばしら　火柱　～が立つ。
ひばち　火鉢
ひばな　火花　～を散らす。
ひばり　〔▲雲×雀〕
ひはん　批判　自己～。～的。
ひばん　非番
ひび　日々
ひび　〔×皹・××皸〕
びび　微々　～たる存在。
ひびき　響き
ひびく　響く
ひひょう　批評　～家。文芸～。
ひびわれ　ひび割れ〔×皹〕
びひん　備品
ひふ　皮膚　～科。～病。
ひぶ　日歩　～3銭。
びふう　美風　(よい習わし)
びふう　微風　*そよ風。
ひふく　被服
ひふくせん　被覆線
ひぶくれ　①火ぶくれ ②火膨れ〔×脹〕
ひぶそう　非武装　～地帯。
ひぶた　①火ぶた ②火蓋　～を切る。
ひぶつ　秘仏
ひふん　悲憤　～慷慨。
ひぶん　碑文
びふん　微粉
びぶん　美文　～調。
びぶん　微分　《数学》

ひへい	疲弊
ひほう	秘宝
ひほう	秘法
ひほう	悲報
ひぼう	〔×誹×謗〕 ＊非難。中傷。
びぼう	備忘 〜録。
びぼう	美貌
ひぼし	干ぼし〔▲乾〕 （飢える）〜になる。
ひぼし	日干し〔▲乾〕 （日光で乾かす）〜れんが。
ひぼん	非凡
ひま	暇〔×隙〕
ひまく	皮膜 （皮のように薄い膜）
ひまく	被膜 （覆い包む膜）電線の〜。
ひまご	ひ孫〔▲曽〕
ひましに	日増しに
ひましゆ	ひまし油〔×蓖麻子〕
ひまじん	暇人〔▲閑〕
ひまつ	飛まつ〔×沫〕 ＊しぶき。
ひまつぶし	①暇つぶし ②暇潰し
ひまつり	火祭り
ひまわり	〔▲向▲日×葵〕
ひまん	肥満 〜体。
びみ	美味
ひみつ	秘密 〜裏。〜結社。
びみょう	微妙
ひむろ	氷室
ひめ	姫 {ひめ}
ひめい	悲鳴
ひめい	碑銘
びめい	美名
ひめごと	秘め事
ひめる	秘める
ひめん	罷免
ひも	〔×紐〕
ひもく	費目
びもく	眉目 〜秀麗。
ひもじい	〔▲餓〕
ひもつき	ひも付き〔×紐〕 〜援助。
ひもと	火元
ひもとく	〔×繙〕
ひもの	干物〔▲乾〕
ひや	冷や 〜で飲む。
ひやあせ	冷や汗 〜をかく。
ひやかし	冷やかし 〜半分。
ひやかす	冷やかす
ひやく	飛躍
ひやく	秘薬
ひゃく	百 ①{ヒャク}
びゃく	白 ①{ハク・ビャク／しろ・しら・しろい}
びゃくい	白衣 〜の行者。
ひゃくがい	百害 〜あって一利なし。
ひゃくじゅう	百獣 〜の王。
ひゃくしゅつ	百出 議論〜。
ひゃくしょう	百姓 ＊農民。農家。
ひゃくじょういいんかい	百条委員会 （「地方自治法100条」は算用数字）
ひゃくせんれんま	百戦錬磨〔練〕
ひゃくたい	百態
ひゃくにちぜき	百日ぜき〔×咳〕
ひゃくにんりき	百人力

特 表外字・表外音訓を用いてよい特例の語　付 常用漢字表の付表の語
送 送りがなを省く特例　読 読みがなを付けるのが望ましい語　＊類語・言いかえ例

ひゃく―ひょう

ひゃくパーセント　百パーセント
　～間違いない。(「100パーセント」
　「100％」とも)
ひゃくぶん　百聞　～は一見にしかず。
ひゃくぶんりつ　百分率
ひゃくまん　百万　～言。～遍。
ひゃくめろうそく　百目ろうそく
　〔×蝋×燭〕
ひゃくめんそう　百面相
びゃくや　白夜　(「ハクヤ」とも)
ひゃくやく　百薬　酒は～の長。
ひゃくようばこ　百葉箱
ひやけ　日焼け〔▲陽〕
ひやざけ　冷や酒
ひやす　冷やす
ひゃっか　百花　～斉放。～繚乱(りょうらん)。
ひゃっかじてん　百科事典
ひゃっかそうめい　百家争鳴
ひゃっかてん　百貨店
ひゃっきやこう　百鬼夜行
ひゃっぱつひゃくちゅう　百発百中
ひゃっぱん　百般　武芸～。
ひやみず　冷や水　年寄りの～。
ひやむぎ　冷や麦
ひやめし　冷や飯
ひややか　冷ややか
ひゆ　比喩〔×譬〕　＊例え。
ひよう　費用
ひょう　氷 ③ {ヒョウ・こおり・ひ}
ひょう　表 ③ {ヒョウ・おもて・あらわす・あらわれる}
ひょう　兵 ④ {ヘイ・ヒョウ}

ひょう　票 ④ {ヒョウ}
ひょう　標 ④ {ヒョウ}
ひょう　俵 ⑤ {ヒョウ・たわら}
ひょう　評 ⑤ {ヒョウ}
ひょう　拍 {ハク・ヒョウ}
ひょう　漂 {ヒョウ・ただよう}
ひょう　〔×豹〕
ひょう　〔×雹〕
びよう　美容　～院。～師。
びょう　平 ③ {ヘイ・ビョウ・たいら・ひら}
びょう　秒 ③ {ビョウ}
びょう　病 ③ {ビョウ・ヘイ・やむ・やまい}
びょう　苗 {ビョウ・なえ・なわ}
びょう　描 {ビョウ・えがく・かく}
びょう　猫 {ビョウ・ねこ}
びょう　〔×鋲〕
びょう　〔×廟〕
ひょういもじ　表意文字
びょういん　病院
ひょうおんもじ　表音文字
ひょうか　評価　～損。過大～。
ひょうが　氷河　～期。
びょうが　病が〔×臥〕
ひょうかい　氷解
ひょうがい　ひょう害〔×雹〕
びょうがいちゅう　病害虫　(病気と害虫)
ひょうき　表記　～の住所。～法。
ひょうき　標記　～の件について。
ひょうぎ　評議　～員。～会。
びょうき　病気

〔　〕使わない漢字　　×表外字(常用漢字表にない字)　　▲表外音訓(常用漢字表にない読み)
①～⑥教育漢字の学年配当　　①-②(①の表記を優先するが，②の表記を使ってもよい語)

ひょう—ひょう

びょうきゅう	病休	
ひょうきん	[×剽▲軽]	
ひょうぐ	表具	～師。
びょうく	病苦	
びょうく	病く[×軀]	＊病気の体。
ひょうけい	表敬	～訪問。
ひょうけつ	氷結	
ひょうけつ	表決	（投票・挙手などで賛否を決めること）
ひょうけつ	評決	（評議して決めること）陪審員の～。
びょうけつ	病欠	
ひょうげん	氷原	
ひょうげん	表現	
びょうげん	病原[源]	～菌。～体。
ひょうご	標語	
びょうご	病後	
ひょうこう	標高	
びょうこん	病根	～を断つ。
ひょうさ	票差	
ひょうさつ	表札	
ひょうざん	氷山	～の一角。
ひょうし	拍子	
ひょうし	表紙	
ひょうじ	表示	意思～。住居～。
ひょうじ	標示	道路～。
びょうし	病死	
ひょうしき	標識	航空～。航路～。
ひょうしぎ	拍子木	
びょうしつ	病室	
ひょうしぬけ	拍子抜け	
びょうしゃ	描写	心理～。
ひょうしゃく	評釈	
びょうじゃく	病弱	
ひょうしゅつ	表出	
ひょうじゅん	標準	～型。～偏差
ひょうしょう	表彰	～式。～状。
ひょうじょう	氷上	
ひょうじょう	表情	
ひょうじょう	評定	小田原～。
びょうしょう	病床	
びょうじょう	病状	
びょうしん	秒針	
びょうしん	病身	
ひょうする	表する	敬意を～。
ひょうする	評する	人物を～。
ひょうせつ	[×剽窃]	＊盗作。
ひょうぜん	ひょう然[×飄]	＊ふらりと。
ひょうそう	表装	
びょうそう	病巣	
ひょうそうなだれ	表層雪崩	
びょうそく	秒速	
ひょうだい	表題[標]	
ひょうだいおんがく	標題音楽	
びょうたい	病態	～が悪化する。
ひょうたん	[×瓢×箪]	
ひょうちゃく	漂着	
ひょうちゅう	氷柱	
びょうちゅうがい	病虫害	（病気と虫の被害）
ひょうちょう	漂鳥	

特 表外字・表外音訓を用いてよい特例の語　　付 常用漢字表の付表の語
送 送りがなを省く特例　　読 読みがなを付けるのが望ましい語　　＊類語・言いかえ例

ひょうてい　評定　勤務〜。
ひょうてき　標的
びょうてき　病的
ひょうでん　票田
ひょうでん　評伝
ひょうてんか　氷点下
ひょうど　表土
びょうとう　病棟　隔離〜。
びょうどう　平等
びょうにん　病人
ひょうのう　氷のう〔×嚢〕
ひょうはく　漂白　〜剤。
ひょうはく　漂泊　〜の旅。
ひょうばん　評判
ひょうひ　表皮
びょうぶ　〔×屏風〕　〜絵。
びょうへい　病弊
ひょうへき　氷壁
びょうへき　病癖
ひょうへん　ひょう変〔×豹〕
びょうへん　病変
ひょうほう　兵法
ひょうぼう　標ぼう〔×榜〕　*掲げる。旗印。
びょうぼつ　病没〔×歿〕
ひょうほん　標本
びょうま　病魔
ひょうめい　表明
びょうめい　病名
ひょうめん　表面　〜化。〜張力。
ひょうめんせき　表面積

ひょうよみ　票読み
びょうよみ　秒読み
ひょうり　表裏　〜一体。
びょうり　病理　〜解剖。
ひょうりゅう　漂流　〜木。〜物。
びょうれき　病歴
ひょうろう　兵糧〔×粮〕　〜攻め。
ひょうろん　評論　〜家。文芸〜。
ひよく　肥沃⦅読⦆　*肥えた。
びよく　尾翼
ひよけ　日よけ〔▲除〕
ひよこ　〔×雛子〕
ひより　日和⦅付⦆
ひよりみ　日和見　〜主義。
ひよわ　ひ弱　〜い。〜な。
ひら　平　〜社員。
ひらあやまり　平謝り
ひらい　飛来
ひらいしん　避雷針
ひらおよぎ　平泳ぎ
ひらおり　平織り　（織物）
ひらがな　①ひらがな ②平仮名
ひらき　開き　店〜。山〜。魚の〜。
ひらきど　開き戸
ひらきなおる　開き直る
ひらきふう　開き封
ひらく　開く
ひらける　開ける
ひらじろ　平城
ひらたい　平たい
ひらてうち　平手打ち

〔 〕使わない漢字　　×表外字(常用漢字表にない字)　　▲表外音訓(常用漢字表にない読み)
①〜⑥教育漢字の学年配当　　①－②(①の表記を優先するが，②の表記を使ってもよい語)

ひらまく　平幕　《相撲》	ひれ　〔×鰭〕
ひらめ　〔平目・▲比▲目▲魚〕	ひれい　比例
ひらめき　〔×閃〕	ひれい　非礼　～をわびる。
ひらめく　〔×閃〕	ひれいだいひょう　比例代表　～制。
ひらや　平屋〔家〕	ひれいはいぶん　比例配分
ひらやだて　平屋建て〔家〕	ひれき　披れき〔×瀝〕　＊開陳。
びらん　〔×糜×爛〕　＊ただれ。	ひれつ　卑劣
ひりき　非力	ひれふす　ひれ伏す〔▲平〕
ひりつ　比率	ひれん　悲恋
びりゅうし　微粒子	ひろ　〔▲尋〕　（昔の長さの単位）
ひりょう　肥料　化学～。有機～。	ひろい　広い
びりょう　微量　～分析。	ひろいあげる　拾い上げる
びりょう　鼻りょう〔×梁〕　＊鼻筋。	ひろいぬし　拾い主
びりょく　微力　～ながら。	ひろいもの　拾い物
ひる　昼〔▲午〕	ひろいよみ　拾い読み
ひる　干る	ひろう　披露　～宴。
ひる　〔×蛭〕	ひろう　疲労　～困憊。～回復。金属～。
ひるい　比類　～ない。	ひろう　拾う
ひるがえす　翻す〔×飜〕	びろう　〔尾籠〕　～な話。
ひるがえる　翻る〔×飜〕	ひろがり　広がり〔▲拡〕
ひるがお　昼顔	ひろがる　広がる〔▲拡〕
ひるさがり　昼下がり	ひろくち　広口　～の瓶。
ひるすぎ　昼過ぎ	ひろげる　広げる〔▲拡〕
ひるどき　昼どき〔時〕	ひろっぱ　広っぱ
ひるね　昼寝	ひろば　広場
ひるひなか　昼日中	ひろはば　広幅
ひるま　昼間	ひろびろ　広々
ひるまえ　昼前	ひろま　広間
ひるむ　〔×怯〕	ひろまる　広まる
ひるめし　昼飯	ひろめる　広める
ひるやすみ　昼休み	ひわ　秘話　終戦～。

びわ 琵琶 特 《芸能》
びわ 〔×枇×杷〕
ひわい 卑わい〔×猥〕
ひわだぶき 〔×檜▲皮×葺〕
ひわたり 火渡り
ひわり 日割り ～計算。
ひわれ 干割れ
ひん 品 ③{ヒン/しな}
ひん 貧 ⑤{ヒン・ビン/まずしい}
ひん 浜 {ヒン/はま}
ひん 賓 {ヒン}
ひん 頻 {ヒン}
びん 便 ④{ベン・ビン/たより}
びん 貧 ⑤{ヒン・ビン/まずしい}
びん 敏 {ビン}
びん 瓶 {ビン}〔×甕・×壜〕
ひんい 品位 高～。
ひんかく 品格
びんかん 敏感
ひんきゃく 賓客 *お客。
ひんきゅう 貧窮
ひんく 貧苦
ひんけつ 貧血 脳～。
ひんこう 品行 ～方正。
ひんこん 貧困
ひんし 品詞
ひんし ひん死〔×瀕〕 ～の重傷。
ひんしつ 品質 ～管理。
ひんじゃ 貧者 ～の一灯。
ひんじゃく 貧弱

ひんしゅ 品種 ～改良。
ひんしゅく 〔×顰×蹙〕 ～を買う。
　*苦々しく思う。眉をひそめる。
びんしょう 敏しょう〔×捷〕 *機敏。
びんじょう 便乗 ～値上げ。
ひんする 貧する 貧すれば鈍する。
ひんする 〔×瀕〕 危機に～。
ひんせい 品性 ～下劣。
びんせん 便箋
ひんそう 貧相
びんそく 敏速
びんつけ 〔×鬢付〕 ～油。
びんづめ 瓶詰〔×壜〕送
ひんど 頻度
ひんにょう 頻尿 《医学》
ひんば ひん馬〔×牝〕
ひんぱつ 頻発
ひんぱん 頻繁
ひんぴょうかい 品評会
ひんぴん 頻々 ～と。
ひんぷ 貧富 ～の差。
びんぼう 貧乏
びんぼうくじ 貧乏くじ〔×籤〕
びんぼうゆすり 貧乏揺すり
ひんもく 品目
びんらん 便覧
びんらん びん乱〔×紊〕 *乱れる。
　乱す。乱脈。
びんわん 敏腕

〔 〕使わない漢字　　×表外字(常用漢字表にない字)　　▲表外音訓(常用漢字表にない読み)
①～⑥教育漢字の学年配当　　①-②(①の表記を優先するが，②の表記を使ってもよい語)

ふ

- ふ 父 ②{フ/ちち}
- ふ 歩 ②{ホ・ブ・フ/あるく・あゆむ}
- ふ 風 ②{フウ・フ/かぜ・かざ}
- ふ 負 ③{フ/まける・まかす・おう}
- ふ 不 ④{フ・ブ}
- ふ 夫 ④{フ・フウ/おっと}
- ふ 付 ④{フ/つける・つく}
- ふ 府 ④{フ}
- ふ 布 ⑤{フ/ぬの}
- ふ 婦 ⑤{フ}
- ふ 富 ⑤{フ・フウ/とむ・とみ}
- ふ 扶 {フ}
- ふ 怖 {フ/こわい}
- ふ 阜 {フ} (岐阜県など地名のみ)
- ふ 訃 {フ}
- ふ 赴 {フ/おもむく}
- ふ 浮 {フ/うく・うかれる・うかぶ・うかべる}
- ふ 符 {フ}
- ふ 普 {フ}
- ふ 腐 {フ/くさる・くされる・くさらす}
- ふ 敷 {フ/しく}
- ふ 膚 {フ}
- ふ 賦 {フ}
- ふ 譜 {フ}
- ふ 〔附〕{フ} (「付」で代用。p.14参照)
- ふ 〔×腑〕 ～に落ちない。
- ふ 〔×麩〕

- ぶ 分 ②{ブン・フン・ブ/わける・わかれる・わかる・わかつ}
  ～が悪い。
- ぶ 歩 ②{ホ・ブ・フ/あるく・あゆむ}
- ぶ 部 ③{ブ}
- ぶ 不 ④{フ・ブ}
- ぶ 無 ④{ム・ブ/ない}
- ぶ 武 ⑤{ブ・ム}
- ぶ 奉 {ホウ・ブ/たてまつる}
- ぶ 侮 {ブ/あなどる}
- ぶ 舞 {ブ/まう・まい}
- ぶあい 歩合 送 公定～。
- ぶあいきゅう 歩合給 送
- ぶあいせい 歩合制 送
- ぶあいそう 無愛想
- ぶあつい 分厚い〔部〕
- ふあん 不安
- ふあんてい 不安定
- ふあんない 不案内
- ふい 不意
- ふい ～にする。
- ぶい 部位
- フィート 〔×呎〕
- ふいうち 不意打ち〔討〕
- ふいご 〔×鞴〕
- ふいちょう 吹聴 特
- ふいり 不入り
- ぶいん 部員
- ふう 風 ②{フウ・フ/かぜ・かざ}

特 表外字・表外音訓を用いてよい特例の語　　付 常用漢字表の付表の語
送 送りがなを省く特例　　読 読みがなを付けるのが望ましい語　　＊類語・言いかえ例

ふう—ふうひ

ふう	夫 ④ {フ・フウ / おっと}
ふう	富 ⑤ {フ・フウ / とも・とみ}
ふう	封 {フウ・ホウ}
ふう	〔風〕 こういう〜にする。
ふうあい	風合い
ふうあつ	風圧
ふういん	封印
ふうう	風雨
ふううん	風雲 〜児。
ふうか	風化
ふうが	風雅 〜の道。
ふうがい	風害
ふうかく	風格 王者の〜。
ふうがわり	風変わり
ふうかん	封かん〔×緘〕
ふうき	風紀
ふうき	富貴
ふうきり	封切り （「フウギリ」とも）
ふうけい	風景
ふうけつ	風穴
ふうこう	風向 ＊風向き。
ふうこうめいび	風光明媚・風光明美
ふうさ	封鎖
ふうさい	風采 〜が上がらない。＊見かけ。外見。
ふうさつ	封殺
ふうし	風刺〔×諷〕 〜画。
ふうじこめる	封じ込める
ふうじて	封じ手 （囲碁・将棋）
ふうじめ	封じ目
ふうしゃ	風車
ふうしゅう	風習
ふうしょ	封書
ふうじる	封じる
ふうしん	風疹 《医学》
ふうじん	風神 〜雷神。
ふうすい	風水
ふうすいがい	風水害
ふうせつ	風雪 〜注意報。
ふうせつ	風説
ふうせん	風船
ふうぜん	風前 〜のともし火。
ふうそう	風葬
ふうそく	風速
ふうぞく	風俗 〜画。〜営業。
ふうたい	風袋
ふうち	風致 〜地区。
ふうちょう	風潮
ふうてい	風体〔▲態〕 （「フウタイ」とも）
ふうど	風土
ふうとう	封筒
ふうどう	風洞 〜実験。
ふうとうぼく	風倒木
ふうどびょう	風土病
ふうにゅう	封入
ふうは	風波
ふうばいか	風媒花
ふうはつ	風発 談論〜。
ふうび	〔風×靡〕 一世を〜する。 ＊なびかせる。

〔 〕使わない漢字　×表外字(常用漢字表にない字)　▲表外音訓(常用漢字表にない読み)
①〜⑥教育漢字の学年配当　①−②(①の表記を優先するが，②の表記を使ってもよい語)

ふうひょう　風評	～が立つ。
ふうふ　夫婦	～げんか。～連れ。
ふうぶつ　風物	～詩。
ふうぶん　風聞	
ふうぼう　風防	～ガラス。
ふうぼう　風貌〔×丰〕	＊容姿。
ふうみ　風味	
ふうもん　風紋	
ふうらいぼう　風来坊	
ふうりゅう　風流	～人。
ふうりょく　風力	
ふうりん　風鈴	
ふうん　不運	
ぶうん　武運	～長久。
ふえ　笛	
ふえいせい　不衛生	
ふえき　不易	～流行。万古～。
ふえて　不得手	
ふえふき　笛吹き	
ふえる　殖える	財産が～。利子が～。
ふえる　増える	借金が～。人数が～。
ふえん　敷延〔×衍〕	
ぶえんりょ　無遠慮〔不〕	
ふおん　不穏	～な情勢。
ふおんとう　不穏当	～な発言。
ふか　不可	
ふか　付加〔附〕	～価値。
ふか　負荷	～試験。
ふか　ふ化〔×孵〕	～器。
ふか　〔×鱶〕	
ぶか　部下	
ふかい　不快	
ふかい　深い	
ぶがい　部外	～者。～秘。
ふかいしすう　不快指数	
ふがいない　〔×腑▲甲×斐〕	
ふかいり　深入り	
ふかおい　深追い	
ふかかい　不可解	
ふかきん　賦課金	
ふかく　不覚	～を取る。
ぶがく　舞楽	《芸能》
ふかくてい　不確定	～要素。
ふかけつ　不可欠	～の条件。
ふかこうりょく　不可抗力	
ふかざけ　深酒	
ふかしぎ　不可思議	
ふかしん　不可侵	～条約。
ふかす　更かす	夜更かし。
ふかす　吹かす	兄貴風を～。たばこを～。
ふかす　〔▲蒸〕	芋を～。
ぶかつ　部活	(「部活動」の略)
ぶかっこう　不格好〔無×恰〕	
ふかづめ　深爪	
ふかで　深手〔▲傷〕	～を負う。
ふかなさけ　深情け	
ふかのう　不可能	
ふかひ　不可避	
ふかぶかと　深々と	
ふかぶん　不可分	
ふかまる　深まる	

㊵ 表外字・表外音訓を用いてよい特例の語　　㊞ 常用漢字表の付表の語
㋷ 送りがなを省く特例　　㊸ 読みがなを付けるのが望ましい語　　＊類語・言いかえ例

ふかみ　深み　〜にはまる。
ふかみどり　深緑　(色彩)
ふかめる　深める
ふかん　〔×俯×瞰〕　〜図。　*見下ろす。
ぶかん　武官　駐在〜。
ふかんぜん　不完全　〜燃焼。
ふき　不帰　(死ぬこと)〜の客となる。
ふき　付記〔附〕
ふき　〔×蕗〕
ふぎ　不義
ふぎ　付議〔附〕　*(会議に)かける。
ぶき　武器
ふきあげる　吹き上げる　風が下から〜。
ふきあげる　噴き上げる　火山弾を〜。
ふきあれる　吹き荒れる
ふきおろす　吹き降ろす
ふきかえ　吹き替え　《芸能》せりふの〜。
ふきかえ　ふき替え〔×葺〕　屋根の〜。
ふきかえす　吹き返す　息を〜。
ふきかける　吹きかける〔掛〕　息を〜。
ふきけす　吹き消す
ふきげん　不機嫌
ふきこぼれる　吹きこぼれる〔▲零〕
ふきこむ　吹き込む
ふきさらし　吹きさらし〔×曝〕
ふきすさぶ　吹きすさぶ〔▲荒〕
ふきそ　不起訴　《法律》〜処分。
ふきそうじ　拭き掃除
ふきそく　不規則

ふきたおす　吹き倒す
ふきだす　吹き出す　たばこの煙を〜。
ふきだす　噴き出す　思わず〜。蒸気が〜。
ふきだまり　吹きだまり〔×溜〕
ふきつ　不吉
ふきつける　吹きつける〔付〕　風が〜。塗料を〜。
ふきでもの　吹き出物
ふきとおす　吹き通す
ふきとばす　吹き飛ばす
ふきとぶ　吹き飛ぶ
ふきとる　拭き取る
ふきながし　吹き流し
ふきぬき　吹き抜き〔▲貫〕
ふきぬける　吹き抜ける
ふきのとう　〔×蕗×薹〕
ふきはらう　吹き払う
ふきぶり　吹き降り
ふきまくる　吹きまくる〔×捲〕
ふきまわし　吹き回し〔×廻〕　風の〜。
ぶきみ　不気味〔無〕
ふきや　吹き矢
ふきゅう　不休　不眠〜。
ふきゅう　不朽　〜の名作。
ふきゅう　不急　不要〜。
ふきゅう　普及　〜版。
ふきょう　不況
ふきょう　不興　〜を買う。
ふきょう　布教　〜活動。
ぶきよう　不器用〔無〕

〔 〕使わない漢字　　×表外字(常用漢字表にない字)　　▲表外音訓(常用漢字表にない読み)
①〜⑥教育漢字の学年配当　　①―②(①の表記を優先するが，②の表記を使ってもよい語)

ぶぎょう　**奉行**　～所。	ふくいん　**福音**　～書。
ふぎょうせき　**不行跡**	ふぐう　**不遇**
ふきょうわおん　**不協和音**	ふくえき　**服役**　～囚。
ぶきょく　**部局**	ふくえん　**復縁**　～を迫る。
ぶきょく　**舞曲**	ふくがく　**復学**
ふきよせる　**吹き寄せる**	ふくがん　**複眼**
ふぎり　**不義理**	ふくぎょう　**副業**
ふきん　**付近**〔附〕	ふくげん　**復元**〔原〕　遺跡の～。
ふきん　**布巾**	ふくげんりょく　**復原力**　船の～。
ふきんこう　**不均衡**	ふくこう　**腹こう**〔×腔〕　(医学では「腹くう」)
ふきんしん　**不謹慎**	ふくごう　**複合**　～汚染。～競技。
ふく　**服**③{フク}	**ふくさ**　〔×袱×紗〕
ふく　**福**③{フク}	ふくざつ　**複雑**
ふく　**副**④{フク}	ふくさよう　**副作用**
ふく　**復**⑤{フク}	ふくさんぶつ　**副産物**
ふく　**複**⑤{フク}	ふくし　**副詞**
ふく　**腹**⑥{フク/はら}	ふくし　**福祉**　社会～。～施設。
ふく　**伏**{フク/ふせる・ふす}	ふくじ　**服地**
ふく　**幅**{フク/はば}	ふくしき　**複式**　～学級。～簿記。
ふく　**覆**{フク/おおう・くつがえす・くつがえる}	ふくしきこきゅう　**腹式呼吸**
ふく　**吹く**　風が～。笛を～。	ふくじてき　**副次的**
ふく　**拭く**　汗を～。	ふくしゃ　**複写**　～機。
ふく　**噴く**　火を～。	ふくしゃ　**ふく射**〔×輻〕　＊放射。
ふく　〔×葺〕　屋根を～。	ふくしゅう　**復習**
ふぐ　〔▲河▲豚〕	ふくしゅう　**復しゅう**〔×讐〕　＊敵討ち。仕返し。
ぶぐ　**武具**	
ふぐあい　**不具合**送	
ふぐあん　**腹案**	ふくじゅう　**服従**
ふくいく　〔×馥×郁〕	ふくしゅうにゅう　**副収入**
ふくいん　**復員**	ふくじゅそう　**福寿草**
ふくいん　**幅員**　＊道幅。	ふくしょう　**副将**

特 表外字・表外音訓を用いてよい特例の語　　付 常用漢字表の付表の語
送 送りがなを省く特例　　読 読みがなを付けるのが望ましい語　　＊類語・言いかえ例

ふくしー ふくり

ふくしょう	副賞	
ふくしょう	復唱	〔×誦〕
ふくしょう	複勝	(競馬・競輪・競艇)
ふくしょく	服飾	
ふくしょく	復職	
ふくしょくぶつ	副食物	
ふくしん	副審	
ふくしん	腹心	〔臣〕〜の部下。
ふくじん	副腎	《医学》〜皮質ホルモン。
ふくじんづけ	福神漬	送
ふくすい	腹水	《医学》
ふくすい	覆水	〜盆に返らず。
ふくすう	複数	
ふくする	復する	元に〜。
ふくする	服する	刑に〜。喪に〜。
ふくせい	複製	〜画。
ふくせん	伏線	〜を張る。
ふくせん	複線	
ふくそう	服装	
ふくそう	〔×輻×輳・×湊〕 *集中。	
ふくぞうなく	腹蔵なく	
ふくそうひん	副葬品	
ふくだい	副題	
ふくちょう	復調	
ふくつ	不屈	
ふくつう	腹痛	
ふくどく	服毒	〜自殺。
ふくどくほん	副読本	
ふくとしん	副都心	
ふくのかみ	福の神	

ふくはい	復配	《株式》
ふくはい	腹背	面従〜。
ふくびき	福引き	〜券。
ふくぶ	腹部	
ふくぶくしい	福々しい	
ふくふくせん	複々線	
ふくぶくろ	福袋	
ふくべ	〔×瓢・・×瓠・×匏〕	
ふくへい	伏兵	
ふくぼく	副木	
ふくほん	副本	
ふくまく	腹膜	〜炎。
ふくまでん	伏魔殿	
ふくみ	含み	〜声。〜笑い。〜資産。
ふくみみ	福耳	
ふくむ	服務	〜規律。
ふくむ	含む	
ふくめい	復命	
ふくめに	含め煮	
ふくめる	含める	
ふくめん	覆面	
ふくも	服喪	
ふくよう	服用	
ふくよか	〔×脹〕	
ふくらしこ	ふくらし粉	〔膨・×脹〕
ふくらす	膨らす	〔×脹〕
ふくらはぎ	〔×脛〕	
ふくらます	膨らます	〔×脹〕
ふくらみ	膨らみ	〔×脹〕
ふくらむ	膨らむ	〔×脹〕
ふくり	福利	〜厚生。

〔　〕使わない漢字　×表外字(常用漢字表にない字)　▲表外音訓(常用漢字表にない読み)
①〜⑥教育漢字の学年配当　①－②(①の表記を優先するが，②の表記を使ってもよい語)

ふくり　複利	～計算。
ふくりゅうすい　伏流水	
ふくれっつら　①ふくれっ面　②膨れっ面〔×脹〕	
ふくれる　膨れる〔×脹〕	
ふくろ　袋〔×嚢〕	
ふくろ　復路	
ふくろう　〔×梟〕	
ふくろおび　袋帯	
ふくろこうじ　袋小路	
ふくろだたき　袋だたき〔×叩〕	
ふくろぬい　袋縫い	
ふくろもの　袋物	
ふくわじゅつ　腹話術	
ふくん　夫君	
ふくん　父君	
ぶくん　武勲	
ふけ　〔▲頭×垢〕	
ぶけ　武家　～屋敷。	
ぶげい　武芸　～十八般。	
ふけいき　不景気	
ふけいざい　不経済	
ふけつ　不潔	
ふけやく　老け役　《芸能》	
ふける　老ける　老けて見える。	
ふける　更ける　夜が～。	
ふける　〔×耽〕　読書に～。	
ふけん　父権	
ふけん　府県	
ふげん　不言　～実行。	
ふげん　付言〔附〕	
ふけんしき　不見識	
ふこう　不孝　親～。	
ふこう　不幸	
ふごう　符号	
ふごう　符合　＊一致。	
ふごう　富豪	
ふごうかく　不合格	
ふこうへい　不公平	
ふごうり　不合理	
ふこく　布告　宣戦～。	
ふこく　富国　～強兵。	
ぶこくざい　誣告罪 特　《法律》（現在は「虚偽告訴罪」）	
ふこころえ　不心得	
ぶこつ　武骨〔無〕	
ふさ　房　ぶどうの～。	
ふさい　夫妻	
ふさい　負債　～額。	
ふざい　不在　～地主。	
ぶさいく　不細工〔無〕	
ふさがる　塞がる	
ふさく　不作	
ふさぐ　塞ぐ　道を～。穴を～。	
ふさぐ　〔▲鬱〕　気が～。	
ふざける　〔×巫▲山▲戯〕	
ぶさた　無沙汰　ご～。	
ぶさほう　不作法〔無〕	
ぶざま　〔無・不様〕	
ふさわしい　〔▲相▲応〕	
ふさん　不参　＊不参加。	
ふし　節	

特 表外字・表外音訓を用いてよい特例の語　　付 常用漢字表の付表の語
送 送りがなを省く特例　　読 読みがなを付けるのが望ましい語　　＊類語・言いかえ例

ふし	父子	ぶじゅつ	武術
ふじ	不治	～の病。(「フチ」とも)	ふしゅび	不首尾
ふじ	不時	～の出費。	ふじゅん	不純	～物。～な動機。
ふじ	藤	～色。～棚。	ふじゅん	不順	天候～。
ぶし	武士	ふじょ	扶助	相互～。～料。
ぶじ	無事	ふじょ	婦女
ふしあな	節穴	ぶしょ	部署
ふしあわせ	不幸せ〔仕合〕	ふしょう	不肖	～の子。
ふしおがむ	伏し拝む	ふしょう	不祥	～事件。
ふしぎ	不思議	ふしょう	不詳	氏名～。
ふしくれ	節くれ	～立つ。	ふしょう	負傷
ふしぜん	不自然	ふじょう	不浄
ふしだら	～な生活。	ふじょう	浮上
ふじちゃく	不時着	ぶしょう	不精〔無〕	～ひげ。筆～。
ふしちょう	不死鳥	ぶしょう	武将
ふじつ	不実	ふしょうか	不消化
ふしづけ	節づけ〔付〕	ふしょうじ	不祥事
ぶしつけ	〔不×躾〕	ふしょうじき	不正直
ぶしどう	武士道	ふしょうち	不承知
ふしまつ	不始末	ふしょうぶしょう	不承不承
ふしまわし	節回し	ふじょうり	不条理
ふじみ	不死身	ふしょく	腐食〔×蝕〕
ふしめ	節目	人生の～。	ぶじょく	侮辱
ふしめ	伏し目	～がち。	ふしょくど	腐植土
ふしゅ	浮腫	＊むくみ。	ふしょくふ	不織布
ぶしゅ	部首	～索引。	ふしん	不信	政治～。～感。
ふしゅう	腐臭	ふしん	不振	成績～。
ふじゆう	不自由	ふしん	不審	挙動～。～火。
ぶしゅうぎ	不祝儀	ふしん	普請	安～。
ふじゅうぶん	不十分〔充〕	ふしん	腐心
ふしゅつ	不出	門外～。	ふじん	夫人	大統領～。

〔　〕使わない漢字　×表外字(常用漢字表にない字)　▲表外音訓(常用漢字表にない読み)
①～⑥教育漢字の学年配当　①―②(①の表記を優先するが，②の表記を使ってもよい語)

ふじん　布陣	ふせっせい　不摂生
ふじん　婦人　～科。～服。	ふせる　伏せる
ぶじん　武人	ふせん　不戦　～勝。～敗。
ふしんじん　不信心	ふせん　付箋〔附〕
ふしんせつ　不親切	ふぜん　不全　心～。発育～。
ふしんにん　不信任	ぶぜん　ぶ然〔×憮〕　～とする。
ふしんばん　不寝番	ふそ　父祖
ふす　伏す	ぶそう　武装　～警官。～解除。
ふず　付図〔附〕	ふそうおう　不相応
ふずい　不随　半身～。	ふそく　不足
ふずい　付随　～した問題。	ふそく　不測　～の事態。
ぶすい　不粋〔無〕	ふそく　付則〔附〕
ふすう　負数	ふぞく　付属　（固有名詞では「附属」
ぶすう　部数	も）
ふすま　〔×襖〕　～絵。	ぶぞく　部族
ふすま　〔×衾〕　＊布団。	ふそくふり　不即不離〔則〕
ふすま　〔×麬・×麩〕	ふぞろい　不ぞろい〔×揃〕
ふする　付する　不問に～。	ふそん　不遜　＊尊大。無礼。
ふせ　布施　お～。	ふた　二
ふせい　不正	ふた　①ふた　②蓋
ふせい　不整　～脈。	ふだ　札
ふせい　父性　～愛。	ぶた　豚
ふぜい　風情	ふたい　付帯〔附〕　～決議。
ぶぜい　無勢　多勢に～。	ふだい　譜代　～大名。
ふせいこう　不成功	ぶたい　部隊
ふせいしゅつ　不世出　～の天才。	ぶたい　舞台　～裏。～稽古。～装置。
ふせいりつ　不成立	ふたいてん　不退転　～の決意。
ふせき　布石	ふたえ　二重　～まぶた。
ふせぐ　防ぐ〔×禦〕	ふたおや　二親
ふせじ　伏せ字	ふたく　付託〔附〕　委員会に～する。
ふせつ　敷設〔布〕	～事項。

ふたく　負託　国民の〜。
ふたご　双子
ふたごころ　二心
ふたことみこと　二言三言
ふたことめ　二言目
ぶたごや　豚小屋
ふたしか　不確か
ふだしょ　札所
ぶたじる　豚汁　(「トンジル」とも)
ふたたび　再び
ふたつ　二つ，2つ
ふだつき　札つき〔付〕
ふたつへんじ　二つ返事
ふたて　二手　〜に分かれる。
ふだどめ　札止め　満員〜。
ぶたにく　豚肉
ふたば　双葉
ふたまた　二股　〜をかける。
ふため　二目　〜と見られぬ。
ふたり　二人，2人〔付〕
ふたりぐみ　2人組〔送〕
ふたん　負担　自己〜。〜金。
ふだん　不断　〜の努力。優柔〜。
ふだん　〔普段〕　〜の服装。
ふだんぎ　ふだん着〔普段〕
ふち　縁
ふち　不治　(「フジ」とも)
ふち　〔×淵〕
ふち　〔扶▲持〕　〜米。食いぶち。
ぶち　〔▲斑〕
ぶちこわす　ぶち壊す〔▲打〕

ふちどり　縁取り
ぶちぬく　ぶち抜く〔▲打〕
ふちゃく　付着〔附〕
ふちゅうい　不注意
ふちょう　不調
ふちょう　府庁
ふちょう　符丁〔×牒〕
ぶちょう　部長
ぶちょうほう　不調法〔無〕
ふちょうわ　不調和
ふちん　不沈　〜艦。
ふちん　浮沈
ふつ　払　{フツ／はらう}
ふつ　沸　{フツ／わく・わかす}
ぶつ　物 ③ {ブツ・モツ／もの}
ぶつ　仏 ⑤ {ブツ／ほとけ}
ぶつ　〔▲打・▲撲〕
ふつう　不通
ふつう　普通
ぶつえん　仏縁
ふつか　二日，2日〔付〕
ぶっか　物価
ぶつが　仏画
ぶっかく　仏閣　神社〜。
ふっかける　吹っかける〔掛〕
ふっかつ　復活　〜祭。〜折衝。
ふつかよい　二日酔い〔▲宿〕
ぶつかる　車と〜。
ふっかん　復刊
ふっき　復帰

〔　〕使わない漢字　　×表外字(常用漢字表にない字)　　▲表外音訓(常用漢字表にない読み)
①〜⑥教育漢字の学年配当　　①—②(①の表記を優先するが，②の表記を使ってもよい語)

ふづき 〔▲文月〕（陰暦7月）(「文月」は「フミヅキ」)

ぶぎ 物議 〜を醸す。

ふっきゅう 復旧 〜工事。

ふつぎょう 払暁 ＊明け方。暁。

ぶっきょう 仏教

ぶっきらぼう 〔棒〕

ぶつぎり ぶつ切り

ふっきん 腹筋 〜運動。

ぶつぐ 仏具

ふづくえ ふ机〔▲文〕(「文机」は「フミヅクエ」)

ぶつける 〔▲打付〕

ふっけん 復権

ぶっけん 物件

ふっこ 復古 〜調。

ぶっこ 物故 〜者。

ふっこう 復興

ふつごう 不都合

ふっこく 復刻〔覆〕 〜版。

ぶっさん 物産

ぶっし 仏師

ぶっし 物資

ぶつじ 仏事

ぶっしき 仏式

ぶっしつ 物質

ぶっしゃり 仏舎利

ぶっしょう 物証 （物的証拠）

ふっしょく 払拭 読 ＊一掃。除去。

ぶっしょく 物色

ぶっしん 物心 〜両面。

ぶつぜん 仏前

ふっそ フッ素〔×弗〕

ぶっそう 物騒

ぶつぞう 仏像

ぶつだ 仏陀 特 《仏教》

ぶったい 物体

ぶつだん 仏壇

ぶっちょうづら 仏頂面

ふつつか 〔不▲束〕 〜者ですが。

ぶっつづけ ぶっ続け〔▲打〕

ふってい 払底 ＊品切れ。

ぶってき 物的 〜証拠。

ふってん 沸点

ぶってん 仏典

ふっとう 沸騰 〜点。

ぶつどう 仏道 〜に入る。

ぶっとおし ぶっ通し〔▲打〕

ふっとばす 吹っ飛ばす

ぶつのう 物納

ぶつばつ 仏罰

ぶっぴん 物品 〜税。

ぶつぶつこうかん 物々交換

ぶっぽう 仏法 （仏の教え）

ぶづみ 歩積み 〜預金。

ぶつめつ 仏滅

ぶつもん 仏門

ぶつよく 物欲〔×慾〕

ぶつり 物理 〜学。〜療法。

ふつりあい 不釣り合い

ぶつりゅう 物流

ぶつりょう 物量 〜作戦。

特 表外字・表外音訓を用いてよい特例の語　　付 常用漢字表の付表の語

送 送りがなを省く特例　　読 読みがなを付けるのが望ましい語　　＊類語・言いかえ例

ふて　筆
ふてい　不定　住所〜。〜愁訴。
ふていき　不定期
ふていさい　不体裁
ふでいれ　筆入れ
ふてき　不敵　大胆〜。
ふでき　不出来
ふてきとう　不適当
ふてきにん　不適任
ふてぎわ　不手際
ふてくされる　〔不▲貞腐〕
ふでさき　筆先
ふでたて　筆立て
ふでづか　筆塚
ふでづかい　筆遣い
ふてってい　不徹底
ふてね　ふて寝〔不▲貞〕
ふでばこ　筆箱
ふでぶしょう　筆不精〔無〕
ふでまめ　筆まめ〔▲忠▲実〕
ふと　〔不図〕
ふとい　太い
ふとう　不当　〜表示。〜廉売。〜労働行為。
ふとう　ふ頭〔×埠〕　*岸壁。桟橋。
ふどう　不同　順序〜。
ふどう　不動　〜の地位。
ふどう　浮動　〜層。
ぶとう　舞踏〔×蹈〕　〜会。
ぶどう　武道
ぶどう　〔×葡×萄〕　〜狩り。

ふとういつ　不統一
ふとうえき　不凍液
ぶどうきゅうきん　ブドウ球菌〔×葡×萄〕　黄色〜。
ふとうこう　不凍港
ふとうこう　不登校
ふどうさん　不動産　〜鑑定士。
ふとうしき　不等式
ぶどうしゅ　ぶどう酒〔×葡×萄〕
ぶどうとう　ブドウ糖〔×葡×萄〕
ふどうとく　不道徳
ふとうふくつ　不撓不屈
ふとうめい　不透明
ふどき　風土記
ふとく　不徳　〜の致すところ。
ふとくい　不得意
ふとくてい　不特定　〜多数。
ふとくようりょう　不得要領　(要領を得ないこと)
ふところ　懐
ふところぐあい　懐具合 送
ふとざお　太ざお〔×棹〕　(義太夫用の三味線)
ふとじ　太字
ふとっぱら　太っ腹
ふとどき　不届き
ふとまき　太巻き
ぶどまり　歩留まり〔止〕
ふともも　太もも〔▲股〕
ふとる　太る〔▲肥〕
ふとん　布団〔×蒲〕

〔　〕使わない漢字　　×表外字(常用漢字表にない字)　　▲表外音訓(常用漢字表にない読み)
1〜6 教育漢字の学年配当　　①−②(①の表記を優先するが，②の表記を使ってもよい語)

ふな	〔×鮒〕	ふにあい	不似合い
ぶな	〔×橅・▲山▲毛×欅〕	ふにょい	不如意　手元〜。
ふなあし	船足　(「船脚」とも)	ふにん	不妊　〜症。
ふなあそび	船遊び　(「舟遊び」とも)	ふにん	赴任　単身〜。
ふないた	船板	ふにんじょう	不人情
ふなうた	舟歌　(民謡などでは「舟唄」とも)	ふぬけ	〔×腑抜〕
ふなか	不仲	ふね	舟　(小型で手こぎのもの)
ふなかじ	船火事	ふね	船　(一般用語。大型のもの)
ふなくだり	船下り　(「舟下り」とも)	ふねん	不燃　〜性。〜物。
ふなじ	船路〔舟〕	ふのう	不能　使用〜。
ふなぞこ	船底〔舟〕	ふのう	富農
ふなだいく	船大工	ふはい	不敗
ふなたび	船旅	ふはい	腐敗　政治の〜。
ふなだま	船霊	ふばい	不買　〜運動。
ふなだまり	船だまり〔×溜〕	ふはく	浮薄　軽佻(けいちょう)〜。
ふなちん	船賃〔舟〕	ふばこ	ふ箱〔▲文〕
ふなつきば	船着き場〔舟〕	ふはつ	不発　〜弾。
ふなづみ	船積み〔舟〕	ふばらい	不払い
ふなで	船出〔舟〕	ふび	不備
ふなぬし	船主〔舟〕	ふひつよう	不必要
ふなのり	船乗り〔舟〕	ふひょう	不評　〜を買う。
ふなばた	船端〔舟・▲舷〕	ふひょう	付表〔附〕
ふなびん	船便	ふひょう	付票〔附〕
ふなべり	船べり〔舟▲縁〕	ふひょう	浮標
ふなやど	船宿　(「舟宿」とも)	ふびょうどう	不平等
ふなよい	船酔い〔舟〕	ふびん	〔不×憫・・×愍〕　*かわいそうな。
ぶなりん	ぶな林〔×橅・▲山▲毛×欅〕　(「ブナバヤシ」とも)	ぶひん	部品
ふなれ	不慣れ〔×馴〕	ぶふうりゅう	不風流〔無〕
ぶなん	無難	ふぶき	吹雪(付)
		ふふく	不服

ふぶく　〔▲吹▲雪〕
ぶぶん　部分
ふぶんりつ　不文律
ふへい　不平
ぶべつ　侮蔑
ふへん　不変
ふへん　不偏　〜不党。
ふへん　普遍　〜妥当性。〜的。
ふべん　不便
ふべんきょう　不勉強
ふぼ　父母
ふほう　不法　〜行為。
ふほう　訃報
ふほんい　不本意
ふまえる　踏まえる
ふまじめ　不真面目
ふまん　不満
ふまんぞく　不満足
ふみ　文
ふみあらす　踏み荒らす
ふみいし　踏み石
ふみいた　踏み板
ふみいれる　踏み入れる
ふみえ　踏み絵
ふみかためる　踏み固める
ふみきり　踏切 送
ふみきり　踏み切り　ジャンプの〜。
ふみきる　踏み切る
ふみこえる　踏み越える
ふみこむ　踏み込む
ふみしめる　踏み締める

ふみだい　踏み台
ふみたおす　踏み倒す
ふみだす　踏み出す
ふみだん　踏み段
ふみづき　文月　（陰暦7月）（「フヅキ」と読む場合は,「ふづき」）
ふみつける　踏みつける〔付〕
ふみつぶす　①踏みつぶす　②踏み潰す
ふみとどまる　踏みとどまる〔▲止〕
ふみならす　踏み鳴らす
ふみにじる　踏みにじる〔×躙〕
ふみぬく　踏み抜く
ふみば　踏み場　足の〜もない。
ふみはずす　踏み外す
ふみん　不眠　〜症。〜不休。
ふむ　踏む
ふむき　不向き
ふめい　不明　行方〜。
ふめいよ　不名誉
ふめいりょう　不明瞭
ふめいろう　不明朗　〜な会計。
ふめつ　不滅
ふめん　譜面
ふめんぼく　不面目
ふもう　不毛　〜な議論。
ふもと　①ふもと　②麓
ふもん　不問　〜に付す。
ぶもん　武門　〜の誉れ。
ぶもん　部門
ふやける　〔▲潤〕

〔　〕使わない漢字　　×表外字(常用漢字表にない字)　　▲表外音訓(常用漢字表にない読み)
①〜⑥教育漢字の学年配当　　①−②(①の表記を優先するが, ②の表記を使ってもよい語)

ふやじょう　不夜城	ふよう　浮揚　景気の〜。
ふやす　殖やす　財産を〜。	ぶよう　舞踊　日本〜。民族〜。
ふやす　増やす　人数を〜。	ふようい　不用意
ふゆ　冬	ぶようくみきょく　舞踊組曲 送
ふゆう　浮遊〔×游〕　〜物。	ふようじょう　不養生　医者の〜。
ふゆう　富裕	ぶようじん　不用心〔無〕
ぶゆう　武勇　〜伝。	ふようど　腐葉土
ふゆかい　不愉快	ぶらい　無頼　〜漢。
ふゆがこい　冬囲い	ぶらさげる　ぶら下げる
ふゆがた　冬型　〜の気圧配置。	ふらす　降らす
ふゆがれ　冬枯れ	ふらち　〔不×埒〕
ふゆきとどき　不行き届き	ふらつく　足が〜。
ふゆげ　冬毛	ふらん　不乱　一心〜。
ふゆげしき　冬景色	ふらん　腐乱〔×爛〕　〜死体。
ふゆごもり　①冬ごもり　②冬籠もり	ふらんき　ふ卵器〔×孵〕
ふゆじたく　冬支度	ぶらんこ　〔×鞦×韆〕
ふゆしょうぐん　冬将軍	ふり　不利　形勢〜。
ふゆぞら　冬空	ふり　降り
ふゆどり　冬鳥	ふり　振り　(所作・振ること)踊りの〜を付ける。バットの〜が鋭い。
ふゆば　冬場	
ふゆび　冬日	ふり　〔振・▲風〕　(様子・態度)寝た〜をする。
ふゆふく　冬服	
ふゆもの　冬物	ぶり　〔振〕　10年〜。
ふゆやすみ　冬休み	ぶり　〔×鰤〕
ふゆやま　冬山	ふりあげる　振り上げる
ふよ　付与〔附〕　権利の〜。	ふりあてる　振り当てる
ふよ　賦与　才能を〜される。	ふりえき　不利益
ぶよ　〔×蚋〕　(「ぶゆ」「ぶと」とも)	ふりおとす　振り落とす
ふよう　不用　(使わない)〜品。	ふりかえ　振替 送　〜口座。
ふよう　不要　(必要でない)〜不急。	ふりかえ　振り替え　〜休日。〜輸送。
ふよう　扶養　〜家族。〜手当。	ぶりかえす　ぶり返す

�{表} 表外字・表外音訓を用いてよい特例の語　　㋩ 常用漢字表の付表の語
送 送りがなを省く特例　　読 読みがなを付けるのが望ましい語　　＊類語・言いかえ例

ふりかえる　振り返る　過去を〜。
ふりかえる　振り替える　休日を〜。
ふりかかる　降りかかる〔懸〕
ふりかける　振りかける〔掛〕
ふりかざす　振りかざす〔×翳〕
ふりかた　振り方　身の〜。
ふりがな　①ふりがな　②振り仮名
ふりかぶる　振りかぶる
ふりきる　振り切る
ふりこ　振り子
ふりこう　不履行　契約〜。
ふりこみ　振込送　〜銀行。〜金。
ふりこみ　振り込み　銀行〜。
ふりこむ　降り込む　雨が〜。
ふりこむ　振り込む　口座に〜。
ふりしきる　降りしきる〔▲頻〕
ふりしぼる　振り絞る
ふりすてる　振り捨てる〔▲棄〕
ふりそそぐ　降り注ぐ
ふりそで　振り袖
ふりだし　振り出し　〜に戻る。
ふりだしきょく　振出局送
ふりだしにん　振出人送
ふりだす　振り出す
ふりだす　降りだす〔出〕　雨が〜。
ふりたてる　振りたてる
ふりつけ　振り付け　《芸能》(「振付」送とも)〜師。
ふりつける　振り付ける
ふりつもる　降り積もる
ふりはなす　振り放す

ふりはらう　振り払う
ふりほどく　振りほどく〔▲解〕
ふりまく　振りまく〔×撒〕
ふりまわす　振り回す
ふりみだす　振り乱す
ふりむく　振り向く
ふりむける　振り向ける
ふりやむ　降りやむ〔▲止〕
ふりょ　不慮　〜の災難。〜の死。
ふりょ　ふ虜〔×俘〕　＊捕虜。
ふりょう　不良　〜債権。〜品。
ふりょう　不漁
ぶりょう　〔無×聊〕　〜をかこつ。＊退屈。
ふりょく　浮力
ぶりょく　武力　〜行使。
ふりわけ　振り分け
ふりわける　振り分ける
ふりん　不倫
ふる　降る
ふる　振る
ふるい　古い〔▲旧〕
ふるい　〔×篩〕
ぶるい　部類
ふるいおこす　奮い起こす
ふるいおとす　ふるい落とす〔×篩・振〕
ふるいたつ　奮い立つ〔▲起〕
ふるう　震う　声を震わせる。
ふるう　奮う　勇気を〜。
ふるう　振るう〔▲揮〕　腕を〜。

ふるう 〔×篩〕 砂を〜。	ぶれいこう　無礼講
ふるえ　震え	ふれこみ　触れ込み
ふるえあがる　震え上がる	ふれだいこ　触れ太鼓
ふるえごえ　震え声	ふれまわる　触れ回る
ふるえる　震える	ふれる　振れる　メーターの針が〜。
ふるがお　古顔	ふれる　触れる
ふるかぶ　古株	ふろ　風炉　(茶の湯)
ふるぎ　古着	ふろ　風呂　〜おけ。〜屋。
ふるきず　古傷〔×疵・▲創〕	ふろう　不老　〜長寿。〜不死。
ふるくさい　古くさい〔臭〕	ふろう　浮浪
ふるさと　〔古里・▲故▲郷〕	ふろく　付録〔附〕
ふるす　古巣	ふろしき　風呂敷 送　〜包み。
ふるす　古す　着〜。使い〜。	ふわ　不和
ふるづけ　古漬け	ふわく　不惑　(40歳)
ふるって　奮って　〜参加する。	ふわたり　不渡り　〜になる。
ふるて　古手	ふわたりてがた　不渡手形 送
ふるなじみ　古なじみ〔×馴染〕	ふわらいどう　付和雷同〔附〕
ふるびる　古びる	ふん　分 ②{ブン・フン・ブ わける・わかれる・わかる・わかつ}
ふるぼける　古ぼける〔×呆〕	ふん　粉 ④{フン こ・こな}
ふるほん　古本	ふん　奮 ⑥{フン ふるう}
ふるまい　①ふるまい②振る舞い　〜酒。	ふん　雰 {フン}
ふるまう　①ふるまう②振る舞う	ふん　紛 {フン　まぎれる・まぎらす・まぎらわす・まぎらわしい}
ふるめかしい　古めかしい	ふん　噴 {フン ふく}
ふるわせる　震わせる	ふん　墳 {フン}
ふれ　振れ　(針の)〜が大きい。	ふん　憤 {フン いきどおる}
ふれ　触れ　お〜書き。	ふん　〔×糞〕
ふれあい　触れ合い　(「心と心のふれあい」などは，かな書きでもよい)	ぶん　文 ①{ブン・モン ふみ}
	ぶん　分 ②{ブン・フン・ブ わける・わかれる・わかる・わかつ}
ふれあう　触れ合う	ぶん　聞 ②{ブン・モン きく・きこえる}
ぶれい　無礼	ぶんあん　文案
	ぶんい　文意

ふんいき　雰囲気
ふんえん　噴煙
ふんか　噴火　～口。～山。
ぶんか　分化
ぶんか　文化　～遺産。～勲章。～功労者。
ぶんか　文科　～系。
ふんがい　憤慨
ぶんかい　分会
ぶんかい　分解　空中～。
ぶんかかい　分科会
ぶんがく　文学　～散歩。～青年。
ぶんかざい　文化財　無形～。埋蔵～。
ぶんかつ　分割　～払い。
ぶんかん　文官
ふんき　奮起〔憤〕
ぶんきてん　分岐点
ふんきゅう　紛糾
ぶんきょう　文教　～地区。
ぶんぎょう　分業　医薬～。
ぶんきょく　分極　～化。
ふんぎり　〔踏切〕
ぶんきんたかしまだ　文金高島田
ぶんぐ　文具
ぶんけ　分家
ふんけい　〔×刎×頸〕　～の友。～の交わり。
ぶんけい　文系
ぶんげい　文芸　～復興。
ふんげき　憤激
ぶんけつ　分けつ〔×蘖〕　稲の～。

ぶんけん　文献
ぶんけん　分権　地方～。
ぶんげん　分限　(「ブゲン」とも)
ぶんけんたい　分遣隊
ぶんこ　文庫　～本。学級～。
ぶんご　文語　～体。
ふんごう　ふん合〔×吻〕　(主に医学)
ぶんこう　分校
ぶんごう　文豪
ぶんこうき　分光器
ぶんこつ　分骨
ふんこつさいしん　粉骨砕身
ふんさい　粉砕
ふんざい　粉剤
ぶんさい　文才
ぶんさん　分散
ふんし　憤死
ぶんし　分子　不満～。
ぶんし　文士　～劇。
ふんしつ　紛失
ぶんしつ　分室
ふんしゃ　噴射　逆～。
ぶんしゅう　文集
ふんしゅつ　噴出
ふんしょ　ふん書〔×焚〕
ぶんしょ　分署
ぶんしょ　文書　公～。
ぶんしょう　文章
ぶんしょう　分掌　＊分担。
ぶんじょう　分乗
ぶんじょう　分譲　～住宅。～地。

〔　〕使わない漢字　　×表外字(常用漢字表にない字)　　▲表外音訓(常用漢字表にない読み)
①～⑥教育漢字の学年配当　　①－②(①の表記を優先するが，②の表記を使ってもよい語)

ふんしょく　粉飾〔×扮〕　〜決算。
ふんしん　分針
ふんじん　粉じん〔×塵〕　〜公害。
ぶんしん　分身
ぶんじん　文人　〜墨客。〜画。
ふんすい　噴水
ぶんすいれい　分水れい〔×嶺〕
ぶんすう　分数
ふんする　〔×扮〕
ぶんせき　分析　定量〜。情勢〜。
ぶんせき　文責
ふんせん　奮戦
ふんぜん　憤然〔×忿〕　〜として。
ふんそう　紛争　労使〜。
ふんそう　ふん装〔×扮〕　＊いでたち。装い。身なり。
ぶんそうおう　分相応
ぶんたい　分隊　〜長。
ぶんたい　文体
ぶんたん　分担
ぶんだん　文壇
ぶんだん　分断
ぶんちょう　文鳥
ぶんちん　文鎮
ぶんつう　文通
ぶんてん　分店
ふんとう　奮闘　孤軍〜。
ふんどう　分銅
ぶんどき　分度器
ふんどし　〔×褌〕
ぶんどる　〔分捕〕

ぶんなぐる　ぶん殴る〔▲打×擲〕
ふんにゅう　粉乳　脱脂〜。
ふんにょう　ふん尿〔×糞〕
ふんぬ　憤ぬ〔×忿▲怒〕　〜の形相。
ぶんのう　分納　税金の〜。
ぶんぱ　分派
ぶんぱい　分配
ふんぱつ　奮発
ふんばる　〔踏張〕
ふんぱんもの　噴飯物
ぶんぴつ　分泌　（「ブンピ」とも）
ぶんぴつせん　分泌腺　（「ブンピセン」とも）
ぶんぴつ　文筆　〜家。
ぶんぴつぶつ　分泌物　（「ブンピブツ」とも）
ふんびょう　分秒　〜を争う。
ぶんぶ　文武　〜両道。
ぶんぷ　分布
ふんべつ　分別　〜くさい。〜盛り。
ぶんべつ　分別　〜収集。
ぶんべん　分べん〔×娩〕　＊お産。出産。
ふんぼ　墳墓
ぶんぼ　分母
ぶんぽう　文法
ぶんぼうぐ　文房具
ふんまつ　粉末
ふんまん　〔×忿×懣〕　＊憤慨。不平。
ぶんみゃく　文脈
ぶんみん　文民　〜統制。

㈲表外字・表外音訓を用いてよい特例の語　㈱常用漢字表の付表の語
㈱送りがなを省く特例　㈱読みがなを付けるのが望ましい語　＊類語・言いかえ例

ふんむき　**噴霧器**	ぶんりつ　**分立**　三権〜。
ぶんめい　**文明**　〜開化。〜国。	ぶんりょう　**分量**
ぶんめん　**文面**	ぶんるい　**分類**
ふんもん　**噴門**	ふんれい　**奮励**　〜努力せよ。
ぶんや　**分野**	ぶんれい　**文例**
ぶんよ　**分与**　財産〜。	ぶんれつ　**分裂**
ぶんらく　**文楽**　《芸能》	ぶんれつこうしん　**分列行進**
ぶんり　**分離**　〜帯。	

〔　〕使わない漢字　　×表外字（常用漢字表にない字）　　▲表外音訓（常用漢字表にない読み）
①〜⑥教育漢字の学年配当　　①−②（①の表記を優先するが，②の表記を使ってもよい語）

へ

へ 〔×屁〕
へい 平 ③ {ヘイ・ビョウ / たいら・ひら}
へい 病 ③ {ビョウ・ヘイ / やむ・やまい}
へい 兵 ④ {ヘイ・ヒョウ}
へい 並 ⑥ {ヘイ / なみ・ならべる・ならぶ・ならびに}
へい 陛 ⑥ {ヘイ}
へい 閉 ⑥ {ヘイ / とじる・とざす・しめる・しまる}
へい 丙 {ヘイ}
へい 併 {ヘイ / あわせる}
へい 柄 {ヘイ / がら・え}
へい 塀 {ヘイ}
へい 幣 {ヘイ}
へい 弊 {ヘイ}
へい 蔽 {ヘイ}
へい 餅 {ヘイ / もち}
べい 米 ② {ベイ・マイ / こめ}
へいあん 平安　～時代。心の～。
へいい 平易
へいいはぼう 弊衣破帽〔×敝〕
へいいん 兵員
へいえい 兵営
へいえき 兵役
へいえん 閉園
へいおん 平穏　～無事。
へいか 平価　～切り下げ。
へいか 陛下
べいか 米価
べいか 米菓

へいかい 閉会　～式。
へいがい 弊害
へいかん 閉館
へいき 平気
へいき 兵器　核～。化学～。
へいき 併記
へいきょく 平曲　(平家琵琶)
へいきん 平均　～値。～点。
へいきんじゅみょう 平均寿命
へいきんだい 平均台
へいきんよめい 平均余命
へいけい 閉経　《医学》
へいげい 〔×睥×睨〕　天下を～する。
へいげん 平原
へいこう 平行　～四辺形。～線。
へいこう 並行〔併〕　～審議。～輸入。鉄道に～して走る。
へいこう 平衡　～感覚。
へいこう 閉口
へいこう 閉校
へいごう 併合
へいこうぼう 平行棒
べいこく 米穀　～年度。
へいごし 塀越し
べいごま 〔▲貝▲独▲楽〕
へいさ 閉鎖　学級～。工場～。
べいさく 米作
へいさつ 併殺　(野球)

㊧表外字・表外音訓を用いてよい特例の語　㊱常用漢字表の付表の語
㊵送りがなを省く特例　㊶読みがなを付けるのが望ましい語　＊類語・言いかえ例

へいざん	閉山	へいばん	平板
へいし	兵士	べいはん	米飯 ~給食。
へいじ	平時	へいふく	平伏
へいじつ	平日	へいふく	平服
へいしゃ	兵舎	へいほう	平方 ~メートル。
べいじゅ	米寿 (88歳)	へいほう	兵法 ~家。
へいじゅん	平準 賃金の~化。	へいほうこん	平方根
へいじょう	平常 ~心。	へいぼん	平凡
べいしょく	米食	へいまく	閉幕
へいしんていとう	平身低頭	へいめい	平明 ~な文章。
へいせい	平成 (年号)	へいめん	平面 ~図。
へいせい	平静 ~を保つ。~を装う。	へいもん	閉門
へいぜい	平生 ~の行い。	へいや	平野
へいせつ	併設	へいゆ	平癒 *回復。
へいぜん	平然	へいよう	併用
へいそ	平素	へいりつ	並立〔併〕
へいそく	閉塞(へいそく)読 腸~。	へいりょく	兵力 ~増強。
へいそつ	兵卒	へいれつ	並列
へいぞん	併存〔並〕 (「ヘイソン」とも)	へいわ	平和 ~共存。~条約。
へいたい	兵隊	ページ	〔×頁〕
へいたん	平たん〔×坦〕 *平らな。	べからず	〔▲可〕
へいたん	兵たん〔×站〕 ~基地。	へき	壁{ヘキ/かべ}
へいだん	兵団	へき	璧{ヘキ}
へいち	平地	へき	癖{ヘキ/くせ}
へいてい	平定 反乱を~する。	べき	〔×冪〕《数学》*累乗。
へいてい	閉廷	べき	…する~である。
へいてん	閉店	へきえき	〔×辟易〕 *尻込み。閉口。
へいねつ	平熱	へきが	壁画
へいねん	平年 ~並み。	へきち	へき地〔×僻〕 *辺地。
べいばく	米麦	へきめん	壁面
へいはつ	併発	へきれき	〔×霹×靂〕 青天の~。

〔 〕使わない漢字　×表外字(常用漢字表にない字)　▲表外音訓(常用漢字表にない読み)
①~⑥教育漢字の学年配当　①―②(①の表記を優先するが，②の表記を使ってもよい語)

へこおび　へこ帯〔▲兵▲児〕
へこたれる　中途で〜。
へこむ　〔▲凹〕
へさき　〔×舳先〕
べし　〔▲可〕
へしおる　へし折る〔▲圧〕
へそ　〔×臍〕　〜の緒。〜曲がり。
べそ　〜をかく。
へそくり　〔×臍繰〕
へた　下手 付　〜くそ。
へた　〔×蔕〕　柿の〜。
へだたり　隔たり
へだたる　隔たる
へだて　隔て
へだてる　隔てる
へたばる　暑さで〜。
へちま　〔▲糸×瓜〕
べつ　別 ④{ベツ / わかれる}
べつ　蔑 {ベツ / さげすむ}
べっかく　別格
べっかん　別館
べっきょ　別居
べつくち　別口
べっけん　別件　〜逮捕。
べっこ　別個
べっこう　別項
べっこう　べっ甲〔×鼈〕
べっさつ　別冊
べっし　別紙
べっし　蔑視　*見下げる。さげすむ。
べっしつ　別室

べっしゅ　別種
べっしょう　蔑称
べつじょう　別状　命に〜ない。
べつじん　別人
べつずり　別刷り
べっせい　別姓　夫婦〜。
べっせい　別製
べっせかい　別世界
べっせき　別席
べっそう　別荘
べったく　別宅
べつだて　別立て
べったらづけ　べったら漬け
べつだん　別段
べってい　別邸
べってんち　別天地
べっと　別途
べつどうたい　別動隊〔働〕
べつに　別に
べつのう　別納　料金〜郵便。
べっぴょう　別表
べつべつ　別々
べつむね　別棟
べつめい　別名
べつもの　別物
へつらう　〔×諂〕
べつり　別離
べつわく　別枠
ぺてん　〜師。
へど　〔▲反吐〕
へどろ　〜の処理。

特 表外字・表外音訓を用いてよい特例の語　　付 常用漢字表の付表の語
送 送りがなを省く特例　　読 読みがなを付けるのが望ましい語　　*類語・言いかえ例

べに　紅	へんあい　偏愛
べにいろ　紅色	へんあつき　変圧器
べにざけ　〔紅×鮭〕	へんい　変移　世相の〜。
べにしょうが　紅しょうが〔生×薑・×姜〕	へんい　変異　突然〜。
	へんか　返歌
へばりつく　〔付〕	へんか　変化　化学〜。〜球。
へび　蛇	べんかい　弁解
へめぐる　経巡る〔▲回・×廻〕	へんかく　変革　〜期。
へや　部屋㊞	へんがく　へん額〔×扁〕（横長の額）
へやぎ　部屋着	べんがく　勉学　〜にいそしむ。
へやわり　部屋割り	へんかん　返還　領土の〜。
へら　〔×箆〕	へんかん　変換
へらす　減らす	べんき　便器
へらずぐち　減らず口　〜をたたく。	べんぎ　便宜　〜を図る。
へり　減り　〜具合。	へんきゃく　返却
へり　〔▲縁〕	へんきょう　辺境〔×疆〕
へりくだる　〔謙・▲遜〕	へんきょう　偏狭　〜な考え。
へりくつ　へ理屈〔×屁〕	べんきょう　勉強
へる　経る　年月を〜。	へんきょく　編曲
へる　減る	へんきん　返金
へん　返③{ヘン/かえす・かえる}	へんくつ　偏屈〔変・窟〕
へん　辺④{ヘン/あたり・べ}　この〜は静かだ。	へんげ　変化　妖怪〜。
	へんけい　変形　熱で〜したレール。
へん　変④{ヘン/かわる・かえる}	へんけい　変型　A5判〜の本。
へん　編⑤{ヘン/あむ}〔×篇〕	べんけい　弁慶　内〜。
へん　片⑥{ヘン/かた}	へんけん　偏見
へん　偏{ヘン/かたよる}	へんげん　変幻　〜自在。
へん　遍{ヘン}	べんご　弁護　〜士。〜団。〜人。自己〜。
べん　勉③{ベン}	
べん　便④{ベン・ビン/たより}　交通の〜。	へんこう　変更　名義〜。予定〜。
べん　弁⑤{ベン}	へんこう　偏光　〜レンズ。

〔　〕使わない漢字　×表外字(常用漢字表にない字)　▲表外音訓(常用漢字表にない読み)
①〜⑥教育漢字の学年配当　①—②（①の表記を優先するが，②の表記を使ってもよい語）

へんこう　偏向	～教育。
へんさ　偏差	標準～。
べんざ　便座	
へんさい　返済	
へんざい　偏在	富の～。
べんさい　弁済	
へんさち　偏差値	
へんさん　編さん〔×纂〕	＊編集。
へんし　変死	～体。
へんじ　返事〔辞〕	
べんし　弁士	
へんしつ　変質	～者。
へんじゃ　編者	
へんしゅ　変種	
へんしゅう　編集〔×輯〕	～長。
へんしゅう　偏執	
へんしょ　返書	
べんじょ　便所	
へんじょう　返上	汚名～。
べんしょう　弁償	
べんしょうほう　弁証法	
へんしょく　変色	
へんしょく　偏食	
へんしん　返信	
へんしん　変心	
へんしん　変身	
へんじん　変人〔偏〕	
へんずつう　偏頭痛	(「片頭痛」とも)
へんする　偏する	
へんずる　変ずる	
べんずる　弁ずる	
へんせい　編成	学級～。列車の～。予算～。
へんせい　編制	(軍隊などの場合)
へんせいがん　変成岩	
へんせいき　変声期	
へんせいふう　偏西風	
へんせつ　変節	～漢。
べんぜつ　弁舌	～爽やか。
へんせん　変遷	
へんそう　返送	
へんそう　変装	
へんぞう　変造	紙幣の～。
へんそうきょく　変奏曲	
へんそく　変則	～的。
へんそく　変速	
へんたい　変態〔体〕	昆虫の～。
へんたい　編隊	～飛行。
へんたいがな	①変体がな ②変体仮名
べんたつ　〔×鞭　×撻〕	＊激励。励まし。
へんち　辺地	
へんちょう　変調	
へんちょう　偏重	学歴～。
べんつう　便通	
へんてこ　〔変　×梃〕	
へんてつ　変哲	～もない。
へんてん　変転	
へんでんしょ　変電所	
へんとう　返答	
へんどう　変動	地殻～。株価の～。

べんとう **弁当** ～箱。	べんむかん **弁務官** 高等～。
へんとうせん **へんとう腺**〔×扁桃〕	へんめい **変名**
へんにゅう **編入** ～試験。	べんめい **弁明**
へんのう **返納**	べんもう **べん毛**〔×鞭〕
へんぱい **返杯**〔×盃〕	へんよう **変容**
へんぴ 〔辺×鄙〕	べんらん **便覧**
べんぴ **便秘**	べんり **便利**
へんぴん **返品**	べんりし **弁理士**
へんぺいそく **へん平足**〔×扁〕	へんりん **片りん**〔×鱗〕 ～を見せる。
べんべつ **弁別** ＊識別。	＊一端。一部分。
ぺんぺんぐさ **ぺんぺん草**	へんれい **返礼**
へんぼう **変貌** ＊変化。変わる。	へんれい **返戻** ～金。＊返却。返す。
べんぽう **便法**	べんれい **勉励** 刻苦～。
へんぽん **返本**	へんれき **遍歴**
へんぽん 〔×翩翻〕 ～と翻る。	へんろ **遍路** お～さん。
べんまくしょう **弁膜症** 心臓～。	べんろん **弁論** 口頭～。～大会。

〔 〕使わない漢字　　×表外字(常用漢字表にない字)　　▲表外音訓(常用漢字表にない読み)
①~⑥教育漢字の学年配当　　①-②(①の表記を優先するが, ②の表記を使ってもよい語)

ほ

ほ	歩 ② {ホ・ブ・フ / あるく・あゆむ}	
ほ	保 ⑤ {ホ / たもつ}	
ほ	補 ⑥ {ホ / おぎなう}	
ほ	捕 {ホ、とらえる・とらわれる・とる・つかまえる・つかまる}	
ほ	哺 {ホ}	
ほ	舗 {ホ}	
ほ	帆	
ほ	穂	
ぼ	母 ② {ボ / はは}	
ぼ	墓 ⑤ {ボ / はか}	
ぼ	暮 ⑥ {くれる・くらす}	
ぼ	模 ⑥ {モ・ボ}	
ぼ	募 {ボ / つのる}	
ぼ	慕 {ボ / したう}	
ぼ	簿 {ボ}	
ほあん	保安 ～要員。～林。	
ほいく	保育 ～器。～所。～士。(乳や食物を与えて子を育てる場合に「哺育」を使うこともあるが, 限定的に使用。一般的には「保育」を使う)	
ぼいん	母音	
ぼいん	ぼ印〔×拇〕	
ほう	方 ② {ホウ / かた}	
ほう	放 ③ {ホウ / はなす・はなつ・はなれる・ほうる}	
ほう	包 ④ {ホウ / つつむ}	
ほう	法 ④ {ホウ・ハッ・ホッ}	
ほう	報 ⑤ {ホウ / むくいる}	
ほう	豊 ⑤ {ホウ / ゆたか}	
ほう	宝 ⑥ {ホウ / たから}	
ほう	訪 ⑥ {ホウ / おとずれる・たずねる}	
ほう	芳 {ホウ / かんばしい}	
ほう	邦 {ホウ}	
ほう	奉 {ホウ・ブ / たてまつる}	
ほう	抱 {ホウ / だく・いだく・かかえる}	
ほう	泡 {ホウ / あわ}	
ほう	封 {フウ・ホウ}	
ほう	胞 {ホウ}	
ほう	俸 {ホウ}	
ほう	倣 {ホウ / ならう}	
ほう	峰 {ホウ / みね}	
ほう	砲 {ホウ}	
ほう	崩 {ホウ / くずれる・くずす}	
ほう	蜂 {ホウ / はち}	
ほう	飽 {ホウ / あきる・あかす}	
ほう	褒 {ホウ / ほめる}	
ほう	縫 {ホウ / ぬう}	
ほう	①ほう ②方 …する～がよい。君の～が正しい。	
ぼう	望 ④ {ボウ・モウ / のぞむ}	
ぼう	防 ⑤ {ボウ / ふせぐ}	
ぼう	貿 ⑤ {ボウ}	
ぼう	暴 ⑤ {ボウ・バク / あばく・あばれる}	
ぼう	亡 ⑥ {ボウ・モウ / ない}	
ぼう	忘 ⑥ {ボウ / わすれる}	
ぼう	棒 ⑥ {ボウ} ～に振る。	
ぼう	乏 {ボウ / とぼしい}	

特 表外字・表外音訓を用いてよい特例の語　付 常用漢字表の付表の語
送 送りがなを省く特例　読 読みがなを付けるのが望ましい語　＊類語・言いかえ例

ほう　忙 {ボウ/いそがしい}
ほう　妄 {モウ・ボウ}
ほう　坊 {ボウ・ボッ}
ほう　妨 {ボウ/さまたげる}
ほう　房 {ボウ/ふさ}
ほう　肪 {ボウ}
ほう　某 {ボウ}
ほう　冒 {ボウ/おかす}
ほう　剖 {ボウ}
ほう　紡 {ボウ/つむぐ}
ほう　傍 {ボウ/かたわら}
ほう　帽 {ボウ}
ほう　貌 {ボウ}
ほう　膨 {ボウ/ふくらむ・ふくれる}
ほう　謀 {ボウ・ム/はかる}
ほうあん　法案
ぼうあんき　棒暗記〔×諳〕
ほうい　方位
ほうい　包囲　～網。
ぼうい　暴威
ほういがく　法医学
ぼういん　暴飲　～暴食。
ほうえ　法会　《仏教》
ぼうえい　防衛　～戦。～力。
ぼうえき　防疫　～対策。
ぼうえき　貿易　～商。～収支。
ぼうえきふう　貿易風
ほうえつ　法悦　～境。
ほうえん　砲煙　～弾雨。
ぼうえん　防炎　～加工。
ぼうえん　防煙　～シャッター。

ぼうえんきょう　望遠鏡
ほうおう　法王　ローマ～。(「教皇」参照)
ほうおう　法皇　後白河～。
ほうおう　訪欧
ほうおう　〔×鳳×凰〕
ほうおん　報恩
ぼうおん　防音　～装置。～壁。
ぼうおん　忘恩
ほうか　邦貨
ほうか　放火　～魔。
ほうか　放歌　～高吟。
ほうか　放課　～後。
ほうか　法科
ほうか　砲火　集中～を浴びる。
ほうが　邦画
ほうが　ほう芽〔×萌〕　＊芽生え。兆し。
ぼうか　防火　～扉。～壁。
ぼうが　忘我　～の境。
ほうかい　崩壊〔潰〕
ほうがい　法外〔方〕　～な値段。
ぼうがい　妨害〔×碍〕
ぼうがい　望外　～の喜び。
ほうがく　方角
ほうがく　邦楽
ほうがく　法学　～博士。
ほうがちょう　奉加帳〔賀〕　～を回す。
ほうかつ　包括〔抱〕　～的。
ほうがん　包含
ほうがん　砲丸　～投げ。

〔　〕使わない漢字　　×表外字(常用漢字表にない字)　　▲表外音訓(常用漢字表にない読み)
①～⑥教育漢字の学年配当　　①―②(①の表記を優先するが，②の表記を使ってもよい語)

ぼうかん　防寒　〜服。〜具。
ぼうかん　傍観　〜者。
ぼうかん　暴漢
ほうがんし　方眼紙
ほうき　法規
ほうき　放棄〔×抛〕　戦争の〜。
ほうき　蜂起　武装〜。　*(一斉)決起。
ほうき　〔×箒〕
ぼうぎ　謀議　共同〜。
ぼうきゃく　忘却
ぼうぎゃく　暴虐
ほうきゅう　俸給
ほうぎょ　崩御
ぼうきょ　暴挙
ぼうぎょ　防御〔妨・×禦〕
ぼうきょう　望郷　〜の念。
ほうきょうじゅつ　豊胸術
ぼうきれ　棒切れ
ほうぎん　放吟　高歌〜。
ぼうぐ　防具
ぼうぐい　棒ぐい〔×杭・×杙〕
ぼうくうごう　防空ごう〔×壕〕
ぼうくん　暴君
ほうけい　方形
ぼうけい　傍系　〜会社。
ほうげき　砲撃
ほうける　〔×呆・×惚〕　遊び〜。
ほうけん　宝剣
ほうけん　封建　〜主義。〜的。
ほうげん　方言
ほうげん　放言

ぼうけん　冒険
ぼうげん　妄言　〜多謝。
ぼうげん　暴言　〜を吐く。
ほうこ　宝庫
ぼうご　防護　〜壁。
ほうこう　方向　〜転換。
ほうこう　芳香
ほうこう　奉公
ほうこう　〔×彷×徨〕　*さまよう。
ほうこう　〔×咆×哮〕　*ほえる。
ほうごう　縫合　傷口を〜する。
ぼうこう　暴行
ぼうこう　〔×膀×胱〕　〜炎。
ほうこく　報告　中間〜。
ぼうこく　亡国
ぼうさい　亡妻
ぼうさい　防災
ほうさく　方策
ほうさく　豊作　〜貧乏。
ぼうさつ　忙殺　仕事に〜される。
ほうさん　ホウ酸〔×硼〕
ぼうさん　坊さん　お〜。
ほうし　奉仕　無料〜。〜活動。
ほうし　法師　荒〜。
ほうし　胞子
ほうじ　法事　*法要。
ぼうし　防止
ぼうし　帽子　〜掛け。
ほうしき　方式
ほうじちゃ　ほうじ茶〔×焙〕
ぼうしつ　防湿

㋖表外字・表外音訓を用いてよい特例の語　㋙常用漢字表の付表の語
㋣送りがなを省く特例　㋓読みがなを付けるのが望ましい語　*類語・言いかえ例

ほうしゃ	放射	～状。～熱。～冷却。
ほうしゃせい	放射性	～同位元素。～物質。
ほうしゃせいはいきぶつ	放射性廃棄物
ほうしゃせん	放射線	～障害。～量。
ほうしゃのう	放射能	～漏れ。～汚染。
ぼうじゃくぶじん	傍若無人
ほうしゅ	法主
ぼうじゅ	傍受	無線の～。
ほうしゅう	報酬	役員～。
ほうじゅう	放縦	＊わがまま。
ぼうしゅう	防臭	～剤。
ほうしゅく	奉祝	～行事。
ほうしゅつ	放出	～物資。
ほうじゅん	芳じゅん〔×醇・純〕
ほうしょ	奉書	～紙。
ほうじょ	ほう助〔×幇〕	殺人～。
ぼうしょ	某所
ぼうじょ	防除
ほうしょう	報奨	(勤労に報い奨励する)～金。
ほうしょう	報償	(償い)～金。＊弁償。
ほうしょう	褒章〔賞〕	藍綬～。
ほうしょう	放しょう〔▲縦〕	＊わがまま。
ほうじょう	方丈	《仏教》
ほうじょう	豊じょう〔×饒〕	～な土地。
ほうじょう	豊じょう〔×穣〕	五穀～。
ぼうしょう	傍証
ぼうしょう	帽章
ほうじょうえ	放生会
ほうしょく	奉職
ほうしょく	宝飾	～品。
ほうしょく	飽食	～の時代。
ぼうしょく	暴食	暴飲～。
ほうじる	〔×焙〕
ほうしん	方針
ほうしん	放心
ほうしん	砲身
ほうしん	ほう疹〔×疱〕	帯状～。
ほうじん	邦人	在米～。
ほうじん	法人	～税。財団～。
ぼうじん	防じん〔×塵〕	～マスク。
ぼうず	坊主	＊僧侶。
ほうすい	放水	～路。
ぼうすい	防水	～加工。
ぼうすいけい	紡すい形〔×錘〕
ほうずる	奉ずる
ほうずる	報ずる	新聞で～。
ほうせい	方正	品行～。
ほうせい	法制	～化。
ほうせい	砲声
ほうせい	縫製	～工場。～品。
ほうせき	宝石
ぼうせき	紡績	～工場。
ぼうせん	防戦
ぼうせん	傍線
ぼうせん	棒線
ぼうぜん	ぼう然〔×茫〕
ほうせんか	〔×鳳仙花〕

〔 〕使わない漢字　　×表外字(常用漢字表にない字)　　▲表外音訓(常用漢字表にない読み)
①～⑥教育漢字の学年配当　　①―②(①の表記を優先するが，②の表記を使ってもよい語)

ほうそ　ホウ素〔×硼〕	ほうていしき　方程式
ほうそう　包装　～紙。	ほうてき　法的　～根拠。
ほうそう　放送　～衛星。～記者。～法。生～。	ほうでん　放電
	ほうてん　傍点
ほうそう　法曹　～界。	ほうと　方途
ほうそう〔×疱×瘡〕＊天然痘。	ほうと　暴徒
ぼうそう　暴走　～運転。～族。	ほうとう　宝刀　伝家の～。
ほうそく　法則	ほうとう　宝塔
ほうたい　包帯〔×繃〕	ほうとう　放とう〔×蕩〕　～息子。＊道楽。身持ちがわるい。不品行。
ほうだい　砲台	
ほうだい　放題　言いたい～。荒れ～。	ほうどう　報道　～機関。～陣。
ぼうだい　膨大〔×厖〕	ぼうとう　冒頭　～陳述。
ぼうたかとび　棒高跳び	ぼうとう　暴投
ぼうだち　棒立ち	ぼうとう　暴騰
ほうだん　放談　新春～。	ぼうどう　暴動
ほうだん　砲弾	ぼうとく　冒とく〔×瀆〕＊侵害。汚辱。汚す。
ぼうだん　防弾　～チョッキ。	
ほうち　放置	ぼうどく　防毒　～マスク。
ほうちく　放逐	ほうなん　法難　《仏教》
ほうちこく　法治国	ほうにち　訪日
ぼうちゅう　忙中　～閑あり。	ほうにん　放任　～主義。
ぼうちゅうざい　防虫剤	ほうねつ　放熱
ほうちょう　包丁〔×庖〕	ほうねん　豊年　～満作。
ほうちょう　放鳥	ぼうねんかい　忘年会
ぼうちょう　傍聴　～席。～人。	ほうのう　奉納　～相撲。
ぼうちょう　膨張〔×脹〕　～率。	ほうはい〔×澎×湃〕～として起こる。
ぼうちょう　防諜　＊スパイ防止。	ぼうばく　ぼう漠〔×茫〕＊漠然。漠として。
ぼうちょうてい　防潮堤	
ほうてい　法廷	ぼうはつ　暴発
ほうてい　法定　～伝染病。～得票数。	ぼうはてい　防波堤
ほうてい　奉呈〔×捧〕　信任状の～。	ぼうはん　防犯　～灯。

㊵表外字・表外音訓を用いてよい特例の語　　㊙常用漢字表の付表の語
㊁送りがなを省く特例　　㊆読みがなを付けるのが望ましい語　　＊類語・言いかえ例

ほうび　褒美	ほうまつ　泡まつ〔×沫〕
ぼうび　防備	ほうまん　放漫　～経営。
ぼうびき　棒引き　借金の～。	ほうまん　豊満
ほうふ　抱負　～を語る。	ほうみょう　法名
ほうふ　豊富	ほうむりさる　葬り去る
ほうふ　亡夫	ほうむる　葬る
ほうふ　亡父	ほうめい　芳名
ぼうふ　防腐　～剤。	ぼうめい　亡命　～政権。
ぼうふう　暴風　～域。～警報。	ほうめん　方面
ぼうふうう　暴風雨	ほうめん　放免　無罪～。
ぼうふうせつ　暴風雪	ほうもつ　宝物　～殿。
ぼうふうりん　防風林	ほうもん　砲門
ほうふく　法服	ほうもん　訪問　～着。～販売。
ほうふく　報復　～手段。	ぼうや　坊や
ほうふくぜっとう　抱腹絶倒	ほうやく　邦訳
ほうふつ　〔×彷×彿・×髣×髴〕	ほうゆう　ほう友〔×朋〕　＊友達。
＊よく似た。ありありと見える。	ほうよう　包容　～力。
ほうぶつせん　放物線〔×抛〕《数学》	ほうよう　法要　～を営む。
ぼうふら　〔×孑×孑・棒▲振〕	ほうよう　抱擁
（「ぼうふり」とも）	ぼうよみ　棒読み
ほうぶん　邦文　＊和文。	ほうらく　崩落
ほうへい　砲兵	ぼうらく　暴落　株価の～。
ほうべい　訪米	ほうらん　抱卵
ぼうへき　防壁	ぼうり　暴利　～をむさぼる。
ほうべん　方便　うそも～。	ほうりあげる　放り上げる〔×抛〕
ほうほう　方法　～論。	ほうりこむ　放り込む〔×抛〕
ほうほうのてい　ほうほうの体〔×這▲態〕	ほうりだす　放り出す〔×抛〕
ほうぼう　方々	ほうりつ　法律　～家。
ぼうぼう　〔×茫々〕　～たる草原。草～。	ぼうりゃく　謀略
ほうぼく　放牧	ほうりゅう　放流
	ぼうりゅう　傍流

〔　〕使わない漢字　　×表外字（常用漢字表にない字）　　▲表外音訓（常用漢字表にない読み）
①～⑥教育漢字の学年配当　　①－②（①の表記を優先するが，②の表記を使ってもよい語）

ほうりょう　豊漁
ぼうりょく　暴力　〜団。〜沙汰。
ほうる　放る〔×抛〕
ぼうるい　防塁
ほうれい　法令　(法律と命令)
ほうれい　法例　(法令の適用について定めた通則)
ほうれい　豊麗
ぼうれい　亡霊
ほうれつ　放列　カメラの〜。
ほうれんそう　〔×菠×薐草〕
ほうろう　放浪　〜癖。
ほうろう　〔×琺×瑯〕　〜質。〜鍋。
ほうろく　〔×焙×烙〕
ぼうろん　暴論
ほうわ　法話
ほうわ　飽和　〜状態。
ほえたてる　〔×吠・×吼立〕
ほえつく　〔×吠・×吼付〕
ほえる　〔×吠・×吼〕
ほお　頬{ほお}
ほお　〔▲朴〕　〜の木。
ほお　①ほお　②頬　(「ほほ」とも)
ほおかぶり　①ほおかぶり　②頬かぶり〔▲被〕
ほおじろ　〔頬白〕
ほおずき　〔▲酸×漿〕
ほおずり　①ほおずり　②頬ずり〔擦〕
ほおづえ　①ほおづえ　②頬づえ〔×杖〕
ほおばる　①ほおばる　②頬張る

ほおひげ　①ほおひげ　②頬ひげ〔×髭〕
ほおべに　①ほお紅　②頬紅
ほおぼね　①ほお骨　②頬骨
ほおん　保温
ほか　①ほか　②外　(範囲外)思いの〜。ことの〜。もっての〜。
ほか　①ほか　②他　〜に方法がない。
ぼがい　簿外　〜資産。
ほかく　捕獲〔穫〕
ほかげ　火影〔▲灯〕
ほかげ　帆影
ほかけぶね　帆掛け船
ぼかし　〔×暈〕　〜染め。
ぼかす　〔×暈〕
ほかならぬ　〔外・他〕
ほがらか　朗らか
ほかん　保管　〜料。〜庫。
ほかん　補完
ぼかん　母艦　航空〜。
ぼき　簿記
ほきゅう　補給　〜路。
ほきょう　補強　〜工事。
ぼきん　募金　街頭〜。
ほきんしゃ　保菌者
ほく　北②{ホク/きた}
ぼく　木①{ボク・モク/き・こ}
ぼく　目①{モク・ボク/め・ま}
ぼく　牧④{ボク/まき}
ぼく　朴{ボク}
ぼく　睦{ボク}

特 表外字・表外音訓を用いてよい特例の語　　付 常用漢字表の付表の語
送 送りがなを省く特例　　読 読みがなを付けるのが望ましい語　　＊類語・言いかえ例

ぼく　僕{ボク}	ほぐれる〔▲解〕
ぼく　墨{ボク/すみ}	ほくろ〔▲黒▲子〕
ぼく　撲{ボク}	ぼけ〔▲木×瓜〕
ほくい　北緯	ぼけ〔×惚・×呆〕　時差〜。
ほくおう　北欧	ほげい　捕鯨　〜船。
ほくげん　北限	ぼけい　母系　〜社会。
ぼくさつ　撲殺　＊殴殺。	ほけつ　補欠　〜選挙。
ぼくし　牧師	ぼけつ　墓穴　〜を掘る。
ぼくじゅう　墨汁	ぼける〔×惚・×呆〕
ほくじょう　北上	ほけん　保険　生命〜。〜医。〜料。
ぼくじょう　牧場	ほけん　保健　〜衛生。〜所。〜師。
ぼくしん　牧神	ほこ　矛〔×鉾・×戈〕　〜を収める。
ほぐす〔▲解〕	ほご　保護　自然〜。
ほくせい　北西	ほご〔▲反▲故〕
ぼくせき　墨跡〔×蹟〕	ほこう　歩行
ぼくそう　牧草　〜地。	ほこう　補講
ほくそえむ　ほくそ笑む〔北×叟〕	ほこう　母校
ぼくたく　木たく〔×鐸〕　社会の〜。	ほこう　母港
ぼくたち　僕たち〔▲達〕	ほごかんさつ　保護観察
ほくたん　北端　最〜。	ほごく　保護区　鳥獣〜。
ぼくちく　牧畜	ぼこく　母国　〜語。
ほくとう　北東	ほこさき　矛先〔×鋒〕
ぼくとう　木刀	ほごし　保護司
ぼくどう　牧童	ほごしゃ　保護者
ほくとしちせい　北斗七星	ほごしょく　保護色
ぼくとつ　朴とつ〔×訥〕　＊実直。	ほごちょう　保護鳥　国際〜。
ほくべい　北米	ほこら〔×祠〕
ぼくめつ　撲滅	ほこらしい　誇らしい
ほくよう　北洋　〜漁業。	ほこらしげ　誇らしげ
ぼくよう　牧羊　〜犬。〜神。	ほこり　誇り
ぼくら　僕ら〔▲等〕	ほこり〔×埃〕

〔　〕使わない漢字　　×表外字(常用漢字表にない字)　　▲表外音訓(常用漢字表にない読み)
①〜⑥教育漢字の学年配当　　①−②(①の表記を優先するが，②の表記を使ってもよい語)

ほこりっぽい 〔×埃〕
ほこる 誇る
ほころびる ①ほころびる ②綻びる
ほさ 補佐〔×輔〕 ～役。～官。
ほさき 穂先
ぼさつ 〔×菩×薩〕
ぼさん 墓参
ほし 星
ほじ 保持
ぼし 母子 ～家庭。
ほしあかり 星明かり
ほしい 欲しい (「…してほしい」などは, なるべくかな書き)
ほしいまま 〔▲縦・▲恣〕
ほしうお 干し魚〔▲乾〕
ほしうらない 星占い
ほしがき 干し柿〔▲乾〕
ほしかげ 星影
ほしがる 欲しがる
ほしくさ 干し草〔▲乾〕
ほしくず 星くず〔×屑〕
ほじくる 〔×穿〕
ほしぞら 星空
ほしづきよ 星月夜
ほしとりひょう 星取り表
ほしぶどう 干しぶどう〔▲乾×葡×萄〕
ほしまわり 星回り
ほしもの 干し物〔▲乾〕
ほしゃく 保釈 ～金。
ほしゅ 保守 ～系。～党。

ほしゅ 捕手
ほしゅう 補修 ～工事。
ほしゅう 補習 ～授業。
ほじゅう 補充
ぼしゅう 募集
ほじょ 補助〔×輔〕
ぼしょ 墓所
ほしょう 歩哨
ほしょう 保証 (大丈夫だと請け合う。賠償の責任を負う)～書。～金。～人。～付きの製品。連帯～。
ほしょう 保障 (立場・権利などが侵されないよう守る)社会～。安全～条約。最低賃金を～する。人権を～する。
ほしょう 補償 (損害を補い償う)損害～。災害～。刑事～。～金。遺族が～を求める。
ぼじょう 慕情
ほじょきん 補助金
ぼしょく 暮色 ～が濃くなる。
ほじょよく 補助翼
ほじる 〔×穿〕
ほしん 保身 ～術。
ほす 干す〔▲乾〕
ほせい 補正 ～予算。
ほせい 補整 (補って整えること)
ぼせい 母性 ～愛。～本能。
ぼせき 墓石
ほせん 保線 ～作業。
ほぜん 保全 環境の～。国土の～。
ぼせん 母船

特 表外字・表外音訓を用いてよい特例の語　付 常用漢字表の付表の語
送 送りがなを省く特例　読 読みがなを付けるのが望ましい語　＊類語・言いかえ例

ぼぜん	墓前
ほぞ	〔×臍〕 ~をかむ。
ほそい	細い
ほそう	舗装〔×鋪〕 ~道路。
ほそうで	細腕
ほそおもて	細面
ほそがき	細書き ~のペン。
ほそく	歩測
ほそく	補足 ~説明。
ほそく	補則
ほそく	捕捉 ＊つかむ。捕らえる。
ほそじ	細字
ほそながい	細長い
ほそびき	細引き
ほそぼそと	細々と
ほそみ	細身
ほそみち	細道
ほそめ	細目 ~で見る。
ほそめ	細め〔目〕 戸を~に開ける。
ほそめる	細める
ほそる	細る
ほぞん	保存
ぼたい	母体 (母親の体, もとの団体)
ぼたい	母胎 (母親の胎内, 生み出すもと)
ぼだい	菩提 [特][読] 《仏教》~を弔う。~寺。
ほだぎ	ほだ木〔×榾〕
ほだされる	〔▲絆〕
ほたてがい	帆立て貝
ぼたもち	ぼた餅〔×牡▲丹〕
ぼたやま	ぼた山
ほたる	蛍 ~狩り。
ほたるいか	〔蛍×烏▲賊〕
ぼたん	〔×牡丹〕
ぼたんゆき	ぼたん雪〔×牡丹〕
ぼち	墓地
ほちゅうあみ	捕虫網
ほちょう	歩調 共同~。
ほちょうき	補聴器
ほつ	発 ③ {ハツ・ホツ}
ほつ	法 ④ {ホウ・ハツ・ホッ}
ぼつ	没 {ボツ}
ぼつ	勃 {ボツ}
ぼっ	坊 {ボウ・ボッ}
ぼっか	牧歌 ~的。
ほっき	発起 一念~。~人。
ほっきょく	北極 ~圏。~星。
ほっく	発句
ぼつご	没後〔×歿▲后〕
ぼっこう	勃興 ＊興隆。
ぼつこうしょう	没交渉 (「ボッコウショウ」とも)
ほっこく	北国
ぼっこん	墨痕 ~鮮やか。
ほっさ	発作 心臓~。
ほっしゅ	法主
ぼっしゅう	没収 財産~。
ほっしん	発疹 (「はっしん」参照)《医学》
ほっす	法主
ほっする	欲する
ぼっする	没する〔×歿〕

〔 〕使わない漢字　×表外字(常用漢字表にない字)　▲表外音訓(常用漢字表にない読み)
①~⑥教育漢字の学年配当　①-②(①の表記を優先するが, ②の表記を使ってもよい語)

ほつそく—ほは

ほっそく　発足	ほととぎす　〔▲時▲鳥〕
ほったてごや　掘っ立て小屋〔建〕	ほどなく　程なく
ほったらかす　仕事を〜。	ほとばしる　〔×迸〕
ほったん　発端	ほどほど　〔程々〕　〜に。
ぼっちゃん　坊ちゃん　〜育ち。	ほとぼり　〔▲熱〕　〜が冷める。
ほっておく　〔▲放置〕	ほどよい　程よい
ほっとう　没頭	ほとり　〔▲辺〕
ぼつにゅう　没入	ほとんど　〔×殆〕
ぼつねん　没年〔×歿〕	ほなみ　穂並み
ぼっぱつ　勃発　戦争が〜する。	ほにゅう　哺乳　〜瓶。　＊授乳。
ほっぺた　〔頬〕	ぼにゅう　母乳
ほっぽう　北方　〜領土。	ほにゅうどうぶつ　哺乳動物
ぼつらく　没落	ほにゅうるい　哺乳類
ほつれ　〔▲解〕　〜毛。	ほぬの　帆布
ほつれる　〔▲解〕	ほね　骨
ほてる　〔火照〕	ほねおしみ　骨惜しみ
ほてん　補填〔読〕　＊補充。	ほねおりぞん　骨折り損
ほど　程　身の〜。真偽の〜。(「大きい〜いい」「3日〜前」など，助詞の「ほど」は，なるべくかな書き)	ほねおる　骨折る
	ほねぐみ　骨組み
	ほねつぎ　骨接ぎ
ほどう　歩道　横断〜。〜橋。	ほねっぷし　骨っ節
ほどう　補導〔×輔〕　青少年の〜。	ほねぬき　骨抜き
ほどう　舗道〔×鋪〕　(舗装した道路)	ほねぶと　骨太
ぼどう　母堂	ほねみ　骨身　〜を削る。
ほどく　〔▲解〕	ほねやすめ　骨休め
ほとけ　仏　〜心。〜様。	ほのお　炎〔×焔〕
ほどける　〔▲解〕	ほのか　〔×仄〕
ほどこし　施し　〜物。	ほのぐらい　ほの暗い〔×仄〕
ほどこす　施す	ほのみえる　ほの見える〔×仄〕
ほどちかい　程近い	ほのめかす　〔×仄〕
ほどとおい　程遠い	ぼば　ぼ馬〔×牡〕

特 表外字・表外音訓を用いてよい特例の語　　付 常用漢字表の付表の語
送 送りがなを省く特例　　読 読みがなを付けるのが望ましい語　　＊類語・言いかえ例

ほばく	捕縛
ほばしら	帆柱
ほはば	歩幅
ほばらみ	穂ばらみ〔×孕〕 ～期。
ぼひ	墓碑 ～銘。
ぼひょう	墓標
ほふく	〔×匍×匐〕 ～前進。
ほふる	〔×屠〕
ほへい	歩兵
ほぼ	保母〔×姆〕 ＊保育士。
ほぼ	〔▲略〕
ほほえましい	①ほほえましい ②ほほ笑ましい〔▲微笑・頬〕
ほほえみ	①ほほえみ ②ほほ笑み〔▲微笑・頬〕
ほほえむ	①ほほえむ ②ほほ笑む〔▲微笑・頬〕
ほまれ	誉れ
ほめことば	①褒めことば ②褒め言葉〔▲賞・▲誉▲詞〕
ほめそやす	褒めそやす
ほめたたえる	褒めたたえる〔▲賞・▲誉▲称〕
ほめちぎる	褒めちぎる
ほめる	褒める〔▲賞・▲誉〕
ほや	〔火屋〕 ランプの～。
ぼや	〔▲小▲火〕
ぼやく	負けて～。
ぼやける	焦点が～。
ほゆう	保有
ほよう	保養 ～地。～所。
ほら	〔▲法×螺〕 ～を吹く。
ほらあな	洞穴
ほらがい	ほら貝〔▲法×螺〕
ほらふき	ほら吹き〔▲法×螺〕
ほり	堀{ほり}〔×濠〕
ほり	彫 送 鎌倉～。
ほり	彫り ～が見事だ。
ほりおこす	掘り起こす
ほりかえす	掘り返す
ほりごたつ	掘りごたつ〔×炬×燵〕
ほりさげる	掘り下げる
ほりだしもの	掘り出し物
ほりだす	掘り出す
ほりつける	彫りつける〔付〕
ほりぬきいど	掘り抜き井戸
ほりばた	堀端〔×濠〕
ほりもの	彫り物
ほりゅう	保留
ほりょ	捕虜
ほりわり	掘り割り
ほる	掘る
ほる	彫る
ほれい	保冷 ～庫。～車。
ほれこむ	ほれ込む〔×惚〕
ほれぼれ	〔×惚々〕
ほれる	〔×惚〕
ほろ	〔×幌・▲母▲衣〕
ぼろ	〔×襤×褸〕
ほろう	歩廊
ほろにがい	ほろ苦い〔▲微〕
ほろばしゃ	ほろ馬車〔×幌〕

〔 〕使わない漢字　×表外字(常用漢字表にない字)　▲表外音訓(常用漢字表にない読み)
1〜6 教育漢字の学年配当　①—②(①の表記を優先するが，②の表記を使ってもよい語)

ほろびる　滅びる〔▲亡〕	ぼんけい　盆景
ほろぶ　滅ぶ〔▲亡〕	ぼんご　ぼん語〔×梵〕（サンスクリット）
ほろぼす　滅ぼす〔▲亡〕	ほんこう　本校
ほろよい　ほろ酔い〔▲微〕　～機嫌。	ほんごく　本国
ほん　本 ①{ホン/もと}	ほんごし　本腰
ほん　反 ③{ハン・ホン・タン/そる・そらす}	ぼんさい　凡才
ほん　奔{ホン}	ぼんさい　盆栽
ほん　翻{ホン/ひるがえる・ひるがえす}	ほんざん　本山
ぼん　凡{ボン・ハン}	ほんし　本旨
ぼん　盆{ー}	ほんし　本紙
ぼん　煩{ハン・ボン/わずらう・わずらわす}	ほんし　本誌
ほんあん　翻案	ほんしき　本式
ほんい　本位　金～制。自分～。	ほんしつ　本質　～的。
ほんい　本意　不～。	ほんじつ　本日　～休業。
ほんい　翻意　～を促す。	ほんしゃ　本社
ぼんおどり　盆踊り	ほんしゅう　本州
ほんかい　本懐　～を遂げる。	ほんしょう　本性　～を現す。
ほんかいぎ　本会議	ほんしょう　本省
ほんかく　本格　～化。～的。～派。	ぼんしょう　ぼん鐘〔×梵〕　＊釣り鐘。
ほんがわ　本革	ほんしょく　本職
ほんかん　本管　ガスの～。	ほんしん　本心
ほんかん　本館	ほんじん　本陣
ほんがん　本願　《仏教》～往生。	ぼんじん　凡人
ほんき　本気	ポンず　ポン酢
ほんぎまり　本決まり〔▲極〕	ほんすじ　本筋
ほんきゅう　本給　（基本給）	ほんせい　本性　人間の～。
ほんきょ　本拠	ほんせき　本籍　～地。
ほんぎょう　本業	ほんせん　本線
ほんきょく　本局	ほんせん　本選
ぼんくれ　盆暮れ	ほんそう　本葬
ほんけ　本家　～本元。	

㊢表外字・表外音訓を用いてよい特例の語　　㊉常用漢字表の付表の語
㋭送りがなを省く特例　　㉘読みがなを付けるのが望ましい語　　＊類語・言いかえ例

ほんそう　奔走
ぼんぞく　凡俗
ほんぞん　本尊
ほんたい　本体
ほんたい　本隊
ほんだい　本代
ほんだい　本題
ほんたて　本立て
ほんだな　本棚
ぼんち　盆地
ほんちょう　本庁
ほんちょうし　本調子
ほんてん　本店
ほんでん　本殿
ほんど　本土
ポンド　〔×磅〕
ほんとう　本島　沖縄〜。
ほんとう　本当
ほんどう　本堂
ほんにん　本人
ほんね　本音
ほんねん　本年
ほんのう　本能　帰巣〜。母性〜。
ぼんのう　煩悩　《仏教》
ほんば　本場　〜仕込み。
ほんばこ　本箱
ほんばん　本番
ほんぴょう　本表
ほんぶ　本部　警察〜。捜査〜。

ほんぶたい　本舞台　《芸能》
ほんぶり　本降り
ほんぶん　本文
ほんぶん　本分　〜を尽くす。
ほんぽ　本舗
ほんぽう　本邦　〜初公開。
ほんぽう　本俸
ほんぽう　奔放　自由〜。
ぼんぼり　〔▲雪▲洞〕
ほんまつてんとう　本末転倒〔×顚〕
ほんまる　本丸
ほんみょう　本名
ほんめい　本命
ほんもう　本望
ほんもと　本元　本家〜。
ほんもの　本物
ほんもん　本文
ほんや　本屋
ほんやく　翻訳
ぼんよう　凡庸
ほんよみ　本読み　《芸能》
ほんらい　本来
ほんりゅう　本流　保守〜。
ほんりゅう　奔流
ほんりょう　本領　〜発揮。
ほんるい　本塁　〜打。
ほんろう　翻弄　＊もてあそぶ。
ほんろん　本論　〜に入る。

〔　〕使わない漢字　　×表外字(常用漢字表にない字)　　▲表外音訓(常用漢字表にない読み)
①〜⑥教育漢字の学年配当　　①−②(①の表記を優先するが，②の表記を使ってもよい語)

ま

- ま 麻 {マ/あさ}
- ま 摩 {マ}
- ま 磨 {マ/みがく}
- ま 魔 {マ} 〜が差す。
- ま 真 〜に受ける。
- ま 間 〜が悪い。〜が抜ける。
- **マージャン** 〔▲麻×雀〕
- まあたらしい 真新しい
- まい 米 ②{ベイ・マイ/こめ}
- まい 毎 ②{マイ}
- まい 妹 ②{マイ/いもうと}
- まい 枚 ⑥{マイ}
- まい 昧 {マイ}
- まい 埋 {マイ/うめる・うまる・うもれる}
- まい 舞 送 （動作を示すときは「舞い」）
- まいあがる 舞い上がる
- まいあさ 毎朝
- まいおうぎ 舞扇 送
- まいおさめ 舞い納め
- まいかい 毎回
- まいきょ 枚挙 〜にいとまがない。
- まいげつ 毎月
- まいこ 舞子 送 （場合により「舞妓」特送とも）
- まいご 迷子 付
- まいこむ 舞い込む
- まいじ 毎時
- まいしゅう 毎週
- まいしん まい進〔×邁〕 ＊突き進む。
- まいすがた 舞姿 送
- まいせつ 埋設
- まいそう 埋葬
- まいぞう 埋蔵 〜文化財。〜量。
- まいちもんじ 真一文字
- まいつき 毎月
- まいど 毎度
- まいとし 毎年
- まいにち 毎日
- まいねん 毎年
- まいばん 毎晩
- まいひめ 舞姫 送
- まいぼつ 埋没
- まいもどる 舞い戻る
- まいよ 毎夜
- まいり 参り 墓〜。
- まいる 参る
- **マイル** 〔×哩〕
- まう 舞う
- まうえ 真上
- まうしろ 真後ろ
- まうら 真裏
- まえ 前
- まえあし 前足
- まえいわい 前祝い
- まえうしろ 前後ろ

特 表外字・表外音訓を用いてよい特例の語　付 常用漢字表の付表の語
送 送りがなを省く特例　読 読みがなを付けるのが望ましい語　＊類語・言いかえ例

まえうり　前売り	まかす　任す〔▲委〕
まえうりけん　前売券送	まかす　負かす
まえおき　前置き	まかず　間数　〜の多い家。
まえかがみ　前かがみ〔▲屈〕	まかせる　任せる〔▲委〕
まえがき　①まえがき　②前書き	まがたま　まが玉〔▲勾・▲曲〕
まえかけ　前掛け	まかない　賄い　〜付き。
まえがし　前貸し	まかなう　賄う
まえがしら　前頭	まがぬける　間が抜ける
まえがみ　前髪	まかふしぎ　まか不思議〔摩×訶〕
まえがり　前借り	まがり　間借り　〜人。
まえきん　前金	まがりかど　曲がり角
まえげいき　前景気	まがりくねる　曲がりくねる
まえこうじょう　前口上	まかりでる　まかり出る〔▲罷〕
まえだおし　前倒し	まかりとおる　まかり通る〔▲罷〕
まえだれ　前垂れ　＊前掛け。	まがりなり　曲がりなり　〜にも。
まえにわ　前庭	まがりみち　曲がり道〔▲路〕
まえば　前歯	まがりや　曲がり屋　南部の〜。
まえばらい　前払い	まがる　曲がる
まえぶれ　前触れ	まき　巻　上の〜。
まえまえ　前々	まき　〔▲薪〕
まえみごろ　前身頃〔×袵〕	まきあがる　巻き上がる〔×捲〕
まえむき　前向き　〜の姿勢。	まきあげる　巻き上げる〔×捲〕
まえもって　前もって〔▲以〕	まきあみ　巻き網　〜漁。
まえわたし　前渡し	まきえ　まき絵〔×蒔〕
まおう　魔王	まきえ　まき餌〔×撒〕
まかい　魔界	まきおこす　巻き起こす〔×捲〕
まがい　〔▲紛〕　象牙〜。〜物。	まきがい　巻き貝
まがいぶつ　磨崖仏〔摩〕	まきかえし　巻き返し　〜を図る。
まがう　〔▲紛〕	まきがみ　巻紙送
まがお　真顔	まきがみ　巻き髪
まがし　間貸し	まきげ　巻き毛

〔　〕使わない漢字　　×表外字(常用漢字表にない字)　　▲表外音訓(常用漢字表にない読み)
①〜⑥教育漢字の学年配当　　①−②(①の表記を優先するが，②の表記を使ってもよい語)

まきこむ　巻き込む
まきじた　巻き舌
まきじゃく　巻き尺
まきずし　巻きずし〔▲寿司・×鮨〕
まきぞえ　巻き添え　～を食う。
まきた　真北
まきたばこ　巻きたばこ〔▲煙▲草〕
まきちらす　まき散らす〔×撒〕
まきつく　巻きつく〔付〕
まきつける　巻きつける〔付〕
まきとりがみ　巻き取り紙
まきとる　巻き取る
まきなおし　まき直し〔×蒔〕　新規～。
まきば　牧場
まきもの　巻物 送
まきょう　魔境
まぎらす　紛らす
まぎらわしい　紛らわしい
まぎらわす　紛らわす
まぎれ　紛れ　苦し～。～もない。
まぎれこむ　紛れ込む
まぎれる　紛れる
まぎわ　間際
まきわり　まき割り〔▲薪〕
まく　幕 ⑥ {マク・バク}
まく　膜 {マク}
まく　巻く〔×捲〕
まく　〔×蒔・×播〕　種を～。
まく　〔×撒〕　水を～。
まくあい　幕あい〔▲間・合〕《芸能》
　（場合により「幕間」 特 とも）

まくあき　幕開き　《芸能》
まくあけ　幕開け　(開始)時代の～。
まくうち　幕内　《芸能》
まくのうち　幕内 特　(相撲では「幕
　内」と書いて「マクノウチ」と読む)
　～力士。
まくのうち　幕の内　～弁当。(相撲で
　は「まくのうち」を「幕内」と書く)
まくぎれ　幕切れ
まぐさ　〔×秣〕
まくした　幕下
まくしたてる　〔×捲立〕
まぐち　間口
まくひき　幕引き
まくら　枕 {まくら}
まくらぎ　枕木
まくらことば　枕ことば〔▲詞〕
まくらもと　枕元〔▲許〕
まくりあげる　まくり上げる〔×捲〕
まくる　〔×捲〕
まぐれ　〔▲紛〕　～当たり。
まくれる　〔×捲〕
まぐろ　〔×鮪〕
まけ　負け〔▲敗〕
まげ　〔×髷〕
まけいくさ　負け戦
まけいぬ　負け犬
まけおしみ　負け惜しみ
まけぐせ　負け癖
まけこし　負け越し
まけじだましい　負けじ魂

特 表外字・表外音訓を用いてよい特例の語　　付 常用漢字表の付表の語
送 送りがなを省く特例　　読 読みがなを付けるのが望ましい語　　＊類語・言いかえ例

まけず—ましろ

まけずぎらい	負けず嫌い
まげて	〔×枉・曲〕 ～お願いする。
まげもの	曲げ物 （容器）
まげもの	まげ物〔×髷〕 ～映画。
まける	負ける〔▲敗〕
まける	〔負〕 （値引き）
まげる	曲げる
まご	孫
まご	馬子 ～にも衣装。
まごい	〔真×鯉〕
まごうけ	孫請け
まごうた	馬子唄
まごこ	孫子 ～の代まで。
まごころ	真心
まごつく	〔間誤〕
まごでし	孫弟子
まこと	誠
まことしやか	〔▲真〕
まことに	誠に〔×洵〕
まごのて	孫の手 ～で背中をかく。
まごびき	孫引き
まごむすめ	孫娘
まさか	〔真逆〕
まさかり	〔×鉞〕
まさご	〔真▲砂〕
まさしく	〔正〕
まさつ	摩擦〔磨〕 経済～。冷水～。
まさに	〔正・▲将・▲方〕
まさめ	まさ目〔正・×柾〕
まさゆめ	正夢
まざりもの	混ざり物
まさる	勝る〔▲優〕
まざる	交ざる （「交じる」参照）綿に麻が～。
まざる	混ざる （「混じる」参照）酒に水が～。
まし	増し 1割～の料金。（「そのほうがましだ」などは，かな書き）
まじえる	交える 一戦を～。主観を～。ひざを～。
ましかく	真四角
まじきり	間仕切り
ました	真下
まして	〔▲況〕
まじない	〔▲呪〕
まじめ	真面目 付
ましゃく	間尺 ～に合わない。
ましゅ	魔手
まじゅつ	魔術
まじょ	魔女 ～狩り。
ましょう	魔性
ましょうめん	真正面
まじり	交じり 漢字かな～文。白髪～。皮肉～。
まじり	混じり 油～の汚水。
まじりけ	混じりけ〔気〕
まじりもの	混じり物
まじる	交じる （溶け合わないまじり方）大人に子どもが～。白髪が～。
まじる	混じる （溶け合うまじり方）異物が～。雑音が～。
まじろぎ	〔▲瞬〕 ～もせず。

〔 〕使わない漢字　　×表外字(常用漢字表にない字)　　▲表外音訓(常用漢字表にない読み)
1～6 教育漢字の学年配当　　①-②(①の表記を優先するが，②の表記を使ってもよい語)

まじわり	交わり
まじわる	交わる
ましん	麻疹《医学》
まじん	魔神
ます	升〔×枡〕 一合〜。〜酒。
ます	増す
ます	〔×鱒〕
まず	〔▲先〕
ますい	麻酔〔×痲〕 〜薬。
まずい	〔▲不▲味・▲拙〕
ますおとし	升落とし〔×枡〕
まずしい	貧しい
ますせき	升席〔×枡〕
ますます	〔▲益々〕
まずまず	〔▲先々〕
ますめ	升目〔×枡〕
ますらお	〔▲益▲荒▲男〕
まぜおり	交ぜ織り
まぜかえす	混ぜ返す〔▲雑〕
まぜこぜ	
まぜもの	混ぜ物
ませる	〔▲老▲成〕
まぜる	交ぜる （「交じる」参照）漢字とかなの交ぜ書き。
まぜる	混ぜる （「混じる」参照）絵の具を〜。セメントに砂を〜。
また	〔又〕{また}〔×亦〕（p.14参照）
また	股 〜下。
まだ	〔▲未〕
またいとこ	〔又▲従▲兄・▲弟・▲姉▲妹〕
またがし	また貸し〔又〕
またがり	また借り〔又〕
またがる	〔×跨〕
またぎき	また聞き〔又〕
またぐ	〔×跨〕
まだしも	〔▲未〕
またたき	瞬き
またたく	瞬く
またたくま	瞬く間 〜に。
またたびもの	股旅物
またと	〔又〕 〜ない話。
または	〔又〕
まだら	〔▲斑〕
まだるっこい	〔間▲怠〕
まち	町 （地域，行政区画）下〜。〜ぐるみ。〜役場。城下〜。
まち	街 （にぎやかな通り）学生の〜。〜角。〜を行く人。〜の声。
まち	待ち 天気の回復〜。
まちあい	待合送
まちあいしつ	待合室送
まちあぐむ	待ちあぐむ
まちあわせじかん	待ち合わせ時間
まちあわせる	待ち合わせる
まちうける	待ち受ける
まちおこし	町おこし〔起・興〕
まぢか	間近〔真〕
まちがい	間違い
まぢかい	間近い〔真〕
まちがう	間違う
まちがえる	間違える

特 表外字・表外音訓を用いてよい特例の語　　付 常用漢字表の付表の語

送 送りがなを省く特例　　読 読みがなを付けるのが望ましい語　　＊類語・言いかえ例

まちかど　街角〔町〕
まちかねる　待ちかねる〔兼〕
まちかまえる　待ち構える
まちくたびれる　待ちくたびれる
　〔▲草×臥〕
まちこがれる　待ち焦がれる
まちじゅう　町じゅう〔中〕(「街じゅう」とも)
まちどおしい　待ち遠しい
まちなか　町なか〔中〕(「街なか」とも)
まちなみ　町並み
まちのぞむ　待ち望む
まちはずれ　町外れ
まちばり　待ち針
まちびと　待ち人
まちぶせ　待ち伏せ
まちぼうけ　待ちぼうけ〔×惚〕
　(「待ちぼけ」とも)
まちまち　〔▲区々〕
まちや　町屋(「町家」とも)
まちわびる　待ちわびる〔×佗〕
まつ　末 ④ {マツ・バツ／すえ}
まつ　抹 {マツ}
まつ　松
まつ　待つ〔×俟〕
まつえい　末えい〔×裔〕　＊末孫。末流。子孫。
まっか　真っ赤 付
まつかさ　松かさ〔×笠・×毬〕
まつかざり　松飾り
まつかぜ　松風

まっき　末期　～的症状。
まっくら　真っ暗
まっくらやみ　真っ暗闇
まっくろ　真っ黒
まつげ　〔×睫毛〕
まつご　末期　～の水。
まっこう　抹香　～臭い。
まっこう　真っ向　～から。
まっこうくじら　〔抹香鯨〕
まっさいちゅう　真っ最中
まっさお　真っ青 付
まっさかさま　真っ逆さま〔様〕
まっさかり　真っ盛り
まっさき　真っ先
まっさつ　抹殺
まつじ　末寺
まっしぐら　〔×驀▲地〕
まっしゃ　末社
まっしょう　抹消　＊消す。消去。
まっしょう　末しょう〔×梢〕　～神経。～的。　＊末節。末端。
まっしょうじき　真っ正直
まっしろ　真っ白
まっすぐ　〔真▲直〕
まっせ　末世
まっせき　末席　～を汚す。
まっせつ　末節　枝葉～。
まっそん　末孫
まった　待った　～をかける。
まつだい　末代
まったく　全く

〔　〕使わない漢字　　×表外字(常用漢字表にない字)　　▲表外音訓(常用漢字表にない読み)
①〜⑥教育漢字の学年配当　　①−②(①の表記を優先するが, ②の表記を使ってもよい語)

まつたけ 〔松×茸〕
まっただなか 真っただ中〔▲直・▲唯・×只〕
まったなし 待ったなし〔無〕
まったん 末端 ～価格。
まっちゃ 抹茶
まってい 末弟
まっとうする 全うする〔▲完〕
まっとうな 〔真当〕
まつなみき 松並木 送
まつねん 末年 明治の～。
まつのうち 松の内
まつば 松葉
まっぱだか 真っ裸
まつばづえ 松葉づえ〔×杖〕
まつばやし 松林
まつばら 松原
まつび 末尾
まっぴつ 末筆
まっぴら 真っ平 ～ごめん。
まっぴるま 真っ昼間
まっぷたつ 真っ二つ
まつぶん 末文
まっぽう 末法 《仏教》～思想。
まつむし 松虫
まつやに 松やに〔▲脂〕
まつよう 末葉 19世紀～。
まつり 祭り〔×祀〕 秋～。(「祇園祭」「三社祭」などは 送)
まつりあげる 祭り上げる〔×祀〕
まつりごと 政

まつりゅう 末流
まつる 祭る〔×祀〕
まつる 〔×纏〕 (裁縫)
まつろ 末路 哀れな～。
まつわる 〔×纏〕
まで 〔×迄〕
まてんろう 摩天楼
まと 的
まど 窓
まどあかり 窓明かり
まとい 〔×纏〕
まどい 惑い
まどい 〔▲団居〕 ＊団らん。
まとう 〔×纏〕
まどう 惑う
まどお 間遠
まどか 〔▲円〕
まどぎわ 窓際
まどぐち 窓口
まどごし 窓越し
まとはずれ 的外れ
まどべ 窓辺
まとまり 〔×纏〕
まとまる 〔×纏〕
まとめ 〔×纏〕 ～役。
まとめる 〔×纏〕
まとも 〔真▲面〕
まどり 間取り
まどろむ 〔▲微▲睡〕
まどわく 窓枠
まどわす 惑わす

特 表外字・表外音訓を用いてよい特例の語　付 常用漢字表の付表の語
送 送りがなを省く特例　説 読みがなを付けるのが望ましい語　＊類語・言いかえ例

まないた　まな板〔×俎〕	まぶす　〔▲塗〕
まなこ　眼	まぶた　〔目蓋・×瞼〕
まなざし　〔▲眼差〕	まふゆ　真冬　～日。
まなじり　〔×眦〕　～を決する。	まほう　魔法
まなつ　真夏　～日。	まほうつかい　魔法使い
まなでし　まな弟子〔▲愛〕	まほうびん　魔法瓶〔×壜〕
まなびや　学びや〔▲舎〕	まぼろし　幻
まなぶ　学ぶ	まま　〔×儘〕　その～。
まなむすめ　まな娘〔▲愛〕	ままこ　まま子〔▲継〕　～扱い。
まにあう　間に合う	ままごと　〔▲飯事〕　～遊び。
まにあわせ　間に合わせ	ままはは　まま母〔▲継〕
まにんげん　真人間	まみえる　〔▲見〕
まぬがれる　免れる　(「マヌカレル」とも)	まみず　真水
	まみれ　〔▲塗〕　汗～。血～。
まぬけ　〔間抜〕	まみれる　〔▲塗〕
まね　〔真▲似〕	まむかい　真向かい
まねき　招き　～猫。	まむし　〔×蝮〕
まねく　招く	まめ　豆
まねごと　まね事〔真▲似〕	まめ　〔▲肉▲刺〕　足に～が出来る。
まねる　〔真▲似〕	まめ　〔▲忠▲実〕　～な人。
まのあたり　目の当たり	まめかす　豆かす〔×粕〕
まのび　間延び	まめがら　豆がら〔▲幹〕
まばたき　〔▲瞬〕	まめしぼり　豆絞り
まばたく　〔▲瞬〕	まめたん　豆炭
まばゆい　〔目▲映〕	まめつ　摩滅
まばら　〔▲疎〕	まめつぶ　豆粒
まひ　〔麻×痺〕　心臓～。交通～。	まめでっぽう　豆鉄砲
まびく　間引く	まめでんきゅう　豆電球
まひる　真昼	まめほん　豆本
まぶか　目深　帽子を～にかぶる。	まめまき　豆まき〔×蒔・×撒〕
まぶしい　〔×眩〕	まめまめしい　〔豆々〕

〔　〕使わない漢字　　×表外字(常用漢字表にない字)　　▲表外音訓(常用漢字表にない読み)
①~⑥教育漢字の学年配当　　①-②(①の表記を優先するが，②の表記を使ってもよい語)

まめもち　豆餅	まる　丸　(全体・満)〜暗記。〜3年になる。
まもう　摩耗	まる　円　〜テーブル。
まもなく　①まもなく ②間もなく〔無〕	まるあらい　丸洗い
まもの　魔物	まるい　丸い　〜顔。
まもり　守り〔▲護〕	まるい　円い　〜窓。
まもりがたな　守り刀〔▲護〕	まるうつし　丸写し
まもりふだ　守り札〔▲護〕	まるえり　丸襟
まもる　守る〔▲護〕	まるおび　丸帯
まやく　麻薬	まるがお　丸顔
まゆ　繭	まるがかえ　丸抱え
まゆ　眉	まるがり　丸刈り
まゆげ　眉毛	まるきばし　丸木橋
まゆずみ　眉墨	まるきぶね　丸木舟
まゆだま　繭玉	**まるきり**　〔丸切〕
まゆつば　眉唾　〜物。	まるく　円く　〜輪になる。
まゆね　眉根　〜を寄せる。	まるくびシャツ　丸首シャツ
まよい　迷い	まるごし　丸腰
まよいご　迷い子　(「マイゴ」の場合は「迷子」㊝)	まるごと　丸ごと　〜食べる。
	まるぞん　丸損
まよう　迷う	まるた　丸太
まよけ　魔よけ〔▲除〕	まるだし　丸出し
まよこ　真横	まるつぶれ　①丸つぶれ ②丸潰れ
まよなか　真夜中	**まるで**　〔丸〕
まよわす　迷わす	まるてんじょう　円天井〔丸〕
まり　〔×鞠〕	まるなげ　丸投げ
まりなげ　まり投げ〔×鞠〕	まるのみ　丸飲み〔×呑〕
まりも　〔×毬藻〕	まるのみ　丸のみ〔円×鑿〕
まりょく　魔力	まるはだか　丸裸
まる　丸　〜を付ける。	まるぼうず　丸坊主
	まるぼし　丸干し

㊙表外字・表外音訓を用いてよい特例の語　㊝常用漢字表の付表の語
㊋送りがなを省く特例　㊙読みがなを付けるのが望ましい語　＊類語・言いかえ例

まるぼん	丸盆
まるまげ	丸まげ〔×髷〕
まるまる	丸まる　背中が〜。
まるまる	〔丸々〕　〜損する。〜と太る。
まるみ	丸み
まるみ	円み
まるみえ	丸見え
まるめこむ	丸め込む
まるめる	丸める
まるもうけ	丸もうけ〔×儲〕
まるやき	丸焼き　鳥の〜。
まるやけ	丸焼け
まるやね	丸屋根〔円〕
まれ	〔×稀・▲希〕
まろやか	〔▲円〕
まわし	〔回・×廻〕　化粧〜。
まわしもの	回し者〔×廻〕
まわす	回す〔×廻〕
まわた	真綿
まわり	回り〔×廻〕　胴〜。火の〜。
まわり	周り　家の〜。〜の人。
まわりあわせ	回り合わせ
まわりくどい	回りくどい
まわりぶたい	回り舞台　《芸能》
まわりみち	回り道〔▲路〕
まわりもち	回り持ち
まわる	回る〔×廻・▲周〕
まん	万 ②〔マン・バン〕
まん	満 ④〔マン みちる・みたす〕　〜を持す。
まん	慢〔マン〕
まん	漫〔マン〕
まんいち	万一
まんいん	満員　〜電車。
まんえつ	満悦　ご〜。
まんえん	まん延〔×蔓〕　＊流行。はびこる。
まんが	漫画　〜家。〜本。
まんかい	満開
まんがいち	万が一
まんがく	満額　〜回答。
まんがん	満願
まんかんしょく	満艦飾
まんき	満期　10年〜。
まんきつ	満喫
まんげきょう	万華鏡
まんげつ	満月
まんこう	満こう〔×腔〕　〜の敬意。
まんざ	満座
まんさい	満載
まんざい	万歳　(特定の芸能)三河〜。大和〜。
まんざい	漫才　掛け合い〜。
まんさく	満作　豊年〜。
まんざら	〔満・万更〕
まんじ	〔×卍〕
まんしつ	満室
まんしゃ	満車
まんじゅう	〔×饅▲頭〕
まんじゅしゃげ	〔×曼珠▲沙華〕
まんしょう	満床　(病院のベッドが満員)

〔　〕使わない漢字　　×表外字(常用漢字表にない字)　　▲表外音訓(常用漢字表にない読み)
①〜⑥教育漢字の学年配当　　①−②(①の表記を優先するが，②の表記を使ってもよい語)

まんじょう　満場	～一致。
まんじり	～ともせず。
まんしん　満身	～の力。～の傷。
まんしん　慢心	
まんすい　満水	～のダム。
まんせい　慢性	～中毒。～疾患。
まんせき　満席	
まんぜん　漫然	
まんぞく　満足	自己～。
まんだら	〔×曼×陀羅〕《仏教》
まんだん　漫談	
まんちょう　満潮	～時。
まんてん　満天	～の星。
まんてん　満点	サービス～。
まんどうえ　万灯会	《仏教》
まんなか　真ん中	
まんねん　万年	～青年。亀は～。
まんねんどこ　**万年床**	
まんねんひつ　**万年筆**	
まんねんゆき　**万年雪**	
まんねんれい　**満年齢**	
まんぱい　満杯	
まんびき　**万引き**	
まんびょう　万病	～のもと。
まんぴょう　満票	
まんぷく　満幅	～の信頼。
まんぷく　満腹	～感。
まんべんなく	①まんべんなく ②満遍なく〔万〕
まんぽ　漫歩	
まんまえ　真ん前	
まんまく　**まん幕**〔×幔〕	
まんまと	～せしめる。
まんまる　真ん丸	
まんまん　満々	自信～。～と水をたたえる。
まんめん　満面	～の笑み。
まんゆう　漫遊	諸国～。
まんよう　万葉	～がな。～集。
まんりき　**万力**	
まんりょう　満了	任期～。
まんるい　満塁	

み

み	味③{あじ・あじわう}	新鮮〜。人間〜。(ただし,「厚み」「うまみ」「茂み」「弱み」など,動詞,形容詞の語幹につく場合は,かな書き)
み	未④{ミ}	
み	眉{ビ・まゆ}	
み	魅{ミ}	
み	身	〜の振り方。
み	実	〜がなる。
み・巳		〜年。
み	[▲御]	〜仏。〜心。

みあい　見合い　〜結婚。
みあう　見合う
みあきる　見飽きる
みあげる　見上げる
みあたる　見当たる　見当たらない。
みあやまる　見誤る
みあわす　見合わす
みあわせる　見合わせる
みいだす　見いだす[▲出]
みいり　実入り
みいる　見入る
みいる　[魅入]　みいられる。
みうける　見受ける
みうごき　身動き
みうしなう　見失う
みうち　身内
みうり　身売り

みえ　見得　《芸能》〜を切る。大〜。
みえ　見え[▲栄]　〜を張る。
みえかくれ　見え隠れ　(「ミエガクレ」とも)
みえすく　見え透く
みえっぱり　見えっ張り[▲栄]
みえぼう　見え坊[▲栄]
みえる　見える
みおくる　見送る
みおさめ　見納め[収]
みおつくし　[×澪▲標]
みおとす　見落とす
みおとり　見劣り
みおぼえ　見覚え
みおも　身重
みおろす　見下ろす
みかい　未開　〜地。
みかいけつ　未解決
みかいたく　未開拓　〜の分野。
みかいはつ　未開発
みかえし　見返し
みかえす　見返す
みかえり　見返り　〜物資。
みがき　磨き[▲研]　〜をかける。
みがきあげる　磨き上げる[▲研]
みがきこ　磨き粉[▲研]
みがきずな　磨き砂[▲研]
みがきにしん　身欠きにしん[×鰊]

[　]使わない漢字　　×表外字(常用漢字表にない字)　　▲表外音訓(常用漢字表にない読み)
①〜⑥教育漢字の学年配当　　①−②(①の表記を優先するが,②の表記を使ってもよい語)

みかぎる	見限る
みかく	味覚
みがく	磨く〔▲研〕
みかくにん	未確認 ～情報。
みかけ	見かけ〔掛〕 ～倒し。
みかける	見かける〔掛〕
みかた	見方
みかた	味方〔身〕
みがため	身固め
みかづき	三日月
みがって	身勝手 送
みかど	〔▲帝〕
みかねる	見かねる〔兼〕
みがまえる	身構える
みがら	身柄
みがる	身軽
みかわす	見交わす
みがわり	身代わり
みかん	未刊
みかん	未完 ～の大器。
みかん	〔▲蜜×柑〕
みかんせい	未完成
みき	幹
みぎ	右
みぎうで	右腕 社長の～。
みぎがわ	右側
みきかんしゃ	未帰還者
みきき	見聞き
みぎきき	右利き
みぎて	右手
みぎまわり	右回り
みぎよつ	右四つ
みきり	見切り ～発車。～品。
みぎり	〔×砌〕 幼少の～。
みぎれい	身ぎれい〔×綺麗〕
みぎわ	〔×汀・▲水際〕
みきわめる	見極める
みくだす	見下す
みくだりはん	三くだり半〔下・▲行〕
みくびる	見くびる〔×縊〕
みくらべる	見比べる〔▲較〕
みぐるしい	見苦しい
みぐるみ	身ぐるみ〔▲包〕
みけ	三毛 ～猫。
みけいけん	未経験
みけつ	未決 ～囚。
みけん	眉間
みこ	〔×巫▲女〕
みこうかい	未公開
みこし	〔▲御・▲神×輿〕 ～を担ぐ。
みごしらえ	身ごしらえ〔×拵〕
みこす	見越す
みごたえ	見応え
みごと	見事〔▲美〕
みことのり	詔〔▲勅〕
みごなし	身ごなし
みこみ	見込み ～違い。
みこむ	見込む
みごもる	〔身籠・×妊〕
みごろ	見頃 桜の～。

特 表外字・表外音訓を用いてよい特例の語　付 常用漢字表の付表の語
送 送りがなを省く特例　読 読みがなを付けるのが望ましい語　＊類語・言いかえ例

みごろ　身頃〔×裃〕　着物の～。
みごろし　見殺し
みこん　未婚
みさお　操
みさかい　見境　～なしに。
みさき　岬｛みさき｝
みさげる　見下げる
みささぎ　陵　＊御陵（ゴリョウ）。
みさだめる　見定める
みじかい　短い
みじかめ　短め
みじかよ　短夜
みじたく　身支度〔仕〕
みじまい　身じまい〔仕舞〕
みじめ　惨め
みしゅう　未収　～金。
みしゅうがく　未就学　～児童。
みじゅく　未熟　～児。～者。
みしょう　実生
みしる　見知る　見知らぬ人。
みじろぎ　身じろぎ〔▲動〕　～もせず。
みじん　〔▲微×塵〕　～もない。木っ端～。
みじんぎり　みじん切り〔▲微×塵〕
みす　〔▲御×簾〕
みず　水
みずあか　水あか〔×垢〕
みずあげ　水揚げ
みずあそび　水遊び
みずあび　水浴び
みずあぶら　水油

みずあめ　水あめ〔×飴〕
みずあらい　水洗い
みすい　未遂　殺人～。
みずいらず　水入らず
みずいり　水入り
みずいろ　水色
みずうみ　湖
みすえる　見据える
みずおけ　水おけ〔×桶〕
みずおと　水音
みずおよぎ　水泳ぎ
みずかがみ　水鏡
みずかき　水かき〔×搔〕
みずかけろん　水掛け論
みずかげん　水加減
みずかさ　水かさ〔×嵩〕
みずがし　水菓子　（果物のこと）
みすかす　見透かす
みずがめ　水がめ〔▲瓶・×甕〕
みずから　①みずから　②自ら
みずがれ　水枯れ〔×涸〕
みすぎ　身過ぎ　～世過ぎ。
みずぎ　水着
みずきり　水切り
みずぎわ　水際　～作戦。～立つ。
みずぐき　水茎　（毛筆で書いた文字）～の跡。
みずくさ　水草
みずくさい　水くさい〔臭〕
みずぐすり　水薬
みずくみ　水くみ〔酌・×汲〕

〔　〕使わない漢字　　×表外字（常用漢字表にない字）　　▲表外音訓（常用漢字表にない読み）
①～⑥教育漢字の学年配当　　①－②（①の表記を優先するが，②の表記を使ってもよい語）

みずぐるま　水車	みずば　水場
みずけ　水け〔気〕（水分）	みずはけ　水はけ〔×捌〕
みずげい　水芸	**みずばしょう**　〔水×芭×蕉〕
みずけむり　水煙	みずばしら　水柱
みずこ　水子　〜地蔵。	みずひき　水引送
みずごけ　〔水×苔〕	みずびたし　水浸し
みずごころ　水心　魚心あれば〜あり。	みずぶくれ　①**水ぶくれ** ②水膨れ〔×脹・▲腫〕
みすごす　見過ごす	
みずこぼし　水こぼし〔▲翻〕	みずぶろ　水風呂
みずごり　水ごり〔×垢離〕	みずべ　水辺
みずさかずき　水杯〔×盃〕	**みずほ**　〔×瑞穂〕　〜の国。
みずさきあんない　水先案内　〜人。	みずぼうそう　水ぼうそう〔×疱×瘡〕
みずさし　水差し	
みずしごと　水仕事	**みすぼらしい**　〔見×窄〕
みずしぶき　水しぶき	みずまき　水まき〔×撒〕
みずしょうばい　水商売	みずまくら　水枕
みずしらず　見ず知らず	みずまし　水増し　〜請求。
みずすまし　〔水澄〕	みずまわり　水回り
みずぜめ　水攻め　城を〜にする。	**みすみす**　〔見〕　〜損をする。
みずぜめ　水責め　〜の拷問。	**みずみずしい**　〔×瑞々〕
みずたき　水炊き	みずむし　水虫
みずたま　水玉　〜模様。	みずもの　水物　勝負は〜。
みずたまり　水たまり〔×溜〕	みずもれ　水漏れ
みずっぱな　水っぱな〔×洟〕	みずや　水屋
みずっぽい　水っぽい	みずようかん　水ようかん〔羊×羹〕
みずでっぽう　水鉄砲	みする　魅する
みすてる　見捨てる〔▲棄〕	みずわり　水割り
みずとり　水鳥　（「ミズドリ」とも）	みせ　店
みずに　水煮　さばの〜。	みせいねん　未成年　〜者。
みずのあわ　水の泡	みせうり　店売り
みずのみば　水飲み場	みせかける　見せかける〔掛〕

特表外字・表外音訓を用いてよい特例の語　　付常用漢字表の付表の語
送送りがなを省く特例　　読読みがなを付けるのが望ましい語　　＊類語・言いかえ例

みせがまえ　店構え
みせさき　店先
みせじまい　店じまい〔仕舞〕
みせしめ　見せしめ
みせつける　見せつける〔付〕
みせどころ　見せどころ〔所〕　腕の～。
みぜに　身銭　～を切る。
みせば　見せ場　《芸能》
みせばん　店番
みせびらかす　見せびらかす
みせびらき　店開き
みせもの　見せ物〔世〕
みせや　店屋　＊商店。
みせる　見せる
みぜん　未然　～に防ぐ。
みそ　〔味×噌〕　～あえ。
みぞ　溝
みぞう　未曽有　＊空前。かつてない。
みぞおち　〔×鳩▲尾〕
みそか　〔×晦・三▲十日〕
みそぎ　〔×禊〕
みそこなう　見損なう
みそじ　〔三▲十路〕
みそしき　未組織　～労働者。
みそしる　みそ汁〔味×噌〕
みそづけ　みそ漬け〔味×噌〕
みそっぱ　みそっ歯〔味×噌〕
みそに　みそ煮〔味×噌〕
みそまめ　みそ豆〔味×噌〕
みそめる　見初める
みそら　身空　若い～で。

みぞれ　〔×霙〕
みだし　見出し
みだしなみ　身だしなみ〔×嗜〕
みたす　満たす〔▲充〕
みだす　乱す
みたて　見立て
みたてる　見立てる
みたない　満たない　半数にも～。
みたま　み霊〔▲御〕
みため　見た目　～には美しい。
みだら　淫ら〔×猥〕
みだりに　〔▲妄・▲濫〕
みだれ　乱れ
みだれがみ　乱れ髪
みだればこ　乱れ箱
みだれる　乱れる
みち　道〔▲路・▲途・▲径〕
みち　未知
みちあんない　道案内
みぢか　身近
みちがえる　見違える
みちかけ　満ち欠け〔×盈×虧〕　月の～。
みちくさ　道草　～を食う。
みちしお　満ち潮
みちじゅん　道順
みちしるべ　道しるべ〔▲標〕
みちすう　未知数
みちすがら　道すがら〔次〕
みちすじ　道筋
みちたりる　満ち足りる

〔　〕使わない漢字　　×表外字(常用漢字表にない字)　　▲表外音訓(常用漢字表にない読み)
①〜⑥教育漢字の学年配当　　①─②(①の表記を優先するが，②の表記を使ってもよい語)

みちづれ 道連れ	みつける 見つける〔付〕
みちなり 道なり ～に行く。	みつご 3つ子 ～が生まれる。
みちのり 道のり〔▲程〕	みつご 三つ子〔▲児〕 ～の魂百まで。
みちばた 道端	みっこう 密航 ～船。
みちはば 道幅	みっこく 密告
みちひ 満ち干 「満ち引き」(「ミチヒキ」とも) 潮の～。	みっし 密使
	みっしつ 密室 ～殺人。
みちびき 導き	みっしゅう 密集 ～地。
みちびく 導く	みつしゅっこく 密出国
みちみち 道々	みっしょ 密書
みちゆき 道行き 《芸能》	みっせい 密生
みちる 満ちる〔▲充〕	みっせつ 密接
みつ 密 ⑥{ミツ} ～にする。	みっそう 密葬
みつ 蜜{ミツ}	みつぞう 密造 ～酒。
みつ 三つ	みつぞろい 三つぞろい〔×揃〕
みつあみ 三つ編み	みつだん 密談
みっか 三日, 3日	みっちゃく 密着
みっかい 密会	みっつ 三つ, 3つ
みっかてんか 三日天下	みってい 密偵 ～を放つ。
みっかばしか 三日ばしか〔▲麻▲疹〕 (風疹)	みつど 密度 ～が高い。人口～。
	みつどもえ 三つどもえ〔×巴〕
みっかぼうず 三日坊主	みっともない ～話。
みつかる 見つかる〔付〕	みつにゅうこく 密入国
みつぎ 密議 ～を凝らす。	**みつば** 〔三葉〕
みつぎもの 貢ぎ物	みつばい 密売
みっきょう 密教 《仏教》	みつばち 蜜蜂
みつぐ 貢ぐ	みっぷう 密封
みつぐみ 三つ組⃞送 ～の杯。	みっぺい 密閉
みづくろい 身繕い	みつぼうえき 密貿易
みつくろう 見繕う	みつまた 三つまた〔又〕 ～の道。
みつげつ 蜜月 (honeymoon の訳語)	みつまた 〔三×椏〕 《植物》

みつまめ	蜜豆
みつめる	見つめる〔詰・▲凝▲視〕
みつもり	見積もり
みつもりしょ	見積書送
みつもる	見積もる
みつやく	密約　〜を交わす。
みつゆ	密輸
みつゆしゅつ	密輸出
みつゆにゅう	密輸入
みつゆび	三つ指　〜を突く。
みつりょう	密猟
みつりょう	密漁
みつりん	密林
みつろう	蜜ろう〔×蠟〕
みてい	未定
みてくれ	見てくれ〔▲呉〕　〜がよい。＊見かけ。
みとう	未到　(主に業績の場合)　前人〜の記録。
みとう	未踏　(主に土地・山の場合)　人跡〜の地。〜峰。
みどう	み堂〔▲御〕
みとおし	見通し〔▲透〕
みとおす	見通す〔▲透〕
みとがめる	見とがめる〔×咎〕
みどく	味読
みどころ	見どころ〔所・▲処〕
みとどける	見届ける
みとめ	認め　〜印。
みとめる	認める
みどり	緑
みどりご	〔×嬰▲児〕
みとりず	見取り図
みとる	〔看取〕　病人を〜。
みとれる	見とれる〔×惚・×蕩〕
みどろ	汗〜。
みな	皆
みなおす	見直す
みなかみ	〔▲水上〕
みなぎる	〔×漲〕
みなげ	身投げ
みなごろし	皆殺し
みなさん	皆さん
みなしご	〔▲孤▲児〕
みなす	見なす〔▲看×做〕
みなづき	〔▲水無月〕　(陰暦6月)
みなと	港　〜町。
みなみ	南　〜風。〜向き。
みなみかいきせん	南回帰線
みなみじゅうじせい	南十字星
みなみはんきゅう	南半球
みなも	〔▲水▲面〕　(「みのも」とも)
みなもと	源
みならい	見習い　(〜社員，職員〜，〜工などは「見習」送)
みならう	見習う
みなり	身なり〔▲形〕
みなれる	見慣れる〔×馴〕
みにくい	醜い　〜顔。
みにくい	見にくい〔▲難〕　〜画面。
みぬく	見抜く

〔 〕使わない漢字　×表外字(常用漢字表にない字)　▲表外音訓(常用漢字表にない読み)
①〜⑥教育漢字の学年配当　①−②(①の表記を優先するが，②の表記を使ってもよい語)

みね　峰〔×峯・×嶺〕　～伝い。～続き。	みひらき　見開き　～のページ。
みねうち　峰打ち〔×峯〕	みぶり　①身ぶり②身振り
みの　〔×蓑〕	みぶるい　身震い
みのう　未納　料金～。	みぶん　身分　～制度。
みのうえ　身の上　～相談。～話。	みほん　見本　～市。
みのがす　見逃す〔×遁〕	みまい　見舞い　お～。～品。～金。
みのけ　身の毛　～がよだつ。	みまう　見舞う
みのこす　見残す	みまごう　見まごう〔▲紛〕
みのしろ　身の代	みまちがえる　見間違える
みのしろきん　身代金 特	みまね　見まね〔真▲似〕　見よう～。
みのたけ　身の丈	みまもる　見守る
みのほど　身の程　～知らず。	みまわす　見回す
みのまわり　身の回り〔×廻〕　～の世話。	みまわり　見回り
	みまわる　見回る
みのむし　〔×蓑虫〕	みまん　未満
みのも　〔▲水▲面〕（「みなも」とも）	みみ　耳
みのり　実り〔×稔〕	みみあか　耳あか〔×垢〕
みのる　実る〔×稔〕	みみあたらしい　耳新しい
みばえ　見栄え〔映〕　～がする。	みみあて　耳当て
みはからう　見計らう	みみうち　耳打ち
みはてぬ　見果てぬ　～夢。	みみかき　耳かき〔×搔〕
みはなす　見放す〔離〕	みみかざり　耳飾り
みはらい　未払い	みみざわり　耳障り　～な音。
みはらし　見晴らし　～台。	みみず　〔×蚯×蚓〕
みはらす　見晴らす　～限り。	みみずく　〔▲木×菟〕
みはり　見張り　～番。	みみせん　耳栓
みはる　見張る	みみたぶ　耳たぶ〔×朶〕
みはる　〔見張・×瞠〕　目を～。	みみなり　耳鳴り
みびいき　身びいき〔×晶×眉〕	みみなれる　耳慣れる〔×馴〕
みひつ　未必　《法律》～の故意。	みみもと　耳元〔▲許〕
	みみより　耳寄り　～の話。

特 表外字・表外音訓を用いてよい特例の語　　付 常用漢字表の付表の語
送 送りがなを省く特例　　読 読みがなを付けるのが望ましい語　　＊類語・言いかえ例

みむき　見向き　〜もせず。
みめ　見目　〜麗しい。
みめい　未明　＊夜明け前。
みもだえ　身もだえ〔×悶〕
みもち　身持ち
みもと　身元〔▲許〕　〜保証人。
みもの　見もの〔物〕
みもん　未聞　前代〜。
みや　宮
みゃく　脈　④{ミャク}
みゃくどう　脈動
みゃくはく　脈拍〔×搏〕
みゃくみゃく　脈々　〜と続く。
みゃくらく　脈絡
みやげ　土産　付　〜物。
みやこ　都
みやこおち　都落ち
みやさま　宮様
みやすい　見やすい〔▲易〕
みやだいく　宮大工
みやづかえ　宮仕え
みやび　〔▲雅〕
みやびやか　〔▲雅〕
みやぶる　見破る
みやまいり　宮参り
みやる　見やる〔▲遣〕
みよ　み代〔▲御〕
みよい　見よい〔▲好〕
みよう　見よう〔様〕　〜見まね。
みょう　名　①{メイ・ミョウ な}

みょう　明　②{メイ・ミョウ、あかり・あかるい・あかるむ・あからむ・あきらか・あける・あく・あくる・あかす}
みょう　命　③{メイ・ミョウ いのち}
みょう　妙　{ミョウ}
みょう　冥　{メイ・ミョウ}
みょうあん　妙案
みょうが　冥加 読　〜金。
みょうが　〔×茗荷〕
みょうぎ　妙技
みょうごにち　明後日　＊あさって。
みょうじ　名字〔▲苗〕
みょうしゅ　妙手
みょうじょう　明星　宵の〜。
みょうせき　名跡　〜を継ぐ。
みょうだい　名代
みょうちょう　明朝
みょうと　〔▲夫▲婦〕
みょうに　妙に
みょうにち　明日
みょうねん　明年　＊来年。
みょうばん　明晩
みょうばん　〔明×礬〕
みょうみ　妙味
みょうやく　妙薬
みょうり　名利　(名誉と利益)
みょうり　冥利 読　役者〜に尽きる。
みょうれい　妙齢
みより　身寄り
みらい　未来　〜永劫。〜像。
みりょう　未了　審議〜。
みりょう　魅了　観客を〜する。

みりょく	魅力
みりん	〔味×醂〕
みる	見る〔▲看・▲観・▲視・▲覧〕 面倒を～。老後を～。(「…してみる」などは，かな書き)
みる	診る 患者を～。
みるからに	見るからに
みるまに	見るまに〔間〕
みるみる	〔見〕
みれん	未練 ～がましい。
みわく	魅惑
みわけ	見分け ～がつく。
みわける	見分ける
みわすれる	見忘れる
みわたす	見渡す ～限り。
みん	民 ④{ミン/たみ}
みん	眠 {ミン/ねむる・ねむい}
みんい	民意 ～を問う。
みんえい	民営
みんか	民家
みんかん	民間 ～人。～活力。～伝承。
みんぐ	民具
みんげい	民芸 ～品。
みんけん	民権 自由～。
みんじ	民事 ～訴訟。
みんしゅ	民主 ～政治。～主義。
みんじゅ	民需
みんしゅう	民衆
みんしゅく	民宿
みんじょう	民情
みんしん	民心
みんせい	民生 ～委員。～品。
みんせい	民政 ～移管。
みんせん	民選 ～知事。
みんぞく	民俗 (風俗・伝承)～芸能。
みんぞく	民族 (人種・地域的集団)少数～。～主義。～衣装。～自決。
みんちょうたい	明朝体 特
みんな	〔▲皆〕
みんぺい	民兵
みんぽう	民放 (「民間放送」の略)
みんぽう	民法
みんみんぜみ	〔×蟬〕
みんゆうち	民有地
みんよう	民謡
みんわ	民話

特 表外字・表外音訓を用いてよい特例の語　　付 常用漢字表の付表の語
送 送りがなを省く特例　　読 読みがなを付けるのが望ましい語　　＊類語・言いかえ例

む

- む 無 ④ {ム・ブ/ない}
- む 武 ⑤ {ブ・ム}
- む 務 ⑤ {ム/つとめる・つとまる}
- む 夢 ⑤ {ム/ゆめ}
- む 矛 {ム/ほこ}
- む 謀 {ボウ・ム/はかる}
- む 霧 {ム/きり}
- むい 無位 〜無官。
- むい 無為 〜無策。
- むいか 六日, 6日
- むいしき 無意識
- むいちく 無医地区
- むいちぶつ 無一物 (「ムイチモツ」とも)
- むいちもん 無一文
- むいみ 無意味
- むえき 無益
- むえん 無援 孤立〜。
- むえん 無煙 〜炭。〜火薬。
- むえん 無塩 〜バター。
- むえん 無縁 〜仏。〜墓地。
- むおん 無音
- むが 無我 〜夢中。〜の境地。〜の愛。
- むかい 向かい
- むがい 無害 人畜〜。
- むがい 無蓋 〜貨車。
- むかいあう 向かい合う
- むかいあわせる 向かい合わせる
- むかいかぜ 向かい風
- むかう 向かう
- むかえ 迎え
- むかえうつ 迎え撃つ〔×邀〕
- むかえざけ 迎え酒
- むかえび 迎え火
- むかえる 迎える
- むがく 無学
- むかし 昔
- むかしかたぎ 昔かたぎ〔▲気▲質〕
- むかしがたり 昔語り
- むかしつせきにん 無過失責任 《法律》
- むかしながら 昔ながら〔×乍〕
- むかしなじみ 昔なじみ〔×馴染〕
- むかしばなし 昔話
- **むかつく** 胸が〜。
- **むかっぱら** 〔向腹〕 〜を立てる。
- **むかで** 〔▲百▲足〕
- むがむちゅう 無我夢中
- むかん 無冠 〜の帝王。
- むかん 無感 〜地震。
- むかんがえ 無考え 〜な行動。
- むかんけい 無関係
- むかんしん 無関心
- むかんどう 無感動
- むき 無期 〜延期。〜懲役。
- むき 無機 〜化学。〜質。〜物。

〔 〕使わない漢字　×表外字(常用漢字表にない字)　▲表外音訓(常用漢字表にない読み)
①〜⑥教育漢字の学年配当　①−②(①の表記を優先するが, ②の表記を使ってもよい語)

むき　向き	～を変える。商売人～。ご希望の～。
むき　〔向・▲本▲気〕	～になる。
むぎ　麦	
むきあう　向き合う	
むぎかり　麦刈り	
むきげん　無期限	
むきず　無傷〔×疵〕	
むきだし　むき出し〔▲剝〕	
むぎちゃ　麦茶	
むきどう　無軌道	
むぎとろ　麦とろ	
むきなおる　向き直る	
むぎばたけ　麦畑	
むぎふみ　麦踏み	
むきみ　むき身〔▲剝〕	
むきめい　無記名	～投票。
むぎめし　麦飯	
むぎゆ　麦湯	
むきゅう　無休	年中～。
むきゅう　無給	～で働く。
むきょうそう　無競争	
むきょか　無許可	
むきりょく　無気力	
むぎわら　麦わら〔×藁〕	～細工。～帽子。
むきん　無菌	～室。
むく　向く	
むく　〔無×垢〕	＊清浄。汚れない。
むく　〔▲剝〕	
むくい　報い	
むくいる　報いる〔▲酬〕	
むくげ　むく毛〔×尨〕	
むくげ　〔▲木×槿〕	（落葉低木）
むくち　無口	
むくみ　〔▲浮▲腫〕	
むくむ　〔▲浮▲腫〕	
むくれる　〔▲剝・▲怒〕	
むけ　向け	
むけい　無形	～文化財。
むげい　無芸	～大食。
むけつ　無欠	完全～。
むけつ　無血	～革命。
むげに　〔無下〕	～断る。
むける　向ける	
むける　〔▲剝〕	皮が～。
むげん　無限	～大。～軌道。
むげん　夢幻	
むこ　婿〔×壻〕	
むこ　〔無×辜〕	＊罪のない。
むごい　〔▲惨・▲酷〕	
むこいり　婿入り〔×壻〕	
むこう　無効	～投票。
むこう　向こう	～岸。～側。
むこういき　向こう意気	（「向こうっ気」とも）
むこうずね　向こうずね〔×脛〕	
むこうはちまき　向こう鉢巻き	
むこうみず　向こう見ず	
むこくせき　無国籍	
むごたらしい　〔▲惨・▲酷〕	
むこようし　婿養子	

むこん　無根　事実〜。
むごん　無言　〜の帰宅。
むざい　無罪　〜放免。
むさく　無策　無為〜。
むさくい　無作為　〜抽出。
むさくるしい　むさ苦しい
むさべつ　無差別　〜爆撃。
むさぼる　①むさぼる　②貪る
むさん　霧散
むざん　無残〔惨・×慙・×慚〕
むさんかいきゅう　無産階級
むし　虫
むし　無私　公平〜。
むし　無視　信号〜。
むじ　無地　〜の着物。
むしあつい　蒸し暑い
むしおくり　虫送り
むしかえす　蒸し返す
むしかく　無資格
むしかご　虫かご〔籠〕
むしがし　蒸し菓子
むしき　蒸し器
むしくい　虫食い〔×喰〕
むしくだし　虫下し
むしけら　虫けら〔×螻〕
むしけん　無試験
むじこ　無事故
むしごはん　①蒸しごはん　②蒸し御飯
むしず　虫ず〔×酸・▲唾〕　〜が走る。
むしずし　蒸しずし〔▲寿司・×鮨〕

むじつ　無実　〜の罪。有名〜。
むじな　〔×狢・×貉〕
むしのいき　虫の息
むしば　虫歯
むしばむ　〔虫▲食・×蝕〕
むじひ　無慈悲
むしふうじ　虫封じ
むしぶろ　蒸し風呂
むしぼし　虫干し
むしめがね　虫眼鏡
むしもの　蒸し物
むしゃ　武者　〜絵。〜修行。〜人形。
むしやき　蒸し焼き
むじゃき　無邪気
むしゃぶりつく　〔武者振付〕
むしゃぶるい　武者震い
むしゅう　無臭　無味〜。
むしゅうきょう　無宗教
むじゅうりょう　無重量　〜状態。
むじゅうりょく　無重力　〜状態。
むしゅみ　無趣味
むじゅん　矛盾　社会の〜。
むしょう　無償
むじょう　無上　〜の光栄。
むじょう　無常　《仏教》諸〜。〜観。
むじょう　無情　〜の雨。
むしようかん　蒸しようかん〔羊×羹〕
むじょうけん　無条件　〜降伏。
むしょうに　無性に
むしょく　無色　〜透明。

〔　〕使わない漢字　　×表外字(常用漢字表にない字)　　▲表外音訓(常用漢字表にない読み)
①〜⑥教育漢字の学年配当　　①—②(①の表記を優先するが，②の表記を使ってもよい語)

むしょく　無職
むしよけ　虫よけ〔▲除〕
むしょぞく　無所属
むしりとる　むしり取る〔×毟〕
むしる　〔×毟・×挘〕
むしろ　〔×筵・×▲席〕　〜旗。
むしろ　〔▲寧〕
むしん　無心
むじん　無人　〜駅。〜島。
むじん　無尽　縦横〜。
むしんけい　無神経
むじんぞう　無尽蔵
むしんろん　無神論
むす　蒸す
むすう　無数
むずかしい　難しい
むずがゆい　〔×痒〕
むずかる　〔▲憤〕　赤ん坊が〜。
むすこ　息子 付
むすび　結び
むすびつき　結び付き
むすびつく　結び付く
むすびつける　結び付ける
むすびめ　結び目
むすぶ　結ぶ
むすめ　娘 {むすめ}
むすめごころ　娘心
むすめむこ　娘婿〔▲女〕
むせい　無声　〜映画。
むぜい　無税
むせいげん　無制限

むせいふ　無政府　〜状態。〜主義。
むせいらん　無精卵
むせかえる　むせ返る〔×噎〕
むせきにん　無責任
むせっそう　無節操
むせびなく　むせび泣く〔×噎・▲咽〕
むせぶ　〔×噎・▲咽〕
むせる　〔×噎〕
むせん　無銭　〜飲食。〜旅行。
むせん　無線　〜操縦。〜電話。
むそう　無想　無念〜。
むそう　夢想　〜にふける。
むぞうさ　無造作〔雑〕
むだ　①むだ　②無駄
むだあし　①むだ足　②無駄足
むたいさいばい　無袋栽培　りんごの〜。
むだがね　①むだ金　②無駄金　〜を使う。
むだぐち　①むだ口　②無駄口
むだげ　①むだ毛　②無駄毛
むだじに　①むだ死に　②無駄死に
むだづかい　①むだづかい　②無駄遣い　（場合により「無駄使い」とも）
むだばなし　①むだ話　②無駄話
むだぼね　①むだ骨　②無駄骨
むだめし　①むだ飯　②無駄飯
むだん　無断　〜欠勤。
むたんぽ　無担保

むち　無知〔×智〕	むないた　胸板
むち　無恥　厚顔〜。	むなぎ　棟木
むち　〔×鞭・×笞〕	むなぐら　胸倉
むちうちしょう　むち打ち症	むなぐるしい　胸苦しい
むちうつ　むち打つ〔×鞭・×笞〕	むなげ　胸毛
むちこく　無遅刻　〜無欠勤。	むなさわぎ　胸騒ぎ
むちつじょ　無秩序	むなざんよう　胸算用
むちゃ　〔無茶〕	むなしい　〔▲空・▲虚〕
むちゃくちゃ　〔無茶苦茶〕	むなつきはっちょう　胸突き八丁
むちゃくりく　無着陸　〜飛行。	むなもと　胸元〔▲許〕
むちゅう　夢中	むに　無二　〜の親友。
むちゅう　霧中　五里〜。	むにんしょ　無任所　〜大臣。
むちん　無賃　〜乗車。	むね　旨
むつ　六つ　〜切り。	むね　胸
むつうぶんべん　無痛分べん〔×娩〕	むね　棟　2〜が焼ける。
むつき　〔▲睦月〕（陰暦正月）	むねあげ　棟上げ　＊上棟式。
むっつ　六つ，6つ	むねやけ　胸焼け
むつまじい　〔▲睦〕	むねわりながや　棟割り長屋
むていけん　無定見	むねん　無念　残念〜。〜無想。
むていこう　無抵抗　〜主義。	むのう　無能
むてかつりゅう　無手勝流 送	むはい　無配
むてき　無敵　天下〜。〜艦隊。	むはい　無敗
むてき　霧笛	むひ　無比　正確〜。痛快〜。
むてっぽう　無鉄砲	むひはん　無批判
むでん　無電	むひょう　霧氷
むてんか　無添加	むびょう　無病　〜息災。
むとうか　無灯火	むひょうじょう　無表情
むとうは　無党派	むふう　無風　〜状態。
むとうひょう　無投票　〜当選。	むふんべつ　無分別
むとどけ　無届け　〜デモ。	むほう　無法　〜者。
むとんちゃく　無頓着	むぼう　無謀　〜運転。

〔　〕使わない漢字　　×表外字(常用漢字表にない字)　　▲表外音訓(常用漢字表にない読み)
1〜6 教育漢字の学年配当　　①—②(①の表記を優先するが，②の表記を使ってもよい語)

むぼうび　無防備	むらはずれ　村外れ
むほん　謀反〔×叛〕　〜人。	むらはちぶ　村八分
むみ　無味　〜乾燥。	むらびと　村人
むめい　無名　〜の新人。	むらやくば　村役場
むめい　無銘　〜の刀。	むり　無理　〜押し。〜からぬ。
むめんきょ　無免許　〜運転。	むりかい　無理解
むやみに　〔無闇・▲暗〕	むりし　無利子
むゆうびょう　夢遊病　〜者。	むりじい　無理強い
むよう　無用〔要〕　〜の長物。	むりしんじゅう　無理心中
むよく　無欲〔×慾〕	むりすう　無理数　《数学》
むら　村	むりやり　無理やり〔矢理〕
むら　群〔×叢〕　〜すずめ。	むりょう　無料　入場〜。
むら　〔▲斑〕　〜がある。	むりょう　無量　感慨〜。
むらがる　群がる〔×叢・×簇〕	むりょく　無力　〜感。
むらき　むら気〔▲斑〕	むるい　無類
むらぎえ　むら消え〔▲斑〕　雪の〜。	むれ　群れ
むらさき　紫　〜色。	むれる　蒸れる
むらざと　村里	むれる　群れる
むらさめ　村雨	むろ　室　〜咲きの花。
むらす　蒸らす	むろん　無論

㊙ 表外字・表外音訓を用いてよい特例の語　　㊙ 常用漢字表の付表の語
㊙ 送りがなを省く特例　　㊙ 読みがなを付けるのが望ましい語　　＊類語・言いかえ例

め

め 目〔▲眼〕 〜の玉。3日〜。5番〜。折り〜。効き〜。(ただし、「少なめ」「高め」「長め」など、形容詞の語幹に付く場合は、かな書き)
め 芽
め 雌 〜しべ。〜花。
めあたらしい 目新しい
めあて 目当て
めあわせる 〔×娶〕
めい 名 ① {メイ・ミョウ／な}
めい 明 ② {メイ・ミョウ、あかり・あかるい・あかるむ・あからむ・あきらか・あける・あく・あくる・あかす}
めい 鳴 ② {メイ／なく・なる・ならす}
めい 命 ③ {メイ・ミョウ／いのち}
めい 迷 ⑤ {メイ／まよう}
めい 盟 ⑥ {メイ}
めい 冥 {メイ・ミョウ}
めい 銘 {メイ}
めい 〔×姪〕
めいあん 名案
めいあん 明暗 〜を分ける。
めいい 名医
めいうつ 銘打つ
めいうん 命運
めいおうせい 冥王星
めいか 名家
めいか 名歌
めいか 銘菓
めいが 名画
めいかい 明快
めいかい 冥界
めいかく 明確
めいがら 銘柄
めいき 名器 バイオリンの〜。
めいき 明記 (はっきりと書き記す)理由を〜する。
めいき 銘記 (心に刻んで忘れない)心に〜する。
めいぎ 名義 〜書き換え。
めいきゅう 迷宮 〜入り。
めいきょうしすい 明鏡止水
めいきょく 名曲
めいく 名句
めいくん 名君
めいげつ 名月 中秋の〜。
めいげつ 明月 〜の夜。
めいけん 名犬
めいけん 名剣
めいげん 名言 〜を吐く。
めいげん 明言 〜を避ける。
めいこう 名工
めいさい 明細 〜書。
めいさい 迷彩 〜服。
めいさく 名作
めいさつ 名刹 読 *由緒ある寺。
めいさつ 明察

〔 〕使わない漢字　×表外字(常用漢字表にない字)　▲表外音訓(常用漢字表にない読み)
①〜⑥教育漢字の学年配当　①−②(①の表記を優先するが、②の表記を使ってもよい語)

めいさん	名産	めいそう	名僧
めいざん	名山	めいそう	迷走　～神経。～台風。
めいし	名士	めいそう	めい想〔×瞑〕　＊黙想。
めいし	名刺　～入れ。	めいだい	命題
めいし	名詞	めいちゅう	命中
めいじ	明示	めいちゅう	めい虫〔×螟〕　二化～。
めいじ	明治　(年号)	めいちょ	名著
めいじつ	名実　～ともに。	めいっぱい	目いっぱい〔一杯〕
めいしゅ	名手	**めいてい**	〔×酩×酊〕　＊深酔い。泥酔。
めいしゅ	名酒　(優れた有名な酒)	めいど	明度
めいしゅ	銘酒　(特別の名前を付けたよい酒)	めいど	冥土　(「冥途」とも)　＊あの世。
めいしゅ	盟主	めいとう	名刀
めいしょ	名所　～旧跡。	めいとう	名湯
めいしょう	名匠	めいとう	名答　(立派な答え)
めいしょう	名称	めいとう	明答　(はっきりした答え)　～が得られない。
めいしょう	名将	めいどう	鳴動　火山の～。大山～。
めいしょう	名勝	めいにち	命日
めいじょう	名状　～し難い。	めいば	名馬
めいしょく	明色	めいはく	明白
めいじる	命じる	めいびん	明敏　頭脳～。
めいじる	銘じる　肝に～。	めいふく	冥福　(宗教・宗派によっては使わない)
めいしん	迷信	めいぶつ	名物
めいじん	名人　～芸。～肌。	めいぶん	名分　大義～。
めいすい	名水	めいぶん	名文　～家。
めいずる	命ずる	めいぶん	銘文　仏像の～。
めいずる	銘ずる　肝に～。	めいぶんか	明文化
めいせい	名声		
めいせき	明せき〔×晰〕　(はっきりしていること)　＊明敏。		
めいせん	銘仙　(絹織物の一種)		

特 表外字・表外音訓を用いてよい特例の語　　付 常用漢字表の付表の語
送 送りがなを省く特例　　読 読みがなを付けるのが望ましい語　　＊類語・言いかえ例

めいほ　名簿
めいぼう　名望　〜家。
めいみゃく　命脈　〜を保つ。
めいめい　命名　〜式。
めいめい　〔銘々〕　〜に分ける。
めいめいざら　銘々皿
めいめつ　明滅
めいもう　迷妄
めいもく　名目　〜賃金。
めいもく　めい目〔×瞑〕　＊目をつぶる。目を閉じる。死ぬ。
めいもん　名門　〜校。
めいやく　名訳
めいやく　盟約　〜を結ぶ。
めいゆう　名優
めいゆう　盟友
めいよ　名誉　〜回復。〜挽回。
めいよきそん　名誉毀損〔棄〕《法律》
めいよしょく　名誉職
めいり　名利
めいりょう　明瞭　＊はっきりした。明らかな。
めいる　〔▲滅入〕　気が〜。
めいれい　命令
めいろ　迷路
めいろう　明朗　〜活発。
めいろん　名論
めいわく　迷惑　近所〜。
めうえ　目上
めうし　雌牛
めうつり　目移り

メートル　〔▲米〕
めおと　〔▲夫▲婦〕
めがお　目顔　〜で知らせる。
めかくし　目隠し
めがける　目がける〔掛〕
めがしら　目頭
めかす　〔▲粧〕
めかた　目方
めがね　眼鏡 付
めがねばし　眼鏡橋
めがみ　女神
めきき　目利き
めくじら　目くじら　〜を立てる。
めぐすり　目薬
めくばせ　目くばせ〔▲配〕
めくばり　目配り
めぐまれる　恵まれる
めぐみ　恵み
めぐむ　恵む
めぐむ　芽ぐむ
めぐらす　巡らす〔▲回・×繞〕
めぐり　巡り　島〜。名所〜。
めぐりあい　巡り合い　(「巡り会い」とも)
めぐりあう　巡り合う　(「巡り会う」とも)
めぐりあわせ　巡り合わせ
めくる　〔×捲〕
めぐる　巡る〔▲回・×繞〕
めくるめく　目くるめく〔×眩〕
めげる　困難にもめげず。

〔　〕使わない漢字　　×表外字(常用漢字表にない字)　　▲表外音訓(常用漢字表にない読み)
①〜⑥教育漢字の学年配当　　①－②(①の表記を優先するが，②の表記を使ってもよい語)

めこぼし	目こぼし〔×溢〕
めさき	目先
めざし	目刺し
めざす	目指す〔差〕
めざとい	目ざとい〔▲敏〕
めざましい	目覚ましい
めざましどけい	目覚まし時計
めざめ	目覚め お〜。春の〜。
めざめる	目覚める
めざわり	目障り
めし	飯
めしあがる	召し上がる
めしうど	召人 付 歌会始の〜。
めしかかえる	召し抱える
めした	目下
めしたき	飯炊き
めしつかい	召し使い
めしつぶ	飯粒
めしとる	召し捕る
めしべ	雌しべ〔×蕊〕
めしもの	召し物 お〜。
めじり	目尻
めじるし	目印
めじろ	〔目白〕
めじろおし	めじろ押し〔目白〕
めす	雌〔×牝〕
めす	召す
めずらしい	珍しい
めせん	目線
めだか	〔目高〕
めだつ	目立つ
めたて	目立て のこぎりの〜。
めだま	目玉 〜商品。
めだまやき	目玉焼き
めちゃくちゃ	〔▲滅茶苦茶〕
めつ	滅 {メツ/ほろびる・ほろぼす}
めつき	目つき〔付〕
めっき	〔×鍍▲金〕
めっきり	〜衰える。
めっきん	滅菌
めつけ	目付け 〜役。
めっしほうこう	滅私奉公
めっする	滅する
めっそう	〔滅相〕〜もない。
めった	〔滅多〕〜に。〜やたら。
めったうち	めった打ち〔滅多〕
めつぶし	①目つぶし ②目潰し
めつぼう	滅亡
めっぽう	〔滅法〕
めづまり	目詰まり
めでたい	〔目・芽出▲度〕
めでる	〔▲愛〕
めど	〔目▲処〕〜がつく。
めどおり	目通り
めとる	〔×娶〕
めぬき	目抜き 〜通り。
めのう	〔×瑪×瑙〕
めのかたき	目の敵
めのこざん	目の子算
めのまえ	目の前
めばえる	芽生える
めはし	目端 〜が利く。

特 表外字・表外音訓を用いてよい特例の語　付 常用漢字表の付表の語
送 送りがなを省く特例　読 読みがなを付けるのが望ましい語　＊類語・言いかえ例

めはな	目鼻　〜がつく。
めばな	雌花
めばり	目張り
めびな	女びな〔×雛〕（「おびな」は，かな書き）
めぶく	芽吹く
めぶんりょう	目分量
めべり	目減り
めぼし	目星　〜をつける。
めぼしい	〔目星〕
めまい	〔×眩×暈〕
めまぐるしい	目まぐるしい〔▲紛〕
めめしい	女々しい
めもと	目元〔▲許〕
めもり	目盛り
めやす	目安
めやに	目やに〔▲脂〕
めりこむ	めり込む〔▲減〕
メリヤス	〔×莫▲大▲小〕
めん	面 ③ {メン／おも・おもて・つら}
めん	綿 ⑤ {メン／わた}
めん	免 {メン／まぬかれる}
めん	麺 {メン}
めんえき	免疫
めんおりもの	綿織物〔×棉〕送
めんか	綿花〔×棉〕
めんかい	面会　〜謝絶。
めんかん	免官
めんきつ	面詰
めんきょ	免許　〜証。〜皆伝。
めんくらう	〔面食・×喰〕

めんこ	〜遊び。
めんざい	免罪　〜符。
めんし	綿糸〔×棉〕
めんしき	面識
めんじゅうふくはい	面従腹背
めんじょ	免除
めんじょう	免状
めんしょく	免職　懲戒〜。
めんじる	免じる
めんしん	免震　〜構造。
めんする	面する
めんずる	免ずる
めんぜい	免税　〜品。〜店。
めんせいひん	綿製品
めんせき	免責　〜条項。
めんせき	面積
めんせつ	面接　〜試験。
めんぜん	面前
めんそ	免訴　《法律》
めんだん	面談　委細〜。
メンツ	〔面▲子〕　〜を立てる。＊面目。
めんどう	面倒　〜見。
めんどうくさい	面倒くさい〔臭〕
めんとおし	面通し
めんどり	〔▲雌鳥・鶏〕
めんば	面罵
めんぷ	綿布
めんぼう	綿紡
めんぼう	綿棒
めんぼう	麺棒

めんぼく	**面目**	めんもく	**面目**
めんみつ	**綿密**	めんよう	**綿羊**〔×緬〕
めんめん	**面々** 同志の〜。	めんるい	**麺類**
めんめん	**綿々** 〜と訴える。		

㊝ 表外字・表外音訓を用いてよい特例の語　㊞ 常用漢字表の付表の語
㊞ 送りがなを省く特例　㊞ 読みがなを付けるのが望ましい語　＊類語・言いかえ例

も

- も　模 ⑥ {モ・ボ}
- も　茂 {モ/しげる}
- も　喪　～に服する。
- も　藻
- もう　毛 ② {モウ/け}
- もう　望 ④ {ボウ・モウ/のぞむ}
- もう　亡 ⑥ {ボウ・モウ/ない}
- もう　妄 {モウ・ボウ}
- もう　盲 {モウ}
- もう　耗 {モウ・コウ}
- もう　猛 {モウ}
- もう　網 {モウ/あみ}
- もうい　猛威　～を振るう。
- もうか　猛火
- **もうかる**　〔×儲〕
- もうぎゅう　猛牛
- もうきん　猛きん〔×禽〕　～類。
- **もうけ**　〔×儲〕　～口。～話。～物。
- もうける　設ける
- **もうける**　〔×儲〕
- もうけん　猛犬
- もうげん　妄言
- もうこ　猛虎
- もうこう　猛攻
- もうこん　毛根
- もうさいかん　毛細管
- もうさいけっかん　毛細血管
- もうしあげる　申し上げる
- もうしあわせ　申し合わせ　～事項。
- もうしあわせる　申し合わせる
- もうしいで　申しいで〔▲出〕
- もうしいれ　申し入れ
- もうしいれる　申し入れる
- もうしうける　申し受ける
- もうしおくる　申し送る
- もうしかねる　申しかねる〔兼〕
- もうしご　申し子
- もうしこみ　申し込み
- もうしこみきかん　申込期間 送
- もうしこみしょ　申込書 送
- もうしこむ　申し込む
- もうしたて　申し立て
- もうしたてにん　申立人 送
- もうしたてる　申し立てる
- もうしつける　申しつける〔付〕
- もうしつたえる　申し伝える
- もうしでる　申し出る
- もうしのべる　申し述べる
- もうしひらき　申し開き
- もうしぶん　申し分　～ない。
- もうじゃ　亡者
- もうしゅう　妄執〔盲〕
- もうじゅう　盲従〔妄〕
- もうじゅう　猛獣
- もうしょ　猛暑
- もうしょう　猛将

〔　〕使わない漢字　　×表外字（常用漢字表にない字）　　▲表外音訓（常用漢字表にない読み）
①～⑥教育漢字の学年配当　　①−②（①の表記を優先するが，②の表記を使ってもよい語）

もうし　申し訳　〜ない。
もうしわたし　申し渡し
もうしん　妄信〔盲〕
もうしん　猛進
もうじん　盲人
もうす　申す
もうせい　猛省　〜を促す。
もうせん　〔毛×氈〕
もうぜん　猛然
もうそう　妄想　誇大〜。
もうそうちく　〔×孟宗竹〕（「もうそうだけ」とも）
もうだ　猛打
もうちょう　盲腸
もうつい　猛追
もうで　詣で　○○詣で。（「初詣」は，送りがななし）
もうでる　詣でる
もうとう　毛頭　〜ない。
もうどう　妄動〔盲〕　軽挙〜。
もうどうけん　盲導犬
もうどく　猛毒
もうねん　妄念
もうはつ　毛髪
もうひつ　毛筆
もうふ　毛布
もうまく　網膜
もうもう　〔×濛々・×朦々〕
もうもく　盲目
もうゆう　猛勇　〜を振るう。

もうら　網羅
もうれつ　猛烈
もうろう　〔×朦×朧〕
もうろく　〔×耄×碌〕　＊老化。
もえ　燃え
もえあがる　燃え上がる
もえかす　燃えかす〔滓〕
もえがら　燃え殻
もえぎ　〔×萌×葱・黄〕
もえさかる　燃え盛る
もえさし　燃えさし〔差〕
もえたつ　燃えたつ〔立〕
もえつきる　燃え尽きる
もえつく　燃えつく〔付〕
もえでる　もえ出る〔×萌〕
もえのこり　燃え残り
もえる　燃える
もえる　〔×萌〕　若草が〜。
もがく　〔×踠〕
もがりぶえ　もがり笛〔▲虎▲落〕
もぎ　模擬〔×摸〕　〜店。〜試験。
もぎとる　もぎ取る〔×捥〕
もく　木 ①｛ボク・モク／き・こ｝
もく　目 ①｛モク・ボク／め・ま｝
もく　黙｛モク／だまる｝
もぐ　〔×捥〕　梨を〜。
もくぎょ　木魚
もくげき　目撃　〜者。〜証言。
もぐさ　〔×艾〕
もくざい　木材
もくさつ　黙殺

もくさん　目算	～違い。
もくし　黙視	
もくじ　目次	
もくしつ　木質	
もくしろく　黙示録	
もくず　藻くず〔×屑〕	海の～となる。
もくする　目する	後継者と目される。
もくする　黙する	
もくせい　木星	
もくせい　木製	
もくせい　〔木×犀〕	
もくぜん　目前	
もくぞう　木造	～家屋。
もくぞう　木像	
もくそく　目測	
もくたん　木炭	
もくちょう　木彫	
もくてき　目的	～意識。～地。
もくと　目途	
もくとう　黙とう〔×禱〕	
もくどく　黙読	
もくにん　黙認	
もくば　木馬	
もくはん　木版	～画。
もくひ　黙秘	～権。
もくひょう　目標	努力～。～額。
もくへん　木片	
もくめ　木目	
もくもく　黙々	
もくよう　木曜	
もくよく　もく浴〔×沐〕	斎戒～。
もぐら　〔▲土▲竜〕	
もぐり　〔潜〕	～の営業。
もぐりこむ　潜り込む	
もぐる　潜る	
もくれい　目礼	（目を合わせて礼をすること）
もくれい　黙礼	（無言のまま礼をすること）
もくれん　〔木×蓮〕	
もくろく　目録	
もくろみ　〔目▲論見〕	
もくろむ　〔目▲論〕	
もけい　模型〔×摸形〕	
もげる　〔×捥〕	
もこ　〔模×糊〕	
もさ　猛者[付]	
もさく　模索〔×摸〕	
もし　〔▲若〕	
もじ　文字	
もしくは　〔若〕	
もじづかい　文字遣い	
もじどおり　文字どおり〔通〕	
もじばん　文字盤	
もしや　〔▲若〕	
もしゃ　模写〔×摸〕	
もしゅ　喪主	
もしょう　喪章	
もじる　〔×捩〕	
もす　燃す	
もず　〔▲百▲舌〕	
もする　模する〔×摸〕	

〔　〕使わない漢字　　×表外字（常用漢字表にない字）　　▲表外音訓（常用漢字表にない読み）
1～6 教育漢字の学年配当　　①─②（①の表記を優先するが，②の表記を使ってもよい語）

もぞう	模造〔×摸〕 ～紙。～品。
もだえる	〔×悶〕
もたげる	〔×擡〕
もたせかける	〔×凭掛〕
もたらす	〔×齎〕
もたれかかる	〔×凭掛〕
もたれる	〔×凭〕
もち	持ち 自分～。
もち	〔▲保〕 ～がよい。
もち	餅
もちあい	持ち合い 株式の～。
もちあい	もち合い〔▲保〕《株式》 ～相場。
もちあう	持ち合う
もちあがる	持ち上がる
もちあげる	持ち上げる
もちあじ	持ち味
もちあみ	餅網
もちあるき	持ち歩き
もちあわす	持ち合わす
もちあわせ	持ち合わせ ～がない。
もちあわせる	持ち合わせる
もちいえ	持ち家 ～制度。
もちいる	用いる
もちかえる	持ち替える
もちがし	餅菓子
もちかぶ	持ち株 ～会社。
もちきり	持ちきり〔切〕
もちぐされ	持ち腐れ 宝の～。
もちくずす	持ち崩す 身を～。
もちこす	持ち越す 結論を～。
もちこたえる	持ちこたえる〔▲堪〕
もちごま	持ち駒
もちこみ	持ち込み ～禁止。
もちこむ	持ち込む
もちごめ	もち米〔×糯〕
もちじかん	持ち時間
もちだし	持ち出し ～禁止。
もちだす	持ち出す
もちつき	餅つき〔×搗〕
もちつもたれつ	持ちつ持たれつ
もちなおす	持ち直す
もちにげ	持ち逃げ
もちぬし	持ち主
もちば	持ち場
もちはこぶ	持ち運ぶ
もちはだ	もち肌〔餅▲膚〕
もちぶん	持ち分
もちまえ	持ち前
もちまわり	持ち回り ～閣議。
もちもの	持ち物 ～検査。
もちや	餅屋 餅は～。
もちゅう	喪中
もちよる	持ち寄る
もちろん	〔×勿論〕
もつ	物 ③{ブツ・モツ / もの}
もつ	持つ 荷物を～。
もつ	〔▲保〕 2～3日は～。
もっか	目下 ＊今。
もっか	黙過 ＊大目に見る。見逃す。
もっかん	木簡
もっかんがっき	木管楽器

特 表外字・表外音訓を用いてよい特例の語　　付 常用漢字表の付表の語
送 送りがなを省く特例　　読 読みがなを付けるのが望ましい語　　＊類語・言いかえ例

もっきん　**木琴**
もっけ　〔×勿▲怪〕　～の幸い。
もっけい　**黙契**　＊内々，約束を結ぶ。
もっこう　**木工**　～品。～所。
もっこう　**黙考**　沈思～。
もったい　〔×勿体〕　～をつける。
もったいない　〔×勿体無〕
もったいぶる　〔×勿体振〕
もって　〔▲以〕
もってのほか　①もってのほか ②もっての外〔▲以〕
もっと　～欲しい。
もっとも　**最も**　～大きい。
もっとも　〔×尤〕　～な意見。～らしい。
もっぱら　**専ら**
もつやき　**もつ焼き**
もつれる　〔×縺〕
もつれこむ　**もつれ込む**〔×縺〕
もてあそぶ　①もてあそぶ ②弄ぶ〔▲玩〕　運命にもてあそばれる。
もてあます　**持て余す**
もてなし　〔持成〕
もてなす　〔持成〕
もてはやす　〔持▲映・×囃〕
もてる　〔持〕
もと　**下**　法の～の平等。先生の指導の～に。
もと　**元**〔▲旧・**故**・▲原〕　出版～。火の～。～がかかる。～首相。～のさや。足～。親～。口～。
もと　**本**　～を正す。～と末。

もと　**基**　資料を～にする。～づく。
もと　〔▲因〕　病気の～。混乱の～。
もと　〔▲素〕　料理の～。
もと　〔▲許〕　心～ない。
もとい　**基**
もとうけ　**元請け**
もとうた　**元歌**
もとうり　**元売り**
もとうりかかく　**元売価格**送
もどかしい　時間がたつのも～。
もどき　〔▲擬〕　芝居～。
もときん　**元金**
もとごえ　**元肥**
もどしぜい　**戻し税**
もとじめ　**元締め**
もどす　**戻す**
もとせん　**元栓**
もとちょう　**元帳**
もとづく　**基づく**
もとで　**元手**
もとどおり　**元どおり**〔通〕
もとね　**元値**
もとめ　**求め**
もとめる　**求める**
もともと　〔元々〕
もとゆい　**元結**送　(「モットイ」とも)
もとより　〔元・▲固・▲素〕　～承知だ。
もどりづゆ　**戻り梅雨**
もどりみち　**戻り道**
もとる　〔×悖〕

〔　〕使わない漢字　　×表外字(常用漢字表にない字)　　▲表外音訓(常用漢字表にない読み)
1～6教育漢字の学年配当　　①－②(①の表記を優先するが，②の表記を使ってもよい語)

もどる	戻る　元に〜。
もなか	〔▲最中〕
もぬけのから	もぬけの殻〔藻抜・×蛻〕
もの	者
もの	物
もの	(「正しい〜と認める」などの場合)
ものいい	物言い　〜をつける。
ものいみ	物忌み
ものいり	物入り
ものうい	①もの憂い ②物憂い〔×懶〕
ものうげ	①もの憂げ ②物憂げ〔×懶〕
ものうり	物売り
ものおき	物置 送　〜小屋。
ものおじ	①ものおじ ②物おじ〔▲怖〕　〜しない。
ものおしみ	物惜しみ
ものおと	物音
ものおぼえ	物覚え
ものおもい	物思い　〜にふける。
ものかき	物書き
ものかげ	物陰
ものがたり	物語 送
ものがたる	物語る
ものがなしい	①もの悲しい ②物悲しい
ものぐさ	〔物臭〕
ものごい	物乞い
ものごころ	物心　〜が付く。
ものごし	物腰
ものごと	物事
ものさし	物差し〔指〕
ものさびしい	①もの寂しい ②物寂しい
ものしずか	①もの静か ②物静か
ものしり	物知り〔▲識〕
ものずき	物好き
ものすごい	〔物▲凄〕
ものだね	物種　命あっての〜。
ものたりない	①もの足りない ②物足りない
ものとり	物取り
もののあわれ	〔物哀〕
もののかず	物の数　〜ではない。
もののけ	〔物▲怪〕
もののふ	〔▲武▲士〕
ものほし	物干し〔▲乾〕　〜ざお。〜場。
ものほしげ	①もの欲しげ ②物欲しげ
ものまね	〔物真▲似〕
ものみ	物見　〜高い。〜遊山。
ものめずらしい	①もの珍しい ②物珍しい
ものもち	物持ち　〜がいい。
ものものしい	〔物々〕
ものもらい	物もらい〔×貰〕（麦粒腫の俗称）
ものやわらか	①もの柔らか ②物柔らか

特 表外字・表外音訓を用いてよい特例の語　　付 常用漢字表の付表の語
送 送りがなを省く特例　　読 読みがなを付けるのが望ましい語　　＊類語・言いかえ例

ものわかり	物分かり　〜がよい。
ものわかれ	物別れ
ものわすれ	物忘れ
ものわらい	物笑い
もはや	〔▲最早〕
もはん	模範　〜演技。
もふく	喪服
もほう	模倣〔×摸〕
もまれる	〔×揉〕
もみ	〔×籾〕　種〜。
もみ	〔×樅〕　〜の木。
もみあう	もみ合う〔×揉〕
もみあげ	〔×揉上〕
もみあらい	もみ洗い〔×揉〕
もみがら	もみ殻〔×籾〕
もみけし	もみ消し〔×揉〕　〜を図る。
もみけす	もみ消す〔×揉〕
もみじ	紅葉付　〜狩り。
もみすり	〔×籾×摺〕　〜機。
もみで	もみ手〔×揉〕
もみほぐす	〔×揉▲解〕
もむ	〔×揉〕
もめごと	もめ事〔×揉〕
もめる	〔×揉〕
もめん	木綿付
もも	桃
もも	〔▲股・×腿〕
ももいろ	桃色
ももひき	〔▲股引〕
ももわれ	桃割れ
もや	〔×靄〕
もやう	〔×舫〕　もやい船。
もやし	〔×萌〕
もやす	燃やす
もよう	模様　花〜。(「…するもようだ」などは，なるべくかな書き)
もようがえ	模様替え
もよおし	催し　〜物。
もよおす	催す
もより	最寄り付　〜の駅。
もらいうける	もらい受ける〔×貰〕
もらいて	もらい手〔×貰〕
もらいなき	もらい泣き〔×貰〕
もらいもの	もらい物〔×貰〕
もらう	〔×貰〕　物を〜。…して〜。
もらす	漏らす〔×洩・×泄〕
もり	森〔×杜〕
もり	守り　子どもの〜をする。(「コモリ」の場合は「子守」送)
もり	盛り　〜がいい。
もり	〔×銛〕
もりあがる	盛り上がる
もりあげる	盛り上げる
もりかえす	盛り返す
もりかげ	森陰
もりきり	盛り切り
もりそば	盛りそば〔×蕎▲麦〕
もりだくさん	盛りだくさん〔沢山〕
もりたてる	もり立てる〔▲守〕
もりつける	盛りつける〔付〕
もりつち	盛り土　(土木関係では「モリド」)

〔　〕使わない漢字　　×表外字(常用漢字表にない字)　　▲表外音訓(常用漢字表にない読み)
①〜⑥教育漢字の学年配当　　①－②(①の表記を優先するが，②の表記を使ってもよい語)

もりばな　盛り花	もんこ　門戸　～を開放する。
もりやく　守り役	もんごん　文言
もる　盛る	もんさつ　門札
もる　漏る〔×洩〕	もんし　門歯
もれ　漏れ〔×洩〕	もんじ　文字
もれなく　漏れなく　～配る。	もんしゅ　門主
もれる　漏れる〔×洩〕	もんしょう　紋章
もろい　〔×脆〕	**もんしろちょう**　〔紋白×蝶〕
もろこし　〔×蜀×黍〕	もんしん　問診
もろざし　もろ差し〔▲双〕《相撲》	もんじん　門人
もろて　もろ手〔▲両・▲双・▲諸〕	もんせき　問責　～決議。
～を挙げて賛成。	もんぜき　門跡
もろとも　〔▲諸共〕	もんぜつ　もん絶〔×悶〕
もろは　もろ刃〔▲両・▲双・▲諸〕	もんぜん　門前　～町(マチ)。
～の剣(ツルギ)。	もんぜんばらい　門前払い
もろはだ　もろ肌〔▲諸▲膚〕　～を脱	もんだい　問題
ぐ。	**もんちゃく**　〔×悶着〕　＊もめ事。
もろもろ　〔▲諸〕	もんちゅう　門柱
もん　文①{ブン・モン/ふみ}	もんつき　紋付き
もん　門②{モン/かど}	もんてい　門弟
もん　聞②{ブン・モン/きく・きこえる}	もんと　門徒
もん　問③{モン/とう・とい・とん}	もんどう　問答　禅～。～無用。
もん　紋{モン}	もんどころ　紋所
もんえい　門衛	もんなし　文無し
もんか　門下　～生。	もんばつ　門閥
もんがい　門外　～漢。～不出。	もんばん　門番
もんがまえ　門構え	もんぴ　門扉
もんきりがた　紋切り型	もんぷく　紋服
もんく　文句　～なしに。殺し～。	**もんぺ**
もんげん　門限	**もんめ**　〔×匁〕

特 表外字・表外音訓を用いてよい特例の語　　付 常用漢字表の付表の語
送 送りがなを省く特例　　読 読みがなを付けるのが望ましい語　　＊類語・言いかえ例

もんよう **文様** (美術工芸品の模様の様式)

もんよう **紋様** (特定の分野)小紋の〜。

や

や	夜 ②{よ・よる}	
や	野 ②{や・の}	～に下る。
や	冶 {ヤ}	
や	弥 {や}	
や	矢 〔×箭〕	
や	屋	(建物・商売・性質など)母～。長～。酒～。気取り～。
や	家	(主に住宅)一軒～。貸～。

ヤード 〔×碼〕
やいた 矢板
やいば 〔▲刃〕
やいん 夜陰 ～に乗ずる。
やえ 八重 ～咲き。
やえい 夜営
やえい 野営
やえざくら 八重桜
やえば 八重歯
やえん 野猿
やおちょう 八百長 付
やおもて 矢面〔表〕 ～に立つ。
やおや 八百屋 付
やおよろず 〔八▲百▲万〕 ～の神。
やかい 夜会 ～服。
やがい 野外 ～活動。
やがく 夜学
やがすり 矢がすり〔▲飛▲白・×絣〕
やかた 館〔屋形〕
やかたぶね 屋形船
やがて 〔×軈〕
やかましい 〔×喧〕
やから 〔▲輩・▲族〕
やかん 夜間
やかん 〔▲薬缶〕
やき 焼 送 (工芸品)備前～。
やき 焼き ～が悪い。かば～。
やき 夜気
やぎ 〔▲山▲羊〕
やきあみ 焼き網
やきいも 焼き芋
やきいろ 焼き色 ～を付ける。
やきいん 焼き印
やきうち 焼き打ち〔討〕
やききる 焼き切る
やきぐり 焼き栗
やきごて 焼きごて〔×鏝〕
やきざかな 焼き魚〔×肴〕
やきすてる 焼き捨てる
やきそば 焼きそば〔×蕎▲麦〕
やきたて 焼きたて〔立〕
やきつく 焼き付く
やきつくす 焼き尽くす
やきつける 焼き付ける
やきどうふ 焼き豆腐
やきとり 焼き鳥
やきなおし 焼き直し

特 表外字・表外音訓を用いてよい特例の語　付 常用漢字表の付表の語
送 送りがなを省く特例　説 読みがなを付けるのが望ましい語　＊類語・言いかえ例

やきにく　焼き肉
やきのり　焼きのり〔▲海×苔〕
やきはた　焼き畑〔×畠〕（「ヤキバタ」とも）〜農業。
やきはらう　焼き払う
やきぶた　焼き豚
やきまし　焼き増し　写真の〜。
やきめし　焼き飯
やきもち　焼き餅　（焼いた餅）
やきもち　（嫉妬の場合）
やきもの　焼き物
やきゅう　野球
やぎゅう　野牛
やきょく　夜曲　（セレナード）
やきん　夜勤
やきん　冶金[読]　（「ヤ金」とも）
やく　役 ③ {ヤク・エキ}　〜に立つ。
やく　薬 ③ {ヤク／くすり}
やく　約 ④ {ヤク}
やく　益 ⑤ {エキ・ヤク}
やく　訳 ⑥ {ヤク／わけ}
やく　厄 {ヤク}
やく　疫 {エキ・ヤク}
やく　躍 {ヤク／おどる}
やく　焼く
やく　〔▲妬〕　*妬む。
やぐ　夜具
やくいん　役員　〜会。〜報酬。
やくえき　薬液
やくおとし　厄落とし
やくがい　薬害

やくがく　薬学　〜部。
やくがら　役柄
やくご　訳語
やくざ
やくざい　薬剤　〜師。
やくさつ　薬殺
やくさつ　やく殺〔×扼〕　*絞殺。
やくし　訳詞　（歌詞の翻訳）
やくし　訳詩　（詩の翻訳）
やくじ　薬事　〜法。〜審議会。
やくじ　薬餌　〜療法。
やくしゃ　役者　千両〜。能〜。
やくしゃ　訳者
やくしょ　役所　〜勤め。
やくじょ　躍如　面目〜。
やくじょう　約定　〜書。
やくしょく　役職
やくしん　躍進
やくす　約す　分数を〜。
やくす　訳す
やくすう　約数
やくせき　薬石　〜効なく。
やくぜん　薬膳　《料理》
やくそう　薬草
やくそく　約束　口〜。〜手形。
やくだつ　役立つ
やくだてる　役立てる
やくづき　役付き
やくとう　薬湯
やくどう　躍動
やくとく　役得

〔　〕使わない漢字　　×表外字(常用漢字表にない字)　　▲表外音訓(常用漢字表にない読み)
①〜⑥教育漢字の学年配当　　①—②(①の表記を優先するが，②の表記を使ってもよい語)

やくどころ　役どころ〔所〕	やけだされる　焼け出される
やくどし　厄年	やけつく　焼け付く
やくにん　役人	**やけど**　〔▲火▲傷〕
やくば　役場　公証人～。町～。	やけのがはら　焼け野が原
やくはらい　厄払い	やけぶとり　焼け太り
やくび　厄日	やける　焼ける
やくびょうがみ　疫病神	**やける**　〔▲妬〕
やくひん　薬品	やけん　野犬
やくぶそく　役不足	**やご**　(とんぼの幼虫)
やくぶつ　薬物　～依存。	やこう　夜行　～列車。
やくぶん　約分　《数学》	やこう　夜光　～塗料。
やくぶん　訳文	やごう　屋号〔家〕
やくほん　訳本	やこうちゅう　夜光虫
やくまわり　役回り〔×廻〕	やさい　野菜
やくみ　薬味	やさおとこ　優男
やくめ　役目	やさがし　家捜し
やくよう　薬用　～植物。～せっけん。	**やさき**　〔矢先〕　出かけようとした～。
やくよけ　厄よけ〔▲除〕	やさしい　易しい　試験が～。～仕事。
やぐら　〔×櫓〕　～太鼓。	やさしい　優しい　気立てが～。～心。
やぐるま　矢車　～草。	やし　〔×椰子〕
やくわり　役割 送	やし　〔▲香▲具師〕
やけ　〔▲自▲棄〕　～になる。	やじ　〔野・弥次〕
やけあと　焼け跡	やじうま　やじ馬〔野・弥次〕
やけい　夜景	やしき　屋敷〔▲邸〕 送　～町。
やけい　夜警	やしない　養い　～親。
やけいし　焼け石　～に水。	やしないそだてる　養い育てる
やけおちる　焼け落ちる	やしなう　養う
やけくそ　〔▲自▲暴▲自▲棄〕	**やしゃご**　〔▲玄▲孫〕
やけこげ　焼け焦げ	やしゅ　野手　(野球)
やけざけ　やけ酒〔▲自▲棄〕	やしゅ　野趣　～に富む。
やけしぬ　焼け死ぬ	やしゅう　夜襲

やじゅう	野獣
やしょく	夜食
やじり	矢じり〔尻・×鏃〕
やじる	〔野・弥次〕
やじるし	矢印
やしろ	社
やしん	野心 ~家。~満々。
やじん	野人
やす	〔×簎〕(漁具)
やすあがり	安上がり
やすい	安い〔▲廉〕値段が~。
やすい	〔▲易〕読み~文章。
やすうけあい	安請け合い
やすうり	安売り
やすっぽい	安っぽい
やすで	安手 ~の生地。
やすね	安値
やすぶしん	安普請
やすまる	休まる
やすみ	休み
やすみやすみ	休み休み
やすむ	休む
やすめる	休める
やすもの	安物 ~買い。
やすやすと	〔▲易々〕
やすらう	休らう
やすらか	安らか
やすらぐ	安らぐ
やすり	〔×鑢〕
やすんじる	安んじる
やせ	痩せ 夏~。着~。
やせい	野生 (山野で自然に育つ)~の馬。~のばら。
やせい	野性 (自然のままの性質)~的。~に返る。
やせうで	痩せ腕
やせおとろえる	痩せ衰える
やせがた	痩せ形 (「痩せ型」とも)
やせがまん	痩せ我慢
やせぎす	痩せぎす
やせこける	痩せこける
やせち	痩せ地
やせほそる	痩せ細る
やせる	痩せる
やせん	夜戦
やせん	野戦 ~病院。
やそう	野草
やそうきょく	夜想曲 (ノクターン)
やたい	屋台 ~骨。~店。
やたいくずし	屋台崩し 《芸能》
やたて	矢立て
やたら	〔矢×鱈〕むやみ~に。
やちょう	野鳥
やちん	家賃
やつ	八つ
やつ	〔▲奴〕
やつあたり	八つ当たり
やっか	薬価 ~基準。
やっかい	〔厄介〕~払い。~者。
やっかん	約款
やっき	躍起 ~となる。

〔 〕使わない漢字　×表外字(常用漢字表にない字)　▲表外音訓(常用漢字表にない読み)
①~⑥教育漢字の学年配当　①−②(①の表記を優先するが，②の表記を使ってもよい語)

やつぎばや ①やつぎばや ②矢継ぎ早
やっきょう 薬きょう〔×莢〕
やっきょく 薬局 ～方。
やっこ 〔▲奴〕
やっこう 薬効
やっこだこ 〔▲奴×凧〕
やっこどうふ やっこ豆腐〔▲奴〕
やつざき 八つ裂き
やつす 〔×窶〕 身を～。
やっつ 八つ，8つ
やっつける 〔▲遣付〕
やつで 〔八手〕
やってくる やって来る
やっぱり 〔矢張〕
やつれ 〔×窶〕 所帯～。
やつれる 〔×窶〕
やど 宿
やとい 雇い〔×傭〕 臨時～。
やといいれる 雇い入れる
やといにん 雇い人
やといぬし 雇い主
やとう 野党
やとう 雇う〔×傭〕
やどかり 〔宿借〕
やどす 宿す
やどちょう 宿帳
やどちん 宿賃
やどなし 宿無し
やどや 宿屋
やどり 宿り 雨～。

やどりぎ 宿り木〔▲寄▲生〕
やどる 宿る
やな 〔×簗・・×梁〕 ～場。
やなぎ 柳〔×楊〕
やなぎごうり 柳ごうり〔行×李〕
やなぎごし 柳腰
やなぎば 柳刃 ～包丁。
やなみ 家並み〔屋〕
やなり 家鳴り
やに 〔▲脂〕 松～。
やにさがる やに下がる〔▲脂〕
やにょうしょう 夜尿症 《医学》
やにわに 〔矢庭〕
やぬし 家主
やね 屋根
やねうら 屋根裏
やねがわら 屋根瓦
やばね 矢羽根
やはり 〔矢張〕
やはん 夜半
やばん 野蛮
やひ 野卑〔×鄙〕
やぶ 〔×藪〕
やぶいり やぶ入り〔×藪〕
やぶか やぶ蚊〔×藪〕
やぶさか 〔×吝〕 ～でない。
やぶさめ 〔▲流×鏑▲馬〕
やぶにらみ 〔×藪×睨〕
やぶへび 〔×藪蛇〕
やぶる 破る
やぶれ 破れ

やぶれがさ　破れ傘
やぶれかぶれ　破れかぶれ
やぶれめ　破れ目
やぶれる　破れる　(破壊。だめになる)シャツが〜。夢が〜。
やぶれる　敗れる　(敗北。負ける)決勝戦で〜。
やぶん　夜分
やぼ　〔野暮〕
やぼう　野望
やま　山　(場合により「ヤマ」。p.31参照)
やまあい　山あい〔▲間〕
やまい　病
やまいこうこう　病こうこう〔×膏×肓〕　〜に入(イ)る。
やまいぬ　山犬
やまいも　山芋
やまおく　山奥
やまおとこ　山男
やまが　山家　〜育ち。
やまかげ　山陰
やまかじ　山火事
やまかぜ　山風
やまがたな　山刀
やまがり　山狩り
やまかわ　山川
やまくずれ　山崩れ
やまぐに　山国
やまけ　山気　〜がある。(「山っ気」とも)〜がある。

やまごえ　山越え
やまごもり　①山ごもり②山籠もり
やまごや　山小屋
やまざくら　山桜
やまざと　山里
やまざる　山猿
やまし　山師
やまじ　山路
やましい　〔×疚・▲疾〕
やまじろ　山城　(山にある城)
やますそ　①山すそ②山裾
やませ　〔山背〕　(風の名)
やまぞい　山沿い
やまだい　山台　《芸能》
やまたかぼう　山高帽
やまつなみ　山津波〔▲浪〕
やまづみ　山積み　〜の滞貨。
やまて　山手
やまでら　山寺
やまと　大和　㊩
やまとえ　大和絵
やまとことば　①大和ことば②大和言葉　*和語。
やまとだましい　大和魂
やまとなでしこ　大和なでしこ〔×撫子〕
やまどり　山鳥
やまなみ　山並み
やまなり　山鳴り
やまなり　山なり〔▲形〕　〜の球を投げる。

〔　〕使わない漢字　　×表外字(常用漢字表にない字)　　▲表外音訓(常用漢字表にない読み)
①〜⑥教育漢字の学年配当　　①−②(①の表記を優先するが、②の表記を使ってもよい語)

やまねこ　山猫　〜スト。
やまのて　山の手
やまのは　山の端
やまのぼり　山登り
やまば　山場　（場合により「ヤマ場」。p.31参照）
やまはだ　山肌〔▲膚〕
やまばと　〔山×鳩〕
やまびこ　〔山×彦〕
やまひだ　山ひだ〔×襞〕
やまびらき　山開き
やまぶき　〔山吹〕
やまぶし　山伏 送
やまふところ　山懐
やまぼこ　山ぽこ〔×鉾〕（「ヤマホコ」とも）
やまみち　山道
やまもり　山盛り　〜の飯。
やまやき　山焼き
やまやま　山々
やまやま　〔山々〕　欲しいのは〜だが。
やまわけ　山分け
やみ　闇 ｛やみ｝
やみあがり　病み上がり
やみいち　闇市
やみうち　闇討ち
やみつき　病みつき〔付〕
やみとりひき　闇取引 送
やみね　闇値
やみよ　闇夜
やむ　病む

やむなく　〔▲止〕
やむをえず　〔▲不得×已・▲止〕
やめ　〔▲止〕
やめる　辞める〔▲罷〕　勤めを〜。
やめる　〔▲止〕
やもうしょう　夜盲症　《医学》
やもめ　〔▲寡▲婦・×鰥▲夫〕　男〜。
やや　〔×稍〕
ややこしい　〜問題。
ややもすると　〔▲動〕
やゆ　〔×揶×揄〕　＊からかう。冷やかす。
やよい　弥生 付　〜時代。〜文化。
やらい　夜来　〜の雨。
やり　〔×槍〕
やりがい　〔▲遣▲甲×斐〕
やりかえす　やり返す〔▲遣〕
やりかた　やり方〔▲遣〕
やりきれない　〔▲遣切〕
やりくち　やり口〔▲遣〕
やりくり　〔▲遣繰〕　〜算段。
やりこめる　やり込める〔▲遣〕
やりすごす　やり過ごす〔▲遣〕
やりそこなう　やり損なう〔▲遣〕
やりだま　やり玉〔×槍〕　〜に挙がる。
やりっぱなし　〔▲遣放〕
やりて　やり手〔▲遣〕
やりとおす　やり通す〔▲遣〕
やりとげる　やり遂げる〔▲遣〕
やりとり　やり取り〔▲遣〕

やりなおす **やり直す**〔▲遣〕	やわらか **軟らか** (「硬」の対)〜な土。〜く煮た大根。
やりなげ **やり投げ**〔×槍〕	やわらかい **柔らかい** 〜布。〜筋肉。
やりば **やり場**〔▲遣〕 〜がない。	やわらかい **軟らかい** 〜材質。文章が〜。
やりみず **やり水**〔▲遣〕	やわらぐ **和らぐ** 気持ちが〜。
やる 〔▲遣〕 使いを〜。…して〜。	やわらげる **和らげる**
やるせない 〔▲遣瀬無〕	**やんごとない** 〔▲止事無〕
やろう **野郎**	**やんわり** 〜と断る。
やわ **夜話**	
やわはだ **柔肌**	
やわらか **柔らか** (「剛」の対)〜な毛布。〜な物腰。	

〔 〕使わない漢字　　×表外字(常用漢字表にない字)　　▲表外音訓(常用漢字表にない読み)
①〜⑥教育漢字の学年配当　　①−②(①の表記を優先するが，②の表記を使ってもよい語)

ゆ

- ゆ 由 ③ {ユ・ユウ・ユイ / よし}
- ゆ 油 ③ {ユ / あぶら}
- ゆ 遊 ③ {ユウ・ユ / あそぶ}
- ゆ 輸 ⑤ {ユ}
- ゆ 喩 {ユ}
- ゆ 愉 {ユ}
- ゆ 諭 {ユ / さとす}
- ゆ 癒 {ユ / いえる・いやす}
- ゆ 湯
- ゆあか 湯あか〔×垢〕
- ゆあがり 湯上がり ～タオル。
- ゆあたり 湯あたり〔▲中〕
- ゆあつ 油圧 ～計。～装置。
- ゆあみ 湯あみ〔▲浴〕
- ゆい 由 ③ {ユ・ユウ・ユイ / よし}
- ゆい 遺 ⑥ {イ・ユイ}
- ゆい 唯 {ユイ・イ}
- ゆいいつ 唯一
- ゆいごん 遺言 ～状。
- ゆいしょ 由緒
- ゆいのう 結納 送
- ゆいぶつ 唯物 ～論。～史観。
- ゆう 右 ① {ウ・ユウ / みぎ}
- ゆう 友 ② {ユウ / とも}
- ゆう 由 ③ {ユ・ユウ・ユイ / よし}
- ゆう 有 ③ {ユウ・ウ / ある}
- ゆう 遊 ③ {ユウ・ユ / あそぶ}
- ゆう 勇 ④ {ユウ / いさむ}
- ゆう 郵 ⑥ {ユウ}
- ゆう 優 ⑥ {ユウ / やさしい・すぐれる}
- ゆう 幽 {ユウ}
- ゆう 悠 {ユウ}
- ゆう 湧 {ユウ / わく}
- ゆう 猶 {ユウ}
- ゆう 裕 {ユウ}
- ゆう 雄 {ユウ / お・おす}
- ゆう 誘 {ユウ / さそう}
- ゆう 憂 {ユウ / うれえる・うれい・うい}
- ゆう 融 {ユウ}
- ゆう 夕 ～べ。
- ゆう 結う
- ゆうあい 友愛
- ゆうい 有為 前途～。
- ゆうい 優位 ～に立つ。
- ゆういぎ 有意義
- ゆういさ 有意差
- ゆういん 誘引 ～剤。
- ゆういん 誘因
- ゆううつ ①憂うつ ②憂鬱
- ゆうえい 遊泳〔×游〕 ～禁止。
- ゆうえき 有益
- ゆうえつ 優越 ～感。
- ゆうえんち 遊園地
- ゆうが 優雅
- ゆうかい 誘拐 ～犯。
- ゆうかい 融解 ～点。

特 表外字・表外音訓を用いてよい特例の語　　付 常用漢字表の付表の語
送 送りがなを省く特例　　読 読みがなを付けるのが望ましい語　　＊類語・言いかえ例

ゆうがい　有害	～物質。
ゆうがい　有蓋	～貨車。
ゆうがお　夕顔	
ゆうかく　遊郭〔×廓〕	
ゆうがく　有額	～回答。
ゆうかしょうけん　有価証券	
ゆうがた　夕方	
ゆうがとう　誘が灯〔×蛾〕	
ゆうかん　夕刊	～紙。
ゆうかん　有閑	～階級。
ゆうかん　有感	～地震。
ゆうかん　勇敢	
ゆうき　有期	～刑。
ゆうき　勇気	
ゆうき　有機	～化学。～物。～質。
ゆうきえんそざい　有機塩素剤	
ゆうきかごうぶつ　有機化合物	
ゆうきすいぎん　有機水銀	
ゆうきたい　有機体	
ゆうきのうほう　有機農法	
ゆうきひりょう　有機肥料	
ゆうきりんざい　有機リン剤〔×燐〕	
ゆうぎ　遊技	(パチンコなど)～場。
ゆうぎ　遊戯	
ゆうぎ　友ぎ〔×誼〕	～団体。＊友好。
ゆうきゅう　有給	～休暇。
ゆうきゅう　悠久	
ゆうきゅう　遊休	～施設。～地。
ゆうきょう　遊興	～費。
ゆうきょう　遊きょう〔×俠〕	＊やくざ。男だて。
ゆうぎり　夕霧	
ゆうぐ　遊具	
ゆうぐう　優遇	
ゆうぐれ　夕暮れ	
ゆうぐん　友軍	
ゆうぐん　遊軍	～記者。
ゆうげ　夕げ〔×餉〕	
ゆうけい　有形	
ゆうげい　遊芸	
ゆうげき　遊撃	～手。～隊。
ゆうげしき　夕景色	
ゆうげん　有限	～会社。
ゆうげん　幽玄	
ゆうげんじっこう　有言実行	
ゆうけんしゃ　有権者	
ゆうこう　友好〔交〕	～国。
ゆうこう　有効	～期間。
ゆうごう　融合	核～。
ゆうこく　夕刻	
ゆうこく　幽谷	深山～。
ゆうこく　憂国	～の士。
ゆうざい　有罪	～判決。
ゆうし　有史	～以前。～以来。
ゆうし　有志	～を募る。
ゆうし　勇士	歴戦の～。
ゆうし　雄姿〔勇〕	
ゆうし　融資	
ゆうじ　有事	～立法。
ゆうしかいひこう　有視界飛行	
ゆうしき　有識	～者。
ゆうしてっせん　有刺鉄線	

〔　〕使わない漢字　　×表外字(常用漢字表にない字)　　▲表外音訓(常用漢字表にない読み)
①〜⑥教育漢字の学年配当　　①−②(①の表記を優先するが，②の表記を使ってもよい語)

ゆうしゃ	勇者	ゆうぜん	友禅　〜染。
ゆうしゅう	有終　〜の美。	ゆうぜん	悠然
ゆうしゅう	憂愁　〜に閉ざされる。	ゆうそう	勇壮〔雄〕
ゆうしゅう	優秀　〜な成績。	ゆうそう	郵送
ゆうじゅう	優柔　〜不断。	ゆうそくこじつ	有職故実（ゆうそく）
ゆうしゅつ	湧出 読 ＊湧き出る。	ゆうたい	勇退
ゆうじょ	遊女	ゆうたい	優待　〜券。
ゆうしょう	有償	ゆうたい	郵袋
ゆうしょう	勇将	ゆうだい	雄大
ゆうしょう	優勝　〜杯。〜劣敗。	ゆうたいるい	有袋類
ゆうじょう	友情	ゆうだち	夕立 送
ゆうしょく	夕食	ゆうだん	勇断
ゆうしょく	有色　〜人種。〜野菜。	ゆうだんしゃ	有段者
ゆうしょく	憂色　〜漂う。	ゆうち	誘致　工場〜。
ゆうじん	友人	ゆうちょう	悠長
ゆうじん	有人　〜ロケット。	ゆうてん	融点
ゆうすい	湧水（ゆうすい） 読 ＊湧き水。	ゆうと	雄図〔勇〕　〜を抱く。
ゆうすいち	遊水池　（固有名詞は「遊水地」も）	ゆうと	雄途〔勇〕　〜につく。
ゆうすう	有数	ゆうとう	優等　〜賞。〜生。
ゆうずう	融通	ゆうとう	遊とう〔×蕩〕＊道楽。
ゆうすずみ	夕涼み	ゆうどう	誘導　〜尋問。
ゆうする	有する	ゆうとく	有徳
ゆうせい	優生　〜学。〜保護法(現在は「母体保護法」)。	ゆうどく	有毒　〜ガス。
ゆうせい	優性　〜遺伝。	ゆうなぎ	夕なぎ〔×凪〕
ゆうせい	優勢　〜勝ち。	ゆうに	優に
ゆうぜい	遊説　全国〜。	ゆうのう	有能
ゆうせつ	融雪　〜期。	ゆうばえ	夕映え〔栄〕
ゆうせん	有線　〜放送。	ゆうばく	誘爆
ゆうせん	優先　〜権。〜順位。	ゆうはつ	誘発
		ゆうはん	夕飯
		ゆうひ	夕日

特 表外字・表外音訓を用いてよい特例の語　　付 常用漢字表の付表の語
送 送りがなを省く特例　　読 読みがなを付けるのが望ましい語　　＊類語・言いかえ例

ゆうひ	雄飛	海外に〜する。	
ゆうび	優美		
ゆうびん	郵便	〜受け。〜はがき。	
ゆうびんきょく	郵便局		
ゆうふく	裕福		
ゆうべ	夕べ	秋の〜。音楽の〜。	
ゆうべ	〔▲昨▲夜〕	(きのうの夜)	
ゆうへい	幽閉		
ゆうべん	雄弁		
ゆうほ	遊歩	〜道。	
ゆうぼう	有望	前途〜。	
ゆうぼく	遊牧	〜民。	
ゆうめい	有名	〜人。〜無実。	
ゆうめい	勇名	〜をはせる。	
ゆうめし	夕飯		
ゆうもう	勇猛〔雄〕	〜果敢。	
ゆうもや	夕もや〔×靄〕		
ゆうやく	勇躍		
ゆうやく	釉薬 特		
ゆうやけ	夕焼け	〜雲。	
ゆうやみ	夕闇		
ゆうゆう	悠々	〜自適。	
ゆうよ	有余	1年〜。	
ゆうよ	猶予	執行〜。	
ゆうよう	有用		
ゆうよう	悠揚	〜迫らぬ。	
ゆうよく	遊よく〔×弋〕	＊航行。動き回る。	
ゆうらん	遊覧	〜船。	
ゆうり	有利〔優〕		
ゆうり	遊離	現実から〜する。	
ゆうりょ	憂慮		
ゆうりょう	有料	〜道路。	
ゆうりょう	優良		
ゆうりょく	有力	〜視。〜者。	
ゆうれい	幽霊	〜会社。〜人口。	
ゆうれつ	優劣		
ゆうわ	融和〔×宥〕	〜策。	
ゆうわく	誘惑		
ゆえ	故	〜に。〜あって。(「…のゆえに」などは、なるべくかな書き)	
ゆえき	輸液	《医学》	
ゆえん	油煙		
ゆえん	〔▲所▲以〕	＊わけ。理由。	
ゆか	床		
ゆかい	愉快		
ゆかいた	床板		
ゆかうえ	床上	〜浸水。	
ゆかうんどう	床運動		
ゆがく	湯がく〔×掻〕		
ゆかげん	湯加減		
ゆかしい	〔床〕		
ゆかした	床下	〜浸水。	
ゆかた	浴衣 付	〜がけ。	
ゆがむ	〔×歪〕		
ゆがめる	〔×歪〕		
ゆかめんせき	床面積		
ゆかり	〔▲縁〕		
ゆき	雪		
ゆき	行き	(「イキ」とも)〜と帰り。	
ゆき	〔×裄〕		
ゆきあう	行き合う〔×逢〕		

〔 〕使わない漢字　　×表外字(常用漢字表にない字)　　▲表外音訓(常用漢字表にない読み)
①〜⑥教育漢字の学年配当　　①−②(①の表記を優先するが、②の表記を使ってもよい語)

ゆきあかり　雪明かり	ゆきだるま　雪だるま〔▲達磨〕
ゆきあそび　雪遊び	ゆきちがい　行き違い
ゆきあたり　行き当たり　〜ばったり。	ゆきつく　行き着く
	ゆきつけ　行きつけ〔付〕
ゆきあたる　行き当たる	ゆきづまる　行き詰まる
ゆきおとこ　雪男	ゆきづらい　行きづらい〔▲辛〕
ゆきおろし　雪下ろし〔降〕	ゆきつり　雪釣り　(「ユキヅリ」とも)
ゆきおんな　雪女	ゆきどけ　①雪どけ　②雪解け
ゆきかう　行き交う	ゆきとどく　行き届く
ゆきかえり　行き帰り	ゆきどまり　行き止まり
ゆきがかり　行きがかり〔懸・掛〕	ゆきなげ　雪投げ
ゆきかき　雪かき〔×搔〕	ゆきなやむ　行き悩む
ゆきがけ　行きがけ〔掛〕　〜の駄賃。	ゆきば　行き場
ゆきがこい　雪囲い	ゆきひら　行平　〜鍋。
ゆきかた　行き方　人それぞれの〜。	ゆきふり　雪降り
ゆきがた　雪形	ゆきまじり　雪交じり　(「交じる」参照)〜の雨。
ゆきがっせん　雪合戦	
ゆきき　行き来〔▲往〕	ゆきまつり　雪祭り
ゆきぐつ　雪ぐつ〔×沓〕　(わらで編んだもの)	ゆきみ　雪見　〜酒。
	ゆきみち　雪道
ゆきぐに　雪国	ゆきやけ　雪焼け
ゆきぐも　雪雲	ゆきやま　雪山
ゆきげしき　雪景色	ゆきよけ　雪よけ〔▲除〕
ゆきげしょう　雪化粧	ゆきわたる　行き渡る
ゆきけむり　雪煙	ゆく　行く　(「イク」とも)
ゆきさき　行き先	ゆく　逝く　(「イク」とも)
ゆきしつ　雪質	ゆくえ　行方　付
ゆきすぎ　行き過ぎ	ゆくえふめい　行方不明
ゆきすぎる　行き過ぎる	ゆくさき　行く先
ゆきずり　行きずり	ゆくすえ　行く末
ゆきだおれ　行き倒れ	ゆくて　行く手

特 表外字・表外音訓を用いてよい特例の語　　付 常用漢字表の付表の語
送 送りがなを省く特例　　読 読みがなを付けるのが望ましい語　　＊類語・言いかえ例

ゆくとし　行く年
ゆくゆくは　〔行〕
ゆげ　湯気
ゆけつ　輸血
ゆけむり　湯煙
ゆさぶり　揺さぶり　～をかける。
ゆさぶる　揺さぶる
ゆざまし　湯冷まし
ゆざめ　湯冷め
ゆさん　遊山　物見～。
ゆし　油脂
ゆし　諭旨　～免職。
ゆしゅつ　輸出　～入。～品。
ゆず　〔×柚▲子〕　～湯。～みそ。
ゆすぐ　〔▲濯〕
ゆすぶる　揺すぶる
ゆすり　〔▲強▲請〕
ゆずり　譲り　親～。
ゆずりあう　譲り合う
ゆずりうける　譲り受ける
ゆずりわたす　譲り渡す
ゆする　揺する　貧乏揺すり。
ゆする　〔▲強▲請〕
ゆずる　譲る
ゆせい　油井
ゆせい　油性　～塗料。
ゆそう　油層
ゆそう　輸送　～力。
ゆそうせん　油槽船　＊タンカー。
ゆたか　豊か
ゆだき　湯炊き　《料理》

ゆだねる　委ねる
ゆだる　〔×茹〕
ゆだん　油断　～大敵。
ゆたんぽ　湯たんぽ〔▲湯▲婆〕
ゆちゃ　湯茶　～の接待。
ゆちゃく　癒着
ゆであずき　ゆで小豆〔×茹〕
ゆでだこ　〔×茹×蛸〕
ゆでたまご　ゆで卵〔×茹玉子〕
ゆでる　〔×茹〕
ゆでん　油田　海底～。
ゆどうふ　湯豆腐
ゆどおし　湯通し
ゆどの　湯殿
ゆとり　～のある生活。
ゆにゅう　輸入　～品。
ゆのみ　湯飲み〔×呑〕　～茶わん。
ゆば　湯葉
ゆび　指
ゆびおり　指折り
ゆびきり　指切り
ゆびさき　指先
ゆびさす　指さす〔差〕
ゆびずもう　指相撲
ゆびにんぎょう　指人形
ゆびぬき　指ぬき〔▲貫〕
ゆびぶえ　指笛
ゆびわ　指輪〔▲環〕
ゆぶね　湯船〔▲槽〕
ゆみ　弓
ゆみず　湯水

〔　〕使わない漢字　　×表外字(常用漢字表にない字)　　▲表外音訓(常用漢字表にない読み)
①～⑥教育漢字の学年配当　　①－②(①の表記を優先するが，②の表記を使ってもよい語)

ゆみとり　弓取り	ゆりかえし　揺り返し　＊余震。
ゆみなり　弓なり〔▲形〕	ゆりかご　揺りかご〔×籃〕
ゆみや　弓矢	ゆりもどし　揺り戻し
ゆめ　夢	ゆる　揺る
ゆめ　〔▲努〕　～忘るるなかれ。	ゆるい　緩い
ゆめうつつ　夢うつつ〔▲現〕	ゆるがす　揺るがす
ゆめごこち　夢心地	**ゆるがせ**　〔×忽〕　～にできない。
ゆめじ　夢路　～をたどる。	ゆるぎない　揺るぎない
ゆめにも　夢にも	ゆるぐ　揺るぐ
ゆめまくら　夢枕　～に立つ。	ゆるし　許し
ゆめみ　夢見　～が悪い。～心地。	ゆるす　許す　許し難い。
ゆめみる　夢みる	ゆるみ　緩み　気の～。
ゆめものがたり　夢物語送	ゆるむ　緩む
ゆゆしい　〔由々〕	ゆるめる　緩める
ゆらい　由来	ゆるやか　緩やか
ゆらぐ　揺らぐ	ゆれ　揺れ
ゆらす　揺らす	ゆれる　揺れる
ゆり　〔▲百▲合〕	ゆわえる　結わえる
ゆりうごかす　揺り動かす	ゆわかし　湯沸かし　～器。
ゆりおこす　揺り起こす	

よ

よ 予 ③{ヨ}
よ 余 ⑤{ヨ/あまる・あます} 10年～。
よ 預 ⑤{ヨ/あずける・あずかる}
よ 与 {ヨ/あたえる}
よ 誉 {ヨ/ほまれ}
よ 代
よ 夜
よ 世 ～の常。～の習い。
よあかし 夜明かし
よあけ 夜明け
よあそび 夜遊び
よあるき 夜歩き
よい 宵
よい 酔い
よい ①よい ②良い〔▲好〕（一般用語）気分が～。成績が～。天気が～。（「…したほうがよい」「…してよい」などは、なるべくかな書き。そのほか、次の例も、なるべくかな書き。「ちょうど～大きさ」「よく怒る人」）
よい ①よい ②善い （限定用語。徳性）～行い。
よいごこち 酔い心地
よいごし 宵越し
よいざめ 酔い覚め〔▲醒〕
よいしれる 酔いしれる〔▲痴〕
よいっぱり 宵っ張り
よいつぶれる ①酔いつぶれる ②酔い潰れる
よいどれ 酔いどれ
よいのくち 宵の口
よいのみょうじょう 宵の明星 （金星）
よいまつり 宵祭り
よいみや 宵宮
よいやみ 宵闇
よいん 余韻
よう 用 ②{ヨウ/もちいる} ～を足す。
よう 曜 ②{ヨウ}
よう 羊 ③{ヨウ/ひつじ}
よう 洋 ③{ヨウ}
よう 葉 ③{ヨウ/は}
よう 陽 ③{ヨウ}
よう 様 ③{ヨウ/さま}
よう 要 ④{ヨウ/かなめ・いる}
よう 養 ④{ヨウ/やしなう}
よう 容 ⑤{ヨウ}
よう 幼 ⑥{ヨウ/おさない}
よう 妖 {ヨウ/あやしい}
よう 庸 {ヨウ}
よう 揚 {ヨウ/あげる・あがる}
よう 揺 {ヨウ/ゆれる・ゆる・ゆらぐ・ゆるぐ・ゆする・ゆさぶる・ゆすぶる}
よう 溶 {ヨウ/とける・とかす・とく}
よう 腰 {ヨウ/こし}
よう 瘍 {ヨウ}

〔 〕使わない漢字　　×表外字(常用漢字表にない字)　　▲表外音訓(常用漢字表にない読み)
①～⑥教育漢字の学年配当　　①-②(①の表記を優先するが、②の表記を使ってもよい語)

よう　踊｛ヨウ／おどる・おどり｝
よう　窯｛ヨウ／かま｝
よう　擁｛ヨウ／―｝
よう　謡｛ヨウ／うたい・うたう｝
よう　酔う
ようい　用意　〜周到。
ようい　容易
よういく　養育　〜費。
よういん　要因
よういん　要員
ようえき　溶液
ようえん　妖艶　＊あでやかな。なまめかしい。
ようおん　よう音〔×拗〕
ようか　八日，8日
ようが　洋画
ようかい　溶解〔×熔・×鎔〕
ようかい　妖怪　＊化け物。
ようかい　〔容×喙〕　＊干渉。口出し。
ようがい　要害　＊とりで。
ようがく　洋楽
ようがさ　洋傘
ようがし　洋菓子
ようかん　洋館
ようかん　〔羊×羹〕
ようがん　溶岩〔×熔〕　〜流。〜ドーム。
ようき　容器
ようき　陽気　〜がいい。
ようき　妖気　〜が漂う。
ようぎ　容疑　〜者。
ようきゅう　洋弓

ようきゅう　要求
ようぎょ　幼魚
ようぎょ　養魚　〜場。
ようぎょう　窯業
ようきょく　陽極
ようきょく　謡曲　《芸能》
ようぐ　用具　筆記〜。
ようけい　養鶏　〜農家。〜場。
ようげき　要撃〔×邀〕　＊迎撃。
ようけん　洋犬
ようけん　用件　（用事）〜を済ます。
ようけん　要件　（必要な条件）〜を満たす。
ようご　用語
ようご　養護　〜教諭。
ようご　擁護　憲法〜。人権〜。
ようこう　洋行　〜帰り。
ようこう　要項　（必要な事項）入試〜。募集〜。
ようこう　要綱　（要約した大綱）政策の〜。
ようこう　陽光
ようこうろ　溶鉱炉〔×熔〕
ようさい　洋裁
ようさい　要塞
ようざい　用材
ようざい　溶剤
ようさいるい　葉菜類
ようさん　養蚕
ようし　用紙
ようし　洋紙

特 表外字・表外音訓を用いてよい特例の語　　付 常用漢字表の付表の語
送 送りがなを省く特例　　読 読みがなを付けるのが望ましい語　　＊類語・言いかえ例

ようし	要旨	ようす	様子〔容〕
ようし	容姿 ～端麗。	ようすい	用水 ～路。
ようし	陽子	ようすい	羊水 《医学》
ようし	養子 ～縁組み。	ようすい	揚水 ～発電。～ポンプ。
ようじ	用字 ～用語。	ようずみ	用済み
ようじ	用事	ようする	要する 人手を～。
ようじ	幼児 ～期。～語。	ようする	擁する 大軍を～。
ようじ	〔×楊枝〕	ようするに	要するに
ようしき	洋式	ようせい	要請
ようしき	様式 生活～。	ようせい	陽性
ようしつ	洋室	ようせい	養成
ようしゃ	容赦〔用捨〕 ～なく。	ようせい	よう逝〔×夭〕 ＊若死に。早死に。
ようしゅ	洋酒		
ようしゅ	洋種	ようせい	妖精
ようしゅつ	溶出	ようせき	容積 ～率。
ようしゅん	陽春	ようせつ	溶接〔×熔〕
ようしょ	洋書	**ようせつ**	〔×夭折〕 ＊早死に。若死に。
ようしょ	要所 ～を締める。	ようせん	用船〔×傭〕 ＊チャーター船。
ようじょ	幼女		
ようじょ	養女	ようそ	要素
ようしょう	幼少 ～の頃。	ようそ	ヨウ素〔▲沃〕
ようしょう	要衝 交通の～。	ようそう	洋装
ようじょう	洋上 ～会談。	ようそう	様相 複雑な～を呈する。
ようじょう	養生 不～。	**ようだ**	〔様〕 …の～。
ようしょく	洋食	ようだい	容体
ようしょく	要職 ～に就く。	ようたし	用足し〔▲達〕 町まで～に行く。
ようしょく	容色 ～が衰える。		
ようしょく	養殖 ～漁業。	ようだてる	用立てる
ようじん	用心〔要〕 ～深い。	ようだん	用談
ようじん	要人 政府の～。	ようち	夜討ち ～朝駆け。
ようじんぼう	用心棒	ようち	用地 ～買収。
		ようち	幼稚

〔 〕使わない漢字　　×表外字(常用漢字表にない字)　　▲表外音訓(常用漢字表にない読み)
①～⑥教育漢字の学年配当　　①－②(①の表記を優先するが，②の表記を使ってもよい語)

ようちえん　幼稚園	ようべん　用便
ようちゅう　幼虫	ようぼ　養母
ようちゅうい　要注意	ようほう　用法
ようちょう　幼鳥	ようほう　養蜂　～家。
ようつい　腰椎	ようぼう　要望
ようつう　腰痛	ようぼう　容貌　＊顔形。
ようてい　要諦　＊要点。眼目。	ようま　洋間
ようてん　要点	ようみゃく　葉脈
ようでんき　陽電気	ようみょう　幼名　(時代語)
ようと　用途	ようむ　用務
ようど　用土	ようむき　用向き
ようど　用度　～係。	ようめい　用命　ご～。
ようとうくにく　羊頭狗肉	ようめい　幼名
ようどうさくせん　陽動作戦	ようもう　羊毛
ようとん　養豚	ようやく　要約
ようなし　洋梨	**ようやく**　〔▲漸〕
ようにん　容認	ようよう　洋々　前途～。
ようねん　幼年　～期。	ようよう　揚々　意気～。
ようばい　溶媒	ようらん　要覧　市政～。
ようび　曜日	ようらん　洋らん〔×蘭〕
ようひし　羊皮紙	ようらん　揺らん〔×籃〕　～期。
ようひん　用品	ようりく　揚陸　～艦。
ようひん　洋品　～店。	ようりつ　擁立
ようふ　養父	ようりょう　用量　1日分の～。
ようぶ　腰部	ようりょう　容量　タンクの～。
ようふう　洋風	ようりょう　要領　～がいい。
ようふく　洋服	ようりょく　揚力
ようふぼ　養父母	ようりょくそ　葉緑素
ようぶん　養分	ようれい　用例
ようへい　用兵	ようろ　要路
ようへい　よう兵〔×傭〕	ようろう　養老　～保険。

特 表外字・表外音訓を用いてよい特例の語　　付 常用漢字表の付表の語
送 送りがなを省く特例　　説 読みがなを付けるのが望ましい語　　＊類語・言いかえ例

ヨード 〔▲沃度〕	よくする 〔▲能〕 書を〜。
よか 予科 〜練。	よくせい 抑制
よか 余暇	よくそう 浴槽
よかぜ 夜風	よくちょう 翌朝
よかれあしかれ 〔良・善▲悪〕	よくとくずく 欲得ずく
よかん 予感	よくとし 翌年
よき 予期	よくねん 翌年
よぎ 余技	よくばり 欲張り〔×慾〕
よぎ 夜着	よくばる 欲張る〔×慾〕
よぎしゃ 夜汽車	よくふか 欲深〔×慾〕 〜な人。
よぎない 余儀ない	よくぼう 欲望
よきょう 余興	よくめ 欲目 親の〜。
よぎり 夜霧	よくや 沃野 読
よぎる 〔▲過〕	よくよう 抑揚
よきん 預金 銀行〜。定期〜。	よくよう 浴用 〜せっけん。
よく 浴 ④{ヨク/あびる・あびせる}	よくよく 翼々 小心〜。
よく 欲 ⑥{ヨク/ほっする・ほしい}〔×慾〕	よくよく 〜のことだ。
よく 翌 ⑥{ヨク}	よくよくじつ 翌々日
よく 抑 {ヨク/おさえる}	よくりゅう 抑留 シベリア〜。〜生活。
よく 沃 {ヨク}	よけい ①よけい ②余計
よく 翼 {ヨク/つばさ}	よけつ 預血
よくあさ 翌朝	よける 〔▲避〕
よくあつ 抑圧	よけん 予見
よくげつ 翌月	よげん 予言 未来を〜する。
よくさん 翼賛 大政〜。	よげん 預言 (キリスト教, イスラム教の場合)〜者。
よくし 抑止 〜力。	
よくしつ 浴室	よこ 横
よくじつ 翌日	よご 予後
よくしゅう 翌週	よこあい 横合い〔▲間〕 〜から。
よくじょう 浴場 公衆〜。	よこあな 横穴 〜古墳。
よくする 浴する 光栄に〜。	よこいと 横糸〔▲緯〕

〔 〕使わない漢字　×表外字(常用漢字表にない字)　▲表外音訓(常用漢字表にない読み)
①〜⑥教育漢字の学年配当　①−②(①の表記を優先するが, ②の表記を使ってもよい語)

よこう　**予行**　〜演習。	よこなみ　**横波**
よこがお　**横顔**	よこならび　**横並び**
よこがき　**横書き**	よこばい　**横ばい**〔×這〕
よこかぜ　**横風**	よこはば　**横幅**
よこがみやぶり　**横紙破り**	よこばら　**横腹**　(「横っ腹」とも)
よこぎる　**横切る**	よこぶえ　**横笛**
よこく　**予告**　〜編。	よこみち　**横道**〔▲路〕　〜にそれる。
よこぐるま　**横車**　〜を押す。	よこむき　**横向き**
よこじく　**横軸**	よこめ　**横目**　〜でにらむ。
よこしま〔▲邪〕	よこもじ　**横文字**
よこじま　**横じま**〔×縞〕	よこやり　**横やり**〔×槍〕
よこす〔▲寄越〕	よこゆれ　**横揺れ**
よごす　**汚す**	よごれ　**汚れ**　〜物。〜役。
よこずき　**横好き**　下手の〜。	よごれる　**汚れる**
よこすべり　**横滑り**〔×辷〕	よこれんぼ　**横恋慕**
よこずわり　**横座り**〔×坐〕	よこわり　**横割り**
よこたえる　**横たえる**	よざい　**余罪**
よこだおし　**横倒し**　(「ヨコタオシ」とも)	よざくら　**夜桜**　〜見物。
	よさむ　**夜寒**　(「ヨザム」とも)
よこたわる　**横たわる**	よさん　**予算**　〜案。
よこちょう　**横町**	よし　**由**　お元気の〜。知る〜もない。
よこづけ　**横付け**	よしあし　**①よしあし ②善しあし**〔▲悪〕　(品質をいう場合や，迷った場合は，かな書き)
よこっつら　**横っ面**	
よこっとび　**横っ飛び**	
よこづな　**横綱**	
よこて　**横手**	よしずばり　**よしず張り**〔×葦×簾〕
よごと　**夜ごと**〔▲毎〕	よじのぼる　**よじ登る**〔×攀〕
よこどり　**横取り**	**よしみ**〔×誼〕
よこなが　**横長**	よしゅう　**予習**
よこながし　**横流し**　〜の品。	よじょう　**余剰**　〜物資。
よこなぐり　**横殴り**　〜の雨。	よじょう　**余情**　＊余韻。

㊥ 表外字・表外音訓を用いてよい特例の語　　付 常用漢字表の付表の語
送 送りがなを省く特例　　読 読みがなを付けるのが望ましい語　　＊類語・言いかえ例

よじょうはん **4畳半** (場合によって「四畳半」も)
よじる 〔×捩〕
よじれる 〔×捩〕
よしん **予審** ～判事。
よしん **余震**
よじん **余人** ～を交えず。
よじん **余じん**〔×燼〕
よしんば ～それが事実でも。
よす 〔▲止・▲廃〕
よすが 〔▲縁・▲便〕
よすてびと **世捨て人**
よすみ **四隅**
よせ **寄席** 付
よせあつめ **寄せ集め**
よせい **余生**〔世〕 ～を送る。
よせい **余勢** ～を駆る。
よせうえ **寄せ植え**
よせがき **寄せ書き**
よせぎざいく **寄せ木細工**
よせざん **寄せ算** ＊足し算。
よせつける **寄せつける**〔付〕
よせなべ **寄せ鍋**
よせむねづくり **寄せ棟造り**
よせる **寄せる**
よせん **予選**
よそ 〔余・▲他▲所〕
よそいき **よそ行き**〔余▲所〕
よそう **予想** ～外。～どおり。
よそう 〔▲装〕 ごはんを～。
よそおい **装い**

よそおう **装う**
よそく **予測**
よそごと **よそ事**〔余▲所〕
よそみ **よそ見**〔余▲所〕
よそめ **よそ目**〔余▲所〕 ～には。
よそもの **よそ者**〔余▲所〕 ～扱い。
よそゆき **よそ行き**〔余▲所〕
よそよそしい 〔余▲所〕
よぞら **夜空**
よたく **預託**
よだつ **与奪** 生殺～。
よだつ 〔▲弥立〕 身の毛も～。
よたもの **与太者**
よだれ 〔×涎〕 ～掛け。
よだん **余談** ～はさておき。
よだん **予断** ～を許さない。
よち **予知** 地震～。
よち **余地** ～がない。
よちょう **予兆** 地震の～。 ＊前ぶれ。
よちょきん **預貯金**
よちよち ～歩き。
よつ **四つ** ～に組む。
よっか **四日，4日**
よつかど **四つ角**
よつぎ **世継ぎ**
よっきゅう **欲求** ～不満。
よつぎり **四つ切り** (印画紙の大きさ) ～判。
よっつ **四つ，4つ**
よつつじ **四つつじ**〔×辻〕
よって 〔因・▲由・▲依〕 (接続詞)

〔 〕使わない漢字　　×表外字(常用漢字表にない字)　　▲表外音訓(常用漢字表にない読み)
1〜6 教育漢字の学年配当　　①—②(①の表記を優先するが，②の表記を使ってもよい語)

よつであみ　四つ手網	よびあう　呼び合う
よっぱらい　酔っ払い	よびあげる　呼び上げる
よっぱらう　酔っ払う	よびあつめる　呼び集める
よつみ　四つ身	よびいれる　呼び入れる
よつゆ　夜露	よびおこす　呼び起こす
よづり　夜釣り	よびかえす　呼び返す
よつんばい　四つんばい〔×這〕	よびかけ　呼びかけ〔掛〕　〜に応じる。
よてい　予定　〜表。	よびかける　呼びかける〔掛〕
よとう　与党	よびかわす　呼び交わす
よどおし　夜通し	よびこ　呼び子
よとく　余徳　先人の〜。	よびこう　予備校
よどみ〔×淀・×澱〕	よびごえ　呼び声
よどむ〔×淀・×澱〕	よびすて　呼び捨て
よなおし　世直し	よびだし　呼び出し
よなか　夜中	よびだしでんわ　呼び出し電話
よなが　夜長　秋の〜。	よびだす　呼び出す
よなき　夜泣き	よびたてる　呼び立てる
よなき　夜鳴き〔×啼〕　〜そば。	よびつける　呼びつける〔付〕
よなべ　夜なべ〔▲業〕　〜仕事。	よびつづける　呼び続ける
よなよな　夜な夜な	よびとめる　呼び止める
よなれる　世慣れる〔×馴〕	よびな　呼び名
よにげ　夜逃げ	よびなれる　呼び慣れる
よねつ　予熱　（事前に温めておくこと）	よびにくい　呼びにくい〔▲難〕
よねつ　余熱　（冷めきらない熱）〜を利用する。	よびね　呼び値
	よびひ　予備費
よねん　余念　〜がない。	よびみず　呼び水
よのなか　世の中	よびもどす　呼び戻す
よは　余波　台風の〜。	よびもの　呼び物
よはく　余白	よびょう　余病　〜を併発する。
よばなし　夜話	よびよせる　呼び寄せる
よび　予備　〜知識。	よびりん　呼び鈴

特 表外字・表外音訓を用いてよい特例の語　　付 常用漢字表の付表の語
送 送りがなを省く特例　　読 読みがなを付けるのが望ましい語　　＊類語・言いかえ例

よぶ	呼ぶ
よふかし	夜更かし
よふけ	夜更け
よぶこ	呼ぶ子　～鳥。
よぶん	余分
よぶん	余聞
よほう	予報　天気～。
よぼう	予防　～接種。～線。
よほど	〔余程〕
よまいごと	世まい言〔▲迷〕
よまつり	夜祭り
よまわり	夜回り〔×廻〕
よみ	読み
よみ	〔▲黄▲泉〕　～の国。
よみあげざん	読み上げ算
よみあげる	読み上げる
よみあやまる	読み誤る
よみあわせる	読み合わせる
よみおわる	読み終わる
よみかえす	読み返す
よみかえる	読み替える〔換〕
よみがえる	〔×蘇・×甦〕
よみかき	読み書き
よみかけ	読みかけ〔掛〕
よみかた	読み方
よみがな	①読みがな　②読み仮名
よみきり	読み切り　～小説。
よみくだす	読み下す
よみごたえ	読み応え
よみこむ	詠み込む
よみじ	〔▲黄▲泉路〕
よみせ	夜店
よみち	夜道
よみて	読み手
よみで	読みで　～がある本。
よみとおす	読み通す
よみとる	読み取る
よみびとしらず	読み人知らず
よみふける	読みふける〔×耽〕
よみふだ	読み札
よみもの	読み物
よみや	夜宮〔▲宵〕
よむ	詠む　和歌を～。
よむ	読む　本を～。
よめ	嫁
よめ	夜目　～にもはっきり見える。
よめい	余命　～いくばくもない。
よめいり	嫁入り　～道具。
よめな	〔嫁菜〕
よもぎ	〔×蓬〕
よもすがら	夜もすがら
よもやま	〔四▲方山〕　～話。
よやく	予約　～済み。
よゆう	余裕　～しゃくしゃく。
より	寄り
より	〔×縒〕　～を戻す。
よりあい	寄り合い　～所帯。
よりあつまる	寄り集まる
よりあわせる	より合わせる〔×縒・×撚〕
よりいと	より糸〔×縒・×撚〕
よりかかる	寄りかかる〔掛〕

〔　〕使わない漢字　　×表外字(常用漢字表にない字)　　▲表外音訓(常用漢字表にない読み)
①～⑥教育漢字の学年配当　　①－②(①の表記を優先するが，②の表記を使ってもよい語)

よりきり　寄り切り
よりきる　寄り切る
よりごのみ　より好み〔▲選〕
よりすぐる　〔▲選〕
よりそう　寄り添う
よりたおし　寄り倒し
よりだす　より出す〔▲選〕
よりどころ　〔▲拠所〕
よりどり　より取り〔▲選〕　～見取り。
よりぬき　より抜き〔▲選〕
よりみ　寄り身
よりみち　寄り道
よりよい　〔良〕
よりょく　余力
よりわける　より分ける〔▲選〕
よる　夜
よる　寄る
よる　〔因・▲依・▲由〕　過失に～事故。
よる　〔▲拠〕　法律に～措置。
よる　〔▲選〕
よる　〔×縒・×捻〕　糸を～。
よるべ　寄る辺　～もない老人。
よれい　予鈴
よれる　〔×縒〕
よろい　〔×鎧〕
よろいど　よろい戸〔×鎧〕
よろく　余禄　（p.12参照）
よろける　つまずいて～。
よろこばしい　喜ばしい

よろこばせる　喜ばせる
よろこび　喜び
よろこぶ　喜ぶ〔▲歓・▲慶・▲悦・×欣〕
よろしい　〔▲宜〕
よろしく　〔▲宜敷〕
よろず　〔▲万〕
よろめく　〔×蹣×跚・×蹌×踉〕
よろん　世論〔×輿・与〕　～調査。
よわ　余話
よわ　〔夜▲半〕　＊夜。夜中。
よわい　弱い
よわい　〔▲齢〕
よわき　弱気
よわごし　弱腰
よわたり　世渡り　～がうまい。
よわね　弱音　～を吐く。
よわび　弱火
よわふくみ　弱含み
よわまる　弱まる
よわみ　弱み〔味〕
よわむし　弱虫
よわめる　弱める
よわよわしい　弱々しい
よわり　弱り
よわりきる　弱り切る
よわりはてる　弱り果てる
よわりめ　弱り目　～にたたり目。
よわる　弱る
よん　四
よんじょ　四女　（続き柄）

特 表外字・表外音訓を用いてよい特例の語　　付 常用漢字表の付表の語
囚 送りがなを省く特例　　読 読みがなを付けるのが望ましい語　　＊類語・言いかえ例

よんダブリューディー　**4 WD**　　　よんりんくどう　**四輪駆動**
よんどころない　〔▲拠無〕　　　よんりんしゃ　**四輪車**

ら

- ら 拉 {ラ/ニ} 〜致。
- ら 裸 {ラ/はだか}
- ら 羅 {ラ/ニ}
- ら 〔▲等〕 あいつ〜。僕〜。
- **ラーメン** 〔▲老・▲拉麺〕
- らい 来 ②{ライ/くる・きたる・きたす}
- らい 礼 ③{レイ・ライ}
- らい 雷 {ライ/かみなり}
- らい 頼 {ライ/たのむ・たのもしい・たよる}
- らいい 来意
- らいう 雷雨
- らいうん 雷雲
- らいえん 来園
- らいえん 来演
- らいかい 来会
- らいがっき 来学期
- らいかん 来館
- らいかん 雷管
- らいき 来季
- らいきゃく 来客
- らいげつ 来月
- らいこう 来航
- らいこう 雷光
- らいごう 来ごう〔▲迎〕《仏教》
- らいさん 礼賛〔×讃〕
- らいしゅう 来週
- らいしゅう 来襲
- らいしゅん 来春
- らいじょう 来場
- らいじん 雷神 風神〜。
- らいしんし 頼信紙 (「電報発信紙」の旧称)
- らいせ 来世 《仏教》
- らいたく 来宅
- らいちょう 雷鳥
- らいてん 来店
- らいどう 雷同 付和〜。
- らいにち 来日
- らいねん 来年
- らいはい 礼拝 (仏教の場合。キリスト教, イスラム教の場合などは,「レイハイ」)
- らいひん 来賓
- らいほう 来訪
- らいめい 雷鳴
- らいれき 来歴 故事〜。
- らかん 羅漢
- らがん 裸眼
- らく 楽 ②{ガク・ラク/たのしい・たのしむ}
- らく 落 ③{ラク/おちる・おとす}
- らく 絡 {ラク/からむ・からまる・からめる}
- らく 酪 {ラク}
- らくいん らく印〔×烙〕 〜を押す。 *レッテル。

らくえん　楽園
らくがい　らく外〔×洛〕
らくがき　落書き
らくがん　〔落×雁〕
らくご　落語
らくご　①らくご　②落後〔×伍〕
　＊脱落。
らくさ　落差
らくさつ　落札
らくじつ　落日
らくしょう　楽勝
らくじょう　落城
らくせい　落成　～式。
らくせき　落石
らくせつ　落雪
らくせん　落選
らくだ　〔×駱×駝〕
らくだい　落第　～点。
らくたん　落胆
らくちゃく　落着　一件～。
らくちょう　落丁
らくてんか　楽天家
らくてんてき　楽天的
らくど　楽土　王道～。
らくに　楽に
らくのう　酪農
らくば　落馬
らくはく　落はく〔×魄〕　＊零落。
らくばん　落盤〔×磐〕　～事故。
らくめい　落命

らくやき　楽焼送　～の茶わん。
らくやき　楽焼き　（素焼き）
らくよう　落葉　～樹。
らくらい　落雷
らくらく　楽々　～と勝つ。
らししょくぶつ　裸子植物
ラシャ　〔羅×紗〕　～紙。
らしん　裸身
らしんばん　羅針盤
らせん　〔×螺旋〕　～階段。
らたい　裸体
らち　拉致
らち　〔×埒〕　～が明かない。
らちがい　らち外〔×埒〕　＊範囲外。
　枠外。
らつ　辣{ラツ}
らっか　落下
らっか　落花
らっか　落果
らっかさん　落下傘
らっかせい　落花生
らっかん　落款
らっかん　楽観　～的。～論。
らっきゅう　落球
らっきょう　〔×薤・辣×韮〕
らっけい　落慶　～式。～法要。
らっぱ　〔×喇×叭〕　～飲み。
らつわん　辣腕読　＊腕利き。敏腕。
らでん　〔×螺×鈿〕
らば　〔×騾馬〕
らふ　裸婦

〔 〕使わない漢字　　×表外字(常用漢字表にない字)　　▲表外音訓(常用漢字表にない読み)
①〜⑥教育漢字の学年配当　　①—②(①の表記を優先するが，②の表記を使ってもよい語)

られつ　羅列
らん　乱 ⑥{ラン/みだれる・みだす}
らん　卵 ⑥{ラン/たまご}
らん　覧 ⑥{ラン}
らん　濫{ラン}　(「濫」は「氾濫」に限り使用。それ以外は「乱」を使う。p.13参照)
らん　藍{ラン/あい}
らん　欄{ラン}
らん　〔×蘭〕　洋〜。
らんおう　卵黄　＊黄身。
らんがい　欄外
らんかく　乱獲〔濫〕
らんかん　卵管
らんかん　欄干
らんぎょう　乱行
らんぎり　乱切り
らんきりゅう　乱気流
らんくつ　乱掘〔濫〕
らんこうげ　乱高下
らんさく　乱作〔濫〕
らんざつ　乱雑
らんし　卵子
らんし　乱視
らんしゃ　乱射
らんじゅく　らん熟〔×爛〕
らんじゅほうしょう　藍綬褒章〔賞〕㋹
らんしん　乱心

らんすうひょう　乱数表
らんせい　乱世　(「ランセ」とも)
らんせい　卵生
らんせん　乱戦
らんそう　卵巣
らんぞう　乱造〔濫〕　粗製〜。
らんだ　乱打
らんちきさわぎ　乱痴気騒ぎ
らんちょうし　乱調子
らんとう　乱闘
らんどく　乱読〔濫〕
らんどり　乱取り
らんにゅう　乱入
らんばい　乱売　〜合戦。
らんぱく　卵白
らんばつ　乱伐〔濫〕
らんばつ　乱発〔濫〕
らんはんしゃ　乱反射
らんぴ　乱費〔濫〕
らんぴつ　乱筆
らんぶ　乱舞
らんぼう　乱暴
らんま　乱麻　快刀〜を断つ。
らんま　欄間
らんまん　〔×爛漫〕　天真〜。春〜。
らんみゃく　乱脈
らんよう　乱用〔濫〕
らんりつ　乱立

㋹表外字・表外音訓を用いてよい特例の語　�付常用漢字表の付表の語
㋞送りがなを省く特例　㋺読みがなを付けるのが望ましい語　＊類語・言いかえ例

り

り　里②{リ/さと}	りきせつ　力説
り　理②{リ/－}　～に合わない。	りきせん　力戦
り　利④{リ/きく}	りきそう　力走
り　裏⑥{リ/うら}	りきてん　力点
り　吏{リ/－}	りきとう　力闘
り　痢{リ/－}	りきむ　力む
り　履{リ/はく}	りきゅう　離宮
り　璃{リ/－}	りきりょう　力量〔×倆〕
り　離{リ/はなれる・はなす}	りく　陸④{リク/－}
りあげ　利上げ	りくあげ　陸揚げ
りいん　吏員　事務～。技術～。	りぐい　利食い〔×喰〕《株式》～売り。
りえき　利益　～率。	りくうん　陸運
りえん　梨園[特][読]　＊歌舞伎界。	りくぐん　陸軍
りえん　離縁　～状。	りくしょう　陸将
りか　理科	りくじょう　陸上　～競技。
りかい　理解〔会〕	りくせいどうぶつ　陸生動物〔×棲〕
りがい　利害　～得失。	りくせん　陸戦　～隊。
りかがく　理化学	りくそう　陸送
りがく　理学　～部。～博士。	りくそう　陸曹
りかん　離間　～策。	りくち　陸地
りかん　り患〔×罹〕　～率。	りくつ　理屈〔×窟〕　～抜き。
りがん　離岸	りくつづき　陸続き
りき　力①{リョク・リキ/ちから}	りくとう　陸稲
りき　利器　文明の～。	りくふう　陸封　(魚)～型。
りきえい　力泳	りくろ　陸路
りきがく　力学	りけい　理系
りきさく　力作	りけん　利権
りきし　力士	りこ　利己　～主義。～心。

〔　〕使わない漢字　　×表外字(常用漢字表にない字)　　▲表外音訓(常用漢字表にない読み)
①～⑥教育漢字の学年配当　　①－②(①の表記を優先するが，②の表記を使ってもよい語)

りこう	利口〔×悧巧〕 ~者。
りこう	履行
りごう	離合　~集散。
りこん	離婚
りさい	り災〔×罹〕 ~者。 ＊被災。
りさげ	利下げ
りざや	利ざや〔×鞘〕 ~を稼ぐ。
りさん	離散　一家~。
りし	利子
りじ	理事
りしゅう	履修　~科目。
りじゅん	利潤
りしょう	離礁
りしょく	利殖
りしょく	離職　~者。
りす	〔×栗×鼠〕
りすい	利水　~事業。
りすう	理数　~系。~科。
りする	利する
りせい	理性
りそう	理想　~郷。~像。
りそく	利息
りそん	離村
りだつ	離脱　戦線~。党籍~。
りち	律 ⑥ {リツ・リチ}
りち	理知〔×智〕 ~的。
りちぎ	律儀　(「律義」とも)
りちゃくりく	離着陸
りつ	立 ① {リツ・リュウ／たつ・たてる}
りつ	率 ⑤ {ソツ・リツ／ひきいる}
りつ	律 ⑥ {リツ・リチ}
りつ	慄 {リツ}
りつあん	立案
りっか	立夏
りつき	利付送　~債券。
りっきゃく	立脚
りっきょう	陸橋
りっけん	立件
りっけん	立憲　~君主国。
りっこうほ	立候補
りっこく	立国　環境~。
りっし	立志　~伝。
りっしゅう	立秋
りっしゅん	立春
りっしょう	立証
りっしょく	立食　~パーティー。
りっしん	立身　~出世。
りっすい	立すい〔×錐〕 ~の余地もない。
りっする	律する
りつぜん	慄然
りつぞう	立像
りったい	立体　~的。~交差。
りっち	立地　~条件。
りっとう	立冬
りっとう	立党　~の精神。
りつどう	律動
リットル	〔▲立〕
りっぱ	立派
りっぷく	立腹
りっぽう	立方　~体。~メートル。
りっぽう	立法　~権。~府。

りづめ	理詰め
りつろん	立論
りてい	里程　～標。
りてき	利敵　～行為。
りてん	利点
りとう	離党
りとう	離島
りとく	利得
りにち	離日
りにゅう	離乳　～期。～食。
りにょう	利尿　～剤。
りにん	離任
りねん	理念
りのう	離農
りはつ	利発〔×悧〕
りはつ	理髪　～店。
りはば	利幅
りばらい	利払い
りはん	離反〔×叛〕
りひ	理非　～曲直。
りびょう	り病〔×罹〕　*発病。
りふじん	理不尽
りべつ	離別
りべん	利便
りまわり	利回り〔×廻〕
りめん	裏面
りゃく	略 ⑤ {リャク}
りゃくぎ	略儀　～ながら。
りゃくご	略語
りゃくごう	略号
りゃくし	略史
りゃくじ	略字
りゃくしき	略式　～起訴。～命令。
りゃくしゅ	略取　《法律》～誘拐罪。
りゃくしょう	略称
りゃくす	略す
りゃくず	略図
りゃくする	略する
りゃくだつ	略奪〔×掠〕
りゃくれき	略歴
りゃっき	略記
りゆう	理由
りゅう	立 ① {リツ・リュウ / たつ・たてる}
りゅう	流 ③ {リュウ・ル / ながれる・ながす}
りゅう	留 ⑤ {リュウ・ル / とめる・とまる}
りゅう	柳 {リュウ / やなぎ}
りゅう	竜 {リュウ / たつ}
りゅう	粒 {リュウ / つぶ}
りゅう	隆 {リュウ}
りゅう	硫 {リュウ}
りゅうい	留意
りゅういき	流域
りゅういん	留飲〔×溜〕　～を下げる。
りゅうか	硫化　～水素。～物。
りゅうかい	流会
りゅうがく	留学　～生。
りゅうかん	流感　*インフルエンザ。
りゅうき	隆起
りゅうぎ	流儀
りゅうぐう	竜宮　～城。
りゅうけい	流刑
りゅうけつ	流血　～の惨事。

〔　〕使わない漢字　　×表外字(常用漢字表にない字)　　▲表外音訓(常用漢字表にない読み)
①〜⑥教育漢字の学年配当　　①−②(①の表記を優先するが，②の表記を使ってもよい語)

りゅうげんひご	流言飛語〔×蜚〕 *デマ。	りゅうりゅう	流々 細工は〜。
りゅうこう	流行 〜歌。〜語。	りゅうりゅう	隆々 筋肉〜。
りゅうさん	硫酸	りゅうりゅうしんく	粒々辛苦
りゅうざん	流産	りゅうりょう	流量 〜計。
りゅうし	粒子 素〜。微〜。	りゅうれい	流麗 〜な文章。
りゅうしつ	流失	りょ	旅 ③{リョ/たび}
りゅうしゅつ	流出 土砂の〜。頭脳〜。	りょ	侶 {リョ}
りゅうじん	竜神	りょ	虜 {リョ}
りゅうず	竜頭 (時計の)	りょ	慮 {リョ}
りゅうすい	流水 行雲〜。	りよう	利用 〜価値。
りゅうせい	流星 〜群。	りよう	里謡〔×俚〕
りゅうせい	隆盛	りよう	理容 〜師。〜業。
りゅうせんけい	流線型(「〜ガタ」とも)	りょう	両 ③{リョウ}〔×輛〕
りゅうたい	流体 〜力学。	りょう	良 ④{リョウ/よい}
りゅうち	留置 〜場。	りょう	料 ④{リョウ}
りゅうちょう	留鳥	りょう	量 ④{リョウ/はかる}
りゅうちょう	流ちょう〔×暢〕	りょう	漁 ④{ギョ・リョウ} 〜に出る。
りゅうつう	流通 〜機構。〜業界。	りょう	領 ⑤{リョウ}
りゅうどう	流動 〜資産。〜食。〜物。	りょう	了 {リョウ}
りゅうとうだび	竜頭蛇尾 *先細り。	りょう	涼 {リョウ/すずしい・すずむ} 〜をとる。
りゅうにゅう	流入	りょう	猟 {リョウ}
りゅうにん	留任	りょう	陵 {リョウ/みささぎ} 御〜。
りゅうねん	留年	りょう	僚 {リョウ}
りゅうは	流派	りょう	寮 {リョウ}
りゅうびじゅつ	隆鼻術	りょう	霊 {レイ・リョウ/たま}
りゅうひょう	流氷	りょう	療 {リョウ}
りゅうほ	留保 内部〜。	りょう	瞭 {リョウ}
りゅうぼく	流木	りょう	糧 {リョウ・ロウ/かて}
りゅうよう	流用	りょうあし	両足
		りょういき	領域
		りょういく	療育

㋕表外字・表外音訓を用いてよい特例の語　㋲常用漢字表の付表の語
㋷送りがなを省く特例　㋱読みがなを付けるのが望ましい語　*類語・言いかえ例

りょういん　両院	衆参〜。
りょううで　両腕	
りょうえん　良縁	
りょうえん　りょう遠〔×遼〕	前途〜。
＊程遠い。	
りょうか　良貨	
りょうか　寮歌	
りょうが　〔×凌×駕〕	＊しのぐ。
りょうかい　了解〔×諒〕	
りょうかい　領海	〜侵犯。
りょうがえ　両替[送]	
りょうがわ　両側	
りょうかん　涼感	
りょうかん　量感	
りょうがん　両岸	
りょうがん　両眼	
りょうき　涼気	
りょうき　猟奇	〜小説。〜的。
りょうき　猟期	
りょうぎゃくざい　陵虐罪〔×凌〕	
《法律》特別公務員暴行〜。	
りょうきょく　両極	
りょうきょくたん　両極端	
りょうきん　料金	水道〜。電気〜。
りょうく　猟区	
りょうくう　領空	〜侵犯。
りょうぐん　両軍	
りょうけ　両家	
りょうけい　量刑	《法律》
りょうけん　了見〔料▲簡〕	〜が狭い。
〜違い。	
りょうけん　猟犬	
りょうこう　両校	
りょうこう　良好	感度〜。
りょうこう　良港	天然の〜。
りょうこく　両国	日米〜。
りょうさい　良妻	〜賢母。
りょうさん　量産	〜態勢。〜品。
りょうし　量子	〜論。
りょうし　猟師	
りょうし　漁師	＊漁業者。
りょうじ　領事	〜館。
りょうじ　療治	荒〜。
りょうしき　良識	〜の府。
りょうしつ　良質	
りょうじつ　両日	〜開票。
りょうしゃ　両者	
りょうしゅ　領主	
りょうしゅう　領収	〜書。〜証。
りょうしゅう　領袖[読]	派閥の〜。
＊幹部。	
りょうじゅう　猟銃	
りょうしょ　良書	
りょうしょう　了承〔×諒〕	
りょうしょく　糧食	
りょうじょく　陵辱〔×凌〕	
りょうしん　両親	
りょうしん　良心	
りょうせい　両生〔×棲〕	〜類。
りょうせい　両性	〜の合意。
りょうせい　良性	
りょうせい　寮生	

〔　〕使わない漢字　　×表外字(常用漢字表にない字)　　▲表外音訓(常用漢字表にない読み)
1〜6 教育漢字の学年配当　　①−②(①の表記を優先するが，②の表記を使ってもよい語)

りょうせいばい　両成敗　けんか〜。
りょうせん　僚船
りょうせん　りょう線〔×稜〕　*尾根。
りょうぜん　瞭然　一目〜。*明白。はっきり。
りょうぞく　良俗　公序〜。
りょうだて　両建て　歩積み〜。
りょうたん　両端
りょうだん　両断　一刀〜。
りょうち　領地
りょうちょう　寮長
りょうて　両手
りょうてい　料亭
りょうど　領土
りょうどうたい　良導体
りょうとうづかい　両刀使い
りょうどなり　両隣
りょうにん　両人
りょうば　両刃
りょうば　良馬
りょうば　猟場
りょうはし　両端
りょうはん　量販　〜店。
りょうひじ　①両ひじ②両肘
りょうびらき　両開き
りょうふう　涼風
りょうぶん　領分
りょうぼ　陵墓
りょうぼ　寮母
りょうほう　両方
りょうほう　療法　対症〜。

りょうみ　涼味　〜満点。
りょうめ　両目〔▲眼〕
りょうめ　量目　〜不足。
りょうめん　両面　〜作戦。
りょうやく　良薬　〜は口に苦し。
りょうゆう　両雄　〜並び立たず。
りょうゆう　領有　〜権。
りょうゆう　僚友
りょうよう　両用　水陸〜。
りょうよう　両様　〜の意味。
りょうよう　療養　〜所。
りょうよく　両翼　左右の〜。
りょうり　料理　〜人。
りょうりつ　両立
りょうりょう　両々　〜相まって。
りょうりん　両輪　車の〜。
りょうわき　両脇
りょかく　旅客　〜列車。
りょかっき　旅客機　(「リョカクキ」とも)
りょかん　旅館
りょきゃく　旅客
りよく　利欲
りょく　力①{リョク・リキ / ちから}
りょく　緑③{リョク・ロク / みどり}
りょくいん　緑陰
りょくおうしょく　緑黄色　〜野菜。
りょくち　緑地　〜帯。
りょくちゃ　緑茶
りょくないしょう　緑内障

㊧ 表外字・表外音訓を用いてよい特例の語　　㊭ 常用漢字表の付表の語
㊰ 送りがなを省く特例　　㊲ 読みがなを付けるのが望ましい語　　*類語・言いかえ例

りょけん　旅券
りょこう　旅行　～記。～客。
りょしゅう　旅愁
りょしゅう　虜囚　～の身。　＊捕虜。
りょじょう　旅情
りょそう　旅装　～を解く。
りょだん　旅団
りょっか　緑化
りょてい　旅程
りょひ　旅費
りりく　離陸
りりしい　〔×凜々〕
りりつ　利率
りれき　履歴　～書。
りろ　理路　～整然。
りろん　理論
りん　林　①{リン／はやし}
りん　輪　④{リン／わ}
りん　臨　⑥{リン／のぞむ}
りん　厘　{リン}
りん　倫　{リン}
りん　鈴　{レイ・リン／すず}
りん　隣　{リン／となる・となり}
りん　〔×燐〕　(元素などはカタカナ)
りんか　輪禍
りんか　隣家
りんかい　臨海　～学校。～工業地帯。
りんかい　臨界　～に達する。
りんかく　輪郭〔×廓〕
りんかん　林間　～学校。
りんき　臨機　～応変。

りんぎ　りん議〔×稟〕　～書。
りんぎょう　林業
りんげつ　臨月　(出産予定の月)
りんけん　臨検
りんご　〔林×檎〕
りんこうせん　臨港線
りんごく　隣国
りんさく　輪作
りんさん　リン酸〔×燐〕　～カルシウム。～肥料。
りんさんぶつ　林産物
りんし　臨死　～体験。
りんじ　臨時　～便。～雇い。
りんしつ　隣室
りんじゅう　臨終
りんしょう　輪唱
りんしょう　臨床　～医学。～尋問。
りんじょうかん　臨場感
りんしょく　〔×吝×嗇〕　～家。　＊けち。
りんじん　隣人　～愛。
りんせき　隣席
りんせき　臨席
りんせつ　隣接
りんせん　臨戦　～態勢。
りんてんき　輪転機
りんどう　林道
りんどう　〔▲竜▲胆〕
りんね　〔輪×廻〕　～転生(テンショウ)。
リンパせん　リンパ腺〔×淋×巴〕
りんばん　輪番　～制。

〔　〕使わない漢字　　×表外字(常用漢字表にない字)　　▲表外音訓(常用漢字表にない読み)
①～⑥教育漢字の学年配当　　①－②(①の表記を優先するが，②の表記を使ってもよい語)

りんびょう　**りん病**〔×淋〕	りんり　**倫理**　政治〜。〜学。
りんぶ　**輪舞**	りんりつ　**林立**
りんや　**林野**　〜火災。	**りんりん**　〔×凛々〕　勇気〜。

る

る 流 ③ {リュウ・ル / ながれる・ながす}
る 留 ⑤ {リュウ・ル / とめる・とまる}
る 瑠 {ル}
るい 類 ④ {ルイ / たぐい}
るい 涙 {ルイ / なみだ}
るい 累 {ルイ}　～を及ぼす。
るい 塁 {ルイ}
るいぎご 類義語
るいけい 累計
るいけい 類型　～的。
るいじ 類似
るいしょ 類書
るいしょう 類焼
るいしん 累進　～課税。～制。
るいしん 塁審
るいじんえん 類人猿
るいすい 類推
るいする 類する
るいせき 累積　～赤字。

るいせん 涙腺
るいぞう 累増
るいだい 累代　～の墓。
るいだい 類題
るいはん 累犯　《法律》
るいべつ 類別
るいるい 累々
るいれい 類例　～を見ない。
るけい 流刑　（時代語）
るざい 流罪
るす 留守　～宅。～番。
るつぼ 〔×坩×堝〕
るてん 流転
るにん 流人
るふ 流布
るりいろ 瑠璃色
るる 〔×縷々〕 ＊こまごま。くどくど。
るろう 流浪　～の民。

れ

れい	礼 ③ {レイ・ライ}	れいきゅうしゃ	霊きゅう車〔×柩〕
れい	令 ④ {レイ}	れいきん	礼金
れい	冷 ④ {レイ・つめたい・ひえる・ひや・ひやす・ひやかす・さめる・さます}	れいぐう	冷遇
れい	例 ④ {レイ・たとえる}	れいけつ	冷血 ～漢。～動物。
れい	戻 {レイ・もどす・もどる}	れいげん	冷厳
れい	励 {レイ・はげむ・はげます}	れいげん	霊験 (「レイケン」とも) ～あらたか。
れい	鈴 {レイ・リン・すず}	れいこう	励行
れい	零 {レイ}	れいこく	冷酷
れい	霊 {レイ・リョウ・たま}	れいこん	霊魂
れい	隷 {レイ}	れいさい	例祭
れい	齢 {レイ}	れいさい	零細 ～企業。
れい	麗 {レイ・うるわしい}	れいざん	霊山
れいあんしつ	霊安室 (遺体を安置する部屋)	れいじ	例示
れいあんしょ	冷暗所 (冷たくて暗い所)	れいしつ	令室 ＊令夫人。
れいえん	霊園	れいしゅ	冷酒
れいか	冷夏	れいじゅう	隷従
れいか	冷菓	れいしょ	隷書
れいかい	例会	れいしょう	冷笑
れいかい	霊界	れいしょう	例証
れいがい	冷害	れいじょう	礼状
れいがい	例外	れいじょう	令状 逮捕～。
れいかん	霊感	れいじょう	令嬢
れいき	冷気	れいじょう	霊場
れいき	例規	れいすい	冷水 ～摩擦。
れいき	霊気	れいすいかい	冷水塊
れいぎ	礼儀〔義〕	れいせい	冷静 沈着～。
れいきゃく	冷却 ～期間。～水。	れいせつ	礼節

特 表外字・表外音訓を用いてよい特例の語 　付 常用漢字表の付表の語
送 送りがなを省く特例 　読 読みがなを付けるのが望ましい語 　＊類語・言いかえ例

れいせん	冷泉
れいせん	冷戦
れいぜん	霊前
れいそう	礼装
れいぞう	冷蔵　〜庫。
れいそく	令息
れいぞく	隷属
れいだい	例題
れいたいさい	例大祭
れいたん	冷淡
れいだんぼう	冷暖房
れいちょう	霊長　万物の〜。〜類。
れいてつ	冷徹
れいてん	零点
れいとう	冷凍　〜庫。〜食品。
れいにゅう	戻入　〜金。
れいねん	例年
れいはい	礼拝　(キリスト教, イスラム教の場合など。仏教の場合は「ライハイ」)〜堂。
れいはい	零敗
れいばい	霊媒
れいびょう	霊びょう〔×廟〕　＊お霊屋(タマヤ)。
れいふく	礼服
れいぶん	例文
れいほう	礼法
れいほう	礼砲
れいほう	霊峰
れいぼう	冷房　〜病。
れいまいり	礼参り　お〜。
れいまわり	礼回り〔×廻〕　お〜。
れいめい	令名
れいめい	れい明〔×黎〕　〜期。
れいめん	冷麺
れいらく	零落
れいりょう	冷涼
れいりょく	霊力
れいれいしい	麗々しい
れき	歴 ④ {レキ}
れき	暦 {レキ/こよみ}
れきし	歴史
れきし	れき死〔×轢〕
れきせん	歴戦　〜の勇士。
れきぜん	歴然
れきだい	歴代
れきだん	れき断〔×轢〕
れきど	れき土〔×礫〕
れきにん	歴任
れきねん	暦年
れきほう	歴訪
れきれき	歴々　お〜。
れつ	列 ③ {レツ}
れつ	劣 {レツ/おとる}
れつ	烈 {レツ}
れつ	裂 {レツ/さく・さける}
れつあく	劣悪
れっか	劣化
れっか	烈火　〜のごとく怒る。
れっき	列記
れっきょ	列挙
れっきょう	列強　＊多くの強国。

〔 〕使わない漢字　　×表外字(常用漢字表にない字)　　▲表外音訓(常用漢字表にない読み)
①〜⑥教育漢字の学年配当　　①−②(①の表記を優先するが, ②の表記を使ってもよい語)

れっこく **列国**	**れんげそう** 〔×蓮華草〕
れつごさい **劣後債**	れんけつ **連結** ～器。～決算。
れつじつ **烈日** 秋霜～。	れんこ **連呼**
れっしゃ **列車**	れんこう **連行**
れっしょう **裂傷**	れんごう **連合**〔×聯〕 ～軍。～国。
れっする **列する**	**れんこん** 〔×蓮根〕
れっせい **劣性** ～遺伝。	れんさ **連鎖** ～反応。～倒産。
れっせい **劣勢** ～を挽回する。	れんざ **連座**〔×坐〕 ～制。
れっせき **列席**	れんさい **連載** ～小説。
れつでん **列伝**	れんさく **連作** ～障害。
れっとう **列島**	れんざん **連山**
れっとう **劣等** ～感。	れんじつ **連日**
れっぷう **烈風**	れんしゅ **連取**
れん **練** ③{レン/ねる}	れんじゅ **連珠**〔×聯〕
れん **連** ④{レン/つらなる・つらねる・つれる}	れんしゅう **練習** ～機。～生。
れん **恋** {レン/こう・こい・こいしい}	れんじゅう **連中**
れん **廉** {レン}	れんしょ **連署**
れん **錬** {レン}	れんしょう **連勝**
れんあい **恋愛**	れんせい **錬成**
れんか **廉価** ～版。　＊安価。	れんせん **連戦** ～連勝。
れんが **連歌**	れんそう **連想**〔×聯〕
れんが 〔×煉瓦〕 ～造り。	れんぞく **連続**
れんかん **連関**〔×聯〕	れんだ **連打**
れんき **連記** ～投票。	れんたい **連帯** ～感。～責任。～保証人。
れんきゅう **連休** 大型～。～明け。	
れんきんじゅつ **錬金術**	れんたい **連隊**〔×聯〕
れんげ 〔×蓮華〕	れんたつ **練達** ～の士。
れんけい **連係**〔×繋〕（つながりあう）～動作。	れんたん **練炭**〔×煉〕
	れんだん **連弾** ピアノの～。
れんけい **連携** （互いに提携する）両党が～する。	れんちゅう **連中**
	れんとう **連投**

㋦ 表外字・表外音訓を用いてよい特例の語　㋬ 常用漢字表の付表の語
㋞ 送りがなを省く特例　㋭ 読みがなを付けるのが望ましい語　＊類語・言いかえ例

れんと―れんれ

れんどう	**連動**
れんにゅう	**練乳**〔×煉〕
れんぱ	**連破** （続けて敵を破る）
れんぱ	**連覇** （続けて優勝する）
れんばい	**廉売**
れんぱい	**連敗**
れんぱつ	**連発** ～銃。
れんばん	**連判** （「レンパン」とも）～状。
れんびん	〔×憐×憫〕 ＊あわれみ。同情。
れんぺいじょう	**練兵場**
れんぼ	**恋慕** ～の情。横～。
れんぽう	**連邦**〔×聯〕 ～政府。～制。
れんぽう	**連峰** 穂高～。
れんま	**錬磨** 百戦～。
れんめい	**連名**
れんめい	**連盟**〔×聯〕
れんめん	**連綿** ～と続く。
れんや	**連夜** 連日～。
れんらく	**連絡**〔×聯〕 ～橋。～船。～網。
れんりつ	**連立**〔×聯〕 ～内閣。～方程式。
れんれん	**恋々** 地位に～とする。

〔 〕使わない漢字　　×表外字(常用漢字表にない字)　　▲表外音訓(常用漢字表にない読み)
①〜⑥教育漢字の学年配当　　①―②(①の表記を優先するが，②の表記を使ってもよい語)

ろ

- ろ 路 ③ {ロ・ジ}
- ろ 呂 {ロ}
- ろ 炉 {ロ}
- ろ 賂 {ロ}
- ろ 露 {ロ・ロウ / つゆ}
- ろ 〔×櫓〕
- ろあく 露悪 ～趣味。
- ろう 老 ④ {ロウ / おいる・ふける}
- ろう 労 ④ {ロウ} ～に報いる。
- ろう 朗 ⑥ {ロウ / ほがらか}
- ろう 弄 {ロウ / もてあそぶ}
- ろう 郎 {ロウ}
- ろう 浪 {ロウ}
- ろう 廊 {ロウ}
- ろう 楼 {ロウ}
- ろう 漏 {ロウ / もる・もれる・もらす}
- ろう 糧 {リョウ・ロウ / かて}
- ろう 露 {ロ・ロウ / つゆ}
- ろう 籠 {ロウ / かご・こもる}
- ろう 〔×牢〕
- ろう 〔×蝋〕
- ろう 〔×聾〕
- ろうあ 〔×聾×啞〕 ～者。
- ろうえい 朗詠
- ろうえい 漏えい〔×洩〕 機密～。
  *漏らす。漏れる。
- ろうえき 労役
- ろうおう 老翁
- ろうか 老化 ～現象。
- ろうか 廊下
- ろうかい 老かい〔×獪〕
- ろうかく 楼閣 砂上の～。
- ろうがん 老眼 ～鏡。
- ろうきゅう 老朽 ～化。
- ろうきょう 老境
- ろうきょく 浪曲 ～師。
- ろうく 労苦
- ろうく 老く〔×軀〕 *老体。
- ろうけつぞめ ろうけつ染め〔×﨟 ×纈〕
- ろうご 老後
- ろうこう 老巧〔功〕
- ろうごく ろう獄〔×牢〕 *獄舎。
- ろうこつ 老骨 ～にむち打つ。
- ろうさい 老妻
- ろうさい 労災 (「労働災害」の略)～事故。～保険。
- ろうさく 労作
- ろうし 老師
- ろうし 労使 (労働者と使用者)～の交渉。
- ろうし 労資 (労働者と資本家)～の対立。
- ろうし 浪士 赤穂～。
- ろうしゅう 老醜 ～をさらす。

㊤ 表外字・表外音訓を用いてよい特例の語　㊤ 常用漢字表の付表の語
㊤ 送りがなを省く特例　㊤ 読みがなを付けるのが望ましい語　*類語・言いかえ例

ろうしゅう　**ろう習**〔×陋〕　＊悪習。因習。	ろうねん　**老年**
ろうしゅつ　**漏出**	ろうのう　**労農**　〜派。
ろうじょ　**老女**	**ろうばい**　〔×狼×狽〕　＊あわてる。
ろうしょう　**朗唱**〔×誦〕	ろうはいぶつ　**老廃物**
ろうじょう　**籠城**	ろうばしん　**老婆心**
ろうじん　**老人**	ろうひ　**浪費**　〜家。
ろうすい　**老衰**	ろうふ　**老父**
ろうすい　**漏水**	ろうふうふ　**老夫婦**
ろうする　**弄する**　策を〜。	ろうへい　**老兵**
ろうせい　**老成**	ろうぼ　**老母**
ろうぜき　〔×狼×藉〕　＊乱暴。	ろうほう　**朗報**
ろうそ　**労組**　(「労働組合」の略)	ろうぼく　**老木**
ろうそう　**老僧**	ろうむ　**労務**
ろうそく　〔×蠟×燭〕　〜立て。	ろうもん　**楼門**
ろうたい　**老体**　ご〜。	ろうや　**ろう屋**〔×牢〕
ろうたいか　**老大家**	ろうゆう　**老雄**
ろうたいこく　**老大国**	ろうゆう　**老優**
ろうちん　**労賃**	ろうらく　**籠絡**　＊丸め込む。
ろうでん　**漏電**	ろうりょく　**労力**
ろうと　**漏斗**　＊じょうご。	ろうれい　**老齢**　〜年金。＊高齢。
ろうとう　**郎党**〔等〕　(「ロウドウ」とも)家の子〜。	ろうれん　**老練**
ろうどう　**労働**　重〜。肉体〜。	ろうろう　**朗々**　〜と。
ろうどうくみあい　**労働組合** 送	ろうろう　**浪々**　〜の身。
ろうどうしゃ　**労働者**	ろえい　**露営**
ろうどうりょく　**労働力**	ろか　**ろ過**〔×濾〕　〜器。〜紙。〜装置。＊浄化。
ろうどく　**朗読**	ろかた　**路肩**
ろうにゃくなんにょ　**老若男女**	ろく　**六** ① {ロク/む・むつ・むっつ・むい}
ろうにん　**浪人**	ろく　**緑** ③ {リョク・ロク/みどり}
ろうにんぎょう　**ろう人形**〔×蠟〕	ろく　**録** ④ {ロク}
	ろく　**禄** {ロク}　(p.12参照)〜をはむ。

〔　〕使わない漢字　　×表外字(常用漢字表にない字)　　▲表外音訓(常用漢字表にない読み)
①〜⑥教育漢字の学年配当　　①-②(①の表記を優先するが，②の表記を使ってもよい語)

ろく　麓｛ロク／ふもと｝
ろく　〔×碌〕　～でもない。～なことはない。～に知らない。
ろくおん　録音　～機。
ろくが　録画
ろくさんせい　六・三制
ろくしょう　緑青
ろくだか　禄高　(p.12参照)
ろくでなし　〔×碌無〕
ろくぼく　〔×肋木〕
ろくまく　ろく膜〔×肋〕
ろくろ　〔×轆×轤〕
ろくろく　〔×碌々〕
ろけん　露見〔顕〕
ろこつ　露骨
ろざ　露座〔×坐〕　～の大仏。
ろじ　路地　(狭い通路)～裏。
ろじ　露地　(茶席の庭。屋根などの覆いのない土地)～栽培。
ろしゅつ　露出　～計。
ろじょう　路上
ろしん　炉心
ろせん　路線　～バス。～価。平和～。
ろそくたい　路側帯
ろっかくどう　六角堂
ろっかんしんけいつう　ろっ間神経痛〔×肋〕
ろっこつ　ろっ骨〔×肋〕
ろっこんしょうじょう　六根清浄
ろっぽう　六方　《芸能》～を踏む。
ろっぽう　六法　～全書。

ろてい　露呈
ろてん　露天　～掘り。～商。～風呂。
ろてん　露店　～で買う。
ろとう　路頭　～に迷う。
ろば　〔×驢馬〕
ろばた　炉端　～焼き。
ろばん　路盤
ろびらき　炉開き
ろへん　炉辺　～談話。
ろぼう　路傍
ろめい　露命　～をつなぐ。
ろめん　路面　～電車。
ろれつ　〔呂▲律〕　～が回らない。
ろん　論　⑥｛ロン｝
ろんがい　論外
ろんぎ　論議
ろんきゃく　論客
ろんきょ　論拠
ろんこう　論功　～行賞。
ろんこく　論告　～求刑。
ろんし　論旨
ろんじゅつ　論述
ろんしょう　論証
ろんじる　論じる
ろんじん　論陣　～を張る。
ろんせつ　論説　～委員。
ろんせん　論戦
ろんそう　論争
ろんだん　論壇
ろんちょう　論調　新聞の～。
ろんてん　論点

ろんぱ **論破**
ろんばく **論ばく**〔×駁〕 ＊反論。
ろんぴょう **論評**
ろんぶん **論文**
ろんぽう **論法** 三段～。
ろんり **論理**

わ

- わ 話②{ワ/はなす・はなし}
- わ 和③{ワ・オ/やわらぐ・やわらげる・なごむ・なごやか}
- わ 輪〔▲環〕
- わ ①わ ②我 〜が国。
- わ 羽 鶏1〜。
- わ 把 ほうれんそう1〜。
- わい 賄{ワイ/まかなう}
- わいきょく わい曲〔×歪〕 *ゆがめる。
- わいざつ わい雑〔×猥〕
- わいしょう わい小〔×矮〕 〜化。*小さい。
- **わいせつ** 〔×猥×褻〕
- わいろ 賄賂
- わおん 和音
- わか 和歌
- わが ①わが ②我が〔×吾〕
- わかあゆ 若あゆ〔×鮎〕
- わかい 和解 〜勧告。
- わかい 若い
- わかいしゅ 若い衆 (「ワカイシュウ」とも)
- わかいもの 若い者
- わかがえる 若返る
- わかぎ 若木
- わかくさ 若草
- わがくに ①わが国 ②我が国
- わかげ 若気 〜の過ち。〜の至り。
- わかさぎ 〔▲公▲魚〕
- わがし 和菓子
- わかじに 若死に
- わかしゆ 沸かし湯
- わかしゅかぶき 若衆歌舞伎 《芸能》
- わかす 沸かす〔×涌・×湧〕 湯を〜。場内を〜。
- わかぞう 若造〔僧・蔵〕
- わかたけ 若竹
- わかだんな 若旦那
- わかちあう 分かち合う
- わかちがき 分かち書き〔▲別〕
- わかつ 分かつ〔▲別・▲頒〕
- わかづくり 若作り
- わかづま 若妻
- わかて 若手
- わかば 若葉
- わがはい ①わがはい ②我が輩〔×吾〕
- わかふうふ 若夫婦
- わかまつ 若松
- **わがまま** 〔我×儘〕
- わがみ ①わが身 ②我が身〔×吾〕
- わかみず 若水
- わかみどり 若緑
- わかむき 若向き
- わかむしゃ 若武者

特 表外字・表外音訓を用いてよい特例の語　付 常用漢字表の付表の語
送 送りがなを省く特例　読 読みがなを付けるのが望ましい語　*類語・言いかえ例

わかめ　若芽	〜がもえ出る。
わかめ　〔若▲布〕	(海藻)
わかもの　若者	
わがものがお　①わが物顔　②我が物顔〔×吾〕	
わがや　①わが家　②我が家〔×吾〕	
わかやぐ　若やぐ	
わがよ　①わが世　②我が世〔×吾〕	
わからずや　わからず屋	
わかり　分かり　〜が早い。	
わかりきる　分かりきる〔切〕　分かりきった話。	
わかる　分かる〔▲解・▲判〕	
わかれ　別れ　けんか。生き〜。物〜。	
わかれじも　別れ霜　(忘れ霜・晩霜)　八十八夜の〜。	
わかればなし　別れ話	
わかれみち　分かれ道	
わかれめ　分かれ目　勝負の〜。	
わかれる　分かれる　(分岐)道が〜。意見が〜。	
わかれる　別れる　(別離)友人と〜。	
わかれわかれ　別れ別れ	
わかわかしい　若々しい	
わかん　和漢	
わき　脇｛わき｝	
ワキ　《芸能》(能など)	
わき　沸き　〜が早い。	
わぎ　和議	
わきあいあい　和気藹々（あいあい）	

わきあがる　沸き上がる	湯が〜。大歓声が〜。怒りが〜。
わきあがる　湧き上がる〔×涌〕	入道雲が〜。
わきおこる　沸き起こる	歓声が〜。割れるような拍手が〜。
わきおこる　湧き起こる〔×涌〕	雷雲が〜。
わきが　〔×腋▲臭〕	
わきかえる　沸き返る	
わきげ　わき毛〔脇・×腋〕	
わきざし　脇差し	
わきたつ　沸き立つ	やかんの湯が〜。会場が〜。
わきたつ　湧き立つ	入道雲が〜。
わきづくえ　脇机	
わきづけ　脇付け	
わきでる　湧き出る〔×涌〕	温泉が〜。清水が〜。アイデアが〜。
わきのした　わきの下〔脇・×腋〕	
わきばら　脇腹	
わきまえる　〔▲弁〕	
わきみ　脇見　〜運転。	
わきみず　湧き水〔×涌〕	
わきみち　脇道　〜にそれる。	
わきめ　脇目　〜も振らず。	
わきやく　脇役〔▲傍〕	
わぎゅう　和牛	
わぎり　輪切り	
わく　惑｛ワク／まどう｝	
わく　枠｛わく｝　予算の〜。	

〔　〕使わない漢字　　×表外字(常用漢字表にない字)　　▲表外音訓(常用漢字表にない読み)
①〜⑥教育漢字の学年配当　　①−②(①の表記を優先するが，②の表記を使ってもよい語)

わく **沸く**	(沸騰・興奮・熱狂)湯が〜。歓声が〜。
わく **湧く**〔×涌〕	(吹き出す。生じる。発生する)水が〜。希望が〜。
わくがい **枠外**	
わくぐみ **枠組み**	
わくせい **惑星**	
わくない **枠内**	
わくらば **わくら葉**〔▲病〕	
わけ **分け**	区〜。株〜。
わけ **訳**	〜を話す。(「…するわけにはいかない」などは,かな書き)
わげい **話芸**	
わけへだて **分け隔て**	
わけまえ **分け前**	
わけめ **分け目**	天下〜。
わける **分ける**〔▲別・▲頒〕	
わご **和語**	
わごう **和合**	
わこうど **若人**付	
わごと **和事**	《芸能》〜師。
わこん **和魂**	〜漢才。〜洋才。
わざ **技**	柔道の〜。〜を覚える。
わざ **業**	至難の〜。離れ〜。早〜。
わさい **和裁**	
わざし **業師**	
わざと 〔▲態〕	〜らしい。
わさび 〔▲山×葵〕	〜漬け。
わざもの **業物**	
わざわい **災い**〔▲禍〕	
わざわざ 〔▲態々〕	
わさん **和算**	
わさんぼん **和三盆** (砂糖)	
わし **和紙**	
わし 〔×儂〕	
わし 〔×鷲〕	
わしき **和式**	
わしつ **和室**	
わしづかみ 〔×鷲×摑〕	
わじゅつ **話術**	
わしょく **和食**	
わずか **僅か**	
わずらい **患い**	(病気)長〜。
わずらい **煩い**	(悩み)恋〜。
わずらう **患う**	胸を〜。
わずらう **煩う**	思い〜。
わずらわしい **煩わしい**	
わずらわす **煩わす**	人手を〜。
わする **和する**	
わすれがたみ **忘れ形見**	
わすれもの **忘れ物**	
わすれる **忘れる**	
わせ 〔▲早▲稲・▲生〕	
わせい **和声**	
わせい **和製**	〜英語。
わせん **和船**	
わせん **和戦**	〜両様。
わそう **和装**	
わた **綿**	
わた 〔▲腸〕	魚の〜。
わだい **話題**	
わたいれ **綿入れ**	

特 表外字・表外音訓を用いてよい特例の語　　付 常用漢字表の付表の語
送 送りがなを省く特例　　読 読みがなを付けるのが望ましい語　　＊類語・言いかえ例

わたうち　綿打ち
わたがし　綿菓子
わだかまり　〔×蟠〕
わたくし　私　(「ワタシ」とも)
わたくしごと　私事
わたくししょうせつ　私小説　(「シショウセツ」とも)
わたくしする　私する
わたくしたち　私たち〔▲達〕(「ワタシタチ」とも)
わたぐも　綿雲
わたげ　綿毛
わたし　渡し
わたし　私　(「ワタクシ」とも)
わたしたち　私たち〔▲達〕(「ワタクシタチ」とも)
わたしば　渡し場
わたしぶね　渡し船　(場合により「渡し舟」)
わたしもり　渡し守 送
わたす　渡す
わだち　〔×轍〕車の～。
わたって　〔×亘〕2日間に～。
わたゆき　綿雪
わたり　渡り　～をつける。
わたりあう　渡り合う
わたりあるく　渡り歩く
わたりぜりふ　渡りぜりふ〔▲台▲詞〕《芸能》
わたりぞめ　渡り初め
わたりどり　渡り鳥
わたりろうか　渡り廊下
わたる　渡る
わっぷ　割賦　(「カップ」とも)
わとじ　和とじ〔×綴〕
わな　〔×罠〕
わなげ　輪投げ
わななく　〔▲戦・▲慄〕
わに　〔×鰐〕～皮。
わび　〔×侘〕～の境地。
わび　〔×詫〕お～。～を入れる。
わびごと　わび言〔×詫〕
わびしい　〔×侘〕
わびじょう　わび状〔×詫〕
わびずまい　わび住まい〔×侘〕
わびる　〔×詫・×侘〕
わふう　和風
わふく　和服
わぶん　和文　～英訳。
わへい　和平　～交渉。
わほう　話法　直接～。間接～。
わぼく　和睦　＊講和。和解。
わめい　和名
わめく　〔▲喚〕
わやく　和訳　英文～。
わよう　和洋　～折衷。
わら　〔×藁〕
わらい　笑い
わらいがお　笑い顔
わらいぐさ　笑いぐさ〔草・▲種〕お～。
わらいごえ　笑い声

〔　〕使わない漢字　　×表外字(常用漢字表にない字)　　▲表外音訓(常用漢字表にない読み)
①〜⑥教育漢字の学年配当　　①−②(①の表記を優先するが，②の表記を使ってもよい語)

わらいごと　**笑い事**　〜ではない。	わりぜりふ　**割りぜりふ**〔▲台▲詞〕《芸能》
わらいばなし　**笑い話**	わりだか　**割高**送
わらいもの　**笑い物**　(場合により「笑い者」)	わりだす　**割り出す**　経費を〜。犯人を〜。
わらう　**笑う**〔×嗤〕	わりちゅう　**割り注**〔×註〕
わらぐつ　〔×藁×沓〕	わりつけ　**割り付け**　紙面の〜。
わらじ　〔▲草▲鞋〕　〜履き。	わりない　〔▲理無〕　〜仲。
わらづつみ　**わら包み**〔×藁〕	わりに　①**わりに**　②**割に**送
わらづと　〔×藁×苞〕	わりばし　**割り箸**
わらにんぎょう　**わら人形**〔×藁〕	わりはん　**割り判**
わらばい　**わら灰**〔×藁〕	わりびき　**割引**送　〜料金。(ただし「○割引き」)
わらばんし　**わら半紙**〔×藁〕	わりびきけん　**割引券**送
わらび　〔×蕨〕　〜餅。	わりびく　**割り引く**
わらぶき　〔×藁×葺〕　〜屋根。	わりふ　**割り符**
わらべ　**童**	わりふる　**割りふる**〔振〕
わらべうた　①**わらべうた**　②**童歌**〔唄〕	わりまえ　**割り前**
わり　**割**送　5〜。3〜引き。〜に合わない。	わりまし　**割り増し**
わり　**割り**　頭〜。水〜。	わりましきん　**割増金**送
わりあい　**割合**送	わりもどし　**割り戻し**
わりあいに　**割合に**送	わりやす　**割安**送
わりあて　**割り当て**　〜額。	わる　**割る**
わりあてる　**割り当てる**	わるあがき　**悪あがき**〔▲足×搔〕
わりいん　**割り印**	わるあそび　**悪遊び**
わりかん　**割り勘**	わるい　**悪い**
わりきる　**割り切る**	わるがしこい　**悪賢い**
わりこみ　**割り込み**	わるぎ　**悪気**
わりこむ　**割り込む**	わるぐち　**悪口**　(「ワルクチ」とも)
わりざん　**割り算**	わるさ　**悪さ**
	わるずれ　**悪ずれ**〔擦〕

特 表外字・表外音訓を用いてよい特例の語　　付 常用漢字表の付表の語
送 送りがなを省く特例　　読 読みがなを付けるのが望ましい語　　＊類語・言いかえ例

わるだくみ　**悪だくみ**〔巧〕	われながら　①**われながら**　②我ながら
わるぢえ　**悪知恵**〔×智×慧〕	われめ　**割れ目**
わるのり　**悪乗り**	われもの　**割れ物**
わるびれる　**悪びれる**	われら　①**われら**　②我ら〔▲等〕
わるふざけ　**悪ふざけ**〔×巫▲山▲戯〕	われる　**割れる**
わるもの　**悪者**	われわれ　①**われわれ**　②我々
わるよい　**悪酔い**	わん　**湾**{ワン}　～内。
われ　**割れ**	わん　**腕**{ワン/うで}
われ　①**われ**　②我〔×吾〕　～を忘れる。	わん　〔×椀・×碗〕　お～。茶～。
われがちに　①**われがちに**　②我勝ちに	わんがん　**湾岸**　～諸国。～道路。
われさきに　①**われさきに**　②我先に	わんきょく　**湾曲**〔×彎〕
	わんしょう　**腕章**
	わんぱく　〔腕白〕　～盛り。
	わんりょく　**腕力**

〔　〕使わない漢字　　×表外字(常用漢字表にない字)　　▲表外音訓(常用漢字表にない読み)
①～⑥教育漢字の学年配当　　①-②(①の表記を優先するが，②の表記を使ってもよい語)

付録

付録1　常用漢字一覧

付録2　常用漢字表　答申（基本的な考え方）

付録3　学年別漢字配当表（教育漢字表）

付録4　ローマ字のつづり方

付録5　現代仮名遣い

付録1　常用漢字一覧

(1) この表には,「常用漢字表」によって, 常用漢字 2136 字とその音訓を示し, ほかに NHK で独自に追加して使用する漢字とその音訓を, 末尾に示した。
(2) この表の漢字は,「常用漢字表」の順に従って配列した。すなわち字音に従って五十音順に配列し, 同音の場合は字画の少ないものを先にした。
また, ×印を付けた漢字は NHK では原則として使用しない漢字である。
(3) 音訓は, カタカナで字音を, ひらがなで字訓を記した。△印を付けた音訓は, 特別なものか, または用法のごく狭いものである。音と訓のいずれかがないものは, ── で示した。
また, NHK で独自に追加して使用する音訓には, ○印を付けた。

【あ】

亜 ア ──

哀 アイ／あわれ／あわれむ

挨 アイ ──

愛 アイ ──

曖 アイ ──

悪 アク, オ／わるい

握 アク／にぎる

圧 アツ

扱 ──／あつかう

宛 ──／あてる

嵐 ──／あらし

安 アン／やすい

案 アン ──

暗 アン／くらい

【い】

以 イ ──

衣 イ／ころも

位 イ／くらい

囲 イ／かこむ／かこう

医 イ ──

依 イ, △エ ──

委 イ／ゆだねる

威 イ ──

為 イ ──

畏 イ／おそれる

胃 イ ──

尉 イ ──

異 イ／こと

移 イ／うつる／うつす

萎 イ／なえる

偉 イ／えらい

椅 イ ──

彙 イ ──

意 イ ──

違 イ／ちがう／ちがえる

維 イ ──

慰 イ／なぐさめる／なぐさむ

遺 イ, △ユイ ──

緯 イ ──

域 イキ ──

育 イク／そだつ／そだてる／はぐくむ

一 イチ, イツ／ひと／ひとつ

壱 イチ ──

逸 イツ ──

茨 ──／△いばら

付録1 常用漢字一覧

芋 いも	唄 △うた	疫 エキ △ヤク	遠 △エン とおい	桜 オウ さくら	
引 イン ひく ひける	鬱 ウツ	益 エキ △ヤク	鉛 エン なまり	翁 オウ	【か】
印 イン しるし	畝 うね	液 エキ	塩 エン しお	奥 オウ おく	下 カ, ゲ した もと さげる さがる くだる くだす くださる おろす おりる
因 イン よる	浦 うら	駅 エキ	演 エン	横 オウ よこ	
咽 イン	運 ウン はこぶ	悦 エツ	縁 エン ふち	岡 △おか	
姻 イン	雲 ウン くも	越 エツ こす こえる	艶 エン つや	屋 オク や	化 カ, ケ ばける ばかす
員 イン		謁 エツ		億 オク	火 カ ひ, △ほ
院 イン	【え】	閲 エツ	【お】	憶 オク	加 カ くわえる くわわる
淫 イン みだら	永 エイ ながい	円 エン まるい	汚 オ けがす けがれる けがらわしい よごす よごれる きたない	臆 オク	可 カ
陰 イン かげ かげる	泳 エイ およぐ	延 エン のびる のべる のばす		×虞 おそれ	仮 カ, △ケ かり
飲 イン のむ	英 エイ	沿 エン そう	王 オウ	乙 オツ	何 カ なに △なん
隠 イン かくす かくれる	映 エイ うつる うつす はえる	炎 エン ほのお	凹 オウ	俺 おれ	花 カ はな
韻 イン	栄 エイ さかえる はえ はえる	怨 エン, オン	央 オウ	卸 おろす おろし	佳 カ
	営 エイ いとなむ	宴 エン	応 オウ こたえる	音 オン, イン おと, ね	価 カ あたい
【う】	詠 エイ よむ	媛 エン	往 オウ	恩 オン	果 カ はたす はてる はて
右 ウ, ユウ みぎ	影 エイ かげ	援 エン	押 オウ おす おさえる	温 オン あたたか あたたかい あたたまる あたためる	河 カ かわ
宇 ウ	鋭 エイ するどい	園 エン その	旺 オウ	穏 オン おだやか	苛 カ
羽 ウ は, はね	衛 エイ	煙 エン けむる けむり けむい	欧 オウ		科 カ
雨 ウ あめ △あま	易 エキ, イ やさしい	猿 エン さる	殴 オウ なぐる		架 カ かける かかる

付録1　常用漢字一覧

漢字	読み	漢字	読み	漢字	読み	漢字	読み	漢字	読み	漢字	読み
夏	カ、△ゲ、なつ	牙	ガ、△ゲ、きば	海	カイ、うみ	劾	ガイ	郭	カク	渇	カツ、かわく
家	カ、ケ、いえ、や	瓦	ガ、かわら	界	カイ	害	ガイ	覚	カク、おぼえる、さます、さめる	割	カツ、わる、わり、われる、さく
荷	カ、に	我	ガ、われ、わ	皆	カイ、みな	崖	ガイ、がけ	較	カク		
華	カ、△ケ、はな	画	ガ、カク	械	カイ	涯	ガイ	隔	カク、へだてる、へだたる	葛	カツ、くず
菓	カ	芽	ガ、め	絵	カイ、エ	街	ガイ、△カイ、まち	閣	カク	滑	カツ、コツ、すべる、なめらか
貨	カ	賀	ガ	開	カイ、ひらく、ひらける、あく、あける	概	ガイ	確	カク、たしか、たしかめる	褐	カツ
渦	カ、うず	雅	ガ			蓋	ガイ、ふた	獲	カク、える	轄	カツ
過	カ、すぎる、すごす、あやまつ、あやまち	餓	ガ	階	カイ	該	ガイ	嚇	カク	×且	かつ
		介	カイ	塊	カイ、かたまり	概	ガイ	穫	カク	株	かぶ
嫁	カ、よめ、とつぐ	回	カイ、△エ、まわる、まわす	楷	カイ	骸	ガイ	学	ガク、まなぶ	釜	かま
暇	カ、ひま	灰	カイ、はい	解	カイ、ゲ、とく、とかす、とける	垣	かき	岳	ガク、たけ	鎌	かま
禍	カ	会	カイ、エ、あう	潰	カイ、つぶす、つぶれる	柿	かき	楽	ガク、ラク、たのしい、たのしむ	刈	かる
靴	カ、くつ	快	カイ、こころよい	壊	カイ、こわす、こわれる	各	カク、おのおの	額	ガク、ひたい	干	カン、ほす、ひる
寡	カ	戒	カイ、いましめる	懐	カイ、ふところ、なつかしい、なつかしむ、なつく、なつける	角	カク、かど、つの	顎	ガク、あご	刊	カン
歌	カ、うた、うたう	改	カイ、あらためる、あらたまる			拡	カク	掛	かける、かかる、かかり	甘	カン、あまい、あまえる、あまやかす
箇	カ			諧	カイ	革	カク、かわ	潟	かた		
稼	カ、かせぐ	怪	カイ、あやしい、あやしむ	貝	かい	格	カク、△コウ	括	カツ	汗	カン、あせ
課	カ	拐	カイ	外	ガイ、ゲ、そと、ほか、はずす、はずれる	核	カク	活	カツ	缶	カン
蚊	か	悔	カイ、くいる、くやむ、くやしい			殻	カク、から	喝	カツ	完	カン

肝 キモ	勧 カン すすめる	艦 カン	希 キ	幾 キ いく	疑 ギ うたがう
官 カン	寛 カン	鑑 カン かんがみる	忌 キ いむ いまわしい	揮 キ	儀 ギ
冠 カン かんむり	幹 カン みき	丸 ガン まるい まるまる まるめる	汽 キ	期 キ, △ゴ	戯 ギ たわむれる
巻 カン まく まき	感 カン	含 ガン ふくむ ふくめる	奇 キ	棋 キ	擬 ギ
看 カン	漢 カン	岸 ガン きし	祈 キ いのる	貫 キ たっとい とうとい たっとぶ とうとぶ	犠 ギ
陥 カン おちいる おとしいれる	慣 カン なれる ならす	岩 ガン いわ	季 キ		議 ギ
乾 カン かわく かわかす	管 カン くだ	玩 ガン	紀 キ	棄 キ	菊 キク
勘 カン	関 カン せき かかわる	眼 ガン △ゲン まなこ	軌 キ	毀 キ	吉 キチ キツ
患 カン わずらう	歓 カン	頑 ガン	既 キ すでに	旗 キ はた	喫 キツ
貫 カン つらぬく	監 カン	顔 ガン かお	記 キ しるす	器 キ うつわ	詰 キツ つめる つまる つむ
寒 カン さむい	緩 カン ゆるい ゆるやか ゆるむ ゆるめる	願 ガン ねがう	起 キ おきる おこる おこす	畿 キ	却 キャク
喚 カン			飢 キ うえる	輝 キ かがやく	客 キャク カク
堪 カン たえる	憾 カン	【き】	鬼 キ おに	機 キ はた	脚 キャク △キャ あし
換 カン かえる かわる	還 カン	企 キ くわだてる	帰 キ かえる かえす	騎 キ	逆 ギャク さか さからう
敢 カン	館 カン やかた	伎 キ	基 キ もと もとい	技 ギ わざ	虐 ギャク しいたげる
棺 カン	環 カン	危 キ あぶない あやうい あやぶむ	寄 キ よる よせる	宜 ギ	九 キュウ ク ここの ここのつ
款 カン	簡 カン	机 キ つくえ	規 キ	偽 ギ いつわる にせ	久 キュウ △ク ひさしい
間 カン ケン あいだ ま	観 カン	気 キ, ケ	亀 キ かめ	欺 ギ あざむく	及 キュウ およぶ および およぼす
閑 カン	韓 カン	岐 キ	喜 キ よろこぶ	義 ギ	弓 キュウ ゆみ

丘 キュウ／おか	去 キョ,コ／さる	協 キョウ	響 キョウ／ひびく	筋 キン／すじ	空 クウ／そら／あく／あける／から
旧 キュウ	巨 キョ	況 キョウ	驚 キョウ／おどろく／おどろかす	僅 キン／わずか	
休 キュウ／やすむ／やすめる	居 キョ／いる	峡 キョウ	仰 ギョウ／△コウ／△おおせ／あおぐ	禁 キン	偶 グウ
吸 キュウ／すう	拒 キョ／こばむ	挟 キョウ／はさむ／はさまる	暁 ギョウ／あかつき	緊 キン	遇 グウ
朽 キュウ／くちる	拠 キョ,コ	狭 キョウ／せまい／せばめる／せばまる	業 ギョウ／ゴウ／わざ	錦 キン／にしき	隅 グウ／すみ
臼 キュウ／うす	挙 キョ／あげる／あがる	恐 キョウ／おそれる／おそろしい	凝 ギョウ／こる／こらす	謹 キン／つつしむ	串 くし
求 キュウ／もとめる	虚 キョ／△コ	恭 キョウ／うやうやしい	曲 キョク／まがる／まげる	襟 キン／えり	屈 クツ
究 キュウ／きわめる	許 キョ／ゆるす	胸 キョウ／むね／△むな	局 キョク	吟 ギン	掘 クツ／ほる
泣 キュウ／なく	距 キョ	脅 キョウ／おびやかす／おどす／おどかす	極 キョク／ゴク／きわめる／きわまる／きわみ	銀 ギン	窟 クツ
急 キュウ／いそぐ	魚 ギョ／うお／さかな				熊 くま
級 キュウ	御 ギョ／ゴ／おん	強 キョウ／ゴウ／つよい／つよまる／つよめる／しいる	玉 ギョク／たま	【く】	繰 くる
糾 キュウ	漁 ギョ／リョウ		巾 キン		君 クン／きみ
宮 キュウ／グウ／△ク／みや	凶 キョウ	教 キョウ／おしえる／おそわる	斤 キン	区 ク	訓 クン
救 キュウ／すくう	共 キョウ／とも	郷 キョウ／ゴウ	均 キン	句 ク	勲 クン
球 キュウ／たま	叫 キョウ／さけぶ	境 キョウ／△ケイ／さかい	近 キン／ちかい	苦 ク／くるしい／くるしむ／くるしめる／にがい／にがる	薫 クン／かおる
給 キュウ	狂 キョウ／くるう／くるおしい	橋 キョウ／はし	金 キン／コン／かね／△かな	駆 ク／かける／かる	軍 グン
嗅 キュウ／かぐ	京 キョウ／ケイ	矯 キョウ／ためる	菌 キン	具 グ	郡 グン
窮 キュウ／きわめる／きわまる	享 キョウ	鏡 キョウ／かがみ	勤 キン／△ゴン／つとめる／つとまる	惧 グ	群 グン／むれる／むれ／△むら
牛 ギュウ／うし	供 キョウ／△ク／そなえる／とも	競 キョウ／ケイ／きそう／せる	琴 キン／こと	愚 グ／おろか	

【け】

兄	ケイ、△キョウ／あに
刑	ケイ
形	ケイ、ギョウ／かた、かたち
系	ケイ
径	ケイ
茎	ケイ／くき
係	ケイ／かかる、かかり
型	ケイ／かた
契	ケイ／ちぎる
計	ケイ／はかる、はからう
恵	ケイ、エ／めぐむ
啓	ケイ
掲	ケイ／かかげる
渓	ケイ
経	ケイ、キョウ／へる
蛍	ケイ／ほたる
敬	ケイ／うやまう
景	ケイ
軽	ケイ／かるい、かろやか
傾	ケイ／かたむく、かたむける
携	ケイ／たずさえる、たずさわる
継	ケイ／つぐ
詣	ケイ／もうでる
慶	ケイ
憬	ケイ
稽	ケイ
憩	ケイ／いこい、いこう
警	ケイ
○鶏	ケイ／にわとり
芸	ゲイ
迎	ゲイ／むかえる
鯨	ゲイ／くじら
隙	ゲキ／すき
劇	ゲキ
撃	ゲキ／うつ
激	ゲキ／はげしい
桁	けた
欠	ケツ／かける、かく
穴	ケツ／あな
血	ケツ／ち
決	ケツ／きめる、きまる
結	ケツ／むすぶ、ゆう、ゆわえる
傑	ケツ
潔	ケツ／いさぎよい
月	ゲツ、ガツ／つき
犬	ケン／いぬ
件	ケン
見	ケン／みる、みえる、みせる
券	ケン
肩	ケン／かた
建	ケン、△コン／たてる、たつ
研	ケン／とぐ
県	ケン
倹	ケン
兼	ケン／かねる
剣	ケン／つるぎ
拳	ケン／こぶし
軒	ケン／のき
健	ケン／すこやか
険	ケン／けわしい
圏	ケン
堅	ケン／かたい
検	ケン
嫌	ケン、△ゲン／きらう、いや
献	ケン、△コン
絹	ケン／きぬ
遣	ケン／つかう、つかわす
権	ケン、△ゴン
憲	ケン
賢	ケン／かしこい
謙	ケン
鍵	ケン／かぎ
繭	ケン／まゆ
顕	ケン
験	ケン、△ゲン
懸	ケン、ケ／かける、かかる
元	ゲン、ガン／もと
幻	ゲン／まぼろし
玄	ゲン
言	ゲン、ゴン／いう、こと
弦	ゲン／つる
限	ゲン／かぎる
原	ゲン／はら
現	ゲン／あらわれる、あらわす
舷	ゲン
減	ゲン／へる、へらす
源	ゲン／みなもと
厳	ゲン、△ゴン／おごそか、きびしい

【こ】

己	コ、キ／おのれ
戸	コ／と
古	コ／ふるい、ふるす
呼	コ／よぶ
固	コ／かためる、かたまる、かたい
股	コ／また
虎	コ／とら
孤	コ
弧	コ
故	コ／ゆえ
枯	コ／かれる、からす
個	コ
庫	コ、△ク
湖	コ／みずうみ
雇	コ／やとう
誇	コ／ほこる
鼓	コ／つづみ
錮	コ
顧	コ／かえりみる
五	ゴ／いつ、いつつ
互	ゴ／たがい

付録1 常用漢字一覧

午	ゴ
呉	ゴ
後	ゴ, コウ / のち / うしろ / あと / おくれる
娯	ゴ
悟	ゴ / さとる
碁	ゴ
語	ゴ / かたる / かたらう
誤	ゴ / あやまる
護	ゴ
口	コウ, ク / くち
工	コウ, ク
公	コウ / おおやけ
勾	コウ
孔	コウ
功	コウ, △ク
巧	コウ / たくみ
広	コウ / ひろい / ひろまる / ひろめる / ひろがる / ひろげる
甲	コウ, カン
交	コウ / まじわる / まじえる / まじる / まざる / まぜる / かう / かわす
光	コウ / ひかる / ひかり
向	コウ / むく / むける / むかう / むこう
后	コウ
好	コウ / このむ / すく
江	コウ / え
考	コウ / かんがえる
行	コウ, ギョウ, アン / いく / ゆく / おこなう
坑	コウ
孝	コウ
抗	コウ
攻	コウ / せめる
更	コウ / さらに / ふける / ふかす
効	コウ / きく
幸	コウ / さいわい / さち / しあわせ
拘	コウ
肯	コウ
侯	コウ
厚	コウ / あつい
恒	コウ
洪	コウ
皇	コウ, オウ
紅	コウ, △ク / べに / くれない
荒	コウ / あらい / あれる / あらす
○虹	コウ / にじ
郊	コウ
香	コウ, △キョウ / か / かおり / かおる
候	コウ / そうろう
校	コウ
耕	コウ / たがやす
航	コウ
貢	コウ, △ク / みつぐ
降	コウ / おりる / おろす / ふる
高	コウ / たかい / たか / たかまる / たかめる
康	コウ
控	コウ / ひかえる
梗	コウ
黄	コウ, オウ / き, △こ
喉	コウ / のど
慌	コウ / あわてる / あわただしい
港	コウ / みなと
硬	コウ / かたい
絞	コウ / しぼる / しめる / しまる
項	コウ
溝	コウ / みぞ
鉱	コウ
構	コウ / かまえる / かまう
綱	コウ / つな
酵	コウ
稿	コウ
興	コウ, キョウ / おこる / おこす
衡	コウ
鋼	コウ / はがね
講	コウ
購	コウ
乞	こう
号	ゴウ
合	ゴウ, ガッ, △カッ / あう / あわす / あわせる
拷	ゴウ
剛	ゴウ
傲	ゴウ
豪	ゴウ
克	コク
告	コク / つげる
谷	コク / たに
刻	コク / きざむ
国	コク / くに
黒	コク / くろ / くろい
穀	コク
酷	コク
獄	ゴク
骨	コツ / ほね
駒	こま
込	こむ / こめる
頃	ころ
今	コン / いま
困	コン / こまる
昆	コン
恨	コン / うらむ / うらめしい
根	コン / ね
婚	コン
混	コン / まじる / まざる / まぜる / こむ
痕	コン / あと
紺	コン
魂	コン / たましい
墾	コン
懇	コン / ねんごろ

付録1 常用漢字一覧

【さ】

左	サ/ひだり
佐	サ
沙	サ
査	サ
砂	サ、シャ/すな
唆	サ/そそのかす
差	サ/さす
詐	サ
鎖	サ/くさり
座	ザ/すわる
挫	ザ
才	サイ
再	サイ、△サ/ふたたび
災	サイ/わざわい
妻	サイ/つま
采	サイ
砕	サイ/くだく/くだける
宰	サイ
栽	サイ
彩	サイ/いろどる
採	サイ/とる
済	サイ/すむ/すます
祭	サイ/まつる/まつり
斎	サイ
細	サイ/ほそい/ほそる/こまか/こまかい
菜	サイ/な
最	サイ/もっとも
裁	サイ/たつ/さばく
債	サイ
催	サイ/もよおす
塞	サイ、ソク/ふさぐ/ふさがる
歳	サイ、△セイ
載	サイ/のせる/のる
際	サイ/きわ
埼	△さい
在	ザイ/ある
材	ザイ
剤	ザイ
財	ザイ、△サイ
罪	ザイ/つみ
崎	さき
作	サク、サ/つくる
削	サク/けずる
昨	サク
柵	サク
索	サク
策	サク
酢	サク/す
搾	サク/しぼる
錯	サク
咲	さく
冊	サク、サツ
札	サツ/ふだ
刷	サツ/する
刹	サツ、セツ
拶	サツ
殺	サツ、△サイ、△セツ/ころす
察	サツ
撮	サツ/とる
擦	サツ/する/すれる
雑	ザツ、ゾウ
皿	さら
三	サン/み/みつ/みっつ
山	サン/やま
参	サン/まいる
桟	サン
蚕	サン/かいこ
惨	サン、ザン/みじめ
産	サン/うむ/うまれる/うぶ
傘	サン/かさ
散	サン/ちる/ちらす/ちらかす/ちらかる
算	サン
酸	サン/すい
賛	サン
残	ザン/のこる/のこす
斬	ザン/きる
暫	ザン

【し】

士	シ
子	シ、ス/こ
支	シ/ささえる
止	シ/とまる/とめる
氏	シ/うじ
仕	シ、△ジ/つかえる
史	シ
司	シ
四	シ/よ/よつ/よっつ/よん
市	シ/いち
矢	シ/や
旨	シ/むね
死	シ/しぬ
糸	シ/いと
至	シ/いたる
伺	シ/うかがう
志	シ/こころざす/こころざし
私	シ/わたくし/わたし
使	シ/つかう
刺	シ/さす/さざる
始	シ/はじめる/はじまる
姉	シ/あね
枝	シ/えだ
祉	シ
肢	シ
姿	シ/すがた
思	シ/おもう
指	シ/ゆび/さす
施	シ、セ/ほどこす

付録1 常用漢字一覧

漢字	読み	漢字	読み	漢字	読み	漢字	読み	漢字	読み	漢字	読み
師	シ	字	ジ、あざ	鹿	—、しか、△か	舎	シャ	寂	ジャク、△セキ、さびしい、さびれる	需	ジュ
恣	シ	寺	ジ、てら	式	シキ	者	シャ、もの			儒	ジュ
紙	シ、かみ	次	ジ、シ、つぐ、つぎ	識	シキ	射	シャ、いる	手	シュ、て、△た	樹	ジュ
脂	シ、あぶら	耳	ジ、みみ	軸	ジク	捨	シャ、すてる	主	シュ、ス、△ぬし、おも	収	シュウ、おさめる、おさまる
視	シ	自	ジ、シ、みずから	七	シチ、なな、ななつ、△なの	赦	シャ	守	シュ、ス、まもる、もり	囚	シュウ
紫	シ、むらさき	似	ジ、にる	叱	シツ、しかる	斜	シャ、ななめ	朱	シュ	州	シュウ、す
詞	シ	児	ジ、△ニ	失	シツ、うしなう	煮	シャ、にる、にえる、にやす	取	シュ、とる	舟	シュウ、ふね、△ふな
歯	シ、は	事	ジ、こと、△ズ	室	シツ、むろ	遮	シャ、さえぎる	狩	シュ、かる、かり	秀	シュウ、ひいでる
嗣	シ	侍	ジ、さむらい	疾	シツ	謝	シャ、あやまる	首	シュ、くび	周	シュウ、まわり
試	シ、こころみる、ためす	治	ジ、チ、おさめる、おさまる、なおる、なおす	執	シツ、シュウ、とる	邪	ジャ	殊	シュ、こと	宗	シュウ、ソウ
詩	シ			湿	シツ、しめる、しめす	蛇	ジャ、ダ、へび	珠	シュ	拾	シュウ、ジュウ、ひろう
資	シ	持	ジ、もつ	嫉	シツ	尺	シャク	酒	シュ、さけ、△さか	秋	シュウ、あき
飼	シ、かう	時	ジ、とき	漆	シツ、うるし	借	シャク、かりる	腫	シュ、はれる、はらす	臭	シュウ、くさい、におう
誌	シ	滋	ジ	質	シツ、シチ、△チ	酌	シャク、くむ	種	シュ、たね	修	シュウ、△シュ、おさめる、おさまる
雌	シ、めす	慈	ジ、いつくしむ	実	ジツ、み、みのる	釈	シャク	趣	シュ、おもむき	袖	シュウ、そで
摯	シ	辞	ジ、やめる	芝	しば	爵	シャク	寿	ジュ、ことぶき	終	シュウ、おわる、おえる
賜	シ、たまわる	磁	ジ	写	シャ、うつす、うつる	若	ジャク、△ニャク、わかい、もしくは	受	ジュ、うける、うかる	羞	シュウ
諮	シ、はかる	餌	ジ、えさ、え	社	シャ、やしろ	弱	ジャク、よわい、よわる、よわまる、よわめる	呪	ジュ、のろう	習	シュウ、ならう
示	ジ、シ、しめす	璽	ジ	車	シャ、くるま			授	ジュ、さずける、さずかる	週	シュウ

付録1　常用漢字一覧

漢字	読み	漢字	読み	漢字	読み	漢字	読み	漢字	読み	漢字	読み
就	シュウ △ジュ つく つける	銃	ジュウ —	巡	ジュン めぐる	諸	ショ —	承	ショウ うけたまわる	掌	ショウ —
衆	シュウ △シュ	獣	ジュウ けもの	盾	ジュン たて	女	ジョ △ニョ △ニョウ おんな め	昇	ショウ のぼる	晶	ショウ —
集	シュウ あつまる あつめる つどう	縦	ジュウ たて	准	ジュン —			松	ショウ まつ	焼	ショウ やく やける
愁	シュウ うれえる うれい	叔	シュク —	殉	ジュン —	如	ジョ ニョ	沼	ショウ ぬま	焦	ショウ こげる こがす こがれる あせる
酬	シュウ —	祝	シュク △シュウ いわう	純	ジュン —	助	ジョ たすける たすかる すけ	昭	ショウ —		
醜	シュウ みにくい	宿	シュク やど やどる やどす	循	ジュン —	序	ジョ —	宵	ショウ よい	硝	ショウ —
蹴	シュウ ける	淑	シュク —	順	ジュン —	叙	ジョ —	将	ショウ —	粧	ショウ —
襲	シュウ おそう	粛	シュク —	準	ジュン —	徐	ジョ —	消	ショウ きえる けす	詔	ショウ みことのり
十	ジュウ ジッ とお、と	縮	シュク ちぢむ ちぢまる ちぢめる ちぢれる ちぢらす	潤	ジュン うるおう うるおす うるむ	除	ジョ △ジ のぞく	症	ショウ —	○証	ショウ あかす
汁	ジュウ しる			×遵	ジュン —	小	ショウ ちいさい こ お	祥	ショウ —	象	ショウ ゾウ
充	ジュウ あてる	塾	ジュク —	処	ショ —	升	ショウ ます	称	ショウ —	傷	ショウ きず いたむ いためる
住	ジュウ すむ すまう	熟	ジュク うれる	初	ショ はじめ はじめて はつ ういそめる	少	ショウ すくない すこし	笑	ショウ わらう えむ	奨	ショウ —
柔	ジュウ ニュウ やわらか やわらかい	出	シュツ △スイ でる だす			召	ショウ めす	唱	ショウ となえる	照	ショウ てる てらす てれる
		述	ジュツ のべる	所	ショ ところ	匠	ショウ —	商	ショウ あきなう	詳	ショウ くわしい
重	ジュウ チョウ おもい え かさねる かさなる	術	ジュツ —	書	ショ かく	床	ショウ とこ ゆか	渉	ショウ —	彰	ショウ —
		俊	シュン —	庶	ショ —	抄	ショウ —	章	ショウ —	障	ショウ さわる
従	ジュウ △ショウ △ジュ したがう したがえる	春	シュン はる	暑	ショ あつい	肖	ショウ —	紹	ショウ —	憧	ショウ あこがれる
		瞬	シュン またたく	署	ショ —	尚	ショウ —	訟	ショウ —	衝	ショウ —
渋	ジュウ しぶ しぶい しぶる	旬	ジュン △シュン	緒	ショ △チョ お	招	ショウ まねく	勝	ショウ かつ まさる	賞	ショウ —

付録1 常用漢字一覧

償 ショウ／つぐなう	縄 ジョウ／なわ	心 シン／こころ	紳 シン	尋 ジン／たずねる	髄 ズイ
礁 ショウ	壌 ジョウ	申 シン／もうす	進 シン／すすむ／すすめる	腎 ジン	枢 スウ
鐘 ショウ／かね	嬢 ジョウ	伸 シン／のびる／のばす／のべる	森 シン／もり		崇 スウ
上 ジョウ／△ショウ／うえ／△うわ／かみ／あげる／あがる／のぼる／のぼせる／のぼす	錠 ジョウ	臣 シン／ジン	診 シン／みる	【す】	数 スウ／△ス／かず／かぞえる
	譲 ジョウ／ゆずる	芯 シン	寝 シン／ねる／ねかす	須 ス	据 すえる／すわる
	醸 ジョウ／かもす	身 シン／み	慎 シン／つつしむ	図 ズ,ト／はかる	杉 すぎ
丈 ジョウ／たけ	色 ショク／シキ／いろ	辛 シン／からい	新 シン／あたらしい／あらた／にい	水 スイ／みず	裾 すそ
冗 ジョウ	拭 ショク／ふく／ぬぐう	侵 シン／おかす		吹 スイ／ふく	寸 スン
条 ジョウ	食 ショク／△ジキ／くう／くらう／たべる	信 シン	審 シン	垂 スイ／たれる／たらす	
状 ジョウ		津 シン／つ	震 シン／ふるう／ふるえる	炊 スイ／たく	【せ】
乗 ジョウ／のる／のせる	植 ショク／うえる／うわる	神 シン／ジン／かみ／△かん／△こう	薪 シン／たきぎ	帥 スイ	瀬 せ
城 ジョウ／しろ	殖 ショク／ふえる／ふやす		親 シン／おや／したしい／したしむ	粋 スイ／いき	是 ゼ
浄 ジョウ	飾 ショク／かざる	唇 シン／くちびる	人 ジン／ニン／ひと	衰 スイ／おとろえる	井 セイ／△ショウ／い
剰 ジョウ	触 ショク／ふれる／さわる	娠 シン	刃 ジン／は	推 スイ／おす	世 セイ,セ／よ
常 ジョウ／つね／とこ	嘱 ショク	振 シン／ふる／ふるう／ふれる	仁 ジン／△ニ	酔 スイ／よう	正 セイ／ショウ／ただしい／ただす／まさ
情 ジョウ／△セイ／なさけ	織 ショク／シキ／おる	浸 シン／ひたす／ひたる	尽 ジン／つくす／つきる／つかす	遂 スイ／とげる	
場 ジョウ／ば	職 ショク	真 シン／ま	迅 ジン	睡 スイ	生 セイ／ショウ／いきる／いかす／いける／うまれる／うむ／おう／はえる／はやす／き／なま
畳 ジョウ／たたむ／たたみ	辱 ジョク／はずかしめる	針 シン／はり	甚 ジン／はなはだ／はなはだしい	穂 スイ／ほ	
蒸 ジョウ／むす／むれる／むらす	尻 しり	深 シン／ふかい／ふかまる／ふかめる	陣 ジン	随 ズイ	

成	セイ／△ジョウ／なる／なす
西	セイ／サイ／にし
声	セイ／△ショウ／こえ／△こわ
制	セイ
姓	セイ／ショウ
征	セイ
性	セイ／ショウ
青	セイ／△ショウ／あお／あおい
斉	セイ
政	セイ／△ショウ／まつりごと
星	セイ／△ショウ／ほし
牲	セイ
省	セイ／ショウ／かえりみる／はぶく
凄	セイ
逝	セイ／ゆく
清	セイ／△ショウ／きよい／きよまる／きよめる

盛	セイ／△ジョウ／もる／さかる／さかん
婿	セイ／むこ
晴	セイ／はれる／はらす
勢	セイ／いきおい
聖	セイ
誠	セイ／まこと
精	セイ／△ショウ
製	セイ
誓	セイ／ちかう
静	セイ／△ジョウ／しず／しずか／しずまる／しずめる
請	セイ／△シン／こう／うける
整	セイ／ととのえる／ととのう
醒	セイ
税	ゼイ
夕	セキ／ゆう
斥	セキ
石	セキ／△シャク／△コク／いし

赤	セキ／△シャク／あか／あかい／あからむ／あからめる
昔	セキ／△シャク／むかし
析	セキ
席	セキ
脊	セキ
隻	セキ
惜	セキ／おしい／おしむ
戚	セキ
責	セキ／せめる
跡	セキ／あと
積	セキ／つむ／つもる
績	セキ
籍	セキ
切	セツ／△サイ／きる／きれる
折	セツ／おる／おり／おれる
拙	セツ／つたない
窃	セツ
接	セツ／つぐ

設	セツ／もうける
雪	セツ／ゆき
摂	セツ
節	セツ／△セチ／ふし
説	セツ／△ゼイ／とく
舌	ゼツ／した
絶	ゼツ／たえる／たやす／たつ
千	セン／ち
川	セン／かわ
仙	セン
占	セン／しめる／うらなう
先	セン／さき
宣	セン
専	セン／もっぱら
泉	セン／いずみ
浅	セン／あさい
洗	セン／あらう
染	セン／そめる／そまる／しみる／しみ

扇	セン／おうぎ
栓	セン
旋	セン
船	セン／ふね／△ふな
戦	セン／いくさ／たたかう
煎	セン／いる
羨	セン／うらやむ／うらやましい
腺	セン
詮	セン
践	セン
箋	セン
銭	セン／ぜに
潜	セン／ひそむ／もぐる
線	セン
遷	セン
選	セン／えらぶ
薦	セン／すすめる
繊	セン
鮮	セン／あざやか

全	ゼン／まったく／すべて
前	ゼン／まえ
善	ゼン／よい
然	ゼン／ネン
禅	ゼン
漸	ゼン
膳	ゼン
繕	ゼン／つくろう

【そ】

狙	ソ／ねらう
阻	ソ／はばむ
祖	ソ
租	ソ
素	ソ／ス
措	ソ
粗	ソ／あらい
組	ソ／くむ／くみ
疎	ソ／うとい／うとむ

訴 ソ/うったえる	巣 ソウ/す	燥 ソウ	捉 ソク/とらえる	【た】	帯 タイ/おびる/おび
塑 ソ	掃 ソウ/はく	霜 ソウ/しも	速 ソク/はやい/はやめる/はやまる/すみやか		泰 タイ
遡 ソ/さかのぼる	曹 ソウ	騒 ソウ/さわぐ		他 タ/ほか	堆 タイ
礎 ソ/いしずえ	曽 ソウ/△ゾ	藻 ソウ/も	側 ソク/がわ	多 タ/おおい	袋 タイ/ふくろ
双 ソウ/ふた	爽 ソウ/さわやか	造 ゾウ/つくる	測 ソク/はかる	汰 タ	逮 タイ
壮 ソウ	窓 ソウ/まど	像 ゾウ	俗 ゾク	打 ダ/うつ	替 タイ/かえる/かわる
早 ソウ/△サッ/はやい/はやまる/はやめる	創 ソウ/つくる	増 ゾウ/ますえる/ふやす	族 ゾク	妥 ダ	貸 タイ/かす
	喪 ソウ/も	憎 ゾウ/にくい/にくむ/にくらしい/にくしみ	属 ゾク	唾 ダ/つば	隊 タイ
争 ソウ/あらそう	痩 ソウ/やせる		賊 ゾク	堕 ダ	滞 タイ/とどこおる
走 ソウ/はしる	葬 ソウ/ほうむる	蔵 ゾウ/くら	続 ゾク/つづく/つづける	惰 ダ	態 タイ
奏 ソウ/かなでる	装 ソウ/ショウ/よそおう	贈 ゾウ/△ソウ/おくる	卒 ソツ	駄 ダ	戴 タイ
相 ソウ/ショウ/あい	僧 ソウ	臓 ゾウ	率 ソツ/リツ/ひきいる	太 タイ/タ/ふとい/ふとる	大 ダイ/タイ/おおいに/おおきい
荘 ソウ	想 ソウ/△ソ	即 ソク	存 ソン/ゾン	対 タイ/ツイ	
草 ソウ/くさ	層 ソウ	束 ソク/たば	村 ソン/むら	体 タイ/テイ/からだ	代 ダイ/タイ/かわる/かえる/よ,しろ
送 ソウ/おくる	総 ソウ	足 ソク/あし/たりる/たる/たす	孫 ソン/まご	耐 タイ/たえる	
倉 ソウ/くら	遭 ソウ/あう		尊 ソン/たっとい/とうとい/たっとぶ/とうとぶ	待 タイ/まつ	台 ダイ/タイ
捜 ソウ/さがす	槽 ソウ	促 ソク/うながす		怠 タイ/おこたる/なまける	第 ダイ
挿 ソウ/さす	踪 ソウ	則 ソク	損 ソン/そこなう/そこねる	胎 タイ	題 ダイ
桑 ソウ/くわ	操 ソウ/みさお/あやつる	息 ソク/いき	遜 ソン	退 タイ/しりぞく/しりぞける	滝 たき

付録 1 常用漢字一覧

宅 タク	炭 タン/すみ	【ち】	秩 チツ	駐 チュウ	超 チョウ/こえる/こす
択 タク	胆 タン		窒 チツ	著 チョ/あらわす/いちじるしい	腸 チョウ
沢 タク/さわ	探 タン/さぐる/さがす	地 チ, ジ	茶 チャ, サ	貯 チョ	跳 チョウ/はねる/とぶ
卓 タク	淡 タン/あわい	池 チ/いけ	着 チャク/△ジャク/きる/きせる/つく/つける	丁 チョウ/テイ	徴 チョウ
拓 タク	短 タン/みじかい	知 チ/しる	嫡 チャク	弔 チョウ/とむらう	嘲 チョウ/あざける
託 タク	嘆 タン/なげく/なげかわしい	値 チ/ね/あたい	中 チュウ/△ジュウ/なか	庁 チョウ	潮 チョウ/しお
濯 タク	端 タン/はし/は, はた	恥 チ/はじる/はじ/はじらう/はずかしい	仲 チュウ/なか	兆 チョウ/きざす/きざし	澄 チョウ/すむ/すます
諾 ダク	綻 タン/ほころびる	致 チ/いたす	虫 チュウ/むし	町 チョウ/まち	調 チョウ/しらべる/ととのう/ととのえる
濁 ダク/にごる/にごす	誕 タン	遅 チ/おくれる/おくらす/おそい	沖 チュウ/おき	長 チョウ/ながい	
×但 ただし	鍛 タン/きたえる	痴 チ	宙 チュウ	挑 チョウ/いどむ	聴 チョウ/きく
達 タツ	団 ダン/△トン	稚 チ	忠 チュウ	帳 チョウ	懲 チョウ/こりる/こらす/こらしめる
脱 ダツ/ぬぐ/ぬげる	男 ダン/ナン/おとこ	置 チ/おく	抽 チュウ	張 チョウ/はる	
奪 ダツ/うばう	段 ダン	緻 チ	注 チュウ/そそぐ	彫 チョウ/ほる	直 チョク/ジキ/ただちに/なおす/なおる
棚 たな	断 ダン/たつ/ことわる	竹 チク/たけ	昼 チュウ/ひる	眺 チョウ/ながめる	
誰 だれ	弾 ダン/ひく/はずむ/たま	畜 チク	柱 チュウ/はしら	釣 チョウ/つる	勅 チョク
丹 タン	暖 ダン/あたたか/あたたかい/あたたまる/あたためる	逐 チク	衷 チュウ	頂 チョウ/いただく/いただき	捗 チョク
旦 タン/ダン	談 ダン	蓄 チク/たくわえる	酎 チュウ	鳥 チョウ/とり	沈 チン/しずむ/しずめる
担 タン/かつぐ/になう	壇 ダン/△タン	築 チク/きずく	鋳 チュウ/いる	朝 チョウ/あさ	珍 チン/めずらしい
単 タン				貼 チョウ/はる	×朕 チン

陳 チン	呈 テイ	艇 テイ	点 テン	塗 ト ぬる	唐 トウ から
賃 チン	廷 テイ	締 テイ しまる しめる	展 テン	賭 ト かける	島 トウ しま
鎮 チン しずめる しずまる	弟 テイ △ダイ △デ おとうと	諦 テイ あきらめる	添 テン そえる そう	土 ド、ト つち	桃 トウ もも
【つ】	定 テイ ジョウ さだめる さだまる さだか	泥 デイ どろ	転 テン ころがる ころがす ころぶ	奴 ド	討 トウ うつ
	的 テキ まと			努 ド つとめる	透 トウ すく すかす すける
追 ツイ おう	底 テイ そこ	笛 テキ ふえ	塡 テン	度 ド △ト △タク たび	党 トウ
椎 ツイ	抵 テイ	摘 テキ つむ	田 デン た	怒 ド いかる おこる	悼 トウ いたむ
墜 ツイ	邸 テイ	滴 テキ しずく したたる	伝 デン つたわる つたえる つたう	刀 トウ かたな	盗 トウ ぬすむ
通 ツウ △ツ とおる とおす かよう	亭 テイ	適 テキ	殿 デン テン との どの	冬 トウ ふゆ	陶 トウ
痛 ツウ いたい いたむ いためる	貞 テイ	敵 テキ かたき	電 デン	灯 トウ ひ	塔 トウ
塚 つか	帝 テイ	溺 デキ おぼれる	【と】	当 トウ あたる あてる	搭 トウ
漬 つける つかる	訂 テイ	迭 テツ	斗 ト	投 トウ なげる	棟 トウ むね △むな
坪 つぼ	庭 テイ にわ	哲 テツ	豆 トウ △ズ まめ	湯 トウ ゆ
爪 つめ △つま	逓 テイ	鉄 テツ	吐 ト はく	東 トウ ひがし	痘 トウ
鶴 つる	停 テイ	徹 テツ	妬 ト ねたむ	到 トウ	登 トウ、ト のぼる
	偵 テイ	撤 テツ	徒 ト	逃 トウ にげる にがす のがす のがれる	答 トウ こたえる こたえ
【て】	堤 テイ つつみ	天 テン あめ △あま	途 ト		等 トウ ひとしい
	提 テイ さげる	典 テン	都 ト、ツ みやこ	倒 トウ たおれる たおす	筒 トウ つつ
低 テイ ひくい ひくめる ひくまる	程 テイ ほど	店 テン みせ	渡 ト わたる わたす	凍 トウ こおる こごえる	統 トウ すべる

稲 トウ いね △いな	瞳 ドウ ひとみ	鈍 ドン にぶい にぶる	匂 — におう	【の】	拝 ハイ おがむ
踏 トウ ふむ ふまえる	峠 — とうげ	曇 ドン くもる	肉 ニク		杯 ハイ さかずき
糖 トウ	匿 トク	丼 — どんぶり △どん	日 ニチ ジツ ひ, か	悩 ノウ なやむ なやます	背 ハイ せい そむく そむける
頭 トウ △ズ △ト あたま かしら	特 トク		入 ニュウ いる いれる はいる	納 ノウ △ナッ △ナン △ナ △トウ おさめる おさまる	
	得 トク える うる	【な】	乳 ニュウ ちち, ち		
謄 トウ	督 トク	那 ナ	尿 ニョウ	能 ノウ	肺 ハイ
藤 トウ ふじ	徳 トク	奈 ナ	任 ニン まかせる まかす	脳 ノウ	俳 ハイ
闘 トウ たたかう	篤 トク	内 ナイ △ダイ うち	妊 ニン	農 ノウ	配 ハイ くばる
騰 トウ	毒 ドク	梨 — なし	忍 ニン しのぶ しのばせる	濃 ノウ こい	排 ハイ
同 ドウ おなじ	独 ドク ひとり	謎 — なぞ	認 ニン みとめる		敗 ハイ やぶれる
洞 ドウ ほら	読 ドク トク トウ よむ	鍋 — なべ		【は】	廃 ハイ すたれる すたる
胴 ドウ	栃 — △とち	南 ナン △ナ みなみ	【ね】	把 ハ	輩 ハイ
動 ドウ うごく うごかす	凸 トツ	軟 ナン やわらか やわらかい	寧 ネイ	波 ハ なみ	売 バイ うる うれる
堂 ドウ	突 トツ つく	難 ナン かたい むずかしい	熱 ネツ あつい	派 ハ	倍 バイ
童 ドウ わらべ	届 — とどける とどく		年 ネン とし	破 ハ やぶる やぶれる	梅 バイ うめ
道 ドウ △トウ みち	屯 トン	【に】	念 ネン	覇 ハ	培 バイ つちかう
働 ドウ はたらく	豚 トン ぶた	二 ニ ふた ふたつ	捻 ネン	馬 バ うま △ま	陪 バイ
銅 ドウ	頓 トン	尼 ニ あま	粘 ネン ねばる	婆 バ	媒 バイ
導 ドウ みちびく	貪 ドン むさぼる	弐 ニ	燃 ネン もえる もやす もす	罵 バ ののしる	買 バイ かう
					賠 バイ

白 ハク／ビャク／しろ／△しらい／しろい	肌 はだ	坂 ハン／さか	蛮 ハン	被 ヒ／こうむる	姫 ヒ／ひめ
	八 ハチ／や、やつ／やっつ／△よう	阪 ハン	盤 バン	悲 ヒ／かなしい／かなしむ	百 ヒャク
伯 ハク	鉢 ハチ／ハツ	板 ハン／バン／いた	【ひ】	扉 ヒ／とびら	氷 ヒョウ／こおり／ひ
拍 ハク／△ヒョウ	発 ハツ／ホツ	版 ハン		費 ヒ／ついやす／ついえる	表 ヒョウ／おもて／あらわす／あらわれる
泊 ハク／とまる／とめる	髪 ハツ／かみ	班 ハン	比 ヒ／くらべる	碑 ヒ	
迫 ハク／せまる	伐 バツ	畔 ハン	皮 ヒ／かわ	罷 ヒ	俵 ヒョウ／たわら
剥 ハク／はがす／はぐ／はがれる／はげる	抜 バツ／ぬく／ぬける／ぬかす／ぬかる	般 ハン	妃 ヒ	避 ヒ／さける	票 ヒョウ
		販 ハン	否 ヒ／いな	尾 ビ／お	評 ヒョウ
舶 ハク	罰 バツ／バチ	斑 ハン	批 ヒ	眉 ビ、△ミ／まゆ	漂 ヒョウ／ただよう
博 ハク／△バク	閥 バツ	飯 ハン／めし	彼 ヒ／かれ／△かの	美 ビ／うつくしい	標 ヒョウ
薄 ハク／うすい／うすめる／うすまる／うすらぐ／うすれる	反 ハン／△ホン／△タン／そる／そらす	搬 ハン	披 ヒ	備 ビ／そなえる／そなわる	苗 ビョウ／なえ／△なわ
		煩 ハン／△ボン／わずらう／わずらわす	肥 ヒ／こえる／こえ／こやす／こやし	微 ビ	秒 ビョウ
麦 バク／むぎ	半 ハン／なかば			鼻 ビ／はな	病 ビョウ／△ヘイ／やむ／やまい
漠 バク	氾 ハン	頒 ハン	非 ヒ	膝 ひざ	描 ビョウ／えがく／かく
縛 バク／しばる	犯 ハン／おかす	範 ハン	卑 ヒ／いやしい／いやしむ／いやしめる	肘 ひじ	猫 ビョウ／ねこ
爆 バク	帆 ハン／ほ	繁 ハン		匹 ヒツ／ひき	品 ヒン／しな
箱 はこ	汎 ハン	藩 ハン	飛 ヒ／とぶ／とばす	必 ヒツ／かならず	浜 ヒン／はま
箸 はし	伴 ハン／バン／ともなう	晩 バン	疲 ヒ／つかれる	泌 ヒツ、ヒ	貧 ヒン／ビン／まずしい
畑 はた／はたけ	判 ハン／バン	番 バン	秘 ヒ／ひめる	筆 ヒツ／ふで	賓 ヒン

頻 ヒン	浮 フ／うかれる／うく／うかぶ／うかべる	副 フク	奮 フン／ふるう	弊 ヘイ	
敏 ビン		幅 フク／はば	分 ブン、フン、ブ／わける／わかれる／わかる／わかつ	蔽 ヘイ	【ほ】
瓶 ビン	婦 フ	復 フク		餅 ヘイ／もち	歩 ホ、△フ、ブ／あるく／あゆむ
	符 フ	福 フク	文 ブン、モン／ふみ	米 ベイ、マイ／こめ	保 ホ／たもつ
【ふ】	富 フ、△フウ／とみ／とむ	腹 フク／はら	聞 ブン、モン／きく／きこえる	壁 ヘキ／かべ	哺 ホ
不 フ、ブ	普 フ	複 フク		壁 ヘキ	捕 ホ／とらえる／とらわれる／とる／つかまえる／つかまる
夫 フ、△フウ／おっと	腐 フ／くさる／くされる／くさらす	覆 フク／おおう／くつがえす／くつがえる	【へ】	癖 ヘキ／くせ	
父 フ／ちち	敷 フ／しく			別 ベツ／わかれる	補 ホ／おぎなう
付 フ／つける／つく	膚 フ	払 フツ／はらう	丙 ヘイ	蔑 ベツ／さげすむ	舗 ホ
布 フ／ぬの	賦 フ	沸 フツ／わかす	平 ヘイ、ビョウ／たいら／ひら	片 ヘン／かた	母 ボ／はは
扶 フ	譜 フ	仏 ブツ／ほとけ	兵 ヘイ、ヒョウ	辺 ヘン／あたり／べ	募 ボ／つのる
府 フ	侮 ブ／あなどる	物 ブツ、モツ／もの	併 ヘイ／あわせる	返 ヘン／かえす／かえる	墓 ボ／はか
怖 フ／こわい	武 ブ、ム	粉 フン／こ、こな	並 ヘイ／なみ／ならべる／ならぶ／ならびに	変 ヘン／かわる／かえる	慕 ボ／したう
阜 △フ	部 ブ	紛 フン／まぎれる／まぎらす／まぎらわす／まぎらわしい	柄 ヘイ／がら、え	偏 ヘン／かたよる	暮 ボ／くれる／くらす
×附 フ	舞 ブ／まう／まい		陛 ヘイ	遍 ヘン	簿 ボ
訃 フ	封 フウ、ホウ	雰 フン	閉 ヘイ／とじる／とざす／しめる／しまる	編 ヘン／あむ	方 ホウ／かた
負 フ／まける／まかす／おう	風 フウ、△フ／かぜ、△かざ	噴 フン／ふく	塀 ヘイ	弁 ベン	包 ホウ／つつむ
赴 フ／おもむく	伏 フク／ふせる／ふす	墳 フン	幣 ヘイ	便 ベン、ビン／たより	芳 ホウ／かんばしい
	服 フク	憤 フン／いきどおる		勉 ベン	邦 ホウ

奉 ホウ △ブ たてまつる	縫 ホウ ぬう	貌 ボウ —	翻 ホン ひるがえる ひるがえす	末 マツ バツ すえ	【む】
宝 ホウ たから	亡 ボウ △モウ ない	暴 ボウ △バク あばく あばれる	凡 ボン △ハン —	抹 マツ	矛 ム ほこ
抱 ホウ だく かかえる いだく	乏 ボウ とぼしい	膨 ボウ ふくらむ ふくれる	盆 ボン —	万 マン バン —	務 ム つとめる つとまる
放 ホウ はなす はなれる ほうる	忙 ボウ いそがしい	謀 ボウ △ム はかる	【ま】	満 マン みちる みたす	無 ム △ブ ない
法 ホウ △ハッ △ホッ	坊 ボウ △ボッ	頬 ボウ ほお		慢 マン —	夢 ム ゆめ
泡 ホウ あわ	妨 ボウ さまたげる	北 ホク きた	麻 マ あさ	漫 マン —	霧 ム きり
胞 ホウ —	忘 ボウ わすれる	木 ボク モク き,△こ	摩 マ —	【み】	娘 — むすめ
俸 ホウ —	防 ボウ ふせぐ	朴 ボク —	磨 マ みがく		
倣 ホウ ならう	房 ボウ ふさ	牧 ボク まき	魔 マ —	未 ミ —	【め】
峰 ホウ みね	肪 ボウ —	睦 ボク —	毎 マイ —	味 ミ あじ あじわう	名 メイ ミョウ な
砲 ホウ —	某 ボウ —	僕 ボク —	妹 マイ いもうと	魅 ミ —	命 メイ ミョウ いのち
崩 ホウ くずれる くずす	冒 ボウ おかす	墨 ボク すみ	枚 マイ —	岬 — みさき	明 メイ ミョウ あかり あかるい あかるむ あからむ あきらか あける あく あくる あかす
訪 ホウ おとずれる たずねる	剖 ボウ —	撲 ボク —	昧 マイ —	密 ミツ —	
報 ホウ むくいる	紡 ボウ つむぐ	没 ボツ —	埋 マイ うめる うまる うもれる	蜜 ミツ —	
蜂 ホウ はち	望 ボウ モウ のぞむ	勃 ボツ —		脈 ミャク —	迷 メイ まよう
豊 ホウ ゆたか	傍 ボウ かたわら	堀 — ほり	幕 マク バク —	妙 ミョウ —	冥 メイ ミョウ —
飽 ホウ あきる あかす	帽 ボウ —	本 ホン もと	膜 マク —	民 ミン たみ	盟 メイ —
褒 ホウ ほめる	棒 ボウ —	奔 ホン —	枕 — まくら	眠 ミン ねむる ねむい	銘 メイ —
	貿 ボウ —		×又 — また		

鳴 メイ なく なくるす ならす	紋 モン	喩 ユ	融 ユウ	揺 ユウ ゆれる ゆる ゆらぐ ゆるぐ ゆする ゆさぶる ゆすぶる	翼 ヨク つばさ
滅 メツ ほろびる ほろぼす	問 モン とう とい △とん	愉 ユ	優 ユウ やさしい すぐれる		
免 メン まぬかれる		諭 ユ さとす		葉 ヨウ は	【ら】
面 メン おもて おも つら	【や】	輸 ユ	【よ】	陽 ヨウ	拉 ラ
綿 メン わた	冶 ヤ	癒 ユ いえる いやす	与 ヨ あたえる	溶 ヨウ とける とかす とく	裸 ラ はだか
麺 メン	夜 ヤ よ, よる	唯 ユイ △イ	予 ヨ	腰 ヨウ こし	羅 ラ
	野 ヤ の	友 ユウ とも	余 ヨ あまる あます	様 ヨウ さま	来 ライ くる きたる きたす
【も】	弥 ヤ	有 ユウ, ウ ある	誉 ヨ ほまれ	瘍 ヨウ	雷 ライ かみなり
茂 モ しげる	厄 ヤク	勇 ユウ いさむ	預 ヨ あずける あずかる	踊 ヨウ おどる おどり	頼 ライ たのむ たのもしい たよる
模 モ, ボ	役 ヤク エキ	幽 ユウ	幼 ヨウ おさない	窯 ヨウ かま	
毛 モウ け	約 ヤク	悠 ユウ	用 ヨウ もちいる	養 ヨウ やしなう	絡 ラク からむ からまる からめる
妄 モウ ボウ	訳 ヤク わけ	郵 ユウ	羊 ヨウ ひつじ	擁 ヨウ	落 ラク おちる おとす
盲 モウ	薬 ヤク くすり	湧 ユウ わく	妖 ヨウ あやしい	謡 ヨウ うたい うたう	酪 ラク
耗 モウ △コウ	躍 ヤク おどる	猶 ユウ	洋 ヨウ	曜 ヨウ	辣 ラツ
猛 モウ	闇 やみ	裕 ユウ	要 ヨウ かなめ いる	抑 ヨク おさえる	乱 ラン みだれる みだす
網 モウ あみ		遊 ユウ △ユ あそぶ	容 ヨウ	沃 ヨク	卵 ラン たまご
目 モク △ボク め, △ま	【ゆ】	雄 ユウ お, おす	庸 ヨウ	浴 ヨク あびる あびせる	覧 ラン
黙 モク だまる	由 ユ ユウ △ユイ よし	誘 ユウ さそう	揚 ヨウ あげる あがる	欲 ヨク ほっする ほしい	濫 ラン
門 モン かど	油 ユ あぶら	憂 ユウ うれえる うれい うい		翌 ヨク	藍 ラン あい

付録1　常用漢字一覧

浪 ロウ
廊 ロウ
楼 ロウ
漏 ロウ／もる／もれる／もらす
籠 ロウ／かご／こもる
六 ロク／む／むつ／むっつ／△むい
録 ロク
麓 ロク／ふもと
論 ロン

【わ】

和 ワ／△オ／やわらぐ／やわらげる／なごむ／なごやか
話 ワ／はなす／はなし
賄 ワイ／まかなう
脇 ワキ／わき
惑 ワク／まどう
枠 わく

烈 レツ
裂 レツ／さく／さける
恋 レン／こう／こい／こいしい
連 レン／つらなる／つらねる／つれる
廉 レン
練 レン／ねる
錬 レン

【ろ】

呂 ロ
炉 ロ
賂 ロ
路 ロ／じ
露 ロ／△ロウ／つゆ
老 ロウ／おいる／ふける
労 ロウ
弄 ロウ／もてあそぶ
郎 ロウ
朗 ロウ／ほがらか

【れ】

令 レイ
礼 レイ／ライ
冷 レイ／つめたい／ひえる／ひや／ひやす／ひやかす／さめる／さます
励 レイ／はげむ／はげます
戻 レイ／もどす／もどる
例 レイ／たとえる
鈴 レイ／リン／すず
零 レイ
霊 レイ／リョウ／たま
隷 レイ
齢 レイ
麗 レイ／うるわしい
暦 レキ／こよみ
歴 レキ
列 レツ
劣 レツ／おとる

寮 リョウ
療 リョウ
瞭 リョウ
糧 リョウ／△ロウ／かて
力 リョク／リキ／ちから
緑 リョク／△ロク／みどり
林 リン／はやし
厘 リン
倫 リン
輪 リン／わ
隣 リン／となる／となり
臨 リン／のぞむ

【る】

瑠 ル
涙 ルイ／なみだ
累 ルイ
塁 ルイ
類 ルイ／たぐい

留 リュウ／△ル／とめる／とまる
竜 リュウ／たつ
粒 リュウ／つぶ
隆 リュウ
硫 リュウ
侶 リョ
旅 リョ／たび
虜 リョ
慮 リョ
了 リョウ
両 リョウ
良 リョウ／よい
料 リョウ
涼 リョウ／すずしい／すずむ
猟 リョウ
陵 リョウ／みささぎ
量 リョウ／はかる
僚 リョウ
領 リョウ

欄 ラン

【り】

吏 リ
利 リ／きく
里 リ／さと
理 リ
痢 リ
裏 リ／うら
履 リ／はく
璃 リ
離 リ／はなれる／はなす
陸 リク
立 リツ／△リュウ／たつ／たてる
律 リツ／△リチ
慄 リツ
略 リャク
柳 リュウ／やなぎ
流 リュウ／△ル／ながれる／ながす

湾 ワン　　腕 ワン・うで

【NHKで独自に追加して使用する漢字】

磯 いそ　　炒 いためる　　鵜 う　　絆 きずな　　肛 コウ　　哨 ショウ

疹 シン　　諜 チョウ　　胚 ハイ　　挽 バン　　禄 ロク

付　　表

(1)　この表には,「常用漢字表」の付表に従って,漢字2字以上で構成される
いわゆる熟字訓のように,主として一字一字の音訓としては挙げにくいもの
を語の形で掲げた。
(2)　この表の語は,読み方をひらがなで示し,五十音順に並べた。
(3)　×印を付けた表記は,NHKでは原則として使用しない。

あす	明日	おみき	お神酒	こじ	居士
あずき	小豆	おもや	母屋 / 母家×	ことし	今年
あま	海女 / 海士			さおとめ	早乙女
		かあさん	母さん	ざこ	雑魚
いおう	硫黄	かぐら	神楽	さじき	桟敷
いくじ	意気地	かし	河岸	さしつかえる　差し支える	
いなか	田舎	かじ	鍛冶		
いぶき	息吹	かぜ	風邪	さつき	五月
うなばら	海原	かたず	固唾	さなえ	早苗
うば	乳母	かな	仮名	さみだれ	五月雨
うわき	浮気	かや	蚊帳	しぐれ	時雨
うわつく	浮つく	かわせ	為替	しっぽ	尻尾
えがお	笑顔	かわら	河原 / 川原	しない	竹刀
おじ	叔父 / 伯父			しにせ	老舗
		きのう	昨日	しばふ	芝生
おとな	大人	きょう	今日	しみず	清水
おとめ	乙女	くだもの	果物	しゃみせん	三味線
おば	叔母 / 伯母	くろうと	玄人	じゃり	砂利
		けさ	今朝	じゅず	数珠
おまわりさん　お巡りさん		けしき	景色	じょうず	上手
		ここち	心地	しらが	白髪

付録1　常用漢字一覧

しろうと	素人	どきょう	読経	まいご	迷子
しわす	師走	とけい	時計	まじめ	真面目
すきや	数寄屋 / 数奇屋×	ともだち	友達	まっか	真っ赤
		なこうど	仲人	まっさお	真っ青
すもう	相撲	なごり	名残	みやげ	土産
ぞうり	草履	なだれ	雪崩	むすこ	息子
だし	山車	にいさん	兄さん	めがね	眼鏡
たち	太刀	ねえさん	姉さん	もさ	猛者
たちのく	立ち退く	のら	野良	もみじ	紅葉
たなばた	七夕	のりと	祝詞	もめん	木綿
たび	足袋	はかせ	博士	もより	最寄り
ちご	稚児	はたち	二十 / 二十歳	やおちょう	八百長
ついたち	一日			やおや	八百屋
つきやま	築山	はつか	二十日	やまと	大和
つゆ	梅雨	はとば	波止場	やよい	弥生
でこぼこ	凸凹	ひとり	一人	ゆかた	浴衣
てつだう	手伝う	ひより	日和	ゆくえ	行方
てんません	伝馬船	ふたり	二人	よせ	寄席
とあみ	投網	ふつか	二日	わこうど	若人
とうさん	父さん	ふぶき	吹雪		
とえはたえ	十重二十重	へた	下手		
		へや	部屋		

付録2　常用漢字表　答申(基本的な考え方)

(平成22年6月7日　文化審議会答申より)

(編者注)
　本文中の「改定常用漢字表」は平成22年11月30日の内閣告示後は,「改定」の2文字がとれて,「常用漢字表」になった。本文中の「現行の常用漢字表」とは,昭和56年に内閣告示され,平成22年11月30日に廃止された古い漢字表のことである。

I　基本的な考え方

1. 情報化社会の進展と漢字政策の在り方

(1)　改定常用漢字表作成の経緯

　改定常用漢字表の作成は,平成17年3月30日の文部科学大臣諮問に基づくものである。この諮問に添えられた理由には,

　種々の社会変化の中でも,情報化の進展に伴う,パソコンや携帯電話などの情報機器の普及は人々の言語生活とりわけ,その漢字使用に大きな影響を与えている。このような状況にあって「法令,公用文書,新聞,雑誌,放送など,一般の社会生活において,現代の国語を書き表す場合の漢字使用の目安」である常用漢字表(昭和56年内閣告示・訓令)が,果たして,情報化の進展する現在においても「漢字使用の目安」として十分機能しているのかどうか,検討する時期に来ている。
　常用漢字表の在り方を検討するに当たっては,JIS漢字や人名用漢字との関係を踏まえて,日本の漢字全体をどのように考えていくかという観点から総合的な漢字政策の構築を目指していく必要がある。その場合,これまで国語施策として明確な方針を示してこなかった固有名詞の扱いについても,基本的な考え方を整理していくことが不可欠となる。
　また,情報機器の広範な普及は,一方で,一般の文字生活において人々が手

> 書きをする機会を確実に減らしている。漢字を手で書くことをどのように位置付けるかについては、情報化が進展すればするほど、重要な課題として検討することが求められる。検討に際しては、漢字の習得及び運用面とのかかわり、手書き自体が大切な文化であるという二つの面から整理していくことが望まれる。
> （平成17年3月30日文部科学大臣諮問理由）

と述べられている。

　分科会においては、上述の理由を踏まえて、「総合的な漢字政策」の核となるものが「国語施策として示される漢字表」であること、また、昭和56年に制定された現行の常用漢字表が近年の情報機器の広範な普及を想定せずに作成されたものであることから、「漢字使用の目安」としては見直しが必要であることを確認した。このため、常用漢字表の内容に急激な変化を与えて社会的な混乱を来すことのないよう留意しながら、常用漢字表に代わる漢字表を作成することとした。

（2）　国語施策としての漢字表の必要性

　国語施策として示される漢字表は、一般の社会生活において、現代の国語を書き表す場合の漢字使用の目安を示すものであるが、情報機器による漢字使用が一般化し、社会生活で目にする漢字の量が確実に増えていると認められる現在、このような目安としての漢字表があることは大きな意味がある。すなわち一般の社会生活における漢字使用を考えるときには「コミュニケーションの手段としての漢字使用」という観点が極めて重要であり、その観点を十分に踏まえて作成された漢字表は、国民の言語生活の円滑化、また、漢字習得の目標の明確化に寄与すると考えられるためである。

　言語生活の円滑化とは、当該の漢字表に基づく表記をすることによって、我が国の表記法として広く行われている漢字仮名交じり文による文字言語の伝達をより分かりやすく、効率的なものとすることができ、同時に、表現そのものの平易化にもつながるということである。このことは、情報機器の使用による漢字の多用化傾向が認められる現在の情報化社会の中で、〈漢字使用の目安としての漢字表〉が存在しない状況を想像してみれば明らかである。

　また、情報機器の広範な普及によって、書記環境は大きく変わったが、読む行為自体は基本的に変わっていない。端的に言えば、現時点において情報機器は「読む行為」よりも「書く行為」を支援する役割が大きい。情報機器が広く普及し、その使用が一般化した時代の漢字使用の特質は、この点と密接にかかわるものである。

その意味で、情報化社会においては、これまで以上に「読み手」に配慮した「書き手」になるという注意深さが求められる。情報化時代と言われる現在は、これまでと比較して、受け取る情報量が圧倒的に増えているということからも、この考え方の重要性は了解されよう。

(3) JIS漢字と、国語施策としての漢字表

現在、多くの情報機器に搭載されているJIS漢字の数は、第1水準、第2水準合わせて6355字あり、現行の常用漢字表に掲げる1945字の3倍強となっている。さらに、既に1万字を超える漢字(JIS第1～第4水準の漢字数は10050字)を搭載している情報機器も急速に普及しつつある。情報機器を利用することで、このような多数の漢字が簡単に使える現在、常用漢字表の存在意義がなくなったのではないかという見方もある。

しかし、このことは、既に述べたことからも明らかなように、一般の社会生活における「漢字使用の目安」を定めている常用漢字表の意義を損なうものではない。むしろ簡単に漢字が使えることによって、漢字の多用化傾向が認められる中では、「一般の社会生活で用いる場合の、効率的で共通性の高い漢字を収め、分かりやすく通じやすい文章を書き表すための漢字使用の目安(「常用漢字表」の答申前文)」となる常用漢字表の意義はかえって高まっていると考えるべきである。改定常用漢字表に求められる役割もこれと同様のものである。

現在の情報化社会の中で大きな役割を果たしているJIS漢字については、その重要性を十分認識しつつ、一般のコミュニケーションにおける漢字使用という観点から、「国語施策としての漢字表」を確実に踏まえた対応が必要である。すなわち、分かりやすい日本語表記に不可欠な「国語施策としての漢字表」に基づいて、情報機器に搭載されている〈多数の漢字を適切に選択しつつ使いこなしていく〉という考え方を多くの国民が基本認識として持つ必要がある。

(4) 漢字を手書きすることの重要性

漢字を手で書くことをどのように位置付けていくかについては、情報機器の利用が一般化する中で、早急に整理すべき課題である。その場合、文部科学大臣の諮問理由で述べられていたように、「漢字の習得及び運用面とのかかわり、手書き自体が大切な文化であるという二つの面から整理していく」必要がある。

このうち前者については、漢字の習得時と運用時に分けて考えることができる。情報機器を利用する場合にも、後述するように、情報機器の利用に特有な漢字習得が行われていると考えられるが、情報機器の利用が今後、更に日常化・一般化して

も、習得時に当たる小学校・中学校では、それぞれの年代を通じて書き取りの練習を行うことが必要である。それは、書き取り練習の中で繰り返し漢字を手書きすることで、視覚、触覚、運動感覚など様々な感覚が複合する形でかかわることになるためである。これによって、脳が活性化されるとともに、漢字の習得に大きく寄与する。このような形で漢字を習得していくことは、漢字の基本的な運筆を確実に身に付けさせるだけでなく、将来、漢字を正確に弁別し、的確に運用する能力の形成及びその伸長・充実に結び付くものである。

運用時については、近年、手で書く機会が減り、情報機器を利用して漢字を書くことが多いが、その場合は複数の変換候補の中から適切な漢字を選択できることが必要となる。この選択能力は、基本的には、習得時の書き取り練習によって、身に付けた種々の感覚が一体化されることで、瞬時に、漢字を図形のように弁別できるようになることから獲得されていくものであると考えられる。

情報機器の利用は、複数の変換候補の中から適切な漢字を選択することにより、それ自体が特有の漢字習得につながっている。この場合、様々な感覚が複合する形でかかわる書き取りの反復練習とは異なって、視覚のみがかかわった習得となる。今後、情報機器の利用による習得機会は一層増加すると考えられるが、視覚のみがかかわる漢字習得では、主に漢字を図形のように弁別できる能力を強化することにしかならず、繰り返し漢字を手書きすることで身に付く、漢字の基本的な運筆や、図形弁別の根幹となる認知能力などを育てることはできない。

以上のように、漢字を手書きすることは極めて重要であり、漢字を習得し、その運用能力を形成していく上で不可欠なものと位置付けられる。

平成14年度に実施した文化庁の「国語に関する世論調査」の中で、「あなたの経験から漢字を習得する上で、どのようなことが役に立ちましたか。」と尋ねているが、第1位は「何度も手で書くこと」(74.3％)であり、上述の考えを裏付ける結果となっている。

後者の、手書き自体が大切な文化であるということに関連する調査として、同じ平成14年度実施の文化庁「国語に関する世論調査」の中で、「あなたは、漢字についてどのような意識を持っていますか。」ということを尋ねている。この結果は、「日本語の表記に欠くことのできない大切な文字である。」を選んだ人が71.0％で最も多く、逆に、最も少なかったのは「ワープロなどがあるので、これからは漢字を書く必要は少なくなる。」の3.4％であった。漢字を書く必要性は今後もなくならないと考えている人が多数を占めていることは注目に値する。パソコンや携帯電話などの情報機器の使用が日常化し、一般化する中で、手書きの重要性が再認識されつつあるが、一方で、手書きでは相手(＝読み手)に申し訳ないといった価値観も

同時に生じていることに目を向ける必要がある。

　上述のような状況を踏まえて，効率性が優先される実用の世界は別として，〈手で書くということは日本の文化としても極めて大切なものである〉という考え方を社会全体に普及していくことが重要である。また，手で書いた文字には，書き手の個性が現れるが，その意味でも，個性を大事にしようとする時代であるからこそ，手で書くことが一層大切にされなければならないという考え方が強く求められているとも言えよう。情報機器が普及すればするほど，手書きの価値を改めて認識していくことが大切である。

（5）　名付けに用いる漢字

　人名用漢字は，平成16年9月27日付けの戸籍法施行規則の改正により，それ以前と比較して，その数が大幅に増えた。このこと自体は名付けに用いることのできる漢字の選択肢が広がったということであるが，一方で，このような状況を踏まえると，名の持つ社会的な側面に十分配慮した，適切な漢字を使用していくという考え方がこれまで以上に社会全体に広がっていく必要がある。具体的には「子の名というものは，その社会性の上からみて，常用平易な文字を選んでつけることが，その子の将来のためであるということは，社会通念として常識的に了解されることであろう。(国語審議会「人名漢字に関する声明書」，昭和27年)」という認識を基本的に継承し，

①　文化の継承，命名の自由という観点を踏まえつつも，社会性という観点を併せ考え，読みやすく分かりやすい漢字を選ぶ。

②　その漢字の意味や読み方を十分に踏まえた上で，子の名にふさわしい漢字を選ぶ。

という考え方が社会一般に共有される必要がある。

（6）　固有名詞における字体についての考え方

　固有名詞(人名・地名)における漢字使用については，特にその字体の多様性が問題となるが，その中でも姓や名に用いている漢字の字体には強いこだわりを持つ人が多い。そこに用いられている各種の異体字は，その個人のアイデンティティーの問題とも密接に絡んでおり，基本的には尊重されるべきである。しかしながら，一般の社会生活における「コミュニケーションの手段としての漢字使用」という観点からは，その個人固有の字体に固執して，他人にまで，その字体の使用を過度に要求することは好ましいことではない。

　公共性の高い，一般の文書等での漢字使用においては，「1字種1字体」が基本

であることを確認していくことは「コミュニケーションの手段としての漢字使用」という観点からは極めて大切である。姓や名だけでなく、新たに地名を付ける場合などにおいても、漢字の持つ社会的な側面を併せ考えていくという態度が社会全体の共通認識となっていくことが何より重要である。

2. 改定常用漢字表の性格

(1) 基本的な性格

改定常用漢字表は、現行の常用漢字表と同じく、法令・公用文書・新聞・雑誌・放送等、一般の社会生活で用いる場合の、効率的で共通性の高い漢字を収め、分かりやすく通じやすい文章を書き表すための、新たな漢字使用の目安となることを目指したものである。一般の社会生活における漢字使用とは、義務教育における学習を終えた後、ある程度実社会や学校での生活を経た人を対象として考えたもので、この点も現行の常用漢字表と同様である。端的には、

1 法令、公用文書、新聞、雑誌、放送等、一般の社会生活において、現代の国語を書き表す場合の漢字使用の目安を示すものである。
2 科学、技術、芸術その他の各種専門分野や、個々人の表記にまで及ぼそうとするものではない。ただし、専門分野の語であっても、一般の社会生活と密接に関連する語の表記については、この表を参考とすることが望ましい。
3 固有名詞を対象とするものではない。ただし、固有名詞の中でも特に公共性の高い都道府県名に用いる漢字及びそれに準じる漢字は例外として扱う。
4 過去の著作や文書における漢字使用を否定するものではない。
5 運用に当たっては、個々の事情に応じて、適切な考慮を加える余地のあるものである。

という性格の漢字表と位置付けて作成するものである。また、「漢字使用の目安」における「目安」についても、現行の常用漢字表と同趣旨のものである。具体的には、「① 法令・公用文書・新聞・雑誌・放送等、一般の社会生活において、この表を無視してほしいままに漢字を使用してもよいというのではなく、この表を努力目標として尊重することが期待されるものであること。」、「② 法令・公用文書・新聞・雑誌・放送等、一般の社会生活において、この表を基に、実情に応じて独自の漢字使用の取決めをそれぞれ作成するなど、分野によってこの表の扱い方に差を生ずることを妨げないものであること。」(「常用漢字表」答申前文)という意味の語として用いているものである。

上述のように、改定常用漢字表は一般の社会生活における漢字使用の目安となる

ことを目指すものであるから,表に掲げられた漢字だけを用いて文章を書かなければならないという制限的なものでなく,必要に応じ,振り仮名等を用いて読み方を示すような配慮を加えるなどした上で,表に掲げられていない漢字を使用することもできるものである。文脈や読み手の状況に応じて,振り仮名等を活用することについては,表に掲げられている漢字であるか否かにかかわらず,配慮すべきことであろう。このような配慮をするに当たっては,文化庁が平成22年2月から3月に実施した追加及び削除字種にかかわる国民の意識調査の結果も参考となろう。

なお,情報機器の使用が一般化・日常化している現在の文字生活の実態を踏まえるならば,漢字表に掲げるすべての漢字を手書きできる必要はなく,また,それを求めるものでもない。

(2) 固有名詞に用いられる漢字の扱い

改定常用漢字表の中に,専ら固有名詞(主に人名・地名)を表記するのに用いられる漢字を取り込むことは,一般用の漢字と固有名詞に用いられる漢字との性格の違いから難しい。したがって,これまでどおり漢字表の適用範囲からは除外する。ただし,都道府県名に用いる漢字及びそれに準じる漢字は例外として扱う。

適用の対象としない理由は,既に述べた両者の性格の違いからということであるが,もう少し具体的に述べれば,使用字種及び使用字体の多様性に加え,使用音訓の多様性までもが絡んでくるためである。一般の漢字表記にはほとんど使われず,固有名詞の漢字表記にだけ使われる〈固有名詞用の字種や字体及び音訓〉はかなり多いというのが実情である。

3. 字種・音訓の選定について

(1) 字種選定の考え方・選定の手順

現行の常用漢字表に掲げる漢字と,現在の社会生活における漢字使用の実態との間にはずれが生じており,このずれを解消するという観点から,字種の選定を行うこととした。そのため改定常用漢字表における字種としては,基本的に,一般社会においてよく使われている漢字(=出現頻度数の高い漢字)を選定することとし,具体的には,最初に常用漢字を含む3500字程度の漢字集合を特定し,そこから,必要な漢字を絞り込むこととした。この選定過程では,以下の①を基本として,②以下の項目についても配慮しながら,単に漢字の出現頻度数だけではなく,様々な要素を総合的に勘案して選定していくことを基本方針とした。

① 教育等の様々な要素はいったん外して,日常生活でよく使われている漢字を出現頻度数調査の結果によって機械的に選ぶ。
② 固有名詞専用字ということで,これまで外されてきた「阪」や「岡」等についても,出現頻度数が高ければ,最初から排除はしない。(これについては最終的に上記2の(1)3のように扱うこととした。)
③ 出現頻度数が低くても,文化の継承という観点等から,一般の社会生活に必要と思われる漢字については取り上げていくことを考える。
④ 漢字の習得の観点から,漢字の構成要素等を知るための基本となる漢字を選定することも考える。

①の考え方に基づいた漢字集合を特定するために,以下のような「漢字出現頻度数調査」を実施した。

	対象総漢字数	調査対象としたデータ
A 漢字出現頻度数調査(3)※1	49,072,315	書籍860冊分の凸版組版データ
B 上記Aの第2部調査	3,290,795	Aのうち教科書分の抽出データ
C 漢字出現頻度数調査(新聞)※2	3,674,613	朝日新聞2か月分の紙面データ
D 漢字出現頻度数調査(新聞)※2	3,428,829	読売新聞2か月分の紙面データ
E 漢字出現頻度数調査(ウェブサイト)※3	1,390,997,102	ウェブサイト調査の抽出データ

※1 Aの調査対象総文字数は「169,050,703」。また,Bとは別に,第3部として月刊誌4誌の抽出調査も実施している。これらの組版データは,いずれも平成16年,17年,18年に凸版印刷が作成したものである。
※2 C,Dは,いずれも平成18年10月1日~11月30日までの朝刊・夕刊の最終版を調査したデータである。
※3 調査全体の漢字数は「3,128,388,952」。このうち「電子掲示板サイトにおける投稿本文」のデータを除いたもの。

これらの調査結果のうち,Aを基本資料,B以下を補助資料と位置付けて,上記の3500字の漢字集合に入った漢字の1字1字について,改定常用漢字表に入れるべきかどうかを判断した。実際に検討した漢字は,調査Aにおいて,常用漢字としては,最も出現順位の低かった「銑」(4004位)と同じ出現回数を持つ漢字までとしたので,4011字に上る。

この漢字集合に入った漢字については,常用漢字であるか,表外漢字であるかによって,次のような方針に従い,かつ常用漢字表における字種選定の考え方を参考としながら選定作業を進めた。

〈方針：常用漢字・表外漢字の扱い〉
① 常用漢字のうち，2500位以内のものは残す方向で考える(個別の検討はしない)。
② 常用漢字で，2501位以下のものは「候補漢字A」とし，個別に検討を加える(→該当する常用漢字は60字)。
③ 表外漢字のうち，1500位以内の漢字を「候補漢字S」とし，個別に検討する。
④ 表外漢字のうち，1501〜2500位のものを「候補漢字A」とし，個別に検討する。
⑤ 表外漢字のうち，2501〜3500位のものを「候補漢字B」とし，個別に検討する。

なお，3501〜4011位までの表外漢字のうち，特に検討する必要を認めた漢字については「候補漢字B」に準じて扱うこととした。また，常用漢字の異体字(「嶋」，「國」など)は検討対象から外した。候補漢字については，

・候補漢字S：基本的に新漢字表に加える方向で考える。
・候補漢字A：基本的に残す方向で考えるが，不要なものは落とす。
・候補漢字B：特に必要な漢字だけを拾う。

と考えたが，これは，検討を効率的に進めるための便宜的な区分であり，実際には対象漢字の1字1字を常用漢字表の選定基準に照らしつつ総合的に判断した。選定基準の3に関して，都道府県名に用いる漢字及びそれに準じる漢字は例外とした。

〈選定基準：昭和56年3月23日国語審議会答申「常用漢字表」前文〉
　字種や音訓の選定に当たっては，語や文を書き表すという観点から，現代の国語で使用されている字種や音訓の実態に基づいて総合的に判断した。主な考え方は次のとおりである。
1　使用度や機能度(特に造語力)の高いものを取り上げる。なお，使用分野の広さも参考にする。
2　使用度や機能度がさほど高くなくても，概念の表現という点から考えた場合に，仮名書きでは分かりにくく，特に必要と思われるものは取り上げる。
3　地名・人名など，主として固有名詞として用いられるものは取り上げない。
4　感動詞・助動詞・助詞のためのものは取り上げない。
5　代名詞・副詞・接続詞のためのものは広く使用されるものを取り上げる。
6　異字同訓はなるべく避けるが，漢字の使い分けのできるもの及び漢字で書く習慣の強いものは取り上げる。

> 7　いわゆる当て字や熟字訓のうち、慣用の久しいものは取り上げる。
> なお、当用漢字表に掲げてある字種は、各方面への影響も考慮して、すべて取り上げた。

(2) 字種選定における判断の観点と検討の結果

　上記(1)に述べた作業の結果、現行の常用漢字表に追加する字種の候補として220字、現行の常用漢字表から削除する字種の候補として5字を選定した。その後、「出現文字列頻度数調査」を用いて、追加候補及び削除候補の1字1字の使用実態を確認しながら、追加字種候補を188字とした。「出現文字列頻度数調査」とは、(1)の「漢字出現頻度数調査A」に出現している漢字のうち、検討対象とした漢字を中心として前後1文字(全体で3文字)の文字列を抽出し、当該の漢字の出現状況を見ようとしたものである。この「出現文字列頻度数調査」によって、当該の漢字の出現状況が明らかになり、その漢字の具体的な使われ方を正確に確認することができた。その上で、当該の漢字を追加候補とするかどうかについては、基本的には前述の常用漢字表の選定基準と重なるものであるが、以下のような観点に照らして判断した。

> 〈入れると判断した場合の観点〉
> ①　出現頻度が高く、造語力(熟語の構成能力)も高い
> 　→　音と訓の両方で使われるものを優先する(例：眉、溺)
> ②　漢字仮名交じり文の「読み取りの効率性」を高める
> 　→　出現頻度が高い字を基本とするが、それほど高くなくても漢字で表記した方が分かりやすい字(例：謙遜の「遜」、堆積の「堆」)
> 　→　出現頻度が高く、広く使われている代名詞(例：誰、俺)
> ③　固有名詞の例外として入れる
> 　→　都道府県名(例：岡、阪)及びそれに準じる字(例：畿、韓)
> ④　社会生活上よく使われ、必要と認められる
> 　→　書籍や新聞の出現頻度が低くても、必要な字(例：訃報の「訃」)

> 〈入れないと判断した場合の観点〉
> ①　出現頻度が高くても造語力(熟語の構成能力)が低く、訓のみ、あるいは訓中心に使用(例：濡、覗)
> ②　出現頻度が高くても、固有名詞(人名・地名)中心に使用(例：伊、鴨)

③ 造語力が低く，仮名書き・ルビ使用で，対応できると判断(例：醬，顳)
④ 造語力が低く，音訳語・歴史用語など特定分野で使用(例：菩，揆)

188字の追加字種候補を選定した後，追加字種の音訓を検討する過程で，字種についても若干の見直し(追加4字，削除1字)を行い，「「新常用漢字表(仮称)」に関する試案」では191字を追加することとした。さらに，平成21年3月から4月に実施した，一般国民及び各省庁等を対象とした意見募集で寄せられた意見を踏まえて再度の見直し(追加9字，削除4字)を行い，「「改定常用漢字表」に関する試案」では196字を追加字種とした。また，平成21年11月から12月には2度目の意見募集を実施し，寄せられた意見を精査した上で更に検討を加えたが，答申でも，この196字の追加字種をそのまま踏襲することとした。

さらに，選定した196字の追加字種と5字の削除字種については，平成22年2月から3月に，意識調査(16歳以上の国民約4100人から回答)を実施した。その結果は，字種の選定が妥当であったことを裏付けたものとなっている。

なお，2度の意見募集に際し，関係者から追加要望のあった「碍(障碍)」は，上述の字種選定基準に照らして，現時点では追加しないが，政府の「障がい者制度改革推進本部」において，「「障害」の表記の在り方」に関する検討が行われているところであり，その検討結果によっては，改めて検討することとする。

(3) 字種選定に伴って検討したその他の問題

字種の選定に伴って，検討の過程では，「準常用漢字(仮称＝情報機器を利用して書ければよい漢字)」や「特別漢字(仮称＝出現頻度は低くても日常生活に必要な漢字)」を設定するかどうか，また，現行の常用漢字表にある「付表」(当て字や熟字訓などを語の形で掲げた表)に加え，例えば，「挨拶」の「挨」と「拶」のように，「挨拶」という特定の熟語でしか使わない〈頻度の高い表外漢字の熟語〉や，「元旦」のように表外漢字の「旦」を含む熟語等について，その特定の語に限って常用漢字と同様に認める熟語の表を「付表2(仮称)」あるいは「別表(仮称)」として設定するかどうかなどについても時間を掛けて検討したが，最終的には〈なるべく単純明快な漢字表を作成する〉という考え方を優先し，これらについては設定しないこととした。

(4) 音訓の選定

「「新常用漢字表(仮称)」に関する試案」で追加字種とした191字については，既

に述べた「常用漢字表の選定基準」及び「出現文字列頻度数調査」の結果を併せ見ながら、採用すべき音訓を決めた。また、現行の常用漢字表にある字についても、その音訓をすべて再検討し、現在の文字生活の実態から考えて必要な音訓を追加し、必要ないと判断された訓(疲:つからす)を削除した。「付表」についても同様の観点から再検討し、若干の手直しを施した。

なお、音訓の選定に当たっては、独立行政法人国立国語研究所から提供を受けた資料(「現代日本語書き言葉均衡コーパス」の生産実態サブコーパス・書籍データのうち、平成20年9月9日の時点で、利用可能な約1730万語のデータに基づく調査結果)を併せ参照した。

その後、(2)の「字種選定における判断の観点と検討の結果」で述べた2度の意見募集によって寄せられた意見を踏まえ、新たに追加した字種の音訓も含めて、音訓についての見直しを行い、必要な音訓の追加及び削除を行った。

4. 追加字種の字体について

(1) 字体・書体・字形について

字体・書体・字形については、現行常用漢字表の「字体は文字の骨組みである」という考え方を踏襲し、この3者の関係を分析・整理した「表外漢字字体表」(国語審議会答申、平成12年12月)の考え方に従っている。以下に、3者の関係を改めて述べる。

文字の骨組みである字体とは、ある文字をある文字たらしめている点画の抽象的な構成の在り方のことで、他の文字との弁別にかかわるものである。字体は抽象的な形態上の観念であるから、これを可視的に示そうとすれば、一定のスタイルを持つ具体的な文字として出現させる必要がある。

この字体の具体化に際し、視覚的な特徴となって現れる一定のスタイルの体系が書体である。例えば、書体の一つである明朝体の場合は、縦画を太く横画を細くして横画の終筆部にウロコという三角形の装飾を付けるなど、一定のスタイルで統一されている。すなわち、現実の文字は、例外なく、骨組みとしての字体を具体的に出現させた書体として存在しているものである。書体には、印刷文字で言えば、明朝体、ゴシック体、正楷書体、教科書体等がある。

また、字体、書体のほかに字形という語があるが、これは印刷文字、手書き文字を問わず、目に見える文字の形そのものを総称して言う場合に用いる。総称してというのは、様々なレベルでの文字の形の相違を包括して称するということである。したがって、「諭」と「論」などの文字の違いや「談(明朝体)」と「談(ゴシッ

ク体)」などの書体の違いを字形の相違と言うことも可能であるし,同一字体・同一書体であっても生じ得るような微細な違いを字形の相違と言うことも可能である。

なお,ここで言う手書き文字とは,主として,楷書(楷書に近い行書を含む。)で書かれた字形を対象として用いているものである。

(2) 追加字種における字体の考え方

現行常用漢字表では,「主として印刷文字の面から現代の通用字体(答申前文)」が示され,筆写における「手書き文字」は別のこととしている。本答申でも,この考え方を踏襲し,本表の漢字欄には,印刷文字としての通用字体を示した。具体的には,「表外漢字字体表」の「印刷標準字体」と,「人名用漢字字体」を通用字体として掲げた。ただし,同表で「簡易慣用字体」とした「曽」「痩」「麺」はその字体を掲げ,人名用漢字字体の「瘦」は「痩」を掲げた関係で採用していない。なお,現行の常用漢字表制定時に追加した95字については,表内の字体に合わせ,一部の字体を簡略化したが,今回は追加字種における字体が既に「印刷標準字体」及び「人名用漢字字体」として示され,社会的に極めて安定しつつある状況を重視し,そのような方針は採らなかった。より具体的に述べれば,以下のとおりである。

① 当該の字種における「最も頻度高く使用されている字体」を採用する。
・「表外漢字字体表」の「印刷標準字体」及び「人名用漢字字体」がそれに該当する。(「表外漢字字体表」の「簡易慣用字体」を採用するものは,頻度数に優先して,生活漢字としての側面を重視したことによる。)
・教科書や国語辞典をはじめ,一般の書籍でも当該字種の字体として広く用いられている。例えば,上述の「漢字出現頻度数調査A」では,
　　(頬:8回,頰:6685回)　(亀:6695回,龜:4回)
　　(遡:2回,遡:753回)　(餌:3回,餌:1377回)
という結果(出現回数)となっている。
・情報機器でも近い将来この字体に収束していくものと考えられる。

② 国語施策としての一貫性を大切にする。
・今回,追加する字種の標準の字体が,既に「印刷標準字体」及び「人名用漢字字体(=昭和26年以降平成9年までに示された字体。なお,平成16年9月に追加された人名用漢字においては,印刷標準字体がそのまま採用されている。)」として示されており,表内に入るからといって,その標準の字体を変更することは,安定している字体の使用状況に大きな混乱をもたらすこと

が予想される。このことは、表外に出る漢字にも同様に当てはまることであり、標準の字体は表内か表外かで変わるものではない。
・社会的な慣用(字体の安定性)を重んじ、一般の文字生活の現実を混乱させないという考え方が国語施策の基本的な態度である。

③ 「改定常用漢字表」の「目安」としての性格を考慮する。
・目安としての漢字表である限り、表外漢字との併用が前提となる。この点から表内の字体の整合を図る意味が、制限漢字表であった当用漢字表に比べて相対的に低下している。
・今後、常用漢字が更に増えたとしても表外漢字との併用が前提となる。その表外漢字の字体は基本的に印刷標準字体であるので、表内に入れば、字体を変更するということが繰り返されると、社会における字体の安定性という面で大きな問題となる。

④ JIS規格(JIS X 0213)における改正の経緯を考慮する。
・表外漢字字体表の「答申前文」にある以下の記述に沿って、JIS規格(JIS X 0213)が平成16年2月に改正され、印刷標準字体及び簡易慣用字体が既に採用されていることを考慮する必要がある。

今後、情報機器の一層の普及が予想される中で、その情報機器に搭載される表外漢字の字体については、表外漢字字体表の趣旨が生かされることが望ましい。このことは、国内の文字コードや国際的な文字コードの問題と直接かかわっており、将来的に文字コードの見直しがある場合、表外漢字字体表の趣旨が生かせる形での改訂が望まれる。改訂に当たっては、関係各機関の十分な連携と各方面への適切な配慮の下に検討される必要があろう。(平成12年12月8日国語審議会答申「表外漢字字体表」前文)

・今回、字体を変更することは、表外漢字字体表に従って改正された文字コード及びそれに基づいて搭載される情報機器の字体に大きな混乱をもたらすことになる。

また、個々の漢字の字体については、現行の常用漢字表同様、印刷文字として、明朝体が現在最も広く用いられているので、便宜上、そのうちの一種を例に用いて

示した。このことは，ここに用いたものによって，現在行われている各種の明朝体のデザイン上の差異を問題にしようとするものではない。この点についても，現行の常用漢字表と同様である。(「(付)字体についての解説」参照)

なお，現行の常用漢字表に示されている通用字体については一切変更しないが，これも上記の理由(特に①及び②)に基づく判断である。

(3) 手書き字形に対する手当て等

上記(2)で述べた方針を採った場合，現行の常用漢字表で示す「通用字体」と異なるものが一部採用されることになる。特に「しんにゅう」「しょくへん」については，同じ「しんにゅう／しょくへん」でありながら，現行の「辶／飠」の字形に対して「辶／𩙿」の字形が混在することになる。

この点に関し，印刷文字に対する手当てとしては，

> 「しんにゅう／しょくへん」にかかわる字のうち，「辶／𩙿」の字形が通用字体であるものについては，「辶／飠」の字形を角括弧に入れて許容字体として併せ示した。当該の字に関して，現に印刷文字として許容字体を用いている場合，通用字体である「辶／𩙿」の字形に改める必要はない。

という「字体の許容」を行い，更に当該の字の備考欄には，角括弧を付したものが「許容字体」であることを注記した。「字体の許容」を適用するのは，具体的には「遡(遡)・遜(遜)・謎(謎)・餌(餌)・餅(餅)」の5字(いずれも括弧の中が許容字体)である。

また，手書き字形(=「筆写の楷書字形」)に対する手当てとしては，「しんにゅう」「しょくへん」に限らず，印刷文字字形と手書き字形との関係について，現行常用漢字表にある「(付)字体についての解説」，表外漢字字体表にある「印刷文字字形(明朝体字形)と筆写の楷書字形との関係」を踏襲しながら，実際に手書きをする際の参考となるよう，更に具体例を増やして記述した。

「しんにゅう」の印刷文字字形である「辶／辶」に関して付言すれば，どちらの印刷文字字形であっても，手書き字形としては同じ「辶」の形で書くことが一般的である，という認識を社会全般に普及していく必要がある。(「(付)字体についての解説」参照)

5. その他関連事項

　以上のとおり改定常用漢字表を作成することに伴って，これに関連する漢字政策の定期的な見直しの必要性や，学校教育にかかわる漢字指導の扱いなどの問題については，次のように考えた。

(1) 漢字政策の定期的な見直し

　現代のような変化の激しい時代にあっては，「言葉に関する施策」についても，定期的な見直しが必要である。特に漢字表のように現在進行しつつある書記環境の変化と密接にかかわる国語施策については，この点への配慮が必要である。今後，定期的に漢字表の見直しを行い，必要があれば改定していくことが不可欠となる。

　この意味で，定期的・計画的な漢字使用の実態調査を実施していくことが重要である。漢字表の改定が必要かどうかについては，その調査結果を踏まえ，
　① 言語そのものの変化という観点
　② 言語にかかわる環境の変化という観点
という二つの観点に基づいて，社会的な混乱が生じないよう，慎重に判断すべきである。なお，②の変化とは具体的には，情報機器の普及によって生じた書記手段の変化等を指すものである。

(2) 学校教育における漢字指導

　現行常用漢字表の「答申前文」に示された以下の考え方を継承し，改定常用漢字表の趣旨を学校教育においてどのように具体化するかについては，これまでどおり教育上の適切な措置にゆだねる。

　常用漢字表は，その性格で述べたとおり，一般の社会生活における漢字使用の目安として作成したものであるが，学校教育においては，常用漢字表の趣旨，内容を考慮して漢字の教育が適切に行われることが望ましい。
　なお，義務教育期間における漢字の指導については，常用漢字表に掲げる漢字のすべてを対象としなければならないものではなく，その扱いについては，従来の漢字の教育の経緯を踏まえ，かつ，児童生徒の発達段階等に十分配慮した，別途の教育上の適切な措置にゆだねることとする。
（昭和56年3月23日国語審議会答申「常用漢字表」前文）

(3) 国語の表記にかかわる基準等

現行の常用漢字表の実施に伴い，各分野で行われてきている国語の表記や表現についての基準等がある場合，改定常用漢字表の趣旨・内容を踏まえ，かつ，各分野でのこれまでの実施の経験等に照らして，必要な改定を行うなど適切な措置を取ることが望ましい。

(付) 字体についての解説

第1 明朝体のデザインについて

改定常用漢字表では，個々の漢字の字体(文字の骨組み)を，明朝体のうちの一種を例に用いて示した。現在，一般に使用されている明朝体の各種書体には，同じ字でありながら，微細なところで形の相違の見られるものがある。しかし，各種の明朝体を検討してみると，それらの相違はいずれも書体設計上の表現の差，すなわちデザインの違いに属する事柄であって，字体の違いではないと考えられるものである。つまり，それらの相違は，字体の上からは全く問題にする必要のないものである。以下に，分類して，その例を示す。

なお，ここに挙げているデザイン差は，現実に異なる字形がそれぞれ使われていて，かつ，その実態に配慮すると，字形の異なりを字体の違いと考えなくてもよいと判断したものである。すなわち，実態として存在する異字形を，デザインの差と，字体の差に分けて整理することがその趣旨であり，明朝体字形を新たに作り出す場合に適用し得るデザイン差の範囲を示したものではない。また，ここに挙げているデザイン差は，おおむね「筆写の楷書字形において見ることができる字形の異なり」ととらえることも可能である。

1. へんとつくり等の組合せ方について
   (1) 大小，高低などに関する例

   硬 硬　吸 吸　頃 頃

   (2) はなれているか，接触しているかに関する例

   睡 睡　異←異←　挨 挨

2. 点画の組合せ方について
(1) 長短に関する例

　　雪 雪 雪　満 満　無 無　斎 斎

(2) つけるか, はなすかに関する例

　　　発 発　備 備　奔 奔　溺 溺

　　　空 空　湿 湿　吹 吹　冥 冥

(3) 接触の位置に関する例

　　　岸 岸　家 家　脈 脈 脈

　　　蚕 蚕　印 印　蓋 蓋

(4) 交わるか, 交わらないかに関する例

　　　聴 聴　非 非　祭 祭

　　　存 存　孝 孝　射 射

(5) その他

　　　芽 芽 芽　夢 夢 夢

3. 点画の性質について
(1) 点か, 棒(画)かに関する例

　　　帰 帰　班 班　均 均　麗 麗　蔑 蔑

(2) 傾斜, 方向に関する例

　　　考 考　値 値　望 望

(3) 曲げ方, 折り方に関する例

　　　勢 勢　競 競　頑 頑 頑　災 災

付録2 常用漢字表 答申（基本的な考え方）

(4) 「筆押さえ」等の有無に関する例

芝芝 更更 伎伎
八八八 公公公 雲雲

(5) とめるか，はらうかに関する例

環環 泰泰 談談
医医 継継 園園

(6) とめるか，ぬくかに関する例

耳耳 邦邦 街街 餌餌

(7) はねるか，とめるかに関する例

四四 配配 換換 湾湾

(8) その他

次次 姿姿

4. 特定の字種に適用されるデザイン差について

「特定の字種に適用されるデザイン差」とは，以下の(1)〜(5)それぞれの字種にのみ適用されるデザイン差のことである。したがって，それぞれに具体的な字形として示されているデザイン差を他の字種にまで及ぼすことはできない。

なお，(4)に掲げる「叱」と「𠮟」は本来別字とされるが，その使用実態から見て，異体の関係にある同字と認めることができる。

(1) 牙・牙・牙

(2) 韓・韓・韓

(3) 茨・茨・茨

(4) 叱・𠮟

(5) 栃・栃

第2 明朝体と筆写の楷書との関係について

　改定常用漢字表では，個々の漢字の字体（文字の骨組み）を，明朝体のうちの一種を例に用いて示した。このことは，これによって筆写の楷書における書き方の習慣を改めようとするものではない。字体としては同じであっても，1，2に示すように明朝体の字形と筆写の楷書の字形との間には，いろいろな点で違いがある。それらは，印刷文字と手書き文字におけるそれぞれの習慣の相違に基づく表現の差と見るべきものである。

　さらに，印刷文字と手書き文字におけるそれぞれの習慣の相違に基づく表現の差は，3に示すように，字体（文字の骨組み）の違いに及ぶ場合もある。

　以下に，分類して，それぞれの例を示す。いずれも「明朝体―手書き（筆写の楷書）」という形で，左側に明朝体，右側にそれを手書きした例を示す。

1. 明朝体に特徴的な表現の仕方があるもの
   (1) 折り方に関する例

   衣－衣　　去－去　　玄－玄

   (2) 点画の組合せ方に関する例

   人－人　　家－家　　北－北

   (3) 「筆押さえ」等に関する例

   芝－芝　　史－史

   入－入　　八－八

   (4) 曲直に関する例

   子－子　　手－手　　了－了

   (5) その他

   辶・辶－辶　　竹－ケケ　　心－心

2. 筆写の楷書では，いろいろな書き方があるもの
   (1) 長短に関する例

   雨 － 雨 雨　　　戸 － 戸 戸 戸
   無 － 無 無

   (2) 方向に関する例

   風 － 風 風　　　比 － 比 比
   仰 － 仰 仰
   糸 － 糸 糸　　ネ － ネ ネ　　ネ － ネ ネ
   主 － 主 主　　　言 － 言 言 言
   年 － 年 年 年

   (3) つけるか，はなすかに関する例

   又 － 又 又　　　文 － 文 文
   月 － 月 月
   条 － 条 条　　　保 － 保 保

   (4) はらうか，とめるかに関する例

   奥 － 奥 奥　　　公 － 公 公
   角 － 角 角　　　骨 － 骨 骨

   (5) はねるか，とめるかに関する例

   切 － 切 切 切　　改 － 改 改 改
   酒 － 酒 酒　　　陸 － 陸 陸 陸

宀 － 宀 宀 宀
木 － 木 木
糸 － 糸 糸 来 － 来 来
環 － 環 環 牛 － 牛 牛

(6) その他

令 － 令 令　　外 － 外 外 外
女 － 女 女　　叱 － 叱 叱 叱

3. 筆写の楷書字形と印刷文字字形の違いが、字体の違いに及ぶもの

　以下に示す例で、括弧内は印刷文字である明朝体の字形に倣って書いたものであるが、筆写の楷書ではどちらの字形で書いても差し支えない。なお、括弧内の字形の方が、筆写字形としても一般的な場合がある。

(1) 方向に関する例

淫 － 淫（淫）　　恣 － 恣（恣）
煎 － 煎（煎）　　嘲 － 嘲（嘲）
溺 － 溺（溺）　　蔽 － 蔽（蔽）

(2) 点画の簡略化に関する例

葛 － 葛（葛）　　嗅 － 嗅（嗅）
僅 － 僅（僅）　　餌 － 餌（餌）
箋 － 箋（箋）　　填 － 填（填）
賭 － 賭（賭）　　頬 － 頬（頬）

(3) その他

惧 − 惧（惧）　　稽 − 稽（稽）
詮 − 詮（詮）　　捗 − 捗（捗）
剝 − 剥（剥）　　喩 − 喩（喩）

付録3　学年別漢字配当表(教育漢字表)

　この表は平成元年3月15日告示の「小学校学習指導要領」(平成4年4月1日施行)で改正された「(別表)学年別漢字配当表」である。平成10年12月14日告示の「小学校学習指導要領」(平成14年4月1日施行)でも，この表自体に変更はない。

　学習指導要領では，漢字の指導について学年ごとに内容を示しているほか，次のように取り扱うとしている。

ア　学年ごとに配当されている漢字は，児童の学習負担に配慮しつつ，必要に応じて，当該学年以前の学年又は当該学年以降の学年において指導することもできること。

イ　当該学年より後の学年に配当されている漢字及びそれ以外の漢字を必要に応じて提示する場合は，振り仮名を付けるなど，児童の学習負担が過重にならないよう配慮すること。

ウ　漢字の指導においては，学年別漢字配当表に示す漢字の字体を標準とすること。

第一学年	一右雨円王音下火花貝学気九休玉金空月犬見五口校左三山子四糸字耳七車手十出女小上森人水正生青夕石赤千川先早草足村大男竹中虫町天田土二日入年白八百文木本名目立力林六 (80字)

第二学年	引羽雲園遠何科夏家歌画回会海絵外角楽活間丸岩顔汽記帰弓牛魚京強教近兄形計元言原戸古午後語工公広交光考行高黄合谷国黒今才細作算止市矢姉思紙寺自時室社弱首秋週春書少場色食心新親図数西声星晴切雪船線前組走多太体台地池知茶昼長鳥朝直通弟店点電刀冬当東答頭同道読内南肉馬売買麦半番父風分聞米歩母方北毎妹万明鳴毛門夜野友用曜来里理話 (160字)
第三学年	悪安暗医委意育員院飲運泳駅央横屋温化荷界開階寒感漢館岸起期客究急級宮球去橋業曲局銀区苦具君係軽血決研県庫湖向幸港号根祭皿仕死使始指歯詩次事持式実写者主守取酒受州拾終習集住重宿所暑助昭消商章勝乗植申身神真深進世整昔全相送想息速族他打対待代第題炭短談着注柱丁帳調追定庭笛鉄転都度投豆島湯登等動童農波配倍箱畑発反坂板皮悲美鼻筆氷表秒病品負部服福物平返勉放味命面問役薬由油有遊予羊洋葉陽様落流旅両緑礼列練路和 (200字)

付録3 学年別漢字配当表(教育漢字表)

第四学年	愛案以衣位囲胃印英栄塩億加果貨課芽改械害街各覚完官管関観願希季紀喜旗器機議求泣救給挙漁共協鏡競極訓軍郡径型景芸欠結建健験固功好候航康告差菜最材昨札刷殺察参産散残士氏史司試児治辞失借種周祝順初松笑唱焼象照賞臣信成省清静席積折節説浅戦選然争倉巣束側続卒孫帯隊達単置仲貯兆腸低底停的典伝徒努灯堂働特得毒熱念敗梅博飯飛費必票標不夫付府副粉兵別辺変便包法望牧末満未脈民無約勇要養浴利陸良料量輪類令冷例歴連老労録 (200字)
第五学年	圧移因永営衛易益液演応往桜恩可仮価河過賀快解格確額刊幹慣眼基寄規技義逆久旧居許境均禁句群経潔件券険検限現減故個護効厚耕鉱構興講混査再災妻採際在財罪雑酸賛支志枝師資飼示似識質舎謝授修述術準序招承証条状常情織職制性政勢精製税責績接設舌絶銭祖素総造像増則測属率損退貸態団断築張提程適敵統銅導徳独任燃能破犯判版比肥非備俵評貧布婦富武復複仏編弁保墓報豊防貿暴務夢迷綿輸余預容略留領 (185字)

付録3 学年別漢字配当表(教育漢字表)

第六学年	異遺域宇映延沿我灰拡革閣割株干巻看簡危机揮貴疑吸供胸郷勤筋系敬警劇激穴絹権憲源厳己呼誤后孝皇紅降鋼刻穀骨困砂座済裁策冊蚕至私姿視詞誌磁射捨尺若樹収宗就衆従縦縮熟純処署諸除将傷障城蒸針仁垂推寸盛聖誠宣専泉洗染善奏窓創装層操蔵臓存尊宅担探誕段暖値宙忠著庁頂潮賃痛展討党糖届難乳認納脳派拝背肺俳班晩否批秘腹奮並陛閉片補暮宝訪亡忘棒枚幕密盟模訳郵優幼欲翌乱卵覧裏律臨朗論　　　　　　　　　　　　　　　　(181字)

付録4　ローマ字のつづり方

〈参考　ローマ字のつづり方の実施に関する訓令，告示およびまえがき〉

⊙**内閣訓令第1号**　　　　　　　　　　　　　　　　　　　　各　官　庁

　ローマ字のつづり方の実施について

　国語を書き表わす場合に用いるローマ字のつづり方については，昭和12年9月21日内閣訓令第3号をもってその統一を図り，漸次これが実行を期したのであるが，その後，再びいくつかの方式が並び行われるようになり，官庁等の事務処理，一般社会生活，また教育・学術のうえにおいて，多くの不便があった。これを統一し，単一化することは，事務能率を高め，教育の効果をあげ，学術の進歩を図るうえに資するところが少なくないと信ずる。

　よって政府は，今回国語審議会の建議の趣旨を採択して，よりどころとすべきローマ字のつづり方を，本日，内閣告示第1号をもって告示した。今後各官庁において，ローマ字で国語を書き表わす場合には，このつづり方によるとともに，広く各方面に，この使用を勧めて，その制定の趣旨が徹底するように努めることを希望する。

　なお，昭和12年9月21日内閣訓令第3号は，廃止する。

　　昭和29年12月9日

　　　　　　　　　　　　　　　　　　　　内閣総理大臣　　吉　田　　茂

⊙**内閣告示第1号**

　国語を書き表わす場合に用いるローマ字のつづり方を次のように定める。

　　昭和29年12月9日

　　　　　　　　　　　　　　　　　　　　内閣総理大臣　　吉　田　　茂

　　ローマ字のつづり方　まえがき

1　一般に国語を書き表わす場合は，第1表に掲げたつづり方によるものとする。

2　国際的関係その他従来の慣例をにわかに改めがたい事情にある場合に限り，第2表に掲げたつづり方によってもさしつかえない。

3　前2項のいずれの場合においても，おおむねそえがきを適用する。

付録4 ローマ字のつづり方

そえがき

前表に定めたもののほか,おおむね次の各項による。
(1) はねる音「ン」はすべてnと書く。
(2) はねる音を表わすnと次にくる母音字またはyとを切り離す必要がある場合には,nの次に'を入れる。
(3) つまる音は,最初の子音字を重ねて表わす。
(4) 長音は母音字の上に＾をつけて表わす。なお,大文字の場合は母音字を並べてもよい。
(5) 特殊音の書き表わし方は自由とする。
(6) 文の書きはじめ,および固有名詞は語頭を大文字で書く。なお,固有名詞以外の名詞の語頭を大文字で書いてもよい。

第1表

a	i	u	e	o			
ka	ki	ku	ke	ko	kya	kyu	kyo
sa	si	su	se	so	sya	syu	syo
ta	ti	tu	te	to	tya	tyu	tyo
na	ni	nu	ne	no	nya	nyu	nyo
ha	hi	hu	he	ho	hya	hyu	hyo
ma	mi	mu	me	mo	mya	myu	myo
ya	(i)	yu	(e)	yo			
ra	ri	ru	re	ro	rya	ryu	ryo
wa	(i)	(u)	(e)	(o)			
ga	gi	gu	ge	go	gya	gyu	gyo
za	zi	zu	ze	zo	zya	zyu	zyo
da	(zi)	(zu)	de	do	(zya)	(zyu)	(zyo)
ba	bi	bu	be	bo	bya	byu	byo
pa	pi	pu	pe	po	pya	pyu	pyo

第2表

sha	shi	shu	sho
		tsu	
cha	chi	chu	cho
		fu	
ja	ji	ju	jo
di	du	dya	dyu	dyo
kwa			
gwa			
			wo

付録5 現代仮名遣い

(編者注)
昭和61年7月1日内閣告示第1号。
　一般の社会生活において現代の国語を書き表すための仮名遣いのよりどころを定めたもので，昭和21年内閣告示「現代かなづかい」に代わるもの。
　平成22年11月30日内閣告示第4号で一部改正となった。

　前　書　き
1　この仮名遣いは，語を現代語の音韻に従って書き表すことを原則とし，一方，表記の慣習を尊重して一定の特例を設けるものである。
2　この仮名遣いは，法令，公用文書，新聞，雑誌，放送など，一般の社会生活において，現代の国語を書き表すための仮名遣いのよりどころを示すものである。
3　この仮名遣いは，科学，技術，芸術その他の各種専門分野や個々人の表記にまで及ぼそうとするものではない。
4　この仮名遣いは，主として現代文のうち口語体のものに適用する。原文の仮名遣いによる必要のあるもの，固有名詞などでこれによりがたいものは除く。
5　この仮名遣いは，擬声・擬態的描写や嘆声，特殊な方言音，外来語・外来音などの書き表し方を対象とするものではない。
6　この仮名遣いは，「ホオ・ホホ(頬)」「テキカク・テッカク(的確)」のような発音にゆれのある語について，その発音をどちらかに決めようとするものではない。
7　この仮名遣いは，点字，ローマ字などを用いて国語を書き表す場合のきまりとは必ずしも対応するものではない。
8　歴史的仮名遣いは，明治以降，「現代かなづかい」(昭和21年内閣告示第33号)の行われる以前には，社会一般の基準として行われていたものであり，今日においても，歴史的仮名遣いで書かれた文献などを読む機会は多い。歴史的仮名遣いが，我が国の歴史や文化に深いかかわりをもつものとして，尊重されるべきことは言うまでもない。また，この仮名遣いにも歴史的仮名遣いを受け継いでいるところがあり，この仮名遣いの理解を深める上で，歴史的仮名遣いを知ることは有用である。付表において，この仮名遣いと歴史的仮名遣いとの対照を示すのはそのためである。

本　文

凡　例
1　原則に基づくきまりを第1に示し，表記の慣習による特例を第2に示した。
2　例は，おおむね平仮名書きとし，適宜，括弧内に漢字を示した。常用漢字表に掲げられていない漢字及び音訓には，それぞれ＊印及び△印をつけた。

第1　語を書き表すのに，現代語の音韻に従って，次の仮名を用いる。
　　　ただし，下線を施した仮名は，第2に示す場合にだけ用いるものである。

1　直音

　　　あ　い　う　え　お
　　　か　き　く　け　こ　　が　ぎ　ぐ　げ　ご
　　　さ　し　す　せ　そ　　ざ　じ　ず　ぜ　ぞ
　　　た　ち　つ　て　と　　だ　<u>ぢ</u>　<u>づ</u>　で　ど
　　　な　に　ぬ　ね　の
　　　は　ひ　ふ　へ　ほ　　ば　び　ぶ　べ　ぼ
　　　　　　　　　　　　　　ぱ　ぴ　ぷ　ぺ　ぽ
　　　ま　み　む　め　も
　　　や　　　ゆ　　　よ
　　　ら　り　る　れ　ろ
　　　わ　　　　　　　<u>を</u>

　例　あさひ(朝日)　きく(菊)　さくら(桜)　ついやす(費)　にわ(庭)
　　　ふで(筆)　もみじ(紅葉)　ゆずる(譲)　れきし(歴史)　わかば(若葉)
　　　えきか(液化)　せいがくか(声楽家)　さんぽ(散歩)

2　拗音（よう）

　　　きゃ　きゅ　きょ　　ぎゃ　ぎゅ　ぎょ
　　　しゃ　しゅ　しょ　　じゃ　じゅ　じょ
　　　ちゃ　ちゅ　ちょ　　<u>ぢゃ</u>　<u>ぢゅ</u>　<u>ぢょ</u>
　　　にゃ　にゅ　にょ
　　　ひゃ　ひゅ　ひょ　　びゃ　びゅ　びょ
　　　　　　　　　　　　　ぴゃ　ぴゅ　ぴょ
　　　みゃ　みゅ　みょ
　　　りゃ　りゅ　りょ

例　しゃかい(社会)　しゅくじ(祝辞)　かいじょ(解除)　りゃくが(略画)
　　〔注意〕　拗音に用いる「や，ゆ，よ」は，なるべく小書きにする。

3　撥音
　　　ん
　　例　まなんで(学)　みなさん　しんねん(新年)　しゅんぶん(春分)

4　促音
　　　っ
　　例　はしって(走)　かっき(活気)　がっこう(学校)　せっけん(石鹸)
　　〔注意〕　促音に用いる「つ」は，なるべく小書きにする。

5　長音
　(1)　ア列の長音
　　　　　ア列の仮名に「あ」を添える。
　　例　おかあさん　おばあさん
　(2)　イ列の長音
　　　　　イ列の仮名に「い」を添える。
　　例　にいさん　おじいさん
　(3)　ウ列の長音
　　　　　ウ列の仮名に「う」を添える。
　　例　おさむうございます(寒)　くうき(空気)　ふうふ(夫婦)
　　　　うれしゅう存じます　きゅうり　ぼくじゅう(墨汁)　ちゅうもん(注文)
　(4)　エ列の長音
　　　　　エ列の仮名に「え」を添える。
　　例　ねえさん　ええ(応答の語)
　(5)　オ列の長音
　　　　　オ列の仮名に「う」を添える。
　　例　おとうさん　とうだい(灯台)
　　　　わこうど(若人)　おうむ
　　　　かおう(買)　あそぼう(遊)　おはよう(早)
　　　　おうぎ(扇)　ほうる(放)　とう(塔)
　　　　よいでしょう　はっぴょう(発表)
　　　　きょう(今日)　ちょうちょう(蝶々)

第2 特定の語については，表記の慣習を尊重して，次のように書く。

1 助詞の「を」は，「を」と書く。
  例 本を読む 岩をも通す 失礼をばいたしました
    やむをえない いわんや…をや よせばよいものを
    てにをは

2 助詞の「は」は，「は」と書く。
  例 今日は日曜です 山では雪が降りました
    あるいは または もしくは
    いずれは さては ついては ではさようなら とはいえ
    惜しむらくは 恐らくは 願わくは
    これはこれは こんにちは こんばんは
    悪天候ももものかは
  〔注意〕 次のようなものは，この例にあたらないものとする。
    いまわの際 すわ一大事
    雨も降るわ風も吹くわ 来るわ来るわ きれいだわ

3 助詞の「へ」は，「へ」と書く。
  例 故郷へ帰る …さんへ 母への便り 駅へは数分

4 動詞の「いう(言)」は，「いう」と書く。
  例 ものをいう(言) いうまでもない 昔々あったという
    どういうふうに 人というもの こういうわけ

5 次のような語は，「ぢ」「づ」を用いて書く。
  (1) 同音の連呼によって生じた「ぢ」「づ」
    例 ちぢみ(縮) ちぢむ ちぢれる ちぢこまる
      つづみ(鼓) つづら つづく(続) つづめる(約) つづる(綴)
    〔注意〕「いちじく」「いちじるしい」は，この例にあたらない。
  (2) 二語の連合によって生じた「ぢ」「づ」
    例 はなぢ(鼻血) そえぢ(添乳) もらいぢち そこぢから(底力)
      ひぢりめん
      いれぢえ(入知恵) ちゃのみぢゃわん

まぢか(間近)　こぢんまり
ちかぢか(近々)　ちりぢり
みかづき(三日月)　たけづつ(竹筒)　たづな(手綱)　ともづな
にいづま(新妻)　けづめ　ひづめ　ひげづら
おこづかい(小遣)　あいそづかし　わしづかみ　こころづくし(心尽)
てづくり(手作)　こづつみ(小包)　ことづて　はこづめ(箱詰)
はたらきづめ　みちづれ(道連)
かたづく　こづく(小突)　どくづく　もとづく　うらづける　ゆきづまる
ねばりづよい
つねづね(常々)　つくづく　つれづれ

　なお，次のような語については，現代語の意識では一般に二語に分解しにくいもの等として，それぞれ「じ」「ず」を用いて書くことを本則とし，「せかいぢゅう」「いなづま」のように「ぢ」「づ」を用いて書くこともできるものとする。

例　せかいじゅう(世界中)
いなずま(稲妻)　かたず(固唾)　きずな(絆)　さかずき(杯)
ときわず　ほおずき　みみずく
うなずく　おとずれる(訪)　かしずく　つまずく　ぬかずく　ひざまずく
あせみずく　くんずほぐれつ　さしずめ　でずっぱり　なかんずく
うでずく　くろずくめ　ひとりずつ
ゆうずう(融通)

〔注意〕　次のような語の中の「じ」「ず」は，漢字の音読みでもともと濁っているものであって，上記(1)，(2)のいずれにもあたらず，「じ」「ず」を用いて書く。

例　じめん(地面)　ぬのじ(布地)
ずが(図画)　りゃくず(略図)

6　次のような語は，オ列の仮名に「お」を添えて書く。
例　おおかみ　おおせ(仰)　おおやけ(公)　こおり(氷・郡)　こおろぎ
ほお(頬・朴)　ほおずき　ほのお(炎)　とお(十)
いきどおる(憤)　おおう(覆)　こおる(凍)　しおおせる　とおる(通)
とどこおる(滞)　もよおす(催)
いとおしい　おおい(多)　おおきい(大)　とおい(遠)
おおむね　おおよそ

これらは、歴史的仮名遣いでオ列の仮名に「ほ」又は「を」が続くものであって、オ列の長音として発音されるか、オ・オ、コ・オのように発音されるかにかかわらず、オ列の仮名に「お」を添えて書くものである。

付記

　次のような語は、エ列の長音として発音されるか、エイ、ケイなどのように発音されるかにかかわらず、エ列の仮名に「い」を添えて書く。

　　例　かれい　せい(背)
　　　　かせいで(稼)　まねいて(招)　春めいて
　　　　へい(塀)　めい(銘)　れい(例)
　　　　えいが(映画)　とけい(時計)　ていねい(丁寧)

付　　表

凡　例

1　現代語の音韻を目印として，この仮名遣いと歴史的仮名遣いとの主要な仮名の使い方を対照させ，例を示した。
2　音韻を表すのには，片仮名及び長音符号「ー」を用いた。
3　例は，おおむね漢字書きとし，仮名の部分は歴史的仮名遣いによった。常用漢字表に掲げられていない漢字及び音訓には，それぞれ＊印及び△印をつけ，括弧内に仮名を示した。
4　ジの音韻の項には，便宜，拗音の例を併せ挙げた。

現代語の音韻	この仮名遣いで用いる仮名	歴史的仮名遣いで用いる仮名	例
イ	い	い ゐ ひ	石　報いる　赤い　意図　愛 井戸　居る　参る　胃　権威 貝　合図　費やす　思ひ出　恋しさ
ウ	う	う ふ	歌　馬　浮かぶ　雷雨　機運 買ふ　吸ふ　争ふ　危ふい
エ	え	え ゑ へ	柄　枝　心得　見える　栄誉 声　植ゑる　絵　円　知恵 家　前　考へる　帰る　救へ
	へ	へ	西へ進む
オ	お	お を ほ ふ	奥　大人　起きる　お話　雑音 男　十日　踊る　青い　悪寒 顔　氷　滞る　直す　大きい 仰ぐ　倒れる
	を	を	花を見る
カ	か	か くわ	蚊　紙　静か　家庭　休暇 火事　歓迎　結果　生活　愉快
ガ	が	が ぐわ	石垣　学問　岩石　生涯　発芽 画家　外国　丸薬　正月　念願
ジ	じ	じ	初め　こじあける　字　自慢　術語

		ぢ	味 恥ぢる 地面 女性 正直
	ぢ	ぢ	縮む 鼻血 底力 近々 入れ知恵
ズ	ず	ず	鈴 物好き 知らずに 人数 洪水
		づ	水 珍しい 一つづつ 図画 大豆
	づ	づ	鼓 続く 三日月 塩漬け 常々
ワ	わ	わ	輪 泡 声色 弱い 和紙
		は	川 回る 思はず 柔らか
			琵琶*(びは)
	は	は	我は海の子 又は
ユー	ゆう	ゆう	勇気 英雄 金融
		ゆふ	夕方
		いう	遊戯 郵便 勧誘 所有
		いふ	都邑*(といふ)
	いう	いふ	言ふ
オー	おう	おう	負うて 応答 欧米
		あう	桜花 奥義 中央
		あふ	扇 押収 凹凸
		わう	弱う 王子 往来 卵黄
		はう	買はう 舞はう 怖うございます
コー	こう	こう	功績 拘束 公平 気候 振興
		こふ	劫*(こふ)
		かう	咲かう 赤う かうして 講義 健康
		かふ	甲乙 太閤*(たいかふ)
		くわう	光線 広大 恐慌 破天荒
ゴー	ごう	ごう	皇后
		ごふ	業 永劫*(えいごふ)
		がう	急がう 長う 強引 豪傑 番号
		がふ	合同
		ぐわう	轟音*(ぐわうおん)
ソー	そう	そう	僧 総員 競走 吹奏 放送

		さう	話さう 浅う さうして 草案 体操
		さふ	挿話
ゾー	ぞう	ぞう	増加 憎悪 贈与
		ざう	象 蔵書 製造 内臓 仏像
		ざふ	雑煮
トー	とう	とう	弟 統一 冬至 暴投 北東
		たう	峠 勝たう 痛う 刀剣 砂糖
		たふ	塔 答弁 出納
ドー	どう	どう	どうして 銅 童話 運動 空洞
		だう	堂 道路 葡萄(ぶだう)
		だふ	問答
ノー	のう	のう	能 農家 濃紺
		のふ	昨日
		なう	死なう 危なうございます 脳 苦悩
		なふ	納入
ホー	ほう	ほう	奉祝 俸給 豊年 霊峰
		ほふ	法会
		はう	葬る 包囲 芳香 解放
		はふ	はふり投げる はふはふの体 法律
ボー	ぼう	ぼう	某 貿易 解剖 無謀
		ぼふ	正法
		ばう	遊ばう 飛ばう 紡績 希望 堤防
		ばふ	貧乏
ポー	ぽう	ぽう	本俸 連峰
		ぽふ	説法
		ぱう	鉄砲 奔放 立方
		ぱふ	立法
モー	もう	もう	もう一つ 啓蒙(けいもう)
		まう	申す 休まう 甘う 猛獣 本望

ヨー	よう	よう	見よう　ようございます　用　容易　中庸
		やう	八日　早う　様子　洋々　太陽
		えう	幼年　要領　童謡　日曜
		えふ	紅葉
ロー	ろう	ろう	楼　漏電　披露
		ろふ	かげろふ　ふくろふ
		らう	祈らう　暗う　廊下　労働　明朗
		らふ	候文　蠟燭(らふそく)
キュー	きゅう	きゆう	弓術　宮殿　貧窮
		きう	休養　丘陵　永久　要求
		きふ	及第　急務　給与　階級
ギュー	ぎゅう	ぎう	牛乳
シュー	しゅう	しゆう	宗教　衆知　終了
		しう	よろしう　周囲　収入　晩秋
		しふ	執着　習得　襲名　全集
ジュー	じゅう	じゆう	充実　従順　臨終　猟銃
		じう	柔軟　野獣
		じふ	十月　渋滞　墨汁
		ぢゆう	住居　重役　世界中
チュー	ちゅう	ちゆう	中学　裏心　注文　昆虫
		ちう	抽出　鋳造　宇宙　白昼
ニュー	にゅう	にゆう	乳酸
		にう	柔和
		にふ	埴生(はにふ)　入学
ヒュー	ひゅう	ひう	日向(ひうが)
ビュー	びゅう	びう	誤謬(ごびう)
リュー	りゅう	りゆう	竜　隆盛
		りう	留意　流行　川柳
		りふ	粒子　建立

キョー	きょう	きよう きやう けう けふ	共通　恐怖　興味　吉凶 兄弟　鏡台　経文　故郷　熱狂 教育　矯正　絶叫　鉄橋 今日　脅威　協会　海峡
ギョー	ぎょう	ぎよう ぎやう げう げふ	凝集 仰天　修行　人形 今暁 業務
ショー	しょう	しよう しやう せう せふ	昇格　承諾　勝利　自称　訴訟 詳細　正直　商売　負傷　文章 見ませう　小説　消息　少年　微笑 交渉
ジョー	じょう	じよう じやう ぜう ぢやう でう でふ	冗談　乗馬　過剰 成就　上手　状態　感情　古城 ＊饒舌（ぜうぜつ） 定石　丈夫　市場　令嬢 箇条 ＊一帖（いちでふ）　六畳
	ぢょう	ぢやう でう	盆提灯（ぼんぢやうちん） 一本調子
チョー	ちょう	ちよう ちやう てう てふ	徴収　清澄　尊重 腸　町会　聴取　長短　手帳 調子　朝食　弔電　前兆　野鳥 ＊蝶（てふ）
ニョー	にょう	にょう ねう	女房 尿
ヒョー	ひょう	ひよう ひやう へう	氷山 拍子　評判　兵糧 表裏　土俵　投票
ビョー	びょう	びやう べう	病気　平等 秒読み　描写

ピョー	ぴょう	ぴよう ぴやう ぺう	結氷　信憑性*(しんぴようせい) 論評 一票　本表
ミョー	みょう	みやう めう	名代　明日　寿命 妙技
リョー	りょう	りよう りやう れう れふ	丘陵 領土　両方　善良　納涼　分量 寮　料理　官僚　終了 漁　猟

〈編集事務局〉　　　　吉沢 信、井上裕之、山下洋子、柴田 実、小板橋靖夫
〈放送用語班〉　　　　田中伊式、塩田雄大、太田眞希恵、坂本 充、豊島秀雄
〈放送用語班統括〉　　杉原 満
〈メディア研究部長〉　原由美子
〈編集協力〉　　　　　中川秀太
〈事務局スタッフ〉　　山崎結城、本多 葵、虎岩千賀子、細田千明
〈校正〉　　　　　　　鶴田万里子、広地ひろ子
〈装丁〉　　　　　　　諸藤剛司

NHK 漢字表記辞典

2011 年 3 月 20 日　第 1 刷発行
2023 年 11 月 10 日　第 14 刷発行

編　者	NHK 放送文化研究所 ©2011　NHK
発行者	松本浩司
発行所	NHK 出版

〒150-0042
東京都渋谷区宇田川町 10-3
電話 0570-009-321（問い合わせ）
　　 0570-000-321（注文）
ホームページ　https://www.nhk-book.co.jp

印　刷	三秀舎・近代美術
製　本	ブックアート

本書の無断複写（コピー、スキャン、デジタル化など）は、著作権法上の例外を除き、著作権侵害となります。
乱丁・落丁本はお取り替えいたします。
定価はケースに表示してあります。

Printed in Japan　ISBN978-4-14-011299-1 C2581